MENSONGES SUR LE PLATEAU MONT-ROYAL

DU MÊME AUTEUR

Saga Le Petit Monde de Saint-Anselme :

Tome I, *Le petit monde de Saint-Anselme, chronique des années 30*, roman, Montréal, Guérin, 2003, format poche, 2011.

Tome II, *L'enracinement, chronique des années 50*, roman, Montréal, Guérin, 2004, format poche, 2011.

Tome III, *Le temps des épreuves, chronique des années 80*, roman, Montréal, Guérin, 2005, format poche, 2011.

Tome IV, *Les héritiers, chronique de l'an 2000*, roman, Montréal, Guérin, 2006, format poche, 2011.

Saga La Poussière du temps :

Tome I, *Rue de la Glacière*, roman, Montréal, Hurtubise, 2005, format compact, 2008.

Tome II, *Rue Notre-Dame*, roman, Montréal, Hurtubise, 2005, format compact, 2008.

Tome III, *Sur le boulevard*, roman, Montréal, Hurtubise, 2006, format compact, 2008.

Tome IV, *Au bout de la route*, roman, Montréal, Hurtubise, 2006, format compact, 2008.

L'intégrale (réédition en un volume), roman, Montréal, Hurtubise, 2015.

Saga À l'ombre du clocher :

Tome I, *Les années folles*, roman, Montréal, Hurtubise, 2006, format compact, 2010.

Tome II, *Le fils de Gabrielle*, roman, Montréal, Hurtubise, 2007, format compact, 2010.

Tome III, *Les amours interdites*, roman, Montréal, Hurtubise, 2007, format compact, 2010.

Tome IV, *Au rythme des saisons*, roman, Montréal, Hurtubise, 2008, format compact, 2010.

Saga Chère Laurette :

Tome I, *Des rêves plein la tête*, roman, Montréal, Hurtubise, 2008, format compact, 2011.

Tome II, *À l'écoute du temps*, roman, Montréal, Hurtubise, 2008, format compact, 2011.

Tome III, *Le retour*, roman, Montréal, Hurtubise, 2009, format compact, 2011.

Tome IV, *La fuite du temps*, roman, Montréal, Hurtubise, 2009, format compact, 2011.

Saga Un bonheur si fragile :

Tome I, *L'engagement*, roman, Montréal, Hurtubise, 2009, format compact, 2012.

Tome II, *Le drame*, roman, Montréal, Hurtubise, 2010, format compact, 2012.

Tome III, *Les épreuves*, roman, Montréal, Hurtubise, 2010, format compact, 2012.

Tome IV, *Les amours*, roman, Montréal, Hurtubise, 2010, format compact, 2012.

Saga Au bord de la rivière :

Tome I, *Baptiste*, roman, Montréal, Hurtubise, 2011, format compact, 2014.

Tome II, *Camille*, roman, Montréal, Hurtubise, 2011, format compact, 2014.

Tome III, *Xavier*, roman, Montréal, Hurtubise, 2012, format compact, 2014.

Tome IV, *Constant*, roman, Montréal, Hurtubise, 2012, format compact, 2014.

Michel David

MENSONGES SUR LE PLATEAU MONT-ROYAL

Édition intégrale

Roman historique

Hurtubise

Catalogage avant publication de Bibliothèque et Archives nationales du Québec et Bibliothèque et Archives Canada

David, Michel, 1944-2010

Mensonges sur le Plateau Mont-Royal
2e édition, intégrale.
(Hurtubise compact)
Édition originale : 2013-2014.
Sommaire : t. 1. Un mariage de raison – t. 2. La biscuiterie.
ISBN 978-2-89723-658-8

I. David, Michel, 1944-2010. Mariage de raison. II. David, Michel, 1944-2010. Biscuiterie. III. Titre. IV. Collection : Hurtubise compact.

PS8557.A797M46 2015   C843'.6   C2015-941421-0
PS9557.A797M46 2015

Les Éditions Hurtubise bénéficient du soutien financier du gouvernement du Québec par l'entremise du programme de crédit d'impôt pour l'édition de livres et de la Société de développement des entreprises culturelles du Québec (SODEC). L'éditeur remercie également le Conseil des arts du Canada de l'aide accordée à son programme de publication.

Financé par le gouvernement du Canada | Canadä
Funded by the Government of Canada

Conception graphique de la couverture : René St-Amand
Illustration de la couverture : Dominique Desbiens
Mise en pages : Folio infographie

Copyright © 2013, 2014, 2015 Éditions Hurtubise inc.
ISBN : 978-2-89723-658-8
ISBN version numérique PDF : 978-2-89723-709-7
ISBN version numérique ePub : 978-2-89723-710-3

Dépôt légal : 3e trimestre 2015
Bibliothèque et Archives nationales du Québec
Bibliothèque et Archives Canada

Diffusion-distribution au Canada :
Distribution HMH
1815, avenue De Lorimier,
Montréal (Qc) H2K 3W6
www.distributionhmh.com

Diffusion-distribution en Europe :
Librairie du Québec/DNM
30, rue Gay-Lussac
75005 Paris FRANCE
www.librairieduquebec.fr

Imprimé au Canada
www.editionshurtubise.com

TOME I
Un mariage de raison

Tu peux dormir, le temps nous veille
Une heure, un siècle, une heure encore.
Chaque seconde a sa pareille.

Gilles Vigneault
Au temps de dire

Les principaux personnages

La famille Bélanger

Félicien Bélanger : postier âgé de 52 ans, marié à Amélie (ménagère âgée de 46 ans) et père de Lorraine (22 ans), de Jean (20 ans) et de Claude (14 ans)

Bérengère Bélanger : mère de Félicien âgée de 75 ans et résidant avec ses deux filles célibataires, Camille (46 ans) et Rita (45 ans), toutes deux infirmières à l'hôpital Hôtel-Dieu

La famille Talbot

Fernand Talbot : propriétaire d'une biscuiterie dans la rue Mont-Royal âgé de 55 ans, marié à Yvonne (ménagère de 53 ans) et père de Lorenzo (30 ans), d'Estelle (26 ans, épouse de Charles Caron, dentiste) et de Reine (19 ans)

Voisins et amis

Paul Comtois : camarade de classe de Jean et frère de Blanche

Omer et Adrienne Lussier : frère et sœur, voisins des Bélanger

Édouard Lacombe : petit ami de Lorraine

Wilfrid Tremblay : voisin des Talbot et père d'Antoine

Chapitre 1

Un bel avenir

— Grouille-toi, Bélanger. Je suis complètement gelé, cria l'étudiant qui avait commencé à enrouler le gros boyau qu'ils venaient d'utiliser pour arroser l'une des deux patinoires extérieures du Collège Sainte-Marie.

— Laisse-moi juste une minute, j'ai presque fini, lui demanda son camarade en dirigeant le jet d'eau vers un coin de la surface glacée tout en s'appuyant contre la bande en bois.

Quelques instants plus tard, les deux jeunes hommes, complètement frigorifiés, rentrèrent précipitamment à l'intérieur de l'institution, leurs moufles couvertes de glace.

— C'est bien clair, je sens plus mes pieds ni mes mains, déclara Comtois en tapant bruyamment des pieds sur le parquet dans le vain espoir de les réchauffer.

— J'ai pas plus chaud que toi, rétorqua son copain, mais on n'avait pas le choix de faire ça cet après-midi, même si on gèle tout rond. Tu sais comme moi que si on n'avait pas arrosé, on n'aurait jamais été capables de jouer notre match de hockey demain, après le dernier examen.

— T'as raison. Bon, je me réchauffe cinq minutes et je m'en vais chez nous, annonça Paul Comtois. Il faut que j'aille étudier.

— Moi aussi, je traînerai pas, rétorqua son camarade de classe. J'ai pas envie d'être poigné à attendre le tramway avec les jeunes. Leur examen doit être à la veille de finir.

Les deux grands étudiants de la classe de philosophie I du Collège Sainte-Marie se dirigèrent vers leur casier métallique dans l'intention de troquer leur tuque et leurs moufles pour un chapeau et des gants, ce qui, à leur avis, convenait beaucoup mieux à leur statut de jeunes adultes âgés de vingt ans.

— Bon, on se revoit demain matin, dit Paul Comtois en donnant une bourrade à son camarade avant de se diriger vers la porte.

— C'est ça et oublie pas d'étudier saint Thomas, plaisanta Jean Bélanger en se penchant vers le miroir placé au-dessus des lavabos pour s'assurer de la juste inclinaison de son chapeau.

Le fils de Félicien et d'Amélie Bélanger était un garçon de taille moyenne solidement charpenté à l'épaisse chevelure brune légèrement ondulée. Les jeunes filles appréciaient aussi bien sa mâchoire énergique et son nez droit que ses yeux bruns pétillants de vie. La pratique régulière du hockey et du baseball avait fait de lui un athlète et n'avait nui en rien à ses grandes qualités intellectuelles. Il en était déjà à l'avant-dernière année de son cours classique. Les Jésuites étaient parvenus à faire de l'adolescent, entré dans leur institution à l'automne 1940 à l'âge de treize ans, un jeune homme cultivé à l'avenir prometteur. Jean était un élève qui avait du talent à revendre et qui ne rechignait pas devant l'effort. De plus, il était doué pour se faire des amis, peut-être parce qu'il hésitait rarement à dépanner un camarade.

— Tu trouves pas, mon ami, qu'il serait plus normal que tu sois chez toi en train de préparer ton examen de philosophie de demain plutôt que de traîner au collège à t'admirer dans le miroir ? fit une grosse voix dans le dos de l'étudiant.

Jean sursauta. Il n'avait pas entendu venir le père Patenaude, son professeur de philosophie et son directeur de conscience.

— Je m'en allais justement, mon père, se défendit-il en rougissant légèrement. Je suis resté au collège juste le temps d'arroser la patinoire.

— Parce que le hockey est plus important que ma matière, je suppose ? demanda l'imposant religieux sur un ton sarcastique.

— Non, mon père, mais demain, c'est le dernier examen et on a décidé de jouer une partie après pour fêter le début des vacances.

— Je comprends, fit l'enseignant, mais ne te fie quand même pas trop à ta facilité en philosophie. Tu vas t'apercevoir que l'examen de demain est particulièrement difficile.

Après avoir salué le religieux, Jean Bélanger s'empressa de quitter l'institution de la rue Bleury et se dirigea vers l'arrêt de tramway le plus proche. La circulation était clairsemée en ce début d'après-midi de décembre et aucun tram n'était en vue. Le jeune homme déposa son vieux sac en cuir entre ses pieds, releva le col de son manteau gris et enfouit ses mains gantées dans les larges poches dans l'espoir de les réchauffer un peu.

Un vague sourire apparut sur son visage quand il songea que le lendemain midi tout serait terminé. Il en aurait fini avec les examens qui duraient depuis une dizaine de jours. Il allait avoir droit à trois semaines de vacances bien méritées. Depuis le début du mois, il avait pratiquement passé toutes ses soirées et ses fins de semaine enfermé dans sa chambre à étudier. Il avait beau avoir des prédispositions, il n'en restait pas moins que chaque examen nécessitait une préparation soignée s'il ne voulait pas voir ses notes chuter.

Depuis le début de l'année, il avait maintenu une moyenne générale de plus de quatre-vingt-trois pour cent et il n'était pas question que ses notes baissent. L'année suivante marquerait la fin de ses études classiques et il avait bien l'intention de s'inscrire en droit à l'Université de Montréal. Il allait de soi que les résultats obtenus au collège auraient une importance considérable au moment de soumettre son dossier à l'université.

Durant un bref moment, une ombre passa dans son regard. Il se rappela combien il avait été difficile de persuader son père de le laisser entreprendre de si longues études. Félicien Bélanger était facteur. Père de trois enfants, il ne comprenait pas pourquoi il devrait se priver et priver les siens durant tant d'années pour permettre à son fils d'aller «user son fond de culotte» au collège. Brave homme, il avait fini par se laisser convaincre par sa femme que leur fils allait étudier pour devenir prêtre et qu'ils n'avaient pas le droit de refuser cela à Dieu, sous peine d'attirer le malheur sur toute la famille. En fait, l'adolescent n'était pas particulièrement attiré par la prêtrise. Servant de messe à la paroisse Saint-Stanislas-de-Kostka depuis trois ans au moment de son entrée au collège, il ne faisait preuve que d'une piété de bon aloi. Cependant, il avait laissé croire à sa mère qu'il était attiré par le sacerdoce tant il tenait à entreprendre son cours classique.

Bref, Amélie Bélanger n'avait pas hésité à partager l'avis de l'instituteur de 7e année de l'école Cherrier, qui lui avait conseillé d'envoyer son fils aîné passer l'examen d'entrée du Collège Sainte-Marie au printemps 1940. La mère de famille, une femme pieuse, avait fini par gagner sa cause et son Jean avait pu faire ses études classiques, même s'il avait fallu consentir à certains sacrifices. Évidemment, la déception des parents avait été grande le printemps précédent quand l'adolescent, devenu un jeune homme après six ans d'études, avait appris aux siens son désir de devenir avocat plutôt que prêtre. La mère de famille, bien qu'amèrement déçue, avait accepté ce changement d'orientation beaucoup plus aisément que son mari.

— Si ça se trouve, il a jamais voulu devenir prêtre, avait laissé tomber Félicien avec mauvaise humeur en apprenant la nouvelle.

Pendant quelques jours, l'atmosphère familiale avait pâti de l'humeur sombre du père de famille. Puis tout s'était replacé et Félicien avait fini par admettre qu'il pourrait tirer autant de fierté d'un fils avocat que d'un fils prêtre.

Les pensées du jeune homme, toujours debout au bord du trottoir, les deux pieds dans la neige, dérivèrent vers Reine, sa première petite amie. Auparavant, il avait dû dissimuler son attirance pour les jeunes filles puisque, officiellement, il se destinait à la prêtrise. Tout avait changé dès le jour où il avait révélé à ses parents son désir de faire son droit à l'Université de Montréal. Il pouvait dorénavant fréquenter les filles qu'il s'était trop longtemps contenté de reluquer.

À la fin du mois d'avril, le hasard avait voulu que Reine Talbot, la fille du propriétaire de la biscuiterie de la rue Mont-Royal, le remarque et décide de lui mettre le grappin dessus. La jeune fille de dix-neuf ans au caractère volontaire avait alors mis fin abruptement à un flirt entrepris quelques semaines auparavant avec un jeune plâtrier pour se consacrer à la conquête de l'étudiant. Peu de temps après Pâques, elle était arrivée à ses fins en faisant en sorte de se trouver continuellement sur le chemin de l'étudiant un peu naïf, qu'elle n'avait alors eu aucun mal à séduire. Les deux jeunes gens se fréquentaient maintenant depuis près de huit mois.

Au rythme de deux rencontres hebdomadaires, Jean avait appris à mieux connaître la jeune fille, vendeuse à la biscuiterie paternelle. S'il appréciait toujours ses charmes, le plaisir de l'embrasser et de la serrer contre lui, il aimait beaucoup moins son caractère emporté et ses sautes d'humeur imprévisibles. En fait, depuis quelque temps, il éprouvait même de plus en plus de mal à la supporter. Elle l'étouffait littéralement. Par exemple, il n'était pas parvenu à lui faire comprendre qu'ils devaient sacrifier leurs sorties durant tout le mois pour qu'il puisse préparer ses examens. En représailles, elle lui faisait la tête et le boudait ostensiblement. C'était peut-être l'occasion de la laisser tomber. Jean savait maintenant qu'une autre fille se montrerait sans aucun doute plus compréhensive et tout aussi charmeuse.

Il fallait avouer que depuis une semaine il jonglait sérieusement avec cette idée. Reine Talbot avait beau être jolie, attirante et plutôt délurée, elle devenait de plus en plus accaparante. Pour s'amuser, elle était parfaite, mais elle n'était pas le genre de fille qu'il était fier de présenter à ses amis quand ils l'invitaient à une soirée. Pour tout dire, elle lui faisait un peu honte. La vendeuse n'avait aucune culture et était incapable de soutenir une conversation un peu relevée. Sans être snobs, ses amis étudiants aimaient bien parler philosophie, politique et littérature, mais Reine trouvait ça ennuyeux au possible et ne faisait rien pour le cacher. Mis à part le cinéma et la radio, rien ne l'intéressait vraiment.

Le tramway arriva enfin et s'immobilisa au milieu de la rue dans un grincement de freins. Après s'être assuré qu'aucune automobile ne cherchait à se glisser entre le trottoir et la voiture de tête du transport en commun, l'étudiant suivit une vieille dame qui venait de s'avancer sur la chaussée et se préparait à monter à l'intérieur. Le jeune homme jeta son billet dans la boîte de perception et alla s'asseoir sur une banquette libre en rotin avant même que le véhicule se remette en marche en direction nord. Il faisait froid à l'intérieur et les fenêtres étaient presque totalement givrées.

«Ce serait pas mal si on se laissait avant les fêtes», se dit Jean en songeant à son amie de cœur. Il n'en restait pas moins qu'il lui fallait trouver une façon élégante d'annoncer à la jeune vendeuse de dix-neuf ans que c'était fini entre eux. À cette seule évocation, un mince sourire éclaira son visage. Après cette séparation, il était bien décidé à attendre la fin de ses études avant de se remettre à voir une jeune fille au même rythme. Il ne se ferait plus prendre à des fréquentations régulières.

Puis ses pensées se tournèrent vers la sœur de Paul Comtois, une grande jeune fille de dix-huit ans, élancée et distinguée, croisée brièvement la semaine précédente à la sortie du collège où elle était venue attendre son frère aîné. Le couvent des sœurs du Saint-Nom-de-Marie avait assurément donné un vernis de culture à Blanche Comtois. À force de songer à elle, il avait fini par se convaincre que cette fille de médecin à l'aise conviendrait beaucoup mieux que Reine Talbot à l'avocat qu'il rêvait de devenir. Sans vouloir l'admettre ouvertement, le jeune homme rêvait d'attirer l'attention de la sœur de son camarade de collège. Malgré la brièveté de leur rencontre, il avait été séduit par sa beauté et son élégance. C'était vraiment le genre de fille qu'il serait fier d'avoir à son bras. Elle était si belle. En somme, il était déjà prêt à oublier sa résolution de ne plus fréquenter sérieusement une fille s'il s'agissait de la sœur de Paul Comtois.

Jean descendit un peu plus au nord au croisement des rues Bleury et Mont-Royal et attrapa tout de suite le tramway numéro 7, qui se dirigeait vers l'est. Il le quitta quelques minutes plus tard, au coin de la rue De La Roche. Il enjamba le banc de neige et, parvenu sur le trottoir, hésita un instant. Il pouvait rejoindre en quelques pas la rue voisine où il demeurait ou faire un long détour par la ruelle, ce qui l'obligerait à monter jusqu'à la rue Gilford pour redescendre vers l'appartement que les Bélanger habitaient, rue Brébeuf. S'il choisissait de demeurer rue Mont-Royal, il allait passer obligatoirement devant la biscuiterie Talbot. Si Reine l'apercevait par la vitrine, elle se précipiterait et il perdrait de longues minutes. Par contre, la ruelle n'offrait qu'un étroit sentier tapé par les rares passants qui l'empruntaient…

Son porte-documents sous le bras, il décida de faire confiance à sa bonne étoile. Il n'avait ni le temps ni le goût de faire un détour, sans parler du froid qui sévissait. La tête penchée pour se protéger du vent, il se mit en marche et eut beau accélérer le pas en passant devant le 1221, rue Mont-Royal, il ne put ignorer qu'on frappait contre la vitrine. Il leva la tête et aperçut Reine qui lui faisait signe d'entrer. Manque de chance, la jeune fille était occupée à arranger un étalage de boîtes de biscuits dans la vitrine quand il avait tenté de passer sans se faire voir.

— Bâtard! jura-t-il, contrarié. Il fallait que je tombe juste au moment où elle a pas un maudit client!

Il fit un effort pour se composer un visage avenant et poussa la porte du magasin. Elle était seule dans le local. Son père était probablement à l'étage, dans l'appartement que la famille Talbot occupait.

— Évidemment, tu te serais pas arrêté dire bonjour si je n'avais pas cogné à la fenêtre, dit Reine à son ami de cœur d'une voix acariâtre.

La jeune fille à la silhouette agréable était de taille moyenne et vêtue d'un sarrau blanc. Son visage aux pommettes hautes et aux lèvres pulpeuses était éclairé par de magnifiques yeux gris et encadré par une abondante chevelure noire tombant sur ses épaules. Tout chez elle transpirait la détermination et l'énergie.

— J'étais dans la lune, mentit Jean. Je t'ai pas vue. Je pensais à mon examen de demain.

— Ils sont pas encore finis, ces maudits examens-là ?

— Demain.

— Est-ce qu'on va patiner à soir ? Il y a des jeunes qui sont venus acheter des biscuits tout à l'heure. Ils ont dit que la glace du parc La Fontaine est pas mal belle.

— Pas à soir, déclara tout net l'étudiant. J'ai pas le temps. J'ai mon examen de philo à préparer pour demain. Peut-être demain soir, proposa-t-il sans manifester le moindre entrain.

— Tabarnouche ! explosa-t-elle. Tu sais ben que je travaille le vendredi soir.

— Peut-être en fin de semaine, si t'aimes mieux.

— Maudit que c'est plate de sortir avec un gars comme toi ! se plaignit Reine, le regard devenu soudainement mauvais.

Jean Bélanger sentit d'instinct que la jeune fille venait de lui fournir l'ouverture rêvée pour rompre une relation qu'il trouvait de plus en plus pesante. Il décida d'en profiter.

— Si t'aimes mieux sortir avec un autre, surtout gêne-toi pas. On peut arrêter ça là tout de suite, proposa-t-il plein d'espoir, mais en empruntant un ton quelque peu dramatique pour lui donner l'impression de prendre seule cette décision.

— C'est une idée, je vais y penser, rétorqua sèchement Reine, le visage fermé.

— C'est ça, penses-y, fit l'étudiant, la main déjà posée sur la poignée de la porte, pressé de quitter les lieux.

Au même moment, une cliente entra dans la biscuiterie et Jean saisit l'occasion pour s'éclipser, plutôt heureux de la tournure que prenaient les événements. Tout s'arrangeait sans qu'il ait eu à prendre l'initiative ni à porter la responsabilité de la rupture. Pour lui, c'était clair : tout était maintenant fini entre eux.

Il venait de tourner définitivement la page en éprouvant tout de même un léger pincement au cœur. Reine était la première fille qu'il avait fréquentée. Deux semaines à peine après avoir annoncé à ses parents sa décision de ne pas devenir prêtre, il avait fait sa connaissance. Il ne pouvait oublier sans un vague regret les baisers lascifs échangés dans le salon des Talbot. Comment ne pas se rappeler les caresses furtives données et reçues et les efforts pour ne pas aller trop loin ? Ce qui s'était produit entre eux le dimanche après-midi précédent appartenait maintenant au passé. Il s'agissait là d'un épisode dont il était peu fier. Au fil des jours, son sentiment de culpabilité avait peu à peu cédé la place à des questions troublantes sur la moralité de celle qui s'était donnée à lui si facilement.

Le cœur léger, le jeune homme parcourut quelques dizaines de pieds avant de tourner au coin de Brébeuf vers le nord. L'artère était bordée de belles demeures en brique de deux étages, dont les plus vieilles avaient moins de trente ans. Le 4676 était situé au premier étage d'une grosse maison en brique rouge. Le rez-de-chaussée était habité par les Dubé, les propriétaires de l'édifice. Ces derniers protégeaient la minuscule pelouse devant leur galerie par une petite clôture en fer forgé qui, en ce mois de décembre 1946, disparaissait déjà sous la neige. À droite, un long escalier tournant permettait d'accéder à la galerie où se trouvaient deux portes.

Celle de droite donnait accès aux cinq pièces occupées par les Bélanger, alors que celle de gauche s'ouvrait sur un escalier intérieur permettant à la famille Lussier de rejoindre son appartement à l'étage supérieur.

Jean monta l'escalier en tenant solidement la rampe et entra dans le logis familial. Dès qu'il eut fermé la porte derrière lui, il fut assailli par toutes sortes d'odeurs appétissantes en provenance de la cuisine située au fond de l'appartement. Il enleva ses couvre-chaussures dans le vestibule au moment où les Compagnons de la chanson entonnaient *Les trois cloches* à la radio.

— C'est toi, Jean ? demanda une voix féminine.

— Oui, m'man.

— Si t'as faim, il reste un morceau de gâteau.

— C'est correct, dit-il en suspendant son manteau et son chapeau à la patère de l'entrée.

L'étudiant longea le couloir et vint embrasser sa mère occupée à confectionner des tourtières et des tartes sur la table de la cuisine.

— Ça sent bon et ça a l'air bon, dit-il en avançant la main vers la cuillère plongée dans le mélange de bœuf et de porc haché en train de mijoter sur le poêle.

— Touche pas à ça, lui ordonna sa mère en lui tapant sur la main. Je t'ai offert un morceau de gâteau, pas mon mélange à tourtière.

Amélie Bélanger était une petite femme toute ronde se consacrant entièrement au bonheur des siens. Profondément religieuse, elle voyait à ce que son foyer soit un véritable foyer chrétien. Chez elle, on ne plaisantait pas avec la religion. Elle ne tolérait pas plus les écarts de langage que la moindre critique du clergé. Seule une raison grave pouvait dispenser son mari ou un de ses enfants des cérémonies religieuses du dimanche et des jours fériés.

— T'aurais dû faire une sœur, toi! s'emportait parfois son mari, excédé par son insistance à le faire participer aux quarante heures ou aux vêpres.

— T'es père de famille, Félicien Bélanger, rétorquait-elle sur un ton sévère. T'as pas le choix, tu dois donner l'exemple à tes enfants.

À voir l'air résolu de cette petite femme lorsqu'elle répondait à son mari, il était évident que toute tentative de discussion était inutile.

Il allait donc de soi qu'une telle mère n'avait pas accepté sans réagir la décision de son fils de renoncer à la prêtrise. La présidente des Dames de Sainte-Anne de la paroisse Saint-Stanislas s'était présentée au presbytère dès le lendemain après-midi après une nuit passée à pleurer. Le brave curé Pelletier l'avait laissée parler sans l'interrompre avant de la consoler. «Les voies de Dieu sont impénétrables, lui avait-il dit. S'il appelle votre garçon, votre Jean finira bien par l'entendre. En attendant, laissez-le réfléchir à son avenir et priez.»

Est-il nécessaire de préciser que la mère de famille n'avait pas accueilli d'un très bon œil les fréquentations de son fils avec Reine Talbot, fille d'un commerçant de la rue Mont-Royal?

— C'est de son âge, avait simplement déclaré son mari à qui elle avait fait part de ses craintes.

— S'il commence à courir les filles, comment veux-tu qu'il fasse un prêtre? avait-elle répliqué avec humeur. On dirait que t'as déjà oublié, lui reprocha-t-elle.

— Amélie Corbeil, reviens-en! Il t'a dit que ça l'intéressait plus. À cette heure que c'est clair, on n'a pas le choix. Il y a juste à lui laisser finir ses études. On n'est tout de même pas pour s'être privés toutes ces années pour rien, saint cybole!

Les mois avaient passé et l'année scolaire avait repris. Jean avait entrepris avec enthousiasme l'avant-dernière année de son cours classique après avoir travaillé tout l'été à nettoyer les wagons du Canadien National. Amélie continuait de prier en secret pour que son fils opte pour le Grand Séminaire à la fin de ses études. Il restait encore un an et demi avant qu'il ait à prendre une décision.

La mère de famille adressa un regard affectueux à son fils aîné qui venait de se verser un verre de lait après avoir desserré sa cravate et détaché le premier bouton de sa chemise blanche.

— Assois-toi au bout de la table pour pas me nuire, lui ordonna-t-elle en se mettant à rouler sa pâte à tarte.

Jean déposa dans une assiette un morceau de gâteau au chocolat et vint s'asseoir au bout de la table. Il mangea rapidement, alla déposer la vaisselle sale dans l'évier et annonça à sa mère qu'il s'en allait étudier dans sa chambre.

— Profites-en avant que Claude revienne de l'école, lui conseilla-t-elle. Je vais éteindre le radio pour que tu puisses étudier tranquillement.

L'appartement des Bélanger était partagé en deux par un long couloir qui allait de la porte avant à la cuisine. Du côté droit se trouvaient la chambre de Lorraine, l'aînée de la famille, la salle de bain et la chambre des garçons dont l'unique fenêtre donnait sur la galerie arrière et le hangar. Le salon et la chambre des parents occupaient le côté gauche de l'appartement. Les deux pièces n'étaient séparées que par un rideau. La cuisine peinte en blanc était éclairée par une fenêtre et par la vitre de la porte ouvrant sur la galerie arrière.

Jean pénétra dans sa chambre et se dirigea vers l'étroit bureau en érable installé face à la fenêtre. Il alluma la lampe déposée sur le meuble. Il retira ses souliers et sa cravate et roula ses manches avant d'ouvrir son porte-documents. Il en tira un livre de philosophie et une chemise cartonnée remplie d'une épaisse liasse de feuilles de notes.

Il était près de deux heures et demie. Il avait au moins deux heures de paix avant le retour de l'école de son frère de quatorze ans avec qui il partageait sa chambre. Il ne s'était même pas donné la peine de jeter un coup d'œil sur le lit de son frère sur lequel sa mère avait jeté en vrac tous les objets que ce dernier avait laissés traîner dans la maison. C'était là le sujet de la dispute qui allait troubler la paix de l'appartement une fois l'adolescent rentré, comme presque tous les jours.

Même s'il avait plusieurs heures d'étude devant lui, le jeune homme se sentait d'excellente humeur. Il ne lui restait à affronter qu'un dernier examen le lendemain avant de se retrouver officiellement en vacances. Il était déjà convenu de célébrer l'événement en disputant une bonne partie de hockey contre les étudiants de philosophie II du collège. Après le match, il verrait s'il n'y avait pas moyen de se faire inviter à souper chez son ami Paul, histoire de voir de plus près sa sœur Blanche. Peut-être accepterait-elle de l'accompagner pour aller voir le nouveau film de Jean Cocteau, *La belle et la bête*, dont on disait le plus grand bien, surtout à cause de la performance de Jean Marais.

Claude Bélanger rentra de l'école vers quatre heures trente. Avant même que l'adolescent ait enlevé son manteau, sa mère lui enjoignit d'aller ranger tout ce qui avait été déposé sur son lit, ce qui eut le don de déclencher la dispute quotidienne habituelle. Finalement, comme chaque jour, le cadet des enfants d'Amélie et Félicien Bélanger n'eut pas gain de cause et dut obtempérer. L'élève de huitième année de l'école Saint-Pierre-Claver entra dans la chambre et claqua la porte derrière lui pour bien faire sentir son mécontentement.

— Maudit que je suis écœuré de vivre ici dedans, déclara-t-il en lançant sur le lit son sac d'école. Il y a jamais moyen d'être tranquille.

— Pour moi, t'es mieux de te dépêcher de faire ce que m'man vient de te dire, lui conseilla son frère aîné en tournant la tête vers lui. Tu connais p'pa. Si elle se plaint de toi quand il va arriver, tu vas en entendre parler.

Claude était un grand et maigre adolescent indiscipliné à la tignasse châtain et au front couvert de boutons d'acné. Il n'avait aucun goût pour l'étude et ne rêvait que du jour où il pourrait enfin aller travailler. Il aurait volontiers abandonné l'école avec pour tout bagage son certificat d'études de 7e année, mais sa mère avait exigé qu'il poursuive jusqu'à sa 9e année. Il avait dû plier devant la volonté farouche de cette dernière.

— Lorraine a fait sa 9e année et Jean fait son cours classique, avait-elle déclaré sur un ton péremptoire. T'es pas plus bête qu'eux autres, tu vas faire au moins ta 9e. Tu veux tout de même pas passer ta vie à travailler au pic et à la pelle. Regarde ton père. Il est facteur, c'est une belle *job*. Je suis pas sûre qu'il aurait pu l'avoir s'il avait pas fait sa 9e année.

Il y eut un court silence dans la pièce pendant que Claude enfouissait ses traîneries un peu n'importe comment dans les tiroirs de sa commode.

— Ça me fait rien, reprit son frère aîné avec un sourire en coin, mais à ta place je m'arrangerais pour pas être entendu par m'man quand tu dis que t'es écœuré de vivre ici dedans. En plein mois de décembre, coucher dehors abrié avec une clôture, c'est pas ben chaud.

Claude se contenta de lever les épaules et quitta la pièce en annonçant à sa mère que tout était rangé.

Moins d'une heure plus tard, Jean entendit les voix de son père et de sa sœur Lorraine dans la cuisine. Il jeta un coup d'œil à son réveille-matin : il était déjà près de six heures. Il décida d'arrêter d'étudier. Au moment où il se levait, sa mère annonça que le souper serait prêt dans cinq minutes. Le jeune homme sortit de sa chambre et salua son père qui venait de s'asseoir dans l'une des deux chaises berçantes en bois qui encombraient la cuisine.

— Comment s'est passé ton examen à matin ? lui demanda son paternel en levant les yeux de *La Presse* qu'il venait de commencer à lire.

— Pas trop difficile, p'pa.

— Tant mieux.

L'homme de cinquante-deux ans était un peu plus grand et plus élancé que son fils aîné. Ses petites lunettes rondes cerclées de métal semblaient étranges dans cette longue figure tannée par les intempéries. Ses tempes grises et son front légèrement dégarni le faisaient paraître un peu plus âgé. Il ne fallait cependant pas se laisser tromper par les apparences. Astreint à marcher et à escalader des escaliers durant de longues heures chaque jour, le postier était robuste et jouissait d'une excellente santé.

— Et vous, p'pa, vous avez pas eu trop froid aujourd'hui ? Moi, j'ai arrosé la patinoire du collège pendant une heure avant de revenir à la maison et j'étais complètement gelé.

— J'ai l'habitude, se contenta de répondre son père avant de replonger dans sa lecture interrompue.

Une porte de chambre claqua et Lorraine entra dans la cuisine. La jeune fille de vingt-deux ans n'était pas une femme particulièrement charmante et jolie pour son âge, mais elle avait une silhouette agréable et paraissait soignée. Elle avait hérité de la chevelure châtain clair de son père, mais ses parents se demandaient encore d'où elle tenait son petit nez retroussé et les taches de rousseur de ses joues qu'elle tentait toujours de dissimuler sous une bonne couche de poudre. Elle était préposée aux comptes au grand magasin L.-N. Messier de la rue Mont-Royal depuis trois ans et était heureuse de pouvoir se rendre à pied à son travail. La jeune fille fréquentait sérieusement depuis trois ans Édouard Lacombe, un vendeur du même magasin, et ne cachait pas ses intentions de le traîner un jour au pied de l'autel. Comme le disait secrètement sa mère, la tâche n'allait pas être facile parce que son Édouard semblait très timide et, surtout, économe.

— Pour moi, juste l'idée de faire vivre une femme doit lui donner des sueurs froides, s'était moqué Félicien la semaine précédente quand sa fille lui avait avoué ignorer si son prétendant avait enfin l'intention de demander sa main à Noël.

— Dis pas ça, l'avait réprimandé sa femme, Édouard est un bon garçon. Il boit pas, il fume pas et il sacre pas.

— Et surtout, il dépense pas, avait poursuivi son mari en riant. En tout cas, tu risques pas d'engraisser avec les boîtes de chocolats qu'il va te donner aux fêtes, avait-il plaisanté.

Cependant, il se gardait bien de dire un mot contre le choix de sa fille, majeure et plutôt indépendante de caractère.

— T'as oublié d'ôter tes souliers à talons hauts, reprocha Amélie à sa fille qui avait entrepris de l'aider à dresser le couvert. Les Dubé vont encore venir se plaindre qu'on fait trop de bruit.

— Eux autres, les fatigants, laissa tomber l'aînée de la famille en retirant ses chaussures. Il faudrait toujours se promener en pantoufles dans la maison pour leur faire plaisir.

— Ils sont comme ça et on les changera pas, déclara Amélie sur un ton résigné. Déjà que la semaine passée ils ont pas aimé recevoir de la neige sur leur galerie quand Claude a pelleté la nôtre.

— Je peux tout de même pas descendre la neige pelletée par pelletée dans la cour, protesta l'adolescent. C'est sûr qu'il peut y avoir un peu de neige qui tombe sur leur galerie quand il y a du vent.

— C'est correct, dit Félicien d'une voix tranchante pour mettre fin à la discussion. On va arrêter de parler des voisins et manger.

— Parlant de manger, mes tourtières et mes tartes sont toutes faites, déclara Amélie, l'air satisfait. Je les ai mises dans le coffre sur la galerie, proche de la porte. J'ai gardé une tourtière et une tarte dans la glacière. Après le souper, Claude, tu iras les porter chez les Lussier.

— Ah non! Pas encore moi! se plaignit son fils cadet. Pourquoi c'est toujours moi qui est pogné…

— Qui suis poigné, le corrigea son frère aîné en s'assoyant à table.

— Toi, laisse-moi tranquille, répliqua Claude avec humeur. Pourquoi c'est toujours moi qui est pogné pour aller chez la sorcière?

Adrienne Lussier était une grande femme un peu décharnée toujours vêtue de noir. En règle générale, on ne remarquait que ses yeux tristes qui occupaient toute la place dans un visage blême sans grande beauté.

— Sois poli, lui ordonna sèchement sa mère. Tu vas y aller parce que je te le demande, un point c'est tout! Tu te contenteras de lui dire que j'en ai fait trop et que j'ai peur de les perdre parce que j'ai plus de place dans le coffre sur la galerie. Tu lui diras que ça me rendrait service si elle en voulait.

— Mais je peux les manger, proposa Claude. J'aime ça, moi, de la tourtière et de la tarte aux raisins.

— Espèce de grand insignifiant! T'es pas capable de voir que je t'envoie lui dire ça pour pas la gêner?

— Tu trouves pas que t'exagères ? intervint Félicien, qui n'avait rien dit durant tout cet échange entre sa femme et son fils. Saint cybole ! on n'est toujours pas pour nourrir la moitié de la rue Brébeuf !

— Là, c'est toi qui exagères, fit la mère de famille en commençant à servir de généreuses portions de pâté chinois aux siens. Donner une tourtière et une tarte aux Lussier, c'est juste faire preuve de charité chrétienne. Nous autres, on a de quoi manger à notre faim. Les Lussier, eux, en arrachent.

Elle vint prendre place à l'une des extrémités de la table, en face de son mari qui se garda de contester plus longtemps le geste charitable de sa femme, sachant très bien qu'il était inutile d'ajouter quoi que ce soit à une telle discussion.

Les Lussier vivaient au-dessus d'eux depuis 1941 et le sort semblait s'acharner sur cette famille qui, à une certaine époque, était formée des parents et de six enfants. Si on se fiait à ce que racontait Adrienne la fille aînée, trois de ses sœurs avaient été emportées par l'épidémie de grippe espagnole en décembre 1918. Son père et sa mère étaient décédés à quelques mois d'intervalle en 1940. Quelques mois plus tard, Adrienne et ses deux frères cadets avaient emménagé sans tambour ni trompette au second étage de l'immeuble. Gaston, le cadet de la famille, était plâtrier et faisait vivre sa sœur quinquagénaire et son frère Omer qui, lui, âgé d'une quarantaine d'années, souffrait d'une déficience intellectuelle. Mais le malheur s'abattit sur les survivants de cette famille. Gaston, appelé sous les drapeaux en 1942, trouva la mort moins de six mois plus tard, laissant sa sœur et son frère sans ressources. Comme Omer était incapable d'exercer le moindre travail, les Lussier ne survivaient que grâce aux ménages qu'Adrienne faisait ici et là, dans le quartier.

Amélie savait la sœur Lussier fière et elle s'arrangeait toujours pour lui venir en aide en ménageant le plus possible sa dignité.

On mangea en silence jusqu'au moment du dessert.

— Il reste plus de gâteau au chocolat ? demanda Claude.

— Non, Jean a mangé le dernier morceau en rentrant du collège. Mange des biscuits.

L'adolescent prit trois biscuits en forme de feuille d'érable sans ajouter un mot quoique déçu d'être privé de gâteau.

— Je vous dis que ça paraît que la guerre est finie, dit Lorraine après avoir bu une gorgée de thé. Le magasin a jamais autant vendu. On n'a presque plus de décorations de Noël. Il a fallu en recommander.

— C'est vrai qu'on devrait peut-être se grouiller un peu et faire notre arbre de Noël, suggéra Félicien.

— Pourquoi on n'attend pas samedi ? demanda Jean à son père. Je pourrais aller en acheter un avec Claude et vous aider à le décorer.

— J'aimerais autant ça, accepta sa mère. Ça me donnerait le temps de faire mon ménage demain sans l'avoir dans les jambes.

— Si vous avez besoin de boules ou de lumières, vous me le direz demain, je vous en rapporterai du magasin, proposa Lorraine, qui jouissait de la réduction de dix pour cent consentie par la direction de L.-N. Messier à ses employés.

Chapitre 2

Blanche

Durant la nuit, le ciel se couvrit et la température augmenta sensiblement. Au matin, une faible neige se mit à tomber sur Montréal alors que les étudiants du Collège Sainte-Marie commençaient leur dernier examen. Il régnait dans l'institution une fébrilité particulière, probablement engendrée par l'approche des vacances de Noël.

À onze heures trente, la cloche sonna. Elle fut suivie par une cavalcade dans les couloirs et dans les escaliers. Quelques centaines d'adolescents manifestèrent bruyamment leur joie tout en s'empressant de se diriger vers leurs casiers pour y prendre leurs effets personnels. Les surveillants regardaient le tumulte en veillant à ce que la sortie des étudiants se fasse sans débordements excessifs. En moins d'une demi-heure, un calme relatif était revenu dans l'enceinte du collège.

Affichant une pondération digne de leur statut d'aînés de l'institution, une trentaine d'étudiants de philosophie avaient regardé avec une certaine condescendance les manifestations bruyantes des plus jeunes avant de se rassembler pour manger rapidement les sandwichs de leur dîner. Ensuite, ils entreprirent de s'habiller pour la partie de hockey prévue depuis près de dix jours.

— J'ai comme l'impression qu'il va falloir gratter la patinoire avant de jouer, annonça Jean en rentrant dans la salle après être allé jeter un coup d'œil à l'extérieur.

— On a juste à demander aux jeunes qui vont regarder la partie de le faire pendant qu'on finit de s'habiller, suggéra un camarade.

— J'ai des nouvelles pour toi, rétorqua Jean Bélanger. Il y a pas un chat autour de la bande. Pour moi, les jeunes étaient trop pressés de rentrer chez eux après les examens pour rester regarder la partie.

— Si on n'a pas le choix, on va tous y aller, déclara Paul Comtois d'un ton résigné en se levant, les pieds déjà chaussés de ses patins.

Son geste fut imité par une douzaine d'autres joueurs. La patinoire fut nettoyée en quelques minutes. Après une courte pause, la partie put commencer, arbitrée par le père Cormier, préfet de discipline du collège. Trois enseignants, chaudement emmitouflés, vinrent regarder les étudiants disputer ce match amical. Après une heure trente de jeu, alors que les jeunes tentaient de reproduire les exploits des joueurs des Canadiens de Montréal, l'arbitre déclara la partie terminée, malgré les protestations véhémentes de l'équipe à laquelle appartenaient Paul Comtois et Jean Bélanger.

— Comment veux-tu qu'on gagne avec une passoire devant les *goals* ? se plaignit Comtois, dépité, en retrouvant progressivement son souffle.

— Si t'es si fin que ça, Comtois, t'as juste à venir prendre ma place, rétorqua le gardien de but visé.

Il y eut quelques rires moqueurs parmi les jeunes en train de se dévêtir dans la salle.

— On se calme, conseilla Jean. C'est toute notre équipe qui a mal joué. On se reprendra après les vacances.

— Ça me fait rien, les gars, affirma un grand et gros garçon en train d'enlever ses jambières, mais il me semble que vous êtes pas de taille pour jouer contre nous autres.

— C'est vrai, ça, ajouta un autre étudiant sur un ton moqueur. On devrait peut-être vous passer un ou deux de nos joueurs pour vous renforcir.

— Non, laisse faire, refusa Jean, sérieux. On n'a pas besoin de joueurs qui patinent sur les bottines. On va se reprendre quand on va revenir au collège au mois de janvier. On a perdu aujourd'hui parce qu'on est fatigués.

— Ben voyons ! firent plusieurs adversaires de philosophie II sur un ton sarcastique. Pourquoi vous seriez plus épuisés que nous ? Non, non, vous devriez reconnaître que vous êtes pas de taille. En tout cas, le prochain Maurice Richard viendra pas de philosophie I, ça c'est certain !

Le vestiaire se vida peu à peu de ses occupants. Chaque départ était salué par des vœux bruyants de bonnes vacances. Après avoir traîné quelques minutes, Jean finit par avouer à son ami Comtois :

— J'ai pas le goût de rentrer à la maison tout de suite. Ma mère est en train de faire son ménage de la semaine et j'ai pas grand-chose à lire.

Paul Comtois sortit son paletot de son casier métallique et l'endossa. Le jeune homme était légèrement plus petit que Jean, mais tout dans son comportement exprimait une aisance que beaucoup de ses camarades lui enviaient.

— Je suppose que tu peux pas sortir avec ta blonde cet après-midi ?

— Avec Reine ? C'est fini depuis hier soir, affirma l'étudiant en boutonnant son manteau après avoir déposé son chapeau sur sa tête.

— Si c'est comme ça, est-ce que ça te tente de venir passer l'après-midi chez nous ?

Jean feignit d'hésiter un court moment avant d'accepter l'invitation. En fait, il avait prévenu sa mère qu'on l'avait invité à souper et qu'il ne rentrerait qu'en fin de soirée.

— Pourquoi pas, laissa-t-il tomber en se gardant de manifester un trop grand enthousiasme.

— Dans ce cas-là, j'ai une surprise pour toi, lui annonça son ami en le précédant à l'extérieur.

Les deux jeunes hommes ne firent que quelques pas dans la rue Dorchester avant que Paul Comtois s'immobilise près d'une imposante Cadillac noire dont il s'empressa de déverrouiller la portière.

— Qu'est-ce que tu fais là ?

— C'est l'auto de mon père. Il me l'a prêtée ce matin. Je l'ai laissé à l'hôpital Notre-Dame et je dois aller chercher ma sœur chez Morgan à cinq heures tapantes. Envoye ! Monte, ordonna-t-il à son ami en refermant la portière côté conducteur.

Jean prit place dans la luxueuse voiture et s'enfonça avec un plaisir non dissimulé sur la banquette recouverte de cuir. L'automobile avança silencieusement dans la circulation fluide de ce vendredi après-midi et prit la direction d'Outremont où habitaient les Comtois.

La maison familiale du médecin était située sur le chemin de la Côte-Sainte-Catherine et il ne fallut que quelques minutes au conducteur pour venir immobiliser la Cadillac dans l'allée située sur le côté droit de la maison en pierre grise.

— On va être tranquilles cet après-midi, annonça Paul à son copain, ma mère joue au bridge chez une amie. Si ça t'intéresse, on peut aller jouer au billard dans le sous-sol en attendant que je sois obligé d'aller chercher ma sœur.

— Excellente idée, ça va être une bonne façon de commencer les vacances, accepta Jean en suivant son confrère de classe.

Le fils du facteur ne pénétrait chez les Comtois que pour la troisième fois depuis qu'il connaissait Paul. À chaque occasion, il s'était efforcé de ne pas se laisser intimider par le luxe affiché de l'endroit. Des tentures ivoire et d'épais tapis gris perle éclairaient aussi bien la salle à manger que le salon où trônaient de coûteux meubles en noyer. Il enviait surtout la grande chambre bien éclairée de son confrère dotée d'un vaste bureau en érable et d'une bibliothèque bien garnie.

De toute évidence, les Comtois n'appartenaient pas à son milieu et l'argent ne semblait pas leur faire défaut. S'il fallait en croire le fils de la maison, son grand-père maternel était président de la Banque Provinciale tandis que son autre grand-père, décédé l'année précédente, avait été juge à la Cour supérieure de la province. Il avait aussi plusieurs parents dans le monde des affaires et de la politique.

Jean n'aurait probablement jamais fréquenté Paul si ce dernier n'avait pas éprouvé d'énormes difficultés en français et en mathématiques. Comme il était le meilleur de son groupe dans ces deux matières, il avait proposé tout naturellement son aide à son camarade de classe, aide que ce dernier s'était empressé d'accepter. Au fil des mois, les deux jeunes gens s'étaient trouvé des points communs. À quelques occasions, Jean n'avait pas hésité à inviter le fils du médecin chez lui, dans l'appartement familial de la rue Brébeuf pour l'aider à faire certains travaux scolaires. Chaque fois, sa mère l'avait gardé à souper. Évidemment, il ignorait tout à ce moment-là de la luxueuse maison dans laquelle vivait son ami.

Ce ne fut qu'à sa première visite chez les Comtois, au début du mois de septembre, qu'il avait pris conscience que Paul appartenait à une famille beaucoup plus aisée que la sienne. Il en avait alors ressenti une certaine gêne.

Toutefois, au fil des mois, cette dernière avait peu à peu disparu. Paul était peut-être plus riche, mais il ne réussissait pas aussi bien que lui dans ses études comme dans les sports, et il avait souvent besoin de son aide en français et en mathématiques pour obtenir sa note de passage à la fin du trimestre.

— Je t'offre une bière ? demanda Paul en précédant son invité dans l'escalier qui conduisait à la salle de jeux du sous-sol.

— Avec plaisir, rien de mieux pour commencer les vacances du bon pied.

Durant les deux heures suivantes, ils jouèrent au billard. Ce ne fut qu'à la tombée du jour que Paul se décida à mettre fin à leur détente en rappelant à son invité son obligation d'aller chercher sa sœur chez Morgan.

— Qu'est-ce que tu préfères ? lui demanda-t-il. Je te laisse chez vous ou tu viens avec moi chercher ma sœur ?

Jean feignit de réfléchir à la proposition avant de répondre sur un ton détaché :

— Je peux bien y aller avec toi. J'ai rien de spécial qui m'attend à la maison.

Les deux jeunes gens montèrent à bord de la Cadillac et Paul entreprit d'atteindre la rue Sainte-Catherine Ouest au milieu d'une circulation passablement plus lente qu'au début de l'après-midi. Les nombreux tramways, la chaussée glissante ainsi que les piétons indisciplinés rendaient la conduite du lourd véhicule noir plutôt difficile.

— Si j'arrive en retard, je te garantis que je vais me le faire dire, fit Paul, énervé par les encombrements.

— Pourquoi ta sœur ne prend pas le tramway ?

— Es-tu malade, toi ? s'exclama le conducteur en feignant l'horreur. Penses-tu que la petite fille à son papa s'abaisserait à prendre un tramway en transportant ses achats de Noël ?

Elle aurait pu prendre un taxi pour une fois, par exemple. C'est plein de taxis Vétéran sur Sainte-Catherine. Pas question ! Elle est gâtée pourrie par mon père. S'il m'a laissé son auto, c'est à la seule condition que j'aille la chercher à l'heure.

Finalement, la Cadillac vint s'immobiliser doucement devant la marquise du grand magasin montréalais pris d'assaut par une foule de clients pressés en ce vendredi soir de la mi-décembre.

— Naturellement, elle est pas dehors à attendre, dit Paul sur un ton exaspéré en se penchant pour examiner la devanture de l'imposant édifice dont les vitrines étaient illuminées de décorations de Noël. Je laisse tourner le moteur et je vais voir où elle est, prévint-il son passager en quittant la voiture.

Le jeune homme n'eut le temps de faire que quelques pas sur le trottoir avant d'apercevoir sa sœur pousser les portes battantes du magasin, les bras chargés de paquets. Jean Bélanger fut plus rapide que lui. Il sortit précipitamment de la Cadillac pour se porter à la rencontre de la jeune fille qu'il avait reconnue.

— As-tu besoin d'un coup de main ? demanda-t-il à Blanche Comtois dont la toque en mouton mettait en valeur un visage aux traits finement ciselés.

Un sourire illumina son visage lorsqu'elle reconnut l'ami de son frère. Elle regarda par-dessus l'épaule droite du jeune homme et aperçut la voiture paternelle.

— Merci, dit-elle en laissant tomber dans ses bras pratiquement tous ses paquets. Je suis morte de fatigue.

Pendant ce bref échange, Paul avait eu le temps de déverrouiller le coffre de la voiture. Il fit signe à son copain d'y déposer les paquets de sa sœur. Cette dernière monta rapidement à l'arrière tandis que les deux garçons reprirent place sur la banquette avant.

— Est-ce que maman est revenue de son bridge ? demanda la jeune fille dès que la voiture se fut glissée dans la circulation.

— Pas encore.

— Et papa ?

— Il va rentrer souper pas mal tard. Il m'a demandé de passer le prendre à sept heures moins quart. Ça a l'air de rien, mais j'ai un bel avenir de chauffeur de taxi devant moi, ajouta-t-il pour plaisanter.

— Si je comprends bien, je vais être prise pour te faire à souper, lui dit sa sœur que cette perspective ne semblait pas particulièrement enchanter.

— Pas nécessairement, on peut aller manger quelque chose au restaurant. Viens-tu avec nous autres ? demanda le conducteur à son compagnon.

Jean hésita, attendant et espérant en son for intérieur que la sœur de son ami lui propose de se joindre à eux. Il n'eut pas à patienter très longtemps.

— Viens donc, insista-t-elle. On pourrait aller manger une omelette dans un petit restaurant que je connais coin Saint-Laurent et Mont-Royal.

Jean se laissa convaincre tout en calculant s'il lui restait assez d'argent dans ses poches pour payer son addition.

Quelques minutes plus tard, tous les trois descendirent devant le restaurant indiqué par Blanche Comtois et ils s'engouffrèrent aussitôt à l'intérieur. Ils retirèrent leur manteau avant de prendre place sur des banquettes couvertes de moleskine bleue. Jean, assis en face de la sœur de son copain, eut tout le loisir d'admirer ses grands yeux bleus et son abondante chevelure blonde, qui lui tombait sur les épaules.

Durant tout le repas, on discuta beaucoup de l'affaire Gouzenko et de ses conséquences. Aucun des trois convives ne contesta finalement la sentence de six ans de prison imposée au député Fred Rose pour avoir recruté des espions pour le compte de l'Union soviétique. Le repas fut animé. Blanche Comtois était intelligente et bien informée. Tout semblait l'intéresser. Elle donna son opinion aussi bien sur l'émeute des ouvriers de la Dominion Textile de Valleyfield survenue au mois d'août précédent que sur la création du ministère du Bien-être social et de la Jeunesse par le gouvernement Duplessis quelques mois auparavant.

À un certain moment, Paul consulta sa montre et sursauta.

— C'est bien beau tout ça, mais il faut que j'aille chercher papa. J'étais en train d'oublier l'heure.

Il se leva précipitamment et entreprit d'endosser son manteau.

— Dépêche-toi, Blanche. On va être en retard, dit-il à sa sœur qui n'avait pas esquissé le moindre geste indiquant son intention de le suivre.

— Vas-y sans moi, déclara la jeune fille sur un ton égal. J'ai pas le goût de courir. Je vais finir lentement mon café.

— Si je te laisse revenir toute seule, je vais me faire engueuler par le paternel.

— Peut-être que je pourrais raccompagner Blanche jusque chez toi, proposa Jean, habile pour tirer avantage de la situation, comme si l'idée lui venait soudain à l'esprit.

Le sourire complice que lui décocha la jeune fille le persuada que sa suggestion était attendue et désirée.

— Bon, c'est correct, fit Paul. Je paye mon repas et j'y vais.

Il salua son copain et sa sœur et, après avoir payé son addition à la caisse, quitta le restaurant. Blanche et Jean tournèrent la tête vers la vitrine pour le regarder s'empresser d'entrer dans la voiture et démarrer. Après le départ de Paul, ils semblèrent éprouver, durant un bref moment, une certaine gêne à se retrouver en tête-à-tête pour la première fois. Cependant, Jean retrouva vite son aplomb et proposa à la jeune fille de marcher un peu sur la rue Mont-Royal si elle n'était pas trop fatiguée après avoir couru les magasins durant l'après-midi. Blanche accepta.

Blanche avait insisté pour payer sa part, ce qui n'était pas pour déplaire à Jean, bien que par galanterie il ait dans un premier temps suggéré de régler les deux additions. Quand ils sortirent, la neige s'était remise à tomber doucement. Tout naturellement, Jean tendit le bras à la sœur de son ami et les deux jeunes gens se mirent lentement en marche en parlant de tout et de rien. Il était évident qu'ils se sentaient bien l'un avec l'autre et la conversation finit par prendre un ton beaucoup plus personnel après quelques minutes.

— Mon frère m'a dit que tu as une petite amie, dit Blanche. Qu'est-ce qu'elle dirait si elle te voyait avec moi ?

— Elle aurait rien à dire parce qu'on n'est plus ensemble, répondit Jean, sans donner plus de précisions.

— Est-ce que ça veut dire que tu vas passer les fêtes sans aller danser ?

— C'est bien possible, à moins que je trouve une fille à qui je ferais pas peur, fit le jeune homme, à demi sérieux. Sortir avec un étudiant comme moi doit pas être bien drôle. J'étudie presque tous les soirs et j'ai rarement de l'argent à dépenser. Depuis deux ans, je travaille l'été à faire le ménage des wagons du Canadien National et je dois vivre toute l'année sur cet argent-là.

— Plaie d'argent n'est pas mortelle, plaisanta Blanche en resserrant son étreinte sur le bras de son compagnon.

— Je veux bien le croire, mais ça rend la vie ennuyante, par exemple.

Il y eut un long silence entre les deux marcheurs, et ils eurent le temps de longer quelques vitrines brillamment éclairées en cette période des fêtes de fin d'année avant que Blanche ne reprenne la parole.

— À moi, tu fais pas peur, dit-elle soudain sur un ton léger. Si t'as rien de mieux à faire durant les fêtes, tu peux toujours être mon cavalier et venir à la soirée que Paul et moi allons donner le soir de Noël à la maison.

En entendant ces paroles, Jean craignit qu'elle ne lui fasse cette proposition parce qu'elle éprouvait de la pitié à son endroit.

— C'est bien gentil de ta part, mais il faudrait pas que tu te sentes obligée de me désennuyer parce que je suis seul, se défendit-il mollement.

— Écoute, dit-elle en levant son visage vers lui. J'ai rien de la bonne sœur qui cherche à se dévouer. Je t'invite parce que j'en ai envie. On dirait qu'on s'entend bien tous les deux. Pourquoi tu viendrais pas? Mes parents seront pas là et on va en profiter. On a invité quelques amis. On va bien s'amuser.

— Tes parents sont d'accord que vous fassiez ça pendant leur absence? demanda Jean, surpris.

— Bien sûr, ils sortent même exprès ce soir-là pour ne pas entendre tout le bruit qu'on va faire, répondit Blanche en riant.

— Qu'est-ce qu'ils vont dire quand ils vont s'apercevoir que je suis devenu ton cavalier? ajouta-t-il, tout de même un peu inquiet de la réaction des Comtois.

— Qu'est-ce que tu veux qu'ils disent? répliqua-t-elle. Ils te connaissent. T'es l'ami de Paul depuis assez longtemps pour qu'ils sachent qui tu es. De plus, tu sauras que je fais ce que je veux, affirma-t-elle avec une belle assurance. C'est pas à mon père de décider à ma place.

— Si c'est comme ça, je te prends au mot, lui dit Jean, enchanté. En échange de ton invitation, est-ce que tu veux venir patiner avec moi au parc La Fontaine, demain soir ?

La jeune fille n'hésita qu'un court moment avant de lui donner sa réponse.

— Tiens, c'est une bonne idée, dit-elle avec bonne humeur. J'ai pas encore patiné de l'hiver. Si ça te convient, je pourrais aller te rejoindre au parc vers sept heures, lui proposa-t-elle en lâchant son bras pour s'emparer de sa main. Maintenant, j'haïrais pas que tu me ramènes à la maison, je commence à avoir les pieds gelés.

Après avoir raccompagné Blanche, Jean retourna tranquillement vers la rue Brébeuf. Malgré le froid qui régnait, il profitait du moment présent et rien ne semblait pouvoir affecter sa bonne humeur ; au contraire, il ne se tenait plus d'aise. Il sentait que Blanche Comtois allait peupler ses rêves jusqu'au lendemain. Il eut un sourire en songeant qu'il devrait surveiller la qualité de son langage en sa présence, ce qu'il ne faisait pas avec Reine. Mais il était habitué. S'il avait utilisé une langue recherchée à la maison, on s'en serait sans doute moqué. Par contre, au collège, il devait faire attention dès qu'il s'exprimait.

Chapitre 3

Reine

À neuf heures ce soir-là, Fernand Talbot, fatigué, se dirigea vers la porte de son magasin pour la verrouiller.

— Une autre journée de terminée. C'est le temps de monter, dit-il à sa fille occupée à remplir l'un des bocaux de bonbons posés sur le long comptoir qui faisait face à la porte.

Reine, le visage fermé, ne dit rien et poursuivit sa tâche.

Le parquet dallé de carreaux blancs et noirs était maculé de neige fondue laissée par les bottes des nombreux clients qui avaient poussé la porte de la biscuiterie Talbot depuis son ouverture, le matin.

— Quand t'auras fini de remplir les jarres de bonbons, tu passeras la moppe, reprit le père de Reine. Je vais aller faire la caisse en arrière pendant ce temps-là, précisa-t-il en emportant le tiroir-caisse derrière le rideau fleuri qui séparait le magasin de l'arrière-boutique.

Le petit homme dans la jeune cinquantaine et au ventre confortable ne tint aucunement compte du mécontentement évident de sa fille cadette et disparut dans la pièce voisine où les boîtes de biscuits en vrac et de bonbons étaient empilées jusqu'à hauteur d'homme entre un vieux divan brun aux coussins avachis et une table en pin peinte en blanc autour de laquelle étaient posées trois chaises inconfortables. Au fond de la pièce, il y avait des toilettes minuscules où on rangeait les produits de nettoyage.

— Maudit que je suis écœurée de faire cet ouvrage-là! murmura la jeune fille de dix-neuf ans en replaçant bruyamment le pot de boules noires qu'elle venait de remplir.

Elle saisit ensuite une boîte de jujubes et en versa une bonne quantité dans un autre bocal à demi vide.

Reine Talbot estimait qu'elle travaillait depuis trop longtemps dans la biscuiterie familiale. Elle n'avait qu'une hâte: quitter l'endroit où elle était née, de préférence au bras d'un mari capable de la faire vivre dans l'aisance.

L'immeuble occupé par la biscuiterie Talbot avait été acheté quarante ans auparavant par Hector Talbot, le père de l'actuel propriétaire. L'homme avait consenti d'énormes sacrifices pour acquérir cet édifice de deux étages au rez-de-chaussée duquel un cordonnier tenait échoppe. Le grand-père Talbot avait rapidement évincé ce dernier et avait transformé le local en une agréable biscuiterie que les gens du quartier fréquentaient maintenant assidûment. Évidemment, le nouveau commerçant avait installé sa petite famille à l'étage au-dessus et avait loué le deuxième étage à un vieux couple.

Après le décès de l'aïeul en 1924, Fernand Talbot, son fils, avait pris la relève. Aussi économe que son père, il avait évité les rénovations trop coûteuses, mais il avait tout de même ajouté un comptoir de confiserie qui faisait la joie des enfants du voisinage depuis presque une génération. Ce père d'une famille de trois enfants aurait bien aimé que son fils aîné, Lorenzo, vienne le seconder. Malheureusement, ce dernier s'était empressé de trouver un emploi de représentant pour les produits Familex à l'âge de dix-huit ans et, depuis deux ans, le jeune homme avait même quitté le nid familial pour s'installer seul dans un petit appartement un peu plus à l'est, sur l'avenue De Lorimier.

— Une belle niaiserie et une dépense inutile! ne cessait de répéter le père Talbot à sa femme. Il avait une chambre ici dedans et on lui chargeait juste une petite pension.

Sa fille Estelle n'avait pas été plus utile au commerce de la famille Talbot. Il avait bien tenté de l'empêcher de s'inscrire à un cours de secrétariat, mais la jeune fille s'était entêtée et était parvenue à mettre sa mère de son côté pour le faire plier. Après l'obtention de son diplôme, elle n'avait travaillé qu'un an avant de se marier et de déménager sur la Rive-Sud de Montréal.

Bref, Reine, la cadette, était la seule qui demeurait encore chez ses parents. Heureusement, elle n'était pas très douée pour les études et s'était empressée d'abandonner l'école après sa septième année. Depuis presque cinq ans, elle secondait son père à la biscuiterie familiale de la rue Mont-Royal.

Reine pénétra dans l'arrière-boutique, la traversa et alla remplir un seau d'eau dans les toilettes. Elle s'empara de la serpillière et revint dans le magasin dont elle se mit à laver le parquet avec de grands gestes rageurs. De temps à autre, elle levait la tête vers la vitrine dans l'espoir d'apercevoir Jean passant sur le trottoir. Normalement, il aurait dû s'arrêter durant l'après-midi, au retour du collège, autant pour la saluer que pour discuter de ce qu'ils allaient faire durant la fin de semaine. Il avait dit lui-même que ses examens finissaient ce jour-là.

Quelques minutes plus tard, elle alla vider le seau d'eau sale dans les toilettes et endossa son manteau. Son père en avait terminé avec la caisse et l'attendait pour verrouiller la porte après leur sortie. L'unique avantage de travailler à la biscuiterie était que le père et la fille n'avaient pas à chausser de bottes durant l'hiver puisqu'ils n'avaient qu'à pousser la porte voisine pour rentrer chez eux.

Une fois franchie la porte du 1225 Mont-Royal, ils gravirent le long escalier intérieur assez raide qui les conduisit au palier faiblement éclairé par une petite ampoule. La deuxième partie de l'escalier menait chez le vieux Wilfrid Tremblay, hospitalisé depuis quelques semaines; on le disait même gravement malade.

Parvenu devant la porte de l'appartement, Fernand Talbot la déverrouilla et laissa passer sa fille avant de refermer derrière lui. L'appartement était silencieux et plongé dans une quasi-obscurité. Il n'était éclairé que par le plafonnier allumé dans la cuisine, au bout du couloir. La vague odeur de cire à plancher flottant dans l'appartement surchauffé prouvait que la femme de ménage était passée durant la journée. Il n'y avait toutefois ni arbre de Noël ni décoration pour égayer l'endroit.

Aussi loin qu'elle pouvait se rappeler, Reine avait toujours vécu dans une maison où les bruits devaient être feutrés pour ménager les nerfs de sa mère. Yvonne Talbot était minée par une maladie que les médecins ne parvenaient pas, semblait-il, à identifier clairement. Ses nerfs étaient fragiles et elle était sujette à d'épouvantables migraines.

— Fais pas trop de bruit, recommanda inutilement Fernand à sa fille. Je pense que ta mère est déjà couchée.

Reine se borna à hocher la tête. Elle retira ses souliers à talons hauts qui la faisaient souffrir et se dirigea immédiatement vers sa chambre dont elle referma la porte. Dès son entrée dans la petite pièce toute peinte de rose, elle entreprit de se déshabiller et enfila son épaisse robe de nuit en coton ouaté. Elle alluma sa radio qu'elle laissa jouer en sourdine et prit la direction de la salle de bain pour faire sa toilette. Au retour, elle se fit une rôtie à la confiture de fraises avant de retourner se réfugier dans sa chambre. À aucun moment, elle ne sentit le besoin de souhaiter une bonne nuit à son père déjà installé dans le salon, probablement en train de lire *La Presse*.

La jeune fille se planta debout devant la fenêtre de sa chambre. Durant de longues minutes, elle regarda sans la voir l'animation de la rue Mont-Royal. En cette fin de soirée de vendredi, les badauds commençaient déjà à se faire plus rares malgré les vitrines illuminées. Les tramways passaient en bringuebalant et en faisant des étincelles sur les fils électriques, mais ils transportaient moins de passagers. De temps à autre, la sirène lointaine d'une voiture de police se faisait entendre.

— J'aurais dû me la fermer aussi, murmura-t-elle, en regrettant la scène de la veille.

Elle était inquiète depuis que son amoureux, hier, avait quitté la biscuiterie en profitant de l'arrivée d'une cliente. Ses paroles avaient largement dépassé sa pensée; il devait pourtant le savoir depuis le temps qu'ils se fréquentaient. Elle était soupe au lait, mais il devait bien réaliser à quel point elle tenait à lui, avec la preuve qu'elle lui avait donnée le dimanche précédent.

Pendant un bref moment, elle revit en pensée ce dimanche après-midi. Il lui avait fallu faire une véritable crise pour le décider à lâcher ses livres durant quelques heures pour venir la voir. Bien sûr, elle avait tout manigancé. Toutefois, elle regrettait ce qui s'était passé entre eux et reconnaissait que la situation lui avait échappé. Elle avait mal jugé le danger potentiel que cette dernière présentait.

À ses yeux, l'idée d'entraîner Jean dans un endroit isolé loin de la surveillance de ses parents était excellente. Elle allait leur donner la chance de s'embrasser sans craindre de se faire surprendre. C'était supposé être un bon moyen de se l'attacher. Elle avait donc profité de la sieste de son père pour s'emparer de son trousseau de clés suspendu dans la cuisine. À l'arrivée de son amoureux, qu'elle était parvenue à arracher à la préparation de ses sacro-saints examens, elle l'avait entraîné dans la biscuiterie du rez-de-chaussée sous le prétexte de ne pas troubler le repos dominical de ses parents. Jean l'avait suivie dans l'arrière-boutique sans protester et avait accepté de s'asseoir en sa compagnie sur le vieux divan. Ils avaient d'abord échangé des baisers de plus en plus passionnés et elle n'avait rien fait pour repousser ses mains baladeuses. Peu à peu, les caresses du jeune homme s'étaient faites plus précises. Elle avait alors perdu totalement la tête. Et ce qui devait arriver s'était produit. Son amoureux n'avait pu résister et l'irréparable avait eu lieu, les laissant tous les deux pantelants et à bout de souffle.

Les choses étaient allées beaucoup plus loin qu'elle ne l'avait prévu et il lui avait fallu plusieurs minutes avant de retrouver sa maîtrise. Étrangement, l'inquiétude et le sentiment de culpabilité de son partenaire avaient été tellement évidents qu'elle avait senti le besoin de le rassurer un peu après avoir remis de l'ordre dans ses cheveux et dans ses vêtements. Il ne fallait tout de même pas que ce qui venait de se passer le fasse fuir.

— Je le regrette pas, avait-elle murmuré au moment où ils sortaient en catimini de la biscuiterie. On s'aime et on vient de se le prouver.

Son amoureux l'avait approuvée, mais ce jour-là, de toute évidence, il regrettait son geste. Pourtant, elle avait secrètement espéré qu'il insiste pour la revoir les jours suivants, préparation d'examens ou pas. Elle avait cru qu'il chercherait peut-être à répéter une expérience qui avait semblé lui plaire. Il n'en avait pourtant rien été. Quand il l'avait saluée deux jours plus tard en passant devant la biscuiterie, il s'était comporté comme si ce qui avait eu lieu entre eux n'avait jamais existé. Cette réaction lui avait semblé pour le moins surprenante. Cependant, elle n'en avait pas moins pris immédiatement la ferme résolution de le repousser s'il tentait de recommencer.

Dans son dos, la voix de Roger Baulu annonça les spéciaux du magasin L.-N. Messier, ce qui la décida à éteindre l'appareil avant de s'étendre sur son lit, les yeux ouverts sur le plafond blanc.

Trois ans auparavant, sa sœur avait épousé Charles Caron, un dentiste de cinq ans son aîné. L'adolescente qu'elle était alors avait suivi de près tous les artifices utilisés par Estelle pour se faire aimer et épouser par un professionnel issu d'une famille aisée. Ça, à son avis, c'était ce qu'on pouvait appeler un bon mariage. Depuis, sa sœur vivait dans une maison cossue de la rue Victoria, à Saint-Lambert. À vingt-six ans, elle avait même une femme de ménage à temps plein. C'était extraordinaire! Leur mère, pourtant souffrante, ne pouvait en payer une qu'une journée par semaine pour faire les gros travaux. Estelle avait même fini par adopter un petit air snob et des manières précieuses qui avaient d'ailleurs le don d'agacer son père.

— Pauvre elle! s'était-il moqué récemment en levant le petit doigt, après l'une des rares visites de sa fille à l'appartement de la rue Mont-Royal. C'est rendu qu'elle porte plus à terre. Je pense que le Charles a fini par lui faire croire qu'elle est sortie de la cuisse de Jupiter.

— Viens surtout pas rire d'elle, avait sèchement rétorqué sa femme qui s'était toujours targuée d'avoir de la classe. Estelle sait se tenir. Elle a eu la chance de faire un beau mariage, elle!

Le petit homme lui avait jeté un regard mauvais, mais avait gardé pour lui la remarque désagréable qui lui était venue. Depuis plus de trente ans, il ne se passait guère de semaine sans que sa femme laisse entendre à quel point il avait eu de la chance de l'épouser. Yvonne Grenier était la fille unique d'Octave Grenier, un habile homme d'affaires montréalais qui, à la veille du krach boursier de 1929, possédait une vingtaine d'immeubles et des actions dans plusieurs grandes compagnies. Chez les Grenier, on ne fréquentait que le grand monde, et leur salon accueillait régulièrement des hommes politiques aussi en vue que Camilien Houde et même le premier ministre Alexandre Taschereau.

Après plus de trente ans de vie commune, cette grande femme au port de tête altier trouvait encore le moyen de faire sentir à son mari à quel point il devait se montrer reconnaissant qu'elle ait condescendu à l'épouser, lui, un simple commerçant du Plateau-Mont-Royal.

Reine n'approuvait pas toujours la conduite de sa mère, mais elle avait tout de même bien retenu les paroles que sa sœur aînée lui avait dites au début de l'été précédent.

— Tu feras bien ce que tu voudras, ma petite sœur, lui avait-elle dit sur un ton sentencieux, mais à ta place, je choisirais un garçon qui a de l'avenir. Laisse faire les fils d'ouvriers qui vivent autour. Tout ce qu'ils vont te donner, c'est un appartement miteux et une trâlée d'enfants à torcher. Nous autres, les Talbot, on n'est pas de ce milieu-là. Oublie jamais ça. On vient d'une famille de commerçants et p'pa, malgré tout ce qu'il raconte, est loin d'être dans la misère. Choisis un gars qui a de l'ambition et qui a fait des études. Lui, il va être capable de te faire vivre comme du monde. Si tu me crois pas, regarde autour de toi. Regarde surtout les femmes. Si t'as envie de leur ressembler, jette-toi sur le premier gars qui te fera de l'œil. C'est le genre d'avenir que tu vas avoir. Dans dix ans, tu vas avoir l'air d'une vieille mémère et tu vas paraître vingt ans de plus…

Le conseil n'était pas tombé dans l'oreille d'une sourde. Reine avait repoussé les avances de Jérôme Casgrain, un jeune plâtrier qui avait pris l'habitude de venir lui faire la conversation quelques minutes pratiquement tous les jours au magasin. Ensuite, elle avait ouvert l'œil et guetté l'occasion. Elle se savait jolie et capable d'attirer n'importe quel garçon.

La chance n'avait pas tardé à se présenter. Une dizaine de jours après cette conversation avec Estelle, au début du mois d'avril, Lorraine Bélanger s'était arrêtée à la biscuiterie en compagnie de son frère. Le jeune homme avait fait une plaisanterie et sa sœur l'avait excusé auprès de la jeune vendeuse en disant que « c'était un futur avocat qui s'exerçait à dire n'importe quoi ». La fille de Fernand Talbot avait pris bonne note de l'information et avait entrepris d'épier Jean à chacun de ses passages devant le magasin.

Elle n'avait pas ménagé ses sourires et ses avances pour le prendre dans ses filets. L'étudiant avait rapidement succombé au charme de cette jeune fille de dix-neuf ans. Avant la fin du mois, un samedi soir, il s'était arrêté à la biscuiterie pour l'inviter à une séance de cinéma. Elle s'était empressée d'accepter. Ce soir-là, il était venu la chercher à l'appartement familial, vêtu de son plus beau costume et soigneusement cravaté. Elle l'avait fièrement présenté à ses parents. Le lendemain soir, il était revenu et les deux avaient veillé au salon, sous la supervision plus ou moins relâchée d'Yvonne Talbot.

Leurs fréquentations se firent régulières durant tout l'été. Il n'était pas rare que Jean vienne la chercher deux ou trois soirs par semaine, après sa journée de travail au Canadien National, pour aller se balader au parc La Fontaine situé tout près. Les amoureux marchaient le long des canaux et en profitaient pour admirer la fontaine lumineuse après le coucher du soleil. C'était d'ailleurs à cet endroit qu'ils avaient échangé leur premier baiser.

— En tout cas, il peut toujours sécher s'il pense que je vais courir après lui et le supplier ! dit-elle à mi-voix, dans le noir. Lui et son maudit cours classique ! Il me prendra pas pour une folle ! Qu'est-ce qu'il croit ? C'est rendu que chaque fois qu'il vient me voir, c'est comme s'il me faisait la charité... Là, il est en vacances, et il va s'imaginer que je vais être à sa disposition pour sortir quand ça va lui tenter. J'ai des nouvelles pour lui... Je vais lui montrer que moi aussi, je suis indépendante, ajouta-t-elle, vindicative.

La jeune vendeuse était déchirée entre son besoin d'affirmer son indépendance et les beaux rêves de mariage qu'elle avait échafaudés depuis quelques mois. Elle voulait avant tout quitter le toit familial où elle se sentait étouffer. Elle désirait abandonner un emploi qui lui pesait de plus en plus pour se consacrer à son foyer et profiter de la vie. Consacrer ses après-midi à se balader dans les magasins chics, comme le faisait sa sœur aînée, lui semblait très enviable. Bien sûr, elle n'ignorait pas que Jean Bélanger avait encore quelques années d'études devant lui avant d'être en mesure de lui offrir le genre d'existence qu'elle souhaitait. Elle était prête à attendre, mais il ne fallait tout de même pas qu'il ambitionne.

Durant de longues minutes, Reine imagina toutes sortes de scénarios dans lesquels son amoureux s'abaissait pour rentrer dans ses bonnes grâces. Finalement, épuisée par sa longue journée de travail au magasin, elle finit par sombrer dans un sommeil agité.

Lorsqu'elle rouvrit les yeux, une lueur grise filtrait dans sa chambre entre les rideaux mal tirés devant la fenêtre. La porte s'ouvrit doucement.

— Te lèves-tu, Reine ? lui demanda sa mère. Le déjeuner est prêt et ton père est déjà en train de manger.

— Ce sera pas long, m'man, répondit la jeune fille.

Yvonne Talbot referma la porte et sa fille l'entendit dire quelque chose à son mari, attablé dans la cuisine.

Quelques minutes plus tard, Reine vint rejoindre ses parents. Ils étaient en train de boire une tasse de café et le père de famille venait d'allumer l'un des trois cigares qu'il s'octroyait chaque jour. Elle déposa deux tranches de pain dans le grille-pain à deux portes posé au centre de la table et se versa une tasse de café.

Comme chaque matin, sa mère était déjà coiffée et soigneusement habillée. Elle paraissait pimpante, comme prête à partir. À voir la fille assise près de la mère, on ne pouvait manquer de remarquer leur grande ressemblance. Elles avaient les mêmes traits fins et, surtout, les mêmes yeux gris. Étrangement, on ne percevait que bien peu de douceur dans ces deux visages. Par ailleurs, le port de tête un peu rigide de la mère de famille ne faisait pas oublier les mèches blanches sur ses tempes et les quelques rides de son front.

Reine regarda sa mère qui lui rendit son regard avec un léger sourire. La cadette de la famille Talbot ne se souvenait pas d'avoir jamais vu sa mère traîner dans la maison en tenue négligée. C'était une question de dignité, se plaisait-elle à dire quand l'un de ses enfants lui en faisait la remarque. Yvonne Grenier avait reçu une excellente éducation chez les religieuses. Sa fille n'avait jamais su à partir de quelle époque ni pourquoi ses nerfs étaient devenus si fragiles. Habituellement, la mère de famille au chignon strict commençait la journée pleine de vitalité, mais au fur et à mesure que le jour progressait, elle devenait la proie de fortes migraines qui l'obligeaient parfois à s'aliter.

Cependant, il ne fallait tout de même pas croire que l'épouse de Fernand Talbot n'avait qu'un rôle effacé dans son foyer. Surtout pas. Elle ne jouissait peut-être pas d'une santé suffisante pour descendre aider son mari derrière le comptoir de la biscuiterie, mais elle avait toujours tenu sa maison de façon impeccable et éduqué ses enfants avec une sévérité certaine. Par exemple, Lorenzo, le plus indiscipliné de ses trois enfants, avait eu plus d'une fois à regretter ses incartades en se soumettant aux sanctions maternelles. Elle avait inculqué à son fils et à ses filles l'idée qu'ils appartenaient à l'élite du quartier parce qu'ils étaient enfants de commerçants. Par conséquent, ils devaient se conduire de façon irréprochable.

— Vous trouvez pas que ce serait normal qu'on ait un arbre de Noël dans le salon? demanda Reine à ses parents. Tout le monde en a un. Estelle m'a dit qu'elle en avait même deux: un dans son sous-sol et un autre dans son salon, en haut.

— Je t'ai déjà répété cent fois que c'est pas la même chose pour nous autres, lui répondit sa mère sans élever la voix. On en a un dans le magasin, en bas. C'est assez, il me semble. Tu l'as devant toi toute la journée.

— On pourrait au moins mettre des guirlandes dans la maison, non? Ce serait pas mal plus gai, ça nous mettrait dans l'ambiance de Noël.

— Tu peux le faire si tu veux et si ton père y voit pas d'inconvénient, rétorqua Yvonne. Mais tu les poses et tu les enlèves toi-même après les fêtes.

Reine renonça. C'était inutile d'insister. Son père se leva après avoir écrasé son mégot de cigare dans le gros cendrier en verre brun. Sans même consulter l'horloge murale, la jeune fille sut qu'il était exactement huit heures quarante-cinq, l'heure de descendre au magasin. Elle poussa un soupir d'exaspération et se leva à son tour. C'était la routine. Son père monterait dîner à midi précisément et, à son tour, elle monterait s'asseoir à table à midi quarante-cinq quand il serait revenu prendre sa place derrière la caisse, comme tous les jours.

— On a une bonne journée qui nous attend, déclara Fernand Talbot en endossant son manteau. On est le 21, c'est le dernier samedi avant Noël. Pour moi, ça va vendre pas mal aujourd'hui.

Reine fit comme si ces paroles s'adressaient exclusivement à sa mère et ne dit rien. Elle jeta un regard sans tendresse au petit homme bedonnant de cinquante-cinq ans qui venait d'étaler du bout des doigts avec soin sur son crâne les quelques cheveux poivre et sel qui lui restaient. Pour la énième fois depuis quelques mois, elle se fit la remarque que la vie était insupportablement ennuyeuse aux côtés de parents vieillissants. Une chance que c'était samedi. Jean allait sûrement passer durant la journée pour lui proposer une sortie en soirée, histoire de se faire pardonner de l'avoir délaissée depuis le début du mois. S'il voulait aller voir *Pas si bête* avec Bourvil au cinéma Palace, elle demanderait à son père la permission de quitter le magasin une heure avant la fermeture pour avoir le temps de se préparer.

Un peu revigorée par cette perspective, elle descendit l'escalier derrière son père, sortit à l'extérieur et attendit en regardant passer un tramway qu'il ait déverrouillé la porte voisine, celle de la biscuiterie, avant de mettre, c'était littéralement le cas de le dire, un pied dehors. En entrant dans le local où son père venait d'allumer les plafonniers, elle poussa un soupir de résignation. Une autre journée passée à servir les clients commençait et le temps des fêtes n'y changeait rien.

Chapitre 4

L'attente

Ce samedi matin-là, les Bélanger étaient rassemblés autour de la table en train de déjeuner. Lorraine était déjà vêtue et coiffée, prête à partir pour le travail, alors que ses parents et ses frères étaient encore en pyjamas ou robes de chambre.

— Je vous dis que j'aimerais ça, moi aussi, traîner à rien faire à la maison le samedi, se plaignit-elle en se levant pour déposer sa vaisselle sale sur le comptoir.

— Moi, je suis prêt à prendre ta place n'importe quand, la grande, déclara son frère Claude. Il me semble que passer toute la journée assis à un bureau, ça doit pas être trop fatigant.

— À mon avis, ça fera pas trop trop l'affaire d'un certain Édouard, cette idée-là, intervint son père avec un sourire en coin.

— Surtout pour veiller au salon, ajouta Jean, sarcastique.

— Arrêtez donc vos niaiseries, leur ordonna Amélie. Et toi, tu vas me faire le plaisir d'aller faire ton lit avant de partir avec ton frère, ajouta la mère de famille en s'adressant à Claude. J'ai pas fait le ménage hier toute la journée pour voir votre chambre en désordre. Tu m'entends ?

— M'man parle pour toi aussi, dit l'adolescent à son frère aîné.

— Mon lit est fait et mes affaires traînent pas, rétorqua Jean. Moi, je suis à mon affaire. Grouille-toi d'aller faire le tien. J'ai pas l'intention de t'attendre très longtemps avant d'aller chercher l'arbre de Noël.

La veille, à son retour de promenade avec Blanche Comtois, il avait été entendu que les fils de la maison iraient acheter le sapin tôt dans la matinée à un cultivateur qui avait l'habitude de s'installer chaque année durant la période des fêtes au coin de Papineau et Mont-Royal pour vendre ses arbres.

Moins de vingt minutes plus tard, Jean et Claude quittèrent l'appartement. La température s'était passablement adoucie depuis la veille, ce qui fut loin de leur déplaire. À une heure aussi matinale, la rue Mont-Royal était presque déserte. Arrivé au coin de Brébeuf, Claude s'immobilisa soudain.

— Je suppose que tu vas dire bonjour à Reine en passant, dit-il à son frère. Fais ça vite !

— Non, envoye ! On y va, le houspilla Jean en traversant Brébeuf en direction de la rue Chambord.

— Qu'est-ce qui se passe ? lui demanda son frère, curieux. Dis-moi pas que tu t'es chicané avec elle !

— C'est pas de tes affaires, le rembarra son frère aîné.

— Si c'est ça, tu vas passer des vacances plates en maudit, mon frère, insista l'adolescent, moqueur.

— J'ai cassé avec elle, avoua l'aîné pour mettre fin à la discussion.

— Maudit que c'est de valeur que je sois pas plus vieux. Moi, Reine, je la trouve ben à mon goût. J'haïrais pas ça pantoute sortir avec elle.

Le rire de son frère fut la seule réaction qu'il obtint. Ils arrivèrent au coin de Papineau au moment même où le marchand d'arbres descendait de son vieux camion Ford. L'homme était emmitouflé comme s'il faisait un froid sibérien.

— Sacrifice ! ne put s'empêcher de s'exclamer Claude. Vous en allez-vous au pôle Nord ?

— Laisse faire, le jeune, rétorqua le commerçant qui semblait dépourvu d'humour. Quand tu passeras douze heures dehors à geler, tu t'habilleras comme moi. Puis, je suppose que vous voulez un arbre, ajouta-t-il en s'adressant à Jean.

— Oui.

— Quelle hauteur ?

— Je sais pas trop. À peu près comme ça, dit Jean en plaçant sa main droite environ un pied au-dessus de sa tête tout en consultant son jeune frère du regard.

Le cultivateur monta dans la benne de son camion, repoussa quelques arbres et en tira un qu'il tint debout devant ses acheteurs.

— Est-ce que celui-là fait votre affaire ?

— Ben non ! intervint Claude. C'est un vrai chicot ! C'est pas un poteau de téléphone qu'on veut, c'est un arbre de Noël.

Le cultivateur lui lança un regard dénué d'aménité avant de repousser l'arbre qu'il tenait et il en choisit un autre qu'il leur montra sans rien dire cette fois. Jean l'examina avant de déclarer :

— Celui-là va faire l'affaire.

— Il fait un peu plus que sept pieds. C'est deux piastres, précisa le vendeur après être descendu du camion.

— Quoi ? C'est ben trop cher, intervint Claude.

— C'est le prix, dit l'homme avec aplomb.

— Viens, dit-il à son frère. Je connais un vendeur au coin de De Lorimier qui vend moins cher. Hier, j'en ai vu des pareils à une piastre.

Le cultivateur n'hésita qu'un instant.

— C'est correct pour une piastre et quart, dit-il avec mauvaise humeur.

De toute évidence, il tenait à se débarrasser de son lot d'arbres qui risquaient de lui rester sur les bras à quelques jours de Noël. Jean lui tendit un dollar et vingt-cinq cents. Les deux frères empoignèrent l'arbre et entreprirent de rentrer à la maison.

À leur arrivée au pied de l'escalier, ils durent s'arrêter parce que leur voisin Omer Lussier, la tuque enfoncée jusqu'aux sourcils, était assis sur l'une des premières marches de l'escalier et ne semblait aucunement prêt à bouger pour leur laisser le passage.

— Omer ! veux-tu te lever pour nous laisser passer ? lui demanda Claude.

Le quadragénaire à la figure ronde le regarda avec un sourire niais et se contenta de secouer la tête pour signifier qu'il ne voulait pas bouger. L'homme était engoncé dans une épaisse canadienne grise et s'amusait à taper sur le garde-fou avec une grosse cuillère en bois.

— Bâtard ! Comment on va faire pour qu'il s'enlève de là ? s'emporta l'adolescent. Je suis gelé, moi. J'ai pas envie pantoute de passer l'avant-midi à attendre qu'il décide de s'ôter du chemin.

Jean lâcha le sapin et s'approcha du voisin.

— Voyons, Omer. Tu vois ben qu'on s'en vient installer un bel arbre de Noël, expliqua-t-il au malheureux déficient en prenant un ton patient. Si tu t'ôtes pas de là, on pourra pas le décorer et tu pourras pas venir le voir chez nous.

— OK, d'abord, fit l'homme en se levant lentement. Mais tu vas venir me chercher pour me le montrer quand les lumières vont être allumées.

— C'est promis.

Doucement, Omer Lussier descendit les trois marches de l'escalier extérieur et s'arrêta sur le trottoir pour regarder les deux frères transporter leur arbre à l'étage.

— Comment t'as fait pour te faire comprendre par ce maudit nono-là ? chuchota Claude à son frère aîné.

— C'est facile, il faut juste lui parler comme il nous parle, se moqua Jean en ouvrant la porte de l'appartement.

— T'es ben drôle, toi. Je pensais pas que tu pouvais être aussi niaiseux que ça ! se contenta de dire l'adolescent.

L'arbre fut installé dans le salon par Félicien et son fils aîné pendant que Claude allait tirer du hangar les trois boîtes de carton dans lesquelles les décorations, les guirlandes et les lumières de Noël avaient été rangées l'hiver précédent.

— Marche pas sur mon plancher de cuisine avec tes bottes pleines de neige, lui ordonna sa mère en le voyant apporter la première boîte.

— Dans ce cas-là, m'man, dites à Jean de venir chercher les boîtes parce que je suis pas pour me déchausser chaque fois que j'en entre une.

Jean vint donc prendre livraison des boîtes qu'il transporta dans le salon.

— Trouve-moi la boîte de lumières, lui demanda son père qui venait de consolider l'arbre dans sa base métallique.

Jean tira d'une boîte une impressionnante pelote de fils électriques qu'il tendit à son père.

— Dis-moi pas, saint cybole, qu'on va être poignés pour démêler tout ça ! s'exclama ce dernier en cherchant l'extrémité de l'une des cinq guirlandes électriques que contenait le paquet.

Sa femme apparut dans l'encadrement de la porte du salon, le visage illuminé par un sourire moqueur.

— Bien bon pour vous autres ! dit-elle. Je vous avais bien dit de les séparer avant de les ranger l'année passée quand vous avez défait l'arbre. Encore une fois, vous avez pas voulu m'écouter, débrouillez-vous tout seuls à cette heure.

— On a fait ce qu'on a pu, se défendit son mari.

— Bien oui, ça se voit, se moqua-t-elle. En plus, vous avez même pas ôté les lumières quand vous avez défait l'arbre. Ça fait que, regarde bien, il va y en avoir un paquet qui vont être brûlées. C'est fin, ça !

Félicien adressa à ses fils un regard de connivence avant de soulever les épaules.

— Bon, comme t'as pas l'intention de nous donner un coup de main, dit-il à sa femme, je pense que t'es mieux de t'en retourner dans ta cuisine et de nous sacrer patience.

Amélie eut un petit rire et s'éloigna. Quand elle eut disparu, le père dit à ses fils :

— On n'est pas pour passer la journée à taponner après cet arbre-là. On commence à démêler ça, on installe les lumières et on pose les boules après.

À la fin de l'avant-midi, les lumières étaient installées dans l'arbre alors que les guirlandes et les boules décoratives étaient suspendues aux branches. Pour finir, on consacra près d'une demi-heure à disposer au pied de l'arbre le village de petites maisons en carton aux couleurs pastel couvertes de brillants autour de la crèche. Après avoir inséré une ampoule à l'arrière de chacune, on alluma finalement l'arbre. Le salon prit immédiatement un air de fête.

— Amélie ! cria Félicien. Viens voir, on a fini.

La mère de famille vint examiner le travail et se déclara entièrement satisfaite.

— Il est bien beau, dit-elle. Il reste juste à suspendre la couronne à la porte et à installer la dernière guirlande à l'entrée de la cuisine.

— Il y a pas juste ça à faire, déclara Claude. Jean a promis à Omer de lui montrer notre arbre de Noël une fois allumé.

— Pourquoi ça ? s'étonna son père.

— C'était le seul moyen de le faire lever de l'escalier qu'il bloquait. Il voulait rien savoir de nous laisser passer avec le sapin, expliqua Jean. J'ai dû lui promettre ça pour qu'il dégage.

— Bon ! T'es aussi bien d'aller le chercher pour tenir ta promesse, intervint sa mère. Je pense qu'il va falloir parler bientôt à sa sœur, poursuivit-elle, l'air préoccupée. Deux fois cette semaine, il a bloqué le passage au laitier.

Jean ne se donna pas la peine d'endosser son manteau. Il alla sonner à la porte voisine. Adrienne Lussier vint lui ouvrir en tirant sur le cordon qui commandait à distance l'ouverture de la porte. Elle demeura debout sur le palier, à l'étage.

— Bonjour, madame Lussier. Je venais voir si votre frère était là. Je lui ai promis de lui montrer notre sapin de Noël une fois décoré.

— Il va descendre, ce sera pas long, promit la voisine.

Quelques minutes plus tard, Omer vint sonner à la porte des Bélanger. Amélie le fit entrer dans le salon et lui permit d'admirer durant quelques instants l'arbre de Noël avant de lui tendre une assiette de biscuits au gingembre qu'elle venait de sortir du four. Le voisin, tout heureux, quitta l'appartement en la remerciant.

— Il peut ben dire merci, lui, fit Félicien, à demi sérieux. Il a la chance de manger des biscuits frais sortis du fourneau pendant que nous autres, on va être obligés d'attendre le dîner pour y goûter, je suppose ?

— C'est en plein ça, se contenta de déclarer sa femme avant de retourner dans la cuisine, plutôt contente d'elle-même.

Une demi-heure plus tard, les Bélanger venaient de s'attabler pour manger les saucisses que la maîtresse de maison venait de leur servir avec de la purée de pommes de terre quand un grand bruit se fit entendre dans l'appartement.

— Ma foi du bon Dieu, voulez-vous bien me dire ce qui vient de tomber ? s'écria Amélie en se levant précipitamment.

— Ça, c'est probablement quelque chose de trop bien placé dans la garde-robe d'une des chambres, hasarda Félicien en l'imitant.

— Ça a plutôt l'air de venir du salon, risqua Claude, ou peut-être même de votre chambre, ajouta l'adolescent. Est-ce que ça se pourrait que ce soit dans votre garde-robe ? ajouta-t-il, sarcastique.

— Toi, cherche pas à faire le drôle, le réprimanda sa mère en prenant tout de même la direction de sa chambre à coucher pour vérifier.

Au moment où son mari allait se rasseoir à table en compagnie de ses deux fils, Amélie cria aux siens de venir voir. Tous les trois se précipitèrent et la trouvèrent debout dans le salon. Elle avait écarté le rideau qui séparait sa chambre de cette pièce et trouvé le sapin de Noël écrasé par terre.

— Venez voir ce que vous avez fait, bande de sans-dessein ! leur dit-elle en leur montrant le sapin qui avait basculé sur le côté, écrasant sur le linoléum quelques boules décoratives. Voulez-vous bien me dire comment vous avez installé cet arbre-là, vous autres ?

Jean et Claude regardèrent leur père, attendant de toute évidence qu'il explique comment il avait fixé l'arbre.

— Je l'ai installé comme chaque année, se défendit le père de famille, qui se sentait visé par tous.

— C'est pas pantoute l'impression que ça me donne, rétorqua sa femme. Pour moi, t'as pas serré comme il faut le tronc dans la base. Là, on a l'air fin. Il va falloir racheter des boules et je sais pas comment vous allez vous y prendre pour le replacer comme il faut.

— Là, saint cybole, on va…

— Ce sera pas pour tout de suite, en tout cas, le coupa Amélie. Là, c'est le temps d'aller manger avant que ça refroidisse dans les assiettes. Arrivez. On va aller manger, et après je vais vous expliquer ce que vous devez faire, ajouta la mère de famille sur un ton qui ne laissait aucune place à la contestation.

— On n'a pas pantoute besoin de toi, se défendit son mari. On va se débrouiller tout seuls. Je pense qu'on est capables de régler ça entre hommes.

Après le dîner, les deux frères parvinrent à redresser le sapin décoré pendant que leur père, à genoux, replaçait correctement l'extrémité du tronc dans la base.

— Dites-moi si l'arbre est ben droit, leur ordonna-t-il.

— Il a pas l'air de pencher, p'pa, le rassura Jean.

— Le sacrifice, il bougera plus, je vous en passe un papier, promit-il.

Il fit en sorte de serrer les écrous dont était munie la base beaucoup plus solidement autour du tronc.

— Ce bonyeu d'arbre-là, s'il bouge encore, je le cloue dans le plancher ! menaça-t-il en se relevant, la tête couverte de brillants.

— Il a l'air un peu fou quand même, fit observer Claude en s'éloignant un peu pour l'examiner. Ça paraît qu'il manque pas mal de boules.

— On le sait qu'il en manque. Lorraine nous en apportera la semaine prochaine pour remplacer les cassées. En attendant, tu serais ben plus utile d'aller chercher le balai et le porte-poussière pour ramasser les morceaux des boules cassées.

Quelques minutes plus tard, les deux frères décidèrent d'aller faire ensemble leurs emplettes de Noël.

— J'ai juste cinq piastres pour mes cadeaux, déclara Claude dès qu'ils eurent descendu l'escalier.

— Moi, je peux en mettre dix. Avec quinze piastres, on va être capables d'acheter quelque chose qui a du bon sens, lui fit remarquer son frère aîné.

— On va chez Messier ? demanda l'adolescent.

— J'aimerais mieux jeter un coup d'œil ailleurs pour voir si on trouverait pas quelque chose qui ferait notre affaire, proposa Jean.

— En plus, on serait pas obligés de voir la face de Lacombe, laissa tomber Claude, qui n'avait jamais beaucoup aimé l'amoureux de sa sœur.

Il y eut un court silence entre eux avant que le cadet reprenne la parole.

— Sais-tu ? Je viens de penser à quelque chose. Au fond, c'est une maudite chance que t'aies cassé avec Reine Talbot, sinon t'aurais été obligé de lui acheter un cadeau de Noël et il serait presque plus rien resté pour les cadeaux de p'pa et de m'man.

— Tu sauras que j'ai une nouvelle blonde, le senteux, répliqua Jean en montrant beaucoup plus d'assurance qu'il n'en éprouvait réellement.

— Ah oui ! C'est qui ?

— Tu la connais pas. C'est la sœur d'un gars qui vient au collège avec moi.

— Et Reine Talbot le sait ?

— Es-tu fou, toi ? Bon, on traverse de l'autre côté de la rue, annonça Jean en arrivant au coin de Brébeuf et Mont-Royal. J'ai pas envie de passer devant la biscuiterie.

Les frères Bélanger traversèrent la rue et se mirent en marche vers l'ouest de la rue Mont-Royal. Si Jean crut que Reine ne l'avait pas vu, il se trompait royalement. Debout derrière son comptoir, la jeune fille avait levé la tête au moment même où il passait sur le trottoir avec son frère, de l'autre côté de la rue. Elle se figea durant un instant, la main en l'air alors qu'elle était en train de servir une cliente. Cette dernière, surprise, regarda derrière elle pour tenter de comprendre cette réaction. Elle ne vit rien. La jeune vendeuse se reprit et tendit à la dame le sac de biscuits qu'elle venait de payer.

Dès que la cliente eut quitté le magasin, Reine se dirigea vers l'arrière-boutique et en sortit une minute plus tard après avoir endossé son manteau.

— Où est-ce que tu t'en vas ? lui demanda son père.

— Je me sens pas bien, lui répondit-elle. J'ai mal au cœur, j'ai besoin de prendre l'air.

— C'est correct, vas-y, accepta monsieur Talbot avant d'adresser un sourire à deux clientes qui venaient de pousser la porte. Mais niaise pas trop longtemps. Je peux pas tout faire tout seul.

La jeune fille se précipita à l'extérieur et regarda vers l'ouest pour tenter d'apercevoir les Bélanger. Elle ne les vit pas. Elle se rendit jusqu'au coin de De La Roche et regarda pour voir s'ils n'avaient pas emprunté cette rue. Personne, c'était comme s'ils s'étaient volatilisés.

— Il va me payer ça, lui ! dit-elle, les dents serrées, en revenant sur ses pas.

Au lieu de rentrer dans la biscuiterie où son père était occupé à servir les deux clientes, elle ouvrit la porte voisine et monta l'escalier qui conduisait à l'appartement familial. Dès qu'elle poussa la porte d'entrée, sa mère apparut à l'extrémité du couloir.

— Qu'est-ce qui se passe ? lui demanda-t-elle.

— J'ai mal à la tête, mentit-elle. Je vais prendre une Madelon et m'étendre cinq minutes pour que ça passe.

— Et ton père ?

— Il est en bas. Ayez pas peur, m'man, je le laisserai pas travailler tout seul ben longtemps.

69

Sur ces mots, la jeune fille pénétra dans sa chambre dont elle referma la porte derrière elle. Elle se laissa tomber sur son lit, les traits crispés par la colère.

— Quand il va venir me chercher à soir, lui, il va m'entendre ! se dit-elle à mi-voix alors qu'elle imaginait déjà la scène de leur prochaine rencontre.

Reine Talbot n'était pas du genre à s'en laisser imposer, surtout pas par son amoureux.

Ce soir-là, elle se prépara inutilement à recevoir je jeune homme. Jean Bélanger ne se présenta pas chez elle.

— T'es-tu chicanée avec le petit Bélanger, toi ? lui demanda sa mère quand elle se rendit compte qu'il était plus de huit heures et que sa fille était assise contre la tête de son lit en train de limer ses ongles.

— Non, mentit-elle. Il avait quelque chose à faire au collège à soir.

— En plein samedi soir ? insista sa mère, sceptique.

— Ça en a tout l'air, répondit la jeune fille sur un ton exaspéré.

— Laisse-le pas rire de toi, ma fille, la mit en garde Yvonne, sévère.

— Ben non, m'man. Il y a pas de danger.

Sa mère referma la porte et alla rejoindre son mari au salon.

Alors que Reine Talbot se morfondait à l'attendre, Jean venait de rejoindre Blanche à la patinoire du parc La Fontaine depuis quelques minutes.

— Où est-ce que tu t'en vas ? lui avait demandé Claude quand il l'avait vu près de la porte, sa paire de patins sur l'épaule.

— Au parc La Fontaine.

— Attends-moi. Je vais y aller avec toi.

— Non, j'y vais avec une fille, dut avouer son frère.

— Tu t'en vas patiner avec Reine ? lui demanda son père. Il me semblait qu'elle aimait pas ça, patiner, ajouta-t-il sans insister.

— Non, c'est avec une autre fille, p'pa, fit Jean, un peu embarrassé ; en jetant un regard furieux à Claude parce qu'il l'obligeait à s'expliquer devant ses parents.

— Est-ce que ça veut dire que tu sors plus avec la fille de Talbot ? s'enquit Félicien en enlevant ses lunettes.

— C'est un peu ça, p'pa,

— J'espère que tu lui as pas fait de la peine, se contenta de dire sa mère, qui n'avait jamais beaucoup apprécié les airs prétentieux de l'amie de cœur de son fils.

— Inquiétez-vous pas, m'man, la rassura-t-il, elle va survivre.

— Bon, mais moi, je vais quand même patiner au parc La Fontaine, s'entêta Claude.

— Toi, mon maudit fatigant ! le menaça son frère.

— Aïe, le grand ! Le parc est à tout le monde. J'ai ben le droit d'aller patiner là si je le veux.

— À part ça, comment veux-tu qu'on sache quelle sorte de fille tu vas rencontrer si ton frère vient pas nous le raconter ? plaisanta Félicien avant de plonger le nez dans son journal.

— C'est pas drôle pantoute, p'pa, dit le jeune homme avant de sortir de l'appartement sans se soucier de son frère qui avait déjà commencé à chausser ses bottes.

Claude le rejoignit un coin de rue plus loin et les deux frères marchèrent pendant quelques minutes côte à côte sans s'adresser la parole. Ils descendirent vers la rue Rachel et entrèrent dans le vaste parc La Fontaine. Ils se dirigèrent vers l'étang transformé en patinoire dont la glace était plus ou moins lisse en cet hiver 1946.

— Sacrifice, il y a ben du monde ! s'écria Claude à la vue des dizaines de patineurs qui semblaient se poursuivre sur la surface glacée, à la lueur des quelques lampadaires allumés autour de l'étang.

— J'espère que tu vas nous laisser tranquilles, prit la précaution de lui dire Jean en se dirigeant vers l'édicule devant lequel il avait donné rendez-vous à la sœur de Paul Comtois.

— Aie pas peur, je vous achalerai pas, lui promit son frère avec un petit sourire en coin en le suivant tout de même de près.

À leur arrivée à l'endroit du rendez-vous, Jean découvrit que Blanche l'avait précédé et que, patins aux pieds, elle l'attendait en se risquant à faire quelques figures de patinage de fantaisie à l'écart d'un groupe assez important de jeunes patineurs qui chahutaient.

— C'est elle, dit-il en la montrant à son frère.

— Whow! C'est une maudite belle fille! s'exclama ce dernier avec enthousiasme après l'avoir examinée avec une effronterie certaine.

— Bon, à cette heure que tu l'as vue, tu chnailles! lui ordonna son aîné, tout de même flatté par son commentaire, mais néanmoins tout à fait sérieux.

— C'est correct, accepta Claude. Je vais juste vous chaperonner de loin.

— Dégage, le colleux!

Jean s'empressa d'aller chausser ses patins et vint rejoindre la sœur de son camarade de collège. En le reconnaissant, Blanche lui adressa un sourire chaleureux et vint vers lui. Jean lui saisit la main et l'entraîna à ses côtés en prenant place dans le ballet des patineurs qui faisaient inlassablement le tour de l'étang. Après quelques minutes, le jeune homme s'enhardit et prit tout naturellement la taille de sa compagne, comme le faisaient la plupart des patineurs.

Durant près de deux heures, les jeunes gens évoluèrent sur la surface glacée en discutant de tout et de rien. Ils ne cessaient de se découvrir des intérêts communs depuis leur première conversation de la veille. Soudain, un petit vent frisquet se leva et fit frissonner Blanche. Jean s'en rendit compte.

— Je pense qu'on ferait mieux d'aller boire quelque chose de chaud pour se réchauffer, lui proposa-t-il.

Ils allèrent retirer leurs patins. En entrant dans l'abri réservé aux garçons, Jean vit son frère en train de se réchauffer. Il avait déjà enlevé ses patins.

— Je suis gelé à mort. Je m'en retourne chez nous, lui annonça l'adolescent. Toi, à voir comment tu la tenais serrée, t'as pas dû avoir trop froid, ajouta-t-il, sarcastique.

Jean fit comme s'il ne l'avait pas entendu et entreprit de retirer ses patins.

— J'espère que tu vas me présenter à ta nouvelle blonde avant que je m'en aille.

— C'est pas nécessaire.

— Peut-être, mais ce serait plus poli, par exemple. Là, je peux dire chez nous que c'est une belle fille, mais je suis même pas certain si elle est pas sourde et muette. J'ai même pas entendu sa voix.

— C'est correct, la belette, s'impatienta l'aîné. Viens lui dire bonsoir avant que je la reconduise chez elle.

Tout fier de sa petite victoire, l'adolescent mit ses patins sur son épaule et suivit son frère à l'extérieur. Tous les deux durent patienter quelques minutes avant que la jeune fille sorte de l'abri. Jean lui présenta son amie qui se montra très gentille à l'endroit du cadet des Bélanger.

— Bon, je m'en retourne faire mon rapport, plaisanta Claude en souhaitant le bonsoir à Blanche.

Les deux jeunes gens le regardèrent s'éloigner, l'air frondeur, les mains dans les poches.

— Qu'est-ce qu'il a voulu dire en disant qu'il allait faire son rapport? demanda Blanche à qui Jean venait de prendre les patins pour les suspendre à l'une de ses épaules.

— C'est une blague, voulut esquiver son compagnon.

— Une blague?

— Oui, mon frère tenait absolument à venir voir la fille avec qui je patinais pour la décrire à mes parents.

— Ah! Et qu'est-ce que tu crois qu'il va leur dire? demanda-t-elle, coquette.

— Je suis certain qu'il va leur raconter que j'ai patiné avec la plus belle fille qu'il y avait à soir au parc La Fontaine.

— Merci beaucoup, monsieur, fit Blanche Comtois en glissant son bras sous le sien, pas peu fière du compliment.

Ils allèrent s'installer sur une banquette du restaurant Moderne, rue Papineau. Ils discutèrent pendant une heure en buvant une tasse de chocolat chaud avant que Blanche demande à son chevalier servant de la reconduire chez elle.

La veille de la Nativité, les Bélanger passèrent la plus grande partie de la soirée dans la cuisine à écouter les airs de Noël à la radio alors qu'Édouard Lacombe veillait au salon en compagnie de Lorraine. La voix sirupeuse de Bing Crosby entonnait *White Christmas* quand Félicien, agacé d'être chassé de son salon, ne put s'empêcher de dire à mi-voix à sa femme en parlant du prétendant de sa fille:

— Bonyeu! Il me semble qu'il aurait pu aller s'échouer ailleurs la veille de Noël, lui. Il y a ben assez qu'on va l'avoir sur les bras pour souper demain soir.

— Voyons, Félicien! On pouvait pas refuser à Lorraine de le recevoir. C'est peut-être à soir qu'il va la demander en mariage, répondit cette dernière.

— Arrête-moi ça, toi! Ça fait deux ans qu'on attend qu'il se branche, rétorqua son mari avec humeur.

— Oui, mais là, je pense qu'il va bientôt se décider, l'encouragea Amélie.

— En tout cas, tout ce que je sais, moi, c'est que j'ai pas monté un arbre de Noël dans mon salon pour venir m'asseoir sur une chaise dure dans ma cuisine la veille de Noël sans être capable de le voir. Quant à lui, le tata, je suis à la veille de lui mettre les points sur les « i », s'il se réveille pas.

Dans la pièce voisine, Jean et Claude lisaient, étendus sur leur lit en attendant le départ pour la messe de minuit. Depuis un bon moment, l'aîné avait cessé de lire, le regard perdu dans ses pensées. Il songeait à Blanche et à l'invitation qu'elle lui avait faite quatre jours plus tôt. Même s'il avait passé une soirée à patiner avec elle à peine trois jours auparavant, il était impatient de la revoir et il comptait les heures qui le séparaient de la fête qui aurait lieu le lendemain soir.

Ses parents n'avaient pas trop protesté quand il leur avait fait part de son intention de ne pas participer au souper que son oncle Émile, le frère de sa mère, offrait traditionnellement le soir de Noël. Déjà, Lorraine avait annoncé qu'elle allait souper chez les Lacombe ce soir-là.

— C'est ça, avait laissé tomber son père, contrarié. On va aller là tout seuls, nous autres.

— Et moi, là-dedans, je compte pas ? avait demandé Claude, ulcéré de constater qu'on l'ignorait.

Le matin même, Jean était allé acheter une boîte de chocolats chez Laura Secord et il avait eu la chance de tomber sur une vendeuse serviable qui lui avait offert gracieusement d'emballer le cadeau qu'il destinait à Blanche. La boîte était dissimulée dans un sac de papier kraft sous son lit.

Rêveur, le jeune homme fixait un point au plafond de sa chambre et ne se donnait même plus la peine de feindre de lire. Il n'aurait jamais cru qu'il tomberait aussi follement amoureux d'une fille qu'il n'avait, en somme, rencontrée qu'à deux reprises. Déjà, il projetait de l'inviter à souper à la maison le soir du jour de l'An. En cette occasion, il allait fièrement la présenter aux siens ainsi qu'à sa grand-mère et à ses tantes Camille et Rita, les deux sœurs de son père.

La veille, il avait accompagné son père dans sa tournée, comme il le faisait tous les ans, l'avant-veille de Noël, mais pour la première fois, il n'y avait pris aucun plaisir.

— Aïe, la lune ! À quoi tu penses ? lui demanda un Claude goguenard qui venait de laisser tomber le livre de *Tintin* dont il avait achevé la lecture.

— Je lis, mentit son frère.

— Mon œil ! Ça fait au moins dix minutes que t'as pas tourné une page.

— Mêle-toi donc de tes affaires, la fouine ! répliqua Jean, agacé d'être surveillé.

— OK, j'ai rien dit, fit l'adolescent, mais t'es pas mal drôle à voir avec les yeux dans la graisse de binnes.

— Les jeunes, c'est l'heure d'y aller, annonça leur père en passant devant la porte de leur chambre.

Dès qu'ils parurent dans la cuisine, leur mère les houspilla.

— Traînez pas, les garçons. Si on arrive trop tard, on n'aura pas de place pour s'asseoir. On sera dans le fond et on verra rien.

Déjà, Lorraine et son amoureux étaient debout dans le couloir en train d'endosser leur manteau. Félicien, son chapeau sur la tête et une écharpe de soie blanche autour du cou, sortit du salon où il était allé éteindre les ampoules du sapin de Noël. Jean resserra sa cravate, mit son veston et son manteau avant de faire glisser ses souliers dans ses couvre-chaussures. Claude l'imita et sortit de l'appartement en même temps que lui, sur les talons de leur mère qui suivait Lorraine et Édouard Lacombe.

À l'extérieur, il régnait une atmosphère spéciale en cette soirée du 24 décembre 1946. Évidemment, à onze heures, les commerces de la rue Mont-Royal étaient fermés depuis plusieurs heures et les tramways se faisaient rares. Pourtant, malgré l'heure tardive, de nombreux piétons avaient envahi les trottoirs, insouciants de la neige légère qui tombait. Au pied de l'escalier, Amélie attendit son mari qui venait de verrouiller la porte d'entrée, à l'étage. Lorraine retint son compagnon, désireuse de faire route avec ses parents. Jean et Claude en profitèrent pour prendre légèrement les devants.

— Tu trouves pas que Lacombe ressemble à notre patère, dans l'entrée? demanda l'adolescent à son frère aîné.

— Pourquoi tu dis ça?

— Il est petit et il est maigre comme un clou. Moi, je trouve qu'il fait dur en sacrifice avec sa petite moustache miteuse et ses barniques. Je sais pas ce que notre sœur peut lui trouver. Il a même pas une belle *job*! Vendeur chez Messier, tu parles d'une affaire…

— Pour moi, tu dis ça parce que t'es jaloux de lui, se moqua Jean.

— Fais-moi pas rire, reprit Claude avec une grimace. Si encore il était pas si séraphin! Je te gage n'importe quoi que tout ce que Lorraine va avoir comme cadeau, c'est juste une boîte de chocolats.

— Puis après, fit Jean, qui se sentait visé par la remarque, lui qui avait l'intention de donner exactement la même chose à Blanche le lendemain soir. Tu sauras que c'est un beau cadeau à offrir à une fille.

— Moi, je trouve que ça fait *cheap* en maudit, déclara son jeune frère. N'importe quelle fille sait ben que ça vaut pas cher.

En entendant ces paroles, Jean ne répliqua rien, mais n'en pensa pas moins. Même si son frère avait semé le doute dans son esprit, il ne voulait pas en tenir compte.

Jean ajusta son chapeau et, absorbé dans ses pensées, il traversa la rue Gilford avec le reste de la famille avant de remonter jusqu'au boulevard Saint-Joseph et de tourner vers l'est en direction de la rue De Lanaudière où s'élevait la magnifique église en pierre grise de la paroisse Saint-Stanislas-de-Kostka. Les flèches de ses deux clochers se dressaient fièrement, dominant nettement tous les immeubles du voisinage. À gauche de l'édifice, les nombreuses fenêtres de l'imposant presbytère à deux étages, aussi en pierre grise, étaient éclairées.

Le groupe s'immobilisa au pied des deux volées de sept marches conduisant au parvis.

— Qu'est-ce qu'on fait ? demanda Félicien aux siens. On passe par la grande entrée ou par la porte sur la rue Garnier ?

— On est aussi bien de passer par la grande entrée comme tout le monde, trancha sa femme en commençant à escalader les marches.

Dès leur entrée dans le temple, les Bélanger se rendirent compte qu'ils n'avaient pas quitté leur domicile suffisamment tôt. Quarante minutes avant la messe, les lieux avaient déjà été envahis par une foule de fidèles qui avaient pris d'assaut les meilleures places. Comme chaque fois qu'il pénétrait dans cette église, Jean fut saisi par la beauté de l'endroit. La rosace au-dessus du chœur, les magnifiques vitraux et le marbre beige veiné qui soutenait les pilastres conféraient à l'église où il avait été baptisé une majesté extraordinaire. Il tourna la tête vers l'arrière, vers le deuxième balcon où se trouvait l'orgue imposant devant lequel la chorale paroissiale terminait sa répétition par un dernier chant de Noël. Au-dessous, le jubé était déjà à demi rempli de paroissiens.

Avant même qu'Amélie ait trempé ses doigts dans le bénitier, un placier se présenta devant le petit groupe pour l'entraîner vers un banc libre, dans l'allée centrale, mais situé passablement à l'arrière du temple. Après une courte prière effectuée à genoux sur le prie-Dieu, chacun s'assit et s'empressa de déboutonner son manteau.

— Parle-moi de ça, fit Amélie, dépitée. On est assis tellement loin qu'on verra presque rien de la messe.

— On n'est pas si loin que ça, répliqua Félicien. Si tu vois rien, ça veut dire qu'il est temps que tu traînes tes lunettes quand tu viens à l'église.

— Je te trouve pas drôle pantoute, Félicien Bélanger, chuchota-t-elle. Je te l'avais dit qu'on partait trop tard pour avoir une bonne place.

— Il fait chaud en sacrifice, murmura Claude sans s'adresser à quelqu'un en particulier.

— Sors ton chapelet et prie au lieu de te plaindre, lui ordonna sèchement sa mère en tournant la tête vers lui.

Après cette remarque, Amélie se tourna vers sa fille et nota qu'elle tenait la main de son amoureux. Elle lui fit les gros yeux. Lorraine saisit le message et poussa un léger soupir d'exaspération avant de repousser la main d'Édouard.

L'église se remplit progressivement durant les minutes suivantes et la chaleur s'éleva au point d'inciter bon nombre des personnes présentes à enlever leur manteau et à l'étendre sur le dossier de leur siège. Lorsque le jubé fut rempli, les gens s'entassèrent peu à peu, debout, à l'arrière.

La chorale entonna le *Venez divin Messie* au moment où l'officiant pénétrait dans le chœur en compagnie de ses servants de messe. Les fidèles se levèrent pour l'accueillir et la cérémonie religieuse commença.

— Il était temps qu'il arrive, lui, dit Claude à son frère. Il est cinq minutes en retard. Pour moi, il cognait des clous dans la sacristie.

— Tais-toi, effronté ! fit sa mère, qui l'avait entendu.

Durant plusieurs minutes, Jean regarda sans la voir la crèche installée à gauche du chœur, au point que son frère dut lui décocher un coup de coude pour l'inciter à se lever au moment de la lecture de l'Évangile.

— Arrête de regarder le petit Jésus dans la crèche, lui chuchota l'adolescent, moqueur. Il est en plâtre. Il se lèvera pas pour te faire des tatas.

— Comique ! se contenta de rétorquer son frère sur le même ton en se levant.

Il aperçut du coin de l'œil Adrienne Lussier debout de l'autre côté de l'allée en compagnie d'Omer, qui regardait partout, sauf vers l'autel. La voisine, vêtue d'un manteau noir étriqué, semblait prier, les yeux fermés.

Après avoir lu l'Évangile le dos tourné à la foule, le curé Gauthier descendit les marches de l'autel, fit une génuflexion et retira sa chasuble dorée. Vêtu de son aube et le cou ceint de son étole, le célébrant se dirigea vers la chaire ornée des statues des apôtres. Durant son sermon, il parla longuement de l'importance de la naissance du Christ pour la rédemption du genre humain, malgré les signes de plus en plus manifestes de l'impatience grandissante de ses auditeurs. Il était évident qu'on souhaitait que la céré-monie religieuse se termine au plus vite pour commencer à fêter.

Pour sa part, Jean examinait les peintures décorant les arcades autour de l'autel tout en se demandant ce que faisait Blanche à cette heure. Puis ses pensées dérivèrent vers l'époque, pas si lointaine, où il venait servir la messe dans cette église. Impressionné par la solennité de l'endroit et le faste des cérémonies religieuses, il avait alors rêvé de devenir prêtre… Son directeur de conscience au collège l'avait encouragé dans cette voie et l'avait incité fortement à entretenir sa vocation. Puis tout avait basculé sans qu'il en connaisse véritablement la raison. Fortement attiré par les filles, il avait fini par renoncer à la prêtrise, préférant faire des études de droit et surtout fonder une famille.

Au moment où le prêtre mettait fin à son homélie et regagnait le chœur pour poursuivre la célébration de la messe, le jeune homme eut une pensée pour Reine qu'il imaginait en train d'assister à la messe de minuit dans une église de Saint-Lambert, en compagnie de ses parents, de son frère, de sa sœur et de son mari. Elle lui avait dit que depuis le mariage de sa sœur, chaque année, la veille de Noël, Charles Caron, le mari d'Estelle, venait chercher en voiture sa belle-sœur et ses beaux-parents. Il les conduisait à la messe de minuit à Saint-Lambert où il demeurait avec Estelle. Ensuite, le couple offrait à toute sa famille un réveillon plantureux et Lorenzo ramenait sa sœur et ses parents à leur appartement de la rue Mont-Royal au milieu de la nuit.

Jean aurait été passablement étonné d'apprendre que Reine avait prétexté une horrible migraine pour refuser d'accompagner ses parents chez sa sœur, ce soir-là.

— T'es pas pour passer la nuit de Noël toute seule, avait dit sa mère. Je vais te donner des pilules, ça va te passer.

— J'en ai déjà pris, m'man, avait déclaré la jeune fille avec impatience. Allez-y chez Estelle et inquiétez-vous pas. Je vais me coucher de bonne heure.

— Même pas de réveillon ! était intervenu son père. C'est ta sœur qui va être déçue de pas te voir. Es-tu ben sûre que tu veux pas venir ? C'est plate en maudit que tu passes la veille de Noël toute seule.

— C'est pas grave, j'en mourrai pas, p'pa.

Dès le départ de ses parents au début de la soirée, Reine s'était mise au lit. Durant plusieurs heures, elle s'était apitoyée sur son triste sort alors qu'à la radio Tino Rossi chantait *Petit Papa Noël*.

— Il va me payer ça, lui ! ne cessait-elle de répéter d'une voix rageuse en songeant à son ami de cœur qui ne lui avait pas donné signe de vie depuis le jeudi précédent.

Elle avait surtout sur le cœur le fait qu'il ait volontairement cherché à l'éviter en empruntant le trottoir d'en face pour passer devant la biscuiterie sans tourner la tête trois jours auparavant. Le pire était qu'il ne s'était pas manifesté depuis. D'accord, il savait qu'elle devait aller réveillonner chez sa sœur la veille de Noël, mais rien ne l'empêchait de venir lui dire un petit bonjour au magasin durant la journée…

— C'est sûr qu'il va venir demain faire le beau pour m'apporter le cadeau qu'il m'a acheté pour Noël. Je l'attends, lui.

Pour sa part, elle lui avait acheté des gants de cuir noir deux semaines auparavant. Elle les avait emballés dans un papier doré et avait rangé le paquet dans le dernier tiroir de sa commode.

Elle se plut ensuite à imaginer de nouveau tout ce qu'elle pourrait lui faire quand il viendrait sonner à la porte des Talbot au début de l'après-midi, le lendemain. Elle pourrait tout simplement refuser de lui répondre. Elle pourrait ouvrir, puis lui fermer la porte au nez sans rien dire. Elle pourrait le faire entrer, mais le laisser sur le paillasson, le temps d'aller chercher le cadeau qu'elle lui destinait et le lui offrir avant de l'inviter sèchement à débarrasser le plancher. Chaque scénario la remplissait d'aise parce qu'elle l'imaginait perdant la face, la suppliant de lui pardonner et lui promettant de se montrer plus attentionné à son égard.

Finalement, elle se lassa de ce petit jeu. Elle finit par reconnaître à contrecœur qu'elle tenait à lui et qu'elle n'arriverait à rien à l'humilier ainsi. Fatiguée par sa journée de travail à la biscuiterie, elle se mit à somnoler. Les dernières paroles qu'elle prononça avant de s'endormir furent :

— Je vais faire semblant d'oublier ce qu'il vient de me faire, dit-elle, les dents serrées, mais il va s'apercevoir que j'ai de la mémoire. Il me fera pas le coup une autre fois. Ça fait presque une semaine qu'il m'a pas dit un mot…

Au moment où Reine sombrait dans le sommeil, le curé Gauthier sortait le ciboire du tabernacle et descendait les marches pour distribuer la sainte communion. Deux vicaires se joignirent à lui. Les fidèles envahirent les allées pour aller s'agenouiller à la sainte table. Durant un court moment, Jean hésita sur la conduite à suivre. Il n'était pas allé se confesser depuis qu'il avait fait l'amour avec Reine. Il était donc en état de péché, ce qui le tracassait beaucoup. Bien sûr, il aurait pu aller avouer sa faute à son directeur de conscience, au collège, mais qu'est-ce que le père Marien aurait pensé de lui ? Il fallait qu'il trouve absolument le temps de venir se confesser ici, à l'église. En attendant, il lui faudrait se résoudre à aller communier en état de péché, ce qui aggravait la situation. « La mort viendra vous chercher comme un voleur. Soyez toujours prêts. » Le souvenir de cette phrase maintes fois répétée par les prêtres lui revint en mémoire et le fit légèrement frissonner. Mais comment faire autrement en présence de sa mère qui ne manquerait pas de l'interroger sur les raisons qui l'empêchaient de communier s'il demeurait assis à son banc ?

La mort dans l'âme, il se décida à suivre les siens dans l'allée et il alla s'agenouiller à leur côté à la sainte table. Quand le servant de messe plaça la patène sous son menton au moment où le prêtre déposait une hostie sur sa langue, il déglutit difficilement. Il lui fallut ensuite plusieurs minutes pour retrouver une certaine paix d'esprit.

À leur sortie de l'église, les paroissiens s'empressèrent de boutonner leur manteau et de mettre leurs gants. Durant la cérémonie, la température extérieure avait chuté de plusieurs degrés et un léger vent du nord en incita plus d'un à relever le col de son manteau pour tenter de protéger ses oreilles du froid.

— Ça, c'est une affaire pour attraper son coup de mort, déclara Amélie en resserrant son écharpe autour de son cou. On a eu chaud sans bon sens en dedans et là, on gèle. On est mieux de pas traîner dehors.

Les Bélanger ne s'attardèrent pas. Ils revinrent rapidement à leur appartement de la rue Brébeuf. À leur arrivée, ils furent tout heureux de trouver une maison chaude et ils se dépêchèrent de retirer leur manteau. Pendant que Lorraine et sa mère allaient mettre les pâtés à la viande au four et le ragoût de boulettes sur le poêle, Félicien alla allumer l'arbre de Noël.

— On va se donner nos cadeaux avant de manger, déclara le père de famille.

— Chez nous, on a toujours fait ça au jour de l'An, fit remarquer Amélie, comme chaque année quand on parlait de distribuer les étrennes.

— On le sait, répliqua son mari, mais il faut suivre la mode. À cette heure, ça se fait à Noël.

Ses fils allèrent chercher dans leur chambre les cadeaux achetés pour l'occasion et vinrent les déposer au pied de l'arbre. Ils étaient les derniers de la famille à poser ce geste.

— Vous auriez bien pu les mettre là tout de suite après les avoir enveloppés, leur fit remarquer Lorraine en entrant dans la pièce, suivie par sa mère.

— Laisse faire, toi, dit Claude. Dans cette maison, il y a des senteux qui arrêtent pas de tâter les cadeaux pour essayer de savoir ce que c'est.

— Comme toi, par exemple, dit sa sœur en riant.

On procéda ensuite à la remise des étrennes. Félicien reçut une machine servant à fabriquer des cigarettes et des bottes neuves. Amélie eut, pour sa part, un bijou et un ensemble de peignes et de brosses à cheveux. Les garçons furent des plus heureux en recevant chacun une paire de patins et Lorraine se déclara comblée de recevoir des produits de beauté et une boîte de chocolats.

— On ramasse tout ça et on remet de l'ordre dans le salon avant d'aller manger, déclara Amélie en se dirigeant vers la cuisine pour vérifier si la nourriture était prête.

— Oui, puis grouillez-vous, ordonna Félicien avec bonne humeur. Ça sent bon en cybole et moi, j'ai faim.

— Je te l'avais dit qu'une boîte de chocolats, ça fait *cheap*, chuchota Claude à son frère en glissant sa paire de patins sous son lit. La preuve, c'est ce que le chum de notre sœur vient de lui en donner une pour Noël.

Jean ne dit rien et rangea, lui aussi, ses patins.

Peu après, on prit place autour de la table. L'hôtesse, aidée par sa fille, servit à chacun une assiette dans laquelle une généreuse portion de pâté à la viande voisinait avec du ragoût et des pommes de terre.

— Il y en a pour une deuxième assiettée, déclara la cuisinière avec bonne humeur en prenant place au bout de la table, face à son mari.

La mère de famille se rendit rapidement compte que l'humeur joviale de son mari était un peu factice. Elle remarqua qu'il jetait de temps à autre des coups d'œil peu amènes à l'amoureux de sa fille qui s'empiffrait gloutonnement, comme s'il s'agissait de son dernier repas avant de mourir. Claude s'aperçut aussi de la chose et ne put se retenir.

— Étouffe-toi pas, mon Édouard, dit-il au petit homme maigre assis à côté de sa sœur. Il y en a encore.

Sa mère et Lorraine lui adressèrent un regard assassin. Pour sa part, Félicien eut du mal à réprimer un sourire narquois. Cependant, la remarque de l'adolescent ne sembla pas gêner le moins du monde le jeune homme, puisqu'il accepta une seconde assiettée qu'il engloutit aussi rapidement que la première. Après le morceau de gâteau aux fruits servi en guise de dessert, Amélie annonça son intention de ranger rapidement la nourriture pour éviter qu'elle se gâte.

— C'est une bonne idée, reconnut vivement son mari en se levant. Fais donc ça avec Lorraine pendant que je parle un peu avec Édouard. Viens, Édouard, dit-il à l'ami de sa fille, on va aller s'asseoir tranquillement dans le salon tous les deux.

Alors que son père et son amoureux prenaient la direction de la pièce voisine, Lorraine chuchota à sa mère :

— Qu'est-ce que p'pa veut à Édouard ?

— J'en ai pas la moindre idée, mentit Amélie en commençant à desservir.

— Bon, nous autres aussi, on va aller s'asseoir dans le salon, déclara Claude en se dirigeant déjà vers le couloir.

— Non, laisse ton père et Édouard tranquilles, s'interposa sa mère. Il est déjà presque trois heures du matin. Tu peux aller te mettre en pyjama.

Jean comprit que sa présence n'était pas plus souhaitée dans le salon et il suivit son jeune frère dans leur chambre commune.

— Qu'est-ce qui se passe ? lui demanda Claude dès que la porte de la pièce se fut refermée derrière eux.

— Je pense que p'pa a des choses importantes à dire à Édouard et qu'il aime mieux qu'on soit pas là pour l'écouter, répondit Jean en retirant sa cravate.

— En tout cas, je trouve que c'est une façon ben plate de finir un réveillon de Noël, laissa tomber l'adolescent en commençant à se préparer pour la nuit.

Dans le salon, Édouard Lacombe semblait mal à l'aise devant l'air un peu solennel du père de Lorraine. Après l'avoir invité à s'asseoir, ce dernier avait allumé une cigarette avant de prendre la parole.

— Ça fait combien de temps que tu sors avec Lorraine ? lui demanda sans détour le père de famille.

— À peu près trois ans, monsieur Bélanger.

— Vous vous entendez ben ?

— Numéro un, monsieur.

— Parfait, fit Félicien avec un sourire satisfait. J'imagine que t'as l'intention de la marier un jour ? poursuivit-il sans quitter le prétendant des yeux.

— Ben… ben oui, monsieur Bélanger.

— Bon, alors quand est-ce que t'as l'intention de me la demander en mariage ? s'enquit le plus simplement du monde Félicien.

— Ça sera plus ben long, monsieur Bélanger, dit Édouard en rougissant violemment. Vous savez que ça coûte pas mal cher se marier aujourd'hui, et c'est pas facile non plus de se trouver un appartement à un prix raisonnable. Il faut aussi se meubler… Je ramasse mon argent, mais ça prend du temps.

— C'est correct. Je comprends ça, fit Félicien sur un ton radouci. Mais il faudrait pas que tu lui fasses perdre trop de temps quand même. Attends pas d'être riche à craquer avant de te décider.

Sur ce, Amélie et Lorraine entrèrent dans la pièce.

— Bon, la cuisine est en ordre. Il serait peut-être temps de penser à aller se coucher si on veut être d'aplomb pour aller souper chez Émile.

Édouard comprit le message. Il se leva et remercia ses hôtes pour le réveillon, avant de sortir de la pièce en compagnie de Lorraine pour aller mettre son manteau. Il lui rappela qu'il viendrait la prendre vers quatre heures pour l'emmener souper chez ses parents, puis il quitta l'appartement des Bélanger.

— Est-ce que je peux vous demander de quoi vous avez parlé, p'pa ? demanda la jeune fille au moment où son père éteignait les lumières du sapin de Noël. Édouard avait l'air tout drôle quand il est parti.

— On a jasé entre hommes. Inquiète-toi pas, la rassura son père.

La jeune fille dut se contenter de cette réponse évasive et se retira dans sa chambre. Félicien repoussa le rideau qui séparait sa chambre du salon et entreprit de se déshabiller.

— Ça a été une ben belle fête, dit-il à Amélie. Tu nous as fait un bon réveillon.

— Tant mieux si t'as aimé ça, répliqua cette dernière en enfilant sa robe de nuit. Puis ?

— Puis quoi ?

— Qu'est-ce que ça a donné de parler à Édouard ? insista-t-elle.

— Pas grand-chose, admit-il, le visage soudain assombri. À l'entendre, il ramasse son argent pour se marier.

— C'est bien ce que j'ai toujours pensé. Il est prudent, ce garçon-là. Il veut pas que notre fille ait de la misère une fois mariée.

— Je sais pas trop. Moi, j'ai l'impression qu'il la mariera jamais, laissa tomber son mari en se glissant sous les couvertures.

— Voyons donc! protesta sa femme. C'est un bon garçon. Il sacre pas, il fume pas, il boit pas et il couraille pas.

— C'est sûr, se moqua Félicien. À part sacrer, toutes les autres affaires coûteraient de l'argent…

— Félicien!

— En tout cas, tu peux pas dire qu'il se ruine avec le cadeau de Noël qu'il a fait à notre fille.

— Du chocolat, c'est tout de même mieux que rien, lui fit remarquer sa femme.

— Et toi?

— Quoi, moi?

— Saint cybole, Amélie, il me semble qu'il pourrait au moins se fendre d'un petit cadeau quand il vient se bourrer la face dans ton réveillon. Tu trouves pas?

— C'est pas nécessaire, l'excusa sa femme.

— C'est peut-être pas nécessaire, mais ça prouverait au moins qu'il sait vivre, trancha Félicien. Ça prouverait aussi qu'il est moins gratteux qu'on le pense.

— On dirait que t'as une dent contre lui.

— C'est pas vrai, mais je me méfie. Il m'a l'air d'un peureux qui veut pas prendre de chances. Si Lorraine était plus jeune, je l'aurais mis à la porte, son Édouard, et elle aurait rien eu à dire contre ça parce qu'elle aurait été mineure. C'est de ma faute, j'ai attendu trop longtemps. À cette heure, elle est majeure.

Chapitre 5

Noël

Fernand et Yvonne Talbot n'étaient rentrés à la maison qu'aux petites heures du matin. Leur fils les avait laissés devant leur porte avant de poursuivre son chemin vers son petit appartement de la rue De Lorimier.

— On va dormir toute la matinée, déclara Fernand en retirant ses souliers, assis sur son lit. On mangera quand on se lèvera.

— Ce sera pas une journée bien drôle pour Reine, lui fit remarquer sa femme en train de se préparer pour se mettre au lit.

— Elle avait juste à venir avec nous autres, affirma le commerçant en posant son pantalon sur une tringle.

— Voyons, Fernand ! Elle était malade, lui reprocha sa femme. Je vais tout de même aller voir si elle va mieux avant de me coucher.

— T'es pas pour la réveiller à cinq heures du matin, protesta son mari en se glissant sous les couvertures après avoir déposé ses lunettes sur la table de nuit.

— Je la réveillerai pas. De toute façon, il va falloir qu'elle se lève pour aller à la messe de neuf heures, précisa Yvonne en quittant la pièce.

La mère de famille alluma la lumière de la cuisine et poussa doucement la porte de la chambre de sa fille. Reine avait entendu marcher dans la pièce voisine et elle entrouvrit les yeux au moment où sa mère entrait dans sa chambre.

— Quelle heure il est ? demanda-t-elle.

— Il est seulement cinq heures du matin. Tu peux dormir encore un bon bout de temps. On vient d'arriver. Je voulais juste voir si t'allais mieux et si t'avais mis ton cadran pour aller à la messe.

— Je suis correcte, déclara la jeune fille. J'aurai pas besoin de mon cadran, je suis déjà réveillée et je m'endors plus.

— Bon, fais pas trop de bruit. Je m'en vais me coucher, lui dit sa mère avant de se retirer.

Reine se rendormit tout de même et ne se réveilla que deux heures plus tard. Après une si longue nuit de sommeil, elle se sentait en meilleure forme. Elle n'hésita qu'un court moment avant de décider de se préparer un déjeuner. Si ses parents avaient été réveillés, elle ne se serait pas risquée à manger avant la messe parce qu'il lui aurait fallu aller communier et sa mère le lui aurait reproché. Mais en ce matin de Noël, elle allait assister seule à la cérémonie religieuse et personne ne s'interrogerait sur les raisons qui l'empêchaient de communier. De toute manière, après ce qu'elle avait fait avec Jean, il était sans doute préférable qu'elle s'abstienne.

À son retour à la maison après la messe, elle sortit le paquet contenant les gants qu'elle allait offrir à son amoureux et le déposa sur sa commode. Elle était persuadée qu'il allait venir sonner à la porte après le dîner. Ils allaient sûrement passer l'après-midi ensemble et peut-être même la soirée, si sa mère l'invitait à souper.

Quand sa mère se leva un peu après midi, elle accepta sans trop rechigner d'inviter Jean à partager leur souper de Noël.

Reine s'enferma ensuite dans sa chambre pour se préparer soigneusement. Elle voulait se faire belle et attirante pour séduire son amoureux. Lorsqu'elle fut prête, elle alluma la radio du salon et se mit à attendre l'arrivée du jeune homme avec une impatience grandissante. Les minutes s'égrenaient avec une lenteur désespérante. Au fur et à mesure que le temps passait, elle devenait de plus en plus nerveuse et irritable.

— Veux-tu bien me dire ce qu'il niaise? ne cessait-elle de se répéter à mi-voix en épiant le trottoir de la rue Mont-Royal, derrière les rideaux qui masquaient la fenêtre du salon.

Au milieu de l'après-midi, la jeune fille fut même tentée d'aller rôder autour de l'appartement des Bélanger pour essayer d'apercevoir le garçon qu'elle attendait depuis des heures sans qu'il daigne se montrer.

— L'écœurant! explosa-t-elle hors d'elle en se dirigeant vers le crochet auquel était suspendu son manteau.

Au moment où elle se décidait enfin à sortir, son père se leva en se grattant le cuir chevelu.

— Où est-ce que tu vas? lui demanda-t-il en consultant l'horloge murale.

— Je vais juste prendre l'air.

— Reste pas trop longtemps dehors, intervint sa mère du fond de la cuisine. J'ai besoin de toi pour m'aider à préparer le souper.

— Il commence déjà à faire noir, lui fit remarquer son père.

— Je sors juste cinq minutes, dit-elle en chaussant ses bottes.

Elle dévala l'escalier et sortit de la maison. La jeune fille ne vit pas sa mère se précipiter vers la fenêtre du salon pour la regarder faire les cent pas sur le trottoir devant la biscuiterie.

— Qu'est-ce que tu regardes là ? lui demanda son mari.

— Reine.

— Pourquoi ?

— Parce que ta fille est pas dans son assiette depuis un bon bout de temps, Fernand, s'impatienta la mère de famille. Tu t'en es pas aperçu ? Je pense qu'elle s'est disputée avec le petit Bélanger. Elle l'a attendu pour rien tout l'après-midi et il s'est pas montré le bout du nez.

— Elle se fera un autre chum, dit son mari, indifférent.

— Si tu veux mon avis, ce sera pas une grosse perte, répliqua Yvonne. C'est pas de notre monde, ces Bélanger-là.

Pendant ce temps, Reine arpentait le trottoir de la rue Mont-Royal, entre les rues De La Roche et Brébeuf. Malgré le froid de cette fin d'après-midi, il y avait beaucoup de passants, probablement en route vers un repas de fête chez des parents ou des amis. Les tramways étaient remplis. À un certain moment, trois fêtards, la bouteille à la main, offrirent à boire à la jeune fille. Elle refusa sèchement et décida de rentrer chez elle.

L'air froid lui avait fait un peu de bien. Elle était tout de même désemparée. Force lui était de reconnaître que Jean l'avait définitivement laissée tomber. Elle monta l'escalier et retira son manteau avant de prendre la direction de la cuisine où ses parents étaient assis.

— Je souperai pas à soir, j'ai pas faim, leur annonça-t-elle.

— Tu vas finir par tomber malade à force de te mettre à l'envers comme ça, lui fit remarquer sa mère.

— Laissez faire, m'man, se contenta-t-elle de dire. J'ai juste pas faim.

Elle rentra dans sa chambre et lança le cadeau destiné à son amoureux au fond de sa garde-robe. Elle venait enfin de comprendre que tout était fini entre eux et qu'il ne viendrait plus la voir. Le cœur en miettes, elle se jeta sur son lit pour pleurer.

∽

Chez les Bélanger, on ne se leva que vers midi. Après un léger dîner, on remit la maison en ordre avant de s'habiller.

— Moi, je pars juste vers six heures et demie, dit Jean. J'ai le temps d'aller faire une marche pour respirer un peu d'air.

— On pourrait aller essayer nos patins neufs à la place, suggéra Claude.

— Ils sont pas encore aiguisés, lui fit remarquer son frère.

— En plus, il reste juste une heure et demie avant qu'on parte pour aller chez ton oncle, intervint sa mère. Vous ne serez pas revenus à temps.

— C'est correct, concéda l'adolescent d'assez mauvaise grâce.

Jean quitta l'appartement quelques minutes plus tard. Après avoir relevé le col de son manteau, il entreprit de remonter la rue Brébeuf jusqu'à la rue Gilford avant de prendre la direction de l'est vers la rue Papineau. Il avait volontairement évité de descendre vers Mont-Royal de crainte d'être aperçu par Reine. Tout en marchant, il tentait d'imaginer à quoi ressemblerait la fête donnée par Paul et sa sœur le soir même. Cette dernière lui avait précisé que les gens n'arriveraient que vers sept heures trente. Il allait faire en sorte de ne pas être parmi les premiers arrivés.

Alors que Jean revenait à l'appartement familial, il aperçut Édouard Lacombe qui, au même moment, venait de descendre du tramway au coin de la rue, à quelques pieds de là.

— Édouard s'en vient, prévint-il sa sœur qu'il trouva assise dans le salon.

— Je pense ben qu'on va tous partir en même temps, fit remarquer son père qui venait de poser son chapeau sur sa tête. Grouillez-vous, je sors nous trouver un taxi, annonça-t-il avant de sortir de la maison.

Pendant que sa femme et Claude finissaient de se préparer, Félicien alla faire ce qu'il faisait pratiquement tous les jours de Noël, soit se mettre à la recherche d'un taxi qui allait les conduire, lui et les membres de sa famille, chez son beau-frère Émile, rue Duquesne, dans l'est de la ville.

Lorraine endossa son manteau en même temps que sa mère et Claude, de sorte que tous quittèrent l'appartement ensemble. Elle retrouva Édouard au pied de l'escalier au moment où il s'apprêtait à le monter. Le vendeur de chez Messier donna le bras à la jeune fille et retourna au coin de la rue Mont-Royal en compagnie de la mère et du frère de son amie. Ils rejoignirent Félicien qui s'était avancé un peu dans la rue pour mieux héler un taxi. Lorraine et Édouard le saluèrent avant de se diriger vers l'arrêt de tramway. Ils devaient se rendre chez les parents de ce dernier, rue Moreau.

Enfin seul dans l'appartement, Jean alluma la radio. Il écouta d'une oreille distraite la voix grave d'Albert Duquesne livrant les informations du jour. Quelques minutes plus tard, il éteignit l'appareil, prit un livre et lut jusqu'à l'heure du souper. Il mangea ce que sa mère lui avait laissé sur la table avant de se préparer fébrilement pour la fête qu'il attendait avec tant d'impatience.

Il examina avec soin son unique costume avant de l'endosser. Le pli du pantalon était impeccable. Après avoir boutonné sa chemise blanche au col amidonné, il noua sa cravate du même bleu que son costume. Ensuite, il alla se camper devant le miroir de la salle de bain pour se coiffer.

Sa tenue était irréprochable et Blanche n'aurait pas honte de lui devant ses amis.

Même s'il était encore un peu tôt pour partir, il décida qu'il ne tarderait pas, de crainte d'avoir à attendre trop longtemps un tramway en cette soirée de fête.

La chance lui sourit, il attendit moins de cinq minutes au coin des rues Brébeuf et Mont-Royal avant de pouvoir monter à bord de l'un d'eux. Il trouva un siège libre et s'assit en faisant très attention de ne pas abîmer l'emballage de la boîte de chocolats qu'il transportait dans un sac.

Arrivé à destination un peu avant sept heures, il décida de marcher durant quelques minutes sur le chemin de la Côte-Sainte-Catherine parce qu'il était vraiment trop tôt pour se présenter chez les Comtois. Pour éviter de se faire remarquer par ses hôtes, il changea de trottoir et passa discrètement devant leur maison. Une seule voiture était arrêtée devant la résidence cossue du médecin.

— C'est normal, se dit-il, la soirée commence seulement à sept heures et demie. Personne est encore arrivé.

Toujours par crainte d'être vu par Paul ou sa sœur, il s'éloigna encore une fois de la maison et entreprit de faire une longue promenade en admirant les belles grandes maisons qui bordaient cette artère d'Outremont. Les trottoirs étaient déserts et le bruit qui s'échappait de certaines résidences du quartier laissait croire qu'on s'y amusait ferme. Il ne revint devant la maison en pierre des Comtois qu'un peu après sept heures quarante-cinq. Il était complètement frigorifié. À son arrivée devant leur demeure, il s'aperçut que trois automobiles encombraient maintenant l'allée asphaltée et que deux autres étaient garées devant, le long du trottoir.

Jean sonna et attendit qu'on vienne lui répondre. La porte s'ouvrit sur une parfaite inconnue à l'air déluré. Une musique de samba s'échappait des lieux.

— Est-ce que je peux voir Paul ou Blanche ? lui demanda-t-il, l'air un peu emprunté.

— Tu peux voir qui tu veux, lui répondit la jeune fille en s'écartant pour le laisser entrer. T'as juste à laisser ton manteau au vestiaire, précisa-t-elle en lui indiquant la porte d'une garde-robe à sa droite. Après, descends au sous-sol, c'est là que ça se passe.

La jeune fille disparut et le laissa seul, un peu désemparé. Il s'était imaginé que Blanche l'aurait attendu et serait venue l'accueillir. Alors, il en aurait profité pour lui tendre sa boîte de chocolats. Durant un court moment, il ne sut quoi faire de son cadeau. Finalement, il décida de l'apporter avec lui au sous-sol après avoir retiré ses couvre-chaussures et son manteau. Il avait les oreilles gelées et les doigts gourds.

Après avoir vérifié machinalement la position de son nœud de cravate, il descendit l'escalier qui conduisait à la grande salle de jeu d'où montait un mélange de voix et de musique. Arrivé au pied de l'escalier, il se retrouva devant une quinzaine de personnes rassemblées en trois ou quatre petits groupes qui discutaient assez fort pour couvrir par moments la musique qui s'échappait du tourne-disque installé dans un coin de la pièce. Un nuage de fumée planait paresseusement près du plafond.

Debout au pied de l'escalier, il aperçut Blanche, au fond de la salle, en train de s'entretenir avec deux autres filles de son âge. Apparemment, elle ne l'avait pas vu.

Son ami Paul fut le premier à l'apercevoir. Il quitta l'invité avec qui il s'entretenait pour se porter à sa rencontre.

— Ayoye ! Tu t'es habillé comme si t'allais à des noces, plaisanta-t-il. Blanche aurait dû t'avertir que dans nos *partys*, on fait pas de frais de toilettes. On est entre amis.

Ce ne fut qu'à cet instant que Jean remarqua que les garçons ne portaient qu'un chandail passé sur une chemise.

Pour leur part, les filles n'étaient pas en reste. Elles semblaient toutes avoir adopté une tenue décontractée. Cette constatation ne fit qu'accentuer son sentiment de malaise. Il se sentait ridicule, engoncé dans son costume bleu marine, le cou étranglé par son col amidonné. Il s'empressa de desserrer discrètement sa cravate et de déboutonner le premier bouton de sa chemise pour avoir l'air un peu moins strict.

— Viens, Jean, je vais te présenter, lui dit Paul Comtois en l'entraînant vers l'un des groupes. Ce sont tous des gars et des filles qu'on connaît bien, soit parce qu'ils se tiennent avec ma sœur, soit parce que leurs parents ont un chalet près du nôtre, à Saint-Sauveur. D'habitude, on se tient ensemble durant tout l'été et pendant les vacances des fêtes.

Jean fit la connaissance de chacun des invités. Parmi les garçons, deux d'entre eux terminaient leur cours classique au chic collège Brébeuf et les autres étaient en première année à l'Université de Montréal, l'un en droit et l'autre en médecine. Il ne retint aucun nom.

Quand Paul s'approcha des filles en compagnie de son hôte, Blanche sembla s'apercevoir tout à coup de sa présence. Elle lui adressa un sourire de bienvenue et le prit par le bras pour le présenter à ses amies.

— Je suis contente que tu sois venu, lui murmura-t-elle à l'oreille avant de l'amener rencontrer deux filles qui se tenaient un peu à l'écart.

— Je t'avais promis de venir, répondit-il sur le même ton.

— Qu'est-ce que tu traînes dans les mains ? lui demanda-t-elle en montrant du doigt le paquet qu'il n'avait pas lâché depuis son arrivée.

— C'est un petit cadeau pour toi, dit-il en lui tendant la boîte de chocolats soigneusement emballée.

Blanche s'immobilisa devant le bar. Elle prit le paquet et le développa, en tournant le dos aux invités présents dans la pièce.

— Du chocolat! s'exclama-t-elle. Merci. Qui t'a dit que j'étais gourmande? ajouta-t-elle pour le taquiner.

Elle ouvrit la boîte et prit un chocolat. Ensuite, elle l'entraîna avec elle vers les autres invités avec qui il n'avait pas encore fait connaissance, laissant son cadeau sur le bar derrière elle.

— Il fait pas mal chaud, lui dit-elle quelques instants plus tard. Enlève ton veston. Tu seras plus à l'aise.

Si Jean avait rêvé depuis quelques jours qu'elle lui tiendrait compagnie toute la soirée, il en fut pour ses frais. Elle l'abandonna au bout de quelques minutes pour s'occuper des autres invités. Par chance, Paul fit en sorte qu'il ne se sente pas laissé de côté. Cependant, il écouta beaucoup plus qu'il ne parla.

Les sujets d'intérêt des jeunes gens présents dans la pièce étaient passablement variés. L'étudiant en médecine parla longuement de l'épidémie de poliomyélite qui avait forcé les autorités à retarder de deux semaines la rentrée scolaire au mois de septembre précédent alors que deux autres invités, ardents partisans des Canadiens de Montréal, vantèrent longuement les exploits de Maurice Richard qu'ils s'attendaient à voir remporter le championnat des marqueurs de la Ligue nationale devant Max Bentley et Ted Kennedy, même si on n'en était encore qu'à la mi-saison.

Heureusement, Blanche mettait fin parfois aux conversations qu'elle jugeait trop ennuyeuses en allant changer de disque. Elle insistait alors pour que tout le monde danse. Chaque fois, elle s'approchait de Jean et il pouvait la tenir dans ses bras l'espace d'un tango ou de ce que les jeunes appelaient un *Three Steps*. Cette dernière danse était de loin sa préférée parce qu'elle lui permettait de serrer de près sa partenaire. La tenir dans ses bras et sentir tout son corps contre le sien sous un éclairage tamisé l'excitait énormément. Après quelques danses, Paul disparaissait pour revenir avec de la bière et des coupes remplies d'un punch alcoolisé destiné aux jeunes filles.

À un moment donné, Jean vit la mère et le père de ses hôtes apparaître dans le sous-sol. Ils arrivaient de leur soirée et venaient saluer les jeunes gens en train de fêter chez eux. Ils ne restèrent que quelques minutes, probablement pour s'assurer que tout se déroulait correctement sous leur toit. Le docteur Comtois, un grand homme, et son épouse, des plus élégantes, venaient à peine de monter à l'étage que Blanche et deux invitées descendirent, chargées de grandes assiettes couvertes de sandwichs et de pâtisseries. Aussitôt, la musique fut mise en sourdine et on se rassembla autour du buffet improvisé dressé sur le bar.

À cette occasion, Jean remarqua que la boîte de chocolats offerte à Blanche avait été vidée par les invités et il se retrouva aux côtés de son ami Paul en train d'écouter deux étudiants en droit qui affichaient un air supérieur pour critiquer les récentes décisions du premier ministre Maurice Duplessis, à titre de procureur général de la province. Durant un long moment, il les entendit pérorer sur le fait qu'il n'avait pas le droit de suspendre la licence du restaurateur Roncarelli sous le prétexte que ce dernier avait payé la caution des cinquante-trois Témoins de Jéhovah arrêtés le 17 novembre précédent. À leur avis, le premier ministre avait abusé de son pouvoir et méritait amplement la manifestation qui s'était tenue contre lui au Monument-National, le 12 décembre précédent. Jean se contenta de hocher la tête. Il avait été de ceux qui auraient voulu se joindre à la manifestation, mais les autorités du collège avaient menacé de suspension tout étudiant qui s'absenterait pour y participer.

Pendant que les deux étudiants péroraient, Jean aurait bien aimé se rapprocher de Blanche, mais cette dernière, assise sur un divan, avait l'air d'être en train d'échanger des secrets à mi-voix avec deux amies.

Le jeune homme consulta discrètement sa montre. Il était déjà plus d'une heure du matin. Peu après, un à un, les invités commencèrent à quitter les lieux après avoir remercié Paul et sa sœur. Jean était prêt à partir et n'attendait que l'occasion de dire quelques mots à Blanche avant de le faire. Il désirait lui donner rendez-vous le lendemain ou le surlendemain, et surtout l'inviter au souper du jour de l'An que sa mère allait offrir à la parenté.

Sa patience fut récompensée. Il la vit bientôt raccompagner un couple jusqu'à la porte d'entrée, à l'étage. Il la suivit rapidement dans l'escalier et attendit qu'elle ait refermé la porte sur ses amis pour l'intercepter.

— Je pense que je vais y aller, moi aussi. Il est pas mal tard, lui dit-il.

— J'espère que tu as aimé la soirée.

— Beaucoup. Pendant que j'y pense, ajouta-t-il, est-ce que ça te dirait de venir patiner demain ou après-demain, dans l'après-midi ou dans la soirée ?

— C'est gentil de ta part de me l'offrir, répondit la jeune fille avec un sourire aguichant, mais je monte faire du ski à Saint-Sauveur avec mes amis durant toute la semaine.

— Mais tu vas être revenue en ville pour le jour de l'An ? lui demanda-t-il, profondément déçu d'apprendre qu'il ne la verrait pas de la semaine.

— Je pense pas. Mes parents font toujours une grande fête à notre chalet au jour de l'An. D'habitude, on ne revient que quelques jours après. Pourquoi me demandes-tu ça ?

— Parce que ma mère voulait t'inviter à son souper, mentit-il.

— Tu la remercieras et tu lui expliqueras pourquoi je ne pourrai pas y assister.

— Je suppose que Paul monte dans le Nord, lui aussi ? demanda-t-il pour se donner une contenance.

— Bien sûr.

Au même moment, deux personnes se présentèrent en haut de l'escalier dans l'intention de récupérer leurs manteaux avant de partir.

— T'as oublié ton veston en bas, lui fit remarquer Blanche avant de s'adresser à ses deux invités.

— Comme ça, on se voit demain après-midi au pied de la pente ? demanda la jeune fille.

— Disons plutôt au chaud, dans le restaurant, répondit Blanche avec un petit rire. J'ai l'impression que toute la bande va plutôt faire du ski de chalet.

— Et ce n'est pas demain, mais aujourd'hui, tint à préciser le garçon en se penchant pour chausser ses bottes.

Jean alla prendre sa veste suspendue au dossier d'une chaise, salua Paul et s'empressa de retourner à l'étage dans l'espoir de dire encore quelques mots à son hôtesse et peut-être même de l'embrasser. Il ne la vit pas et dut se résigner à quitter la maison sans l'avoir revue.

À l'extérieur, le froid s'était fait beaucoup plus vif que la veille. Deux des automobiles garées près de la maison avaient disparu. Seule la Cadillac paternelle était rangée près de la résidence. En se mettant en marche après avoir enfoncé son chapeau sur sa tête, Jean Bélanger réalisa soudain avec un certain malaise que les garçons et les filles avec qui il s'était amusé durant la soirée appartenaient à des familles nettement plus aisées que la sienne. Ils se déplaçaient en automobile. Leurs parents possédaient un chalet et ils faisaient du ski dans le Nord… Bref, ils semblaient évoluer dans un monde qui lui était totalement inconnu. Pourtant, il connaissait Paul depuis trois ans, et jamais il n'avait imaginé qu'il existait un tel fossé entre eux.

L'air froid lui remit les idées en place et l'aida à se rendre compte subitement qu'à cette heure tardive le service de tramway ne fonctionnait plus. Si sa fierté ne l'en avait pas empêché, il serait retourné chez les Comtois pour demander à l'un ou l'autre des invités encore sur place s'ils pouvaient le déposer en voiture à proximité de chez lui. Il fut secoué par un frisson. Il accéléra le pas et enfonça ses mains plus profondément dans ses poches en jurant contre le sort qui l'avait fait naître dans une famille aussi pauvre.

Pendant plus d'une heure, il marcha dans le froid pour rentrer chez lui. Il regretta plus d'une fois de ne pas avoir remplacé son chapeau par une tuque. Quand il pénétra dans l'appartement familial un peu avant trois heures, il était transi. Il entra silencieusement dans sa chambre sans allumer. Après s'être déshabillé sans bruit, il se glissa dans son lit, trop fatigué pour encore remâcher sa déconvenue de ne pas pouvoir revoir Blanche avant plusieurs jours.

Chapitre 6

Les longues vacances

— Dis donc, la marmotte! Vas-tu rester couché toute la journée? fit une voix qui fit sursauter Jean.

— Laisse-moi dormir, maudit fatigant! ordonna-t-il à son jeune frère, sans se donner la peine d'ouvrir les yeux.

— Il est midi, et m'man te dit de te lever pour venir dîner. Grouille-toi, laissa tomber sèchement l'adolescent avant de refermer bruyamment la porte de leur chambre à coucher.

Jean se leva, passa ses doigts dans sa chevelure hérissée et se rendit dans la cuisine en bâillant. Il trouva toute la famille attablée.

— Cybole! on dirait ben que les p'tits chars t'ont passé dessus, s'exclama son père en le regardant.

— Veux-tu bien me dire à quelle heure t'es rentré, toi? exigea sa mère en faisant glisser deux œufs dans son assiette.

— J'ai pas regardé l'heure, m'man, se défendit-il.

— Il devait être pas mal tard, reprit son père sur un ton un peu plus sévère. On est revenus de chez ton oncle vers une heure du matin et t'étais pas encore arrivé.

— Je pense qu'il était passé deux heures et demie, p'pa.

— Deux heures trente! s'exclama sa mère pour insister sur l'heure tardive.

— Ben oui ! J'avais complètement oublié qu'il y avait plus de p'tits chars passé minuit. J'ai été obligé de revenir à pied d'Outremont. Ça m'a pris un maudit bout de temps.

— Si ça a de l'allure ! s'écria Amélie en prenant place au bout de la table. T'aurais pas pu demander à quelqu'un de te ramener ?

— J'aurais eu l'air d'un beau tata d'aller quêter une *ride*.

— Je suis sûre que t'avais l'air bien plus intelligent de marcher au froid pendant tout ce temps-là en pleine nuit, répliqua sa mère, sarcastique.

Le silence tomba autour de la table et ne fut plus troublé que par le bruit des ustensiles heurtant la vaisselle.

Ce lendemain de Noël fut un jour de repos. Jean passa la journée à essayer de lire *L'Immoraliste* d'André Gide qu'il avait emprunté à l'enfer de la bibliothèque du collège, comme lui en donnait le droit son statut d'élève en philosophie. Cependant, son esprit ne cessait de vagabonder. Il essayait d'imaginer ce que faisait Blanche avec ses amis et regrettait amèrement de ne pas avoir tout tenté pour se faire inviter par Paul… Mais pour ce faire, il aurait fallu qu'il connaisse les projets de vacances des Comtois. Si tel avait été le cas, cela ne lui aurait probablement servi à rien. Il ne savait pas skier et il n'avait surtout pas l'argent nécessaire pour suivre la bande à laquelle appartenaient Blanche et son frère.

Ce jour-là et le lendemain, il traîna dans la maison comme une âme en peine, refusant toutes les invitations de son frère cadet à aller jouer au hockey.

— Veux-tu bien me dire ce que t'as, toi, à faire la baboune ? finit par lui demander sa mère, fatiguée de le voir tourner en rond dans l'appartement avec l'air de ne pas savoir que faire de son corps.

— J'ai rien, m'man.

— Essaye pas de me faire croire ça, rétorqua sa mère. Pendant des semaines, t'as pas arrêté de nous dire que t'avais hâte sans bon sens aux vacances. Là, t'es en vacances et t'as l'air de t'ennuyer à mourir.

— Comme un rat mort, crut bon de préciser Claude, moqueur.

— Toi, mêle-toi de tes affaires, encore une fois, intervint Amélie en se tournant vers l'adolescent.

— C'est correct. J'ai rien dit.

— Secoue-toi un peu et va prendre l'air, reprit la mère de famille en s'adressant de nouveau à son fils aîné. Profites-en ! Regarde. Ton père et ta sœur sont retournés travailler, eux autres. Ils ont eu juste trois jours de vacances. Toi, t'as la chance d'avoir trois semaines de congé.

Jean dut se faire violence pour s'habiller et sortir de la maison, mais il ne cessait de penser à Blanche. Il était maintenant rongé par la jalousie. Il ne cessait de se demander avec qui elle était et ce qu'elle faisait.

Il était si distrait qu'il tourna vers l'ouest au coin de Brébeuf et Mont-Royal et passa devant la biscuiterie Talbot. Reine le vit passer, mais contrairement à ce qu'elle faisait auparavant, elle ne se précipita pas vers la porte pour l'intercepter. Elle lui jeta un regard mauvais, retranchée de l'autre côté de la vitrine. Sa bouche se crispa. Son père avait vu, lui aussi, l'ancien amoureux de sa fille, mais se garda bien de dire quoi que ce soit. Il se contenta de jeter un regard vers elle pour voir sa réaction. Rien.

Jean, lui, était dans ses pensées. À ce moment précis, il était partout sauf dans la rue Mont-Royal et ne pensait pas du tout à éviter la biscuiterie... Une heure plus tard, il revint tranquillement à l'appartement.

La semaine entre Noël et le jour de l'An passa lentement, trop lentement au gré de l'amoureux. Il n'y eut aucune chute de neige, ce qui plut particulièrement à Félicien. Son travail de facteur en était facilité. Jean et Claude allèrent jouer au hockey sur une patinoire du quartier à quelques reprises. Durant quelques heures, ces parties improvisées avec des jeunes du voisinage eurent l'avantage de faire oublier à l'étudiant du Collège Sainte-Marie qu'il allait commencer l'année 1947 sans voir la fille à laquelle il rêvait toutes les nuits.

La veille du jour de l'An, Lorraine rentra de son travail l'air si sombre que sa mère ne put s'empêcher de lui demander ce qui se passait.

— Édouard pourra pas venir passer le jour de l'An avec moi, répondit-elle, au bord des larmes. Il va passer la journée à Joliette avec ses parents chez un de ses oncles.

— Il me semble qu'à son âge il pourrait ben laisser ses parents tranquilles et faire ce qu'il veut au jour de l'An, lui fit remarquer son père en train de fabriquer sa provision hebdomadaire de cigarettes avec sa nouvelle machine, sur la table de la cuisine.

Lorraine ne dit rien et alla se réfugier dans sa chambre.

— C'est drôle, mais j'ai comme l'impression qu'il a pas aimé pantoute se faire pousser dans le dos, l'Édouard, chuchota Félicien à sa femme.

— J'espère que tu lui as pas fait peur au point qu'il ne revienne plus voir Lorraine, fit Amélie, un peu inquiète.

— Ce sera pas la fin du monde si ça arrive.

— Ça lui ferait surtout bien de la peine, lui fit-elle remarquer, attristée.

— Peut-être, mais au moins, elle va savoir où elle en est avec lui.

— Si ça continue, on va avoir un maudit beau jour de l'An, finit par dire sa femme. On va avoir deux faces de carême dans la maison.

— Comment ça, deux ?

— Jean m'a dit que la sœur de son ami Comtois pourra pas venir souper, elle non plus.

— Ça en fait toute une affaire, ça ! C'est pas une raison pour avoir l'air bête au jour de l'An, rétorqua le père de famille.

— Je sais pas si t'as remarqué, mais ton garçon a l'air de filer un mauvais coton depuis qu'il est revenu de sa soirée chez les Comtois. La sœur de Paul Comtois serait en dessous de cette histoire-là que ça m'étonnerait pas pantoute. C'est pas pour rien qu'il m'avait demandé la permission de l'inviter à souper. Depuis Noël, il est pas allé la voir une fois. Pour moi, il y a quelque chose qui tourne pas rond.

— Est-ce que c'est la fille avec qui il est allé patiner avant Noël ?

— En plein ça, confirma sa femme. Si on se fie à ce que Claude nous a rapporté, Jean a l'air de la trouver pas mal à son goût.

— S'il est en amour, c'est pas la fin du monde, fit Félicien, philosophe. De toute façon, il sort plus avec la petite Talbot. Il a ben le droit de se trouver une autre blonde. Mais ça explique pas pourquoi il fait une face de carême. Et puis, où est-ce qu'il est passé ?

— Je l'ai envoyé chercher de la liqueur et de la bière pour la visite demain.

La mère de famille préféra ne pas révéler à son mari que, depuis qu'elle avait appris que leur fils avait rompu avec la fille de Fernand Talbot, elle s'était remise à espérer en faire un prêtre. Elle priait chaque jour avec encore plus de ferveur pour que son vœu se réalise. Elle ne s'était pas trop inquiétée quand Jean lui avait demandé la permission d'inviter la sœur de Paul Comtois à souper. À l'entendre, il la connaissait à peine et il n'avait pas dit qu'il avait l'intention de la fréquenter. Mais là, à voir la tête qu'il faisait depuis Noël, on pouvait se poser de sérieuses questions sur ses intentions.

Ce soir-là, après le souper, chacun dut mettre la main à la pâte pour finir de préparer la maison pour la petite fête que Félicien et Amélie offraient traditionnellement à leurs proches au jour de l'An. L'oncle Émile et sa femme Berthe seraient présents avec leurs deux grands enfants ainsi que Bérengère Bélanger, la vieille mère de Félicien. Cette dernière allait venir avec Camille et Rita, ses deux filles célibataires. Depuis le décès de leur père survenu en 1938, les deux infirmières de l'hôpital Hôtel-Dieu avaient recueilli leur mère dans leur appartement de la rue Saint-Urbain.

— La dinde est cuite et il reste juste à la découper, annonça Amélie en sortant la rôtissoire du four.

— Je m'en occuperai quand elle aura refroidi, offrit Lorraine, sans enthousiasme, en pénétrant dans la cuisine.

— Le salon est préparé, intervint son père en cherchant à caser quelques bouteilles de bière dans la glacière. Les garçons ont tassé les meubles et ils ont placé toutes les chaises qui étaient dans le hangar le long des murs du salon.

— On n'aura pas tant de monde que ça, protesta sa femme.

— Si tu sais compter, on va tout de même être douze, si Émile et Berthe viennent avec Réjean et Isabelle, lui fit remarquer Félicien. On peut tout de même pas les faire asseoir à terre.

— C'est correct, j'ai rien dit, fit Amélie. Quand t'auras le temps, Lorraine, prépare donc un plateau de bonbons clairs et un autre avec du chocolat, lui demanda sa mère.

Jean et son jeune frère entrèrent dans la cuisine en déclarant que tout était prêt. À la vue de la boîte de chocolats que Lorraine venait de sortir de l'une des armoires pour en remplir un petit plat, Claude ne put s'empêcher de dire :

— Je sais pas si ce chocolat-là va être aussi bon que celui que mon frère a acheté à sa blonde pour Noël.

— T'as acheté du chocolat à Reine Talbot pour Noël ? s'étonna la mère de famille en se tournant vers son fils aîné. Je pensais que cette histoire-là était finie.

— La mémère de la famille s'est encore mêlée de ce qui la regardait pas, dit Jean avec mauvaise humeur en fusillant son jeune frère du regard. Non, m'man. Le chocolat était pas pour elle.

— Est-ce qu'on peut savoir pour qui c'était ?

— Pour Blanche Comtois, répondit le jeune homme.

— C'est la fille qui devait venir souper avec nous autres demain ? demanda son père.

— Oui.

— Au fait, tu m'as pas dit pourquoi elle pouvait pas venir demain ? intervint sa mère, curieuse.

— J'espère que c'est pas parce qu'elle veut pas nous voir la face ? plaisanta Claude. C'est vrai qu'elle a déjà vu le plus beau de la famille Bélanger, ajouta-t-il en se montrant du doigt, mais c'est pas une raison.

— Blanche passe les vacances des fêtes au chalet des Comtois, à Saint-Sauveur. Ils font du ski, précisa Jean, exaspéré par l'insistance des siens. Ils fêtent là-bas avec des amis.

— Ah bon ! fit Amélie en adressant un regard entendu à son mari. Essaye tout de même de te rappeler ce que ton père et moi t'avons dit quand t'as commencé à sortir avec la petite Talbot. On t'a dit de t'arranger que ça devienne pas trop sérieux avec les filles parce que t'as encore quatre ou cinq ans d'études devant toi.

— J'ai pas oublié, se contenta de dire son fils avant de s'esquiver vers sa chambre à coucher.

Étrangement, les explications de son fils venaient d'apaiser les craintes de la mère de famille. De toute évidence, ce n'était pas très sérieux entre Jean et la sœur de son ami. La meilleure preuve, à ses yeux, était que la jeune fille préférait célébrer le jour de l'An avec des amis dans le Nord.

Le lendemain, Lorraine et ses deux frères décidèrent d'aller à la première messe du matin, laissant à leurs parents la grand-messe de dix heures. À son entrée dans l'église, Jean aperçut Reine Talbot et ses parents installés dans l'un des bancs, près de l'allée centrale. Il s'empressa de prendre place dans l'un des derniers bancs, à l'arrière.

— Si m'man était là, tu te ferais dire de pas rester en arrière, lui chuchota Claude, toujours debout dans l'allée.

— C'est ça, fit son frère en le repoussant. Va donc t'asseoir en avant avec Lorraine.

L'adolescent n'insista pas, mais en passant près des Talbot, il fit un léger signe de reconnaissance à Reine qui l'ignora royalement. Un instant plus tard, la jeune fille chercha Jean du regard, mais elle ne l'aperçut pas. À la fin de la messe, ce dernier s'empressa de sortir de l'église et n'attendit son frère et sa sœur qu'une fois rendu au coin de la rue Chambord.

— T'as raison de plus sortir avec la Talbot, lui déclara Claude en le rejoignant. C'est une maudite air bête. Je l'ai saluée poliment et elle m'a fait un visage de beu.

Lorraine, trop préoccupée par ses propres problèmes de cœur en ce premier janvier 1947, ne se mêla pas à la conversation. Pour la première fois en trois ans, elle allait passer le jour de l'An sans Édouard.

Ce matin-là, Fernand et Yvonne Talbot sortirent de l'église sans perdre un instant.

— Traîne pas, Reine, lui ordonna sa mère. On a encore pas mal de choses à faire pour que le dîner soit prêt à temps.

La jeune fille, maussade, ne dit rien et se borna à suivre ses parents. Elle était pratiquement certaine que son frère Lorenzo ainsi que sa sœur Estelle et son mari allaient arriver bien avant onze heures, comme ils le faisaient chaque matin du jour de l'An. En d'autres mots, sa mère et elle allaient avoir les visiteurs sur les bras pendant qu'elles mettraient la touche finale au repas.

En fait, quelques instants plus tard, la mère et la fille venaient à peine de dresser la table qu'un coup de sonnette impérieux obligea Fernand à aller ouvrir à Estelle et à Charles Caron, tous les deux d'excellente humeur.

— Bonjour, p'pa. J'espère qu'on n'est pas trop de bonne heure ? lui demanda sa fille en l'embrassant sur une joue.

La jeune femme de vingt-six ans ressemblait beaucoup à sa jeune sœur tout en donnant l'impression d'une plus grande maturité. Elle avait en commun avec Reine et sa mère des yeux gris, des traits fins et une abondante chevelure noire.

— Ben non, on vous attendait, répondit Fernand en embrassant sa fille à son tour et en serrant la main de son gendre.

Yvonne et Reine vinrent rejoindre les nouveaux arrivés dans le couloir et il y eut un échange de bons vœux et des embrassades.

— Je suppose que Lorenzo est pas encore là, fit le dentiste, un homme de taille moyenne âgé d'une trentaine d'années qui arborait un léger embonpoint.

— Pas encore, fit sa belle-mère.

— Il doit avoir un peu mal aux cheveux, notre Lorenzo, reprit Charles sur un ton léger. Disons que hier soir on a fait honneur à la bouteille de cognac.

— Vous devriez pas boire comme ça, le réprimanda Yvonne.

— Voyons, madame Talbot, ce sont les fêtes, il faut bien en profiter un peu. Surtout qu'on célébrait quelque chose d'important.

— Ah oui! Quoi? demanda son beau-père, curieux.

— J'aime autant que ce soit Estelle qui vous l'annonce, répondit son gendre en pénétrant dans le salon à la suite des femmes de la maison.

— Qu'est-ce que t'as à nous annoncer? demanda Yvonne à sa fille.

— J'aurais peut-être pu vous le dire la veille de Noël quand vous êtes venus réveillonner, répondit cette dernière, mais j'avais pas encore reçu la réponse pour le test.

— Viens pas me dire que je vais être grand-mère? s'exclama la femme de Fernand Talbot.

— En plein ça, m'man, fit sa fille, rayonnante de fierté.

— Et ce serait pour quand?

— D'après moi, ce devrait être pour juillet.

— Aïe! c'est toute une nouvelle, ça, reprit Fernand, la mine réjouie, même si ça nous fait prendre un sérieux coup de vieux.

Les Caron en étaient à parler d'aménagement d'une chambre de bébé dans leur luxueuse résidence de Saint-Lambert quand l'aîné de la famille arriva.

— Jériboire! t'as ben l'air fripé, toi, s'exclama son père en regardant son fils de trente ans retirer en grimaçant son manteau et son chapeau Stetson gris.

— Il y a des lendemains qui sont plus durs que d'autres, p'pa, c'est tout ce que je peux vous dire, fit le jeune voyageur de commerce en embrassant ses sœurs et sa mère. Sainte Mère que j'ai mal au crâne ! Es-tu sûr que c'était du cognac que tu m'as fait boire hier soir ? demanda-t-il à son beau-frère en lui serrant la main.

— T'es une petite nature, rétorqua ce dernier en plaisantant. Regarde-moi, je suis frais comme une rose.

— Ouais, fit l'autre. Reine, tu me donnerais pas deux aspirines avec un grand verre d'eau pour faire passer mon mal de tête ?

— Viens avec moi dans la cuisine. Je vais te trouver ça, répondit sa sœur, qui faisait des efforts méritoires pour faire montre de bonne humeur.

Quelques minutes plus tard, Lorenzo fit un signe discret à ses deux sœurs qui vinrent se placer à ses côtés au moment où l'aîné de la famille demandait à leur père sa bénédiction. Charles Caron se retira au fond de la pièce avec sa belle-mère pour assister à cette bénédiction paternelle, une tradition qui se perpétuait chaque jour de l'An dans la famille Talbot.

Ému, Fernand attendit que ses trois enfants se soient agenouillés devant lui pour les bénir solennellement. Ensuite, il leur fit signe de se relever. Les yeux un peu embués par l'émotion que lui procurait chaque année ce moment privilégié avec les siens, celui qui allait devenir grand-père l'été suivant embrassa ses deux filles et serra la main de son fils en leur souhaitant une bonne année.

— Bon, c'est bien beau tout ça, mais vous devez commencer à avoir faim, déclara Yvonne. Passez dans la cuisine, le dîner est prêt.

Le repas fut extrêmement joyeux. Pour une fois, l'atmosphère ne fut pas assombrie par l'une des horribles migraines dont Yvonne se plaignait pratiquement tous les jours. On célébra l'arrivée de la nouvelle année, et surtout la venue prochaine d'un enfant dans la famille. Chacun suggéra des prénoms aux parents qui s'empressaient de tous les refuser l'un après l'autre.

— Est-ce que ça veut dire que votre idée est déjà faite ? finit par demander Yvonne à son gendre.

— Je pense que oui, madame Talbot. Si c'est une fille, Estelle aimerait l'appeler Mireille.

— C'est pas laid comme prénom, reconnut Fernand.

— Si c'est un garçon, on va l'appeler Pierre. C'est à la mode.

— Pourquoi pas, concéda Yvonne.

Après le repas, les trois hommes se retirèrent au salon pour fumer pendant que Reine et Estelle aidaient leur mère à tout ranger dans la cuisine.

— Comment ça se fait que ton chum est pas là ? demanda l'aînée à sa sœur cadette.

— Je sors plus avec lui, déclara abruptement la jeune fille.

— J'espère que c'est pas pour ça que t'es pas venue à mon réveillon la semaine passée ?

— Bien non, mentit Reine.

— Tant mieux. Les gars prêts à sortir avec une belle fille comme toi doivent pas manquer.

Leur mère approuva de la tête avant d'ajouter :

— Surtout, choisis-en un qui a de l'avenir. Fais comme ta sœur. Regarde comme elle a bien su se placer les pieds. Elle vit dans une belle maison et elle manque de rien.

❧

Cet après-midi-là, chez les Bélanger, on avait dîné tôt pour être prêts lorsque les premiers invités se présenteraient à la porte.

— Fais un effort pour être de bonne humeur, ordonna Amélie à sa fille aînée en retirant son tablier. Ton Édouard viendra pas plus si tu fais une tête d'enterrement à la visite.

— Bien oui, m'man, fit Lorraine d'une voix excédée.

— Et toi, Claude, arrange-toi pas pour faire tes farces plates habituelles. Tu le sais que tes tantes entendent pas à rire, et ta grand-mère encore moins.

— Oui, on le sait, m'man, fit l'adolescent en esquissant une grimace avant de retourner dans sa chambre où son frère était en train de lire.

— On va avoir du fun en maudit aujourd'hui, déclara Claude en se laissant tomber sur son lit. Grand-mère va vouloir voir mon dernier bulletin et les sœurs de p'pa vont pas arrêter de me regarder comme si j'étais une espèce de microbe qu'elles aimeraient écraser.

— Arrête donc de dire des niaiseries, fit son frère en levant la tête de son livre. Elles sont pas méchantes.

— Non, c'est vrai. Elles sont juste plates et bêtes comme leurs pieds, répliqua Claude en s'emparant d'une bande dessinée déposée sur sa table de chevet.

L'oncle Émile et sa femme furent les premiers arrivés en compagnie de leurs enfants. Isabelle et Réjean étaient deux adolescents qui ne faisaient pas de grands efforts pour dissimuler leur ennui d'avoir à accompagner leurs parents à cette fête familiale.

Émile Corbeil, le frère aîné d'Amélie, était un gros homme jovial au crâne totalement chauve. Âgé de cinquante ans, ce soudeur à la Canadian Vickers habitait avec sa femme Berthe un grand appartement de la rue Duquesne. Réjean, âgé de dix-sept ans, avait entrepris son cours de soudure tandis que sa jeune sœur de quatorze ans finissait sa 8e année dans un couvent du quartier.

Berthe Corbeil entra dans l'appartement derrière ses deux grands enfants et leur fit signe de se pousser un peu pour permettre à leur père d'entrer.

— Petit Jésus ! s'exclama le visiteur en refermant la porte d'entrée de l'appartement de la rue Brébeuf derrière lui, on gèle tout rond aujourd'hui.

— C'est sûr que ça doit pas être chaud quand on n'a pas un poil sur le naveau, plaisanta Félicien en lui serrant la main.

— Peut-être, mais moi j'ai du lard sur les côtes, reprit Émile d'un ton rieur en tapant sur son ventre confortable.

Évidemment, son hôte ne pouvait supporter la comparaison dans ce domaine puisqu'il était passablement maigre.

— Au lieu d'essayer de faire enrager Félicien, mon gros, tu pourrais peut-être m'aider à ôter mes bottes, intervint sa femme que Lorraine venait de débarrasser de son manteau en mouton frisé.

L'épouse du soudeur était une petite femme vive dont les tempes grises créaient un étrange contraste avec un visage sans la moindre ride.

— Donne-moi une chance, ma douce, répliqua son mari. Laisse-moi le temps de retrouver mon souffle.

— Tabarnouche ! s'écria son hôte. Une chance que t'es pas facteur. T'arriverais jamais à grimper tous les escaliers qu'on a à monter dans une journée. Claude, aide donc ta marraine à enlever ses bottes.

Sans se faire prier, l'adolescent s'agenouilla devant sa tante pour baisser les fermetures Éclair de ses bottes.

— T'es tellement fin, mon filleul, que j'ai pas oublié de t'apporter un petit cadeau pour le jour de l'An, lui annonça la petite femme en ouvrant sa grande bourse pour en tirer un petit paquet enveloppé dans du papier argenté.

Claude s'empressa de retirer l'emballage pendant que son oncle et sa tante allaient prendre place dans le salon.

Il découvrit un très beau porte-monnaie en cuir noir et alla remercier son parrain et sa marraine.

— Ta tante a eu cette idée-là, se défendit Émile Corbeil. Moi, j'ai pensé que t'aimerais mieux qu'il y ait quelque chose dedans.

Claude mit un petit moment avant de comprendre ce que son parrain venait de lui dire. Il finit par ouvrir le porte-monnaie et y trouva rangé un billet de cinq dollars.

— Vous le gâtez bien trop, protesta Amélie.

— Ben non, c'est notre seul filleul, fit son frère avec un bon gros rire.

Claude alla déposer son cadeau dans sa chambre et croisa son frère qui en sortait. Il lui montra ce qu'il venait de recevoir.

— Il y a pas à dire, t'es chanceux, toi, lui dit Jean.

— C'est sûr que c'est pas avec une marraine comme grand-maman que tu risques de recevoir quelque chose, rétorqua l'adolescent.

Quelques minutes plus tard, Félicien alla ouvrir à sa mère et à ses deux sœurs.

— Mon Dieu, que vous restez haut ! s'écria Bérengère Bélanger, sérieusement essoufflée d'avoir eu à monter le long escalier extérieur.

— C'est juste un premier étage, m'man, se défendit Félicien avant de l'embrasser et de lui souhaiter une bonne année.

— Je veux bien te croire, mon garçon, mais je continue à penser que celui qui a fait installer un escalier comme ça dehors avait pas toute sa tête. C'est des plans pour se tuer en hiver, une affaire de même. Il doit être glissant sans bon sens quand il y a de la neige.

— On fait bien attention, madame Bélanger, intervint Amélie d'une voix apaisante. Donnez-moi votre manteau et passez donc au salon.

La vieille dame de soixante-quinze ans était une petite femme énergique bien connue dans la famille pour son mauvais caractère et plus encore pour son franc-parler. On savait qu'elle ne prenait jamais trop de précautions pour dire ce qu'elle pensait.

— Je suis pas une hypocrite, moi, se plaisait-elle à répéter. Ce que j'ai à dire, je le dis en pleine face, jamais dans le dos du monde.

Dans la famille, certaines mauvaises langues avançaient que son mari avait préféré se laisser mourir plutôt que de devoir continuer à supporter son mauvais caractère. Son fils et sa bru n'auraient pu dire le contraire.

Par exemple, Amélie et Félicien en avaient pris pour leur grade quand ils avaient annoncé à la vieille dame irascible que Jean ne deviendrait pas prêtre, le printemps précédent.

— Ça m'enlèvera pas de l'idée que vous êtes tous les deux responsables de ça, avait-elle déclaré sèchement. Si vous l'aviez mieux surveillé, votre garçon, il aurait pas changé d'idée en chemin. Vous allez avoir à rendre compte de ça de l'autre bord, avait-elle prédit, sinistre.

Mises au courant de cette sortie de leur mère, ses deux filles s'étaient contentées de hausser les épaules en signe d'impuissance. Même si elles n'avaient pas du tout approuvé le changement d'orientation de leur neveu, elles s'étaient bien gardées d'accabler ses parents.

Bérengère Bélanger tendit son manteau de drap noir à sa bru avant de s'avancer dans le salon. Émile Corbeil et sa femme se levèrent immédiatement pour lui offrir leurs vœux. La mère de Félicien connaissait bien le soudeur et sa femme pour les avoir rencontrés à de nombreuses reprises depuis le mariage de son fils.

Pendant ce temps, Rita et Camille Bélanger pénétraient enfin dans l'appartement, l'une derrière l'autre. Les deux infirmières célibataires étaient des maîtresses-femmes bien en chair au visage plutôt sévère. Âgées respectivement de quarante-cinq et quarante-six ans, on aurait pu facilement les prendre pour des jumelles tant elles se ressemblaient avec leurs petites lunettes rondes, leur chignon strictement coiffé et leur visage un peu allongé.

— Voyons, m'man, on vous avait demandé de nous attendre pendant qu'on payait le taxi, fit Camille en apercevant sa mère debout au milieu du salon.

— Vous auriez pu tomber dans l'escalier, la sermonna Rita, à son tour.

— Lâchez-moi donc, vous deux, leur ordonna la vieille dame avec humeur. Je suis pas invalide. Je suis encore capable de mettre un pied devant l'autre. Pis, il est pas si pire que ça cet escalier !

Amélie fit un clin d'œil à ses deux belles-sœurs et les débarrassa de leur manteau.

— Elle devient de plus en plus difficile, lui chuchota Camille à l'oreille.

— Elle écoute pas plus qu'un enfant de deux ans, poursuivit sa sœur sur le même ton.

— Peut-être, mais je suis pas encore sourde, fit la vieille dame en fusillant ses deux filles du regard.

Si les deux infirmières prirent immédiatement un air coupable, Amélie, pour sa part, eut du mal à se retenir de rire. Elle indiqua des sièges à ses deux invitées avant de retraiter dans la cuisine pour servir à boire.

Dans le salon, on prit des nouvelles de chacun et on s'informa de cousins et cousines que Bérengère avait eu l'occasion de recevoir au début du mois.

— Et comment vont tes études ? demanda Camille en se tournant vers son neveu Jean.

— Pas trop mal, ma tante.

— Tu dois commencer à penser à l'université, je suppose.

— Dans un an et demi.

— Je te trouve bien chanceux. Moi, j'aurais tellement aimé faire ma médecine, mais une fille en médecine quand j'étais jeune, c'était pas possible, ajouta sa tante avec une pointe d'amertume dans la voix.

— Et vous, ma tante Rita ? demanda Jean. Vouliez-vous devenir médecin, vous aussi ?

— Non, mon garçon. Je voulais être garde-malade et je l'ai jamais regretté.

— De toute façon, Camille, intervint sa mère, tu sais bien que ton père aurait jamais eu les moyens de te payer des études aussi longues. Déjà que le cours de garde-malade donné par les sœurs Grises était pas donné…

— C'est vrai que ça demande pas mal de sacrifices des parents, encore plus quand leurs enfants veulent aller jusqu'à l'université, reconnut Camille. T'as de la chance d'avoir des parents qui acceptent de se priver pour te faire étudier, ajouta-t-elle à l'intention de son neveu.

«Ça y est, se dit Jean en réprimant mal un soupir d'agacement. On va recommencer la scène habituelle du jour de l'An. Je vais avoir droit au même sermon qu'on me fait chaque année depuis que j'ai commencé mon cours classique.»

Le jeune homme s'arma de patience et écouta durant de longues minutes les conseils et les recommandations de sa grand-mère et de ses deux tantes. Heureusement, les Dubé, les propriétaires de la maison, vinrent frapper à la porte comme chaque jour de l'An pour souhaiter une bonne année à leurs locataires. Félicien et Amélie les forcèrent à entrer et les présentèrent aux invités avant de leur servir un rafraî-chissement. Chez les Bélanger, on n'aimait pourtant pas particulièrement les propriétaires, qui demeuraient au rez-de-chaussée, parce qu'on les jugeait agaçants avec tous leurs interdits. Cependant, sur la recommandation d'Amélie, on s'efforçait de faire bonne figure en leur présence, ne serait-ce que pour leur enlever l'envie d'augmenter exagérément le loyer de l'appartement.

L'heure du souper finit par arriver et on s'entassa autour de la table pour déguster la dinde et les tartes au sucre et aux raisins d'Amélie. Évidemment, l'une des tantes finit par s'enquérir de la raison de l'absence de l'amoureux de Lorraine.

— Il devait aller chez de la parenté en dehors de la ville, fit la jeune fille, évasive.

— Pourquoi t'es pas allée avec lui? insista Rita Bélanger, curieuse.

— Ça me tentait pas, ma tante, lui répondit sa nièce. J'aimais mieux fêter avec ma famille, mentit-elle.

— C'est drôle pareil qu'il soit pas avec toi le premier jour de l'année, intervint sa tante Camille en reposant sa tasse de thé vide sur la soucoupe. C'est vrai qu'on peut rarement se fier aux hommes, ajouta-t-elle, amère.

— Est-ce que c'est pour ça que vous vous êtes pas mariée, ma tante? demanda Claude sur un ton impertinent.

— Non, c'est parce que je voulais pas prendre le risque de tomber sur un haïssable comme toi, répliqua-t-elle sans sourire.

Tout le monde éclata de rire autour de la table.

— Mais c'est toujours le même garçon qui te fréquente? insista la grand-mère en scrutant le visage de sa petite-fille.

— Oui, grand-mère.

— Je suppose que vous parlez de vous marier bientôt?

— C'est sûr.

— Tu devrais lui dire à ton...

— Édouard, grand-mère.

— Oui, c'est ça, à ton Édouard, que ta grand-mère est pas mal vieille et qu'elle aimerait bien ça assister à vos noces avant de mourir.

Amélie intervint pour changer de sujet de conversation et demanda à ses belles-sœurs quels films elles étaient allées voir dernièrement. Les deux infirmières étaient des passionnées de cinéma. Quand elles se mirent à comparer la performance de Danielle Darrieux dans *Au petit bonheur* à celle de Michèle Morgan dans *La symphonie pastorale* qui venait de paraître au cinéma, les hommes se levèrent et se retirèrent au salon pour parler plus à leur aise de la prochaine partie de hockey qui opposerait les Maple Leafs de Toronto aux Canadiens de Montréal.

— Moi, j'ai ben hâte d'écouter ce que *La ligue du vieux poêle* de Radio-Canada va dire entre les périodes, déclara Félicien.

Ses fils et son neveu l'approuvèrent bruyamment.

— C'est ben beau le hockey, finit par déclarer Émile Corbeil, mais il y a ben plus important. Ça a pas un maudit bon sens de voir comment les prix arrêtent pas d'augmenter depuis un an. En plus, il y a de plus en plus de chômeurs.

— Ça va se replacer pour le chômage, voulut le rassurer son beau-frère.

— Je suis pas sûr de ça pantoute, affirma le gros homme. Là, Réjean va finir son cours de soudure à la fin du printemps et c'est même pas sûr qu'il se trouve de l'ouvrage.

— Tu finiras ben par le faire engager à la Vickers, non?

— Je suis même pas certain d'y arriver, reconnut son beau-frère, dont l'inquiétude était manifeste. Toutes les industries de guerre ferment leurs portes les unes après les autres et la Vickers va peut-être avoir moins de contrats. Ça, ça veut dire qu'ils vont mettre du monde à la porte.

— J'ai lu dans *Le Devoir* que ça durera pas, mon oncle, intervint Jean. Il paraît qu'il faut juste donner le temps aux compagnies qui ont travaillé à faire du matériel de guerre de se reconvertir.

— Je veux ben le croire, mon garçon, répliqua le quinquagénaire, mais le monde peut pas attendre. On a tous besoin de manger trois repas par jour.

À onze heures, les invités quittèrent l'appartement des Bélanger. Félicien accompagna ses sœurs et sa mère jusqu'à la rue Mont-Royal où elles avaient plus de chances de trouver un taxi en cette soirée du jour de l'An. Quand il rentra chez lui, ses fils avaient remis de l'ordre dans le salon et Amélie avait entrouvert une fenêtre pour évacuer la fumée de cigarette qui stagnait depuis le début de la soirée près du plafond. Moins d'une heure plus tard, la maison était en ordre et chacun alla se coucher.

❧

Les jours suivants furent d'un ennui mortel pour Jean. Les fêtes étaient finalement terminées, puisqu'on ne célébrait plus la fête des Rois chez les Bélanger depuis quelques années. Le surlendemain du jour de l'An, Amélie décréta que le sapin de Noël devait disparaître parce qu'il perdait de plus en plus ses aiguilles et qu'elle était tannée de les ramasser sur le plancher du salon chaque jour.

Jean et Claude furent chargés de le dégarnir et de ranger toutes les décorations de Noël dans le hangar. Le salon retrouva alors son aspect habituel. Quand vint le moment de déposer l'arbre à l'extérieur, les deux jeunes se rendirent compte qu'une neige abondante s'était mise à tomber.

— Votre pauvre père va avoir encore une journée pas mal dure, leur dit leur mère en servant le dîner après avoir allumé le plafonnier de la cuisine tant il faisait sombre dans la pièce.

— On dirait qu'on va avoir toute une tempête, déclara Claude en se plantant devant l'unique fenêtre de la pièce pour évaluer l'épaisseur de neige qui couvrait déjà la passerelle qui joignait la galerie au hangar.

Jean ne dit rien, se contentant de commencer à manger les spaghettis que sa mère venait de déposer dans son assiette.

— Il va falloir aller pelleter les deux galeries et les escaliers, poursuivit Amélie.

— Il me semble, m'man, qu'Omer pourrait pelleter l'escalier d'en avant de temps en temps. Il a rien à faire de la journée, et lui et sa sœur s'en servent autant que nous autres, de cet escalier-là.

— Parle donc pas pour rien, le réprimanda sa mère. Tu sais bien qu'on peut pas se fier à lui.

— En tout cas, on va attendre que ça se calme, intervint Jean sans aucun entrain. Ça sert à rien d'aller pelleter trop vite.

Depuis le début de la matinée, l'étudiant en vacances s'en voulait de ne pas avoir insisté pour connaître la date de retour de Blanche à qui il n'avait pas cessé de penser depuis la fameuse soirée de Noël. Allait-elle continuer à skier jusqu'au jour où elle devrait reprendre ses cours de musique ? Quand ses cours allaient-ils commencer ? Était-elle déjà revenue de Saint-Sauveur ?

Il se traitait de tous les noms de n'avoir pas prévu un moyen de la joindre. S'il avait possédé le numéro de téléphone des Comtois, il aurait pu téléphoner à Paul sous le prétexte de prendre de ses nouvelles et en profiter pour parler à Blanche. Il aurait ainsi pu savoir si elle était enfin revenue de leur chalet.

Il avait même songé se rendre à la maison des Comtois pour offrir ses vœux à la famille… Il avait rejeté précipitamment ce moyen d'entrer en contact avec la jeune fille. Il aurait eu l'air parfaitement ridicule de se présenter à sa porte sans avoir été invité. Paul lui-même n'aurait pas compris. Ils n'étaient, après tout, que des camarades de collège.

Après le repas, Jean endossa son manteau et chaussa ses bottes dès que son frère eut disparu dans leur chambre. Il ne voulait pas que ce dernier l'accompagne. Il souhaitait quitter l'appartement familial en catimini. Il avait décidé d'aller au restaurant Moderne, coin Mont-Royal et Papineau, pour consulter un annuaire téléphonique. Si le restaurant La petite fermière, coin Mont-Royal et De La Roche, avait eu un téléphone public, il aurait eu évidemment moins loin à aller. Les Bélanger, comme la plupart de leurs voisins, n'avaient pas le téléphone, mais les Comtois en possédaient un.

— Où est-ce que tu t'en vas en pleine tempête ? lui demanda sa mère, surprise de le voir prêt à sortir de la maison par un temps pareil.

—J'ai besoin de prendre un peu l'air, m'man, mentit-il en finissant de boutonner son manteau. Je serai pas longtemps dehors, ajouta-t-il en s'empressant d'ouvrir la porte avant que son jeune frère ne sorte de leur chambre.

— Mets-toi au moins une tuque sur la tête, lui conseilla-t-elle.

Lorsqu'il posa le pied sur la galerie, il se rendit compte qu'un vent violent s'était levé, poussant des bourrasques de neige à l'horizontale. Il releva le col de son manteau et enfonça la tête entre ses épaules pour tenter de se protéger le mieux possible. Comme plusieurs pouces de neige encombraient déjà les marches de l'escalier tournant, il se tint solidement à la rampe en fer forgé pour descendre. Parvenu au trottoir, il se rendit compte qu'il avait peine à apercevoir la rue Mont-Royal tant les flocons de neige tombaient serré.

Son désir d'entrer en contact avec Blanche était tellement fort qu'il se mit en route tout de même. Arrivé au coin de la rue Mont-Royal, il traversa la rue Brébeuf et marcha en direction de l'est, la tête baissée et en longeant les façades des magasins pour échapper un peu au vent et à la poudrerie. Un tramway passa, fantomatique au milieu de toute cette neige. De rares passants l'imitaient et longeaient eux aussi les commerces pour s'abriter tant bien que mal. Les yeux à demi fermés et la tuque bien enfoncée sur la tête, Jean avançait en se protégeant le mieux possible de toute cette neige.

Il éprouva un réel soulagement en arrivant au coin de la rue Papineau et il s'empressa de pousser la porte du restaurant. Le téléphone public était toujours dans l'entrée, à l'endroit où il l'avait remarqué quelques semaines plus tôt quand il était venu boire une tasse de café en compagnie de Reine. Ce souvenir lui sembla bien loin dans le passé.

Il secoua la neige qui couvrait ses épaules et sa tuque et, les doigts engourdis, il s'empara du bottin téléphonique pour le consulter. Il alla tout de suite à la lettre C. Il découvrit avec stupéfaction que le bottin avait recensé près d'une page de Comtois. Puis il réalisa soudain qu'il ignorait le prénom du père de Blanche. Après un court moment de panique, il retrouva son calme en se disant qu'il n'avait qu'à chercher un Comtois demeurant sur le chemin de la Côte-Sainte-Catherine.

Il resta dans l'entrée durant de longues minutes à consulter à deux reprises les adresses de chacun des Comtois inscrits dans le bottin. Il ne trouva aucun Comtois habitant Outremont.

— Voyons donc, calvince ! jura-t-il, c'est pas possible. J'ai dû passer par-dessus sans m'en apercevoir.

Il reprit pour la troisième fois sa consultation sans toutefois arriver à un meilleur résultat. Dépité et furieux, il laissa tomber le bottin au bout de sa chaîne, se coiffa de sa tuque et sortit du restaurant. Il venait soudain de réaliser que le docteur Comtois avait probablement décidé de placer son numéro de téléphone sur une liste rouge pour ne pas être constamment dérangé chez lui.

— Et tout ça, c'est de ma faute, maudit niaiseux! dit-il à haute voix en rentrant chez lui. À cette heure, j'ai juste à attendre qu'elle me fasse signe.

Il craignait par-dessus tout d'avoir à attendre la fin des vacances et son retour au collège pour avoir enfin des nouvelles de celle qu'il mourait d'envie de revoir.

En fait, il n'aurait jamais cru que cette dernière semaine de vacances lui paraîtrait si longue et si ennuyeuse. Rien ne l'intéressait et il passa de longues heures à rêvasser dans sa chambre. À aucun moment il n'eut de pensée pour Reine Talbot. Son frère cessa rapidement d'insister pour qu'il vienne jouer au hockey avec lui. Il ne remarqua même pas l'absence étonnante d'Édouard Lacombe à la maison en cette première fin de semaine de janvier. Toutefois, ses parents s'en rendirent compte et cette absence intrigua suffisamment son père pour qu'il interroge Lorraine.

— Qu'est-ce qui arrive avec Édouard? demanda-t-il à sa fille quand l'horloge indiqua sept heures et demie. On est samedi soir, non?

— Il viendra pas à soir, p'pa, répondit la jeune fille, la mine sombre.

— Pourquoi ça?

— Il m'a dit qu'il avait besoin de réfléchir à nous deux, dit-elle, au bord des larmes.

— Ça va s'arranger, intervint sa mère pour la consoler en faisant les gros yeux à son mari.

Lorraine hocha la tête et disparut rapidement dans sa chambre dont elle referma la porte derrière elle.

— Tu vois bien que tu lui as fait peur, dit Amélie d'une voix pleine de reproches en faisant allusion à la conversation que son mari avait eue avec le prétendant de sa fille la veille de Noël.

— De qui tu parles? demanda Félicien avec une mauvaise foi évidente.

— D'Édouard!

— Je le regrette pas pantoute, déclara-t-il en s'allumant une cigarette. Il l'a assez fait niaiser comme ça. Qu'il prenne tout le temps qu'il veut pour réfléchir, comme il dit. C'est mieux qu'elle sache tout de suite s'il a pas pantoute l'intention de la marier.

Amélie souleva les épaules et secoua la tête.

— En attendant, ta fille a de la peine.

— Je le vois ben, cybole! Je suis pas aveugle! Tu penses tout de même pas que ça m'a fait plaisir de faire ça. C'était pour son bien, conclut-il en se tournant résolument vers la radio qu'il venait d'allumer.

— On peut peut-être aller écouter la partie de hockey dans le salon si le chum de Lorraine vient pas, proposa Claude en se levant.

— C'est ce qu'on va faire, déclara son père en se levant à son tour.

Jean les suivit, laissant sa mère seule dans la cuisine, occupée à tricoter un chandail. Cette dernière finit par aller rejoindre les siens au moment où Michel Normandin annonçait la première mise au jeu du match opposant les Rangers de New York aux Canadiens de Montréal, au Forum.

— Une autre belle soirée plate, laissa-t-elle tomber en prenant place dans l'un des deux fauteuils de la pièce.

Personne n'osa la contredire. Chacun savait qu'elle détestait le hockey et qu'il ne servait à rien de tenter de la persuader de s'y intéresser.

— Durnan laissera rien passer à soir, déclara Claude en s'assoyant aux côtés de son frère sur le divan.

— On va le savoir si tu veux ben fermer ta grande boîte, rétorqua son père, qui détestait entendre des commentaires pendant le déroulement d'une partie de hockey.

Chapitre 7

Les blessures

Jean Bélanger ne se rappelait pas avoir déjà tant espéré la fin de ses vacances. La veille de sa rentrée au collège, il avait soigneusement placé ses vêtements et vérifié le contenu de son porte-documents de manière à ce que rien ne vienne retarder son départ pour le Collège Sainte-Marie le lendemain matin.

— Tu devrais te faire soigner, lui déclara Claude en le voyant si impatient de recommencer. Moi, je resterais ben en vacances encore un mois. Je me passerais ben de revoir la face de monsieur Richer. Lui, je peux pas le sentir. Il est toujours sur mon dos.

— Laisse faire Richer, c'est un bon professeur. Quand j'étais dans sa classe, j'apprenais. Tu ferais peut-être mieux de commencer à aimer étudier, lui conseilla son frère sur un ton moralisateur, tes notes s'amélioreraient. Oublie pas ce que p'pa t'a dit. Il est pas question que tu lâches l'école avant d'avoir ton diplôme de neuvième année.

— Je le sais, mais je te garantis que je resterai pas à l'école une journée de plus, par exemple, rétorqua l'adolescent, bravache.

Le lendemain matin, Jean quitta la maison dès sept heures parce qu'il voulait être parmi les premiers étudiants à franchir la porte du collège. À une heure aussi matinale, il se retrouva au milieu d'ouvriers mal réveillés, prêts à prendre d'assaut le tramway pour se rendre à leur travail.

En ce matin du 7 janvier, le soleil commençait à peine à se lever dans un ciel sans nuage. Il faisait 0 °F. Frigorifiés, les gens tapaient des pieds ou soufflaient sur leurs mains pour les réchauffer, debout au bord du trottoir, attendant avec impatience le tramway. La plupart arboraient un air fatigué alors que leur journée de travail n'avait même pas encore commencé. En son for intérieur, l'étudiant les plaignit d'avoir une telle vie. Il eut une pensée pour son père parti pour son travail depuis déjà près de deux heures.

À son arrivée au collège, il découvrit avec surprise qu'il avait été précédé par quelques confrères. Il s'empressa d'aller se joindre à eux. Il les écouta raconter leurs vacances tout en guettant l'arrivée de Paul Comtois avec une nervosité grandissante. Des enseignants firent progressivement leur apparition dans la salle où les étudiants attendaient le début des cours, apparemment heureux de retrouver leurs élèves, ils allaient d'un groupe à l'autre pour offrir leurs vœux de bonne année.

La sonnerie indiquant la reprise des cours résonna et la salle se vida lentement. Jean fut l'un des derniers à la quitter, se demandant si l'arrivée de Paul Comtois ne lui avait pas échappé. Finalement, il se fit la réflexion qu'il le verrait dans la classe et il se dirigea vers le local où se donnait le cours de littérature du père Langevin. Il accéléra même le pas, persuadé que ce vieux professeur irascible accepterait mal un retard en ce début de nouvelle session.

Le fils du médecin n'était pas en classe. Agacé par ce contretemps, Jean fut passablement distrait durant toute la matinée, au point de s'attirer une remarque sarcastique de son professeur de littérature française, ce qui n'était pas une habitude dans son cas, contrairement à plusieurs de ses camarades de classe. Il n'en passa pas moins la journée à s'interroger sur la raison de l'absence surprenante de Paul Comtois et rentra à la maison plutôt perturbé à la fin de l'après-midi.

Paul Comtois ne fit son apparition que le vendredi matin, le visage pâle et l'air souffrant. Dès qu'il l'aperçut, Jean alla à sa rencontre et dut faire un effort particulier pour cacher sa joie de le revoir enfin.

— Eh bien ! on dirait que certains avaient pas assez de trois semaines de vacances, plaisanta-t-il en lui serrant la main, soulagé de le voir enfin apparaître au collège. Il t'en fallait trois de plus ?

— Je peux te dire que j'aurais mieux aimé être ici mardi matin que dans mon lit, répliqua son copain d'une voix éraillée.

— Qu'est-ce qui t'est arrivé ?

— Il a fallu que j'attrape la grippe samedi soir. J'ai passé quatre jours cloué au lit avec une fièvre de cheval. Ma mère a pas arrêté de me bourrer de pilules et de sirop. Un peu plus, elle avait ma peau.

— Comment t'as fait ton compte pour attraper ça ?

— J'en ai pas la moindre idée, reconnut Paul avant de se mettre à tousser.

— J'espère que t'as pas passé ta grippe à ta sœur ? demanda Jean, ayant enfin trouvé le moyen d'avoir des nouvelles de la jeune fille.

— Aucun danger, elle, elle a une santé de cheval. En plus, je l'ai presque pas vue depuis le lendemain du jour de l'An.

— Comment ça ?

— Elle a passé presque tout son temps avec son chum.

— Son chum ? fit Jean, dont le visage avait soudainement blêmi.

— Elle te l'a pas dit? s'enquit Paul, surpris. Elle sort avec Rémi Durand depuis presque un an. Il était parti faire un stage d'un mois à New York et est revenu à Montréal deux jours avant le premier de l'An.

— Qu'est-ce qu'il fait, ce gars-là? demanda Jean d'une voix qui avait changé de ton.

— Il a terminé son cours d'ingénieur. Il était parti en stage là-bas.

— Est-ce que ça veut dire qu'il est pas mal plus vieux que ta sœur?

— Il a six ou sept ans de plus qu'elle, reconnut Paul, tout de même un peu intrigué par l'insistance de son camarade à parler de sa sœur Blanche.

— Est-ce que c'est sérieux avec Blanche? finit par s'enquérir Jean.

— D'après ma sœur, c'est pas mal sérieux… Qu'est-ce que t'as? T'as l'air tout drôle, fit Paul qui venait enfin de remarquer l'expression bizarre de Jean.

— J'ai rien, affirma le jeune homme en tentant de reprendre pied. J'ai pas eu le temps de déjeuner à matin. Je me sens un peu à l'envers.

Sur ce, la sonnerie mit fin à leur conversation et Jean salua son confrère et le quitta, heureux de ne pas appartenir au même groupe de morale que le fils du médecin. Il était bouleversé par ce qu'il venait d'apprendre. Blanche, la fille à qui il rêvait depuis plus de trois semaines, avait un amoureux, sérieux de surcroît. Si c'était vrai, pourquoi avait-elle accepté de venir patiner avec lui? Pourquoi l'avait-elle invité le soir de Noël? Il n'y comprenait plus rien.

À son avis, elle avait tout fait pour le rendre amoureux d'elle et elle avait très bien réussi. Il avait l'impression de vivre un cauchemar. Ce n'était pas possible. Il avait même fini par se persuader qu'il avait laissé tomber Reine Talbot pour elle. Tout ça pour rien. Elle s'était jouée de lui, il n'y avait pas d'autre explication. Elle s'était servie de lui en attendant le retour de son ami de cœur. Il était trop perturbé pour se rendre compte que la jeune fille ne lui avait rien promis, sauf un peu d'amitié.

Il termina la matinée de peine et de misère, incapable de se concentrer. À l'heure du dîner, il prévint le préfet qu'il souhaitait rentrer chez lui si c'était possible, parce qu'il ne se sentait pas bien.

Son retour hâtif à la maison fit sursauter sa mère, occupée à terminer son lavage dans la cuisine. Quand elle entendit la porte d'entrée s'ouvrir, Amélie se précipita dans le couloir en écartant les vêtements mouillés en train de sécher, suspendus à des cordes.

— Qu'est-ce qui se passe ? lui demanda-t-elle. Tu reviens bien de bonne heure.

— Le professeur de sciences est malade, il y avait pas de remplaçant, mentit-il en enlevant son manteau.

— Veux-tu manger quelque chose ?

— Merci, m'man. J'ai mangé mon lunch. Je pense que je vais aller lire dans ma chambre.

L'étudiant s'esquiva rapidement et ne reparut que quelques heures plus tard lorsque son frère rentra de l'école.

— Ouais ! Il y en a qui sont chanceux, laissa tomber l'adolescent. Il paraît que t'es revenu à la maison à midi parce qu'un prof était absent. Nous autres, quand il y en a un qui manque, on n'a pas le droit de revenir chez nous. On doit rester à l'école à niaiser.

Jean ne releva pas. Ce soir-là, il s'enferma dans sa chambre dès la dernière bouchée avalée. Ses parents, habitués à le voir studieux, ne s'inquiétèrent pas de la situation.

Cependant, leur fils ne trouva le sommeil qu'aux petites heures du matin. Il vivait durement son premier vrai chagrin d'amour. Il encaissait difficilement ce qu'il considérait comme une sorte de trahison. Après plusieurs heures à se lamenter sur l'injustice du sort, il finit tout de même par réaliser progressivement que Blanche Comtois ne lui avait fait aucune promesse. Peu à peu, il dut reconnaître qu'il avait imaginé entre eux une idylle qui n'était que le produit de son esprit amoureux. D'accord, elle avait patiné avec lui durant toute une soirée et ils avaient eu beaucoup de plaisir à converser ensemble et à se trouver des intérêts communs, mais il n'y avait rien eu d'autre. Pour l'invitation à la fête de Noël chez les Comtois, il n'avait été, somme toute, qu'un invité parmi tant d'autres. Elle avait dansé avec lui, rien de plus…

Cependant, admettre ces faits n'en rendait pas sa déception moins cuisante. Il en vint à penser que tout cela ne s'était produit que parce qu'il n'appartenait pas au même monde que les Comtois. Fils d'un pauvre facteur, il ne pouvait prétendre fréquenter ces bourgeois d'Outremont. Si son père avait été ingénieur ou médecin, il aurait pu se battre pour conquérir la belle à armes égales avec ce Rémi Durand. Mais il possédait à peine assez d'argent pour payer ses billets de tramway et ses quelques dépenses. Comment pouvait-il rêver d'aller faire du ski ou d'offrir des sorties coûteuses, comme les aimait probablement Blanche Comtois ?

Les jours suivants, Jean eut beaucoup de mal à faire bonne figure devant son copain, comme s'il le tenait partiellement responsable de son dépit amoureux. Puis, peu à peu, les exigences de ses études prirent le dessus et sa douleur se fit moins vive. Les résultats de ses examens mirent en quelque sorte un baume sur sa blessure d'amour-propre. Il avait obtenu une moyenne générale de quatre-vingt-cinq pour cent, ce qui en faisait le meilleur élève des quatre groupes d'étudiants de philosophie I.

Le samedi suivant, Lorraine rentra du travail les yeux rougis. Sa mère le remarqua tout de suite lorsque la jeune fille s'engouffra dans sa chambre à coucher après avoir salué ses parents d'une voix éteinte. Félicien, occupé à cirer ses souliers, leva la tête et adressa à sa femme un regard interrogateur.

— Je te gage que c'est encore Édouard qui l'a fait pleurer, chuchota-t-elle avant de s'essuyer les mains sur son tablier et de se diriger vers la chambre de sa fille.

— Je te demande pas ce qui t'arrive, dit-elle à Lorraine, assise sur le bord de son lit. Je suppose que c'est Édouard qui t'a fait de la peine.

Lorraine se contenta de hocher la tête.

— Il t'a dit qu'il a pas fini de réfléchir?

— Non, il est passé au magasin à matin pour dire qu'il travaillerait plus chez Messier. Il m'a dit qu'un de ses oncles lui a trouvé une *job* mieux payée à Joliette. Il commence lundi matin.

— Comment il va voyager ça? demanda Amélie.

— Il voyagera pas. Il s'en va rester chez son oncle.

— Et toi, là-dedans?

— Il m'a dit qu'il se sentait pas vraiment prêt à se marier, fit Lorraine en éclatant en sanglots convulsifs.

Le visage de la mère de famille se durcit.

— Lui, cet agrès-là, si jamais je lui mets la main dessus, il va apprendre comment je m'appelle, dit Amélie, furieuse. Il t'a fait perdre trois ans de ta vie, le sais-tu, ça? Si ton père l'avait pas poussé au pied du mur dans le temps des fêtes, il aurait continué à te faire croire qu'il finirait par te marier pendant qu'il en avait pas pantoute l'intention. C'est assez clair, il me semble.

— Mais, m'man… voulut protester la jeune fille.

— J'espère que tu te rends compte que c'était pas mal malhonnête de sa part ?

— Je l'aime, m'man.

— Gaspille pas tes larmes pour un maudit sans-cœur comme lui. Fais pas la folle ! lui ordonna sa mère. Il le mérite pas. Oublie-le, comme il a l'air de t'avoir déjà oubliée. À cette heure, va te passer une débarbouillette d'eau froide sur le visage et viens manger, le souper est prêt.

Après le repas, Amélie et sa fille se retrouvèrent seules dans la cuisine pour laver et ranger la vaisselle.

— Qu'est-ce que tu dirais si on allait voir un film à soir, toutes les deux ?

— J'ai pas bien le goût, m'man.

— T'es pas pour passer ta soirée enfermée dans ta chambre à pleurer comme une Madeleine pour un sans-cœur, déclara tout net sa mère. À la radio, ils disent que le dernier film de Fernandel est pas mal. On devrait aller le voir, il passe au Saint-Denis.

Lorraine sembla balancer durant un bref moment avant de se décider à accepter l'offre de sa mère. Elle réalisait que cette dernière faisait cela pour elle parce qu'elle n'avait jamais été très friande de cinéma.

Soudain, Félicien vint les rejoindre dans la cuisine.

— Je suppose que vous avez pas le goût d'écouter le hockey, dit-il à sa femme et à sa fille. On vous donne le choix entre le salon et la cuisine. Nous autres, ça nous dérange pas pantoute d'écouter le match dans la cuisine.

— Restez dans le salon, déclara sa femme. Lorraine et moi, on vient de décider d'aller aux vues.

— Qu'est-ce que vous allez voir ?

— Le dernier film de Fernandel, *Les gueux du paradis*, répondit Lorraine.

— Vous auriez pu attendre demain. J'y serais allé avec vous autres.

— Reste avec tes garçons et écoutez votre maudit hockey ennuyant, lui conseilla sa femme sur un ton qui ne souffrait pas la contestation. Tu nous diras si ton Maurice Richard a encore compté ce soir, ajouta-t-elle en cachant mal son exaspération devant l'intérêt de son mari pour ce sport.

— Parle pas contre le Rocket, toi. Il fait gagner le club à lui tout seul, cette année.

Ce samedi soir là, comme il en avait pris l'habitude depuis qu'il ne fréquentait plus Reine Talbot, Jean décida de se joindre à son père et à son frère pour écouter la retransmission radiophonique de la partie de hockey opposant les Bruins de Boston aux Canadiens de Montréal. Ils écoutèrent religieusement la voix du commentateur décrivant les montées à l'emporte-pièce de Toe Blake et les passes habiles de Milt Schmidt, le meilleur compteur des Bruins.

— Vous avez jamais vu Howie Morenz, vous autres, dit Félicien à ses fils, assis au bout de leur siège tant la partie était palpitante.

Le facteur n'avait pourtant jamais vu cette légende à l'œuvre au Forum, lui non plus, mais il avait écouté tant de matchs de hockey dans lesquels Morenz avait été un héros qu'il avait l'impression de l'avoir connu.

❧

Quelques jours avant la fin du mois de janvier, le froid se fit encore plus rigoureux.

— C'est le prix à payer pour pas avoir de neige, déclara Félicien en s'emmitouflant avant de partir travailler.

— Ça a pas de saint bon sens, rétorqua sa femme. Ils disent qu'il fait moins 20 degrés.

— Ça sert à rien de se lamenter, c'est l'hiver, répliqua son mari en l'embrassant sur une joue avant de partir à son travail.

Ce matin-là, Amélie recommanda à Lorraine de prendre le tramway pour se rendre chez Messier, même si elle avait l'habitude de se rendre à son travail à pied.

— C'est ce que je vais faire s'il y a un p'tit char qui passe, lui promit sa fille sans grand enthousiasme en chaussant ses bottes. S'il y en a pas en vue sur Mont-Royal, je vais me réchauffer plus en marchant qu'en attendant comme une belle dinde au coin de la rue.

Lorraine traînait encore un air morose, près de trois semaines après le départ d'Édouard Lacombe. La jeune fille vivait difficilement l'humiliation d'avoir été abandonnée par celui que ses compagnes de travail considéraient déjà comme son fiancé. Elle se rendait bien compte qu'on bavardait dans son dos et qu'on la prenait un peu en pitié. Elle avait même feint de ne pas avoir compris quelques allusions blessantes de la part de Marie Blanchette, sa supérieure, qui semblait l'avoir prise en grippe depuis les fêtes, sans qu'elle en sache trop la raison.

— Elle, je lui ai rien fait, se répétait-elle depuis quelques jours. Je sais pas ce qu'elle a à être tout le temps sur mon dos.

Son frère Jean quitta la maison en même temps qu'elle et ils décidèrent de faire route ensemble vers la rue Mont-Royal. Le frère et la sœur eurent du mal à réprimer un violent frisson en posant le pied à l'extérieur. La neige crissait sous les pas et de la buée sortait de leur bouche. Au pied de l'escalier, un voisin s'acharnait à tenter de faire démarrer une vieille Ford. De l'autre côté de la rue, un autre automobiliste claquait violemment la portière de son véhicule en blasphémant parce que le moteur de ce dernier refusait de démarrer.

— Je me demande comment p'pa fait pour travailler dehors toute la journée quand on gèle comme ça, dit Jean en resserrant son écharpe autour de son cou.

— Pauvre lui, le plaignit sincèrement Lorraine. Tiens ! Toi, t'es plus chanceux que moi, ajouta-t-elle en tournant la tête vers l'est au moment où ils arrivaient au coin de la rue Mont-Royal. Ton p'tit char s'en vient. Moi, je pense que je vais être poignée pour marcher.

— Si t'as trop froid, tu peux toujours t'arrêter à la pharmacie ou au restaurant en passant pour te réchauffer, lui recommanda son frère en s'avançant déjà dans la rue pour monter dans le tramway qui venait de s'immobiliser dans un grincement de freins torturés.

Alors que les deux aînés étaient en route, Claude se préparait lui aussi. Mais il était dit que ce matin-là ne serait pas son jour. Le cadet de la famille Bélanger ne fut prêt à sortir de la maison qu'une demi-heure après son frère et sa sœur. Il devait d'abord aller déposer la vieille poubelle bosselée sur le trottoir.

— Ça a pas de bon sens faire froid comme ça. Ils devraient fermer l'école, dit-il en se frottant les mains alors qu'il rentrait dans la maison.

— Bien oui, mon Claude, se moqua sa mère. Comme ça, tous les paresseux pourraient aller se recoucher et passer leur grande journée à rien faire. En attendant que ça arrive, toi, je veux pas te voir partir sans ta tuque et tes mitaines, le prévint sa mère, sévère.

— Voyons, m'man, je suis pas un enfant, protesta l'adolescent. Vous savez ben que j'irai pas à l'école nu-tête quand on gèle comme ça.

— On dit ça, mais je sais ce que t'es capable de faire pour faire le beau devant les filles. Arrange-toi pas pour être malade. Montre que t'as une tête sur les épaules.

Claude embrassa sa mère et allait quitter l'appartement quand Amélie remarqua qu'il partait les mains vides.

— Où est ton sac d'école ?

— J'en ai pas apporté. Hier, j'avais pas de devoirs.

— Toi, t'es mieux de t'organiser pour avoir un beau bulletin ce mois-ci, sinon tu vas avoir affaire à ton père, je t'en passe un papier, le menaça sa mère.

Moins de dix minutes plus tard, Claude rejoignit deux camarades de classe au coin de Chambord et Gilford et tous les trois se mirent en route vers l'école Saint-Pierre-Claver.

— Ça irait ben plus vite si on se faisait traîner par un char, déclara-t-il aux deux autres en se plaquant les deux mains sur les oreilles dans l'espoir de les réchauffer un peu.

— T'es pas malade, toi ! fit un nommé Grenier. Faire du ski-bottines, c'est ben trop dangereux. Ils arrêtent pas à l'école de nous répéter de pas faire ça.

— Si t'es trop moumoune pour venir avec nous autres, Grenier, t'as juste à marcher, intervint Yvan Pelletier. Nous autres, on va le faire, pas vrai, Bélanger ?

— Certain, confirma Claude, en faisant le brave.

Arrivés au coin du boulevard Saint-Joseph, les trois adolescents s'immobilisèrent.

— On poigne le *truck* blanc qui s'en vient, annonça Claude à son camarade.

Marcel Grenier vit ses deux compagnons s'avancer entre deux voitures pour mieux guetter le passage du camion qui dut ralentir à l'intersection. Aussitôt, les deux jeunes coururent à l'arrière et empoignèrent le pare-chocs arrière du véhicule qui reprit peu à peu de la vitesse. Le conducteur n'avait rien vu et les adolescents, penchés vers l'arrière pour mieux assurer leur équilibre, se laissèrent tirer comme s'ils faisaient du ski.

À l'approche de l'école, alors que Claude allait crier à son camarade de lâcher prise pour éviter d'être vus par un enseignant, un cri les fit sursauter.

— Aïe ! vous deux ! cria une voix autoritaire.

Claude tourna la tête et aperçut du coin de l'œil son titulaire planté au bord du trottoir, l'air furieux.

— Bâtard ! c'est le lapin, dit Claude à son comparse.

Depuis plusieurs années, les élèves de Saint-Pierre-Claver avaient surnommé Jérôme Richer, un professeur de 8e année, le lapin à cause de ses deux énormes incisives qui le faisaient vaguement ressembler à cet animal. Par ailleurs, cet homme dans la quarantaine avancée avait la réputation fort méritée d'être sévère à outrance et de ne tolérer aucun manquement à la discipline dans sa classe.

Les deux imprudents, trop surpris, tardèrent à réagir, ce qui sembla accroître la colère de l'enseignant.

— Bélanger ! Pelletier ! hurla Richer.

Tous les deux lâchèrent prise au même moment et un automobiliste en colère klaxonna furieusement après avoir dû faire une embardée pour éviter d'écraser les deux adolescents qui rattrapèrent leur équilibre avec difficulté. Des élèves s'étaient arrêtés sur le trottoir derrière Jérôme Richer, apparemment prêts à supporter le froid sibérien de ce matin de janvier pour le plaisir d'assister à une scène intéressante.

L'enseignant de 8e année les ignora totalement. Engoncé dans son épais manteau de drap gris et portant sous le bras un mince porte-documents, l'homme repoussa du bout du doigt ses épaisses lunettes à monture de corne déposées sur un nez important que le froid avait rougi.

— Espèces d'imbéciles ! apostropha-t-il les deux coupables qui venaient de s'arrêter devant lui. Combien de fois on vous a répété que c'était dangereux de faire ça ?

Claude s'aperçut alors que des filles d'une école du quartier s'étaient jointes aux spectateurs de la scène et le dévisageaient. Rassemblant son courage, il osa dire d'une voix altérée :

— C'est pas de vos affaires, monsieur. On n'est pas à l'école et…

Si le fils cadet de Félicien Bélanger avait eu l'intention d'ajouter quelque chose, il n'en eut pas le temps.

— Quoi ? Qu'est-ce que tu viens de me dire là, espèce d'effronté ? lui demanda son professeur en l'agrippant par le collet. Avance, on va régler ça à l'école.

L'adolescent fit volte-face bien malgré lui. Les rangs des curieux s'ouvrirent immédiatement devant lui et il fut propulsé vers l'avant à une grande vitesse, due davantage à la force de la poigne de son professeur qu'à son désir de se rendre plus rapidement à l'école.

Secoué et honteux d'être ainsi traité devant des filles, il aurait voulu se dégager, mais il n'en eut ni la possibilité ni l'occasion. Un simple coup d'œil autour lui apprit que Pelletier s'était discrètement éclipsé dans la foule, probablement heureux que toute l'attention soit tournée vers Claude.

À leur arrivée devant l'école, Jérôme Richer lui fit escalader le long escalier en pierre qui conduisait à la porte principale de l'institution. Les jeunes qui les avaient suivis s'arrêtèrent au pied de l'escalier et les regardèrent pénétrer dans la bâtisse en formulant toutes sortes de commentaires.

Dès son entrée dans l'édifice, l'enseignant le lâcha pour enlever ses gants et retirer ses verres embués. Il prit le temps de déboutonner son paletot et d'essuyer ses lunettes avec un mouchoir propre sans se préoccuper le moins du monde d'un Claude beaucoup moins faraud maintenant que quelques minutes auparavant. Après avoir posé ses lunettes sur son nez, Richer se dirigea vers le bureau de l'adjoint du directeur, le redoutable Aurèle Auger.

— Attends là ! ordonna-t-il à l'adolescent avant d'entrer dans la pièce après avoir frappé à la porte.

Il faut croire que le professeur de 8e année fut à la fois très succinct et très persuasif parce que l'adjoint parut moins de deux minutes plus tard à la porte de son bureau et invita le coupable à le rejoindre.

— Toi, le mal élevé, tu retournes tout de suite chez vous et tu reviens ici avec ton père ou ta mère, se borna-t-il à lui dire sur un ton sec. À Saint-Pierre-Claver, on n'endure pas les voyous, tu m'entends ?

— Oui, répondit Claude dont le visage avait pris une pâleur inquiétante.

— Oui, qui ?

— Oui, monsieur.

— À cette heure, je t'ai assez vu. Débarrasse-moi le plancher.

Pendant cette brève rencontre, Jérôme Richer n'avait pas prononcé un seul mot.

L'adolescent ne demanda pas son reste et s'empressa de quitter l'école. Même s'il faisait toujours aussi froid à l'extérieur, il sentait la sueur lui couler dans le dos.

— Maudite malchance ! ne cessa-t-il de répéter à mi-voix en retournant chez lui, à contre-courant des élèves qui se rendaient à l'école. Il fallait que je tombe sur lui, à part ça !

Il était en colère contre son professeur et encore plus contre lui-même.

Totalement frigorifié, il parvint au pied de l'escalier qui conduisait à l'appartement familial. Soudain, il réalisa qu'il n'avait préparé aucune explication à fournir à sa mère qui allait lui demander pourquoi il n'était pas à l'école. Malgré le froid, il poursuivit sa route jusqu'au coin de la rue Mont-Royal en se torturant l'esprit pour trouver une façon de présenter son expulsion de l'école. Finalement, incapable de supporter plus longtemps le froid, il revint sur ses pas et monta l'escalier, résigné à dire la vérité.

— Elle me tuera tout de même pas, dit-il en pensant à sa mère. C'est pas si grave que ça. C'est pas ma faute si le lapin a poigné les nerfs.

Dès qu'il poussa la porte, Amélie sortit de l'une des chambres qu'elle était occupée à balayer pour s'informer de la raison de son retour à la maison.

— Dis-moi pas que t'as oublié quelque chose ? fit-elle.

— Non, m'man.

— Qu'est-ce que tu viens faire ici dedans, si c'est pas pour ça ?

— Je me suis fait mettre dehors de l'école, avoua-t-il tout de suite en enlevant ses bottes.

— Ben voyons donc ! C'est quoi cette histoire-là ? lui demanda sa mère en s'avançant vers lui.

Claude suspendit son manteau à la patère dans le couloir et eut, crut-il, une idée lumineuse.

— Ben, je me suis fait poigner à faire du ski-bottines.

— C'est quoi, cette affaire-là ? lui demanda Amélie, intriguée.

— Voyons, m'man, c'est se laisser traîner par un char.

— Mais c'est dangereux ! s'exclama-t-elle, horrifiée.

— Il y a ben des gars qui font ça, mentit l'adolescent. Ça va plus vite et on a moins le temps de geler.

— Maudit insignifiant, s'emporta sa mère. Je suppose que s'il y en a qui vont se jeter à l'eau, tu vas faire la même chose qu'eux autres ?

— Engueulez-moi pas en plus, se rebiffa-t-il. Il y a ben assez que l'adjoint m'a sacré dehors pour ça. En plus, il veut que vous veniez me reconduire à l'école pour me reprendre.

— Espèce de grand tata ! s'écria Amélie. Cherchais-tu à te faire tuer en faisant cette niaiserie-là ? Je suppose que tu savais pas que c'était dangereux. Ils te l'avaient jamais dit à l'école ? Combien de fois on t'a dit de pas faire ça ?

— Ben oui, m'man, mais à matin, j'étais gelé ben raide, fit-il, excédé. J'ai pensé que j'arriverais plus vite à l'école en faisant ça. C'est pas la fin du monde. J'ai tué personne.

— Il faut être un beau niaiseux comme toi pour avoir des idées de fou comme ça ! poursuivit Amélie, en colère.

— Allez-vous venir me reconduire à l'école ? osa lui demander Claude avec un rien d'impatience dans la voix. Si vous voulez, vous pouvez ben attendre demain, suggéra-t-il en se disant qu'une journée de congé serait un juste salaire pour tous les ennuis que cette suspension lui causait.

— Non, mon garçon ! déclara sèchement sa mère. J'ai mon repassage à faire aujourd'hui et j'irai sûrement pas te reconduire à l'école. C'est ton père qui va s'occuper de ça.

Le visage de l'adolescent se rembrunit à la pensée que son père n'apprécierait pas particulièrement cette corvée après une journée passée à distribuer le courrier par un tel froid. C'était un truc pour lui gâcher ce jour de congé qu'il commençait déjà à planifier.

— À part ça, tu vas remettre ton manteau. Tu pars tout de suite, lui ordonna sa mère.

— Pour aller où ? demanda Claude, étonné.

— Tu pensais tout de même pas que t'étais pour passer la journée ici dedans à traîner à rien faire, à attendre que ton père revienne de l'ouvrage, j'espère ?

— Non, mentit-il.

— Bon. Là, tu vas aller le rejoindre sur Mentana, ajouta sa mère alors qu'elle ne décolérait guère. Aujourd'hui, il remplace un facteur malade sur cette *run*-là.

— Mais je sais pas où il va être, moi, sur Mentana, se défendit l'adolescent.

— Tu vas le trouver, aie pas peur. Explique-lui ce qui t'arrive. Je sais pas s'il va vouloir lâcher l'ouvrage une heure pour te ramener à l'école, mais il sera sûrement pas trop de bonne humeur quand il va apprendre ce que tu viens de faire.

— Je pourrais ben attendre à la fin de l'après-midi, quand il va revenir, suggéra l'adolescent sans grand espoir.

— Il en est pas question, trancha sa mère. Décolle. Rhabille-toi et va le rejoindre immédiatement, dit sa mère sur un ton autoritaire pour mettre un terme à la discussion.

— On dirait que tout le monde m'en veut aujourd'hui, se plaignit-il pour attendrir sa mère.

Ce fut en pure perte. Résigné, il chaussa ses bottes à nouveau, enfila son manteau, enfonça sa tuque jusqu'à la hauteur des sourcils et quitta l'appartement, la mort dans l'âme. Arrivé rue Mont-Royal, il prit la direction de l'ouest et traversa quatre rues avant de se mettre à descendre la rue Mentana vers la rue Marie-Anne.

Finalement, il lui fallut plus d'une demi-heure pour retrouver son père un peu au nord de la rue Rachel, au moment où ce dernier commençait à monter un escalier extérieur. Lorsqu'il aperçut son fils, Félicien Bélanger descendit les trois marches qu'il venait de monter pour se porter à sa rencontre.

— Qu'est-ce qui se passe ? demanda-t-il, incapable de cacher son inquiétude.

L'air coupable de son fils sembla soudain alerter le facteur qui déposa son lourd sac de courrier à ses pieds. Il se mit à souffler dans ses mains en dansant un peu d'un pied sur l'autre pour se réchauffer.

— Envoye! Aboutis, ordonna-t-il à l'adolescent. Je suis pas pour passer mon avant-midi à t'attendre, cybole!

— Ben, je me suis fait mettre dehors de l'école, p'pa.

— Pourquoi?

La demande avait claqué dans l'air froid sur un ton de mauvais augure.

— Parce qu'un professeur m'a poigné à me laisser traîner par un *truck* avec un de mes chums, avoua-t-il tout d'une traite.

— Sacrement de tête folle! jura le père de famille. Il manquait plus que ça. Je suppose que tu savais pas que c'était dangereux?

Claude choisit de se taire devant la colère de son père.

— Puis, tout ça m'explique pas pourquoi t'es rendu sur Mentana, poursuivit-il, furieux.

— Ben, c'est m'man qui m'a dit de venir vous voir. Le principal veut que vous ou elle veniez me reconduire à l'école, sinon il me laisse pas rentrer.

— Comme si j'avais juste ça à faire! s'écria Félicien, hors de lui. Bon, c'est correct. Tu vas m'aider à vider mon sac et après ça, je vais passer à l'école avant de retourner travailler.

Pendant près d'une heure, l'adolescent dut monter aux étages déposer le courrier dans les boîtes à lettres pendant que son père continuait son travail au rez-de-chaussée des maisons. À la fin de la distribution, Claude avait les doigts et les orteils gourds et il sentait à peine son visage tant il avait froid. Son père l'entraîna alors vers Saint-Pierre-Claver d'un bon pas. L'un et l'autre n'éprouvèrent aucune envie de parler en cours de route.

À leur arrivée à l'école, l'imposant édifice leur parut surchauffé lorsqu'ils pénétrèrent à l'intérieur. Il leur fallut quelques instants pour retrouver l'usage de la parole tant ils étaient transis. Alerté par sa secrétaire, Aurèle Auger les fit entrer immédiatement dans son bureau et les invita à s'asseoir avant de prendre place lui-même derrière son bureau.

— Mon Dieu ! s'exclama l'adjoint. Vous avez fait ça vite, dit-il au père de l'élève suspendu. J'espère que ça vous nuira pas trop dans votre tournée, ajouta-t-il pour montrer qu'il avait bien remarqué avoir affaire à un facteur.

— L'école est importante, monsieur, fit Félicien. J'avais pas envie que mon garçon manque une journée complète pour rien. Il paraît qu'il a fait l'imbécile et qu'il s'est laissé tirer par un char… Vous avez ben fait de lui donner une leçon.

Claude eut un début de sourire en constatant que sa façon de présenter les faits avait fait en sorte que son père croyait vraiment qu'il avait été suspendu pour cette unique raison. Mais il n'eut pas la chance de se réjouir très longtemps.

— Oh ! Ce n'est pas uniquement pour ça que je l'ai suspendu ce matin, corrigea immédiatement Aurèle Auger.

— Ah non ? fit le facteur, surpris.

— S'il n'y avait eu que ça à lui reprocher, je me serais contenté de le garder toute la semaine en retenue après l'école, expliqua l'adjoint.

— Vous auriez bien fait, l'approuva le père de famille, tout de même intrigué.

— Mais là, il y a eu autre chose. Il a été impoli envers un professeur de l'école, et ça, monsieur Bélanger, on ne le tolère pas à Saint-Pierre-Claver.

Les traits du visage de Félicien s'étaient brusquement durcis, tandis que son fils s'était tassé sur la chaise voisine.

— Est-ce que je peux savoir ce qu'il a fait exactement ? demanda Félicien d'une voix blanche.

— Il a osé dire au professeur qui venait de le prendre en flagrant délit de faire ce que les jeunes appellent du ski-bottines que ça le regardait pas ce qu'il faisait parce qu'il était pas à l'école.

— Ah oui ! Je suppose que vous avez l'intention de le garder en retenue au moins deux semaines plutôt qu'une pour avoir été aussi effronté, suggéra le facteur en adressant un regard furieux à son fils.

— Ce serait pas une mauvaise idée, accepta l'adjoint avec un petit sourire de connivence.

— Est-ce qu'il peut aller tout de suite présenter des excuses au professeur ? demanda le facteur.

— Bien sûr, monsieur, dit l'adjoint en se levant. Si vous voulez bien me suivre.

Félicien et son fils suivirent Aurèle Auger à l'étage sans dire un mot. Ce dernier frappa à une porte de classe. Jérôme Richer vint ouvrir.

— Monsieur Richer, monsieur Bélanger et son fils voudraient vous parler, dit l'adjoint avant de s'esquiver.

Derrière Jérôme Richer, la classe était silencieuse, même si une trentaine d'élèves étaient présents dans le local. Seuls les premiers de chaque rangée étiraient leur cou pour tenter de voir ce qui se passait dans le couloir. L'enseignant leur lança un regard sévère qui les incita à retourner à leur travail et il referma la porte derrière lui.

— Monsieur, mon garçon a quelque chose à vous dire, fit Félicien en poussant devant lui un Claude qui avait perdu depuis longtemps toute sa superbe.

— Je m'excuse, monsieur, bredouilla-t-il, ne sachant quoi faire de ses mains.

— Tu t'excuses pour quoi ? lui demanda sèchement son père.

— Je m'excuse d'avoir été impoli, monsieur.

— C'est correct, accepta le professeur. Tu peux entrer dans la classe.

— Si ça vous fait rien, monsieur Richer, j'aurais juste un mot à dire à mon garçon avant.

— Très bien, fit l'enseignant.

Il retourna dans sa classe et referma discrètement la porte derrière lui.

— Slap ! Ça, c'est pour m'avoir menti, éclata Félicien en administrant une solide gifle à l'adolescent sans que ce dernier ait le temps de voir venir le coup. Slap ! Et celle-là, c'est pour avoir été effronté, ajouta-t-il en lui en décochant une seconde, tout aussi rapide et violente, qui marbra l'autre joue du coupable.

Claude avait chancelé sous les deux coups reçus. Il était aussi sonné par les deux gifles sèches qu'il venait de recevoir que par la surprise qu'il éprouvait. Pour la première fois de sa vie, son père avait levé la main sur un de ses enfants.

— À cette heure, va rejoindre les autres dans ta classe et organise-toi pour que j'aie plus jamais aussi honte de toi.

Sans ajouter un mot, le facteur reprit son sac déposé contre le mur et se mit en marche vers l'escalier qui devait le conduire à la sortie de l'école.

Ce soir-là, Claude, maussade, ne rentra à la maison qu'un peu après cinq heures, soit quelques minutes après son père, de retour du travail. À son entrée dans la cuisine, ce dernier ne leva pas le nez de *La Presse* qu'il était en train de lire.

— Comme ça, tout est arrangé ? lui demanda sa mère, curieuse.

— Oui, m'man.

— J'espère que tu vas te souvenir que c'est dangereux de faire ce que t'as fait, conclut-elle en ouvrant la porte de l'armoire pour en sortir les couverts.

L'adolescent comprit alors que son père n'avait rien raconté de son impolitesse envers son professeur. Il n'avait probablement pas dit un mot non plus des deux gifles qu'il lui avait administrées.

Ce soir-là, quand il raconta tout à son frère Jean, ce dernier se contenta de dire :

— Viens surtout pas te plaindre. T'as couru après. Pour que p'pa lève la main sur toi, il devait être enragé noir.

— En tout cas, moi, je me couche de bonne heure, conclut l'adolescent. J'ai pas envie qu'il m'arrive autre chose aujourd'hui. J'en ai plein mon casque. Tout le monde a été sur mon dos toute la maudite journée.

Chapitre 8

La catastrophe

La semaine suivante, alors que débutait le mois de février, une rumeur de grève possible des conducteurs de tramways circulait, rappelant aux Montréalais tous les inconvénients qu'un pareil arrêt de travail leur avait causés trois ans auparavant. Cependant, l'arrivée de la troisième tempête de neige majeure de la saison fit oublier cette menace et on dut se débattre pour nettoyer les quelque vingt pouces de neige tombés sur la métropole en quelques heures.

Le lundi après-midi, Jean venait à peine de descendre du tramway, au coin de Brébeuf et Mont-Royal, quand il entendit les sirènes des camions des pompiers fonçant rapidement vers l'est. Il allait poursuivre son chemin pour rentrer à la maison lorsqu'il se rendit compte que les camions rouges s'immobilisaient à peine trois rues plus loin, près de la rue Garnier. Enjambant le banc de neige, il suivit la foule de curieux qui se dirigeait en courant vers les lieux du sinistre. Une boulangerie était la proie des flammes. Déjà une épaisse fumée noire s'échappait d'une vitrine éclatée. Des policiers sur place éloignaient les curieux dont la présence risquait de nuire au travail des sapeurs-pompiers en train de brancher des tuyaux sur les bornes-fontaines les plus proches.

— C'est pas grand-chose à côté du feu, d'il y a un an et demi, au magasin de fer sur Mentana, dit une voix dans le dos de l'étudiant.

— Jamais je croirai qu'il y a aussi du naphta dans une boulangerie, ajouta une passante. Ils ont dit que c'est ça qui a tué cinquante et une personnes. C'était tellement effrayant, cette explosion-là, poursuivit-elle, que j'en ai pas dormi pendant des semaines. Il y avait un paquet d'enfants parmi les morts.

À entendre les commentaires autour de la dame, plusieurs des badauds présents avaient assisté à ce drame survenu le 14 septembre 1945, dans une petite quincaillerie de la rue Mentana.

Jean ne demeura sur place que quelques minutes. Il abandonna les lieux en même temps qu'un bon nombre de spectateurs quand il se rendit compte que les pompiers étaient déjà parvenus à circonscrire le sinistre.

À son entrée dans la maison, il trouva son frère Claude d'excellente humeur. Il n'avait pas encore suspendu son manteau à la patère que l'adolescent s'avançait vers lui en lui montrant des billets.

— Tu sais ce que c'est ? lui demanda-t-il.

— Pas des billets pour aller voir une partie au Forum ?

— Ben non. J'ai gagné à l'école deux billets pour la première partie de baseball de la saison des Royaux au parc De Lorimier.

— Ah ! fit Jean, l'air désabusé. C'est loin en maudit, ton affaire.

— C'est pas si loin que ça, protesta l'adolescent. C'est dans deux mois. Aïe ! Avoir la chance d'aller voir lancer Jean-Pierre Roy, c'est pas rien. T'es mieux de changer d'air si tu veux que je t'en donne un, à part ça.

— Offre-le à p'pa. Moi, j'aime mieux le hockey.

— P'pa aime pas ça, le baseball, tu le sais ben. Il dit que c'est endormant à mort. Moi aussi, j'aime mieux le hockey, mais quand les Royaux vont commencer à jouer, les éliminatoires vont être finies et on va être ben contents d'aller voir une partie de baseball.

— C'est correct, je vais y aller avec toi, consentit l'aîné.

— Parfait, accepta Claude. Moi, je fournis les billets, et toi tu paieras la liqueur et les hot-dogs.

Après une journée d'école, un violent incendie et une discussion comme il en avait tant avec son frère, Jean Bélanger songeait que la vie filait vite. Déjà les vacances de Noël lui semblaient bien loin; il avait repris sa routine et se disait que la vie le gâtait. Bientôt, il se dirigerait vers l'université. Pourtant, ce soir-là, Jean Bélanger ignorait encore que sa vie se préparait à basculer.

⁓

Le lendemain matin, Reine Talbot ouvrit les yeux dans le noir. Durant un moment, elle eut l'impression que sa chambre tournait autour d'elle et fut incapable de s'asseoir dans son lit. Elle ferma les yeux, puis les rouvrit un instant plus tard. Une nausée incontrôlable lui tordit l'estomac, la forçant encore une fois à se lever précipitamment et à se diriger sur la pointe des pieds vers les toilettes.

Tout était silencieux dans l'appartement endormi. Elle alla s'enfermer dans la petite pièce durant de longues minutes, puis elle revint dans sa chambre, le visage blafard et le front couvert de sueur. Elle s'empressa de se réfugier au chaud sous ses couvertures, mais demeura réveillée. Son réveille-matin indiquait cinq heures et tout était noir dans la pièce. Pendant un bon moment, elle demeura aux aguets, inquiète de savoir si elle n'avait pas réveillé son père ou sa mère. Rien. Même au-dessus de sa tête, à l'étage, il n'y avait aucun bruit, maintenant que le vieux Wilfrid Tremblay était décédé. L'unique locataire de son père avait rendu l'âme une dizaine de jours auparavant et désormais les seuls bruits qui provenaient de l'appartement se produisaient le soir quand le fils venait emballer les vêtements du disparu.

La jeune fille serra ses bras autour d'elle comme pour réprimer un frisson ou se réchauffer.

— Ça peut pas continuer comme ça, murmura-t-elle.

Depuis près d'une semaine, elle était en proie à des nausées matinales. De plus, elle n'avait pas eu ses «affaires de femme», comme disait pudiquement sa mère, depuis près de deux mois. Au début, elle avait cru que son retard était dû au bouleversement que lui avait causé sa rupture avec Jean. Puis, les semaines avaient passé et rien ne s'était produit. À la mi-janvier, elle s'était mise à guetter avec une angoisse grandissante le premier signe de l'apparition de ses menstruations. Rien. Pas le moindre mal de ventre annonciateur de la période mensuelle qu'elle détestait tant. On était maintenant à la mi-février et il n'y avait plus de doute possible, surtout depuis l'apparition des nausées.

Le samedi précédent, sa sœur Estelle était venue passer quelques heures à la maison. La future mère rayonnait de bonheur et de fierté. Elle avait longuement décrit à sa mère les misères physiques causées par son état de future maman.

— Moi aussi, j'ai eu mal au cœur tous les matins durant les premiers mois quand je vous ai attendus, avait dit Yvonne. Inquiète-toi pas, si c'est comme moi, ça dure pas, c'est à la veille de passer.

Cette nuit-là, Reine avait rêvé qu'elle avait tout révélé à sa mère. Celle-ci, pleine de compassion, l'aidait à affronter la situation qu'elle vivait. À son réveil, la réalité lui était apparue sans fard. Elle connaissait assez sa mère pour savoir qu'elle n'accepterait jamais que sa fille soit une fille-mère et attire la honte sur sa famille. Elle allait piquer une crise, jouer à la grande malade en train de mourir et elle pousserait probablement son mari à prendre les grands moyens pour que la réputation des Talbot demeure sans tache.

Ils allaient probablement la chasser de la maison en la traitant de fille de rien, de putain. Elle allait se retrouver à la rue en plein hiver… Personne n'allait vouloir aider une fille-mère… Comment allait-elle vivre sans emploi et sans toit ? Elle avait des économies, mais elles allaient fondre vite. Ce qui l'attendait, c'était d'accoucher à l'hôpital de la Miséricorde, l'hôpital de la honte, comme se plaisaient à le désigner sa mère et ses amis. Et l'enfant, lui ? Bien sûr, elle n'en voulait pas. Qu'est-ce qu'elle allait en faire ?

Il restait peut-être un moyen d'éviter le pire : forcer Jean Bélanger à prendre ses responsabilités et à l'épouser. C'était en fait l'unique moyen d'éviter le drame qui l'attendait. Bien sûr, ses parents n'allaient pas accepter de gaieté de cœur de précipiter un mariage, mais si c'était la seule porte de sortie pour sauver la réputation familiale, ils n'hésiteraient pas longtemps.

— Là, je peux plus attendre, dit à mi-voix la jeune fille en rejetant ses couvertures. Il faut absolument que je lui parle. Après tout, il est aussi responsable que moi dans cette affaire-là. Pourquoi je serais toute seule à tout endurer ?

Elle alluma sa lampe de chevet et entreprit de s'habiller après avoir fait son lit. Quand son père se leva à son tour un peu après sept heures, il la trouva dans la cuisine en train de déjeuner.

— On fera pas trop de bruit, ta mère dort encore, lui dit-il en se versant une tasse de café. Elle a mal dormi.

Reine connaissait la chanson et ne prêta qu'une oreille distraite à ces propos. Deux ou trois fois par semaine, sa mère faisait la grasse matinée sous le prétexte de souffrir d'insomnie. Si elle avait si mal dormi, comment se faisait-il qu'elle n'avait pas eu connaissance de ses allées et venues aux toilettes aux petites heures du matin ?

Elle passa le reste de la journée à se conforter dans sa décision de rencontrer au plus tôt Jean Bélanger. Elle était si concentrée à mettre sur pied une stratégie propre à obliger ce dernier à endosser ses responsabilités que son père dut la rappeler à l'ordre à quelques reprises parce qu'elle ne s'occupait pas assez rapidement d'une cliente qui attendait debout devant le comptoir.

Finalement, un peu avant quatre heures trente, la jeune fille feignit une atroce migraine pour demander à son père la permission de quitter la biscuiterie avant l'heure de la fermeture afin d'aller respirer un peu d'air frais.

— Encore ! s'exclama-t-il, mécontent, alors qu'il était en train de ranger des boîtes de biscuits dans l'arrière-boutique. Es-tu rendue comme ta mère, toi ?

— Non, mais je pense que j'ai mangé quelque chose qui passe pas à midi, mentit-elle en s'emparant de son manteau.

— Vas-y, mais prends-en pas l'habitude, la mit en garde son père qui n'avait pas remarqué son teint pâle et ses traits légèrement tirés.

Reine endossa son manteau et chaussa ses bottes. Elle sortit de la biscuiterie au moment où deux clientes y entraient. Dès qu'elle se retrouva sur le trottoir, la jeune fille fut surprise par la douceur de la température extérieure. C'était vraiment le premier redoux de la saison. Après avoir été très froide pendant plusieurs semaines, voilà que la température voisinait presque avec le point de congélation.

À voir le visage souriant des badauds, il était clair que certains se croyaient déjà au printemps.

Insensible à ce temps doux, Reine se mit à arpenter le trottoir de la rue Mont-Royal entre les rues De La Roche et Brébeuf, guettant tous les tramways en provenance de l'ouest de la ville. Elle savait que Jean Bélanger revenait du collège un peu avant cinq heures. Elle l'avait si souvent guetté derrière la vitrine de la biscuiterie à l'époque où ils se fréquentaient qu'elle était certaine de son fait. À un moment, elle reconnut le père de son ex-amoureux qui traversait la grande artère et disparaissait dans la rue Brébeuf en direction de l'appartement familial.

Elle venait à peine de quitter le père des yeux qu'elle aperçut le fils en train de descendre du tramway au coin de la rue. Son cœur eut un raté lorsqu'elle le vit. Elle se dirigea immédiatement vers lui et lui barra le chemin. De toute évidence, l'étudiant du Collège Sainte-Marie ne l'avait pas vue. S'il n'avait pas levé la tête à ce moment-là, il l'aurait probablement bousculée accidentellement, tant il était plongé dans ses pensées. Il devait produire une dissertation pour le lendemain et il n'avait pas cessé durant tout le trajet de chercher les idées directrices de ce travail.

«Les pères de famille sont les derniers aventuriers des temps modernes, se répéta-t-il pour la énième fois. Tu parles d'un sujet à traiter!»

— Il faut qu'on se parle, lui dit sèchement Reine en se mettant en marche à ses côtés.

— Je pensais que c'était clair qu'on n'avait plus rien à se dire, rétorqua-t-il sur le même ton. Là, j'ai pas mal d'ouvrage à faire. J'ai un travail à rédiger sur les pères de famille. J'ai pas le temps, ajouta-t-il en allongeant volontairement le pas, comme s'il espérait la semer en route.

— Ça tombe bien ! Mais c'est bien de valeur, Jean Bélanger, ton ouvrage devra attendre, déclara-t-elle, péremptoire, en le saisissant par le bras.

— C'est correct. Dis-moi ce que t'as à me dire qu'on en finisse, fit-il d'une voix tranchante.

— Je peux pas te dire ça en pleine rue. Viens jusqu'au Vista. Je te dis que c'est important.

— Pourquoi pas à La petite fermière ? demanda-t-il.

— Je tiens pas à tomber sur une voisine, se borna à dire Reine, le visage buté.

Quelque chose dans le ton de Reine alerta soudain l'étudiant, qui accepta de la suivre au petit restaurant de la rue De Lanaudière, deux rues plus loin. Ils parcoururent ces quelques centaines de pieds, l'un à côté de l'autre, dans un silence pesant. Jean, mécontent de s'être laissé piéger et pensant au travail qui l'attendait, poussa la porte du petit restaurant sans prétention pour laisser passer la jeune fille devant lui. Il la suivit vers une petite table couverte de formica orangé, déposa son porte-documents sur l'une des quatre chaises disposées autour de la table et s'assit après avoir déboutonné son manteau et enlevé son chapeau. Reine prit place en face de lui en retirant ses gants.

— Qu'est-ce que tu veux boire ? lui demanda-t-il sans entrain.

— Un café va faire l'affaire, répondit-elle en déboutonnant son manteau à son tour.

Une serveuse prit leur commande et revint moins de deux minutes plus tard pour déposer devant eux deux tasses en pierre remplies d'un café fumant. Durant ce court laps de temps, Jean n'avait pas prononcé un seul mot, se contentant de regarder distraitement les passants sur le trottoir à travers la vitrine malpropre.

— Bon, est-ce que tu vas finir par me dire ce qu'il y a de si important ? demanda-t-il sur un ton agacé.

Il n'avait même pas remarqué à quel point la jeune fille assise devant lui était nerveuse. Reine inspira profondément avant de dire tout bas, sur un ton égal :

— Je suis en famille.

— Quoi ? Qu'est-ce que tu as dit ? fit-il, incertain d'avoir bien compris ce qu'elle venait de dire.

— Tu m'as bien entendue. Je viens de te dire que je suis en famille, répéta-t-elle un peu plus fort en jetant un coup d'œil autour d'eux pour s'assurer que la serveuse et les deux autres clients du restaurant ne leur prêtaient aucune attention.

— Mais pourquoi tu me dis ça, à moi ? demanda-t-il d'une voix altérée.

— Parce que c'est toi qui es le père, affirma-t-elle sur un ton sans appel.

— Voyons donc, calvince ! C'est pas possible, se révolta l'étudiant en la scrutant pour s'assurer qu'il ne s'agissait pas d'une mauvaise plaisanterie.

— Jean Bélanger, réveille-toi ! lui ordonna-t-elle. T'es le seul gars avec qui…

— C'est correct ! C'est correct ! J'ai compris, dit-il en jetant un coup d'œil au couple de personnes âgées assises un peu plus loin pour s'assurer qu'elles n'avaient rien entendu. Si c'est vrai ce que tu me dis là, qu'est-ce que tu vas faire ? ajouta-t-il avec un certain détachement.

— À ton avis ? fit-elle, l'air soudain mauvais.

— Je le sais pas, moi, admit-il, ouvertement dépassé par la situation.

— Je pense que tu me poses pas la bonne question, reprit-elle, la voix sifflante. Là, ce que tu devrais dire c'est : « Qu'est-ce qu'on va faire ? »

— Comment ça ? s'insurgea-t-il. Tu sais bien que moi, je peux pas rien faire. J'ai pas d'argent. J'étudie. J'ai encore presque cinq ans d'études à faire.

— Ben là, moi, je pense qu'il va falloir que tu changes tes plans, déclara-t-elle tout net. Il y a un petit qui s'en vient et je l'ai pas fait toute seule, cet enfant-là.

— Mais je te dis que je peux pas rien faire, insista-t-il, déjà prêt à se lever pour quitter le restaurant.

— Reste assis, fit-elle sur un ton si autoritaire qu'il n'eut pas le choix d'obéir. Écoute-moi bien, Jean Bélanger, lui ordonna-t-elle à mi-voix. On est mardi. Je te donne jusqu'à vendredi pour mettre tes parents au courant et te décider à faire quelque chose. Si vendredi soir, j'ai pas eu de tes nouvelles, mon père va aller voir le tien et tu vas avoir affaire à lui, ça, je peux te le garantir.

Sur ces mots, Reine, le visage blafard, se leva sans avoir bu une seule gorgée de café, prit ses gants et sortit du restaurant, le laissant régler l'addition. Le jeune homme, assommé par l'ultimatum qu'elle venait de lui lancer, avait les jambes tellement molles qu'il se demanda durant un court moment s'il allait avoir la force de quitter les lieux.

Il lui fallut un bon moment avant de se décider à partir. Comme un somnambule, il régla l'addition à la serveuse qui le fixait avec insistance et se dirigea vers la maison. En chemin, des tas de pensées se bousculaient dans sa tête. Il salua ses parents et s'empressa d'aller s'enfermer dans sa chambre. Il s'assit à son bureau et se prit la tête dans les mains, à la recherche d'un moyen de se sortir du piège qu'il sentait prêt à se refermer sur lui.

— T'as ben l'air bête. Qu'est-ce que t'as ? lui demanda Claude, en train de faire un devoir de mathématiques, étendu sur son lit.

— J'ai rien, mentit-il. Laisse-moi tranquille. Je dois trouver des idées pour une dissertation.

Reine devait se tromper. Ce n'était pas possible autrement. Ce n'était arrivé qu'une fois. Elle devait essayer de le faire marcher pour qu'il reprenne leurs fréquentations. Quand il aurait recommencé à sortir avec elle, elle lui avouerait qu'elle l'avait fait marcher… Si c'était ça, elle se trompait. Elle ne l'aurait pas aussi facilement. Cependant, il se devait de reconnaître qu'elle s'était toujours montrée assez orgueilleuse et qu'elle n'était pas le genre de fille à se mettre à genoux devant un garçon… Et si c'était vrai ! Qu'est-ce qu'il allait faire ? Son père allait bien vouloir le tuer ! Et ses parents à elle ? Ils n'accepteraient jamais une affaire semblable.

Sa mère annonça que le souper était prêt. Durant un bref moment, il eut envie de refuser de s'approcher de la table où tous avaient déjà pris place, mais devant la perspective d'avoir à expliquer pourquoi il ne voulait pas manger, il renonça à son idée et vint occuper sa chaise habituelle, à côté de son frère. Il eut l'air tellement perdu durant le repas que sa mère finit par lui demander s'il était malade.

— Non, m'man, il est correct, s'empressa de répondre Claude à sa place. Il a cet air constipé là parce qu'il cherche des idées pour une dissertation. C'est ce qu'il m'a dit tout à l'heure. À voir sa face, ça doit être souffrant en sacrifice de faire son cours classique.

— Veux-tu bien te mêler de tes affaires, Claude Bélanger, le réprimanda sa mère. C'est pas à toi que je parle.

— Une vraie mémère, laissa tomber Lorraine, qui n'avait rien dit depuis le début du repas.

— C'est vrai, m'man, intervint Jean.

— Énerve-toi pas avec ça, fit son père, assis au bout de la table. Si toi, tu trouves pas d'idées, comment les autres vont se débrouiller ? T'es toujours le meilleur de ta classe, ajouta-t-il avec une fierté évidente.

Cette remarque paternelle mit l'étudiant encore plus mal à l'aise. Comment ses parents, si fiers de leur fils, allaient-ils réagir en apprenant la nouvelle ? Il n'osait même pas l'imaginer.

Après le repas, le jeune homme disparut dans sa chambre. Comme Claude avait décidé de poursuivre ses devoirs sur la table de la cuisine, il put passer toute la soirée à essayer de trouver une solution à un problème qui lui paraissait finalement absolument insoluble. Il était piégé et, de plus en plus affolé devant les terribles perspectives qui s'offraient à lui, il ne voyait vraiment pas comment il pouvait s'en sortir. À aucun moment il n'eut la moindre pensée pour celle qui se disait enceinte de ses œuvres. En écoutant les divers bruits familiers dans l'appartement, il avait du mal à croire que la vie continuait comme d'habitude autour de lui.

Claude finit par rentrer dans leur chambre pour se mettre au lit. Épuisé, Jean l'imita. Il passa toutefois la nuit réveillé. Étendu sur le dos, dans le noir, il eut l'occasion de maudire mille fois ce dimanche après-midi où il avait succombé au charme de Reine Talbot.

— Maudit sans-dessein ! s'injuria-t-il tout bas en administrant un coup de poing rageur à son matelas.

Au matin, fatigué au-delà de toute expression, il quitta son lit sans le moindre entrain quand sa mère vint le prévenir de se lever s'il ne voulait pas être en retard. Le visage fermé, il fit sa toilette et déjeuna sans dire un mot.

— Moi, c'est pour ça que je veux pas faire des études, déclara Claude sans s'adresser à personne en particulier, en finissant de manger son gruau.

— Pourquoi tu dis ça ? lui demanda sa mère, intriguée.

— On dirait que ça donne l'air bête, répondit l'adolescent en faisant un pied de nez à son frère aîné.

— T'es bien drôle, rétorqua sa mère. Au lieu de dire des niaiseries, va donc finir de te préparer pour aller à l'école.

Ce jour-là, Jean ne se rendit pas au collège. Il avait besoin de réfléchir, de trouver une façon de se sortir de la situation dans laquelle il se trouvait. Au moment où il passait devant la biscuiterie, il eut un mal fou à combattre une soudaine envie de pousser la porte du magasin pour aller demander à Reine s'il ne s'agissait pas d'une mauvaise blague qu'elle lui avait faite. Il renonça vite à cette idée en revoyant en pensée l'air tragique affiché par la jeune fille la veille. Il fallait absolument qu'il s'enlève de l'idée qu'il s'agissait d'une plaisanterie de mauvais goût.

Au lieu de prendre le tramway, il décida d'aller marcher. Durant la nuit, le froid était revenu. Il se rendit tout de même jusqu'au parc La Fontaine avant de sentir qu'il avait les oreilles et les doigts gelés. Alors, pour se réchauffer, il alla se réfugier à la bibliothèque municipale, située au coin des rues Amherst et Sherbrooke. Il y demeura tout le reste de la journée.

Assis à l'une des longues tables de chêne de la salle de lecture, il feignit de consulter sans fin un livre à la lueur d'une lampe à abat-jour vert. L'endroit était pratiquement désert en ce mercredi matin du mois de février. Le silence des lieux lui convenait parfaitement. De temps à autre, la surveillante de la salle levait la tête des fiches qu'elle était en train de classer pour lui jeter un coup d'œil.

Les heures passèrent lentement. Tendu au-delà du supportable, l'étudiant ne songea même pas à quitter la bibliothèque vers midi pour aller manger les sandwichs préparés par sa mère et demeurés dans son porte-documents.

Finalement, il décida de quitter la salle de lecture surchauffée un peu après trois heures et il entreprit de rentrer à la maison. Sa décision était prise : il allait tout avouer à son père. Il n'avait pas le choix. À cette seule pensée, son estomac se révulsait et il en avait des sueurs froides. Mais comment faire autrement ? S'il ne le faisait pas, il était certain que Reine allait mettre sa menace à exécution et que son père allait venir sonner à la porte des Bélanger dans deux jours… Une fois le premier choc encaissé, son père allait peut-être l'aider à trouver une solution à son problème. Malgré toutes ces heures passées à chercher un moyen pour s'en sortir, il ne voyait toujours pas ce qu'il pouvait faire.

Cette journée ne fut pas tellement plus heureuse pour Reine, qui accomplit son travail à la biscuiterie comme un automate. Depuis la veille, elle s'interrogeait sur la décision qu'allait prendre Jean. Allait-il nier l'évidence et refuser d'endosser la paternité de l'enfant à naître ? Elle savait très bien qu'il pouvait le faire et qu'elle ne pourrait rien prouver. Devait-elle attendre sa visite jusqu'à vendredi ou avouer dès aujourd'hui sa faute à ses parents ? Indécise, elle opta pour l'attente. Elle allait espérer un signe de vie de son ex-amoureux jusqu'à vendredi soir, comme elle le lui avait dit. S'il ne s'était pas manifesté à l'heure de la fermeture de la biscuiterie, elle allait tout dévoiler à son père, mais en dehors de la présence de sa mère qui, elle le devinait, allait pousser des hauts cris et dramatiser encore plus la situation.

Jean rentra à la maison en même temps que son frère Claude. Il refusa l'offre de ce dernier de chausser les patins après le souper pour aller jouer une partie de hockey avec ses amis.

— M'man veut bien que j'aille jouer jusqu'à huit heures et demie à soir, déclara l'adolescent. C'est assez rare qu'elle accepte que je sorte après le souper, tu devrais venir jouer avec nous autres.

— J'ai pas le temps, se contenta de dire Jean, légèrement soulagé à l'idée d'avoir un témoin de moins lorsqu'il parlerait à son père après le repas.

— On va manger de bonne heure, leur annonça leur mère. On n'a pas à attendre Lorraine. Elle va voir un film avec une de ses collègues.

Jean entra dans sa chambre, enleva son veston bleu marine et sa cravate et s'assit à son bureau. Il répéta inlassablement les phrases qu'il allait dire à ses parents. Durant le long trajet qui l'avait ramené rue Brébeuf, il n'avait cessé d'imaginer toutes les répliques qui seraient échangées entre ses parents et lui. Il s'était surtout attaché à présenter sa faute sous le meilleur angle possible, bien qu'il soit persuadé qu'à leurs yeux, elle allait apparaître impardonnable et gâcher non seulement sa vie, mais la leur.

Au souper, il ne mangea pratiquement pas, même s'il n'avait rien avalé depuis le déjeuner. Sa mère remarqua son manque d'appétit et s'en inquiéta.

— Toi, t'es en train de me couver quelque chose, déclara-t-elle, l'air sûre d'elle.

— Mais non, m'man. J'ai juste pas faim parce que j'ai dîné trop tard, mentit-il.

Après le repas, il vit son père se diriger vers le salon avec son journal sous le bras. Il entra dans sa chambre en laissant la porte entrouverte, attendant avec impatience le départ de Claude. Quand ce dernier partit en promettant d'être rentré pour huit heures et demie, l'étudiant prit une grande respiration, essuya ses mains moites sur son pantalon et quitta sa chambre. Lorsqu'il pénétra dans le salon, ses genoux tremblaient légèrement.

— Est-ce que je peux vous parler, p'pa ? demanda-t-il d'une voix qu'il ne reconnut pas lui-même.

Félicien leva la tête de son journal, soudain intrigué par l'air troublé de son fils aîné.

— Ben sûr. Qu'est-ce qu'il y a ?

Jean s'empressa de s'asseoir dans l'un des fauteuils et, le torse avancé vers son père, lui dit à mi-voix :

— J'ai quelque chose de grave à vous annoncer et je sais pas comment vous le dire, p'pa, précisa-t-il l'air ouvertement malheureux

— Accouche, s'impatienta Félicien, soudain inquiet de voir son fils dans cet état. Qu'est-ce qui se passe ?

— Reine Talbot m'a accroché hier après-midi quand je suis revenu du collège.

— Puis ? T'avais pas décidé d'arrêter de la voir, cette fille-là ?

— C'est pas ça, p'pa… Elle m'a dit qu'elle était… qu'elle était en famille.

— En quoi ça te regarde, cette affaire-là ? demanda le père de famille, à mille lieues de soupçonner la vérité.

Jean garda le silence un long moment, le visage soudainement rouge.

— Elle dit que c'est moi, le père, avoua-t-il, un ton plus bas.

— Qu'est-ce que tu viens de me dire là, toi ? demanda le facteur en haussant le ton.

— Elle dit que c'est moi le père, répéta Jean, son visage ayant pris tout à coup une blancheur inquiétante.

— Est-ce que c'est vrai ? fit Félicien, la voix devenue subitement dure.

Son fils se contenta de hocher la tête, l'air accablé.

— Ah ben, maudit Christ, par exemple, blasphéma le facteur en se levant, blanc de fureur. Amélie ! cria-t-il à sa femme encore occupée à laver la vaisselle du souper dans la cuisine. Viens ici, une minute.

Il tourna le dos à son fils et se mit à scruter la maison d'en face par la fenêtre. Il ne se retourna qu'au moment où la mère de famille entra dans le salon en s'essuyant les mains sur son tablier.

— Veux-tu bien me dire ce qui se passe ? demanda-t-elle à son mari.

— Raconte à ta mère ce que tu viens de me dire, ordonna sèchement Félicien à son fils. Ça va lui faire ben plaisir d'entendre ça.

— Qu'est-ce que t'as à être enragé comme ça ? s'inquiéta Amélie en constatant subitement que son mari était dans tous ses états.

— Écoute plutôt ! Tu vas comprendre.

— Qu'est-ce que tu dois me raconter ? fit-elle en se tournant vers son fils.

— Reine Talbot m'a dit qu'elle attend un petit et que c'est moi qui suis le père, avoua-t-il tout d'une traite à sa mère dont le visage pâlit subitement.

La mère de famille sentit ses jambes se dérober sous elle et elle s'assit lourdement, une main posée sur sa poitrine, comme si elle craignait que son cœur n'éclate. Elle scruta le visage de son fils, espérant, contre toute attente, avoir mal entendu.

— T'as pas fait ça ! s'exclama-t-elle finalement. Tu peux pas nous avoir fait ça !

Jean ne dit rien, le visage figé. Il attendait que la colère de ses parents éclate.

— Ah ! On peut dire qu'on a eu une riche idée de le faire instruire, fit son père, amer, en lui faisant face. Regarde ce que ça nous a rapporté de nous priver comme on l'a fait durant toutes ces années… C'est ça que ça donne quand ils ont juste à passer leur journée assis à user leurs fonds de culotte sur les bancs d'école plutôt que travailler du matin au soir, comme le monde ordinaire et…

— Qu'est-ce qui va arriver avec ses études ? le coupa Amélie, comme si son fils était absent de la pièce.

— Il va arriver… Il va arriver qu'il va se conduire comme un homme, sacrement ! éclata à nouveau Félicien. Il va lâcher le collège, se trouver une *job* et la marier, cette fille-là, et au plus sacrant, à part ça. Il a voulu faire l'homme et mettre une fille en famille. Eh ben ! On va ben voir s'il est capable de prendre les responsabilités qui vont avec ça.

— Il a presque fini son cours, ne put s'empêcher d'avancer sa femme, en commençant à pleurer.

— Ben, on dirait qu'il le finira pas, trancha son mari, le visage dur. On va les marier. Christ ! on n'a pas le choix.

— Ils sont tellement jeunes, plaida encore mollement sa femme en s'essuyant les yeux.

Assommé, le coupable écoutait ses parents discuter de son sort sans vraiment réaliser qu'ils étaient en train de décider de son avenir. Et il ne trouvait rien à y redire.

— S'ils sont assez vieux pour faire des enfants, ils sont assez vieux pour se marier, reprit le père de famille après un court silence. Tu m'as entendu, toi ? demanda-t-il à son fils.

— Oui, p'pa.

Jean se leva. Il comprenait la fureur et la peine de ses parents. Son dernier espoir de s'en tirer venait de s'envoler. Pendant quelques instants, il avait vaguement espéré qu'ils trouveraient un moyen de le sortir de l'impasse. Il était même allé jusqu'à imaginer que son père offrirait d'aller s'entendre avec le père de Reine de manière à lui permettre au moins de terminer ses études avant d'épouser Reine. Il avait même eu l'idée de suggérer à ses parents de payer les frais d'hospitalisation de la future mère avec l'argent qu'il aurait pu amasser en trouvant un travail le soir. Par la suite, le bébé aurait pu être donné en adoption et toute l'affaire aurait fini par être oubliée…

Mais là, il n'en était pas question. Il était piégé et il n'y avait plus aucun moyen de s'échapper.

— Demain, t'iras chercher tes affaires au collège et tu les avertiras que t'arrêtes tes études, lui ordonna son père.

Son fils hocha la tête en signe d'acceptation.

— Demain soir, tu vas venir avec moi chez les Talbot pour leur demander leur fille en mariage, dit Félicien à son fils sur un ton sans appel. Et toi, arrête de brailler pour rien, sacrement! ordonna-t-il en se retournant vers sa femme. Le mal est fait et on n'y peut rien. À cette heure, il reste juste à réparer.

Sur ces mots, Félicien reprit place dans son fauteuil et, le visage fermé, attendit ouvertement que son fils quitte la pièce.

La tête basse, le jeune homme sortit du salon et retourna dans sa chambre. Son petit monde si paisible et agréable venait de s'écrouler subitement. Il ne serait jamais avocat. Lui, marié! Il n'avait que vingt ans. Il ne se voyait pas passer toute sa vie avec Reine. Puis quel travail allait-il pouvoir trouver pour la faire vivre ainsi que l'enfant qui allait naître dans quelques mois? Il ne savait rien faire…

Il éteignit sa lampe et se jeta sur son lit tout habillé. Il aurait aimé disparaître à jamais et tout laisser derrière lui. Durant de longues minutes, il caressa l'idée de quitter la maison le lendemain matin et de recommencer à neuf ailleurs. Mais il savait bien que c'était un rêve impossible. Où aller en plein hiver?

Épuisé par sa nuit sans sommeil et par la tension nerveuse supportée depuis la veille, il s'endormit.

Il se réveilla en sursaut, ébloui par le plafonnier que son frère venait d'allumer.

— Tabarnouche! Tu te couches ben de bonne heure! s'exclama ce dernier en l'apercevant étendu sur son lit. Il est même pas neuf heures.

— Laisse faire, grogna-t-il, mal réveillé. Je voulais juste faire un petit somme.

— Es-tu au courant de ce qui se passe ? lui demanda l'adolescent en baissant la voix. P'pa et m'man font une face de carême dans le salon. Dans la maison, c'est gai comme à un enterrement. Quand j'ai voulu dire quelque chose, m'man m'a dit de pas l'achaler et de me dépêcher à me préparer une tasse de chocolat chaud avant d'aller me coucher.

— Je le sais pas, lui mentit son frère, en se levant pour aller prendre place devant son bureau.

— À moi, on me dit jamais rien ici dedans, se plaignit Claude en commençant à se préparer pour la nuit.

L'adolescent ôta sa chemise et son pantalon après avoir retiré ses souliers.

— Moi, ces maudites combinaisons à dompeuse là, je peux plus les endurer, affirma-t-il en se grattant furieusement. Aussitôt que t'as le moindrement chaud là-dedans, c'est écœurant ce que ça te pique partout.

— Si t'arrêtais de te lamenter une minute, je pourrais peut-être étudier, intervint son frère, impatient de le voir se taire.

— C'est correct, c'est correct, répéta l'adolescent. Ça a tout l'air que toi aussi, tu fais la baboune à soir.

Après avoir passé son pyjama, Claude s'étendit dans son lit avec un *Héraut* que lui avait prêté l'un de ses copains.

Son frère aîné sortit une feuille et se mit à noter, la mort dans l'âme, ce qu'il aurait à faire le lendemain matin. Une heure plus tard, il décida d'éteindre et d'imiter Claude qui venait d'abandonner sa lecture pour dormir. Durant de longues minutes, il essaya d'imaginer ce qui lui arriverait s'il ne revenait pas à la maison le lendemain après-midi… C'était impossible ! il avait beau chercher, il n'avait nulle part où aller et, surtout, l'argent qu'il possédait ne lui permettrait de subsister que quelques jours. Plus il y pensait, plus il réalisait qu'il était bel et bien piégé. Aucune fuite n'était possible. Il allait devoir faire face, qu'il le veuille ou non.

Comme la veille, le sommeil le fuit durant de longues heures. Maintenant, il s'inquiétait de la rencontre qu'il devait avoir le lendemain soir avec les parents de Reine Talbot. Comment allaient-ils réagir ? Jusqu'à un certain point, la présence de son père à ses côtés le rassurait. Et si le commerçant lui refusait la main de sa fille ? Il sentit une lueur d'espoir poindre en lui. Ce serait ce qui pourrait lui arriver de mieux.

Fernand Talbot n'était pas un imbécile. Il était bien capable de se rendre compte qu'un étudiant sans le sou comme lui n'était pas prêt à épouser sa fille et qu'il était incapable de la faire vivre… Le père de famille allait probablement l'engueuler comme du poisson pourri et le traiter de tous les noms pour avoir mis sa fille enceinte, mais que pouvait-il faire d'autre ? Il n'allait tout de même pas le tuer… Il se berça durant un long moment de cette illusion et, sur ces pensées un peu plus réconfortantes, il finit par s'endormir.

Chapitre 9

La coupure

Le claquement de la porte d'entrée réveilla Jean en sursaut. Il souleva la tête de son oreiller pour regarder le réveille-matin placé sur sa table de nuit : six heures. Son père venait de partir pour son travail. Claude se retourna dans son lit et ramena ses couvertures par-dessus sa tête. Jean décida d'aller rejoindre sa mère qui était sûrement dans la cuisine en train de finir de déjeuner.

Il se leva sans faire de bruit et quitta sa chambre. À son entrée dans la cuisine, sa mère leva la tête. Elle avait le visage chiffonné et les paupières rougies, comme si elle avait pleuré. Il feignit de ne pas le remarquer et se versa une tasse de café avant de glisser deux tranches de pain dans le grille-pain à deux portes posé sur la table. Il but une gorgée de café et attendit que sa mère le regarde avant de lui dire :

— Je m'excuse, m'man ! J'ai jamais voulu ça. J'ai jamais voulu vous faire de la peine, à vous et à p'pa. C'est une erreur et je vais payer pour.

— C'est correct, fit Amélie en s'ébrouant. Avant de partir pour l'ouvrage, ton père m'a dit de te dire que tu ferais mieux de commencer aujourd'hui à te chercher une *job* après être passé au collège.

— C'était ce que je comptais faire de toute façon, laissa tomber Jean en étalant du beurre d'arachide sur ses rôties.

— Veux-tu que je te prépare un lunch avant de partir ?

— Non, m'man. Je saurais pas où aller le manger. Je mangerai en revenant. Là, je m'habille et je pars de bonne heure pour le collège. Je dois passer au secrétariat et vider mon casier, expliqua-t-il, la gorge serrée.

— T'es pas obligé de partir aussi de bonne heure.

— J'ai ben des affaires à faire aujourd'hui, se contenta-t-il de lui dire.

Sa mère n'ajouta rien. Elle se leva et se dirigea vers sa chambre, probablement pour faire son lit et s'habiller avant de réveiller Claude et Lorraine. Il en profita pour se glisser dans la salle de bain pour faire sa toilette dès qu'il eut fini de manger ses rôties.

En attendant l'heure de se rendre au collège, le jeune homme se réfugia dans le salon après s'être emparé de *La Presse* de la veille. Durant de longues minutes, il consulta les annonces classées dans le but de relever les offres d'emploi. Armé d'un crayon et d'une feuille, il voulut noter celles qui pourraient lui convenir, mais il ne trouva rien. Découragé, il consulta sa montre et décida de quitter l'appartement, même s'il était encore très tôt.

Il mit son manteau et alla embrasser sa mère. Au moment de partir, il croisa Lorraine qui sortait de sa chambre. Sa sœur se contenta de lui murmurer :

— Bonne chance.

Ces simples mots eurent pour effet de lui remonter légèrement le moral. De toute évidence, ses parents avaient tout raconté à sa sœur aînée.

À l'extérieur, un ciel gris et maussade l'accueillit. Une petite neige folle tombait doucement, comme si elle allait participer à l'enterrement de tous ses rêves d'avenir. Quelques minutes plus tard, tassé sur la dure banquette en osier du tramway par un gros ouvrier mal rasé, il se demandait s'il faisait bien de se présenter au Collège Sainte-Marie en même temps que ses camarades. Il aurait pu choisir de ne franchir les portes de l'institution qu'une heure plus tard et passer directement au secrétariat pour apprendre aux autorités qu'il abandonnait ses études le jour même. Cependant, il tenait absolument à revoir une dernière fois ses amis avec qui il étudiait depuis sept ans, et cela même s'il savait fort bien que cette rencontre lui ferait mal.

À son arrivée dans la salle commune, Jean se rendit compte qu'il n'était pas seul à arriver aussi tôt au collège. Il aperçut quelques copains qu'il s'empressa d'aller rejoindre en s'efforçant de plaquer un sourire de circonstance sur son visage.

— Tiens, un revenant! s'écria un nommé Gendron en l'apercevant. Tu t'es payé une journée de congé hier, ou bien tu voulais réfléchir comment tu allais faire pour avoir une moyenne générale de quatre-vingt-dix au prochain trimestre?

— Tu me connais mal, répliqua Jean en s'efforçant d'adopter le même ton badin. Je vise cent pour cent, pas quatre-vingt-dix.

Le ton était donné. Les blagues fusèrent durant plusieurs minutes. Peu à peu, la salle se remplit et les étudiants de philosophie I se rassemblèrent dans leur coin habituel de la pièce et chahutèrent un peu, comme chaque fois qu'ils se retrouvaient. Jean regardait chacun d'eux en tentant d'imprimer leurs traits dans sa mémoire. Il savait qu'il allait quitter définitivement tous ces camarades dès que la sonnerie de la reprise des cours allait se faire entendre.

Quand cette dernière se produisit, il sursauta légère-ment. Au moment où chacun se mettait en route vers sa classe, il demeura sur place en feignant de chercher quelque chose dans son porte-documents.

— Jean ! tu ferais mieux d'arrêter de traîner si tu veux pas arriver en retard au cours, fit Michel Langevin, un confrère de classe, en passant près de lui.

— Je dois passer par le secrétariat, dit-il.

Alors que la salle se vidait rapidement de ses occupants, il se fit la remarque qu'il n'avait pas vu Paul Comtois. Il alla lentement vers son casier et entreprit de le vider entièrement de ses effets personnels qu'il mit dans un sac. Ensuite, il se dirigea vers le secrétariat de l'institution.

Quand il poussa la porte du bureau de la direction, il se retrouva devant un comptoir derrière lequel une vieille secrétaire à la mine revêche semblait à la recherche d'un document. Elle était penchée au-dessus d'un tiroir de classeur grand ouvert devant elle et compulsait des chemises cartonnées en marmonnant. Elle était seule dans la grande pièce et ne se donna pas la peine de lever la tête de son travail à son entrée. Après avoir attendu une minute ou deux qu'elle daigne s'occuper de lui, Jean perdit patience.

— Excusez-moi, madame…

— Un instant, vous voyez bien que je suis occupée, dit-elle sèchement en levant enfin la tête pour le regarder. Allez à votre cours. La cloche vient de sonner. Vous reviendrez plus tard !

— Je pourrai pas revenir plus tard. Je viens vous dire que je quitte le collège.

— Ça ne se fait pas comme ça, mon jeune ami, déclara-t-elle, en se résignant enfin à lui accorder un peu d'attention. Vous devez rencontrer l'économe et le père supérieur.

— J'ai pas le temps, madame. Je viens d'aller vider mon casier et je reviendrai plus.

La secrétaire consentit enfin à s'éloigner du classeur pour se rapprocher du comptoir devant lequel Jean se tenait debout.

— Normalement, vous devriez rencontrer au moins le père supérieur, mais il est absent aujourd'hui.

— Je sais, mais j'ai pas le temps, madame.

— Votre nom? demanda-t-elle en s'emparant d'une feuille.

— Jean Bélanger, philo I.

— Raison de votre départ?

— Raisons personnelles, se borna-t-il à dire.

— Vous êtes bien sûr que vous voulez quitter le collège avant la fin de l'année? Il ne reste que trois mois à faire, ajouta-t-elle pour tenter de le persuader.

— Oui, madame.

— Bon, je suppose que si le père supérieur désire plus de renseignements, il vous contactera, dit-elle. Il reste quand même que cette procédure est plutôt anormale. Je vais sortir votre dossier.

Elle s'exécuta, ouvrit une chemise cartonnée grise et sembla sursauter légèrement en consultant brièvement les résultats scolaires de l'étudiant debout devant elle. De toute évidence, il était assez inhabituel qu'un étudiant ayant de si bons résultats scolaires abandonne ses études en cours d'année.

— Mais qu'est-ce qui vous prend de lâcher vos études avec des notes pareilles? ne put-elle s'empêcher de lui demander, réprobatrice.

— J'ai pas le choix, madame.

Elle hocha la tête en signe de la plus parfaite incompréhension. Durant un bref moment, Jean hésita, puis il se décida à lui demander :

— Est-ce que je pourrais avoir un papier officiel comme quoi j'ai fréquenté le Collège Sainte-Marie jusqu'en philo I, madame ? Ça m'aiderait pour me trouver un emploi.

La secrétaire le regarda et sembla soudain comprendre que l'élève en face d'elle ne quittait le collège qu'à contre-cœur. Tout indiquait qu'il partait poussé par l'obligation d'aller travailler. Sans rien dire, elle sortit d'un tiroir de l'un des classeurs une feuille portant l'emblème du collège et tapa rapidement ce qui allait lui tenir lieu de diplôme. Elle tamponna la feuille du sceau de l'institution et la plia avant de la glisser dans une enveloppe.

— Bonne chance, lui dit-elle en lui tendant l'enveloppe.

Jean la salua de la tête et s'empressa de quitter l'établissement avant d'être intercepté par un enseignant ou, pire, par le préfet de discipline, qui hantait les couloirs à la recherche des étudiants qui en prenaient un peu trop à leur aise avec l'horaire des cours. La porte massive du collège se referma derrière lui dans un claquement qui lui sembla avoir quelque chose de définitif. Il regarda une dernière fois le vieil édifice avec un pincement au cœur avant de lui tourner le dos pour aller prendre le tramway. Une tranche importante de sa vie venait de prendre fin.

Bien avant son départ de la maison tôt le matin, il avait décidé de ne rentrer qu'à la fin de la journée. Chargé de son sac et de son porte-documents, il entreprit sa quête d'un travail. Même s'il avait entendu souvent répéter que les emplois étaient rares depuis la fin de la guerre, il était persuadé que ses études lui ouvriraient assez aisément certaines portes.

À la fin de l'après-midi, affamé, il dut revenir sur cette certitude. Chez Dupuis frères et Eaton, on n'embauchait pas pour l'instant. Chez Omer DeSerres, le directeur du personnel l'aurait peut-être engagé s'il avait été un peu plus compétent dans tout ce qui touchait la quincaillerie.

À la Canadian Vickers où son oncle Émile travaillait, son attestation d'études lui attira la remarque qu'il n'y avait pas de place à la compagnie pour quelqu'un comme lui. Il se présenta aussi dans deux petites entreprises de la rue Notre-Dame sans plus de succès. On ne lui promit même pas de le contacter si besoin était.

Il rentra à la maison à l'heure du souper, complètement démoralisé. Il venait à peine de déposer ses affaires dans sa chambre que sa mère appela les siens à passer à table. Amélie s'approcha de son fils dès qu'il pénétra dans la cuisine pour qu'il l'embrasse sur une joue, comme il le faisait toujours à son retour à la maison. Son père déposa son journal sur la chaise berçante qu'il venait de quitter et s'assit au bout de la table sans dire un mot, le visage fermé. Claude vint prendre place aux côtés de son frère aîné, silencieux lui aussi. Lorraine, debout devant le poêle, se contenta de lui adresser un petit sourire d'encouragement.

La mère de famille servit des spaghettis avec l'aide de sa fille. Durant quelques minutes, un silence inconfortable régna autour de la table. Puis Félicien se décida à parler après avoir avalé une dernière bouchée de pain.

— Qu'est-ce que t'as fait aujourd'hui? demanda-t-il à son fils sur un ton neutre.

— Je suis allé au collège pour vider mon casier et les avertir que je reviendrais pas, répondit Jean.

Il remarqua l'air attristé de sa mère et cela le peina.

— Après? reprit sèchement son père.

— Après, je suis allé un peu partout pour me trouver de l'ouvrage. J'ai encore rien trouvé. Je vais continuer demain matin.

— C'est correct, concéda Félicien. On va aller chez les Talbot à sept heures et demie, ajouta-t-il sans prendre la peine de revenir sur la raison de la visite.

À voir l'air de Claude, il était évident qu'il ne comprenait pas ce qui se passait et mourait d'envie de s'informer. Il ouvrit la bouche dans l'intention de poser une question quand son père prit les devants.

— Toi, mêle-toi de tes affaires. Ça te regarde pas.

L'adolescent referma la bouche, estomaqué d'être rembarré aussi sèchement. Un coup d'œil vers sa mère lui apprit qu'elle ne lui serait d'aucun secours. Il mangea son dessert en silence et quitta la table en faisant sentir qu'il était furieux d'être tenu à l'écart. Jean attendit que sa mère et sa sœur se mettent à desservir la table pour dire à mi-voix à son père :

— P'pa, je pense que Reine l'a pas encore dit à son père et à sa mère.

— Qu'elle l'ait dit ou pas change rien à l'affaire, affirma Félicien. C'est à soir qu'on crève l'abcès, ajouta-t-il sur un ton décidé.

En entendant ces paroles, le jeune homme sentit son front se couvrir de sueur.

Un peu après sept heures, le facteur se leva et se dirigea vers la patère pour endosser son manteau. Jean, la mort dans l'âme, n'eut d'autre choix que d'imiter son père. Pendant un bref moment, il fut tenté de refuser de le suivre, mais la détermination et la rage froide de ce dernier étaient telles qu'il n'osa pas se rebeller.

— Arrive qu'on en finisse, lui dit-il, la voix dure.

— Félicien ! voulut intervenir sa femme. Tu penses pas que…

— Laisse faire, la coupa son mari. Il y a rien à gagner à attendre. Si on a été capables d'entendre ce qu'on a entendu hier soir, les Talbot vont l'être, eux autres aussi.

— Veux-tu que j'y aille, moi aussi ? proposa-t-elle en quittant son fauteuil.

— Non, reste ici dedans. Il y a assez de moi qui vais avoir honte pour la famille.

Le père et le fils quittèrent l'appartement l'un derrière l'autre, enfermés dans un silence lourd de reproches non formulés. Ils descendirent l'escalier extérieur et se dirigèrent vers la rue Mont-Royal. Ils tournèrent à droite au coin de la rue et parcoururent les quelques dizaines de pieds qui les séparaient du 1225, Mont-Royal. Avant d'appuyer sur la sonnette de la porte peinte rouge vin, le père se tourna vers son fils.

— Là, c'est ben clair, insista-t-il sur un ton sans appel. Tu t'en viens demander leur fille en mariage. S'ils disent non ou s'ils hésitent, tu leur dis qu'elle est en famille et qu'il faut que ce mariage-là se fasse au plus sacrant. Tu m'as ben compris ?

Jean se borna à hocher la tête. Félicien sonna à la porte et, quelques instants plus tard, il vit par l'imposte une ampoule s'allumer sur le palier. Quelqu'un déclencha à distance l'ouverture de la porte. Levant la tête, Jean découvrit Reine en haut des marches. Cette dernière secoua nerveusement la tête de gauche à droite pour lui signifier que ce n'était pas le bon moment, mais le jeune homme n'eut pas le choix de commencer à monter l'escalier intérieur, poussé dans le dos par son père.

— Est-ce qu'on peut parler à ton père ? demanda Félicien à la jeune fille, apparemment bouleversée par cette visite imprévue.

— Oui, monsieur Bélanger, répondit-elle d'une voix mal assurée.

— Qui est-ce ? s'enquit une voix de femme à l'intérieur de l'appartement.

— C'est Jean Bélanger et son père, répondit Reine d'une voix un peu chevrotante en tournant la tête vers l'appartement dont la porte était demeurée ouverte derrière elle.

— Qu'est-ce qu'ils veulent? fit la même voix.

— Ils veulent parler à p'pa.

— Fais-les passer au salon, je vais le réveiller.

Félicien et son fils entrèrent dans l'appartement des propriétaires de la biscuiterie. Reine les regarda retirer leurs couvre-chaussures, mais elle était si perturbée qu'elle ne songea pas à les inviter à enlever leur manteau. Il y eut des bruits de talons hauts heurtant le parquet dans le couloir et Yvonne Talbot les fit entrer dans le salon. Très grande dame, elle indiqua de la main le divan aux visiteurs.

— Mon mari arrive. Ce sera pas long, leur dit-elle avec un sourire un peu figé.

Il était visible que cette visite imprévue la dérangeait et l'intriguait au plus haut point. Comme sa fille, elle ne se soucia pas plus de proposer aux visiteurs d'ôter leur manteau. Fernand Talbot apparut à la porte de la pièce moins de deux minutes plus tard en étalant soigneusement du bout des doigts les quelques cheveux qui lui restaient.

Le petit homme grassouillet avait les yeux encore bouffis de sommeil. Il était rare qu'on vienne troubler la courte sieste qu'il s'offrait habituellement après le souper. Dès son entrée dans la pièce, il reconnut l'ex-petit ami de sa fille, mais il n'avait jamais parlé à son père qu'il connaissait pourtant de vue.

— Est-ce que je peux faire quelque chose pour vous? demanda-t-il aux visiteurs en affichant son air le plus aimable comme son travail de commerçant l'exigeait chaque jour, même s'il trouvait leur présence dans son salon des plus surprenantes.

Sa femme et sa fille étaient demeurées debout, comme si elles s'attendaient à voir partir les Bélanger d'un instant à l'autre.

— Je pense que mon garçon a quelque chose à vous demander, fit monsieur Bélanger en donnant un léger coup de coude à son fils, assis à ses côtés sur le divan, question de bien lui signifier que c'était maintenant à son tour de prendre la parole.

Reine, les traits figés, jeta un regard désespéré au jeune homme. Ses mains étaient crispées sur sa jupe.

— Oui, jeune homme, je t'écoute, dit le père de la jeune fille après avoir lancé un coup d'œil exprimant la plus parfaite incompréhension à sa femme.

Jean se racla la gorge plusieurs fois et se leva. Il avait le visage rouge de confusion.

— Je voudrais, monsieur… je voudrais vous de… demander la main de votre fille, monsieur Talbot, parvint-il à balbutier.

Le commerçant, stupéfait, tourna la tête vers sa femme d'abord et sa fille dans un deuxième temps, avant de dévisager à nouveau le jeune homme qui lui faisait face.

— Tu veux marier ma fille?

— Oui, monsieur, affirma Jean en tentant de raffermir sa voix.

— Mais ma femme et moi, on pensait qu'entre vous deux c'était de l'histoire ancienne.

Jean ne dit rien, se contentant de regarder la pointe de ses souliers.

— En plus, tu étudies encore, non? intervint Yvonne, l'air mécontente. Je trouve que ça a pas d'allure de penser vous marier avant que tu aies fini tes études, tu trouves pas? J'ai rien contre toi, mon garçon, mais je crois que tu es mieux d'attendre de t'être fait une situation avant de penser au mariage.

Il y eut un silence pénible dans la pièce et chacun put entendre les coups de klaxon rageurs d'un automobiliste, à l'extérieur. Félicien fit un signe discret à son fils.

— C'est qu'on n'a pas tellement le choix, madame, avoua Jean en baissant la voix, le visage rouge de honte.

— Quoi ? Qu'est-ce que tu viens de dire ? demanda la mère de famille, qui espérait avoir mal entendu.

— J'ai dit… j'ai dit qu'on pouvait pas attendre, madame Talbot.

Le visage de Reine avait encore pâli et la jeune fille s'était écartée de quelques pas de sa mère, comme si elle craignait une réaction violente de sa part. Yvonne Talbot ne sembla pas remarquer la manœuvre.

— Pourquoi tu dis ça ? lui demanda la dame avec une certaine hauteur.

— Je pense que votre fille pourrait peut-être vous l'expliquer, se décida à intervenir Félicien avec une certaine impatience.

Toutes les têtes se tournèrent vers Reine, qui semblait sur le point de s'évanouir.

— Pourquoi vous pouvez pas attendre ? lui demanda sèchement sa mère.

Puis, cette dernière sembla réaliser soudain ce que pouvait cacher cette hâte subite et ses traits se durcirent brusquement lorsqu'elle se rendit compte de la portée de ce qu'elle venait de deviner.

— Dis-moi que c'est pas ça ! ordonna-t-elle durement à sa fille en l'attrapant par une épaule. Dis-moi que je me trompe ! T'es pas allée faire une bêtise, j'espère ?

— Ah ben, calvaire ! jura Fernand, sidéré par ce qu'il venait d'apprendre.

Reine se borna à hocher la tête. Face à cette réponse muette, sa mère fut incapable de se contrôler et lui décocha une gifle retentissante.

— Une traînée ! Une vraie traînée ! s'écria-t-elle, folle de rage.

Reine se mit à pleurer de douleur, de honte et de peur. Qu'est-ce que l'avenir lui réservait maintenant ? Elle jeta un regard désespéré à son père qui saisit sa femme par un bras et l'obligea à s'écarter de leur fille et à s'asseoir dans l'un des deux fauteuils.

— Yvonne ! Reprends-toi ! lui ordonna-t-il. C'est pas en criant qu'on va arranger cette affaire-là. Toi, va te chercher une chaise dans la cuisine, dit-il sèchement à sa fille.

Fernand Talbot s'approcha de la fenêtre du salon et écarta le rideau. Durant quelques instants, il tourna le dos à tous les gens présents dans la pièce pour regarder à l'extérieur. Il était bien évident que le père de famille dans la cinquantaine était durement secoué par ce qu'il venait d'entendre et qu'il tentait de reprendre pied dans la réalité.

— On peut vous laisser le temps de parler entre vous autres, fit Félicien en commençant à se lever. Je me doute que la nouvelle vous fait pas plus plaisir qu'à nous autres et…

— Non, restez, le coupa le commerçant. Vous avez eu raison de venir. Il faut régler ça, déclara-t-il, un ton plus bas.

Reine revint au salon en portant une chaise qu'elle déposa à côté du divan, près de Jean et loin de sa mère qui lui lança un regard furieux.

Fernand Talbot scruta durant un long moment sa fille, tassée sur sa chaise, avant de reprendre sur un ton qu'il s'efforçait de rendre plus raisonnable.

— C'est ben beau vouloir la marier, dit-il en se tournant vers celui qui venait de demander d'être son gendre, mais comment tu vas la faire vivre ?

— Je vais me trouver une *job* le plus vite possible, monsieur Talbot, promit Jean. J'ai déjà commencé à en chercher une aujourd'hui.

— Et tu veux la marier quand ?

— Dès que vous voudrez, monsieur.

Cette acceptation tacite de sa demande venait de sonner la mort de son dernier espoir de se voir refuser la main de la jeune fille.

— C'est pas quand on va vouloir, mais le plus vite possible, avant que ça paraisse et que le monde autour se mette à jaser sur notre compte, intervint Yvonne, toujours aussi furieuse. On avait bien besoin de ça, conclut-elle en adressant aux deux jeunes gens un regard plein de rancune. Si vous voulez attendre un peu, j'ai deux mots à dire à ma fille, ajouta-t-elle à l'intention de Félicien et Jean en quittant son fauteuil et en faisant signe à Reine de la suivre à l'extérieur de la pièce.

Quelques instants plus tard, Jean regarda la jeune fille revenir au salon sur les talons de sa mère, la joue droite rougie par la gifle. Les deux femmes ne s'étaient absentées qu'un bref moment.

— La fin du mois de mars devrait faire l'affaire, affirma sèchement la mère de famille en rentrant dans le salon, suivie par Reine. De toute façon, elle va aller chez le docteur au début de la semaine pour savoir.

De toute évidence, la mère s'était informée de l'avancée présumée de la grossesse de sa fille et avait calculé que si celle-ci se mariait à la fin du mois suivant, son état ne paraîtrait pas.

Cette décision prise unilatéralement par la mère de Reine sembla réveiller brusquement Jean. Soudain, il en eut assez que chacun dispose de lui et de son avenir comme s'il n'avait rien à dire dans l'affaire.

— Ça se fera pas avant la mi-avril, déclara-t-il d'une voix ferme.

— Quoi ? Qu'est-ce que tu viens de dire ? lui demanda sa future belle-mère sur un ton menaçant.

— Je viens de vous dire qu'il est pas question que je me marie avant la mi-avril. J'ai besoin de temps pour m'organiser, me trouver un emploi et ramasser un peu d'argent.

— L'état de Reine risque de se voir si vous attendez trop, avança Yvonne, surprise qu'il ose s'opposer à sa volonté.

— Eh bien! ça se verra, madame Talbot, laissa tomber le jeune homme. Je peux pas faire mieux.

Son père, apparemment pris de pitié, finit par dire aux parents de la jeune fille:

— Même à la mi-avril, c'est pas mal vite.

— C'est correct pour la mi-avril, décréta Fernand Talbot, peu enclin à risquer de voir son futur gendre changer d'avis et abandonner sa fille enceinte seule à son sort.

— À part ça, je pense qu'on n'aura pas le choix de leur donner un coup de main pour s'établir, reprit le postier.

Fernand Talbot n'était pas stupide. Il voyait bien que le jeune homme assis en face de lui arborait une véritable mine de condamné. Il venait de comprendre que Jean Bélanger ne se résignait à épouser sa fille que forcé par ses parents et qu'il lui faudrait faire preuve de bonne volonté s'il ne voulait pas que ces derniers abdiquent et le laissent tourner le dos à ses responsabilités. Il ne dit rien pendant un long moment avant de laisser tomber sans grand enthousiasme:

— Vous avez raison.

— Ma femme et moi, on pourra pas les héberger une fois mariés. On n'a pas assez de place à la maison.

— Le mieux serait qu'ils se trouvent un appartement à eux, convint le commerçant.

Il y eut un bref silence dans la pièce pendant que les deux pères cherchaient une solution au problème du logement du jeune couple. Soudain, les traits de Fernand Talbot s'éclairèrent.

— J'y pense. Ils pourraient toujours s'installer au-dessus, suggéra-t-il en guettant la réaction de son futur gendre. Je viens de perdre mon locataire. Le logement va être libre dans moins d'une semaine. Le garçon de monsieur Tremblay est en train de tout mettre dans des boîtes et il parle de déménager les meubles la semaine prochaine.

Jean hocha la tête après avoir quêté l'acceptation muette de Reine.

— Si le cœur t'en dit, tu pourrais même venir t'entendre avec lui, fit le père de Reine en s'adressant directement à Jean. J'ai dans l'idée que ça ferait pas mal son affaire de te vendre une couple de meubles. À ce qu'il m'a dit, il savait pas trop quoi en faire. À toi de voir ça avec lui.

— Combien allez-vous nous demander, p'pa, pour rester en haut ? intervint enfin Reine.

— Je sais pas, répondit son père d'une voix hésitante. Quinze piastres par mois ?

La jeune fille quêta l'approbation de Jean avant de dire :

— Est-ce que vous allez nous fournir la peinture pour tout repeindre l'appartement ? demanda-t-elle. Monsieur Tremblay était vieux et ça doit faire longtemps que l'appartement a pas été peinturé.

— C'est correct, fit son père, l'air un peu contraint.

Sur ces mots, Félicien se leva et fut imité par son fils.

— S'ils restent au-dessus, ma fille pourra toujours continuer à travailler à la biscuiterie, du moins tant que son état le permettra, poursuivit Fernand en raccompagnant les Bélanger jusqu'à la porte. Pour les meubles, le mieux serait que votre garçon vienne s'entendre avec le fils Tremblay demain soir, ajouta-t-il en s'adressant au facteur. Il devrait être là pour continuer à paqueter les affaires de son père.

— Bon, je crois ben qu'on a fait pour le mieux, dit Félicien en finissant de boutonner son manteau.

— Le mal est fait, on peut pas revenir en arrière, conclut Fernand Talbot en ouvrant la porte.

— Jean va venir voir le garçon de votre locataire demain soir pour essayer de s'arranger avec lui, promit un Félicien peu désireux de revenir sur la faute commise par les deux jeunes.

— Reine ira voir avec lui, annonça le père de la jeune fille.

Reine, debout aux côtés de son père, adressa un sourire timide aux Bélanger alors que sa mère, debout derrière elle, n'esquissa pas le moindre geste pour saluer les visiteurs.

Silencieuse, la mère de famille demeura plantée debout derrière sa fille jusqu'au moment où les Bélanger furent rendus dehors. Son mari referma la porte de palier.

Reine allait s'esquiver dans sa chambre quand sa mère l'intercepta d'une voix dure.

— Toi, tu viens dans le salon. Ton père et moi, on a des choses à te dire.

— Ah m'man! Je suis fatiguée, rétorqua la jeune fille d'une voix lasse. J'ai juste envie d'aller me coucher.

— Ça attendra! déclara Yvonne sur un ton sans appel.

Son mari poussa un soupir d'exaspération et les suivit toutes deux dans la pièce voisine.

— Assois-toi, ordonna la mère de famille à sa fille d'une voix cinglante.

Reine obtempéra, les lèvres pincées, l'air buté.

— Je suppose que t'es fière de ce que t'as fait! ne put se retenir de dire la mère de la famille Talbot. Après tout ce qu'on a fait pour toi, c'est comme ça que tu nous remercies?

Sa fille ne répondit pas.

— À dix-neuf ans, t'étais pas capable de te tenir comme du monde et d'attendre après le mariage? Là, on va être la risée de tout le quartier quand cette affaire-là va se savoir !

— Il y a pas de raison que ça se sache, répliqua Reine, de plus en plus exaspérée par les reproches maternels. Jean va me marier au mois d'avril. Il vient de le dire…

— Une vraie tête folle ! s'exclama Yvonne. Là, j'ai attrapé un mal de tête qui va m'empêcher de dormir toute la nuit, se plaignit-elle en s'adressant à son mari. Veux-tu bien me dire ce qu'on a fait au bon Dieu pour mériter ça ?

— Bon, c'est correct, intervint Fernand d'une voix qu'il voulait apaisante. Là, il y a plus rien à faire. Le mal est fait. Ça sert à rien de crier et de se lamenter jusqu'à amen.

— Je le sais bien que le mal est fait, reprit sa femme en se tournant à nouveau vers Reine. Toi, ma fille, j'espère que tu te rends compte que c'est toute ta vie que tu viens de gâcher. On dirait que t'es trop bête pour t'en apercevoir. Tu pensais faire un beau mariage, marier un homme qui aurait une belle profession et qui aurait été capable de te faire vivre dans une belle maison et de t'offrir une belle vie… Tu voulais faire comme ta sœur. À cette heure, oublie tout ça. Parce que t'as pas de tête sur les épaules, tu vas marier quelqu'un qui est pas de notre monde et qui gagnera jamais assez d'argent pour t'offrir une vie convenable. Tu vas être la femme d'un pauvre qui va passer sa vie à se battre pour joindre les deux bouts.

— Jean a fait des études, m'man. Ce sera pas un ouvrier. Il va bien me faire vivre.

— Réveille-toi donc, sans-dessein ! Il a commencé des études, mais il a pas de diplôme. Attends de voir quelle sorte d'ouvrage il va être capable de trouver, surtout là qu'il y a des chômeurs partout.

— Yvonne ! dit son mari d'une voix lasse en rallumant le cigare qu'il avait abandonné dans le cendrier, avant le souper.

— En tout cas, ma fille, tu vas aller te confesser vendredi soir, poursuivit la mère de famille, comme si son mari n'avait rien dit.

— Ben oui, fit Reine avec une moue.

— Et pas à la paroisse, à part ça, la prévint sa mère. Tu vas aller chez les pères du Saint-Sacrement. J'ai pas envie que monsieur le curé ou un des vicaires te reconnaisse.

— C'est correct.

— Demain, je vais téléphoner au docteur Laflamme pour te prendre un rendez-vous.

— Bon, est-ce que je peux aller me coucher, là ? demanda Reine en se levant, l'air mauvais. Je suis fatiguée, répéta-t-elle.

— Vas-y, fit son père.

Reine rapporta sa chaise dans la cuisine et disparut dans sa chambre à coucher. Elle referma la porte et s'appuya contre elle en poussant un grand soupir de soulagement. Depuis le moment où elle avait aperçu Jean et son père au pied de l'escalier, elle avait vécu mille morts. Là, seule dans sa chambre, elle se sentait soulagée, délivrée de l'immense poids qui l'écrasait depuis plusieurs semaines. Elle n'était peut-être pas très intelligente, mais elle l'était suffisamment pour comprendre que Jean venait de la sauver de ce qui s'annonçait comme une véritable tragédie. Bien sûr, elle venait de vivre un moment très pénible, mais elle reconnaissait que cela aurait pu être mille fois pire si Jean avait refusé d'endosser la paternité de l'enfant qu'elle croyait porter. Si elle en était venue à avouer sa faute à son père, il était loin d'être certain que ce dernier aurait eu le courage d'aller sonner chez les Bélanger pour exiger réparation. Elle se rendait bien compte que les parents de Jean avaient joué un rôle non négligeable dans la décision de leur fils de l'épouser et elle eut une pensée reconnaissante à leur endroit.

Elle se déshabilla et se scruta de face et de profil dans le miroir avant de passer sa robe de nuit. Rien ne paraissait encore. Même s'il était à peine neuf heures, elle sentait qu'elle allait s'endormir rapidement après la nuit d'insomnie qu'elle avait connue la veille.

En posant la tête sur son oreiller, elle se dit que si elle avait été à la place de Jean Bélanger, elle n'aurait peut-être rien admis et se serait empressée de traiter son accusatrice de menteuse pour pouvoir continuer tranquillement ses études. Elle ne l'aurait pas laissée briser sa vie. Jean avait tout simplement craqué devant la menace que son père aille trouver le sien. Étrangement, elle n'éprouvait aucune reconnaissance envers celui qui venait de promettre à ses parents de l'épouser dans quelques semaines. Pire, elle le regardait même avec un certain mépris pour s'être laissé dicter sa conduite par ses parents. Puis, durant de longues minutes, elle se demanda si Jean l'aimait assez pour vivre toute sa vie à ses côtés.

— Il m'aime peut-être plus, fit-elle à mi-voix dans le noir. Il est peut-être venu juste parce qu'il a eu peur.

Il lui faudrait s'assurer de la solidité des sentiments du jeune homme… Juste avant que le sommeil ne l'emporte, elle en vint même à croire qu'il ne l'aimait plus du tout. Sa dernière pensée fut qu'il vaudrait probablement mieux qu'elle accouche à l'hôpital de la Miséricorde et qu'elle donne son enfant en adoption plutôt que de vivre avec un homme qui ne l'aimait pas. Comme ça, après avoir donné naissance à l'enfant, elle pourrait toujours se trouver un mari plein d'avenir, comme elle en avait toujours rêvé.

Au même moment, dans le salon, Yvonne et Fernand étaient plongés dans des pensées moroses.

— Jamais j'aurais cru… commença la mère de famille en s'essuyant les yeux.

— Reviens-en, lui ordonna sèchement son mari. À cette heure, il faut s'arranger pour que le petit Bélanger change pas d'idée en chemin. En deux mois, il peut virer de bord et décider de nous laisser Reine et le petit sur les bras. Y as-tu pensé ?

— Voyons donc ! protesta sa femme, indignée.

— Ça s'est déjà vu. Là, il va falloir se forcer pour lui faire une belle façon et tu vas voir à ce que ta fille soit ben fine avec lui.

— J'ai pas le goût de…

— Laisse faire le goût, laissa-t-il tomber abruptement. T'imagines-tu que ça me tente de le voir entrer dans la famille, moi ? Pantoute ! Il faut qu'il la marie, il y a pas à sortir de là.

— Pour l'argent, qu'est-ce que tu vas faire ? Il a même pas un travail.

— Reine va être capable de lui donner un bon coup de main. T'oublies que ça fait cinq ans qu'elle travaille à la biscuiterie et que je lui paye un bon salaire. Elle dépense jamais une cenne et je lui ai jamais chargé de pension. Elle a de l'argent collé quelque part. Elle l'aidera à payer les dépenses qu'ils vont avoir pour s'installer.

— Tu peux pas savoir quel mal de tête tout ça m'a donné, se plaignit Yvonne en se frottant les tempes du bout des doigts.

— Si t'as mal à la tête, fais donc comme ta fille et va te coucher, lui suggéra-t-il, excédé.

Sa femme se leva, l'embrassa sur une joue et disparut dans leur chambre. Fernand Talbot reprit son cigare, se leva et alla se camper devant la fenêtre du salon pour réfléchir à tout ce qui venait de se passer. Pendant de longues minutes, il regarda les rares passants marcher rapidement sur les trottoirs de la rue Mont-Royal, aspirant probablement à la chaleur de leur foyer. Les événements de la soirée avaient tout changé si rapidement…

∾

Quand Jean et son père rentrèrent dans l'appartement de la rue Brébeuf, le fils s'empressa d'aller souhaiter une bonne nuit à sa mère en train de tricoter dans le salon avant de se retirer dans sa chambre à coucher. Il préférait laisser à son père le soin de raconter ce qui s'était passé chez les Talbot. De son côté, son cœur balançait entre détester ce dernier pour l'avoir obligé à demander la main de Reine ou l'admirer d'avoir marché sur son orgueil pour l'accompagner.

À son entrée dans la chambre, il retrouva son frère qui, de toute évidence, l'attendait avec impatience.

— Qu'est-ce qui se passe ? demanda-t-il à mi-voix à Jean.

— Rien, fit ce dernier, évasif.

— Aïe, bâtard ! Je suis pas niaiseux, protesta l'adolescent. Je vois ben qu'il y a quelque chose de pas normal. Depuis hier, m'man arrête pas de pleurer et v'là qu'à soir, au souper, t'as dit que t'avais lâché le collège. Pourquoi ? Pourquoi personne veut rien me dire ? Après que t'as été parti, j'ai demandé à m'man et à Lorraine, elles m'ont encore dit de me mêler de mes affaires, que ça me regardait pas.

— C'est correct, la fouine. Moi, je vais te le dire, fit Jean d'une voix lasse. J'ai lâché le collège pour me marier avec Reine Talbot.

— Hein ! Mais tu sors même plus avec elle !

— J'ai changé d'idée.

— Ah ben là ! J'en reviens pas. Et tu te maries quand ?

— Au mois d'avril.

— Pourquoi t'as pas attendu au moins à la fin de l'année ?

— Ça, si quelqu'un te le demande, dit Jean sur un ton sec, t'auras juste à lui dire que c'est pas de ses affaires.

Dès que son fils eut disparu dans sa chambre, Amélie alla rejoindre son mari qui, à son retour à la maison, s'était contenté d'aller s'asseoir dans le salon sans dire un mot.

— Puis ? demanda-t-elle sur un ton angoissé.

— C'est fait, se contenta de laisser tomber Félicien, la mine sombre. Ils vont se marier à la mi-avril.

Les larmes remplirent les yeux de la mère de famille. Ce mariage obligé venait gâcher tous les beaux projets d'avenir de son Jean.

— J'arrête pas de penser à toute cette affaire-là depuis hier soir, finit-elle par dire à son mari.

— Penses-tu que j'y ai pas pensé, moi aussi ? rétorqua Félicien, la mine sombre.

— Tu sais, la Reine Talbot, on la connaît pas pantoute, reprit Amélie, comme si son mari n'avait rien dit. Tu me feras jamais croire, toi, qu'elle savait pas ce qu'elle faisait quand elle s'est laissée aller avec Jean. Une fille de cet âge-là, c'est pas une petite fille de quatorze ou quinze ans.

— Et alors ?

— Alors, notre garçon est peut-être pas aussi coupable qu'il en a l'air. Il y a rien qui dit qu'elle a pas fait exprès de se faire mettre en famille pour l'obliger à la traîner au pied de l'autel, la petite bougresse !

— Et qu'est-ce que ça change, tout ça ? Elle va avoir un petit et il a reconnu qu'il était le père. Ça fait qu'arrête de lui chercher des excuses ! Il l'a mise en famille, il va la marier, un point c'est toute, saint cybole ! À cette heure, si ça te fait rien, j'en ai eu assez pour à soir. Là, je veux lire mon journal tranquille.

— C'est correct. J'ai compris, fit Amélie, de mauvaise humeur.

— En passant, il a accepté de louer l'appartement au-dessus de celui des Talbot. Il paraît que le bonhomme qui restait là vient de mourir. Jean est supposé aller s'entendre avec son garçon demain soir.

— Déjà, ne put s'empêcher de dire Amélie, qui se rendait compte davantage encore que le mariage de son fils était en voie de se réaliser, et vite.

— Oui, et je peux te garantir que je m'en mêlerai pas, affirma Félicien sur un ton définitif.

Sa femme hocha la tête pour lui signifier qu'elle avait bien entendu et retourna dans la cuisine où Lorraine tuait le temps en faisant une patience sur la table.

Chapitre 10

Les devoirs

Le lendemain matin, à son réveil, Yvonne entendit les voix de sa fille et de son mari en train de déjeuner dans la cuisine. Comme il arrivait souvent, Fernand avait choisi de la laisser dormir et de préparer seul son repas du matin. La mère de famille jeta un coup d'œil à son réveille-matin, il indiquait huit heures et quart. Elle décida de demeurer au lit jusqu'à leur départ pour la biscuiterie. Elle ne se sentait pas le courage d'affronter sa fille après une si mauvaise nuit. À cette seule pensée, elle retrouva intacte sa rage de la veille.

— La petite maudite ! murmura-t-elle. Elle, elle pourra dire qu'elle nous en aura fait voir de toutes les couleurs.

Elle se souvenait encore trop bien de l'enfant et de l'adolescente difficile que Reine avait été. Tout le problème venait peut-être de ce que cette enfant, arrivée sur le tard, avait été trop gâtée. Fernand et elle lui en avaient trop passé. S'ils avaient été aussi sévères avec elle qu'avec Estelle et Lorenzo, ils n'auraient peut-être pas à vivre ce qui leur arrivait aujourd'hui.

Yvonne s'attendrit tout de même un bref moment au souvenir du beau bébé qu'avait été Reine. Elle devait cependant reconnaître que sa fille avait su très tôt exploiter son charme pour tirer de ses parents tout ce qu'elle désirait. Lorsque cela ne fonctionnait pas, elle piquait des colères extraordinaires pour parvenir à ses fins. Quand était venu le moment de l'envoyer à l'école, elle avait espéré que les religieuses du couvent allaient avoir facilement raison de l'enfant capricieuse et rancunière qu'était devenue sa fille cadette. Dès sa première visite à l'institution, la mère avait dû se résigner. L'institutrice de sa fille lui avait appris qu'elle ne cessait de punir Reine, tant elle était désobéissante et entêtée. De plus, ses sautes d'humeur imprévisibles l'isolaient bien souvent de la plupart de ses camarades de classe.

— On dirait qu'elle n'attire que les têtes croches, s'était plainte la religieuse chargée de son enseignement.

De fait, si les notes de Reine étaient plutôt bonnes, son comportement frondeur, lui, avait le don de lui attirer toutes sortes d'ennuis.

Lors de sa dernière année au couvent, une vieille religieuse avait mis en garde la mère de famille contre un certain fond de méchanceté qu'elle avait cru déceler chez l'adolescente. Quand Yvonne avait fait état de cette remarque à sa fille, cette dernière avait répliqué :

— C'est une vieille folle, m'man. Elle a dit ça parce qu'elle pense que j'ai fait exprès de faire tomber Thérèse Lépine.

En réalité, Reine avait volontairement fait un croc-en-jambe à sa camarade de classe dans un escalier pour se venger d'avoir été dénoncée par elle à la supérieure. Selon les dires de Thérèse Lépine, Reine et deux de ses amies la harcelaient depuis des semaines en l'accusant de puer et d'avoir des poux.

Bref, quand l'adolescente avait annoncé à ses parents son intention de mettre fin à ses études à la fin de sa 7e année, ces derniers, d'abord déçus, l'avaient finalement accepté en voyant que malgré ses notes, elle ne semblait avoir aucune disposition particulière dans ce domaine. Yvonne proposa tout de même à sa fille de quinze ans de l'inscrire à des cours de maintien, de chant ou de diction.

— Si tu veux faire un beau mariage un jour, il va falloir que t'aies de la classe, que tu saches bien te tenir, avait plaidé la mère de famille.

— J'ai pas besoin de ça pantoute, m'man. Ça me tente pas.

— Qu'est-ce que tu veux faire ? lui avait alors demandé son père. T'es pas pour passer tes journées à te tourner les pouces.

— Vous pourriez peut-être m'engager comme vendeuse à la biscuiterie, p'pa, avait-elle suggéré en faisant du charme à son père.

— J'ai pas besoin de toi. J'ai déjà madame Girard.

— Si vous aimez mieux engager une étrangère, je vais me débrouiller pour me trouver de l'ouvrage dans un magasin de la rue Mont-Royal, avait-elle répliqué en prenant un air propre à apitoyer son père.

— Voyons, Fernand, avait protesté Yvonne. J'espère que tu vas faire passer ta fille avant une étrangère.

— Ça fait dix ans qu'Armande Girard travaille pour moi, avait argué le commerçant, sans grande conviction.

Finalement, trois jours plus tard, la vendeuse expérimentée avait été remerciée et Reine, toute fière, l'avait remplacée derrière le comptoir. Très finement, elle avait attendu le congédiement de la dame avant d'aborder la rémunération qu'elle désirait obtenir de son employeur.

À la fin de sa première semaine de travail, le samedi soir, une fois que son père eut verrouillé la porte de la biscuiterie pour signifier que c'était fermé, elle demanda à ce dernier :

— Est-ce que c'est aujourd'hui que vous me payez mon salaire, p'pa ?

— C'est vrai, je n'y ai pas pensé, avait répondu Fernand avec bonne humeur. Combien je t'ai dit que je te donnerais par semaine ?

— On n'en a pas parlé. Mais je pense que dix piastres par semaine, ce serait juste.

— Ben voyons donc ! avait protesté son père. C'est le salaire que je donnais à madame Girard qui travaillait pour moi depuis dix ans. Toi, tu viens juste de commencer. Ce serait pas normal que je te donne autant que je lui donnais.

— Mais je fais le même ouvrage qu'elle, avait expliqué Reine en commençant à perdre patience. Ce serait juste que je gagne autant.

— Pour une fille de ton âge, huit piastres par semaine, c'est en masse, avait alors déclaré son père sur un ton définitif.

— Si c'est comme ça, je pense que j'aime mieux aller travailler ailleurs, avait-elle rétorqué.

— T'as juste quinze ans, ma fille, et tu feras ce que je vais te dire de faire, s'était finalement emporté Fernand. À cette heure, on a fini notre semaine d'ouvrage. On monte à l'appartement.

Folle de rage, Reine l'avait précédé dans l'appartement familial où elle était entrée en coup de vent avant d'aller s'enfermer dans sa chambre.

— Veux-tu bien me dire ce qui se passe ? avait demandé Yvonne à son mari à son entrée dans la cuisine.

Il lui avait expliqué sa prise de bec avec leur fille.

— Elle commence à me taper sérieusement sur les nerfs avec ses petits airs, avait-il conclu.

— À ta place, Fernand, je lui donnerais ses dix piastres par semaine. Tu la connais, elle dépense jamais une cenne pour rien. Cet argent-là, elle va le mettre de côté pour son trousseau. Ce sera pas gaspillé.

En fin de compte, devant la fille et la mère, le père avait plié et avait donné à sa fille le salaire exigé. Mieux, sa femme l'avait empêché de lui demander un sou pour le gîte et le couvert.

— Si ça continue à ce train-là, s'était plaint le commerçant, elle va avoir assez d'argent pour m'acheter, la petite bonyenne !

Question argent, Fernand n'aurait jamais su si bien dire. Reine s'empressa d'ouvrir un compte à la Caisse populaire dès qu'elle toucha son premier salaire et elle prit l'habitude d'y déposer régulièrement la plus grande partie de ses gains. Presque cinq ans plus tard, à la veille de célébrer son vingtième anniversaire de naissance, le 6 avril, la jeune fille possédait des économies non négligeables. L'adolescente ne dépensait pratiquement rien. Sa mère avait remarqué depuis longtemps que rien ne la mettait de plus mauvaise humeur que d'être dans l'obligation de s'acheter un vêtement ou une paire de souliers. De plus, lorsqu'elle devait acheter un cadeau, elle pouvait consacrer des heures à chercher l'occasion qui lui ferait économiser quelques sous.

Yvonne était peut-être un peu snob et hypocondriaque, mais elle n'était pas stupide. Elle voyait bien que sa fille cadette était d'une parcimonie qui frisait l'avarice.

Tout ceci expliquait pourquoi, en ce lendemain de la demande en mariage de Jean, Fernand Talbot avait du mal à pardonner sa conduite à sa fille cadette. Ils déjeunèrent en silence avant de descendre à la biscuiterie. À peine la jeune fille venait-elle de prendre place derrière le comptoir que son père lui annonça sèchement :

— Arrange-toi pour faire ton avant-midi sans être malade. Je dois aller chez Viau faire une commande.

Sur ce, il avait quitté le magasin. Reine considéra comme une chance le fait de se retrouver seule durant quelques heures. S'il n'y avait pas trop de clients, elle allait pouvoir réfléchir aux conséquences de la demande en mariage de Jean. Elle aurait bien aimé pouvoir le faire la veille, mais elle était si épuisée qu'elle s'était endormie en se couchant et ne s'était réveillée qu'aux petites heures du matin, en proie à l'habituelle nausée matinale.

Tout ne s'était pas produit comme elle l'avait prévu. Elle avait espéré que Jean la contacte d'abord pour lui dire qu'il acceptait de la demander en mariage. Ainsi, elle aurait eu le temps de préparer ses parents à la nouvelle et de leur apprendre, avec quelques ménagements, sa grossesse. Bien sûr, elle n'aurait pas échappé à leur colère, mais ils auraient au moins fait meilleure figure devant celui qui acceptait de régulariser sa situation en l'épousant.

— S'il fallait qu'il change d'idée, à cette heure, j'aurais l'air fin, dit-elle à haute voix.

Depuis son réveil, elle craignait que Jean, rebuté par la réaction de ses parents, surtout par celle de sa mère, décide de la laisser tomber.

Elle était assez fine mouche pour réaliser qu'il lui fallait de toute urgence ramener le jeune homme dans son salon pour lui faire comprendre qu'elle l'aimait et qu'elle désirait être une bonne épouse. Bref, il fallait que leurs fréquentations reprennent, comme s'il ne s'était rien passé. Elle avait le net sentiment qu'elle disposait de bien peu de temps pour faire disparaître toute rancune qu'il pourrait nourrir à son égard pour avoir ruiné ses projets d'avenir.

Avant même que la première cliente pousse la porte du magasin ce matin-là, Reine prit la résolution d'avoir une conversation sérieuse avec ses parents pour les inciter à faire sentir à son prétendant qu'il était le bienvenu dans la famille Talbot. Elle devait les convaincre que procéder autrement risquait de le pousser à renoncer à l'épouser.

Quelques minutes plus tard, quelqu'un frappa contre la vitrine au moment où Reine s'apprêtait à servir une cliente. La jeune fille leva la tête et aperçut Estelle, sa sœur aînée, qui la saluait de la main avant de monter à l'étage rendre visite à sa mère.

— Ah non! Pas elle! dit-elle tout bas en tournant le dos à la cliente pour remplir un sac de biscuits Village.

L'épouse du dentiste monta les marches et trouva sa mère en train de préparer le dîner. Intriguée par la mine sombre de cette dernière, la future maman s'informa.

— Dites-moi pas, m'man, que vous avez encore mal à la tête?

— Non, c'est autre chose, avoua Yvonne en lui tendant une tasse de thé avant de prendre place au bout de la table, en face de sa fille aînée.

— Qu'est-ce qui se passe?

Alors, la mère de famille se mit à pleurer et, au milieu des larmes, lui raconta tout.

— Vous parlez d'une tête folle! s'exclama Estelle, les lèvres pincées par la réprobation. Une chance que son ami accepte de la marier. Vous imaginez le scandale, m'man? Des plans pour que tout le monde nous tourne le dos. Évidemment, elle, elle n'a pas pensé à ça!

— En tout cas, moi, juste y penser, ça m'enrage, avoua Yvonne.

— Et p'pa, lui, comment il prend ça?

— Il a pas le choix!

— Quand je vais dire ça à Charles, je sais pas ce qu'il va dire, reprit Estelle.

— T'es pas obligée de tout lui raconter.

— Mais m'man, mon mari fait partie de la famille, fit Estelle, réprobatrice. En plus, il va sûrement être surpris de voir que Reine se marie aussi vite.

— Ça prouve rien, ma fille. À ta place, j'en parlerais pas. De toute façon, ça paraîtra pas avant un bon bout de temps qu'elle est en famille. C'est pas comme se marier quand on est en famille jusqu'aux yeux. Laisse ton mari penser ce qu'il veut. Il manquerait plus qu'il s'imagine que chez les Talbot, on sait pas se tenir.

— En tout cas, je vais tout de même aller dire deux mots à ma sœur avant de partir, promit Estelle.

— Tu vas dîner avec nous autres. Ton père devrait être à la veille de monter. Il devait aller chez Viau à matin.

— J'ai pas le temps, m'man. J'ai promis d'aller magasiner avec la sœur de Charles. À part ça, j'aime autant que p'pa soit pas là quand je vais parler à Reine.

Quelques minutes plus tard, Estelle embrassa sa mère et descendit au magasin. Quand Reine vit sa sœur aînée pousser la porte de la biscuiterie, elle sut tout de suite que sa mère lui avait tout raconté.

— J'espère que tu viens pas me faire un sermon, toi aussi, dit-elle abruptement à sa sœur. Là, j'en ai par-dessus la tête depuis hier soir.

— Tu te rends compte à quel point t'as fait de la peine à m'man et à p'pa ?

— Ben oui ! Qu'est-ce que tu veux que j'y fasse ? demanda la jeune fille d'une voix dure. C'est fait, à cette heure.

— Bon ! Je viens pas pour te faire un sermon, reprit Estelle d'une voix adoucie. Je me doute que ça doit pas être facile à vivre.

— Ça, tu peux le dire, approuva Reine, moins agressive.

— Au fond, t'es chanceuse que ton chum régularise la situation.

— C'est normal, c'est son petit.

— Mais rien l'oblige à t'amener au pied de l'autel. À ta place, je m'arrangerais pour qu'il change pas d'avis.

— Je suis pas niaiseuse, rétorqua Reine. Mais il va falloir que p'pa et m'man soient fins avec lui, eux autres aussi.

— Je pense que t'auras même pas à le dire, ils le savent déjà, conclut Estelle en boutonnant son manteau. En tout cas, si t'as besoin de quelque chose, tu pourras toujours m'en parler.

Le sourire d'Estelle eut pour effet de réconforter un peu Reine. Elle en avait bien besoin depuis les événements de la veille.

Quelques minutes plus tard, le propriétaire de la biscuiterie rentra de ses courses. Il était presque midi. Il passa en coup de vent à son magasin pour annoncer à sa fille qu'il montait dîner. Moins d'une heure plus tard, il revint à la biscuiterie. Reine s'empressa alors d'endosser son manteau pour aller manger à son tour.

À son entrée dans l'appartement, sa mère déposa une assiette de hachis parmentier devant elle.

— J'ai appelé le docteur Laflamme cet avant-midi. T'as un rendez-vous à deux heures et demie. Ça fait que t'as pas besoin de redescendre au magasin. Ton père est au courant.

— Ça pressait pas tant que ça, laissa tomber Reine, agacée de voir sa mère décider pour elle.

— Oui, ça presse, la contredit sèchement Yvonne. Il faut d'abord être bien sûr que t'es en famille et savoir si tout est correct.

— Je le sais que je le suis, répliqua sa fille, butée.

— Arrête de faire ta tête de cochon, s'emporta sa mère, exaspérée. Il y a des précautions à prendre et il faut savoir quand il va venir au monde, cet enfant-là.

Reine ne dit plus rien et mangea sans grand appétit. Aller chez le docteur Aurèle Laflamme, le médecin de la famille Talbot depuis de nombreuses années, n'avait rien de réjouissant. Il connaissait chaque membre de la famille et savait qu'elle n'était pas mariée.

— Veux-tu que j'y aille avec toi ? lui demanda sa mère sans grand enthousiasme en déposant un bol de Jell-O devant elle.

— Je suis pas infirme, m'man. Je suis encore capable d'aller jusqu'à la rue Saint-Denis toute seule.

— C'est ça, vas-y toute seule, répliqua Yvonne avec humeur. Si tu penses que je t'offrais ça par plaisir…

Reine affichait une assurance qu'elle était bien loin d'éprouver. Après le repas, elle fit sa toilette et quitta l'appartement. En passant devant la vitrine de la biscuiterie, elle aperçut son père qui venait de lever la tête et la regardait. Elle ne lui adressa pas le moindre signe de reconnaissance.

Quelques minutes plus tard, le cœur battant un peu la chamade, elle poussa la porte du bureau du docteur Laflamme situé au rez-de-chaussée d'une belle maison en pierre, près du boulevard Saint-Joseph. Trois femmes et un homme âgé attendaient déjà leur tour à son arrivée dans la petite salle meublée d'une douzaine de chaises en bois. Elle se présenta à la réceptionniste à l'air aimable qui venait de déposer un dossier sur son bureau.

— Est-ce que c'est la première fois que vous venez voir le docteur ? lui demanda gentiment l'employée.

— Non, je suis déjà venue pour me faire enlever les amygdales, répondit la jeune fille.

— C'est correct, je vais sortir votre dossier. Le docteur Laflamme a pris un peu de retard, la prévint-elle. Vous pouvez aller vous asseoir. Je vous avertirai quand ce sera votre tour.

Reine dut patienter durant plus d'une heure avant d'être appelée.

Aurèle Laflamme était un sémillant docteur dans la cinquantaine bien assumée, qui arborait fièrement une fine moustache blanche. L'homme compensait sa petite taille par une énergie débordante et une bonne humeur communicative.

— Bon, qu'est-ce qui se passe, ma belle fille ? demanda-t-il à Reine en ouvrant devant lui un mince dossier. Si je me souviens bien, c'est moi qui t'ai mise au monde, non ?

— Oui, docteur. Je viens pour un test de grossesse, avoua Reine en rougissant malgré elle.

Le médecin, probablement prévenu par Yvonne, ne fit aucun commentaire. Il lui posa quelques questions sur son état de santé avant de l'inviter à passer dans l'alcôve, au fond de son bureau. Il l'examina avec soin avant de déclarer d'une voix neutre :

— Tout m'a l'air bien correct. Tu peux te rhabiller. Si je me fie à ce que tu viens de me dire, tu devrais accoucher au mois d'août. Là, tu vas prendre soin de toi et de l'enfant que tu portes. Mange bien et repose-toi quand tu te sens fatiguée. Tu vas revenir me voir à la fin du mois de mai. Tu prendras un rendez-vous avec ma secrétaire avant de partir.

— Merci, docteur.

Reine s'empressa de quitter le bureau et prit le rendez-vous suggéré. À sa sortie de l'immeuble, un fort vent du nord l'accueillit et la fit frissonner. Le soleil avait commencé à baisser et le mercure avait encore chuté de quelques degrés. Pendant un court moment, la jeune fille se demanda si elle ne devrait pas plutôt prendre l'autobus sur le boulevard Saint-Joseph pour rejoindre la rue Brébeuf qu'elle pourrait descendre à pied… Puis, à la seule idée d'avoir à attendre sans bouger durant de longues minutes l'arrivée d'un autobus, elle renonça à sa première idée et décida de faire le trajet à pied malgré le froid qui la transperçait.

En approchant de la biscuiterie, elle fut tentée de monter directement à l'appartement et de laisser son père fermer seul le magasin. Il restait un peu plus d'une heure avant la fermeture. Cependant, elle se contraignit à entrer tout de même dans le magasin. Elle en avait fait assez voir à son père depuis la veille sans chercher à l'exaspérer davantage encore. Elle enleva son manteau et ses bottes et reprit sa place derrière le comptoir.

— Est-ce que ça s'est ben passé ? lui demanda Fernand après avoir remis dans la caisse enregistreuse une liasse de factures.

— Tout est correct, se contenta-t-elle de répondre.

∽

Au même moment, Amélie Bélanger se dirigeait vers le presbytère de la paroisse. Après une nuit difficile, la présidente des Dames de Sainte-Anne avait décidé d'aller consulter le curé Pelletier.

— Je sais pas comment il va me recevoir, mais je peux plus attendre, avait dit à voix haute la petite femme en revêtant son manteau vers la fin de l'avant-midi.

Elle connaissait Alphonse Pelletier depuis une quinzaine d'années. Ce gros prêtre au ventre avantageux avait un caractère ombrageux. Elle savait que, malgré ses airs bonasses, l'homme pouvait se montrer cinglant et intraitable.

La servante qui lui ouvrit la porte du presbytère lui fit remarquer sèchement que les heures de visite étaient de deux à quatre.

— Je le sais, madame, mais c'est pour une urgence, fit Amélie, bien décidée à rencontrer le pasteur de la paroisse.

Moins de cinq minutes plus tard, l'épouse du facteur vit apparaître le curé Pelletier dans la salle d'attente. L'ecclésiastique la fit passer dans son bureau et l'invita à s'asseoir avant d'aller prendre place dans son fauteuil en cuir placé derrière son bureau. Il enleva ses lunettes qu'il entreprit de nettoyer avec un mouchoir tiré de l'une de ses poches.

— Bon, qu'est-ce que la présidente des Dames de Sainte-Anne a de si important à me dire pour ne pas pouvoir attendre les heures de visite ? dit-il à sa visiteuse sans le moindre sourire.

— Je vous aurais pas dérangé si ça avait pas été aussi grave, monsieur le curé, fit Amélie en rougissant. C'est à propos de mon garçon, celui qui était supposé faire un prêtre…

— Qu'est-ce qui lui arrive ? fit Alphonse Pelletier avec un rien d'impatience dans la voix en s'adossant confortablement dans son fauteuil.

La mère de famille laissa passer un court moment de silence, ne sachant plus trop comment présenter la chose au prêtre.

— Allons ! madame Bélanger, ça peut pas être si grave que ça, l'encouragea le curé Pelletier en se rendant subitement compte du désarroi de sa paroissienne.

Amélie se mit alors à tout lui raconter d'une voix étranglée par l'émotion. À aucun moment le pasteur de la paroisse Saint-Stanislas ne chercha à l'interrompre. Quand elle finit en lui disant que son mari avait accompagné son fils chez les parents de la jeune fille pour demander sa main, il hocha la tête.

— Je me demande si on a bien fait, monsieur le curé, fit-elle. Jean est tellement jeune. Abandonner son cours classique quand il l'a presque fini… Il a juste vingt ans. Il va avoir vingt et un ans le 30 juin… Elle, on la connaît pas. Comment être sûr que le petit est de mon garçon, vous comprenez ? Et…

— Écoutez, madame, l'interrompit Alphonse Pelletier, l'air sévère. Est-ce que votre garçon a reconnu qu'il pouvait être le père ?

— Oui, monsieur le curé.

— Dans ce cas-là, il y a pas à se poser des questions là-dessus. Vous me dites qu'il a vingt ans. À cet âge-là, on est supposé savoir ce qu'on fait. Je pense que votre mari a pris la bonne décision en exigeant que votre garçon marie cette fille-là. Je veux bien croire qu'il va être obligé d'arrêter ses études, mais il faut aussi penser à la future mère.

— Je sais bien, monsieur le curé.

— Le devoir de votre garçon est de la marier. Il y a pas autre chose à faire. Si j'ai un conseil à vous donner, essayez de les aider à partir du bon pied. Pardonnez, madame. Votre Jean va avoir besoin de vous et de votre mari.

— On va essayer de l'aider autant qu'on va le pouvoir, promit Amélie.

— Dites donc à votre garçon de passer me voir, ajouta le prêtre en se levant pour signifier la fin de l'entrevue. On pourrait avoir une petite conversation tous les deux. S'il est pour se marier dans la paroisse, il faudra aussi penser à faire publier les bans.

— Est-ce que ça devrait pas être au père de la mariée de s'occuper de ça ? demanda Amélie en se levant à son tour.

— Habituellement, oui. Si la future mariée appartient à la paroisse, il faudra que son père vienne me voir.

La mère de famille quitta le presbytère un peu rassérénée. Le curé l'avait rassurée en affirmant que son mari et elle avaient pris la bonne décision en poussant Jean à demander la main de Reine. Par ailleurs, elle s'était bien gardée de mentionner au prêtre le nom de sa future bru. Bien sûr, il allait le connaître quand Fernand Talbot viendrait payer pour la publication des bans, mais l'information ne viendrait pas d'elle.

Chapitre 11

Du caractère

Ce jour-là n'avait été qu'une suite de frustrations pour Jean Bélanger. Parti tôt le matin, le jeune homme avait poursuivi sa quête d'un emploi entreprise la veille, sans plus de succès. Il s'était heurté partout à des refus, souvent à peine polis.

Ce matin-là, au moment de partir, il avait eu le pressentiment qu'il trouverait facilement du travail comme journaliste à *La Presse*, au *Devoir*, au *Petit Journal*, à *La Patrie* ou au *Montréal-Matin*. Il fit donc la tournée de ces cinq journaux, passant une grande partie de la journée dans les tramways. Il était persuadé que son expérience de deux années comme reporter pour le journal du collège ainsi que ses excellentes notes en français et en littérature allaient lui ouvrir toutes grandes les portes de l'un ou l'autre de ces journaux. Après tout, il avait presque terminé son cours classique, ce qui n'était pas rien à ses yeux. Il était même certain de faire sa marque dans l'un ou l'autre de ces journaux et de devenir un journaliste célèbre en quelques mois.

Sa première entrevue à *La Presse* le fit rapidement déchanter. Le directeur du personnel lui apprit sans mettre de gants blancs qu'il avait tous les journalistes dont il avait besoin et qu'il refusait même les articles des pigistes, mot dont le jeune homme ignorait la signification. Au journal *Le Devoir*, même réponse. Après un long trajet en tramway, il s'était présenté aux bureaux de *La Patrie*, un quotidien très populaire. Il se heurta à une porte fermée.

Après avoir avalé rapidement un bol de soupe pour son dîner, Jean avait décidé d'aller poser sa candidature au *Montréal-Matin*, un journal qui se vantait d'être à la fine pointe de l'actualité. La dame chargée de l'embauche se montra très humaine et nota son nom en lui promettant de le contacter s'il y avait une ouverture. Quand il se résigna à lui dire qu'il était prêt à faire n'importe quel travail, elle s'engagea à penser à lui dès qu'un travail de livreur serait disponible. Au milieu de l'après-midi, passablement découragé, il se rendit dans les locaux du *Petit Journal*. Là, après l'avoir laissé poireauter plus d'une heure, on lui répondit tout simplement et en moins d'une minute qu'on n'embauchait que des journalistes qui avaient fait leurs classes dans les journaux régionaux.

Enfin, avant de rentrer, le jeune homme se décida à se présenter au bureau du personnel du Canadien National en se disant qu'il pourrait peut-être décrocher un emploi permanent dans cette compagnie qui l'avait engagé les trois derniers étés pour participer au nettoyage des wagons.

Pour une fois, Jean eut un peu plus de chance. Il se retrouva devant Aimé Corriveau, l'homme à qui il avait affaire chaque printemps, quand il se présentait pour postuler un emploi d'été.

— Eh bien ! On dirait que t'as peur de pas avoir ta *job* l'été prochain, dit l'homme avec un grand sourire. On est juste en février. On n'a pas encore commencé à engager des jeunes pour l'été prochain.

— C'est pas pour une *job* d'été, monsieur Corriveau, expliqua le jeune homme. Je cherche de l'ouvrage à temps plein.

— Mon pauvre gars, j'ai pas grand-chose à t'offrir, à part du nettoyage.

— Je prendrais cette *job*-là, si vous avez pas autre chose. Ce serait mieux que rien, monsieur.

— T'es sûr que c'est ce que tu veux faire ? s'étonna l'autre. Avec tes études, t'es pas capable de te trouver autre chose ?

— J'ai pas le temps de chercher encore longtemps, avoua Jean.

— Bon, on est jeudi. Si ça t'intéresse, tu commences lundi matin, 7 heures. Tu vas faire la même chose que tu faisais l'été passé. Nettoyer les wagons de passagers. Je te mets dans l'équipe d'Onésime Gagnon.

Jean eut du mal à réprimer une grimace. L'homme avait été son chef d'équipe deux étés auparavant et il ne l'avait pas lâché de la saison en lui confiant les tâches les plus rebutantes. Il semblait avoir une aversion naturelle envers les étudiants qu'il appelait méchamment les futurs membres inutiles de la société. Il se ressaisit tout de même pour remercier, conscient que l'urgence de la situation ne lui permettait pas de faire la fine bouche.

— Merci, monsieur Corriveau. Puis-je vous demander quel salaire vous allez me donner ?

— Pour commencer, quinze piastres par semaine.

Jean n'hésita qu'une fraction de seconde avant d'accepter.

— Je vais être là à sept heures lundi matin, promit-il avant de quitter les lieux.

La mine sombre, il prit place dans la foule de travailleurs qui, en cette fin d'après-midi, prenait d'assaut les tramways pour rentrer à la maison après leur journée de travail. Il avait trouvé un emploi, mais quel emploi ! Avoir étudié si longtemps et si fort pour en arriver à exercer un travail qu'un analphabète aurait été tout aussi capable de faire… Ce n'était pas la situation à laquelle il aspirait la semaine dernière encore. Debout dans le tramway et bousculé par les gens qui s'y entassaient, il se promit qu'il ne garderait ce travail de concierge que le temps de trouver mieux. Il avait d'abord besoin d'argent pour se marier. Après son mariage, il allait sérieusement se mettre à la recherche d'un emploi correspondant à ses goûts et à ses capacités intellectuelles.

Fort de cette résolution, son moral monta d'un cran et il rentra chez lui peu après cinq heures. Au pied de l'escalier, il croisa sa sœur Lorraine.

— As-tu trouvé quelque chose ? lui demanda-t-elle.

— Je vais retourner au CN. C'est la seule place que j'ai trouvée.

— Tant mieux. De mon côté, je me suis informée chez Messier pour savoir s'ils avaient besoin de quelqu'un, lui dit-elle. Ils engagent pas.

— T'es ben fine d'avoir demandé, la remercia-t-il en la faisant passer devant lui pour monter l'escalier.

Le frère et la sœur retirèrent leurs manteaux et leurs bottes avant d'aller embrasser leur mère en train de mettre la dernière main au souper. La table était déjà mise.

— Ton père est en train de lire son journal dans le salon et Claude est dans la chambre, dit Amélie à son fils.

— C'est correct. Je vais aller rejoindre p'pa.

— On soupe dans dix minutes, précisa la mère de famille. Attends une seconde, ajouta-t-elle, attendant de toute évidence que Lorraine ait quitté l'entrée pour aller dans sa chambre changer de robe, comme elle le faisait tous les soirs en rentrant de son travail.

— Oui, qu'est-ce qu'il y a, m'man ?

— Je suis allée voir monsieur le curé à matin, lui annonça-t-elle.

— Pas pour lui raconter mes affaires, j'espère ? fit Jean, mis de mauvaise humeur par la nouvelle.

— Il aimerait que tu passes le voir, dit Amélie sans se donner la peine de répondre à son fils.

— Il en est pas question, m'man. Là, j'ai ben assez de trouble avec ce qui m'arrive sans avoir à endurer les sermons du curé Pelletier.

— Il veut juste te parler.

— Ben, il va attendre parce que, là, j'ai des affaires pas mal plus importantes à faire, dit Jean sur un ton sec avant de tourner les talons pour aller rejoindre son père.

À l'entrée de son fils dans le salon, Félicien baissa le journal qu'il était en train de lire. Le facteur retira ses lunettes à monture d'acier et se passa une main sur le visage, comme pour effacer la fatigue de sa journée de travail.

— Puis, as-tu trouvé quelque chose ? demanda-t-il.

— Oui, je commence lundi prochain au CN.

— Qu'est-ce que tu vas faire ?

— La même chose que je faisais l'été, p'pa.

— T'as pas pu te trouver une meilleure *job* que ça ? Une *job* de bureau, par exemple ?

— J'ai essayé, mais ça a rien donné. J'ai pris cet ouvrage-là en attendant de trouver mieux.

— Tu te rappelles que tu dois aller voir le garçon de l'ancien locataire de Talbot à soir ?

— Oui, je soupe et j'y vais, répondit Jean sans grand enthousiasme.

— Veux-tu que j'y aille avec toi ? proposa Félicien du bout des lèvres.

Le père de famille faisait un effort en formulant cette proposition. C'était un peu le fruit de la brève discussion qu'il avait eue avec sa femme à son retour du travail, cet après-midi-là. Quand elle lui avait avoué être allée consulter le curé de la paroisse au sujet de Jean, Félicien s'était emporté.

— Qu'est-ce que t'avais affaire à aller raconter nos troubles au curé, toi ? lui avait-il demandé, en colère.

— Je voulais avoir un conseil, Félicien Bélanger. Tu sais ce que monsieur le curé m'a dit ?

— Non !

— Il m'a dit que notre devoir était de l'aider le plus possible.

— Il peut ben parler, lui, avait répliqué le facteur. C'est pas lui qui est poigné avec ça.

Cependant, cette remarque de sa femme lui fit oublier sa promesse de la veille de ne pas s'en mêler, de laisser son fils s'en tirer seul.

Jean réfléchit un court instant à la proposition de son père avant de répondre :

— Merci, p'pa, mais je vais me débrouiller tout seul.

— C'est correct, fit Félicien. Essaye de te souvenir que le gars va peut-être chercher à profiter d'un jeune pour demander trop cher pour les meubles de son père. Oublie pas qu'il est poigné avec ces meubles-là, si on se fie à ce qu'a dit le père de ta blonde hier soir. Ça fait qu'offre-lui pas trop cher et essaye de le faire baisser le plus possible.

— Je vais m'en souvenir, promit Jean au moment où sa mère appelait les siens à passer à table.

— Et puis, comme t'as pas d'argent pour le payer tout de suite, il va falloir que tu t'entendes avec lui pour qu'il accepte un petit montant chaque mois ou chaque semaine.

— C'est une bonne idée, p'pa. Je vais lui en parler si je lui achète quelque chose, dit Jean en se levant pour suivre son père dans la cuisine.

— Oublie pas que les appartements à louer sont encore pas mal rares, crut bon d'ajouter Félicien. Ça fait que montre-toi pas trop difficile s'il y a des choses qui font pas ton affaire dans celui que le père de ta blonde te loue. Je pense qu'il te le laisse à un bon prix.

Jean hocha la tête. Il se rappelait encore très bien avoir entendu ses tantes et son oncle Émile au jour de l'An parler des difficultés de se trouver un appartement convenable, même un an et demi après la fin de la guerre. La construction de maisons venait à peine de reprendre et les logements étaient introuvables, du moins à un prix raisonnable.

Après le repas en famille, Jean quitta la maison une heure plus tard. La température s'était étrangement adoucie et de gros flocons tombaient sur la ville. Cette neige lourde rendait tous les sons feutrés et donnait un aspect fantomatique aux rares passants en ce début de soirée de février. En arrivant devant le 1225, rue Mont-Royal, le jeune homme prit une grande inspiration pour tenter de calmer son appréhension avant de sonner chez Reine. Comme la veille, ce fut la jeune fille qui vint lui ouvrir. Debout sur le palier, à l'étage, elle l'invita à monter. Il secoua bruyamment ses pieds sur le paillasson au pied de l'escalier avant de monter la rejoindre.

— Entre, l'invita Reine en s'effaçant pour le laisser passer.

Elle referma la porte derrière elle.

— Ôte ton manteau et viens t'asseoir dans le salon, lui dit-elle aimablement. Le garçon de monsieur Tremblay vient juste d'arriver en haut. Mon père dit qu'on est mieux de lui laisser une couple de minutes avant d'aller le voir.

Jean entendait Fernand et Yvonne Talbot en train de discuter dans la cuisine, au fond de l'appartement. Il s'assit sur le divan et la jeune fille vint prendre place à ses côtés.

— Je suis allée voir le docteur cet après-midi, lui chuchota-t-elle. Tout est correct. Je dois retourner le voir seulement au mois de mai.

— Moi, je me suis trouvé de l'ouvrage au Canadien National, lui apprit-il.

— Qu'est-ce que tu vas faire ?

— La même chose que je faisais l'été passé. Mais c'est juste en attendant de trouver mieux.

Durant les quelques minutes qui suivirent, les deux jeunes gens rétablirent tant bien que mal les ponts coupés par leur séparation survenue plusieurs semaines auparavant. L'un et l'autre avaient conscience qu'ils devaient faire bloc contre la mauvaise humeur de leurs parents et la réprobation de leur entourage. Depuis quelques jours leur vie avait basculé, mais ils n'avaient pas encore eu de moments seuls ensemble pour prendre du recul et discuter de leur relation. Quoique très bref, cet échange leur fit le plus grand bien.

— Tu dois trouver ça pas mal drôle de pas travailler un vendredi soir ? lui demanda-t-il.

— C'est pas arrivé souvent. Mais c'est mon père que ça dérange le plus que je sois pas au magasin. À part ça, comme il tient absolument à venir nous présenter au garçon de monsieur Tremblay, il a été obligé de demander à une ancienne vendeuse qui a déjà travaillé pour lui de venir nous remplacer tous les deux à soir. Il va descendre vite la retrouver au magasin.

— Ta mère aurait pas pu y aller quelques minutes, le temps que ton père nous présente, non ?

— Penses-tu ! Il lui a même pas demandé. Il la connaît assez pour savoir qu'elle aurait refusé. Pour elle, ce serait une honte de servir derrière un comptoir.

Pendant un bref moment, Jean demeura muet devant tant de snobisme.

— Comment on va faire pour payer les meubles du bon-homme Tremblay, si on en achète ? s'inquiéta la jeune fille.

— Je vais lui offrir de le payer à tempérament, affirma Jean, sans mentionner que l'idée venait de son père.

— Et pour le ménage de l'appartement ?

— Aussitôt que ton père va me donner les clés, je vais commencer à nettoyer le soir, après le souper.

— Je vais te donner un coup de main, lui promit Reine.

— Merci, c'est gentil. À deux, c'est sûr que ça ira plus vite. On va s'en sortir, ajouta Jean, qui appréciait l'aide et l'écoute de Reine.

À cet instant précis, Fernand Talbot apparut à la porte du salon.

— Je vais monter avec vous autres pour vous présenter à Antoine Tremblay, dit-il. Après, je vais vous laisser vous entendre avec lui si vous voulez lui acheter des meubles de son père. Prenez aussi le temps de faire le tour de l'appar-tement. Dites-vous que vous êtes pas obligés de le louer s'il vous convient pas.

— On s'était entendus hier soir pour le prendre, mon-sieur Talbot. On reviendra pas là-dessus, dit Jean.

Au moment de quitter l'appartement, le jeune homme aperçut brièvement sa future belle-mère dans la cuisine. Cette dernière ne se donna pas la peine de se lever pour le saluer. Devant ce comportement hostile, il feignit de ne pas la voir mais n'en pensa pas moins. Tous les trois montèrent à l'étage et le propriétaire frappa à la porte.

Un homme âgé d'une quarantaine d'années vint leur ouvrir et les invita à entrer.

— Dites-moi pas que vous êtes encore tout seul à soir pour paqueter ? lui demanda Fernand avec sympathie.

— Ben oui, et je peux vous dire que j'ai hâte en maudit que ce soit fini, affirma l'homme en passant une main sur sa calvitie passablement avancée. Le père était pas mal ramasseux et j'en finis plus de remplir des boîtes de cossins. Je sais vraiment pas où je vais pouvoir sacrer ces boîtes-là et les vieux meubles chez nous. Ma femme arrête pas de râler en pensant à toute la place que ça va prendre. Bon, vous êtes pas là pour m'entendre me lamenter. Je suppose que vous aimeriez faire visiter l'appartement à de futurs locataires ? Je vous laisse visiter pendant que je continue à ramasser. Excusez-moi, mais j'ai pas encore eu le temps de faire un peu de ménage.

— Ce sont des jeunes locataires, précisa Fernand Talbot sur un ton bonhomme. En fait, c'est ma fille qui se marie dans deux mois et qui va venir rester ici dedans. Je vous présente Reine, ma fille, et Jean Bélanger, mon futur gendre.

— Antoine Tremblay, dit l'homme en saluant de la tête Reine et Jean.

— Bon, je les laisse jeter un coup d'œil à l'appartement et moi, je redescends, annonça le propriétaire.

Sur ces mots, Fernand salua de la main l'héritier de Wilfrid Tremblay et quitta l'endroit. Un peu intimidés, Reine et Jean ne surent d'abord quoi faire en présence de ce dernier.

— Gênez-vous pas pour moi, les prévint-il. Jetez un coup d'œil où vous voulez pendant que je travaille.

L'appartement de feu Wilfrid Tremblay était identique à celui des Talbot, à l'étage au-dessous. Par contre, il était extrêmement sale et encombré de multiples boîtes remplies d'objets ayant appartenu au vieil homme décédé.

— La seule différence avec notre appartement, en bas, murmura Reine à son futur mari, c'est que c'est pas mal plus propre chez nous et, nous autres, on a le téléphone.

— Vous avez le téléphone ? s'étonna Jean. J'avais jamais remarqué.

— Parce qu'il est dans la cuisine, lui expliqua Reine. Quand mon père en a fait installer un en bas, dans la biscuiterie, il s'est fait faire un prix pour un deuxième, dans l'appartement. C'est pratique. Surtout que ma mère téléphone presque chaque jour à ma sœur Estelle.

Un couloir un peu encombré par une fournaise à huile séparait l'appartement en deux. À l'avant, deux pièces semblaient avoir servi de salon et de chambre à coucher à Wilfrid Tremblay. Leurs fenêtres ouvraient sur la rue Mont-Royal. Le mobilier de la chambre à coucher était en noyer et composé d'un lit, d'une commode à quatre tiroirs et d'un miroir. Le mobilier de salon était constitué de deux vieux fauteuils et d'un divan aux coussins passablement fatigués. Le tout était recouvert d'une peluche verte élimée. Plus loin, dans le couloir, une seconde chambre, plus petite celle-là, était dépourvue de tout mobilier et faisait face à une minuscule salle de bain. Enfin, à l'arrière, la cuisine était voisine d'une dernière chambre et les fenêtres des deux pièces s'ouvraient sur la galerie arrière. La cuisine n'était meublée que d'une glacière, d'un vieux poêle l'Islet, d'une table en érable et de quatre chaises. Deux vieilles chaises berçantes complétaient l'ameublement de la pièce.

— J'ai jamais vu une maison aussi encrassée, chuchota Reine à l'oreille de celui qu'elle considérait dorénavant comme son fiancé.

— Moi non plus. Si ma mère voyait ça, elle aurait une syncope, ajouta-t-il en tentant d'ouvrir la porte donnant sur la galerie. Tu trouves pas que c'est pas mal grand juste pour nous deux ?

— Pour nous trois, le corrigea Reine.

— Même pour nous trois, c'est un grand cinq et demie.

— C'est vrai que c'est grand, mais oublie pas que mon père nous le loue pas cher. C'est le prix qu'on paierait peut-être un trois et demie.

Même en poussant très fort, Jean ne parvint à entrouvrir que de quelques pouces la porte donnant sur la galerie. Près de deux pieds de neige s'y étaient entassés depuis la dernière fois qu'elle avait été déneigée.

— T'es aussi bien de la refermer, t'arriveras pas à l'ouvrir plus grand, lui conseilla Reine. C'est comme chez nous. La galerie donne sur un hangar. J'espère juste que le garçon de monsieur Tremblay a pensé à le vider.

— Probablement pas, rétorqua Jean. S'il l'avait fait, il aurait été obligé de pelleter la galerie pour se rendre là.

— Tu ferais mieux de lui rappeler de le faire, lui fit remarquer la jeune fille.

Les deux jeunes tournèrent en rond durant quelques instants dans la cuisine, ouvrant et fermant les portes d'armoire et inspectant le garde-manger.

— Bon, est-ce que tu vas lui parler des meubles ? demanda Reine.

— Oui, mais il faut que tu me dises d'abord ce que t'aimerais qu'on essaye de lui acheter.

La jeune fille réfléchit un bref moment avant de dire d'une voix hésitante :

— Qu'est-ce que tu dirais si on lui offrait d'acheter le *set* de cuisine, le poêle, la fournaise à l'huile et la glacière. Pour le reste, on pourra toujours se débrouiller. Je suis sûre que mon père va me laisser emporter mon *set* de chambre et on n'est pas obligés d'avoir un *set* de salon tout de suite. Ça peut attendre.

— On peut toujours lui demander combien il veut pour ses vieux meubles, proposa Jean. Ça coûte rien de s'informer, ajouta-t-il avec un aplomb qu'il était loin d'éprouver.

Les futurs époux allèrent rejoindre Antoine Tremblay en train de transporter une boîte de vieux vêtements qu'il venait de tirer de la garde-robe de la chambre située à l'avant de l'appartement. En les voyant s'approcher, l'homme déposa sa boîte.

— Vous avez déjà fini de faire le tour ? leur demanda-t-il.

— Oui, monsieur Tremblay. Je pense que ça va nous faire un bon appartement, répondit Jean.

— Tant mieux s'il fait votre affaire, fit l'héritier.

— On se demandait, Reine et moi, si vous aimeriez pas vous débarrasser de quelques meubles de votre père, reprit Jean. On pourrait peut-être s'entendre et comme ça, vous seriez pas obligé de les déménager. Qu'est-ce que vous en dites ?

L'homme ne fut pas dupe de l'air détaché de son vis-à-vis et une lueur d'intérêt s'alluma dans son regard.

— Ça dépend, laissa-t-il tomber sur un ton qui se voulait indifférent. On peut toujours discuter. Venez. On va aller parler de ça dans la cuisine où on va pouvoir s'asseoir.

Il entraîna les deux jeunes au fond de l'appartement et les invita à s'asseoir autour de la table.

— Bon, qu'est-ce qui vous intéresse dans les meubles laissés par mon père ? Ils sont pas neufs, mais ils sont en bon état, prit-il la précaution d'ajouter.

Devant l'air hésitant de Jean, Reine prit sur elle de mener les négociations. Si Antoine Tremblay s'imaginait pouvoir flouer le jeune couple et profiter de sa naïveté, il se rendit rapidement compte que la jeune fille n'était pas prête à s'en laisser conter. Elle œuvrait dans le commerce de détail depuis plusieurs années déjà, et ça se voyait. Durant plus d'une demi-heure, elle discuta pied à pied avec le quadragénaire, l'obligeant à en rabattre sur ses prétentions pour chacun des meubles. Finalement, extrêmement agacé, l'homme prétendit ne plus vouloir vendre.

— Vous comprenez, ces meubles-là, c'est tout ce que mon vieux père me laisse, affirma le fils du disparu. Ça a tout l'air qu'il avait pas une maudite cenne à part les cinq piastres qui étaient dans ses poches quand ils l'ont transporté à l'hôpital. Je comprends pas, par exemple, où il a ben pu cacher son argent, s'il en avait. Il m'a toujours laissé entendre qu'il me laisserait un petit montant. Là, je vais en être de ma poche pour payer le docteur, l'hôpital et ses funérailles.

— Je vous comprends, monsieur Tremblay, mais on peut pas donner plus, dit Reine en feignant d'avoir pitié de lui. C'est comme vous voudrez, laissa-t-elle tomber. Mon fiancé et moi, on va certainement trouver un meilleur prix pour des meubles usagés dans les petites annonces dans les journaux. C'est plein de gens qui veulent se débarrasser de leurs vieux meubles.

— Oui, mais là, vous voulez presque que je vous donne les meubles de mon père. Ça a pas d'allure ! s'emporta Antoine Tremblay.

— Soixante piastres pour des meubles usagés, j'appelle pas ça donné, moi, monsieur Tremblay, rétorqua Reine, furieuse.

— Oui, mais pour ça, vous avez un *set* de cuisine, un *set* de salon, un *set* de chambre, une glacière, un poêle et une fournaise.

Jean ouvrit la bouche pour intervenir, mais Reine lui lança un tel regard glacial, qu'il choisit de se taire.

— Tout est vieux comme la lune, reprit-elle sur un ton modéré. En plus, vous devez calculer que vous sauvez un camion de déménagement en nous vendant les vieilles affaires de votre père. Vous allez avoir juste les boîtes à transporter. Ça compte, ça aussi.

— Vous oubliez qu'il me reste un *set* de chambre à sortir d'ici dedans. Soixante piastres ! Pas une maudite cenne de moins ! s'entêta l'héritier de Wilfrid Tremblay. J'ai déjà descendu de vingt piastres, c'est assez. Je suis pas fou au point de donner mon stock, torrieu !

— Bon. On va pas y passer la soirée, dit la jeune fille sur un ton impatient. D'accord pour soixante piastres, mais à condition que vous nous laissiez l'autre *set* de chambre. Comme ça, on vous en débarrasse…

— V'là autre chose !

— Là, c'est à prendre ou à laisser, reprit Reine en se levant.

Antoine Tremblay lui jeta un regard mauvais, mais finit par céder.

— Et vous allez me payer comptant, j'espère.

— Soyez raisonnable, monsieur Tremblay. Mon fiancé vient juste de se trouver de l'ouvrage et on se marie dans deux mois. En se serrant la ceinture, on va être capables de vous donner cinq piastres par semaine.

— Vous pourriez emprunter cet argent-là à votre père. C'est le propriétaire, il doit pas être dans la misère.

— Ça regarde pas mon père, fit Reine d'une voix coupante.

Vaincu, Antoine Tremblay accepta la proposition sans gaieté de cœur.

— Je pense que vous êtes mieux de partir avant que je change d'idée, dit-il, mécontent de l'arrangement.

—Vous avez pas à vous inquiéter, je vais aller vous payer tous les vendredis soir, au plus tard le samedi matin. Vous pouvez compter dessus, promit enfin Jean qui n'avait pas ouvert la bouche durant toutes les négociations.

— Mon fiancé va venir vous donner les premiers cinq piastres demain soir, assura Reine à l'homme avant d'ouvrir la porte d'entrée.

— C'est correct.

— Mon père nous a dit que vous pensiez vider l'appartement demain ou au commencement de la semaine prochaine? demanda-t-elle.

— Demain soir, je devrais normalement en avoir fini, confirma Antoine Tremblay, sans entrain.

— Vous oublierez pas ce qu'il y a dans le hangar en arrière, lui rappela la jeune fille. D'après mon père, il est pas mal plein.

À la grimace esquissée par l'homme, il était bien évident qu'il avait compté faire semblant d'oublier de vider l'endroit. Au moment où Jean passait devant lui pour suivre Reine dans l'escalier, Antoine Tremblay ne put s'empêcher de lui dire :

— Fais ben attention, mon gars. J'ai comme l'impression que tu seras pas celui qui va porter les culottes dans ton ménage.

Jean ne dit rien et se contenta de suivre Reine qui était déjà parvenue au palier sur lequel ouvrait l'appartement de ses parents.

— Entre, l'invita Reine avec une sourire charmeur. Je vais te verser un verre de liqueur.

Même s'il aurait préféré retourner immédiatement à la maison, le jeune homme la suivit dans le salon où Fernand Talbot était occupé à écouter *Nazaire et Barnabé*. Jean avait reconnu la grosse voix d'Ovila Légaré en pénétrant dans la pièce.

— Faites pas trop de bruit, ta mère dort déjà, dit-il au jeune couple.

— Il est juste neuf heures, protesta sa fille.

— Elle avait encore mal à la tête. Puis, vous êtes-vous arrangés avec le garçon de Tremblay? demanda-t-il, curieux.

— Oui, p'pa. Jean lui a acheté tous ses meubles pour pas cher.

— Pas cher ? Ça veut dire combien ? fit le petit homme bedonnant en secouant son cigare au-dessus du cendrier.

— Ça a pris du temps, mais Jean a fini par tout lui arracher, même le poêle et la fournaise, pour soixante piastres, dit-elle en regardant le jeune homme avec fierté.

— Tabarouette ! Sais-tu, jeune homme, que j'aimerais pas avoir à marchander avec toi ! s'exclama Fernand en feignant l'admiration. C'est toute une affaire que t'as faite là. Je veux ben croire qu'il cherchait à se débarrasser de ses meubles, mais là, c'est presque donné.

Jean prit un air embarrassé devant de telles louanges imméritées.

— Je m'en allais nous chercher un verre de Kik, p'pa. Est-ce que vous en voulez un ? proposa Reine.

— Non, laisse faire. Je vais aller me faire une tasse de thé.

Le père et la fille sortirent ensemble de la pièce, et seule Reine revint, porteuse de deux verres de boisson gazeuse.

— Veux-tu ben me dire pourquoi t'as raconté à ton père que c'est moi qui étais arrivé à arracher les meubles de son père à Tremblay pour soixante piastres quand c'est toi qui as tout fait ? lui demanda Jean.

— Parce que c'est à l'homme de faire ce genre d'affaire-là, répondit-elle avec aplomb. Je suis sûre que t'aurais marchandé comme moi si t'avais été moins poli, ajouta-t-elle pour lui redonner confiance.

— C'est vrai que j'allais le faire, avança-t-il d'une voix peu convaincante.

— Cinq piastres par semaine, penses-tu que tu vas y arriver ? lui demanda-t-elle en se nichant contre lui.

Bien malgré lui, Jean fut ému par ce contact. Tout à coup, elle se faisait toute petite et faible contre lui. Elle lui tendit ses lèvres et, impulsivement, il l'embrassa. Il sentit alors une agréable chaleur l'envahir.

— Ce sera pas un problème, fit-il d'une voix plus assurée.

— Quand est-ce que tu penses être capable de commencer à nettoyer en haut ?

— La semaine prochaine, si ton père est toujours prêt à payer la peinture.

— Inquiète-toi pas, le rassura-t-elle. Je vais m'arranger pour qu'il me donne l'argent dès demain. Comme ça, tu l'auras quand tu seras prêt à aller acheter la peinture.

Durant l'heure suivante, Jean fut à même de se rendre compte que Reine s'était déjà fait une bonne idée de la décoration future de leur intérieur. Il la laissa parler tout son soûl de rideaux et de cadeaux de noces. À aucun moment il ne s'étonna de voir que le père de son amie avait apparemment décidé de leur laisser le libre usage du salon en demeurant dans la cuisine. Au moment de quitter l'appartement des Talbot, le jeune homme ne put s'empêcher de faire remarquer à Reine :

— Ta mère a l'air de m'en vouloir à mort. Elle me regarde même pas.

— T'en fais pas, fit-elle. Elle est pas mal à l'envers avec notre mariage, mais elle va retomber sur ses pieds. Elle aura pas le choix… Pendant que j'y pense, ajouta-t-elle en lui tendant son manteau, si tu travailles pas demain, on pourrait peut-être aller acheter la peinture ensemble ?

— Quand ?

— Demain après-midi, qu'est-ce que t'en penses ?

— Tu travailles pas demain ? s'étonna-t-il.

— Oui, mais là, c'est spécial. Je vais demander à mon père de me libérer pour y aller avec toi. Il est capable de se débrouiller tout seul à la biscuiterie pendant une heure ou deux.

— C'est correct. Je vais passer te prendre après le dîner, lui promit-il.

À son retour à la maison quelques minutes plus tard, Jean découvrit ses parents encore au salon. C'était exceptionnel qu'ils ne soient pas au lit après dix heures, même si Félicien n'avait pas à se lever à cinq heures pour aller travailler le samedi matin parce qu'il était en congé.

— Vous êtes pas encore couchés ? leur demanda-t-il en demeurant debout dans l'entrée du salon.

— Non, on t'attendait, lui répondit sa mère. On voulait savoir comment tu t'étais débrouillé pour acheter tes meubles.

— Tout est arrangé. Je lui ai acheté tous ses meubles. On va avoir tout ce qu'il nous faut.

— Est-ce qu'il te les a vendus cher ? lui demanda son père.

— Soixante piastres. Mais pour ce prix-là, on a la glacière, le poêle, la fournaise et les meubles pour deux chambres, la cuisine et le salon.

— Cybole ! s'exclama son père. À ce prix-là, c'est presque du vol.

Jean se rengorgea. Il ne sentit pas le besoin de préciser à ses parents que les négociations avaient été menées de main de maître par Reine.

— Et l'appartement, lui ? fit sa mère.

— Il est pas mal sale. Il va avoir besoin de tout un ménage. Je me suis entendu avec Reine pour aller acheter la peinture avec elle demain après-midi. Elle va demander l'argent à son père. Comme ça, la semaine prochaine, je vais pouvoir commencer à nettoyer le soir. Antoine Tremblay nous a dit qu'il allait finir de tout vider demain ou au commencement de la semaine prochaine, au plus tard.

— Bon. Ça, ce sont de bonnes nouvelles, fit sa mère en se levant du fauteuil, apparemment soulagée. À cette heure, on va aller se coucher pas mal moins inquiets.

— Ouais, confirma Félicien en l'imitant. Oublie pas d'acheter de l'eau de Javel, de la térébenthine, des pinceaux et des tubes de teinture avec ta peinture, demain, ajouta-t-il. Pour l'escabeau, tu pourras toujours prendre celui qu'on a dans le hangar.

— Ah! Pendant que j'y pense, tu vas inviter Reine à venir souper avec nous autres dimanche, fit Amélie.

— En quel honneur, m'man?

— C'est normal, répliqua sa mère. Elle va faire partie de la famille dans pas longtemps. Il est temps qu'on la connaisse un peu. En plus, ce sera comme un petit souper de fiançailles.

— Parlant de fiançailles, intervint Félicien, as-tu pensé à lui acheter une bague?

— Non, p'pa, reconnut son fils. Tout est allé tellement vite. En plus, j'ai pas grand argent pour acheter une affaire comme ça.

— Il va pourtant falloir que tu y penses, conclut son père.

On se souhaita une bonne nuit et Jean se dirigea vers la cuisine où il s'arrêta pour boire un grand verre d'eau. Il entendit des pas dans son dos et, en se retournant, vit Lorraine entrer dans la pièce.

— Est-ce que ça s'est bien passé à soir? lui murmura-t-elle.

— Pas trop mal, reconnut Jean sur le même ton.

— J'ai vu que p'pa et m'man t'avaient attendu pour savoir.

— Oui, en plus, p'pa vient de me parler de bague de fiançailles. J'avais pas pensé à ça et j'ai pas une maudite cenne à mettre là-dessus avec tout ce que j'ai à payer pour l'appartement. Je suis déjà endetté jusqu'au cou.

— Écoute, fit sa sœur. J'ai cinquante piastres de ramassées. Je peux te les passer si ça peut te rendre service. Tu pourrais peut-être trouver quelque chose qui a du bon sens dans un magasin juif de la rue Saint-Laurent, en bas de la rue Sainte-Catherine. J'ai entendu dire qu'on pouvait acheter n'importe quoi pas cher dans ces places-là. On sait jamais.

— T'es ben fine, mais je sais pas quand je pourrai te rembourser.

— Ça presse pas pantoute, lui fit remarquer sa sœur. J'en ai pas besoin tout de suite. Cet argent-là, c'était pour mon trousseau. À cette heure que j'ai plus de chum, le trousseau peut attendre. Attends une minute, je reviens.

Lorraine disparut un court moment dans sa chambre et revint en lui tendant toutes ses économies, soit cinquante dollars. Jean, gêné par tant de générosité, la remercia en lui promettant de lui remettre son argent dès qu'il le pourrait. Il pénétra ensuite dans sa chambre à coucher sans allumer le plafonnier pour ne pas réveiller Claude qui devait dormir depuis au moins une heure. Il s'assit sur son lit pour enlever ses souliers quand il entendit la voix de l'adolescent dans le noir.

— Es-tu content d'avoir tous tes meubles ? lui demanda-t-il.

— D'après ce que je peux voir, t'as encore écorniflé aux portes, lui fit remarquer l'aîné.

— Comment tu veux que je sache ce qui se passe ici dedans si je fais pas ça, répliqua Claude. Tout le monde arrête pas de faire des messes basses comme s'il y avait un mort dans la maison, sacrifice !

— OK, je suis content de les avoir achetés.

— La semaine prochaine, je vais aller te donner un coup de main à faire ton ménage, offrit l'adolescent, plein de bonne volonté.

— Tu seras pas de trop parce que c'est crotté en maudit, fit Jean en se glissant dans son lit.

Le lendemain après-midi, Jean alla chercher Reine à la biscuiterie.

— On va aller chez Mayer, au coin de Garnier et Gilford, annonça Reine en passant son bras sous celui de son futur mari. Mon père dit qu'il a tout ce qu'il faut.

— Je connais la place, affirma Jean. Est-ce que ton père t'a donné de l'argent pour payer ?

— Oui, mais en grinçant des dents, plaisanta la jeune fille. J'ai demandé un peu plus d'argent pour acheter tout ce qu'il faut pour laver les plafonds et les murs. Ma mère a dit qu'on pouvait pas peinturer par-dessus la crasse.

— Tiens, ta mère te parle, à toi ? plaisanta-t-il.

— Inquiète-toi pas, le rassura son amie, elle est en train de se calmer.

Ils montèrent la rue Brébeuf en faisant attention de ne pas glisser tant le trottoir était mal déneigé. À certains endroits, il y avait des plaques de glace dissimulées sous une mince couche de neige. Avant de pousser la porte de la petite quincaillerie située au coin des rues Gilford et Garnier, Reine tendit à son compagnon l'argent que son père lui avait remis quelques minutes auparavant. En ce début d'après-midi, ils étaient les seuls clients dans le magasin.

— Qu'est-ce que tu dirais de tapisser le salon ? demanda Reine après avoir choisi divers tubes de couleur.

— J'ai déjà peinturé, affirma Jean, mais j'ai jamais tapissé.

— C'est pas mal facile, d'après ma sœur Estelle. Elle a tapissé elle-même son salon et je te dis que ça fait chic.

— Si tu penses que ton père dira rien, concéda Jean, guère enthousiaste.

— Il s'en apercevra même pas.

Les deux jeunes choisirent du papier peint beige représentant de grosses fleurs rouges. Le quincaillier en avait huit rouleaux, ce qui, à son avis, était largement suffisant pour couvrir les murs de leur salon.

Ce dernier se fit un plaisir de leur vendre tout ce dont ils avaient besoin pour faire le ménage de leur futur appartement. Il ajouta à la commande deux casquettes blanches offertes par la compagnie C.I.L. et quelques bâtons pour brasser la peinture.

— Il y a trois boîtes à rapporter, constata Jean en considérant les boîtes de carton déposées sur le comptoir par le marchand. Je viendrai chercher ça avec mon frère à la fin de l'après-midi, précisa-t-il après avoir payé la facture que venait de lui présenter Eugène Mayer.

— Non, on est mieux de faire livrer ça chez mon père, fit Reine. Ma mère est à la maison. Elle va laisser ça dans le couloir et t'auras juste à tout monter dans l'appartement lundi soir, quand tu commenceras le ménage, si Tremblay est parti.

Il restait une dizaine de dollars de la somme avancée par Fernand Talbot pour couvrir les achats.

— Tiens, tu pourras remettre ça à ton père et lui donner la facture en même temps, fit Jean en lui tendant l'argent et la facture au moment où ils quittaient la quincaillerie.

— Non, je vais garder l'argent. Mon père a pas besoin pantoute de voir la facture. Si on a oublié quelque chose pour le ménage, il nous en restera un peu pour le payer.

Jean ne protesta pas. Ils marchèrent durant quelques instants avant que le jeune homme se souvienne brusquement de l'invitation qu'il devait faire à sa promise au nom de ses parents.

— Mes parents t'invitent à souper demain soir, lui dit-il.

— En quel honneur ? ne put s'empêcher de demander Reine.

— Ma mère dit qu'il est temps que tu connaisses un peu mieux la famille. En plus, elle dit que ce sera comme une sorte de repas de fiançailles…

— Mais on n'a jamais parlé de fiançailles, se récria-t-elle.

— D'après ma mère, c'est normal de se fiancer avant de se marier.

— Ça me gêne pas mal, avoua la jeune fille en se serrant un peu plus contre lui.

— T'as pas à être plus gênée que moi quand je mets les pieds chez vous. T'es au moins sûre que ma mère te fera pas la baboune comme la tienne me la fait…

— C'est correct. Je vais aller souper chez vous demain soir, accepta Reine. Mais s'il doit y avoir absolument des fiançailles, c'est ma mère qui va les préparer, comme ça doit se faire. Elle l'a fait pour ma sœur Estelle, je vois pas pourquoi elle le ferait pas pour moi.

— Si elle le veut pas, insiste pas, lui conseilla Jean, mal à l'aise. On s'en passera.

— Je vois pas pourquoi on devrait s'en passer. On se marie, on y a droit, dit-elle avec assurance.

— Parlant de fiançailles, il serait normal que je t'offre une bague, même si j'ai presque pas d'argent.

— C'est vrai, j'avais pas pensé à ça pantoute, reconnut Reine en levant la tête vers lui.

— J'ai un petit montant dans mes poches. On m'a dit que je pourrais peut-être trouver quelque chose de pas trop cher sur Saint-Laurent, dans le bas de la ville. Penses-tu que ton père va chialer si t'arrives plus tard à la biscuiterie?

— Il chialera si ça lui tente, déclara Reine en haussant les épaules.

— Dans ce cas-là, on va prendre le tramway sur Mont-Royal et on va aller voir si on peut te trouver une bague de fiançailles à un prix raisonnable.

Le jeune homme se garda bien de dire qu'il allait payer le bijou avec les économies de sa sœur. Ils montèrent dans un tramway qui les déposa rue Saint-Laurent et décidèrent d'en prendre un autre qu'ils quittèrent au coin de la rue Sainte-Catherine. Ils entreprirent ensuite de descendre cette artère lentement vers la rue Dorchester en scrutant les vitrines sales des magasins situés du côté ouest de la rue. Ils entrèrent dans une ou deux boutiques où les marchands proposaient les objets les plus hétéroclites, mais ils ne trouvèrent pas ce qu'ils cherchaient. Il faisait froid et humide et la marche ne parvint pas à les empêcher d'être rapidement transis.

Un peu découragé, Jean finit par dire à sa compagne :

— On traverse de l'autre côté de la rue et on regarde. Si on trouve rien, on oubliera ça.

Reine l'approuva. Cependant, quelques minutes plus tard, ils pénétrèrent chez une sorte de prêteur sur gages qui avait étalé dans sa vitrine des montres, des bagues et des alliances. Le commerçant, vêtu d'une lévite noire luisante d'usure, arborait une barbe de patriarche et avait des manières doucereuses. Il demeura assis derrière l'un des trois comptoirs de son magasin, laissant les jeunes gens scruter tout à loisir les bijoux qu'il proposait dans son étroite boutique à la propreté douteuse.

— Combien as-tu d'argent ? demanda Reine à voix basse.

— J'ai juste cinquante piastres, avoua Jean, un peu gêné d'avoir si peu.

— Tu sais que tu dois essayer de faire baisser les prix dans une place comme ici ?

— Ben oui, Reine, je suis pas niaiseux, rétorqua Jean, agacé.

Tous les deux s'approchèrent du comptoir derrière lequel l'homme venait de se lever en vérifiant du bout des doigts la position de la calotte noire posée sur sa tête. Jean demanda à voir des bagues pour sa fiancée.

— J'en ai de tous les prix, affirma l'homme. Combien voulez-vous mettre ?

Quand le jeune homme lui dit le montant, le Juif eut une grimace.

— Pour ce prix-là, je peux pas vous donner grand-chose.

— Si c'est comme ça, on va laisser faire, dit Jean en faisant signe à Reine de se diriger vers la porte.

— Non, non, attendez, dit précipitamment le commerçant. Il y a peut-être moyen de trouver quelque chose qui va plaire à votre petite dame.

Ce disant, il ouvrit la vitrine derrière laquelle il se tenait et se mit à farfouiller à l'intérieur avant de sortir quelques écrins.

— Êtes-vous sûr que vous pouvez pas mettre un peu plus ? s'informa le vendeur. Pour soixante-cinq piastres, je pourrais vous vendre cette belle bague avec un petit zircon qui a l'air d'un vrai diamant.

— Non, je peux pas.

— Essayez-la, mademoiselle, fit le marchand en tirant une bague en or jaune et en la tendant à Reine qui la glissa à son annulaire.

La jeune fille leva la main pour admirer le bijou. Il était évident que ce dernier lui plaisait. Évidemment, l'homme le remarqua et insista pour que Jean l'achète.

— Je vous répète que je peux pas l'acheter, finit-il par affirmer sur un ton impatient. J'ai pas une cenne de plus que cinquante piastres.

Reine retira la bague et la remit dans l'écrin avec regret.

— Viens, on va aller voir ailleurs. On va certainement finir par trouver quelque chose dans nos prix, lui dit Jean.

— Attendez! Attendez! les supplia le commerçant juif. Vous êtes jeunes et vous vous mariez. Je vais vous faire un cadeau de mariage. Je vous laisse la bague à soixante piastres. Là, j'y perds, mais ça me fait plaisir de faire un cadeau à une si belle femme.

— Merci, mais je peux pas payer aussi cher. J'ai pas l'argent, fit Jean en s'éloignant du comptoir en entraînant Reine avec lui.

Au moment où il allait ouvrir la porte et laisser passer sa compagne devant lui, le commerçant s'écria d'une voix geignarde:

— Bon d'accord, je vous la laisse pour cinquante-cinq piastres.

— Non, c'est encore trop cher, je ne peux pas. Une autre fois, peut-être.

L'homme sortit de derrière son comptoir et s'avança vers ce client qui s'apprêtait à quitter les lieux sans avoir rien acheté.

— Cinquante piastres! Mais vous voulez me ruiner, me mettre à la rue. J'ai des enfants à nourrir et un loyer à payer, moi aussi!

Jean leva les épaules et ouvrit la porte.

— C'est correct pour cinquante piastres, concéda-t-il, des larmes dans la voix comme si on lui arrachait le cœur.

Toute joyeuse, Reine revint vers le comptoir pour admirer la bague. Jean, moins enthousiaste, sortit l'argent de sa poche de pantalon et le compta soigneusement avant de le tendre au marchand. Ce dernier lui tendit l'écrin de velours rouge dans lequel reposait la bague de fiançailles qu'il venait de payer.

Les deux jeunes gens revinrent dans leur quartier au moment où le soleil commençait à baisser. Reine quitta son ami devant la biscuiterie après qu'il lui eut précisé à quelle heure il entendait venir la chercher le lendemain après-midi.

— Je vais parler à mes parents à soir pour nos fiançailles. À cette heure que tu vas me donner une bague, je vois pas pourquoi on n'aurait pas un vrai repas de fiançailles, déclara-t-elle, sérieuse.

À son retour à la maison, Jean s'empressa de montrer à ses parents la bague de fiançailles qu'il allait offrir à Reine.

— Où est-ce que t'as trouvé l'argent pour payer ça ? lui demanda son père, apparemment inquiet.

— J'ai pris le reste de l'argent que j'ai gagné l'été passé, mentit-il. En plus, elle m'a pas coûté cher. Je l'ai achetée chez un Juif de la rue Saint-Laurent.

Amélie lança un regard d'avertissement à son mari avant de reprendre :

— As-tu dit à Reine qu'elle était invitée à souper demain soir ?

— Oui, et elle vous remercie. Elle va venir.

∼

De son côté, dès que Reine mit les pieds dans la biscuiterie, elle eut tôt fait de se rendre compte du mécontentement de son père.

— Veux-tu ben me dire d'où tu sors, toi ? s'écria-t-il.

— Je suis allée acheter tout ce qu'il faut pour le ménage de l'appartement.

— Prends-moi pas pour une valise, Reine Talbot. Ça prend pas quatre heures pour aller acheter une couple de gallons de peinture.

— En plus, Jean a tenu à m'emmener acheter une bague de fiançailles.

— Quoi ? Une bague de fiançailles ? Une vraie bague ?

— Oui.

— Calvaire ! Avoir su qu'il était si riche que ça, je lui aurais laissé payer la peinture.

— Il est pas riche, p'pa, affirma Reine en endossant son sarrau qu'elle entreprit de boutonner.

— Pour un simple étudiant, moi, je trouve qu'il a pas mal d'argent. Où est-ce qu'il l'a pris, cet argent-là ?

— Il me l'a pas dit, mais vous pouvez être sûr qu'il l'a pas volé, répondit sèchement la jeune fille.

À cinq heures, Fernand verrouilla la porte de la biscuiterie. Comme tous les soirs, Reine fit le tour des boîtes de biscuits pour vérifier par leur lucarne plastifiée si elles étaient assez pleines. Ensuite, elle s'empressa de remplir les pots de bonbons avant de se mettre à passer une serpillière sur le parquet sali par les clients durant la journée. Pendant ce temps, son père compta l'argent contenu dans la caisse et prépara les commandes à passer le lundi suivant.

Une demi-heure plus tard, le père et la fille quittèrent le commerce et montèrent à l'étage pour un repos bien mérité. Fernand semblait avoir déjà oublié son accès de mauvaise humeur causé par l'absence de sa vendeuse. En mettant les pieds chez lui, il s'empressa d'annoncer à sa femme que sa fille venait de se faire offrir une bague.

— Il t'a acheté une bague de fiançailles ! s'exclama Yvonne en cessant soudain de remplir le bol de soupe qu'elle tenait à la main.

— P'pa m'a pas acheté de bague, fit Reine en feignant de se méprendre.

— Je le sais bien que c'est pas ton père qui te l'a achetée, répliqua sa mère avec humeur.

— Avez-vous peur de dire son nom, m'man ? reprit la jeune fille sur un ton frondeur. Il s'appelle Jean, Jean Bélanger et il va être votre gendre.

— Si c'était juste de moi…

— Sa mère m'a invitée à souper demain soir. Elle a dit que c'était une sorte de repas de fiançailles, tint à préciser la jeune fille. Elle doit penser que vous êtes trop pauvres pour en organiser un, ajouta-t-elle avec une certaine arrogance et surtout beaucoup de méchanceté, une manière évidente de rendre à son père la monnaie de sa pièce à la suite de son commentaire désobligeant après son arrivée tardive à la biscuiterie.

— Comment ça, un repas de fiançailles ? demanda son père.

— C'est normal, p'pa, des fiançailles avant le mariage, non ?

— Avant un mariage normal peut-être ! ne put s'empêcher de préciser sa mère avec hauteur.

— Ce qui serait normal, m'man, c'est que vous me fassiez un souper de fiançailles, comme vous en avez fait un pour Estelle. Je suis pas plus folle qu'elle, après tout.

— J'aurai tout entendu ! s'exclama Yvonne, les mains sur les hanches.

— Je vais avoir l'air fine chez les Bélanger demain quand je vais être obligée de leur dire que vous voulez rien faire pour nos fiançailles.

— Mange avant que ce soit froid, lui ordonna sa mère, le visage fermé. Je vais en parler avec ton père après le souper.

Reine sut alors que c'était gagné. Par orgueil, son père n'allait jamais accepter d'être taxé de pauvre ou d'avare par les Bélanger.

De fait, ce soir-là, Fernand Talbot eut une brève discussion avec sa femme quand elle vint le rejoindre dans le salon.

L'entretien ne dura que quelques minutes. S'il était évident que la situation ne les enchantait guère et que le mariage de Reine n'avait rien à voir avec celui d'Estelle, il fallait tout de même assurément préserver l'image de la famille Talbot.

Un peu plus tard, le petit homme grassouillet alla dans la cuisine pour se préparer une tasse de thé. À la vue de sa fille sortie de sa chambre pour prendre une collation, il se contenta de lui dire :

— Dimanche prochain, on va te faire un repas de fiançailles. T'inviteras Jean et ses parents à venir souper.

Sans rien ajouter, il se retira dans le salon.

Chapitre 12

Une fin de semaine occupée

Le dimanche matin, Jean se leva quelques minutes après son père. Ce dernier, habitué à ouvrir l'œil tous les jours de la semaine dès l'aurore, ne parvenait pas à faire la grasse matinée bien longtemps durant la fin de semaine.

— Il est juste six heures moins quart, fit remarquer Félicien à son fils. T'aurais ben pu dormir un peu plus longtemps.

— J'ai mal dormi, p'pa, se contenta de dire Jean.

Évidemment, il ne révéla pas à son père qu'il avait rêvé de Blanche Comtois toute la nuit et qu'à plus d'une reprise il s'était réveillé en sursaut en constatant que la jeune mariée qu'il accueillait au pied de l'autel se transformait en Reine alors qu'il attendait Blanche.

Jean avait envie d'une tasse de café, mais il n'était pas question de briser le jeûne obligatoire du dimanche matin chez les Bélanger. Il fallait pouvoir aller communier. Son père leva le nez du journal de la veille, qu'il n'avait apparemment pas eu le temps de lire au complet, pour lui dire :

— Aujourd'hui, il va falloir que tu trouves un peu de temps pour aller annoncer à ta grand-mère et à tes tantes que tu te maries.

— Aujourd'hui ? fit Jean. Est-ce que c'est vraiment nécessaire ? ajouta-t-il, peu désireux d'affronter les trois femmes.

— Ça te sert à rien de retarder ça, dit Félicien, l'air préoccupé. À partir de demain, tu vas travailler et, le soir, tu auras le ménage de ton appartement à faire. T'es mieux de te débarrasser de ça le plus vite possible. Tu connais ta grand-mère, plus tu vas attendre, pire ça va être.

— Je le sais ben, p'pa, mais grand-mère et vos sœurs vont me poser toutes sortes de questions.

— Je pense que t'es assez vieux pour te débrouiller avec elles. Arrange-toi seulement pour pas dire que ta blonde est en famille. Elles sont pas folles. Elles vont s'en douter juste à voir à quelle vitesse vous vous mariez, mais dis-leur pas. Contente-toi de raconter que t'es en amour par-dessus la tête et que tu veux plus attendre.

— Grand-mère croira jamais ça, fit Jean, inquiet à juste titre de la réaction de la mère de son père.

— Il y a pas autre chose à faire. Débarrasse-toi aujourd'hui de cette affaire-là.

— J'avais ben besoin de ça aujourd'hui, fit Jean, mis de mauvaise humeur par cette corvée imprévue.

Il se retira dans sa chambre dans l'intention de se préparer lentement pour la messe. En entrant dans la pièce, il ferma un peu trop bruyamment la porte, ce qui eut pour effet de réveiller Claude. Ce dernier ouvrit péniblement les yeux et regarda vers la fenêtre.

— Bâtard ! Veux-tu ben me dire ce que tu fais debout en pleine nuit ? se plaignit-il. Il fait encore noir dehors et on est dimanche.

— Je m'endormais plus, mentit son frère aîné.

— Tu pourrais au moins laisser dormir les autres, ronchonna l'adolescent en s'assoyant dans son lit. Qu'est-ce que tu vas faire aussi de bonne heure ?

— Rien. P'pa veut que j'aille voir grand-mère aujourd'hui pour lui annoncer que je me marie et ça me tente pas pantoute. Ça tombe mal. J'ai pas le temps d'aller courir sur la rue Saint-Urbain. Je dois aller chercher Reine pour l'amener souper cet après-midi.

— T'as juste à y aller après la messe, lui suggéra son frère. Si tu niaises pas, tu pourrais revenir pour dîner.

— Grand-mère va me faire une belle façon encore quand je vais lui dire ça.

— C'est sûr qu'elle sera pas de bonne humeur de voir que t'arrêtes ton cours classique, répliqua son jeune frère, mais qu'est-ce que ça peut ben te faire ? Après tout, elle te mangera pas !

Ces paroles de son cadet eurent pour effet de rassurer quelque peu Jean.

Plus tard, il entendit sa mère se lever et il retourna dans la cuisine au moment où son père informait la mère de famille que leur fils allait rendre visite à sa grand-mère cet avant-midi-là. Un simple coup d'œil à Jean suffit à Amélie pour comprendre à quel point cette visite lui pesait.

— Ton père a raison, dit-elle. T'es aussi bien de te débarrasser de ça aujourd'hui. On va aller à la basse-messe. Comme ça, ça va te donner du temps pour aller les voir avant le dîner.

Le jeune homme accompagna les siens à la basse-messe, mais il passa tout le temps du service religieux à imaginer les réponses qu'il allait faire à sa grand-mère et à ses tantes parce qu'il se doutait bien qu'elles allaient se montrer particulièrement curieuses. De retour à la maison, il prit une rapide collation et quitta les lieux peu après dix heures.

Autant pour économiser que pour se donner le temps de réfléchir, il décida de marcher jusqu'à la rue Saint-Urbain. Parvenu à destination, il descendit jusqu'à la rue

Prince-Arthur. Il s'arrêta un court instant devant la maison en pierre grise au rez-de-chaussée de laquelle ses tantes et sa grand-mère habitaient. Il prit une profonde respiration avant de se résoudre à sonner à la porte.

Il entendit la sonnerie se répercuter à l'intérieur de l'appartement. Il y eut un bruit de pas et tante Rita écarta légèrement le rideau masquant la fenêtre de la porte.

— Eh bien, c'est de la visite rare, ça ! s'exclama l'infirmière en invitant son neveu à entrer. Ôte ton manteau et tes bottes et viens t'asseoir avec nous autres dans la cuisine. On peut dire que tu tombes bien. Ta tante Camille et moi, on est en congé aujourd'hui et on vient juste d'arriver de la messe.

Jean lui obéit avec un sourire contraint après l'avoir embrassée sur la joue qu'elle lui tendait.

— Qui est-ce que c'est ? demanda la voix aiguë de Bérengère Bélanger du fond de l'appartement.

— C'est Jean, m'man, lui répondit sa fille. Il enlève son manteau et on arrive.

Le jeune homme suivit sa tante sans aucun entrain.

— Seigneur ! Qui t'a jeté en bas de ton lit à matin ? demanda la vieille dame en embrassant son petit-fils.

— Personne, grand-mère. Je suis allé à la basse-messe, expliqua Jean en embrassant sa tante Camille, encore en robe de chambre.

— Je trouve pas ça bien convenable de recevoir du monde en robe de chambre, Camille, reprocha Bérengère à la cadette de ses filles. À quarante-cinq ans, il me semble que t'es assez vieille pour savoir ça.

— Voyons, m'man ! fit la maîtresse-femme en serrant tout de même plus étroitement contre elle les pans de sa robe de chambre rouge vin. Pour une fois que je pouvais dormir tard un dimanche… On a une messe spéciale cet après-midi à la chapelle de l'hôpital. J'ai l'intention d'y aller, expliqua-t-elle à son neveu.

— Chicanez-la pas pour rien, grand-mère. C'est pas sa faute, c'est la mienne. Je passe pas mal de bonne heure à matin.

— C'est vrai, ça. Viens-tu nous voir parce que tu t'ennuyais sans bon sens de nous autres ou bien parce que t'as besoin de quelque chose ? lui demanda Rita en lui tendant une tasse de café après avoir déposé la cafetière sur la table.

— Je viens rien quêter et ça me fait toujours plaisir de vous voir, fit Jean, diplomate. Non, c'était pour vous annoncer une nouvelle, ajouta-t-il, la gorge subitement sèche.

— Une bonne, j'espère ? intervint sa grand-mère qui ne le quittait pas des yeux.

— Je pense qu'elle est pas mauvaise, grand-mère.

— Tu viens nous dire que t'as changé d'idée et que t'as décidé de devenir prêtre, suggéra Camille, visiblement pleine d'espoir.

— Non, ma tante. Ce serait plutôt le contraire.

— Quoi, le contraire ? fit Bérengère.

— Je viens vous annoncer que je me marie au mois d'avril, dit Jean tout d'une traite, bien décidé à en finir le plus rapidement possible.

Les trois femmes furent tellement sidérées par la nouvelle qu'elles demeurèrent figées sur leurs chaises, incapables de proférer le moindre mot durant un long moment.

— J'espère que c'est une farce ? fit sèchement la grand-mère.

— Non, pourquoi vous dites ça ? C'est pour vous inviter à mes noces que je suis passé à matin.

— C'est pas vrai ! s'exclama Camille. Tu peux pas faire ça !

— Ça a ni queue ni tête, intervint Rita en regardant tour à tour sa mère et sa sœur.

— Ça se peut pas, reprit la vieille dame, le visage sévère. T'as presque fini ton cours classique. C'est toi-même qui nous as dit cet été que tu voulais devenir avocat. Pour être avocat, il va falloir que t'ailles à l'université.

— J'arrête d'étudier, grand-mère. Je suis pas allé au collège cette semaine. Je me suis déjà trouvé de l'ouvrage. Je commence demain; mais je dis pas que je reprendrai pas un jour mes études…

— Est-ce que t'es en train de nous dire que ton père et ta mère ont fait tous ces sacrifices-là pour rien quand ils t'ont envoyé au collège? lui demanda Camille, apparemment révoltée par tant d'insouciance.

— C'est pas pour rien, ma tante. Mes études vont me servir à me trouver une bonne *job*.

— Mais qu'est-ce qui te presse tant? fit Rita.

— J'ai juste envie de me marier et j'ai même déjà trouvé mon appartement, ma tante. Je commence à faire le ménage demain soir, prit-il la peine d'expliquer pour bien faire comprendre aux trois femmes qu'il était vraiment sérieux.

— Et ton père et ta mère acceptent ça? lui demanda grand-mère Bélanger, la voix mauvaise.

— Ben oui, grand-mère.

Il allait lui répondre qu'ils n'avaient pas eu le choix, mais il s'était retenu à la dernière seconde, persuadé qu'une telle réponse aurait déclenché une avalanche de questions plus insidieuses les unes que les autres.

— Ma foi du bon Dieu, Félicien est tombé sur la tête! dit la grand-mère Bélanger à ses filles, comme si son petit-fils n'avait pas été présent dans la pièce. Voulez-vous bien me dire ce qui lui prend d'accepter une affaire aussi folle que celle-là? Et Amélie m'a pas l'air plus fine dans tout ça!

Les deux infirmières secouèrent la tête en signe d'igno-rance. Jean en profita pour se lever, faisant ainsi comprendre à ses hôtesses son intention de les quitter.

— Pars pas si vite, mon garçon, lui ordonna sa grand-mère en le scrutant avec insistance. Ce mariage-là m'a l'air de cacher quelque chose et je voudrais bien savoir quoi.

— Voyons, grand-mère, protesta le jeune homme, mal à l'aise.

— T'as pas fait une niaiserie, j'espère ?

— Ben non ! se défendit-il en mettant toute la conviction dont il était capable dans sa voix.

— Avec tout ça, tu nous as même pas dit qui tu mariais, intervint Camille.

— Reine Talbot, ma tante. Son père a une biscuiterie sur Mont-Royal.

— Qu'est-ce qu'elle a de si spécial, cette fille-là, pour que tu te dépêches tant à la marier ? lui demanda sa tante Rita.

— C'est une belle fille et on s'entend bien, ma tante.

— Une belle fille ! Une belle fille ! s'exclama Bérengère, l'air dégoûté. Mon pauvre petit garçon, tu me déçois bien gros. J'aurais cru que t'avais plus de tête que ça. Tu devrais savoir que la beauté, ça passe vite et quand on se marie, c'est pour toute la vie.

— Je le sais, grand-mère.

— Dire que t'avais un si bel avenir, regretta Camille à haute voix. Sans même ton baccalauréat, t'auras jamais une belle situation. Je suppose que t'en es bien conscient.

— Oui, ma tante, répondit-il, soudain fatigué de toute cette inquisition.

— J'espère que tu regretteras pas cette folie-là un jour, conclut Bérengère, comme si elle s'était déjà résignée à l'irréparable.

— Inquiétez-vous pas pour moi, tout va bien aller, grand-mère. Bon, c'est pas que je m'ennuie ici dedans, mais il faut que j'y aille, annonça le jeune homme qui s'empressa d'embrasser les trois femmes avant de se diriger vers la patère à laquelle son manteau était suspendu.

Sa grand-mère et Camille étaient demeurées dans la cuisine. Seule sa tante Rita l'avait raccompagné. Il avait eu tellement chaud qu'il sentait sa chemise trempée dans son dos.

— Tu me jures que tout va bien, hein ? lui demanda sa tante à voix basse.

— Certain, ma tante.

— C'est correct. Tu salueras tes parents pour nous autres.

— J'y manquerai pas, promit-il en quittant l'appartement.

Une fois à l'extérieur, il prit une grande respiration et se mit en marche vers la rue Mont-Royal. Dans la maison qu'il venait de quitter, Rita était revenue s'attabler avec sa mère et sa sœur. Toutes les trois étaient attristées.

— Ce mariage-là sent le mariage obligé à plein nez, affirma sèchement Bérengère Bélanger. La prochaine fois que je vais voir Félicien et Amélie, je vais en avoir le cœur net, je vous en passe un papier.

— Voyons, m'man, si c'est vrai, vous savez bien qu'ils le diront jamais. Il y a pas de quoi s'en vanter.

— C'est sûr, reconnut la vieille dame acariâtre, mais même à soixante-quinze ans, je suis encore capable de compter les mois jusqu'à neuf.

❧

Cet après-midi-là, quand il se présenta chez les Talbot un peu après deux heures, Jean eut la surprise de voir sa future belle-mère venir lui ouvrir la porte.

— Entre, lui dit-elle sans montrer trop de chaleur. Reine est presque prête. Tu peux passer au salon.

Sur ces mots, elle l'abandonna dans l'entrée et retourna dans la cuisine. Le jeune homme retira ses bottes et son manteau et pénétra dans le salon où le père de son amie écoutait les informations radiophoniques lues par Jean-Paul Nolet.

— Assois-toi, elle s'en vient, se contenta de dire Fernand.

Moins d'une minute plus tard, Reine vint le rejoindre et prit place à ses côtés en lui demandant ce qu'il avait fait depuis la veille. Peu après, Fernand éteignit la grosse radio Marconi au moment où on annonçait une émission d'information sur ce qu'on appelait le plan Marshall, que les Américains avaient décidé de mettre sur pied pour aider à la reconstruction de certains pays européens.

— Bon, on va dire que ça va faire, dit-il en quittant son fauteuil.

Il allait sortir du salon quand il s'arrêta brusquement pour fouiller dans l'une de ses poches et en extirper deux clés.

— Tiens, fit-il en les tendant à Jean. Le garçon de Tremblay a fini par déménager toutes les affaires de son père hier et il m'a remis les clés. L'appartement est à toi, à cette heure. Comme vous vous mariez seulement au mois d'avril, je vous chargerai le loyer qu'à partir du mois de mai. Ma femme et moi, on a décidé que les deux mois avant les noces, ce serait une partie de notre cadeau de mariage.

— Merci, monsieur Talbot.

— À cette heure, si vous voulez aller jeter un coup d'œil à l'appartement pour voir s'il vous a ben laissé tous les meubles que vous lui avez achetés, vous pouvez y aller. Tu pourrais même en profiter pour nous débarrasser de ce que vous avez acheté chez Mayer. C'est resté dans le couloir.

Jean et Reine quittèrent la pièce. Le jeune homme prit une boîte et, précédé par son amie, monta à l'étage. Elle alluma le plafonnier du couloir et il la suivit jusqu'à la cuisine. Il déposa la boîte contenant des gallons de peinture. Il retourna chercher le reste des achats effectués la veille avant de suivre la jeune fille dans une rapide tournée des autres pièces de l'appartement.

— Mais c'est bien sale ! s'exclama Reine en passant la tête dans les toilettes. On dirait que c'est pire que ce que j'ai vu il y a deux jours. C'est à croire que cet homme-là nettoyait jamais rien.

— Inquiète-toi pas, la rassura Jean. On va décrotter ça vite.

Avant de descendre chez les Talbot, le jeune homme eut l'idée de regarder par la fenêtre de cuisine. Il s'aperçut alors que la galerie n'avait pas été déneigée.

— Calvince ! Je vais te gager qu'il a pas vidé le hangar pantoute ! s'écria-t-il. La galerie a pas été pelletée. Il a même pas essayé d'ouvrir la porte. Il y a pas de traces de pas et il y a au moins deux pieds de neige dessus.

— Lui, il va m'entendre, fit la jeune fille, l'air mauvais.

— Attends avant de t'énerver, la mit en garde Jean. Il a peut-être laissé toutes sortes d'affaires utiles dans le hangar. On va d'abord regarder avant de crier. S'il y a rien de bon, on pourra toujours essayer de lui faire baisser le prix des meubles en disant qu'on a dû passer deux ou trois jours à vider la place.

De retour dans l'appartement des Talbot, Reine profita de ce qu'ils étaient seuls dans le salon pour lui anoncer que ses parents allaient leur offrir un souper de fiançailles le dimanche soir suivant et qu'il devait transmettre l'invitation à ses parents.

— Tu les inviteras toi-même tout à l'heure, lui suggéra-t-il. Mais je suis surpris quand même que ta mère veuille faire ça, ne put-il s'empêcher de lui faire remarquer.

— J'espère que tu t'es aperçu que ma mère t'a parlé aujourd'hui, lui dit Reine.

— Oui, elle m'a dit deux ou trois mots quand je suis arrivé, reconnut-il, un peu sarcastique.

— C'est un commencement, fit la jeune fille pour l'encourager. Pour changer de sujet, reprit-elle après un bref silence, tu m'as dit tout à l'heure que tu étais allé chez ta grand-mère pour lui annoncer notre mariage, mais tu m'as pas raconté comment elle avait pris la nouvelle.

— Elle va faire comme mes deux tantes, elle va s'habituer à l'idée.

— Bon, je vois, dit-elle, le visage assombri.

Une heure plus tard, Jean annonça à son amie qu'il était temps d'aller chez ses parents. L'après-midi tirait à sa fin et ils les attendaient pour souper.

À leur sortie de la maison, l'obscurité était déjà tombée. Jean donna le bras à la jeune fille et ils se dirigèrent vers l'appartement des Bélanger, rue Brébeuf.

Ce jour-là, à leur retour de la messe, Amélie avait pris la peine d'envoyer Claude chercher des pâtisseries françaises chez Frenette. Le simple fait de servir des éclairs au chocolat et des cornets à la crème chantilly au souper signalait l'importance que l'hôtesse accordait à l'événement du soir.

— Cybole, deviens pas folle! avait protesté Félicien, surpris par la dépense inattendue. C'est pas la reine d'Angleterre qu'on reçoit à soir.

— Je le sais, avait rétorqué sa femme, mais c'est un souper spécial. En plus, c'est mercredi des Cendres la semaine prochaine et, pendant quarante jours, on va se priver.

En entendant sa mère, Claude avait grimacé. Il avait complètement oublié l'approche du carême. Comme chaque année, elle allait insister pour que chacun des siens prenne une résolution et voir à ce qu'il la respecte.

Lorsqu'ils arrivèrent au pied de l'escalier extérieur, Jean sentit l'hésitation de Reine. Il était évident que la jeune fille était nerveuse et inquiète du genre de réception qu'on allait lui réserver dans sa future belle-famille.

— Énerve-toi pas pour rien, lui dit-il pour la calmer. Si ma mère et mon père t'ont invitée à souper, c'est pas pour te dire des bêtises. Ils sont pas comme ça.

Ces paroles parurent l'apaiser un peu. Dès qu'ils pénétrèrent dans l'appartement, Félicien et Amélie vinrent accueillir Reine et lui souhaiter la bienvenue. Avant même de retirer son manteau de drap gris, Reine tendit à l'hôtesse une petite boîte joliment emballée. Elle se garda bien de mentionner que la boîte de chocolats était un cadeau offert à sa mère au jour de l'An. Yvonne la lui avait donnée après le dîner en lui faisant remarquer qu'on offrait habituellement un cadeau aux gens qui nous recevaient.

— C'est une question de classe, ma fille, lui avait-elle dit.

— C'était vraiment pas nécessaire, dit Amélie, agréablement surprise par cette attention.

— C'est pas grand-chose, madame Bélanger.

Jean lui prit des mains son manteau. La jeune fille portait pour l'occasion une robe en velours vert bouteille et un simple collier de fausses perles. Lorraine et Claude vinrent rejoindre leurs parents dans le couloir et se présentèrent à l'invitée.

— Moi, je suis le plus beau de la famille, plaisanta l'adolescent.

— Tu pourrais attendre qu'on te le dise, lui fit remarquer sa mère en riant.

— C'est ce que je fais aussi, mais personne se décide à me le dire, répliqua-t-il du tac au tac.

Tous éclatèrent de rire et on passa au salon. Pour l'occasion, Reine se montra particulièrement gentille et charmante, ce qui eut l'air de rassurer Amélie. Quand cette dernière s'excusa quelques minutes plus tard en prétextant avoir besoin de finir de préparer son repas, Reine se leva en même temps que Lorraine, prête, à l'évidence, à participer aux préparatifs.

— Bien non, reste avec Jean. On est bien assez de deux pour finir, protesta la mère de famille, de nouveau agréablement surprise.

— Votre garçon peut se passer de moi pendant une demi-heure, madame Bélanger. Il est pas en perdition. Il est avec son père et son frère.

Quand les hommes de la maison s'approchèrent de la table, ils trouvèrent Reine, la taille ceinte par un tablier, comme son hôtesse et sa fille.

— On mange, déclara Amélie avec bonne humeur. Reine, tu t'assois à côté de Jean. Et toi, l'haïssable, ajouta-t-elle à l'endroit de Claude, tu vas t'asseoir à côté de ta sœur.

Chacun se trouva devant une assiette dans laquelle la cuisinière avait déposé une large tranche de jambon, des pommes de terre en purée et un morceau de pâté à la viande.

— Il y a rien d'aussi bon que du jambon dans la fesse! s'exclama Félicien en avalant une première bouchée.

— Et c'est le fun d'avoir de la visite, parce qu'on mange ben dans ce temps-là, poursuivit Claude.

Sa mère lui adressa un regard noir qui l'incita à se taire.

Pour terminer le repas de fête, Amélie déposa au centre de la table une large assiette remplie d'une douzaine de pâtisseries appétissantes. Durant le souper, la conversation roula sur l'installation du jeune couple au second étage de l'immeuble de la rue Mont-Royal et sur le ménage qu'il aurait à effectuer. Personne ne formula la moindre remarque déplacée sur ce mariage à la va-vite et il était évident que chacun faisait attention de ne pas gâter l'atmosphère détendue qui régnait autour de la table. Naturellement, il fallut que Claude se mette les pieds dans les plats. Il avait cependant l'excuse d'ignorer tout de la situation de sa future belle-sœur.

— Pourquoi vous attendez pas cet été pour vous marier ? demanda-t-il innocemment au moment où les femmes se levaient pour commencer à débarrasser la table. Non mais c'est vrai, avril s'en vient vite, et il me semble qu'un mariage en été ce serait ben plus agréable pour les noces qui suivent la cérémonie.

Le visage de Reine changea, mais Amélie se porta à son secours.

— Ça, monsieur la fouine, ça te regarde pas. Si quelqu'un te pose la question, tu lui diras que c'est pas toi qui te maries, mais ton frère et qu'il a le droit de choisir la date qu'il veut.

— C'est correct ! C'est correct ! fit l'adolescent, offusqué de se faire rabrouer. Moi, je disais ça juste comme ça. Comme on me demande jamais mon opinion ici dedans, je vous la donne ! Mais j'ai compris, je dirai plus rien, dit Claude pour clore la discussion qui semblait mettre tous les convives mal à l'aise autour de la table.

— Tu peux aller t'asseoir dans le salon avec Jean, offrit Amélie à son invitée sans plus s'occuper de son jeune fils.

— Bien non, madame Bélanger. Après un bon repas comme ça, faire la vaisselle va juste m'aider à digérer.

Quand Reine quitta l'appartement des Bélanger à la fin de la soirée, elle était certaine d'être parvenue à séduire toute la famille. Elle avait incité Jean à refuser de l'entraîner avec lui dans le salon pour demeurer avec les autres membres de la famille dans la cuisine à jouer aux cartes. Elle avait chaleureusement remercié ses hôtes pour le repas et les avait invités au souper de fiançailles offert par ses parents le dimanche suivant.

Jean la raccompagna chez elle.

— Je pense que tu leur as plu, lui dit-il quand ils arrivaient au bas des marches de l'escalier extérieur.

— Je l'espère bien, laissa-t-elle tomber. En tout cas, j'ai fait tout ce que je pouvais pour ça. Ta mère est pas mal fine, ajouta-t-elle quoique sans trop d'enthousiasme.

Le jeune homme ne dit rien jusqu'au moment où ils atteignirent le coin des rues Brébeuf et Mont-Royal.

— As-tu toujours l'intention de commencer le ménage de l'appartement demain soir ? lui demanda-t-elle.

— Oui.

— Si je suis pas trop fatiguée après ma journée d'ouvrage, j'irai te donner un coup de main, promit-elle.

Le jeune homme la laissa devant chez elle et il retourna à la maison.

Quelques minutes plus tard, toutes les lumières s'éteignirent chez les Bélanger. En prenant place dans le lit après avoir terminé sa prière du soir, Félicien se tourna vers sa femme.

— Puis, qu'est-ce que t'en penses ?

— Je le sais pas trop, répondit Amélie d'une voix hésitante. Elle a l'air fine comme ça, mais va donc savoir. C'est à la longue qu'on va finir par la connaître.

— Par contre, toi, t'as peut-être été trop fine avec elle, lui reprocha son mari.

— Pourquoi tu dis ça ?

— T'étais pas obligée de lui offrir de faire tous ses rideaux.

— C'est vrai, mais as-tu pensé que Jean aura pas les moyens de payer une couturière pour les faire ? J'ai bien plus pensé à lui qu'à elle quand je l'ai offert.

Chapitre 13

L'appartement

Le lendemain matin, Jean se leva à cinq heures, peu après son père. Il fit une toilette rapide et vint s'attabler devant le bol de gruau que sa mère avait déposé à sa place. À l'extérieur, il faisait noir et on entendait le vent souffler.

— Ça a pas l'air chaud pantoute dehors à matin, dit son père en allumant sa première cigarette de la journée.

— Vos lunchs sont sur le comptoir, fit Amélie en se versant une tasse de café. Aussitôt que vous allez être partis, je vais trier mon linge. Je veux faire mon lavage de bonne heure aujourd'hui.

Peu avant six heures, le père et le fils quittèrent l'appartement. Ils se séparèrent sur un « bonne journée » au coin de la rue. Jean eut le temps de grelotter quelques minutes avant de pouvoir monter à bord d'un tramway bondé qui se dirigeait vers l'ouest. À voir la mine sombre et fatiguée de la plupart des passagers, il ne put s'empêcher de se demander s'il allait leur ressembler dans quelque temps. À cette seule pensée, il eut un frisson.

Il poussa la porte de la gare Windsor à peine quelques minutes avant sept heures et il dut se précipiter pour ne pas arriver en retard le premier matin. Dès son entrée dans le local réservé aux employés d'entretien, il se retrouva devant un Onésime Gagnon goguenard.

— Ah ben, Jériboire ! si c'est pas notre pousse-crayon, s'exclama-t-il en feignant une bonne humeur qu'il n'éprouvait sûrement pas. Dis-moi pas qu'on est déjà rendus en été et que je m'en suis pas aperçu !

— Bonjour, monsieur Gagnon, le salua Jean, peu surpris de l'accueil sarcastique que lui réservait son chef d'équipe.

Il y eut quelques ricanements chez la douzaine d'employés d'entretien qui attendaient de commencer leur quart de travail.

— Qu'est-ce qui se passe ? Est-ce que t'as décidé de faire quelque chose d'utile de tes dix doigts ?

— En plein ça, se contenta de laisser tomber sèchement le jeune homme.

— Ça tombe ben en maudit, reprit le superviseur en affectant soudainement un air bon enfant. On a justement besoin d'un spécialiste pour nettoyer à fond les toilettes des chars. Pas vrai, les gars ? demanda-t-il en se tournant, moqueur, vers les employés qui formaient son équipe.

Onésime Gagnon était un petit homme dans la cinquantaine avancée tout en nerfs, dont les yeux fureteurs ne laissaient rien échapper. Quand on le regardait, on oubliait rapidement sa couronne de cheveux gris et sa petite moustache hirsute au profit de son gros nez bourbonien d'ivrogne et de son menton en galoche.

— Tu vas faire équipe avec Marcel Magnan, précisa Gagnon en montrant de la main un homme âgé d'une trentaine d'années au visage blafard. Bon, c'est l'heure maintenant. On y va, annonça-t-il en se dirigeant déjà vers la porte ouvrant sur le quai.

Jean suivit Marcel Magnan jusqu'au placard où était entreposé le matériel utilisé pour l'entretien des wagons.

L'homme lui tendit un seau, une serpillière et divers produits nettoyants avant de s'emparer d'un balai et d'une brosse à poils durs. Il semblait taciturne et le jeune homme se demandait s'il était mécontent d'être obligé de faire équipe avec lui. Ils longèrent une rame de wagons avant de s'immobiliser devant le dernier.

— On commence par lui, lui dit Magnan en montant à bord. Occupe-toi pas de ce qu'a dit Gagnon. Tu fais les toilettes de ce char-ci, je ferai celles du prochain. Est-ce que t'as déjà fait ce genre de *job* ?

— Oui, durant l'été.

— Dans ce cas-là, j'ai pas à te dire quoi faire. On y va parce que tu vas voir arriver le bonhomme dans dix minutes qui vient vérifier si on avance assez vite.

Jean ne dit rien. Il se dirigea vers les toilettes à l'extrémité du wagon et entreprit de les récurer. Lorsqu'il eut terminé, son compagnon le chargea d'amasser tous les détritus laissés par les voyageurs dans les poches de rangement à l'arrière des dossiers et de vider les cendriers. Les deux employés finissaient le nettoyage de leur premier wagon quand Onésime Gagnon monta à bord pour vérifier la qualité du travail. Après avoir tout inspecté minutieusement, il sembla déçu de ne rien trouver à redire.

— C'est pas mal, laissa-t-il tomber avant de quitter le wagon, mais faites ça plus vite. Vous avez l'air de dormir debout.

Magnan fit signe à Jean de ne rien dire et attendit que le superviseur se soit éloigné avant de chuchoter :

— Perds pas ton temps à essayer de lui parler, il comprend rien et il est pas parlable. C'est une maudite tête de cochon qui se prend pour un grand *boss*. Une de ces fois, il va tomber sur son homme et en manger toute une, le vieux Christ !

Jean lui adressa un sourire de connivence et ils passèrent au wagon voisin. Le travail était tout de même assez routinier, mais il demandait de l'énergie. À midi, Magnan laissa tomber sa brosse.

— Moi, je vais manger au restaurant de la gare, annonça-t-il à son jeune camarade.

— J'ai mon lunch, fit Jean.

— Dans ce cas-là, on se revoit à une heure. En passant, tu peux aller manger ton lunch dans la salle où t'es arrivé à matin. La plupart des gars mangent là. Mais si tu veux dîner en paix, tu ferais mieux de manger tes sandwichs dans un des chars.

Jean le remercia du conseil et Magnan disparut rapidement. Il s'installa dans le prochain wagon qu'il aurait à nettoyer et mangea de bon appétit les deux sandwichs préparés par sa mère. Il regretta de ne pas avoir apporté *Bonheur d'occasion*, un roman de Gabrielle Roy qu'il avait emprunté à la bibliothèque de Montréal la semaine précédente. Il en avait déjà lu plus de la moitié et il lui plaisait beaucoup. Cependant, il était conscient qu'il ferait mieux de dissimuler son livre dans un sac s'il devait l'apporter au travail sous peine de s'attirer les sarcasmes de Gagnon.

Lorsqu'il quitta son travail à quatre heures trente, le jeune homme était fourbu. Il n'avait qu'une hâte, arriver à la maison pour s'étendre quelques minutes sur son lit avant le souper. Heureusement, il n'eut pas à attendre le tramway trop longtemps. Assis sur une banquette, il regarda défiler par la fenêtre le triste spectacle des rues enneigées éclairées par de trop rares lampadaires. Soudain, il fut frappé par le fait que la journée était passée sans qu'il s'en aperçoive. Il était entré au travail dans l'obscurité et il le quittait après le coucher du soleil.

À son arrivée à la maison, il alla embrasser sa mère en train de préparer le souper et il lui annonça son intention de dormir un peu avant de manger.

— Vas-y, ça va te faire du bien, dit Amélie, un peu inquiète de voir son visage marqué par la fatigue. Il y a juste Claude d'arrivé. Tu peux lui dire de venir faire ses devoirs ici, dans la cuisine.

Jean entra dans sa chambre et découvrit son frère cadet confortablement installé à ce qui avait toujours été son bureau.

— Eh ben! Où il y a de la gêne, il y a pas de plaisir, ne put-il s'empêcher de dire à l'adolescent.

— Ben, j'ai pensé que comme t'étudies plus, je pouvais m'installer à ta place, dit Claude, incertain de la réaction de son frère aîné.

— Ça me dérange pas, avoua Jean avec tout de même un pincement au cœur. Mais fais pas de bruit. Je veux dormir un peu avant le souper.

À peine déposa-t-il sa tête sur l'oreiller qu'il s'endormit comme une masse. Claude dut le secouer par une épaule pour le tirer du sommeil quelques minutes plus tard.

— Aïe, la marmotte! Tout le monde attend après toi pour manger.

Jean se leva et le suivit dans la cuisine où Lorraine et son père étaient déjà attablés. Sa mère lui servit deux boulettes de bœuf haché et des pommes de terre avant de s'asseoir à son tour.

— On dirait que ton ouvrage te rentre dans le corps, fit Félicien en regardant son fils.

— C'est parce que c'est la première journée, p'pa. Je vais m'habituer. C'était comme ça l'été quand je faisais la même chose.

— As-tu toujours l'intention de commencer le ménage de ton appartement à soir?

— Oui, mais je travaillerai pas tard. Demain matin, je vais partir un peu plus de bonne heure qu'aujourd'hui. J'ai failli arriver en retard à matin.

— Tu te rappelles qu'il faut laver les plafonds et les murs avant de peinturer ?

— Oui, et c'est ce que j'haïs le plus faire, dit Jean sur un ton las.

— Claude et moi, on va aller te donner un coup de main à soir, lui annonça son père.

— Sentez-vous pas obligé, p'pa. Vous avez travaillé toute la journée.

Félicien fit comme s'il ne l'avait pas entendu. Il se serait bien passé de cette tâche et aurait préféré écouter tranquillement la radio dans le salon, mais on sentait que sa femme l'avait fortement encouragé à donner un coup de main à son fils par charité chrétienne.

— As-tu pensé qu'il te faudrait un escabeau ?

— J'avais oublié, reconnut le jeune homme. Je pourrais peut-être emprunter celui du père de Reine.

— Laisse faire, on va apporter le nôtre, le rassura son père. Je te l'ai offert vendredi passé. Dis donc, tu m'as pas dit hier que le fils du locataire avait pas déneigé la galerie et qu'il avait rien sorti du hangar ?

— Pour moi, il avait pas le goût de pelleter toute la neige qui est tombée là. Il était pressé d'en finir, expliqua Jean.

— Si c'est de même, je vais me charger de nettoyer le balcon, proposa Claude avec beaucoup de bonne volonté. J'apporte une pelle, comme ça tu vas ben voir s'il y a quelque chose dans le hangar. Peut-être que le bonhomme a laissé un escabeau…

Moins d'une heure plus tard, les trois Bélanger pénétrèrent dans l'appartement situé au-dessus de celui occupé par les Talbot.

— Cybole! s'exclama Félicien. Tu vas avoir affaire à partir la fournaise à l'huile dans le corridor. On gèle tout rond ici dedans. Un coup parti, pars aussi le poêle dans la cuisine. Veux-tu ben me dire pourquoi ils sont éteints tous les deux?

— C'est Reine qui a dû monter les éteindre, répondit Jean.

— Dis-lui de pas faire ça, lui recommanda son père. On fait pas ça en plein hiver. Elle risque de faire geler les tuyaux. Si ça arrive, son père aimera pas trop les dégâts que ça va faire dans la maison. Laisse au moins la fournaise chauffer quand t'es pas ici dedans.

— Je vais lui dire, promit son fils.

En fait, Reine lui avait déclaré la veille que c'était gaspiller de l'huile inutilement que de laisser fonctionner le poêle ou la fournaise quand ils n'étaient pas dans l'appartement. Quand il lui avait fait remarquer que l'endroit allait ressembler à une glacière et qu'il grelotterait durant une heure au moins quand il viendrait peinturer, elle s'était contentée de hausser les épaules.

Claude ne perdit pas de temps. Il se dirigea tout de suite vers la cuisine et essaya d'ouvrir la contre-porte, mais il y avait trop de neige sur la galerie.

— Ça a tout l'air que je vais être obligé de passer par la ruelle, déclara-t-il à son père. Il y a pas moyen d'ouvrir la porte.

Il dévala l'escalier, toujours armé de sa pelle, sortit et fit le tour par la ruelle. Quand il eut repéré la maison des Talbot, il dut escalader la clôture et se frayer un chemin jusqu'au pied de l'escalier. Il monta ce dernier que personne n'avait songé à dégager depuis un certain temps. Sur le premier palier, il aperçut Reine en conversation avec sa mère dans la cuisine. Il lui adressa un signe de reconnaissance, mais la jeune fille ne sembla pas le voir. Il poursuivit péniblement sa route jusqu'au second étage.

Il vérifia s'il pouvait projeter la neige dans la cour sans rencontrer d'obstacle et il entreprit de déneiger la galerie de l'appartement de son frère. L'accumulation était importante et la neige avait été durcie par les grands froids du mois de janvier. Il lui fallut près d'une heure pour tout enlever. Quand il eut fini, il frappa à la porte et Jean vint lui ouvrir.

— C'est correct. Tu peux ouvrir le hangar à cette heure, lui déclara-t-il en lui montrant fièrement la galerie déneigée. As-tu trouvé une clé quelque part? Il y a un vieux cadenas rouillé sur la porte.

Jean se mit à chercher partout dans la cuisine et finit par trouver une clé suspendue dans l'armoire. Il la tendit à son frère.

— Il doit y avoir une lumière dans le hangar, si c'est comme chez nous. Regarde si tu trouves pas un escabeau ou quelque chose sur quoi monter. Là, je dois grimper sur une chaise pour laver le plafond et c'est malcommode.

Claude alla déverrouiller le hangar et trouva une ampoule nue qu'on pouvait allumer en tirant sur une chaîne. L'endroit renfermait un véritable fouillis d'objets hétéroclites probablement amassés au fil des ans par le défunt locataire. L'adolescent découvrit un vieil escabeau couvert de peinture et l'apporta dans l'appartement après avoir verrouillé le hangar.

— Tiens, dit-il à son frère. Est-ce que ça fait ton bonheur, ça?

— Parfait, fit son père qui arrivait de la pièce voisine.

— Tu devrais voir tout le stock qu'il y a dans le hangar, reprit Claude. Il y en a jusqu'au plafond.

— Calvince! jura Jean. J'avais ben besoin de ce trouble-là.

— Peut-être, fit Félicien, mais avant de te plaindre à ton propriétaire, va voir si tu trouverais pas des choses qui feraient ton affaire. On sait jamais.

Vers dix heures, les Bélanger rentrèrent à la maison, fatigués, mais deux des cinq pièces de l'appartement avaient été soigneusement lavées.

— Sais-tu, mon frère, que ta blonde risque pas de s'être donné un tour de rein en travaillant à soir, fit remarquer Claude à son frère aîné.

— Elle savait que c'était de l'ouvrage d'homme qu'on avait à faire à soir, l'excusa Jean sans grande conviction.

— Je savais pas que le lavage était devenu une *job* d'homme, se moqua l'adolescent.

Cette nuit-là, Jean dormit d'un sommeil sans rêve. Quand le réveille-matin sonna à cinq heures, il eut l'impression de sortir d'un gouffre et, surtout, de venir à peine de s'endormir. La sonnerie réveilla aussi Claude qui se souleva sur un coude pour tenter d'apercevoir l'heure indiquée sur le gros Westclock.

— Bâtard ! On est encore en pleine nuit, se plaignit-il en se laissant retomber et en se couvrant la tête avec ses couvertures.

Jean se leva et alla faire sa toilette. Au moment où il arrivait dans la cuisine pour déjeuner, il vit son père et sa mère pénétrer dans la pièce.

— Va finir de t'habiller pendant que je fais le déjeuner, lui dit Amélie en déposant le grille-pain sur la table.

Quand il revint dans la pièce quelques minutes plus tard, il trouva ses parents attablés devant leur déjeuner.

— J'ai discuté avec ton père hier soir, dit Amélie. Qu'est-ce que tu dirais si on te donnait comme cadeau de noces un *set* de vaisselle et tes rideaux ?

— C'est ben trop, protesta mollement Jean.

— Bon, c'est entendu. Cet après-midi, je vais aller faire un tour à la biscuiterie pour voir si Reine peut venir avec moi prendre les mesures des fenêtres et acheter le tissu.

Ce jour-là, Onésime Gagnon fut particulièrement difficile à supporter, trouvant à redire à chacune de ses inspections. À la fin de la journée, Jean en était à se demander combien de temps il allait pouvoir encore l'endurer.

À son retour à la maison, sa mère lui montra le tissu choisi par Reine pour les rideaux de leur appartement. Son amie avait pu quitter son travail une heure au début de l'après-midi pour l'accompagner à la mercerie, au coin de la rue Saint-André.

— Qu'est-ce que tu penses du matériel choisi par Reine ? lui demanda Amélie.

— Il est pas mal beau, m'man. J'espère que vous avez pas fait des folies en payant ça.

— Inquiète-toi pas pour ça, le rassura sa mère. On t'a dit que ça faisait partie de ton cadeau de noces.

Au moment où il allait se diriger vers la glacière pour y prendre la pinte de lait, sa mère reprit :

— Pendant que j'y pense. T'as reçu une lettre. Je l'ai laissée sur ton bureau, dans ta chambre.

Le jeune homme alla dans sa chambre après avoir bu un verre de lait et il s'empressa d'ouvrir la lettre. Elle provenait du directeur du Collège Sainte-Marie qui l'invitait à venir le rencontrer le plus rapidement possible pour discuter de son avenir.

Durant un long moment, il resta planté devant la fenêtre, regardant sans la voir la ruelle enneigée où deux jeunes, à moitié dissimulés par une clôture, s'amusaient à se lancer des balles de neige. Puis, il déchira la lettre et la laissa tomber dans le panier. Ce geste avait quelque chose de définitif qui lui fit mal au cœur. Jean devait regarder en avant maintenant et, dans son esprit, le cours classique n'en faisait plus partie.

Après le souper, il annonça son intention d'aller poursuivre le lavage de son appartement.

— Je vais aller te donner un coup de main à finir cet ouvrage-là, dit Félicien en quittant sa chaise berçante. Quand le lavage sera fini, je te laisserai peinturer tout seul.

— Moi aussi, j'y vais, fit Claude.

— Non, monsieur, intervint sa mère. T'es arrivé ici dedans à cinq heures. T'as pas eu le temps de faire tes devoirs. T'iras pas traîner chez ton frère à soir. D'abord tes devoirs.

— Mais m'man…

— Il y a pas de « mais m'man ». Grouille-toi de t'installer à table avec tes affaires.

Quelques minutes plus tard, Jean et son père furent rejoints dans l'appartement par Reine qui avait décidé de venir nettoyer à fond les armoires. Armée d'un seau et d'une serpillière, elle se mit au travail dans la cuisine pendant que les deux hommes entreprenaient le lavage des deux pièces donnant sur la rue Mont-Royal. À la fin de la soirée, ils avaient même eu le temps de laver le plafond et les murs de la cuisine. L'appartement fleurait bon l'eau de Javel.

— Il reste juste la salle de bain à laver, annonça Jean en essuyant la sueur qui perlait à son front. Je vais m'en occuper demain soir et je vais peut-être être capable de commencer à peinturer. Ce sera pas un luxe. C'est jauni partout. Ça va faire du bien une bonne couche de peinture.

— Ça, ça me surprendrait pas mal que tu puisses faire quoi que ce soit demain soir, dit son père, qui venait de ranger l'escabeau. T'oublies que c'est le mercredi des Cendres demain. Tu connais ta mère. Il sera pas question de pas aller recevoir les cendres à l'église.

— Si tu y vas, viens me chercher, proposa Reine.

— C'est correct.

— Ta mère t'a-t-elle montré le matériel qu'on a choisi pour nos rideaux ?

— Oui. Ton père a pas trop rien dit quand elle est venue te chercher à la biscuiterie ?

— Non, et puis il pouvait difficilement refuser devant ta mère.

— Bon, on va dire que ça va faire pour ce soir, dit-il en endossant son manteau, après avoir jeté un coup d'œil à sa montre.

À leur sortie de la maison, le père et le fils découvrirent avec plaisir que la température était beaucoup plus clémente qu'en début de soirée et que quelques flocons tombaient mollement. Félicien prit son étui à cigarettes et, sans y penser, le tendit à son fils.

Jean hésita un instant avant d'en prendre une. Il n'avait fumé qu'une ou deux fois et il n'avait pas particulièrement apprécié la chose. De plus, l'argent gagné difficilement durant l'été était exclusivement réservé pour payer son transport et ses livres. Comme ses parents assumeraient toutes ses autres dépenses, ils auraient probablement mal vu qu'il gaspille de l'argent dans l'achat de cigarettes. Mais là, sa situation avait changé. Il pouvait fumer si le cœur lui en disait et s'il estimait en avoir les moyens. Il se considérait maintenant comme un homme, et tous les hommes qu'il connaissait fumaient.

Son père lui tendit la flamme de son briquet et le jeune homme aspira profondément. Il sentit une sorte de bien-être l'envahir. À ce moment précis, s'il regrettait d'avoir abandonné son cours classique, il tirait pour une première fois une certaine fierté de sa nouvelle situation.

— Je pense, p'pa, que je vais me mettre à fumer, dit-il à son père.

— T'es assez vieux pour savoir ce que tu veux, reconnut ce dernier. Mais dis-toi que ça va te coûter pas mal moins cher de faire tes cigarettes que de les acheter toutes faites. Avec une boîte de tabac, tu peux en faire deux cents.

❧

Dès le lendemain soir, comme prévu, Amélie entreprit de mettre les siens dans l'esprit du carême.

— Vous avez pas oublié que c'est mercredi des Cendres, leur dit-elle en déposant sur la table une assiette dans laquelle elle avait déposé une quantité respectable de crêpes.

— On risquait pas de l'oublier avec toi, fit remarquer son mari sans grand enthousiasme.

— Une chance, Félicien Bélanger! rétorqua-t-elle. Ça, ça veut dire que c'est le carême qui commence et…

— Qu'on va être poignés pour prendre une résolution, compléta Claude, l'air sombre.

— C'est ça, t'as tout compris, fit sa mère. Moi, j'ai promis d'aller à la messe tous les matins.

— Moi, je peux pas faire ça, déclara Félicien tout net.

— Qu'est-ce que tu dirais d'arrêter de fumer pendant le carême?

— Recommence pas avec ça, dit sèchement son mari. Tu le sais comme moi que ça me rend marabout quand je fume pas. C'est de valeur à dire, mais je peux pas m'en passer. Je pense que je vais faire la même chose que l'année passée, je boirai pas de liqueur du carême.

— C'est pas trop difficile, une promesse comme ça, fit sa femme.

— Ça, c'est toi qui le dis, répliqua Félicien, que la perspective de se priver de boisson gazeuse durant quarante jours ne réjouissait pas particulièrement.

— Moi, je vais faire mon lit tous les matins avant de partir, promit Claude, qui avait réfléchi durant l'échange entre ses parents.

— Et tu vas faire ta chambre aussi, ajouta sa mère.

— Si je comprends ben, m'man, ma résolution va surtout vous donner pas mal moins d'ouvrage à faire, lui fit remarquer l'adolescent, moqueur.

— Moi, je mangerai pas de sucré du carême, s'empressa de dire Lorraine avant que sa mère se fâche.

— Moi, je sais pas trop, fit Jean à son tour.

Il venait de mesurer soudain à quel point sa situation était différente de celle de l'année précédente. Le printemps dernier, il avait promis de ne pas se coucher après dix heures trente durant tout le carême. S'il promettait la même chose cette année, ce serait un cadeau qu'il se ferait tant il était fatigué après sa journée et sa soirée de travail.

— Fais un effort, insista sa mère, sévère.

Il se creusa la tête durant un bon moment avant de dire :

— Bon, c'est correct. Je promets de dire mon chapelet chaque jour durant le carême.

— Toute une promesse, ton affaire ! se moqua Claude. Comment on va savoir que tu la tiens ?

— En te disant que c'est pas de tes maudites affaires, rétorqua son frère.

— En tout cas, je trouve pas ça ben juste, reprit l'adolescent. Tout le monde va pouvoir vérifier si ma chambre et mon lit vont être faits, mais moi, je pourrai pas voir si vous autres vous tenez votre résolution du carême.

— T'auras juste à nous espionner, la fouine, dit Lorraine en riant. T'en as l'habitude.

— On se grouille pour faire la vaisselle si on veut être à temps pour l'imposition des cendres à sept heures et demie, déclara Amélie en commençant à ramasser la vaisselle sale sur la table.

— Moi, je les ai reçues à matin. Je suis allé à l'église avec toute l'école, fit Claude.

Jean regarda son père qui haussa les épaules, comme s'il voulait lui rappeler qu'il le lui avait bien dit la veille. Il sortit un paquet de Player's de la poche de poitrine de sa chemise et tendit son paquet à son père.

— C'est pas vrai ! s'exclama sa mère. Dis-moi pas qu'on va être poignés avec un autre boucaneux dans la maison. Depuis quand tu fumes, toi ? demanda-t-elle à son fils.

— Depuis hier, m'man.

— Ça t'a pas tenté de promettre de pas fumer pendant le carême qui commence ?

— Ça aurait pas été un grand sacrifice, je viens juste de commencer à fumer.

— Vas-tu fumer des toutes faites ? fit Félicien.

— Non, c'est un paquet aux trois quarts plein que j'ai trouvé dans un wagon cet après-midi. Demain, je vais m'acheter du tabac et un tube pour faire mes cigarettes.

Quand Jean rentra dans sa chambre à coucher quelques minutes plus tard, Claude s'approcha de lui pour lui chuchoter :

— C'est le fun en maudit que tu fumes à cette heure. Tu vas pouvoir m'en passer une de temps en temps.

— Aïe, laisse-toi sécher le nombril d'abord, fit son frère. Tu penses tout de même pas que je vais t'encourager à fumer quand t'as pas encore la permission. T'oublies que t'as juste quatorze ans.

— Presque quinze, le corrigea Claude. Envoye ! Sois pas chien. Donne-moi une cigarette. Je vais la fumer tranquillement pendant que vous allez être partis à l'église.

Vaincu, Jean tira une cigarette de son paquet et la tendit à son frère. Il n'était tout de même pas le mieux placé pour lui faire un sermon.

Au moment où il remettait son paquet dans sa poche, il se rappela la scène qui s'était déroulée dans le vestiaire alors qu'il s'apprêtait à partir. Il venait d'allumer une cigarette quand Gagnon se matérialisa devant lui.

— Dis-moi pas que ton père t'a donné la permission de fumer, lui dit-il, pour le ridiculiser devant les autres.

Jean en avait assez et ne vit pas pourquoi il endurerait son chef d'équipe plus longtemps alors que la journée de travail était terminée.

— Il y a rien de surprenant là-dedans, monsieur Gagnon, répliqua-t-il. Il a pour son dire que les jeunes sont moins dangereux que les vieux quand ils fument. Ils risquent moins de sacrer le feu quelque part.

Cette répartie inattendue de son souffre-douleur laissa le contremaître sans voix et suscita quelques ricanements chez les employés encore présents dans la pièce. Sur ces mots, Jean avait endossé son manteau et quitté l'endroit avant que Gagnon ait trouvé une réplique.

En quittant sa chambre, Jean n'oublia pas la promesse faite à Reine la veille et il passa la prendre chez elle pour l'imposition des cendres.

— Tes parents viennent pas ? lui murmura-t-il en s'apercevant que Fernand et Yvonne Talbot ne semblaient pas prêts à sortir.

— Non, ils vont jamais à ça, se contenta de répondre la jeune fille.

Jean se rendit alors compte qu'elle ne venait à l'église que pour l'accompagner. En revenant de la brève cérémonie, Reine lui apprit que son père était passé au presbytère durant l'après-midi pour la publication des bans. Ce bref rappel de leur mariage prochain le secoua un peu. Pris par son nouvel emploi et le ménage de l'appartement, il avait consacré peu de temps à songer à son mariage et… à l'enfant qui allait naître.

Chapitre 14

La tentation

Deux jours plus tard, à la fin de l'après-midi, Onésime Gagnon rassembla la douzaine d'hommes qui formaient son équipe et tendit à chacun une petite enveloppe beige contenant son salaire de la semaine. Jean toucha alors sa première paye et en éprouva une intense satisfaction, même s'il savait qu'un tiers de la somme allait se retrouver directement dans les poches d'Antoine Tremblay pour le paiement des meubles. Avant de quitter la gare, il salua Marcel Magnan avec qui il avait travaillé toute la semaine. Harassé, il sortit dans la rue La Gauchetière et marcha pour aller prendre place dans la queue qui attendait déjà le tramway.

Il se sentait sale et fatigué en cette fin de la dernière semaine de février. En plus de son travail éreintant, le nettoyage de l'appartement après le souper n'était pas étranger à son épuisement. Encore hier, il lui avait fallu toute la soirée pour laver à fond la salle de bain, et ce matin il s'était levé en retard. Ses pensées étaient ailleurs et il regardait avec une envie certaine trois étudiants qui chahutaient sur le trottoir en attendant aussi le tram. Il lui semblait avoir connu cette camaraderie et cette insouciance dans une autre vie, il y a bien longtemps déjà.

— Un sou pour connaître vos pensées, monsieur Bélanger, fit une voix douce dans son dos.

Le jeune homme sursauta et se tourna vers celle qui venait de s'adresser à lui. Stupéfait, il découvrit Blanche Comtois, toute souriante, emmitouflée dans un élégant manteau de drap noir. La même toque de mouton légèrement inclinée sur le côté encadrait son petit visage mutin. Il lui fallut un court instant pour retrouver ses moyens. Il venait de prendre conscience, en un éclair, de sa tenue négligée. Il eut honte de son pantalon fripé, de sa chemise à col ouvert et de sa barbe qui ombrageait ses joues. Depuis quelques jours, il avait pris l'habitude de se raser le soir avant de se mettre au lit.

— Tu gaspillerais ton argent pour rien, répondit-il en faisant un réel effort pour adopter un ton léger et cacher sa gêne. Je pensais à rien, sauf que je commence à avoir les pieds gelés à attendre le tramway.

— Comme c'est romantique ! plaisanta la jeune fille avec bonne humeur.

— T'as raison, c'est plutôt terre à terre. Qu'est-ce que tu fais si loin d'Outremont ? Tu es venue constater par toi-même de quoi a l'air la plèbe après une journée de travail ?

— Je ne suis pas si curieuse que ça, se défendit-elle avec un sourire. Je viens d'aller conduire à la gare une amie qui est venue passer trois jours à la maison. Et toi, qu'est-ce que tu deviens ?

La chance sourit à Jean parce qu'un tramway vint s'immobiliser en grinçant au milieu de la rue. Il fit passer Blanche devant lui et la suivit en réfléchissant à ce qu'il allait lui raconter. Ils eurent la chance de trouver une place libre sur une banquette et Jean s'écarta galamment pour permettre à la jeune fille de s'asseoir. Il demeura debout devant elle et se pencha dans sa direction pour pouvoir continuer à lui parler. Avant même qu'il ait pu dire quelque chose, Blanche reprit la parole.

— Paul m'a dit que tu as lâché le collège, poursuivit Blanche. Il paraît que tes amis ont été pas mal surpris que tu disparaisses comme ça, sans rien leur dire, ajouta-t-elle avec une légère note de reproche dans la voix.

— Tout s'est passé pas mal vite. Mon père est tombé malade. J'ai pas eu le choix, il a fallu que j'arrête d'étudier pour aller travailler, mentit-il avec une aisance qui le surprit lui-même.

— Il n'y avait vraiment pas moyen de t'arranger autrement ? insista la jeune fille.

— Non, ça n'aurait pas été raisonnable.

— Je trouve ça dommage, reprit-elle. D'après Paul, tu avais de très bonnes notes.

— Pas tant que ça, dit modestement Jean. Mais j'ai pas renoncé à finir mon cours classique. Quand tout va être rentré dans l'ordre, je vais retourner étudier.

Durant une seconde, il rêva que cela se produise un jour.

— Bon, assez parlé de moi. Toi, qu'est-ce que tu deviens ?

— Je suis toujours mes cours de danse et de peinture.

— Et tes amours ? Tu sors toujours avec Rémi Durand ?

— Qui t'a parlé de lui ? demanda Blanche, apparemment surprise qu'il soit au courant de ses fréquentations.

— Ton frère. Paul m'a même dit que c'était très sérieux entre vous deux.

— Il aurait dû se mêler de ses affaires, celui-là, rétorqua la jeune fille, mécontente. Si ça t'intéresse, je ne vois plus Rémi depuis plus de trois semaines. C'est terminé.

— C'est dommage, dit Jean, sans grande conviction.

— Je me suis aperçue que ses amis étaient beaucoup plus importants que moi et que je passais toujours en dernier.

— Je suis certain que t'auras pas de mal à te trouver un nouveau cavalier, dit-il, le cœur gros.

En prononçant ces paroles, Jean aurait tout donné pour être celui-là. Mais c'était désormais impossible.

Blanche scruta son visage durant un instant et sembla se retenir de lui faire des avances. Il en eut conscience et ce constat n'en fut que plus cuisant. La jeune fille sembla se secouer pour lui demander ce qu'il faisait maintenant.

— Je travaille pour le Canadien National.

— Dans les bureaux ou sur la route?

— Dans les bureaux, mentit-il de nouveau. Un travail pas très intéressant. Mais c'est temporaire.

Soudain, Blanche se leva, le forçant à s'écarter.

— Bon, je descends au prochain arrêt, dit-elle. J'ai un achat à faire chez Morgan avant de rentrer.

— Un vendredi soir, il va y avoir beaucoup de monde,

— Si t'es pas trop pressé de rentrer chez vous, tu pourrais peut-être m'accompagner, lui suggéra-t-elle, aguichante.

La proposition était tentante et Jean n'hésita qu'un court moment avant de l'accepter.

— J'aurais dû deviner que tu cherchais juste quelqu'un pour porter tes paquets, plaisanta-t-il.

— Peut-être, mais je veux aussi quelqu'un capable de me faire la conversation, précisa-t-elle en se faufilant entre les voyageurs debout dans le tramway au moment où ce dernier ralentissait pour s'immobiliser à l'arrêt suivant.

Ils descendirent du tramway et Blanche s'empressa de lui prendre le bras pour franchir plus aisément la légère accumulation de neige en bordure du trottoir. En sentant sa main sous son bras, Jean en oublia sa tenue négligée et même sa fatigue, tout heureux d'être en sa compagnie. «Au diable le ménage à soir! se dit-il. J'ai bien le droit de souffler un peu.»

Ils marchèrent sans se presser jusqu'au magasin Morgan en discutant aussi bien de la toute récente découverte du pétrole à Leduc, en Alberta, que de l'acharnement du premier ministre Duplessis à l'endroit des Témoins de Jéhovah. Jean se sentait bien. Il retrouvait la Blanche qu'il avait connue à Noël, c'est-à-dire la jeune fille qui avait une opinion tranchée sur tous les sujets. Il continuait à trouver que cela faisait un heureux changement avec Reine que rien n'intéressait.

Blanche fit l'acquisition d'une cravate qu'elle destinait à son père dont l'anniversaire aurait lieu trois jours plus tard.

— J'ai fini, déclara-t-elle à son chevalier servant en lui tendant la petite boîte dans laquelle la vendeuse venait de ranger son achat. Penses-tu être assez fort pour porter ça ?

— Je vais faire un effort, plaisanta-t-il en s'allumant une cigarette.

— J'ignorais que tu fumais, remarqua-t-elle.

— Pas depuis longtemps.

— Es-tu attendu pour souper à la maison ?

— Non, affirma-t-il, en mentant avec aplomb pour la troisième fois. Est-ce que ça te tente d'aller manger au même restaurant où on est allés avec ton frère à Noël ?

— Pourquoi pas ? fit-elle, enthousiaste.

Quelques minutes plus tard, ils se retrouvèrent installés sur une banquette du petit restaurant sans prétention situé au coin des rues Mont-Royal et Saint-Laurent.

— On est vendredi, on ne pourra donc pas manger de viande, déclara Blanche, moqueuse, après avoir retiré sa toque.

— J'ai l'impression d'entendre ma mère, fit Jean avec bonne humeur.

— Je vais te donner l'exemple, espèce de païen. Je vais commander une omelette et des frites.

— C'est correct, je vais prendre la même chose pour te rassurer. Après tout, il faut que je prouve que les Jésuites ont pas complètement perdu leur temps avec moi.

Durant le repas, Blanche sembla se garder de poser des questions embarrassantes sur la situation familiale de son compagnon. Elle devait sentir qu'il était gêné d'en parler. Par contre, elle s'étendit longuement sur ses cours et ses lectures. Dans ce dernier domaine, elle semblait partager les mêmes goûts que lui.

Après avoir longuement traîné à table, il leur fallut quand même se résoudre à quitter l'endroit. L'un et l'autre donnèrent l'impression de le faire à regret.

— Si t'as terminé tes achats, lui dit Jean en sortant du restaurant, je peux te raccompagner chez toi.

— As-tu le temps de le faire à pied, comme la dernière fois ? lui demanda-t-elle.

— Si t'as pas peur d'avoir trop froid, accepta le jeune homme avec plaisir.

Ils se dirigèrent sans trop se presser vers la résidence des Comtois, chemin de la Côte-Sainte-Catherine, en parlant de tout et de rien. Il était évident qu'ils se sentaient bien ensemble. Lorsqu'ils arrivèrent devant l'imposante demeure du docteur Comtois, Blanche offrit à son compagnon d'entrer boire une tasse de café pour se réchauffer. La mort dans l'âme, ce dernier refusa en alléguant qu'il devait rentrer chez lui pour ne pas inquiéter inutilement ses parents. En réalité, il ne souhaitait pas avoir à affronter Paul qui ne manquerait pas de l'interroger sur les raisons qui l'avaient poussé à abandonner ses études.

— Est-ce qu'on va se revoir bientôt ? lui demanda Blanche, apparemment déçue de voir son offre repoussée.

— Je l'espère bien, répondit Jean sans trop y croire.

— Tu sais où je reste. Fais-moi signe dès que tu auras une soirée libre, lui dit-elle en l'embrassant sur une joue avec une spontanéité pleine de tendresse.

Jean eut envie de la saisir par la taille pour lui rendre son baiser, mais elle s'était déjà éloignée sur l'allée asphaltée où était stationnée la voiture de son père. Elle le salua de la main avant de pénétrer chez elle.

— Maudite malchance ! ragea-t-il en tournant les talons.

Plus que jamais, Blanche lui paraissait être la fille qu'il rêvait de fréquenter. Cette rencontre venait de lui faire comprendre encore plus durement tout ce qu'il allait perdre en épousant Reine. Il n'avait pas l'impression de trahir cette dernière en entretenant ce genre de rêve. Par contre, il venait de réaliser que c'était probablement la dernière fois qu'il voyait Blanche Comtois. Dans quelques semaines, il allait être un homme marié, bientôt père de famille. S'il lui avait avoué la véritable raison de l'abandon de ses études, il était certain qu'elle l'aurait regardé avec horreur et n'aurait eu qu'une envie : fuir.

Après avoir marché un long moment, il monta dans un tramway pour revenir à la maison. Il faillit rater l'arrêt au coin de De La Roche tant il était plongé dans ses pensées. Il en était venu à regretter de n'avoir rien dit à la jeune fille qui n'allait pas comprendre son silence obstiné après les avances qu'elle lui avait faites. Pourquoi lui avoir laissé espérer qu'il la contacterait ? Il l'ignorait lui-même. Il ne se sentait pas encore la force suffisante pour couper tous les ponts avec ce rêve qu'il entretenait depuis maintenant deux mois.

À sa descente du tramway, il décida de passer par la ruelle pour rejoindre la rue Brébeuf afin de ne pas avoir à passer devant la biscuiterie que Reine et son père devaient être près de quitter. Il ne voulait pas se retrouver face à face à ce moment-ci avec celle à laquelle il devait se fiancer deux jours plus tard.

Dans la ruelle, il suivit l'étroit sentier ménagé depuis le début de l'hiver par le passage quotidien des jeunes du quartier. Dès qu'il poussa la porte d'entrée de l'appartement, sa mère sortit de la cuisine.

— Veux-tu bien me dire où t'étais passé ? lui demanda-t-elle, inquiète. Il est presque neuf heures.

— Je le sais, m'man, mais ils ont décidé de fêter un gars à l'ouvrage et j'ai pas pu faire autrement que d'être là.

Il se méprisa pour sa facilité à mentir. Il lui sembla qu'il n'avait pas cessé de le faire depuis la fin de l'après-midi.

— Une fête ?

— Ben, on est tous allés à la taverne boire une bière.

— Est-ce que tu veux souper ? lui proposa-t-elle, rassurée.

— C'est correct, j'ai pas faim.

— En tout cas, si t'as envie de manger quelque chose, il reste des binnes sur le poêle. Tu peux t'en prendre une assiettée.

Au moment où il allait se rendre dans sa chambre, son père l'interpella du salon.

— As-tu l'intention d'aller peinturer à soir ?

— Je pense que je vais attendre demain, p'pa. Là, il est déjà pas mal tard et le temps de me préparer, ça vaudra plus la peine.

En réalité, il ne voulait pas affronter Reine ce soir-là. Il était certain qu'elle allait passer à l'appartement pour voir l'avancement des travaux quand elle l'entendrait marcher de chez elle.

— Je te pensais parti payer Tremblay pour ses meubles, dit Félicien.

— Lui, je pense qu'il va attendre la semaine prochaine, décida tout à coup Jean. S'il est trop pressé, je vais lui dire deux mots sur le hangar qu'il a pas vidé avant de partir.

— T'as eu ta paye ? lui demanda son père.

— Oui.

Soudain, Jean s'immobilisa au milieu de la pièce. Il venait de réaliser qu'il devait logiquement payer une pension à ses parents puisqu'il travaillait et recevait un salaire.

— J'allais l'oublier, dit-il. Combien me chargez-vous pour ma pension ?

Tout en parlant, il tira de l'une de ses poches l'enveloppe contenant son salaire.

— Rien, trancha son père. Garde ton argent. Tu vas en avoir besoin pour payer tout ce que t'as à acheter.

— Mais p'pa, voulut-il protester.

— Fais ce que ton père vient de te dire, intervint sa mère. Tu vas avoir besoin de cet argent-là bien plus que nous autres.

Le jeune homme remercia ses parents et entra dans sa chambre pour découvrir son frère cadet en train de faire des mimiques, campé devant le miroir suspendu au-dessus de la commode.

— Qu'est-ce que tu fais là ? lui demanda-t-il, sarcastique. Essayes-tu de te faire peur ?

— Ben non, sans-dessein, répondit Claude en se regardant de profil. T'as pas vu que je me suis acheté du Brylcreem ? Regarde mes cheveux. J'ai pu me faire un maudit beau coq.

— En quel honneur ? fit l'aîné, curieux.

— Je pense qu'il y a une fille qui me trouve pas mal à son goût, déclara l'adolescent avec une certaine suffisance.

— Elle te l'a dit ?

— Pas encore, mais je connais les filles, prétendit le cadet. Elle est à la veille de venir se pâmer devant moi.

Jean regarda le front de son cadet couvert de boutons d'acné, mais se retint de lui faire une remarque. Il préféra l'interroger, amusé :

— Qu'est-ce qui te fait dire ça ?

— Je suis pas niaiseux. Je vois ben qu'elle arrête pas de me regarder quand je la rencontre en revenant de l'école. Même mes chums l'ont remarqué. Pour moi, elle en revient pas qu'un beau gars comme moi ait pas encore une blonde…

— Ah bon !

— Dis donc, j'ai pensé à quelque chose, dit Claude en abandonnant son reflet dans le miroir pour regarder son frère. Est-ce que je suis invité à tes fiançailles dimanche soir ?

— Je penserais pas, répondit Jean d'une voix hésitante. Les parents de Reine ont parlé juste de p'pa et de m'man pour le souper.

— C'est drôle quand même, une affaire comme ça, laissa tomber le dernier-né de la famille Bélanger. En tout cas, c'est ce que Lorraine et moi, on pense. D'après m'man, d'habitude, la famille au complet est invitée à des fiançailles.

— Ça, je le sais pas, reconnut Jean, surpris de l'apprendre.

Le jeune homme se douta alors que ses parents avaient dû parler de cela en présence de son frère et de sa sœur. Sans le lui dire, ils s'étonnaient de ce que les Talbot n'aient pas jugé bon d'inviter son frère et sa sœur au souper. Il prit la résolution de clarifier la situation avec Reine dès le lendemain.

❦

Jean se réveilla vers six heures le samedi matin, alors que tout le monde dormait encore dans l'appartement. Il se leva sans bruit, s'habilla et alla déjeuner, tout de même étonné de ne pas voir son père déjà installé dans la cuisine. Après un rapide déjeuner, il s'empara d'une pile de vieux journaux et quitta l'appartement.

La veille, il avait décidé de commencer tôt sa journée de travail. Il voulait entreprendre ce matin-là son travail de peintre. La perspective de peinturer lui plaisait beaucoup plus que le lavage. Peu après sept heures, il pénétra dans son futur appartement, alluma le poêle et la fournaise à l'huile avant de s'installer pour peindre le plafond de ce qui allait devenir le salon. Quelques minutes plus tard, il entendit la porte d'entrée s'ouvrir. Il découvrit alors Reine, debout sur le seuil de la pièce, tenant une tasse de café à la main.

— Descends-tu déjà au magasin? lui demanda-t-il en quittant l'escabeau.

— Pas avant huit heures et demie, lui répondit-elle. Tiens, je t'ai apporté une tasse de café. Tu peux bien arrêter un peu pour souffler, ajouta-t-elle en lui adressant un sourire.

— Merci, dit-il en s'emparant de la tasse qu'il déposa un instant sur une marche de l'escabeau pour s'allumer une cigarette.

Reine sourcilla.

— Tu fumes à cette heure? lui demanda-t-elle, réprobatrice.

— Ben oui. J'aime ça.

— Moi, j'ai toujours trouvé que souffler de la boucane, c'était gaspiller de l'argent.

— À chacun ses vices, répliqua-t-il, agacé de la voir déjà se mêler de ce qui ne la regardait pas.

— T'es pas venu peinturer hier soir? fit-elle avec l'air de ne pas y toucher.

— Non, je suis revenu trop tard de l'ouvrage. Ça valait plus la peine.

— Dis-moi pas que t'as fait de l'*overtime* ?

— Non, ils ont fait une petite fête pour un gars qui travaille avec nous autres. Il a fallu que je reste. Pendant que j'y pense, qu'est-ce qu'on fait pour Tremblay ? lui demanda-t-il pour changer de sujet de conversation. J'ai été payé hier, mais j'avais pas le goût d'aller lui porter son argent chez eux. La rue Montcalm, c'est pas la porte d'à côté.

Reine resta silencieuse un court moment, comme si elle réfléchissait à la chose.

— T'as peut-être bien fait. Pour moi, on va lui voir le bout du nez aujourd'hui. Si ça fait ton affaire, tu peux me l'envoyer au magasin. Je vais lui dire deux mots pour le hangar qu'il a pas vidé. Il me semble que t'as déjà bien assez d'ouvrage sans avoir à l'endurer.

— C'est sûr que ça ferait mon affaire, répliqua Jean.

— Tu peux me donner cinq piastres. S'il vient sonner, dis-lui de venir me voir pour se faire payer.

— Parfait, laissa-t-il tomber, soulagé d'être débarrassé de cette corvée.

Jean tira un billet de cinq dollars de son porte-monnaie et le lui remit.

— J'espère que tu travailles pas à soir, reprit-elle. Il reste encore presque six semaines avant notre mariage. On va avoir amplement le temps de finir le ménage.

— Non, je vais arrêter à la fin de l'après-midi.

— Comme ça, je vais t'attendre après le souper.

— Parlant de souper, fit Jean, est-ce qu'il y a juste mon père et ma mère qui sont invités à souper dimanche soir ?

— Ben oui.

— Tu trouves pas que ça fait drôle de laisser mon frère et ma sœur tout seuls à la maison ?

— Peut-être, mais tu dois comprendre que ma mère a pas une grosse santé et elle a jamais été une bien bonne cuisinière. Elle déteste ça faire à manger. Juste recevoir ton père et ta mère la met à l'envers depuis une semaine. Demain après-midi, je vais être poignée pour l'aider, sinon elle va encore se ramasser avec un de ces maux de tête qui la rendent malade pendant deux ou trois jours.

— C'est correct. Je demandais ça juste pour savoir, s'excusa presque le jeune homme en lui tendant sa tasse de café vide.

Reine quitta l'appartement et il se remit au travail. À la fin de la matinée, il était parvenu à peinturer tout le salon. Lorsqu'il rentra à la maison pour dîner, il découvrit Claude seul, attablé devant une assiette de spaghettis.

— Où est m'man ? demanda-t-il.

— Partie faire des commissions avec p'pa. Elle nous a laissé du spaghetti réchauffé.

Jean se servit et mangea avec appétit. À la fin du repas, il sortit son étui à cigarettes et en alluma une, sous l'œil envieux de son jeune frère.

— Je vais aller te donner un coup de main cet après-midi, proposa Claude.

— T'es ben fin, accepta l'aîné.

— En échange, tu me fournis en cigarettes, par exemple.

— T'as pas la permission de fumer, lui rappela son frère.

— Laisse faire tes sermons, bâtard ! Tu t'en trouveras un peintre qui charge pas plus cher que moi.

— Si jamais m'man apprend que je te donne des cigarettes, je vais me faire engueuler, moi.

— Puis après, t'en mourras pas. À part ça, comment veux-tu qu'elle le sache ? Elle est pas là et elle sera pas dans ton appartement cet après-midi.

— En tout cas, si jamais t'entends quelqu'un monter à l'appartement, tu éteins ta cigarette et tu fais disparaître ton mégot, tu m'entends. J'ai déjà ben assez de trouble comme ça, sans me faire engueuler en plus par p'pa ou m'man.

— Entendu, fit Claude, heureux d'avoir gagné.

De retour à l'appartement de la rue Mont-Royal, Jean, aidé par son jeune frère, entreprit de couvrir le linoléum de la cuisine de feuilles de journaux pour le protéger de la peinture. Ensuite, il commença à peindre à l'émail le plafond de la pièce pendant que Claude se chargeait du travail rebutant de repeindre le garde-manger et l'intérieur des armoires.

Au milieu de l'après-midi, les deux jeunes firent une pause. Au moment de reprendre le travail, Jean tendit une autre cigarette à son frère sans formuler le moindre commentaire.

— Je l'allumerai tout à l'heure, expliqua l'adolescent en arborant un air satisfait. Là, je veux finir de peinturer le bas de l'armoire le plus vite possible avant de mourir étouffé la tête là-dedans. C'est écœurant comment cette peinture-là sent fort.

Jean ne dit rien. Il se mit à couvrir d'émail les contours de la fenêtre et de la porte qui donnaient sur la galerie. Quelques minutes plus tard, absorbé par son travail, il n'entendit pas la porte de l'appartement s'ouvrir. Quand il se retourna, il aperçut son père debout à l'entrée de la cuisine, regardant avec attention Claude dont la tête et les épaules disparaissaient à l'intérieur de l'armoire. Le plus étonnant était que de la fumée s'échappait de l'endroit.

— Vous avez pas trop de misère ? demanda Félicien d'une voix forte, comme pour alerter celui qui était agenouillé devant l'armoire.

Il y eut un bruit d'étouffement en provenance de l'endroit suivi de quelques gestes convulsifs. Finalement, le peintre sortit la tête de l'armoire, la figure toute blême.

— Dis donc, es-tu ben sûr qu'il y a pas le feu dans cette armoire-là ? s'enquit Félicien auprès de son fils aîné. On dirait ben qu'il y a de la boucane qui sort par la porte…

Jean jeta un regard furieux à son jeune frère.

— S'il y avait le feu, p'pa, Claude s'en serait aperçu. Ça fait deux heures qu'il peinture là.

Le père de famille feignit de se laisser convaincre par cette explication.

— En tout cas, Claude, sors la tête de là de temps en temps, on dirait que t'es en train de crever. T'es blanc comme un drap, cybole !

— Je vais faire attention, p'pa, promit l'adolescent d'une voix mal assurée.

— Avez-vous besoin d'aide ? offrit timidement le père de famille.

— Merci, p'pa, mais on finit la cuisine et on arrête, lui apprit Jean.

— Dans ce cas-là, on se voit à la maison tout à l'heure, dit Félicien. Oublie pas de laisser une fenêtre entrouverte pour laisser sortir l'odeur de peinture, recommanda-t-il avant de partir.

Les deux jeunes attendirent d'entendre la porte située au pied de l'escalier se refermer sur leur père avant de parler.

— Je t'avais dit de faire attention, calvince ! s'emporta Jean.

— Il m'a pas vu, se défendit son frère.

— Un fou ! P'pa est pas aveugle ! Penses-tu qu'il a pas deviné ?

— Il a rien dit en tout cas.

— Tire pas trop sur la corde, lui conseilla son frère aîné. Cet après-midi, il est de bonne humeur, mais fais ben attention qu'il te prenne pas une autre fois en train de fumer. Je pense que tu devrais considérer ce qui vient d'arriver comme un bon avertissement.

— OK, mais là, j'ai pas fini l'armoire. J'en ai encore pour une couple de minutes. Toi, t'as presque fini de peinturer la porte. Si j'étais à ta place, je commencerais à nettoyer avec de la térébenthine toute la peinture que t'as mise sur le plancher. Puis oublie pas les vitres de la fenêtre et de la porte.

— Il y en a pas tant que ça, prétendit Jean.

— Il y en a assez pour que ça vaille la peine de l'essuyer, trancha Claude avant de tremper son pinceau dans son gallon de peinture.

Ce soir-là, Jean eut la surprise d'être accueilli par une Reine d'excellente humeur qui avait pris la peine de lui cuisiner du sucre à la crème qu'elle avait déposé sur la table du salon, à côté d'un cendrier.

— Si ma mère me voyait manger ça en plein carême, dit le jeune homme après avoir dégusté un gros morceau de friandise, j'en entendrais parler.

— Quand on a travaillé toute la journée comme tu l'as fait, on a droit à des petites compensations, affirma Reine en se lovant contre lui.

— Pendant que j'y pense, as-tu vu Tremblay aujourd'hui ? lui demanda-t-il.

— Il est venu après le dîner.

— Comment ça se fait qu'il soit pas monté me voir ?

— Il a voulu d'abord saluer mon père au magasin. C'est bien tombé, il y avait pas de clients quand il est entré. Je lui ai dit qu'il aurait pas à monter parce que t'étais pas là.

— Ton père a rien dit en entendant ça ?

— Non. Tremblay m'a d'abord dit qu'il était pas content d'avoir été obligé de venir jusque chez nous pour se faire payer alors qu'on lui avait promis d'aller le payer chez eux.

Je lui ai expliqué qu'on avait l'argent, mais qu'il y avait quelque chose qu'il avait fait de pas correct et qu'on voulait lui en parler.

— Puis?

— Quand je lui ai parlé du ménage du hangar qui avait pas été fait, il a changé de ton. Il a tout de suite vu que je le croyais pas quand il me disait avoir oublié de le vider. En tout cas, à force de discuter, il a finalement accepté de baisser le prix des meubles qu'il nous a vendus de cinq piastres en échange du ménage du hangar.

— C'est vrai? fit Jean, enthousiaste.

— Disons que ça a pris du temps avant de le convaincre que l'ouvrage que ça allait te donner valait au moins cinq piastres.

— Je trouve que c'est une bonne nouvelle, apprécia Jean. Il y a pas à dire, t'es bonne pour négocier.

Elle le remercia d'un baiser qu'il lui rendit, même s'il avait l'impression d'être infidèle à Blanche en se laissant aller. Dans vingt-quatre heures, il allait franchir une étape décisive et c'était avec Reine qu'il allait faire sa vie. À ce moment-là, il ne serait plus question de reculer.

Chapitre 15

Les fiançailles

Le lendemain après-midi, Félicien finissait de lire *La Patrie* quand sa femme fit son apparition dans le salon.

— Il serait peut-être temps que tu te prépares, lui dit-elle.

— Il est juste trois heures et demie, fit-il après avoir regardé sa montre.

— Il faut être là-bas à quatre heures. On n'est pas pour arriver là juste pour l'heure du souper, ça aurait l'air mal élevé.

— De toute façon, je suis prêt, répliqua-t-il, un peu agacé par la nervosité apparente de sa femme.

— Tu vas pas aller là sans ta cravate. Mets un col dur, ça a l'air plus propre.

— Saint cybole ! dis-moi pas que je vais être poigné pour étouffer pendant toute la soirée, se plaignit-il en quittant son fauteuil, de mauvaise humeur.

Il passa dans la pièce adjacente et en sortit avec un col amidonné qu'il tendit à Amélie.

— Aide-moi au moins, lui ordonna-t-il.

Sa femme attacha son col dur d'un geste sec et il entreprit de faire son nœud de cravate. Ensuite, en maugréant, il se mit à la recherche de ses boutons de manchettes dans l'un des tiroirs de sa commode.

— Est-ce que je peux entrer dans le salon ? demanda Jean.

Comme la chambre des parents avait toujours été la pièce ouverte sur le salon, les enfants avaient pris l'habitude de demander s'ils pouvaient entrer dans le salon sans être indiscrets.

— Entre, on a fini de s'habiller, répondit sa mère en train de se parfumer avec le vaporisateur à parfum à demi plein d'Evening in Paris.

Jean avait déjà endossé son veston bleu marine et serré sa cravate rouge vin.

— Je voulais juste vous dire que j'ai demandé à Reine pourquoi ses parents avaient pas invité Claude et Lorraine à souper. Elle m'a répondu que sa mère était pas une bonne cuisinière et que ça l'énervait pas mal d'avoir à nous recevoir. Ça fait que…

— Laisse faire, l'interrompit Amélie en constatant son malaise. Ta sœur et ton frère en mourront pas. Ils sont capables de se débrouiller tout seuls. En plus, tu connais ton frère, il va préférer écouter le match de hockey à la radio.

— Les Canadiens jouent contre les Rangers à soir, dit Félicien, comme pour lui-même.

Sa voix dissimulait mal son regret de rater ce match, surtout que les joueurs vedettes du club, Maurice Richard et Toe Blake, accumulaient les buts à un rythme particuliè-rement soutenu depuis quelques joutes.

— Il y a des choses pas mal plus importantes que le saudit hockey, déclara sa femme d'une voix énergique. C'est à soir que ton garçon se fiance. Du hockey, tu en as au moins deux fois par semaine.

— Je le sais ben, répliqua Félicien, piqué au vif. Bon, t'as pas oublié la bague ? demanda-t-il en se tournant vers Jean.

— Je l'ai, p'pa, répondit ce dernier en tapant sur une poche de son veston.

— Dans ce cas-là, on est aussi ben d'y aller, fit le père de famille en sortant de la pièce pour se diriger vers la patère placée à l'entrée.

Tous les trois quittèrent l'appartement et descendirent avec précaution l'escalier tournant extérieur dont les marches avaient été rendues glissantes par les quelques flocons de neige tombés au début de l'après-midi. Quelques minutes plus tard, Jean sonna chez les Talbot.

Encore une fois, ce fut Reine qui vint ouvrir. Dès que la sonnerie se fit entendre, Jean poussa la porte et l'aperçut debout sur le palier de l'étage.

— Bonjour, on n'est pas trop de bonne heure, j'espère ? s'enquit poliment Amélie en commençant à monter l'escalier.

— Bien non, madame Bélanger, montez. On vous attendait. Tout le monde est déjà arrivé.

Jean suivit ses parents et tous s'arrêtèrent sur le palier. Amélie, toujours aussi chaleureuse, embrassa sa future bru et Félicien ne put faire autrement que l'imiter. Les visiteurs entendaient des voix en provenance de l'appartement dont la porte était ouverte. Avant même qu'ils soient entrés, Fernand et Yvonne Talbot apparurent derrière leur fille et serrèrent cérémonieusement la main aux parents de Jean. Yvonne dominait Amélie de presque une tête et son maintien rigide donnait l'impression qu'elle était encore plus grande.

— Entrez, les pria le maître des lieux. Ôtez votre manteau et venez vous asseoir au salon.

Reine débarrassa Jean et ses parents de leur manteau et les invita du geste à suivre ses parents dans la pièce voisine où son frère aîné, Lorenzo, discutait avec sa sœur Estelle et son mari. Les Talbot avaient pris soin de repousser la petite table en noyer pour faire de la place à deux chaises disposées le long d'un des murs de la pièce. Ces sièges s'ajoutaient au divan et aux deux fauteuils.

— Reine, fais donc les présentations, dit Yvonne en s'immobilisant sur le seuil de la porte, tout en conservant son air hautain assez désagréable.

La jeune fille fit un pas en avant et désigna un jeune homme à l'épaisse chevelure noire rejetée vers l'arrière.

— Bon, monsieur et madame Bélanger, je vous présente d'abord le plus vieux de la famille, mon frère Lorenzo.

— Bonjour, salua ce dernier en adressant un sourire aux visiteurs. Et celui qui se cache en arrière, c'est mon futur beau-frère, je suppose ? plaisanta le représentant de commerce qui dépassait son père d'une tête.

— En plein ça, reconnut Jean en lui tendant la main.

— Ma sœur Estelle, poursuivit Reine en présentant la jeune femme dont la robe gris perle était agrémentée d'une broche qui semblait coûteuse.

Estelle se leva comme à regret du divan et adressa un sourire sans chaleur aux nouveaux arrivés. Elle accorda à peine un regard à l'amoureux de sa sœur.

— Charles Caron, son mari, poursuivit Reine.

L'homme de trente-deux ans un peu grassouillet et aux tempes légèrement dégarnies tendit la main aux Bélanger.

— Moi, je suis l'étranger de la famille, plaisanta-t-il. Je suis content de voir qu'il y en a un autre qui va venir me tenir compagnie.

Fernand invita les parents de Jean à prendre place sur le divan et toutes les personnes présentes s'assirent, sauf l'hôte qui offrit des rafraîchissements. Dès que ce dernier fut sorti du salon, il y eut un moment de gêne assez pénible durant lequel personne ne sembla décidé à prendre la parole pour briser la glace. Yvonne croisait et décroisait ses mains en les fixant d'un air absent tandis que sa fille aînée lissait sa robe. Finalement, ce fut Lorenzo qui prit la parole pour demander à Félicien s'il ne trouvait pas l'hiver trop pénible, en tant que facteur. De toute évidence, ses parents lui avaient parlé de la famille de son futur beau-frère.

Le quinquagénaire parla de son habitude des grands froids et du fait qu'il avait connu bien pire au début de la guerre. Ensuite, Charles Caron sortit de sa réserve pour s'enquérir de l'emploi que Jean avait trouvé. Le fils de Félicien se limita à dire qu'il travaillait pour le Canadien National tout en prenant soin de préciser qu'il avait bien l'intention de trouver un travail plus intéressant à la fin du printemps.

— Il va y avoir moins de chômeurs ben vite, assura Fernand en revenant dans la pièce porteur d'un plateau de rafraîchissements. L'ouvrage va reprendre quand le gouvernement d'Ottawa va annoncer la fin du rationnement dans une couple de mois.

— Il est à peu près temps, intervint Lorenzo. Moi, le rationnement du fromage, du sucre et des matériaux de construction m'a dérangé pas mal moins que celui de l'essence. Je sais pas si vous vous en doutez, mais compter ses coupons de rationnement, c'est pas ce qui rend son ouvrage facile pour un représentant comme moi.

Estelle et sa mère n'avaient pas encore ouvert la bouche et Amélie semblait mal à l'aise devant leur réserve réfrigérante. Elle se sentit obligée finalement de s'adresser à Reine pour lui dire qu'elle avait commencé ses rideaux.

— T'as choisi du beau matériel, dit-elle à sa future bru. En plus, il se coud bien.

— J'ai bien hâte de les voir dans mes fenêtres, admit Reine.

— Est-ce que votre fille vous a parlé de ses rideaux? demanda la femme de Félicien à Yvonne.

— Un peu, se contenta de répondre l'hôtesse.

— Est-ce que vous savez coudre ? ajouta Amélie pour faire la conversation.

— Non, j'ai jamais appris.

— Et toi ? fit-elle en s'adressant à Estelle.

— Moi non plus. Je laisse ça aux couturières, ajouta-t-elle dédaigneuse.

— C'est pourtant bien utile à savoir, s'entêta Amélie en feignant d'ignorer l'air déplaisant de la jeune femme.

Fernand Talbot n'eut pas cette délicatesse. Il adressa un regard mauvais à sa fille avant de dire :

— J'ai une fille qui s'imagine qu'elle peut rester à rien faire à cœur de jour parce que son mari gagne ben sa vie. Je suis pas encore arrivé à lui faire comprendre que savoir faire quelque chose de ses dix doigts, c'est loin d'être une honte. Reine est plus raisonnable,

— P'pa ! protesta l'épouse du dentiste en rougissant légèrement.

Son mari eut un petit rire qui sembla l'agacer prodigieusement. Fernand en profita pour faire un signe éloquent à sa femme, qui ne broncha pas.

— On n'a pas des hors-d'œuvre ? demanda-t-il ensuite.

— Je vais aller les chercher, p'pa, proposa Reine, prête à se lever.

— Laisse faire. Ta mère va venir me donner un coup de main, dit Fernand en lui faisant signe de demeurer assise près de Jean.

Yvonne quitta comme à regret le fauteuil qu'elle occupait et suivit son mari dans la cuisine.

— Calvaire ! vas-tu arrêter de faire cet air bête là ? jura à mi-voix le petit homme chauve. À quoi ça rime d'inviter le monde et de leur faire une face de carême ?

— J'ai mal à la tête, se plaignit sa femme.

— Achale-moi pas avec ton mal de tête ! répliqua-t-il sèchement. T'as mal à la tête chaque fois que ça fait ton affaire. Là, tu fiances ta fille. Les Bélanger tordent probablement le bras de leur gars pour qu'il la marie. As-tu le goût qu'ils lui disent de laisser faire parce que sa future belle-famille est pas du monde ?

— Bien non.

— À ce moment-là, secoue-toi, bonyeu ! Puis, tu vas trouver le moyen d'avertir ta fille Estelle de débarquer de ses grands chevaux et d'arrêter de regarder tout le monde de haut…

— Pourquoi tu le fais pas toi-même ? se rebiffa Yvonne que ce sermon commençait à énerver.

— Si je le fais, ça va être devant tout le monde et t'aimeras pas ça.

— C'est correct. Je vais lui parler, promit sa femme en s'emparant d'un plateau de hors-d'œuvre, aussitôt imitée par son mari.

Ils revinrent au salon, un sourire artificiel plaqué sur le visage. Ils offrirent aux invités des biscuits Ritz sur lesquels l'hôtesse avait étalé quelques pâtés. Quelques minutes plus tard, la maîtresse de maison demanda à sa fille aînée de venir l'aider à dresser la table.

— Je vais aller vous donner un coup de main, offrit Amélie avec bonne volonté.

— Vous êtes gentille, madame Bélanger, mais c'est pas nécessaire. Tout est déjà pas mal prêt. À deux, ça va nous prendre juste cinq minutes.

Estelle quitta la pièce sur un sourire contraint et suivit sa mère dans la cuisine.

— Ton père est pas de bonne humeur, dit-elle d'entrée de jeu à son aînée.

— Qu'est-ce qu'il a ? demanda la femme du dentiste, sincèrement étonnée.

— Il aime pas ta façon de regarder de haut les Bélanger.

— Je les regarde pas de haut, m'man, se défendit Estelle. C'est pas ma faute s'ils sont pas de notre classe.

— Je pense que t'es mieux d'oublier leur classe si tu veux pas que ton père explose. Tu dois comprendre que l'important, ce soir, c'est que Jean fiance ta sœur et que rien vienne le faire changer d'idée. Fais ça pour nous autres, Estelle.

Estelle Caron hocha la tête et aida sa mère à disposer les couverts sur la table.

— Même si vous avez ajouté une table à cartes au bout de la table de cuisine, on va être tassés pour manger, m'man, fit-elle remarquer à sa mère.

— On est neuf. Il y avait pas moyen de faire autrement. On se tassera.

Peu après, Estelle se rendit au salon pour annoncer que le repas était prêt et qu'on pouvait passer à table. Dès leur entrée dans la cuisine, Yvonne installa les futurs fiancés aux places d'honneur et indiqua à chacun l'endroit où il pouvait s'asseoir. L'hôtesse et sa fille servirent d'abord un bol de soupe aux légumes, suivi d'une généreuse portion de poulet disposée sur un feuilleté et nappée d'une épaisse sauce blanche. Elle avait opté pour cette recette dans l'intention manifeste d'épater les Bélanger. Un gâteau aux fruits déjà tranché attendait sur le comptoir.

Durant les premières minutes du repas, un silence embarrassé régna à nouveau dans la cuisine des Talbot. Chacun mangeait en se concentrant sur le contenu de son assiette. Finalement, ce fut Amélie qui rompit le silence pour féliciter la cuisinière.

— Ça fait bien longtemps que j'ai pas mangé quelque chose d'aussi bon! s'exclama-t-elle en avalant la dernière bouchée de poulet contenue dans son assiette.

— Moi aussi, fit Fernand avec bonne humeur.

— C'est vrai que ça change pas mal de ce que je me cuisine, intervint Lorenzo.

— Toi, viens pas te plaindre, dit son père. J'arrête pas de te dire de te marier au plus sacrant si tu veux manger comme du monde.

— J'ai rien contre, p'pa, reprit l'aîné, mais toutes les filles que je rencontre ont mauvais caractère et veulent me mener par le bout du nez.

— Arrive en ville, le beau-frère, dit Charles, mi-sérieux. Les femmes sont toutes comme ça.

— Whow! fit Reine.

— Aïe! Exagérez pas, tout de même, se crut obligée de dire Estelle.

— Je suis ben prêt à gagner mon ciel, mais pas à n'importe quel prix, plaisanta le représentant des produits Familex.

— Ben, c'est ça, mange des sandwichs tous les jours et viens pas te plaindre, conclut son père en riant.

— Avant que les jeunes en apprennent trop sur les inconvénients du mariage, on pourrait peut-être passer aux choses sérieuses, suggéra Félicien qui n'avait pratiquement rien dit durant le repas.

— Bonne idée, approuva Fernand en faisant un signe à Jean, assis en face de lui.

Le jeune homme regarda Reine et tous les deux se levèrent. Jean tira un écrin de la poche de son veston. Tout le monde se tut et il rougit un peu quand il se rendit compte qu'on s'attendait à ce qu'il prenne la parole.

— C'est drôle, je trouve qu'il fait tout à coup pas mal chaud, plaisanta-t-il après s'être raclé la gorge. J'ai demandé la main de Reine à son père et il me l'a donnée, dit-il comme entrée en matière.

— Il espère que tu vas bien vouloir prendre le reste aussi, lui fit remarquer Lorenzo, déclenchant un rire un peu emprunté autour de la table.

— Monsieur et madame Talbot ont accepté de célébrer nos fiançailles ce soir. Reine et moi, on les remercie beaucoup.

Sur ces mots, il ouvrit l'écrin et le présenta à sa compagne qui y prit la bague qu'elle glissa à l'annulaire de sa main droite. Il y eut des applaudissements polis autour de la table.

— Tu l'embrasses pas ? demanda Charles Caron au fiancé en feignant l'étonnement.

— Tu vois pas qu'il attend la permission de mon père, dit Lorenzo en riant.

Jean regarda Fernand Talbot qui lui adressa un léger signe de tête. Alors, il embrassa Reine devant tous les invités et ce geste incita ces derniers à applaudir encore les fiancés, mais beaucoup plus chaleureusement que lorsque Reine avait glissé la bague à son doigt.

Après le dessert, l'hôtesse invita tout le monde à passer au salon.

— Je vais vous donner un coup de main à laver la vaisselle, offrit généreusement Amélie.

— On ne lave pas la vaisselle, déclara Yvonne. J'ai une femme de ménage qui va venir s'occuper de ça demain matin et remettre la maison en ordre.

Sur ces mots, grande dame, elle accompagna la mère de son futur gendre au salon.

Durant l'heure suivante, on s'informa des projets du jeune couple, puis la conversation dériva vers les origines de chacune des familles. Charles Caron avoua être la troisième génération de dentistes puisque son grand-père et son père l'avaient été avant lui.

— Même chose pour les Talbot, se crut obligé de spécifier son beau-père. On est commerçants de père en fils.

— Tu n'es que la deuxième génération, Fernand, fit remarquer Yvonne avec une certaine hauteur. Ce n'est pas comme dans ma famille. Je suis une Grenier et les Grenier ont toujours été dans les affaires et dans la politique. Mon père, Octave Grenier, a été organisateur libéral durant une trentaine d'années pour Alexandre Taschereau, et j'ai un oncle qui a été député. Mon frère Étienne possède une compagnie dans le Maine et mon autre frère, Henri, a un poste de directeur dans une compagnie d'assurances. Il vit à Verchères. Ma sœur Jeanne-Mance, elle, a épousé le notaire Brien, qui a été maire dans la région de Québec.

Yvonne se tut en se gourmant, attendant de toute évidence que les Bélanger lui livrent, à leur tour, quelques informations sur leur famille. Jean, un peu gêné, regarda ses parents pour tenter de voir comment ils avaient apprécié les vantardises de sa future belle-mère.

— Malheureusement, ma famille a rien d'extraordinaire, dit Amélie avec un petit sourire d'excuse. Je suis une Corbeil et j'ai été élevée sur une petite terre à Saint-Alexis. On était une famille de sept enfants. Tout ce que je peux dire, c'est que mon père et ma mère se sont tués à l'ouvrage pour nous nourrir. Avec eux, on a appris à travailler d'un soleil à l'autre. Aujourd'hui, il me reste un frère et deux sœurs. Émile est soudeur, ici, à Montréal. Mes sœurs, Agathe et Élisabeth, ont marié des cultivateurs de Sainte-Marie-Salomé. J'ai un frère qui est mort dans un accident et deux de mes sœurs sont décédées de la grippe espagnole, quand elles étaient petites.

— Et vous, monsieur Bélanger? demanda Fernand en se tournant vers son invité.

— Moi, j'ai toujours vécu à Montréal. Mon père était laitier pour la laiterie Saint-Alexandre. Il est mort il y a huit ans. Ma mère vit encore. Elle reste avec mes deux sœurs qui sont gardes-malades à l'hôpital Hôtel-Dieu. Même si on n'était pas ben riches, j'ai jamais eu honte de ma famille. Chez nous, personne a jamais volé une cenne à quelqu'un.

Après cette mise à jour de l'histoire des deux familles, la conversation redevint languissante. Yvonne et sa fille aînée semblaient incapables de participer aux échanges ou, mieux, de les relancer. Finalement, vers neuf heures, les Bélanger signifièrent leur intention de partir et se levèrent.

— Je dois me lever ben de bonne heure, s'excusa poliment Félicien en saluant toutes les personnes présentes.

Avant de quitter leurs hôtes, ils les remercièrent de leur hospitalité. Leur départ incita les autres invités à les imiter dans les minutes suivantes. Estelle évoqua son état pour se retirer en compagnie de son mari et Lorenzo parla des nombreux clients qu'il avait promis d'aller voir le lendemain matin. Bref, à neuf heures trente, les parents de Reine se retrouvèrent seuls en compagnie des fiancés. Jean offrit ses services pour remettre de l'ordre dans le salon, mais Yvonne refusa en alléguant de nouveau la présence de la femme de ménage le lendemain. Le jeune homme remercia les Talbot de leur invitation au moment où ils quittaient la pièce pour laisser aux jeunes un peu d'intimité.

— J'espère que tes parents ont aimé ça, fit Reine dès qu'ils se retrouvèrent seuls.

— C'est certain qu'ils ont aimé ça, affirma-t-il. Mais je savais pas que vous aviez une femme de ménage, reprit-il.

— Madame Huot vient faire le ménage une fois par semaine depuis des années, expliqua la jeune fille.

— Ta mère est pas capable de le faire ? s'étonna Jean.

— Elle est capable, mais elle a jamais aimé faire du ménage. En plus, elle a souvent mal à la tête…

Jean abandonna le sujet et, durant quelques minutes, il énuméra ce qu'il avait l'intention de faire dans leur appartement la semaine suivante. Un peu après dix heures, il prit congé à son tour et rentra chez ses parents.

À son arrivée, la maison était déjà plongée dans l'obscurité. Sa mère n'avait laissé allumée que l'ampoule au-dessus de l'évier. Il fut un peu déçu que ses parents se soient déjà retirés dans leur chambre. Il aurait aimé pouvoir connaître leurs impressions sur la famille Talbot.

En réalité, il était préférable qu'il laisse un peu de temps à ses parents. L'un et l'autre n'étaient pas rentrés très enchantés de leur premier contact avec la future belle-famille de leur fils.

— As-tu déjà vu du monde plus déplaisant que ça, toi ? s'était exclamé Félicien au moment où ils quittaient la maison des Talbot.

— Pas tous, quand même, tempéra la petite femme à ses côtés. Le père et le frère de Reine sont bien parlables.

— Ce sont ben les seuls, cybole ! La bonne femme se prend pas pour rien, elle. J'ai jamais vu quelqu'un d'aussi enflé.

— C'est vrai qu'elle est un peu fraîche, reconnut Amélie.

— Un peu fraîche ! s'exclama le facteur. L'as-tu entendue nous dire avec son air de duchesse que c'était pas nécessaire que tu l'aides à faire la vaisselle ? Sa femme de ménage, ma chère, va s'en occuper demain matin.

— Si son mari a les moyens de lui payer une femme pour faire le ménage, tant mieux pour elle.

— Fais-moi pas rire, bonyeu ! Talbot est tout de même pas Rockefeller ! C'est juste un vendeur de biscuits et de nananes.

— Au fond, c'est pas bien grave, s'empressa de dire Amélie pour le calmer.

— Moi, du monde qui porte pas à terre, ça m'écœure! poursuivit le facteur. Et sa fille, la grande fraîche, elle se prend pour une princesse parce qu'elle a marié un dentiste. Mais bâtard! Un dentiste, c'est juste un arracheur de dents, non?

— Il faut reconnaître qu'ils sont un peu orgueilleux, mais c'est pas du mauvais monde, dit Amélie sur un ton conciliant.

— C'est pas du mauvais monde, mais c'est pas du monde comme nous autres, répliqua Félicien. Le pire a été quand la Talbot a commencé à se vanter de sa famille avec ses airs pince-fesse, ajouta-t-il. Après ça, as-tu vu comment elle avait l'air dédaigneux quand on a dit que toi, tu venais de la campagne et que moi, mon père était juste un laitier?

— C'est pas grave. On sera pas obligés de les fréquenter, même si Jean marie leur fille.

— Mais as-tu pensé à ce que notre garçon va avoir à endurer?

— J'espère juste une chose, c'est que Reine ressemble pas trop à sa mère et à sa sœur, répondit Amélie. Si notre bru est comme elles, elle va se faire remettre vite à sa place quand elle va venir chez nous parce que je sens que je pourrai pas l'endurer.

Une heure plus tard, à son entrée dans sa chambre, Jean découvrit que Claude ne dormait pas. Il lisait encore un *Tintin*.

— Es-tu à la veille de lâcher *Tintin* pour lire autre chose? lui demanda-t-il en s'assoyant sur son lit pour retirer ses chaussures.

— J'haïs les autres livres, il y a pas de dessins dedans.

— Tu devrais avoir honte. Tu vas avoir quinze ans au mois de mai.

— Laisse faire. Je lis ce que je veux. Puis, est-ce que ça a été le fun ? demanda l'adolescent, toujours aussi curieux.

— J'espère que t'es pas resté réveillé juste pour me demander ça, répondit Jean en mettant son pyjama.

— C'est sûr. Si tu me racontes comment ça s'est passé, je vais t'apprendre une nouvelle importante.

— Tu vas me dire, je suppose, qui a gagné la partie, dit en riant l'aîné.

— Non, plus important que ça. Pour le hockey, tu le croiras pas, on s'est fait planter 2 à 0 par les Rangers. Leswick a compté les deux buts.

— Bon, envoye, s'impatienta Jean en s'installant dans son lit. Je me lève à cinq heures demain matin.

— Non, toi d'abord, s'entêta son frère.

— Correct. Ça s'est ben passé. Toute la famille de Reine était là.

— Ah bon ! Toute sa famille était invitée et nous autres, les Bélanger, il y avait juste p'pa et m'man qui ont pu y aller.

— C'était aussi ben comme ça. On était tassés comme des sardines et c'était pas ben drôle, confessa Jean, qui avait bien senti à quel point ses parents avaient dû faire des efforts pour se montrer aimables durant la soirée.

— Ouais ! Je pense que t'as raison. J'étais mieux de rester tranquille ici dedans. Bon, tu devineras jamais la nouvelle. J'ai parlé à Lorraine pendant le souper. Tu sais pas la meilleure ? Je pense qu'elle s'est fait un nouveau chum !

— Puis après ? Elle a…

— Attends. Je t'ai pas dit le meilleur, le coupa Claude. Son nouveau chum, il paraît que c'est un Français de France.

— Arrête donc !

— Je te le dis. Ça se peut qu'on lui voie la face la fin de semaine prochaine, à moins qu'il change d'idée et qu'il décide d'aller voir une autre fille.

— Bon, OK. T'as fini tes commérages ? À cette heure, bonne nuit. Je dors, dit Jean sur un ton définitif en éteignant sa lampe de chevet.

Chapitre 16

Les préparatifs

Le mardi suivant, Fernand Talbot poussa un profond soupir de satisfaction après avoir avalé sa dernière bouchée de pain qu'il venait de tremper dans du sirop d'érable. Il but une gorgée de thé et recula légèrement sa chaise, au bout de la table, pour se donner plus d'espace pour respirer.

Tous les Talbot attablés levèrent les yeux vers le plafond quand ils entendirent des bruits de pas à l'étage supérieur.

— On dirait que Jean est déjà arrivé, fit remarquer le père de famille.

— Il y a encore pas mal d'ouvrage à faire en haut, dit Reine en se levant pour commencer à desservir la table.

On soupait assez tard chez les Talbot parce qu'on ne fermait jamais la biscuiterie avant six heures les soirs de semaine. Maintenant, pratiquement chaque soir, Jean se mettait au travail dans l'appartement au moment même où sa fiancée et ses futurs beaux-parents terminaient leur repas du soir.

— Attends donc avant de démettre la table, ordonna le père de famille à sa fille. Ça presse pas comme un coup de couteau. On a des affaires importantes à régler.

Reine regarda sa mère au moment où cette dernière échangeait un regard de connivence avec son mari. Aussitôt, la jeune fille se mit sur ses gardes. Elle venait de deviner qu'ils avaient eu une discussion à son sujet en dehors de sa présence. Elle se rassit et attendit. Son père se racla la gorge et prit le temps d'allumer un cigare avant de reprendre la parole.

— À cette heure qu'on a fêté tes fiançailles, il est temps de voir quelles noces on va t'organiser, dit-il. Le 12 avril, ça s'en vient vite.

Reine hocha la tête sans rien dire.

— On a parlé, ta mère et moi. Ta mère dit qu'elle aimerait mieux des petites noces. Moi, je sais pas trop. Toi, qu'est-ce que t'en penses ?

Reine regarda sa mère avant de se tourner vers son père.

— Pourquoi des petites noces, m'man ? Je suis pas plus folle qu'Estelle. Vous lui avez fait des belles noces à elle. Pourquoi pas à moi ?

— Au cas où tu l'aurais oublié, c'est pas tout à fait la même chose, lui dit Yvonne d'une voix cassante.

— Si vous pensez au fait que je suis en famille, je vous fais remarquer que c'est pas écrit dans mon front, rétorqua Reine d'une voix cinglante. En plus, on se marie au mois d'avril justement parce que ça paraîtra pas.

— Quant à ça, fit Fernand, indécis, en dodelinant la tête de droite à gauche.

— À part ça, je trouverais pas ça juste pantoute, s'entêta la jeune fille, au bord des larmes. Je suis autant votre fille qu'elle.

Fernand ne dit rien et se laissa attendrir. Encore une fois, Reine était parvenue à ses fins en versant quelques larmes au bon moment.

— C'est correct. Tu vas avoir les mêmes noces que ta sœur, dit-il sur un ton décidé en jetant un regard d'avertissement à sa femme. Demain matin, je vais aller réserver une salle chez Duquette, sur Saint-Hubert. Quand je serai revenu, toi, tu iras commander les faire-part chez Simoneau, sur Saint-Denis, et tu lui demanderas de les faire pas plus tard que cette semaine.

— Il va falloir que tu demandes à ton Jean le nom et les adresses de ceux qu'il veut inviter, intervint Yvonne sans grand enthousiasme. Dis-lui de pas traîner. On est déjà en retard pour envoyer des faire-part.

— Combien de personnes est-ce qu'il va pouvoir inviter? demanda Reine à son père, en se rappelant que cela avait posé quelques problèmes lors du mariage de sa sœur aînée.

— Une trentaine. Nous autres, ça dépassera pas ce nombre-là.

— Et pour ma robe de mariée?

Il y eut un léger flottement dans la cuisine. Reine allait-elle se marier en blanc?

— Tu verras ça avec ta mère la fin de semaine prochaine. C'est pas les magasins de robes de mariée qui manquent sur Saint-Hubert. Mais sers-toi tout de même de ta tête quand tu vas en choisir une. Essaye de te souvenir que je suis pas riche comme Crésus.

— C'est promis, p'pa. J'en prendrai une qui va pas coûter plus cher que celle qu'Estelle a choisie, précisa-t-elle d'une voix acide.

Fernand Talbot ne put retenir une grimace au simple souvenir de la facture qu'il avait dû acquitter lors des noces de son aînée.

— Calvaire! c'est pas encore cette année qu'on va pouvoir mettre une cenne de côté! jura-t-il en quittant la table avec l'intention d'aller se réfugier dans le salon avec son journal.

— Tu t'énerves bien pour rien, lui fit remarquer Yvonne. T'oublies que les tissus sont encore rationnés. J'ai beau avoir encore pas mal de coupons, on trouvera pas facilement une robe de mariée qui a du bon sens.

— Estelle s'est mariée pendant la guerre, m'man, dit Reine, et elle a eu une belle robe quand même.

— T'as l'air d'oublier, ma fille, que ta sœur s'est pas mariée pressée comme toi, ne put s'empêcher de rétorquer Yvonne. On a ramassé des coupons pendant des mois avant. En plus, elle l'a pas achetée toute faite. Elle a eu le temps de se trouver une couturière qui lui a fait sa robe.

Sur ces mots, la mère de famille entreprit de laver les poêles et les casseroles après avoir vidé le contenu d'une bouilloire d'eau chaude dans le plat à vaisselle. Reine, fâchée par la remarque désagréable de sa mère, s'empara de mauvaise grâce d'un linge à vaisselle.

— En plus, il va bien falloir que je m'achète une robe neuve pour tes noces, reprit Yvonne en feignant de ne pas remarquer la mauvaise humeur de sa fille.

— Vous êtes pas obligée, m'man, laissa tomber Reine. Vous avez des robes plein votre garde-robe.

— Tu t'imagines tout de même pas, ma petite fille, que je vais aller à des noces avec des guenilles sur le dos, rétorqua sa mère sur un ton hautain. Je vais en acheter une ivoire. Oublie pas de le dire à Jean pour que sa mère achète pas une robe de la même couleur que la mienne, si elle a les moyens de se payer une robe neuve pour l'occasion, évidemment…

— Voyons donc, m'man ! protesta Reine. Vous savez bien qu'elle viendra pas à nos noces avec une guenille sur le dos. Elle est plus fière que ça.

— On le sait pas, ma fille. On dirait que tu te rends pas compte que c'est pas du monde de notre rang.

— C'est entendu, fit la jeune fille sur un ton exaspéré. Si ça vous fait rien, je vais aller porter une tasse de café à

Jean et le mettre au courant de ce que p'pa a décidé pour nos noces.

— C'est correct, mais reste pas trop longtemps toute seule avec lui dans l'appartement. Ça pourrait faire jaser.

— Voyons, m'man, protesta Reine. On est tout seuls dans la maison. Et en bas, c'est la biscuiterie. Qui pourrait jaser, je voudrais ben le savoir ?

— Ça fait rien, c'est une question de réputation, s'entêta la grande femme.

Sa fille aurait pu lui faire remarquer que question réputation, il était un peu tard pour y songer, mais elle résista à la tentation en se disant que la conversation qui s'ensuivrait ne pourrait qu'être désagréable et ne mènerait nulle part.

Après avoir rangé la cuisine, Reine monta à l'étage en prenant soin de ne pas renverser de café dans l'escalier. Elle était impatiente d'informer son fiancé des décisions que son père venait de prendre. Elle le trouva en train de peindre la salle de bain.

S'il l'entendit pénétrer dans l'appartement, il n'en montra rien. La jeune fille se planta debout devant la porte ouverte de la petite pièce et observa pendant un long moment son fiancé qui appliquait une première couche de peinture, monté sur le vieil escabeau du défunt locataire.

— Je sais pas comment tu fais pour respirer cette odeur-là, lui dit-elle en fronçant le nez. Ça donne mal à la tête.

— C'est normal que ça sente fort, c'est de l'émail, fit-il sans bouger de son perchoir.

— En tout cas, moi, je sais pas si c'est parce que je suis en famille, mais ça me fait mal au cœur cette odeur-là. J'espère que ça sentira pas trop longtemps ici dedans.

— Inquiète-toi pas, dans deux trois jours tu sentiras plus rien ; juste le propre.

— T'as l'air fatigué, reprit-elle en examinant son visage. Viens t'asseoir cinq minutes. Je t'ai apporté une tasse de café.

— C'est sûr qu'après dix heures de ménage au Canadien National, je suis pas trop reposé, reconnut-il en se résignant à descendre de son escabeau pour la rejoindre dans le couloir.

Elle l'embrassa.

— Attention de pas te tacher, la mit-il en garde.

Quand Reine lui eut expliqué le type de noces que son père s'apprêtait à leur offrir, Jean, fatigué, eut un mouvement de mauvaise humeur.

— Calvince ! Est-ce que c'est ben nécessaire tous ces flaflas-là ? Il me semble que des petites noces ben tranquilles juste avec mes parents et les tiens, ce serait bien assez, non ?

— Là, je suis pas de ton avis, répliqua abruptement sa fiancée. Ma sœur a eu des belles noces et j'en veux des pareilles. Je vois pas pourquoi on n'en profiterait pas, nous autres aussi.

— Ça va coûter pas mal cher à ton père.

— Laisse faire mon père, fit-elle. Il a les moyens de payer. Il paiera. En plus, réfléchis une seconde. Plus on va avoir d'invités, plus on va avoir de cadeaux. Je vois pas pourquoi on cracherait dessus.

— C'est ben le seul avantage, laissa tomber Jean, qui n'avait aucune envie de se disputer avec elle ce soir-là.

— Je suis montée pour te mettre au courant et aussi pour te demander de m'apporter cette semaine la liste des invités de ta famille. Du côté des Talbot, on devrait être une trentaine. Ça fait que tu peux en inviter autant, d'après mon père. Demande à ta mère l'adresse de chacun. Je vais essayer de faire fabriquer les faire-part cette semaine et en fin de semaine, je les posterai.

— C'est correct.

— Je vais aller acheter ma robe de mariée cette semaine avec ma mère. Tu vas voir que je vais être belle le jour de nos noces, ajouta-t-elle, coquette.

— Mais t'es toujours belle, dit Jean en lui tendant sa tasse de café vide.

— Merci, fit-elle avec un charmant sourire.

À la vue du profond contentement qui se peignit sur les traits du visage de sa fiancée, le jeune homme se promit d'être moins avare de compliments dans l'avenir.

— C'est ben beau tout ça, mais ma peinture s'étendra pas toute seule sur les murs. Je vais retourner travailler, déclara-t-il en se levant.

— Moi, je descends avant que ma mère s'imagine toutes sortes de choses, dit Reine, à son tour. Essaye de pas travailler trop tard. Il manquerait plus que cette odeur-là te rende malade avant notre mariage.

Jean suivit son conseil et rentra chez lui vers dix heures, au moment où ses parents s'apprêtaient à se mettre au lit pour la nuit. Il s'empressa de les informer des belles noces que le père de Reine s'apprêtait à organiser.

— Est-ce que ça vous dérangerait de faire la liste de ceux qui seront invités dans notre famille ? demanda-t-il à sa mère.

— Je vais essayer de te faire ça demain, promit-elle. Est-ce que tu veux inviter des amis du collège ?

— Non, m'man. Juste la famille, ça devrait suffire. Il paraît que madame Talbot a l'intention de s'acheter une robe couleur ivoire pour les noces, ajouta-t-il.

— Ça me dérange pas, affirma Amélie. J'ai ma robe bleue que j'ai étrennée aux fêtes. Elle va faire l'affaire pour tes noces.

— La même chose pour mon habit gris, intervint Félicien en remontant le mécanisme de son réveille-matin. Toi, as-tu l'intention de t'acheter un habit neuf ?

Le futur marié hésita un court moment avant de déclarer :

— Je pense que mon costume bleu marine va faire l'affaire. Ça me tente pas de dépenser une trentaine de piastres pour m'habiller.

En entrant dans sa chambre, il dut repousser du pied une couverture qui était par terre. La pièce était plongée dans l'obscurité, mais Claude ne dormait pas encore. Jean alluma sa lampe de chevet.

— C'est quoi la couverte à terre ? demanda-t-il à son frère cadet.

— Pas si fort, lui ordonna l'adolescent. C'est juste pour que p'pa voie pas la lumière sous la porte quand ma lampe est allumée.

— Tu ferais ben mieux de dormir plutôt que de lire tes *comics*, lui conseilla-t-il.

— Tu sauras que c'est pas ça que je lis, se défendit Claude. Je lis un livre sérieux, ajouta-t-il en lui montrant un livre épais.

Jean se pencha pour en lire le titre.

— Sacrifice ! *Les Trois Mousquetaires*. T'es capable de lire ça, toi ?

— Aïe ! me prends-tu pour un gnochon ? Tu sauras que je suis aussi capable que toi de lire des gros livres.

— C'est correct. J'ai rien dit, s'excusa Jean en riant.

— Dis donc, j'ai entendu ce que t'as dit à p'pa et à m'man dans la cuisine. Si le bonhomme Talbot fait des grosses noces, est-ce que ça veut dire que je peux amener une fille à tes noces ?

— As-tu une blonde ? demanda Jean, narquois.

— Non, mais j'ai le temps de m'en faire une, répliqua l'adolescent, l'air avantageux.

— Trouve-toi une fille et après ça on en reparlera, conclut son frère en se glissant sous ses couvertures.

Il remonta le mécanisme de son réveille-matin, éteignit sa lampe de chevet et poussa un soupir de profond contentement en s'allongeant dans son lit. Le sommeil vint rapidement.

⟡

Lorsque Jean alla veiller chez sa promise le samedi soir suivant, il la trouva rayonnante de bonheur. Son père lui avait donné congé et elle avait consacré toute sa journée à faire la tournée des grands magasins. Elle était rentrée à l'heure du souper, on ne peut plus satisfaite de ses achats. Sa robe de mariée allait être prête dans une semaine et elle avait pu acheter tous les accessoires nécessaires. Évidemment, la somme de ses achats ajoutés à ceux de sa mère avait suscité la colère de son père dès le retour des femmes à la maison quelques heures plus tôt.

— Sacrement! avait-il juré quand sa fille et sa femme lui avaient révélé la somme que leur avaient coûté leurs achats. Mais vous êtes devenues complètement folles, toutes les deux! Vous avez juré de me mettre dans la rue!

— On a fait attention, Fernand, lui avait dit sa femme avec hauteur. Au cas où tu aurais oublié, ça nous a coûté pas mal plus cher quand Estelle s'est mariée.

— Ça, c'est toi qui le dis, avait ragé Fernand en se passant une main sur la tête. Tout ce que je sais, moi, c'est que je l'imprime pas, cet argent-là.

Finalement, le père de famille s'était calmé après quelques minutes et il n'avait plus été question des dépenses des deux femmes de la maison.

— Est-ce que je vais pouvoir voir de quoi a l'air ta robe avant la noce? la taquina Jean.

— Il en est pas question, trancha Reine, sérieuse. Tu sais aussi bien que moi que ça porte malchance de montrer la robe de la mariée avant le matin de la cérémonie. Tout ce que je peux te dire, c'est que c'est une robe blanche toute simple avec un peu de broderie sur le corsage. Mais tu devrais voir le beau voile en tulle que je suis arrivée à trouver.

Jean n'insista pas et la conversation dériva rapidement vers d'autres sujets. Il apprit ainsi que l'imprimeur lui avait promis les faire-part pour le lundi matin et elle allait les adresser le soir même puisque Jean lui avait remis la liste de ses invités quelques jours plus tôt.

Ce soir-là, Reine se montra particulièrement amoureuse. Tout allait bien pour elle. Ses nausées matinales avaient disparu comme par enchantement deux jours auparavant. De plus, sa silhouette ne s'épaississait pas, ce qui lui faisait espérer qu'elle aurait encore sa ligne de jeune fille le jour de son mariage. En fait, autant le mariage avait été bousculé, autant aujourd'hui tout semblait reprendre place et l'avenir s'annonçait prometteur.

Chapitre 17

Le Français

Claude s'était trompé ou du moins Lorraine avait présumé de son charme en croyant attirer aussi rapidement dans le salon des Bélanger son nouvel ami. En fait, ce dernier ne fit sa première apparition dans l'appartement de la rue Brébeuf que quelques semaines plus tard, soit le premier mars, deux jours après que Jean eut terminé le ménage de son appartement.

Ce soir-là, ce dernier avait quitté la maison depuis près de deux heures pour aller veiller chez Reine quand un coup de sonnette impératif fit sursauter Félicien et son fils Claude en train d'écouter religieusement le match de hockey dans le salon.

Le père et le fils entendirent les pas précipités de Lorraine sortant de sa chambre et se dirigeant vers le couloir.

— Prends ton temps pour aller répondre, lui recommanda sa mère. Aussi tard que ça, ça risque pas d'être lui qui vient veiller. Puis, si c'est lui, il partira pas si tu le fais attendre une minute de plus à la porte.

La mère de famille abandonna son tricot sur sa chaise berçante et se dirigea rapidement vers le salon.

— Vous deux, dit-elle en s'adressant à Félicien et à Claude, je pense que vous êtes mieux de déménager dans la cuisine. Lorraine va avoir besoin du salon.

— Tu parles d'une heure de fou pour venir veiller avec une fille, protesta le père de famille à mi-voix.

Au fur et à mesure que la soirée avait avancé, Félicien avait fini par croire que la visite du nouveau prétendant annoncée par Lorraine à l'heure du souper n'aurait pas lieu encore ce soir-là.

— Dis donc, avait-il dit à sa fille vers sept heures trente. Est-ce que ton nouveau chum aurait peur de nous autres, par hasard ?

— Pourquoi vous me demandez ça, p'pa ?

— Parce que ça doit ben faire presque un mois que tu nous annonces chaque samedi soir qu'il va venir veiller, et on lui a pas encore vu le bout de l'oreille, à ce gars-là.

— Il a dû avoir un empêchement à la dernière minute, s'était contentée de dire la jeune fille avant de se retirer dans sa chambre.

— Achale-la pas avec ça, avait chuchoté Amélie à son mari. Tu vois pas que ça la met à l'envers d'avoir à l'attendre pour rien.

— Moi, j'ai ben hâte de voir quel maudit numéro elle a trouvé.

— En tout cas, avoir rencontré ce gars-là, ça a l'air de lui faire du bien.

Amélie n'avait pas tort. Depuis quelques semaines, la jeune fille semblait avoir retrouvé un certain équilibre. Elle ne traînait plus dans l'appartement cet air d'âme en peine qui inquiétait tant sa mère. Il s'était opéré dans son cas une sorte de miracle. Tout laissait croire qu'elle était en train de guérir de sa peine d'amour et d'oublier peu à peu son Édouard Lacombe. Au fil des jours, sa mère avait cru déceler qu'un autre garçon avait commencé à l'intéresser. Tous les indices étaient là : elle était en train de tomber amoureuse d'un autre.

Ainsi, ce soir-là, quand elle avait déclaré aux siens qu'un ami devait venir veiller avec elle au salon, Amélie avait adressé un regard de connivence à son mari, comme si elle lui disait : « Je te l'avais bien dit. » Pour sa part, Claude s'était bien gardé de dire quoi que ce soit. Il avait promis à sa sœur de garder le silence et il avait tenu parole. Il ne s'était échappé qu'en présence de Jean, et cela, pour obtenir des informations sur ce qui s'était passé durant son repas de fiançailles.

— Il est passé neuf heures. La soirée achève, cybole ! avait poursuivi Félicien, de mauvaise humeur.

— En tout cas, le tata, il aurait pas pu arriver entre deux périodes, au moins, se plaignit l'adolescent en quittant le salon derrière son père et sa mère.

— Chut ! Il va vous entendre, les sermonna la jeune fille, tout énervée.

— Ça en fait une affaire, fit Claude en levant les épaules lorsqu'il passa près d'elle.

Lorraine attendit quelques instants qu'ils aient regagné la cuisine et en profita pour examiner le bon ordre de sa coiffure devant le miroir suspendu dans le couloir. Elle ouvrit enfin la porte en affichant un sourire de bienvenue.

— Bonsoir, fit une voix grave.

— Bonsoir. Entre, fit Lorraine en s'effaçant pour laisser passer devant elle un grand jeune homme mince qui la dépassait d'une tête. Donne-moi ton manteau et ton chapeau, lui offrit-elle.

Le garçon retira son paletot noir que Lorraine suspendit à la patère.

— Viens, je vais te présenter à ma famille, lui dit-elle en l'entraînant vers la cuisine où la voix de Michel Normandin décrivait l'action du match qui se déroulait au Forum.

Félicien baissa le son et se leva quand sa fille entra dans la pièce en compagnie de l'inconnu.

— P'pa, m'man, je vous présente Christian Dupriez. Il est Français et il est à Montréal depuis seulement trois mois, dit Lorraine.

Très vieille France, l'homme, haut de plus de six pieds et quatre pouces et d'une maigreur assez extraordinaire, se courba à la fois avec gêne et courtoisie vers Amélie et Félicien pour leur serrer la main.

— Je suis vraiment enchanté de faire votre connaissance, madame et monsieur Bélanger, dit-il avec un léger accent chantant. Lorraine m'a beaucoup parlé de vous.

— J'ai aussi deux frères, poursuivit la jeune fille. Lui, c'est Claude, le plus jeune de la famille.

Il serra la main de Claude aussi cérémonieusement que celles de sa mère et de son père.

— Vous êtes le bienvenu, dit Amélie, souriant à l'invité de sa fille. Amène ton ami au salon, suggéra-t-elle à Lorraine. On va vous rejoindre dans quelques minutes. Vous allez être bien plus confortables là pour parler.

Lorraine entraîna Christian au salon.

— Sacrifice ! chuchota l'adolescent à ses parents. J'ai eu l'impression de serrer la main d'un vrai squelette.

— En plus, il est long comme un jour sans pain, reconnut son père avec un petit rire.

— Ça va faire, vous deux, les réprimanda Amélie, sévère. Il a surtout l'air de quelqu'un qui sait vivre. Toi, dit-elle à Claude, tu peux rester dans la cuisine et continuer à écouter ta partie de hockey pendant qu'on va aller jaser un bout de temps avec ta sœur et son nouvel ami.

— Si je fais ça, je saurai pas ce qu'il a dit, rouspéta l'adolescent.

— Aie pas peur, on va tout te raconter, la mémère, fit son père, mais toi, écoute la partie comme du monde pour me dire ce qui s'est passé. Richard l'a pas à soir; j'espère qu'il va se réveiller en troisième période. Tu me diras. Envoye, la mère, ajouta-t-il à l'endroit de sa femme. Cette maudite affaire-là me fait manquer la fin de ma partie de hockey.

Quand Félicien entra dans le salon, il était tout de même bien décidé à en apprendre le plus possible sur le nouveau prétendant de sa fille. Il n'était pas question de tolérer chez lui un second Édouard Lacombe qui allait faire perdre encore des années à sa fille aînée.

Christian Dupriez admit, d'entrée de jeu, être venu à Montréal pour s'y établir définitivement.

— Dupriez, est-ce que c'est un nom courant en France ? demanda aimablement Amélie.

— Mon patronyme n'est pas très commun, madame Bélanger. Jusqu'à la précédente génération, on l'écrivait en deux mots. Ma famille appartient à la petite noblesse de la région de la Marne, précisa-t-il en se rengorgeant avec une satisfaction évidente.

— Ah bon, fit Amélie en jetant un coup d'œil vers son mari.

— On peut vous demander votre âge ? reprit-elle.

— J'ai vingt-six ans, madame, répondit poliment le jeune homme assis aux côtés de Lorraine.

— Quel ouvrage vous faites dans la vie ? demanda abruptement Félicien.

— Plaît-il ?

— Mon père veut savoir quel travail tu fais, se sentit obligée d'expliquer Lorraine.

— Excusez-moi, monsieur Bélanger, mais je ne suis pas encore habitué à votre accent.

— À mon accent ! Mais j'ai pas d'accent, se défendit le postier. C'est toi qui en as un, rétorqua Félicien tout en passant au tutoiement pour bien marquer qu'il n'allait pas s'en laisser imposer par un étranger qui avait l'air de le prendre de haut.

— C'est bien possible, reconnut l'homme au visage émacié. Pour répondre à votre question, je travaille à l'hôtel Windsor, rue Peel, depuis un mois.

— Qu'est-ce que vous faites à l'hôtel ? demanda Amélie.

— Je suis chef cuisinier, madame.

— Vous faites la cuisine ? s'étonna la mère de Lorraine.

— Oui, madame.

— Et t'aimes ça ? s'étonna Félicien.

— J'adore ça, mais mon intention, c'est d'ouvrir un restaurant ou un petit hôtel à Montréal. C'est un projet auquel je tiens beaucoup.

— Ça va te coûter pas mal cher, lui fit remarquer le père de Lorraine. Pour arriver à avoir assez d'argent, tu vas être obligé de gratter pas mal d'années, à moins que tes parents soient riches.

— Gratter ? demanda Christian en tournant la tête vers Lorraine, en quête d'une explication.

— Économiser, se contenta-t-elle de dire.

— On n'a rien sans mal, pas vrai, monsieur Bélanger ? Mes parents sont à l'aise, même s'ils ont perdu pas mal d'argent durant la guerre, mais ils ne sont pas assez riches pour m'aider. J'ai deux sœurs plus jeunes que moi et ils vont s'occuper plutôt de leur constituer une dot.

Il y eut un court silence dans la pièce avant qu'Amélie se décide à interroger plus avant l'invité de sa fille, même si Lorraine commençait à manifester une certaine impatience devant la curiosité de ses parents.

— Est-ce que vous demeurez loin ? demanda-t-elle à Christian.

— Rue Sanguinet, madame.

— Vous avez un appartement ?

— Non, je me suis contenté de louer une chambre dans une pension. C'est plus facile pour moi et c'est surtout moins onéreux. Je travaille de longues heures à l'hôtel et il me reste peu de temps pour faire du ménage et surtout, me faire à manger.

— Et naturellement, t'es pas marié ? se décida à demander Félicien en scrutant le prétendant.

— Voyons, p'pa ! protesta Lorraine, gênée qu'il ose formuler une telle question.

— Laisse, ma douce. C'est normal que ton père me pose cette question. Non, monsieur Bélanger. Je suis célibataire. Je me suis battu dans la résistance durant la guerre et disons que la situation ne se prêtait pas tellement à faire des projets d'avenir avec une jeune fille.

— Ah oui, la résistance, j'ai beaucoup de respect pour tous ces hommes qui ont combattu les Allemands. Ici aussi, il y a pas mal de Canadiens qui sont allés aider les Français.

— Vous avez raison, monsieur Bélanger, mais je peux vous dire que ce n'était pas une période facile en France.

— On dit même que sans l'aide de nos Canadiens, la guerre serait pas encore finie et la France encore occupée.

— Je ne sais pas si je serais prêt à dire ça, mais c'est certain que sans aide, la France aurait eu beaucoup plus de mal encore. On ne dira jamais assez merci.

— C'est ce que je pensais. Bon, c'est parfait, dit le père de famille en arborant un air satisfait, on va vous laisser jaser tout seuls, poursuivit-il en quittant son fauteuil.

— Comment vous êtes-vous rencontrés ? demanda Amélie en se levant à son tour.

— C'est un pur hasard, madame, fit le jeune homme. Au début du mois de février, j'avais besoin de certaines choses et un copain m'a recommandé L.-N. Messier. J'y suis allé et j'ai rencontré votre fille. Elle m'a plu tout de suite et je me suis arrangé pour aller la voir au magasin chaque fois que j'en avais la chance.

— Bon, on vous laisse, intervint Félicien en faisant signe à sa femme de l'accompagner.

Il était déjà dix heures quinze quand il sortit du salon. Il aurait bien aimé rappeler à sa fille qu'il souhaiterait qu'elle mette son prétendant à la porte à onze heures pour pouvoir se coucher à une heure raisonnable, mais il était impossible de le faire devant le garçon. Il fut donc dans l'obligation de s'installer dans la cuisine en compagnie d'Amélie et d'attendre que Lorraine ait à venir dans la pièce pour lui mentionner que leur chambre était une pièce ouverte sur le salon et que lui et sa mère n'attendaient que le départ du Français pour se mettre au lit.

Vers onze heures, Jean rentra à la maison. Dès qu'il eut retiré son manteau, sa sœur s'empressa de lui présenter son amoureux. Il le salua brièvement avant de se diriger vers la cuisine où ses parents attendaient stoïquement le départ du visiteur pour aller enfin se reposer.

— Pauvres vous autres ! Vous êtes pas chanceux, leur dit-il. Il a pas l'air de vouloir partir pantoute, chuchota-t-il.

— Ça fait exprès, fit son père les dents serrées. Lorraine est pas venue une seule fois dans la cuisine pour qu'on lui parle.

— Voulez-vous que je l'appelle ? proposa-t-il.

— Laisse faire, intervint sa mère. Il va bien finir par s'en aller.

Jean s'esquiva dans sa chambre après avoir souhaité une bonne nuit à ses parents. À peine venait-il de revêtir son pyjama dans le noir qu'il entendit la voix de son frère.

— T'as manqué un maudit bon match de hockey, chuchota ce dernier. Les Canadiens ont remonté en troisième.

— Tu dors pas encore, toi?

— Ben non! Ça arrête pas de marcher dans l'appartement et, en plus, Omer, en haut, a l'air en pleine crise. Il arrête pas de déplacer des meubles. Ça fait une heure que sa sœur crie après lui. As-tu vu le chum de Lorraine?

— Ben oui.

— As-tu entendu son accent de frais chié?

— C'est un Français. C'est normal qu'il parle de même, dit Jean en se glissant sous les couvertures.

— Ouais! fit l'adolescent, sceptique. Il a l'air d'avoir une grande gueule, en tout cas. À part ça, il est ben trop grand. Quand il marche à côté de Lorraine, on dirait Mutt et Jeff dans les *comics*, sacrifice! J'ai entendu m'man dire tout à l'heure qu'il est cuisinier… Tabarnouche, c'est pas une *job* d'homme pantoute, cette affaire-là. En plus, il est maigre comme un casseau. Moi, j'aurais pas confiance pantoute à un cuisinier gros comme un cure-dents.

— C'est correct, fit Jean, exaspéré par ce flot de commérages. Là, tu me laisses dormir.

— Maudit que t'es plate, toi! laissa tomber Claude. Il y a jamais moyen de te parler. Je te dis que ta femme va trouver le temps long avec toi.

— Ta gueule! murmura Jean avant de se tourner sur le côté, bien décidé à trouver le sommeil.

Les deux frères dormaient depuis longtemps quand Félicien, à bout de patience, se leva et se dirigea vers sa chambre à coucher qui ouvrait sur le salon encore occupé par les amoureux. Bien déterminé à faire comprendre au visiteur que l'heure de tirer sa révérence était arrivée, il s'empara de son gros Westclock et se mit à le remonter bruyamment. Quand il se rendit compte que son geste ne suscitait aucune réaction dans la pièce voisine, il prit les grands moyens.

— Quelle heure il est, Lorraine ? demanda-t-il à sa fille, comme s'il s'apprêtait à mettre son réveille-matin à la bonne heure.

— Minuit moins quart, p'pa, répondit la jeune fille en tournant la tête vers la chambre qui n'était séparée du salon que par de lourds rideaux verts.

— Cybole, il est ben tard ! fit le père de famille en feignant la surprise.

Lorraine sembla réaliser subitement ce que son père essayait de lui faire comprendre. Elle chuchota quelques mots à l'oreille de Christian pendant que Félicien retournait dans la cuisine. Une minute plus tard, le cuisinier quitta le divan et la suivit jusqu'au couloir où son manteau était suspendu.

— Dis-moi pas qu'il se décide enfin à sacrer son camp, murmura Félicien à sa femme, qui rangea son tricot après avoir poussé un soupir de soulagement.

Christian Dupriez endossa son manteau et, chapeau à la main, vint saluer les parents de Lorraine avant de partir. Après avoir refermé la porte sur le visiteur, la jeune fille revint dans la cuisine pour demander à ses parents ce qu'ils pensaient de son nouvel amoureux.

— Il a l'air pas mal *smart*, dit Amélie, diplomate. On voit qu'il est bien élevé et il parle bien.

— Il a juste un problème, lui fit remarquer son père en retirant ses chaussures. Il a pas l'air ben fort pour lire l'heure.

— C'est vrai qu'il est parti pas mal tard, reconnut Lorraine, un peu mal à l'aise. Vous comprenez, il a fini de travailler à sept heures à l'hôtel. Le temps d'aller se changer et de venir jusqu'ici, il pouvait pas arriver plus de bonne heure.

— On comprend ça, voulut la rassurer sa mère, mais…

— Mais il va falloir que tu lui expliques que nous autres, on se lève de bonne heure le matin et qu'on se couche pas passé onze heures, la coupa sec son mari.

— T'auras juste à lui dire de venir plus souvent et de rester moins longtemps, concéda Amélie en faisant les gros yeux à Félicien.

— Venir plus souvent, mais la fin de semaine, se sentit obligé de préciser le père de famille avant de se diriger vers sa chambre à coucher.

— Qu'est-ce que je pourrais bien manger ? demanda Lorraine à sa mère. J'ai faim.

— T'es pas sérieuse ? Il est passé minuit. Si tu manges, tu pourras pas aller communier demain matin… Non, à matin, je veux dire.

— Ça fait exprès, j'ai faim sans bon sens, se plaignit Lorraine.

— Tu connais le monde, ma fille, la réprimanda la petite femme ronde. Si on te voit rester assise dans ton banc à la communion, on va penser que t'es pas en état de grâce.

— Mais m'man, c'est peut-être encore de même à la campagne, mais en ville…

— En ville, le monde est pas différent, tu sauras. Prends sur toi ! lui ordonna sa mère, sur un ton sévère. Si t'as de la misère à t'endormir, dis ton chapelet. Offre ça pour que le mariage de ton frère marche bien.

— Je vois pas pourquoi ça irait pas bien, protesta la jeune fille, mécontente.

— Tu sauras, ma fille, que c'est pas ce qu'on appelle partir du bon pied dans la vie… Fais-moi pas parler pour rien.

Sur ces mots, Amélie sortit de la pièce.

Chapitre 18

Des visiteurs

Trois semaines plus tard, Amélie fut la première réveillée dans l'appartement de la rue Brébeuf en ce dimanche matin. Il faisait noir dans la chambre à coucher. Durant un court instant, elle eut la tentation de demeurer étendue, au chaud, aux côtés de son mari qui ronflait. Elle se fit pourtant violence. Elle repoussa les couvertures, posa ses pieds sur le linoléum froid et enfila son épaisse robe de chambre déposée au pied du lit avant de quitter silencieusement la pièce.

Elle passa par le salon et s'arrêta un bref moment devant la fenêtre pour écarter un peu les rideaux qui la masquaient en partie. Le jour n'était pas encore levé, mais à la lueur des lampadaires, elle vit la neige poussée à l'horizontale par un vent violent.

— C'est pas vrai! murmura-t-elle. Dis-moi pas qu'on va avoir encore une tempête de neige. On est rendus à la fin du mois de mars. Il me semble qu'on mérite de souffler un peu. Si ça a du bon sens une température comme ça!

Elle se dirigea vers la cuisine, alluma le plafonnier et remplit la bouilloire d'eau pour procéder à sa toilette. Elle regretta d'être un dimanche matin. Elle allait devoir se passer de café jusqu'à son retour de la grand-messe, vers onze heures.

Lorsqu'elle revint dans la chambre pour mettre sa robe et y prendre sa brosse à cheveux, Félicien se souleva sur un coude pour lui demander l'heure.

— C'est l'heure de te lever. Il est passé sept heures et demie. Ça fait longtemps que tu t'es pas levé aussi tard un dimanche matin, lui fit-elle remarquer.

— Cybole ! Quand on se couche à des heures de fou, c'est ce qui arrive, répondit-il, bougon.

Félicien faisait allusion au fait qu'il n'avait pu se mettre au lit la veille qu'un peu avant minuit parce que l'amoureux de sa fille avait encore fait son apparition chez sa belle vers neuf heures seulement. À l'entendre, il avait dû travailler jusqu'à huit heures ce soir-là. Évidemment, le jeune homme n'avait quitté les lieux que bien après onze heures, ce qui avait mis le postier dans tous ses états. Amélie avait eu du mal à l'apaiser, même si elle mourait d'envie de se coucher, elle aussi.

— Si ça peut te mettre de bonne humeur, il neige pas mal fort.

— Ils en annonçaient hier, au radio.

— Oui, mais ça a l'air à tourner en tempête, lui fit-elle remarquer. Pour moi, vous allez être obligés de pelleter l'escalier avant d'aller à la messe.

— Les gars vont faire ça.

— Je viens de les avertir. Ils sont en train de se lever, eux autres aussi.

Comme tous les dimanches matin, il régnait une atmosphère maussade chez les Bélanger. Le fait de ne pouvoir déjeuner au réveil les rendait tous un peu bougons. Au moment où Jean entrait dans la cuisine, sa mère lui demanda :

— Est-ce que Reine est contente de ses rideaux ?

La veille, Jean avait transporté chez les Talbot les rideaux que sa mère avait mis deux semaines à confectionner pour l'appartement du jeune couple.

— Elle était ben contente, m'man. Elle vous remercie beaucoup. Elle voulait même qu'on aille les installer tout de suite hier soir, mais comme j'avais travaillé toute la journée dans l'appartement, je lui ai dit d'aller les suspendre elle-même à un moment donné cette semaine. Je trouve que c'est une *job* de femme.

— Tu lui diras que si elle a besoin d'aide, je pourrai aller lui donner un coup de main, proposa Amélie, toujours aussi serviable.

— Je vois pas pourquoi vous iriez faire ça, m'man. Madame Talbot peut ben aller l'aider si c'est nécessaire. Il me semble que vous en avez ben assez fait comme ça.

— Comme tu voudras. Faites vos lits et remettez votre chambre en ordre avant de sortir pelleter, ordonna-t-elle à ses fils sur un ton péremptoire.

— Grouille, fit Jean à son frère. Je dois passer chercher Reine pour aller à la messe.

— Énerve-toi pas, répliqua l'adolescent. On a en masse le temps de pelleter le balcon et l'escalier avant la messe. On n'est pas obligés d'arriver à l'église une heure avant le temps pour dire le chapelet en plus.

Du coin de l'œil, il surveilla malicieusement la réaction de sa mère. Depuis le début du carême, cette dernière entraînait les siens à l'église le dimanche matin de plus en plus tôt et profitait de l'occasion pour les inciter à réciter leur chapelet en attendant le début de la cérémonie religieuse.

— Sacrifice, m'man ! Si ça continue, on va être poignés pour écouter la moitié de la basse-messe en plus de la grand-messe, avait protesté Claude à plusieurs reprises.

— Ça te fera pas de mal de prier plus, s'était contentée de lui dire sa mère chaque fois.

— Lorraine et moi, on est tout seuls à être obligés de faire ça.

En fait, l'adolescent avait raison. Jean était épargné parce qu'il allait chercher sa fiancée chez elle et voyait à n'arriver au temple que cinq minutes avant le début de la célébration. Félicien coupait court à cette corvée en allumant une cigarette peu avant d'arriver devant l'église et prétextait chaque fois vouloir finir de la fumer avant d'entrer. Il s'organisait pour traîner longuement à l'extérieur et ne venait rejoindre sa femme et son fils qu'à la toute dernière minute.

Ce matin-là, dans l'appartement des Bélanger, le bruit des pelles raclant et heurtant le balcon accompagnait les commentaires de Roger Baulu à la radio qui donnait les dernières informations sur la tempête de neige qui s'abattait sur le sud de la province depuis le milieu de la nuit. Les autorités conseillaient aux gens de ne pas prendre la route en raison des fortes accumulations tombées depuis quelques heures.

— Pas de saint danger qu'ils en auraient parlé hier, se plaignit Amélie en posant son chapeau sur sa tête.

— Ils ont annoncé de la neige, répéta Félicien, mais t'écoutes pas ce qu'ils disent.

— Ils ont pas parlé d'une tempête, en tout cas.

— J'espère au moins que c'est la dernière de l'hiver, fit Lorraine. Du train que c'est parti, la neige sera même pas encore toute fondue au mois de juillet.

— Comment ton Christian aime ça, notre neige ? lui demanda sa mère, curieuse.

— Pour lui, c'est comme la fin du monde, répondit la jeune fille. Il en a jamais vu avant. La première fois que je l'ai rencontré, il avait même pas de bottes et il avait sur le dos un petit manteau de printemps. Il en faisait pitié.

Il y eut un court silence dans la pièce.

— Il me semble qu'on pourrait ben laisser faire la messe pour une fois, suggéra Félicien, planté devant la fenêtre pour voir où ses fils en étaient rendus avec le déneigement de l'escalier tournant. Il y a rien de déneigé. On va être obligés de marcher dans la rue…

— Il en est pas question, Félicien Bélanger, trancha Amélie. On n'est pas malades. On est capables de marcher jusqu'à l'église. En plus, c'est le dimanche des Rameaux.

Le facteur, qui espérait souffler un peu et profiter d'une journée de repos, poussa un soupir d'exaspération avant de laisser tomber :

— Si le curé avait deux ou trois paroissiennes comme toi, il aurait pas besoin de vicaires, cybole !

Amélie haussa les épaules et retourna dans la cuisine, suivie par Lorraine.

À neuf heures, l'appartement se vida de ses locataires. Même si la galerie avait été déneigée moins de quinze minutes plus tôt, elle était déjà couverte de cette neige lourde, digne d'une véritable giboulée de printemps.

— Ça, c'est une neige à sucre, comme disait mon père, fit Amélie en baissant la tête pour résister au vent.

— Laisse faire le sirop d'érable et tiens ben la rampe, lui conseilla Félicien au moment de poser le pied sur la première marche de l'escalier. C'est glissant.

Jean, déjà parvenu au trottoir, se dirigeait péniblement vers la rue Mont-Royal dans un peu plus d'un pied de neige. Quelques personnes marchaient prudemment en file indienne dans la rue, longeant les voitures enneigées immobilisées le long du trottoir. Amélie et les siens se joignirent à l'étrange défilé dont les participants avançaient tête baissée et collets de manteau relevés pour se protéger de la neige que le vent projetait contre eux.

— Maudite niaiserie ! ragea Félicien pour lui-même. Comme si on n'avait pas pu sauter un dimanche...

Sa femme l'entendit, mais ne se donna pas la peine de le réprimander. Têtue, elle marchait en tête, bien décidée à assister, contre vents et marées, à sa grand-messe dominicale. À leur arrivée à l'église Saint-Stanislas-de-Kostka, les Bélanger étaient transformés en bonshommes de neige et ils durent secouer leur manteau et leur chapeau avant de pénétrer dans le temple.

Après avoir humecté ses doigts dans le bénitier et s'être signée, la mère de famille posa sa main sur un bras de son mari.

— Achète deux rameaux pour les faire bénir, lui chuchota-t-elle.

— Pourquoi deux ?

— Tu sais ben que Jean pensera pas pantoute à en acheter un pour son appartement, lui expliqua-t-elle.

En ce dernier dimanche de mars 1947, le curé Pelletier monta en chaire après la lecture de l'Évangile. S'il remarqua qu'un bon quart des bancs étaient vides, il se garda d'en faire la remarque. Même si le dimanche des Rameaux était un moment fort de l'année liturgique, il dut comprendre que la tempête excusait cette baisse évidente de la fréquentation. Il se contenta de parler longuement des cérémonies prévues pour la semaine sainte et surtout de l'importance de faire ses pâques.

Amélie tourna légèrement la tête et aperçut Jean et Reine, assis côte à côte, quelques bancs derrière elle. Même si elle ne les vit pas, elle était certaine qu'Yvonne Talbot et son mari n'étaient pas très loin du jeune couple. Les parents de sa future bru avaient sûrement tenu à assister à la messe pour entendre la publication des bans qui devait obligatoirement se faire ce dimanche-ci. Elle avait croisé la mère de Reine chez le boucher la semaine précédente et cette dernière l'avait à peine saluée. « Drôle de femme », ne put-elle s'empêcher de penser.

Pendant quelques instants, la femme du facteur cessa d'écouter ce que disait le pasteur de la paroisse pour penser aux dernières semaines. Elle avait participé à la retraite annuelle qui s'adressait aux femmes de la paroisse et qui, cette année, était prêchée par un franciscain. Ensuite, elle avait harcelé son mari pour qu'il assiste à celle destinée aux hommes. Elle aurait bien aimé que Jean accompagne son père, mais son fils avait refusé en prétextant qu'il avait encore trop de travail à faire dans la préparation de son appartement. Là, il lui faudrait voir à ce qu'il fasse au moins ses pâques, décida-t-elle.

Comme à l'accoutumée, le curé mit fin à son sermon dominical avec les nouvelles d'intérêt paroissial. Après avoir annoncé une réunion des Lacordaire le mercredi suivant ainsi que des membres de la ligue du Sacré-Cœur, le lendemain, il passa enfin à la publication des bans.

— Il y a promesse de mariage entre Reine Talbot, fille de Fernand et Yvonne Talbot de cette paroisse, et Jean Bélanger, fils de Félicien et Amélie Bélanger, également de cette paroisse. Toute personne connaissant un empêchement à cette union devra le faire connaître ou se taire pour toujours.

À ces paroles du prêtre, Reine saisit discrètement la main de son fiancé. Ce dernier, ému, regarda droit devant lui, s'imaginant à tort que tout le monde tournait la tête dans sa direction. Le curé Pelletier retourna à l'autel terminer la messe pendant que la chorale paroissiale entonnait le chant de l'offertoire.

À la fin de la cérémonie, Jean chuchota à l'oreille de la jeune fille :

— Oublie pas de remercier ma mère pour les rideaux. Elle a travaillé pas mal d'heures dessus.

Reine, agacée, se borna à hocher la tête. Elle ne se préoccupa pas de ses parents qui venaient de quitter leur place pour rentrer à la maison et elle attendit patiemment que les Bélanger se dirigent vers la sortie pour les suivre en compagnie de Jean.

À l'extérieur, la neige avait continué à tomber durant la messe. Le bedeau, armé de sa large pelle, s'écarta des marches qui conduisaient au parvis pour laisser s'écouler le flot de paroissiens pressés de rentrer chez eux. Dès qu'elle posa les pieds à l'extérieur, Reine salua ses futurs beaux-parents et se plia à la demande de son fiancé. Elle remercia Amélie avec effusion en disant à quel point elle trouvait ses rideaux magnifiques.

La jeune fille mentait. Elle les avait à peine regardés et s'était contentée, le matin même, d'aller les déposer sur le divan de son futur appartement en projetant de les suspendre un soir de la semaine suivante, après sa journée de travail.

— Ça s'en vient vite votre mariage, se crut obligé de mentionner Félicien pour se montrer aimable.

— À qui le dites-vous, monsieur Bélanger, fit-elle en remontant le col en renard de son manteau. J'ai de la misère à croire que je vais être mariée samedi dans deux semaines, ajouta-t-elle avant de saluer Lorraine et Claude.

— Je pense qu'on est aussi ben de se dépêcher à rentrer avant d'être complètement gelés, suggéra Jean.

Ils se mirent tous en route en longeant le banc de neige qu'un chasse-neige avait créé quelques minutes auparavant en passant sur le boulevard Saint-Joseph.

— Au moins, ça marche mieux que tout à l'heure, fit remarquer Claude en prenant les devants en compagnie de Lorraine.

Comme il n'était pas question de se déplacer en groupe au milieu de la rue, on marcha à la queue leu leu, du moins tant qu'on se déplaça sur le boulevard. Dans la rue Brébeuf, une artère moins achalandée, il fut possible de marcher côte à côte. De plus, la tempête semblait s'être brusquement un peu essoufflée. Le vent faiblit et les flocons tombèrent de façon plus espacée. À la hauteur de la maison des Bélanger, Reine salua ces derniers avant de poursuivre sa route en compagnie de Jean jusqu'au coin de la rue.

— Maudit que ce monde-là a l'air bête ! dit Félicien à voix basse à sa femme au moment de commencer à monter l'escalier extérieur qui conduisait à leur appartement.

— De qui tu parles ? demanda Amélie en tournant la tête vers lui.

— Des Talbot, cette affaire ! Pas de danger qu'ils nous disent bonjour, ces maudits frais-là. T'as pas remarqué ? Ils marchaient devant nous autres. Ils se sont pas tournés une fois pour nous regarder.

— C'est pas bien grave, dit-elle pour l'apaiser.

— Qu'ils mangent de la…

— Félicien, les enfants !

Le facteur ne finit pas sa phrase. La petite femme grassouillette arriva sur le palier à bout de souffle, tout heureuse d'entrer enfin chez elle.

Jean rejoignit les siens quelques minutes plus tard, après avoir laissé Reine devant sa porte.

— As-tu autre chose à faire à ton appartement aujourd'hui ? lui demanda son père au moment où le jeune homme lui tendait son porte-cigarettes.

— Non, tout est prêt. Il reste juste les rideaux à poser et Reine va s'en occuper cette semaine. Cet après-midi, on va peut-être aller voir un vieux film de Michel Simon au Bijou.

Jean se garda bien de dire qu'il s'était empressé de suggérer cette sortie, malgré la neige qui encombrait les rues, parce que Reine venait de lui apprendre que sa sœur et son beau-frère venaient passer l'après-midi chez les Talbot. Supporter la sœur en plus de la mère, il avait senti d'instinct que cela allait dépasser ses forces.

Quand le jeune homme quitta la maison après le dîner, son frère était occupé à pelleter encore une fois la neige accumulée sur la galerie. Arrivé au pied de l'escalier, il dut demander à Omer Lussier de se lever pour le laisser passer. Emmitouflé dans sa canadienne et la tuque bien enfoncée sur la tête, le gros quadragénaire était plongé dans un monologue dans lequel il formulait les questions et les réponses. Jean dut lui répéter sa demande pour l'inciter à se lever.

— Reste pas trop longtemps dehors, Omer, dit-il au pauvre homme en prenant le temps de bien articuler pour se faire clairement comprendre. Tu vas attraper la grippe.

— Ben non ! Omer est pas fou, répliqua le voisin qui parlait de lui à la troisième personne.

Au coin de la rue, Jean croisa le nouvel ami de sa sœur au moment où il tournait. Il le salua au passage sans être assuré que Christian Dupriez l'avait reconnu. Par contre, Claude vit le grand homme dégingandé se diriger vers la maison et il s'empressa de se retirer au fond de la galerie pour ne pas être aperçu. Il était curieux de voir comment l'amoureux de sa sœur allait s'en tirer avec Omer.

Le Français s'apprêtait à monter l'escalier quand il dut s'arrêter brusquement. Le gros homme à l'air malcommode était assis, malgré le froid et la neige, sur la deuxième marche. Rien n'indiquait qu'il avait l'intention de se lever pour libérer le passage.

— Excusez-moi, monsieur, dit poliment le chef cuisinier. Est-ce que je peux passer ?

Omer Lussier leva vers lui sa grosse figure ronde et lui tira la langue, ce qui fit sursauter le prétendant.

— Non ! déclara Omer sur un ton sans appel.

— Voyons, monsieur, soyez raisonnable, fit Christian, désarçonné par cet obstacle imprévu. Je dois monter chez les Bélanger.

— Passe par en arrière ! exigea l'autre, intransigeant et un rien menaçant.

— C'est insensé ! s'exclama le Français.

— Passe par en arrière, je te dis, répéta l'autre, en refusant obstinément de broncher d'un pouce.

Sa masse imposante obstruait toute la largeur de l'escalier et il était impossible de le contourner. Claude s'avança un peu pour mieux voir et se recula précipitamment quand il vit le visiteur lever la tête, en quête probablement d'une aide. Il s'apercevait bien que l'homme était anormal, mais il ne voyait vraiment pas comment le faire bouger.

— La ruelle est par là, fit Omer en pointant l'entrée de la ruelle voisine.

Le jeune homme sembla hésiter un instant à employer la force pour faire bouger son interlocuteur, puis il y renonça. Il dut se résigner à poursuivre son chemin jusqu'à la ruelle. Claude fut incapable de réprimer un rire malicieux et dut attendre un moment pour retrouver son sérieux avant de pousser la porte d'entrée.

— T'as déjà fini de nettoyer le balcon ? lui demanda son père, assis dans le salon.

— Oui, p'pa.

— Et la galerie en arrière ?

— Je vais me réchauffer un peu et j'irai la pelleter tout à l'heure.

L'adolescent s'empressa de retirer son manteau et ses bottes et se dirigea vers la cuisine. La maison était silencieuse. Sa mère somnolait dans sa chaise berçante et Lorraine devait être dans la salle de bain en train de se préparer pour la visite de son amoureux.

Il alla se planter devant la fenêtre, comme s'il examinait l'épaisseur de neige qui couvrait la galerie. En réalité, il guettait le passage de Dupriez qui devait se frayer un chemin dans la ruelle et tenter d'identifier la maison de sa belle. Quelques minutes plus tard, il eut du mal à retenir quelques gloussements ravis à la vue du jeune homme se déplaçant difficilement avec de la neige à mi-jambe et obligé de regarder vers les fenêtres des maisons qu'il longeait, tentant vainement de reconnaître celle de Lorraine.

— Tu parles d'un innocent! murmura Claude. Il aurait pu au moins compter les maisons depuis le coin de la rue. Comme ça, il aurait pu savoir où on reste.

— Qu'est-ce que tu dis, toi? lui demanda sa mère que sa voix avait éveillée en sursaut.

— Rien, m'man, je me parlais, mentit-il.

— Qu'est-ce que tu fais planté devant la fenêtre?

— Je me demande si je vais aller pelleter la galerie tout de suite ou attendre un peu.

La mère de famille sembla se désintéresser de l'affaire et ses yeux se fermèrent lentement. Pendant ce temps, Christian Dupriez venait d'enjamber la clôture de la maison voisine et cherchait, tant bien que mal, à atteindre l'escalier qui conduisait à l'étage. Claude pouffa à la vue des difficultés du prétendant de sa sœur.

Au moment où le Français allait parvenir à prendre pied sur la première marche de l'escalier, la porte du rez-de-chaussée s'ouvrit pour livrer passage à un berger allemand qui s'élança vers lui en grondant.

— Qu'est-ce que tu fais là, toi? lui demanda le propriétaire du chien d'une voix peu amène alors que sa bête s'approchait dangereusement des mollets de l'intrus.

— Je m'en vais chez les Bélanger. Je n'ai pas pu passer par en avant, quelqu'un bloque l'escalier, dit Christian l'air misérable en s'écartant maladroitement du berger allemand. Vous ne pourriez pas rappeler votre bête ?

— Médor ! cria l'homme, qui sembla réaliser soudain que le fils Lussier pouvait bien être celui qui avait empêché le visiteur de passer.

Le chien s'arrêta brusquement et tourna la tête vers son maître.

— T'es pas pantoute dans la bonne maison, fit l'homme, tout de même encore un peu suspicieux. C'est la maison à côté.

— À gauche ou à droite, monsieur ?

— À droite, se contenta de répondre l'homme avant de siffler son chien qui revint vers lui.

Christian Dupriez ne demanda pas son reste. Il se dépêcha de quitter la cour et il inspecta soigneusement la cour voisine avant de se risquer à franchir la petite clôture de bois qui la séparait de la ruelle. Claude, toujours debout devant la fenêtre, s'éloigna un peu pour que le Français ne l'aperçoive pas. Quand il le vit commencer à monter difficilement l'escalier enneigé conduisant à la galerie, il disparut dans sa chambre, incapable de retenir plus longtemps son hilarité.

Lorsque Christian Dupriez frappa à la porte arrière de l'appartement, Amélie sursauta violemment et fut incapable de retenir un cri de surprise en apercevant le grand homme debout sur la galerie.

— Ma foi du bon Dieu ! Veux-tu bien me dire ce qu'il fait là, lui ? se demanda-t-elle à mi-voix. Lorraine ! cria-t-elle à sa fille en quittant sa chaise berçante. Ton ami est arrivé. Il est en arrière, sur le balcon.

— Hein! Mais qu'est-ce qu'il fait là? s'étonna la jeune fille, stupéfaite, en se précipitant hors de sa chambre.

Il y eut des bruits de pas sur la galerie et Lorraine aperçut Christian au moment où il frappait de nouveau à la porte. Alerté par le cri de sa femme, Félicien avait quitté le salon pour venir voir ce qui se passait dans la cuisine.

— Ah ben, cybole! J'aurai tout vu, ne put-il s'empêcher de dire en apercevant le visiteur à son tour. Envoye, Lorraine, ouvre-lui la porte avant qu'il meure gelé.

— Et organise-toi pour qu'il mouille pas tout mon plancher de cuisine, lui recommanda sa mère, un ton plus bas.

La porte fut ouverte et le Français, apparemment très soulagé, pénétra dans la pièce après avoir heurté ses pieds l'un contre l'autre pour en faire tomber la neige. Il salua Lorraine et ses parents en enlevant poliment son chapeau.

— Mais veux-tu bien me dire pourquoi t'arrives par en arrière? lui demanda Lorraine en l'invitant à retirer son manteau.

— Je n'ai pas pu passer par en avant. Un homme m'a empêché de monter, expliqua-t-il.

— Ah non! Ça, c'est encore Omer! s'exclama la jeune fille en se tournant vers ses parents. On n'est tout de même pas pour continuer à endurer ça bien longtemps.

— C'est pas de sa faute, il est pas normal, expliqua Amélie pour disculper le voisin.

— J'ai cru le remarquer, laissa tomber Christian.

— Mais j'y pense, fit Amélie en se tournant vers Claude, qui n'avait pas ouvert la bouche depuis l'entrée de l'amoureux de sa sœur. Dis donc, toi, t'étais pas sur la galerie en avant en train de la pelleter tout à l'heure?

— Oui.

— T'as pas vu qu'Omer empêchait l'ami de ta sœur de passer?

— Non, mentit l'adolescent en adoptant un air angélique. Pour moi, je devais déjà être rentré quand c'est arrivé.

Quelques instants plus tard, Lorraine entraîna son ami au salon et Claude se dirigea vers sa chambre à coucher.

— Toi, mon maudit haïssable! Tu me feras pas croire que t'as rien vu de ce qui s'est passé dehors, l'apostropha sa mère à mi-voix. Prends-moi pas pour une folle! C'est pas pour rien que t'es venu écornifler dans la vitre de la cuisine. Tu savais qu'il s'en venait par en arrière.

Félicien lança un regard méfiant à son fils cadet, mais il était évident qu'il trouvait la mésaventure du cavalier de sa fille plutôt amusante lui aussi. Cependant, le père de famille ne pouvait trop le laisser voir et il sentit que le regard de sa femme lui imposait de faire une remarque à son fils Claude.

— Si ça continue, je vais finir par lui louer une chambre, à ce maudit fatigant-là, murmura-t-il à sa femme.

Depuis quelque temps, le maître des lieux regrettait amèrement d'avoir accepté que sa fille reçoive son amoureux plus souvent les fins de semaine. La veille, Christian Dupriez était venu passer la soirée avec elle, l'obligeant ainsi à écouter le match de hockey dans la cuisine et il était parti très tard. Voilà qu'il était revenu cet après-midi-là, l'empêchant d'aller faire sa sieste dans son lit.

— Si encore on avait une chambre fermée, je pourrais aller dormir une heure ou deux, ajouta-t-il.

— Bien oui! Et moi, je serais poignée pour faire le chaperon toute seule pendant que tu dormirais, répliqua Amélie, sarcastique.

Félicien allait dire quelque chose quand on sonna à la porte d'entrée.

— Bon, qui est-ce qui vient encore nous déranger, saint cybole? s'écria-t-il en quittant la chaise sur laquelle il venait de s'asseoir. Pas moyen d'avoir la paix le dimanche après-midi dans cette maison de fous.

— Si tu vas ouvrir, on va le savoir, répondit Amélie.

Lorraine avait devancé son père et avait déjà ouvert la porte avant qu'il ait parcouru la moitié du couloir.

— Entrez, grand-mère, dit-elle. Bonjour, ma tante, poursuivit-elle en s'effaçant devant les deux femmes avant de fermer la porte derrière elles.

— Ah ben! Ça, c'est de la visite rare! s'écria le facteur en s'avançant vers les deux femmes pour les embrasser à tour de rôle.

— On peut le dire, dit la maîtresse de maison qui s'était empressée de venir à la rencontre de sa belle-mère et de sa belle-sœur. Venez vous réchauffer.

Félicien et sa femme se doutaient bien que cette visite hors de l'ordinaire devait avoir une raison précise. La grand-mère ne sortait pratiquement pas de chez elle durant l'hiver, et encore moins quand il venait de tomber de la neige.

Camille Bélanger et sa mère retirèrent leur épais manteau de drap et leur chapeau que Félicien alla déposer sur son lit.

— Vous êtes pas mal braves de prendre le chemin après une tempête comme ça, dit-il aux visiteuses en revenant vers elles.

— Il fallait bien qu'on le fasse, vous venez pas nous voir, rétorqua sèchement la mère de Félicien sur un ton plutôt désagréable en vérifiant du bout des doigts la correction de son chignon blanc.

— C'est vrai que vous êtes pas venus nous voir une seule fois depuis les fêtes, reprit l'infirmière qui dépassait sa vieille mère de plus d'une demi-tête. On commençait à se demander si vous étiez pas morts.

— Ma pauvre petite fille, on a eu tellement à faire depuis trois mois qu'on sait plus trop où donner de la tête, s'excusa Amélie. Rita est pas venue avec vous autres ?

— Elle est de garde à l'hôpital aujourd'hui, répondit Camille.

— Est-ce que je peux vous présenter mon ami ? intervint Lorraine, qui n'avait pas encore réintégré le salon où attendait patiemment Christian.

Sans attendre la réponse de sa grand-mère et de sa tante, la jeune fille invita du geste son amoureux à se lever et à venir les rejoindre dans le couloir.

— Christian, je te présente ma grand-mère Bélanger et ma tante Camille, fit Lorraine dès qu'il arriva dans le couloir.

Bérengère Bélanger leva la tête. Ses petits yeux vifs derrière les verres de ses lunettes à fine monture de fer examinèrent le grand jeune homme qui se tenait devant elle.

— Bonjour, mon garçon, finit-elle par dire en hochant la tête.

— Enchanté de vous connaître, mesdames, dit le Français.

— Seigneur, mais vous êtes bien grand, vous ! ne put s'empêcher de s'exclamer la vieille dame en serrant la main du jeune homme. Je vais ben attraper un torticolis à vous regarder. Combien vous mesurez ?

— Un mètre quatre-vingt-quatorze, madame.

— C'est quoi, cette grandeur-là ?

— À peu près six pieds quatre, grand-mère, intervint Lorraine.

— Est-ce que c'est Dieu possible de faire du monde aussi grand ?

Christian eut un petit rire poli.

— Voyons, m'man ! fit Camille sur un ton réprobateur.

— Il n'y a pas de mal, protesta Christian sur un ton bon enfant.

— Bon, on va laisser les jeunes jaser au salon et nous autres, on va aller boire une tasse de café dans la cuisine, décida Amélie.

Pendant que les amoureux retournaient dans le salon, Félicien, sa mère et sa sœur suivirent la maîtresse de maison dans la cuisine et prirent place autour de la table.

— Où sont passés les garçons ? demanda Bérengère en regardant autour d'elle, comme si Claude et Jean avaient pu se cacher dans un coin de la pièce.

— Jean est parti aux vues avec Reine. Claude doit dormir dans sa chambre, répondit Félicien.

Comme pour faire mentir son père, Claude ouvrit la porte de sa chambre. Sans grand entrain, l'adolescent alla embrasser sa grand-mère et sa tante.

— Ma foi du bon Dieu ! Je pense qu'il a encore grandi, remarqua Bérengère.

— Vous avez raison, m'man, notre Claude est en train de devenir un bel homme, renchérit Camille avec un chaud sourire.

— C'est sûr que je vais être le plus beau de la famille, plaisanta Claude.

— Peut-être, mais pas le moins orgueilleux, intervint sa mère.

— Est-ce que ça va bien à l'école ? lui demanda sa grand-mère.

— Pas mal, grand-mère.

— C'est parfait. Tu peux retourner faire ce que tu faisais avant qu'on arrive, reprit-elle. J'ai à parler à ton père et à ta mère.

L'adolescent allait répliquer quand il perçut le signe impératif et discret de son père lui ordonnant de retourner dans sa chambre. Humilié, il quitta la pièce, mais en prenant bien soin de laisser la porte de sa chambre à coucher entrouverte pour entendre ce qui allait se dire dans la pièce voisine.

La maîtresse de maison déposa une tasse de café devant chacun et sortit de la glacière la pinte de lait qu'elle plaça au centre de la table, à côté du sucrier et d'une assiette sur laquelle elle venait de disposer des biscuits à la noix de coco. La grand-mère attendit que sa bru eût pris place à table avant de reprendre la parole.

— Est-ce que Jean vous a dit qu'il était venu nous voir ? demanda-t-elle aux parents.

— Bien oui, madame Bélanger, fit Amélie.

— Je dois vous dire que j'ai eu bien de la misère à croire que vous aviez accepté qu'il lâche ses études pour se marier. J'ai même pensé que c'était une farce, même si on a reçu les faire-part, ajouta-t-elle.

— Mais, m'man, voulut protester sa fille Camille.

— Laisse-moi parler, ma fille, la coupa sèchement la septuagénaire. J'ai pas risqué de me casser une jambe en sortant aujourd'hui pour rien. Voulez-vous bien m'expliquer pourquoi vous laissez faire une affaire folle comme ça ?

— Ils voulaient absolument se marier ce printemps, m'man. Ça servait à rien d'essayer de les empêcher de le faire, ils se seraient mariés quand même.

— Mais ton Jean est pas encore majeur, riposta Bérengère. Tu peux refuser ton consentement et il aura pas le choix d'obéir.

— Ça aurait juste retardé le mariage de deux mois. Il va avoir vingt et un an au mois de juin, expliqua Félicien, exaspéré.

— Mais qu'est-ce qui les presse tant, bondance ?

— Ils s'aiment, madame Bélanger, se borna à répondre Amélie sans y mettre trop de conviction.

— Êtes-vous bien sûrs de ça, vous deux? demanda la vieille dame, soupçonneuse. Moi, j'ai comme l'impression que c'est un mariage obligé.

— Voyons donc, m'man! protesta Félicien à qui la moutarde commençait à monter au nez. Dites pas n'importe quoi! Notre gars, on l'a ben élevé et il aurait jamais osé faire ça. Ils se marient dans quinze jours parce qu'ils s'aiment. Il y a rien d'autre à dire. Si ça vous chante, vous pourrez vous amuser à compter les mois.

— Ouais, fit Bérengère, peu convaincue. On verra bien. En tout cas, il me semble que vous auriez pu faire un effort pour tenter de persuader votre garçon d'attendre de finir ses études avant de se marier, s'il est pas obligé de traîner cette fille-là au pied de l'autel, évidemment, tint-elle à ajouter d'une voix cassante.

— Allez pas croire qu'on n'a pas essayé, madame Bélanger, intervint Amélie. Jean a vingt ans et il est têtu comme tous les... Il est pas mal têtu.

La mère de famille allait dire «comme tous les Bélanger».

— Au moins, vous avez l'air de vous être débarrassés du petit crapaud à lunettes qui fréquentait votre fille depuis une éternité, reprit la grand-mère, sans désarmer.

— De qui parlez-vous? demanda Amélie sans aménité.

— Je me rappelle pas son nom, admit la vieille dame.

— Édouard, m'man, fit Camille, mal à l'aise au bout de la table.

— On n'a pas eu à se mêler de ça, intervint Félicien sans sourire. Je pense que tous les deux se sont aperçus que ça marchait pas et ils ont décidé de se séparer.

— On peut dire qu'il en a mis du temps à s'ouvrir les yeux, ce garçon-là, conclut Bérengère d'une voix désagréable.

— Le nouveau cavalier de Lorraine a un accent, dit Camille, pour orienter la conversation dans une autre direction. C'est pas un Canadien français ?

— Non, c'est un Français de France, répondit Amélie. Ça fait juste trois mois qu'il est arrivé ici.

— Qu'est-ce qu'il fait ? demanda la grand-mère.

— Il est chef cuisinier à l'hôtel Windsor.

— Pour être maigre comme il est, il doit pas faire de la bien bonne cuisine, laissa tomber la grand-mère sur un ton toujours aussi irascible.

— C'est un beau et grand jeune homme, conclut l'infirmière. J'espère que Lorraine va bien s'entendre avec lui.

— Nous autres aussi, on le souhaite, fit Amélie.

Félicien et sa femme firent ensuite dévier la conversation vers la parenté éloignée et on échangea des nouvelles pendant encore une heure.

Un peu avant quatre heures, les visiteuses décidèrent de prendre congé.

— Pourquoi vous restez pas à souper ? leur demanda Amélie sans trop insister.

— Je travaille ce soir, répondit l'infirmière. Là, je vais juste avoir le temps de manger rapidement avant d'aller faire ma nuit.

Comme à chacune de leurs visites, Félicien accompagna sa mère et sa sœur jusqu'à la rue Mont-Royal et les aida à héler une voiture taxi Diamond qui allait les ramener chez elles, rue Saint-Urbain. À son retour, il croisa Christian Dupriez au pied de l'escalier. Le jeune homme le salua avant de se diriger vers le coin de la rue.

— Est-ce qu'il revient veiller à soir ? demanda-t-il à Lorraine en enlevant son manteau.

— Non, il travaille jusqu'à minuit, p'pa.

Félicien ne dit rien, heureux de pouvoir profiter enfin de son salon et, surtout, d'avoir la possibilité de se coucher tôt s'il en avait envie ce soir-là.

— Le moins qu'on puisse dire, c'est que ta mère digère vraiment pas le mariage de Jean, fit Amélie au moment où il entrait dans la cuisine.

— Qu'est-ce que tu veux ? Il faut croire que c'est trop pour elle. Il y a même pas un an, elle le voyait déjà avec une soutane sur le dos.

— Même si Camille a pas trop parlé, je serais pas surprise que tes sœurs acceptent pas plus ce mariage-là.

— Elles, elles ont rien à dire. C'est pas de leurs maudites affaires, s'énerva le facteur. Bon, là, j'ai assez entendu parler de ça aujourd'hui, ajouta-t-il sur un ton définitif.

Lorsque Jean rentra à la maison vers six heures, sa mère lui apprit la visite de sa grand-mère et de sa tante sans entrer dans les détails de la conversation.

— Puis ? demanda le jeune homme.

— Elles ont reçu les faire-part et elles sont bien contentes d'assister à un mariage dans la famille, se contenta de lui répondre son père, qui ne voulait pas revenir sur l'événement.

Chapitre 19

L'accident

Le mercredi suivant, Reine dut faire appel à toute son énergie pour se décider à monter après le souper dans ce qui allait être son appartement pour enfin y suspendre les rideaux aux fenêtres. La jeune femme n'avait pas eu un instant de répit depuis le début de la semaine. La journée de lundi avait été harassante parce qu'elle avait dû aider son père à refaire les étalages de la biscuiterie et à dresser l'inventaire. La veille, elle n'était rentrée à la maison qu'en début de soirée. La couturière appointée par la boutique où elle avait acheté sa robe de mariée l'avait longuement fait attendre avant de procéder aux dernières retouches.

— Tu pourrais bien attendre encore un jour ou deux, lui suggéra sa mère qui se frottait les tempes du bout des doigts, en proie à l'une de ses habituelles migraines. Tu pourrais aussi demander à Jean de venir t'aider.

— C'est de l'ouvrage de femme, m'man. Je l'ai pas aidé à peinturer. Là, je suis tout de même pas pour aller sonner chez les Bélanger pour le faire venir me donner un coup de main. J'aurais l'air d'une vraie sans-dessein. De toute façon, Jean m'a dit qu'il avait pas l'intention de venir à l'appartement de la semaine. Il reste juste à faire le ménage du hangar et il va le faire samedi prochain avec son frère.

— Si c'est comme ça, pourquoi t'attends pas un autre soir où j'irais mieux ?

— Ben non, m'man. Mes rideaux vont finir par se froisser. C'est correct, je suis capable de me débrouiller toute seule.

Sur ces mots, Reine mit un lainage sur ses épaules et quitta l'appartement. Quand elle entra dans son futur foyer, elle réprima un frisson. La fournaise à huile du couloir réchauffait à peine le grand appartement.

Elle alluma le plafonnier et se dirigea vers la cuisine où elle vérifia si Jean avait bien éteint le poêle avant de quitter les lieux la dernière fois qu'il était venu, comme elle le lui avait demandé.

— Il y a bien assez d'avoir à chauffer la fournaise quand on n'est même pas là sans faire chauffer le poêle en plus, lui avait-elle dit.

Elle boutonna sa veste pour avoir plus chaud.

— C'est cru, mais c'est endurable, dit-elle à mi-voix en allant chercher l'escabeau laissé par Jean dans l'une des chambres.

Elle décida de commencer par la fenêtre du salon puisque tous les rideaux avaient été déposés sur le grand divan brun.

La jeune femme eut du mal à installer les lourdes tentures de velours sur la tringle, mais elle y parvint après de longues minutes d'efforts. Ensuite, il lui fallut plus d'une heure pour répéter la même opération dans chacune des chambres.

Quand il ne lui resta plus à suspendre que les rideaux de la porte arrière et de la fenêtre de la cuisine, elle poussa un soupir de soulagement. Il s'agissait de deux courts voiles en coton fleuri jaune. Elle déposa l'escabeau devant la fenêtre, prit les rideaux et monta trois marches pour se retrouver à la bonne hauteur. Au moment où elle allait saisir la tringle, elle s'aperçut qu'elle avait placé son escabeau un peu trop loin.

— Maudit! fit-elle avec impatience.

Au lieu de descendre de son escabeau et de pousser ce dernier plus près de la fenêtre, elle s'étira de plus en plus pour saisir la tringle. Au moment où ses doigts allaient se refermer sur la longue tige en métal, elle sentit l'escabeau basculer lentement sur le côté et chercha immédiatement à retrouver son équilibre en essayant de se rattraper à quelque chose. Mais il n'y avait rien qui puisse empêcher sa chute. L'escabeau se déroba sous elle et elle tomba lourdement sur le parquet, sa tête heurtant un pied de la table de la cuisine.

— Ayoye, calvaire! jura-t-elle en empruntant un juron paternel tout en portant une main à son front.

Elle demeura assise par terre durant un court moment, tout de même un peu étourdie par sa chute. Quand elle entendit quelqu'un monter les marches depuis l'appartement de ses parents, elle s'empressa de se lever et de se rendre à la porte d'entrée qu'elle ouvrit.

— Es-tu tombée? lui demanda son père, debout sur le palier du premier étage.

— Non, p'pa. J'ai juste échappé l'escabeau, mentit-elle instinctivement.

— Ta mère et moi, on a eu peur que tu sois tombée, fit le petit homme. As-tu besoin d'aide?

— Non, merci. J'ai presque fini, dit-elle avant de refermer la porte.

La jeune femme retourna lentement dans la cuisine en boitant un peu. Elle examina l'une de ses cuisses. Un bleu commençait à se former. De plus, après s'être tâté le front du bout des doigts, elle sentit qu'elle allait avoir droit à une belle bosse.

— J'avais bien besoin de ça, dit-elle, folle de rage.

Pour se défouler, elle flanqua un coup de pied à l'escabeau avant de le redresser. Dix minutes plus tard, le travail était terminé et elle éteignit le poêle de la cuisine avant de descendre chez ses parents en boitillant.

— Qu'est-ce que t'as au front ? lui demanda son père.

— J'ai pas regardé où je marchais, mentit-elle. Je me suis cognée contre le cadrage de la porte de la chambre et je me suis fait mal à un pied, en plus.

— As-tu besoin de quelque chose pour te soigner ? lui demanda sa mère, étendue sur le divan, un linge mouillé sur le front.

— Non, c'est correct.

— As-tu eu le temps de tout faire ?

— Oui. Là, je suis fatiguée. Je m'en vais me coucher, annonça-t-elle au moment où une émission consacrée à La Bolduc commençait.

Il était à peine neuf heures trente quand la jeune fille éteignit sa lampe de chevet. Avant de se mettre au lit, elle avait vérifié si elle allait être en mesure de dissimuler sous ses cheveux la bosse qu'elle s'était faite quelques minutes plus tôt. Ensuite, elle s'attarda un court moment devant sa robe de mariée suspendue dans sa garde-robe. Un frisson d'excitation la parcourut à la pensée de la journée de son mariage qui allait avoir lieu dans dix jours.

Reine, épuisée, s'endormit profondément, si profondément qu'elle n'entendit pas sa mère venue lui souhaiter une bonne nuit quelques minutes plus tard.

La jeune fille rêva qu'elle se baignait seule dans l'eau d'une rivière par une belle journée d'été. Soudain, le courant se mit à l'emporter et elle s'apercevait qu'elle ne savait pas nager. Elle avait beau se débattre, le courant l'entraînait. Elle cria à l'aide, mais il n'y avait personne pour lui porter secours. Le cœur battant la chamade, elle se réveilla brusquement, prête à crier. Alors, seulement une fois assise sur son lit, elle se rendit compte qu'elle était en sécurité dans sa chambre et les battements de son cœur se calmèrent progressivement.

Elle regarda les chiffres phosphorescents de son réveille-matin : les aiguilles indiquaient deux heures trente. Un élancement dans sa cuisse droite lui rappela sa chute. Elle grimaça de douleur dans le noir. Durant un court instant, elle crut que c'était cela qui l'avait réveillée au milieu de la nuit. Puis une brusque contraction lui coupa pratiquement le souffle. Affolée, elle se demanda ce qui lui arrivait. Une autre contraction encore plus violente survint quelques instants après. Cette douleur atroce revint à deux autres reprises et elle sentit un liquide chaud couler entre ses cuisses. Paniquée, elle ne savait que faire et eut tout de suite une pensée pour son petit, en mettant instinctivement sa main sur son ventre.

— Qu'est-ce qui m'arrive ? fit-elle, au bord des larmes.

Elle attendit un court moment le retour de la douleur… Elle ne revint pas. Alors, elle tendit le bras et alluma sa lampe de chevet. Avec appréhension, elle écarta les couvertures. Sa robe de nuit et son drap étaient souillés. Il y avait du sang et autre chose…

— C'est pas vrai ! s'exclama-t-elle à mi-voix. J'ai perdu mon petit.

Déçue et désemparée, elle se laissa tomber sur ses oreillers et se mit à pleurer convulsivement en serrant à nouveau ses bras contre son ventre douloureux. Il lui fallut plusieurs minutes avant de se calmer. Elle devait se lever et aller aux toilettes. Il lui fallait aussi nettoyer. Durant un long moment, elle demeura immobile dans son lit souillé, se demandant si elle allait avoir la force de bouger.

Elle finit par se lever, peu solide sur ses jambes. Elle prit une robe de nuit propre dans un tiroir de sa commode et retira le drap souillé. Elle ouvrit la porte de sa chambre et attendit, immobile, les oreilles aux aguets. Après avoir vérifié si elle n'avait pas réveillé son père et sa mère, elle alla s'enfermer sans bruit dans les toilettes. Elle s'empressa de verrouiller la porte et se regarda longuement dans le miroir suspendu au-dessus du lavabo : ses yeux étaient cernés et sa figure était pâle. Elle se lava et nettoya sa robe de nuit du mieux qu'elle put.

Quand elle revint dans sa chambre à coucher, elle se sentait déprimée et surtout faible au-delà de toute expression. Elle eut à peine la force de dissimuler le drap sale au fond de sa garde-robe, remettant au matin la mise en place d'un drap propre. Elle éteignit sa lampe et s'enfouit sous les couvertures, recroquevillée sur elle-même.

Elle ne portait plus d'enfant. Qu'allait-elle faire maintenant ? Elle avait le cœur à l'envers et tout se bousculait dans sa tête. Elle ne savait même plus si son ventre lui faisait mal tant elle était bouleversée. En fait elle avait mal partout. Devait-elle en parler à sa mère ? Quelle serait sa réaction ? Elle pouvait aussi bien tout mettre en œuvre pour faire avorter ce mariage qu'elle n'approuvait pas que l'inciter à cacher la vérité pour que l'union se fasse afin de ne pas perdre la face.

Plus important encore, devait-elle apprendre à Jean qu'elle avait perdu le bébé qu'elle portait ? Il était le premier concerné. Elle se doutait à quel point il lui en avait coûté d'abandonner ses études et ses rêves de devenir avocat pour prendre ses responsabilités. Maintenant, plus rien ne l'obligeait à l'épouser. Si elle lui révélait ce qui venait d'arriver, il pouvait fort bien décider de remettre leur mariage à plus tard, à beaucoup plus tard…

Et son père, comment allait-il réagir devant cette nouvelle ? Il avait déjà beaucoup déboursé pour être en mesure de lui offrir un beau mariage. Avoir dépensé en pure perte autant d'argent allait sûrement le jeter dans une rage folle.

Elle-même tenait-elle absolument à se marier si rapidement avec Jean Bélanger ? Après une brève hésitation, elle se ressaisit et décida que la réponse était oui. Elle n'était absolument pas prête à remettre à plus tard ce mariage. Elle sentait qu'il pouvait fort bien lui préférer une autre fille entre-temps si elle lui permettait de s'esquiver. De plus, les bans étaient déjà publiés. Elle n'allait pas accepter d'être montrée du doigt dans la paroisse. Les gens connaissant les Talbot allaient faire des gorges chaudes et imaginer toutes sortes de raisons à l'annulation de la cérémonie de mariage. Non. Elle allait garder pour elle ce qui venait de lui arriver. Plus tard, elle apprendrait la vérité à Jean…

Durant de longues minutes, elle chercha la meilleure solution pour échapper à ce dilemme. Puis, finalement, une sortie de secours lui apparut. Pourquoi ne pas cacher tout simplement la vérité jusqu'après le mariage ? Ce serait tellement plus simple. Quelques jours après les noces, elle n'aurait qu'à feindre de perdre l'enfant et tout serait dit.

Après que toutes ces pensées se furent bousculées rapidement dans son esprit, affaiblie par sa fausse couche, elle finit par plonger dans le sommeil comme on se noie.

Quelques heures plus tard, la voix de sa mère la réveilla en sursaut. Yvonne avait entrouvert la porte de sa chambre.

— Veux-tu bien me dire ce que t'as à matin ? lui demanda-t-elle. Ça fait cinq minutes que ton cadran a sonné et je t'ai appelée deux fois pour déjeuner. Il est huit heures.

— J'ai mal dormi, répondit-elle d'une voix maussade. Je me lève.

Elle attendit que sa mère ait refermé la porte pour se lever en boitillant. Le bleu sur sa cuisse lui faisait mal. À la vue du matelas sans drap, elle s'empressa d'en prendre un propre dans le dernier tiroir de sa commode et de faire son lit. Il n'aurait plus manqué que sa mère voie cela. Ensuite, elle prit le temps de placer ses cheveux de manière à dissimuler la bosse qui ornait son front avant de sortir de la pièce et d'aller s'asseoir à table.

— T'as l'air mal lunée, lui fit remarquer Fernand en la regardant.

— J'ai été malade durant la nuit, dit-elle sans entrer dans les détails. J'ai eu de la misère à me rendormir, mentit-elle. Est-ce que ça vous dérangerait que je me recouche ? Je me sens pas dans mon assiette pantoute, p'pa.

Yvonne regarda son mari, cherchant à lui faire comprendre que l'état de leur fille pouvait exiger de sa part une plus grande compréhension. Le père saisit le message, mais il n'en était pas heureux pour autant.

— C'est correct, recouche-toi. Je descends au magasin, viens me rejoindre quand tu te sentiras mieux, ajouta-t-il en poussant un soupir d'exaspération. Oublie pas qu'on reçoit une dizaine de caisses d'œufs de Pâques qu'il va falloir placer aujourd'hui, lui rappela-t-il.

Reine le remercia. Elle mit deux tranches de pain dans le grille-pain à deux portes placé sur la table et se versa une tasse de café pour s'aider à reprendre pied dans la réalité. Sa mère disparut dans sa chambre à coucher, probablement pour s'habiller.

Profitant de sa solitude, la jeune fille dressa des plans en cette veille de son vingtième anniversaire de naissance. En priorité, elle descendrait à la biscuiterie aider son père à préparer les étalages d'œufs de Pâques dans une heure ou deux, avant de feindre un malaise à son retour de dîner pour pouvoir aller rendre visite au docteur Laflamme. Il lui fallait s'assurer que sa fausse couche n'allait pas avoir des conséquences fâcheuses pour sa santé. En soirée, elle trouverait le moyen de laver son drap souillé et de le faire sécher dans sa chambre à l'insu de sa mère.

Si Reine donnait l'impression d'être en plein contrôle et d'avoir clairement établi ses devoirs pour la journée, elle n'en était pas moins bouleversée sur le plan émotionnel. Elle vivait toujours avec le dilemme de dire ou non à sa mère et à Jean ce qui venait de se passer. Cette situation amenait évidemment son lot d'inquiétudes liées au mariage et à son avenir. Tout cela la secouait et lui causait un nœud au niveau du ventre qui l'empêchait d'y voir clair.

∞

Ce matin-là, chez les Bélanger, Amélie avait prévenu les siens qu'on était jeudi saint et qu'elle avait l'intention, comme chaque année, de s'absenter pour visiter les sept églises, ce qui allait lui assurer une indulgence plénière.

— Je trouve ça bien de valeur que vous puissiez pas venir, vous autres aussi, déclara-t-elle aux siens.

— On a au moins tenu nos promesses de carême, lui fit remarquer son mari en adressant un clin d'œil de connivence à Jean.

Claude entra dans la cuisine en bâillant et prit place à table.

— C'est vrai, ça, m'man. Moi, en tout cas, ma chambre a été faite tous les jours. On peut pas en dire autant de ceux qui avaient promis de dire leur chapelet. Je sais pas quand ils l'ont récité, mais c'est pas le soir en se couchant, par exemple. J'en connais qui ronflent en fermant leur lumière.

Jean ne dit rien, sachant fort bien qu'il était celui visé par son frère.

— En tout cas, vous auriez dû demander que ceux-là récitent leur chapelet à genoux. Comme ça, on aurait pu savoir si la promesse était tenue.

— Ça va faire, la mémère, le coupa Amélie. Sais-tu, je pense à quelque chose. Aujourd'hui, tu dois finir l'école à midi, non?

— Ben oui, m'man. C'est les vacances de Pâques.

— Tu pourrais bien venir me rejoindre pour finir la visite des églises. Il me semble que ça te ferait pas de mal.

— Exagérez pas, m'man, protesta l'adolescent. Déjà que je vais être poigné pour aller à la cérémonie à l'église, à soir.

— Tu seras pas tout seul, mon garçon. On va tous y aller, déclara la mère de famille sur un ton qui n'acceptait pas la contestation.

— Mais, m'man, voulut dire Jean.

— Il y a pas de «mais» qui tienne. On est une famille catholique et ici dedans, tout le monde fait ses pâques. Au cas où vous l'auriez oublié, les confessionnaux sont pleins le vendredi saint et le samedi saint. Ça fait qu'on est aussi bien de s'organiser pour aller à la confesse à soir.

— Moi, c'était ce que j'avais l'intention de faire, confirma Lorraine. Mais je travaille vendredi soir et samedi toute la journée.

— Je pense que moi aussi j'ai pas grand choix d'y aller, concéda Jean. Demain, c'est la fête de Reine et je pense pas qu'elle ait dans l'idée de venir passer la soirée à l'église. En plus, la biscuiterie est ouverte jusqu'à neuf heures.

— C'est vrai ça, reconnut Amélie. Pour moi, elle a pas le choix de venir faire ses pâques aujourd'hui. Vendredi et samedi, elle pourra pas.

❦

Après avoir passé la fin de l'avant-midi à servir la clientèle et à ranger tout ce que les fournisseurs avaient livré très tôt le matin, Reine monta dîner dès que son père vint la remplacer derrière le comptoir. La jeune fille avait profité de la brève absence paternelle au milieu de la matinée pour appeler au bureau du docteur Laflamme. Ce dernier avait accepté de la recevoir au début de l'après-midi quand elle avait signalé qu'il s'agissait d'une urgence qui ne pouvait être différée.

À une heure quinze, la jeune fille descendit au magasin, son manteau sur le dos.

— Où est-ce que tu t'en vas ? lui demanda son père, surpris de la voir vêtue comme pour sortir.

— Je dois aller voir le docteur Laflamme. Je me sens pas bien, se contenta-t-elle de lui dire.

Le visage du petit homme prit un air contrarié.

— T'aurais pas pu choisir une autre journée qu'aujourd'hui ? On va pas arrêter d'avoir du monde.

— Vous serez pas plus avancé, p'pa, si je suis malade le jour des noces, rétorqua-t-elle en vérifiant si elle avait des billets de tramway dans sa bourse.

— C'est correct. Vas-y, mais traîne pas pour revenir. J'ai besoin de toi.

Reine quitta la biscuiterie et se dirigea à pied vers le boulevard Saint-Joseph en montant la rue Brébeuf. Il faisait beau. Le ciel était dégagé et le soleil de ce début d'avril était assez chaud pour faire fondre la neige entassée le long des trottoirs. Déjà, des jeunes avaient commencé, les jours précédents, à creuser des rigoles jusqu'aux caniveaux pour faciliter l'évacuation de l'eau de fonte. L'air était doux et on pouvait sentir que la nature cherchait à renaître. Cette température agréable apaisa un peu les appréhensions de la jeune femme et lui donna le goût de marcher.

En passant devant la maison des Bélanger, elle leva la tête. Elle ne vit qu'un gros homme, debout sur la galerie à l'étage, en train de casser de la glace avec le talon de l'une de ses bottes. À peine venait-elle de s'éloigner qu'elle se retrouva face à face avec un Claude d'excellente humeur.

— Salut, Claude, dit Reine.

— Est-ce que tu t'en vas à l'église? lui demanda-t-il après l'avoir saluée.

— Peut-être, si j'en ai le temps après avoir fait des commissions, répondit-elle.

— Tabarnouche! Dis-moi pas que tu vas ressembler à ma mère, plaisanta-t-il.

Reine s'éloigna en riant. Quelques minutes plus tard, sur le boulevard Saint-Joseph, elle poussa la porte du bureau d'Aurèle Laflamme et elle fut accueillie par la même secrétaire que la fois précédente. La femme au visage sympathique releva son nom avant de la prier de prendre un siège en attendant que le médecin revienne de dîner.

Heureusement, la jeune femme n'eut pas à patienter aussi longtemps que lors de sa première visite. À peine venait-elle de s'asseoir près de la fenêtre que le sémillant docteur pénétrait dans son bureau. Le temps d'enlever son manteau et d'endosser son sarrau, il ouvrit la porte de son bureau pour l'inviter à entrer. Le médecin l'écouta lui expliquer ce qui s'était passé avant de se livrer à un examen minutieux de sa jeune patiente.

— Bon, tu peux te rhabiller, lui ordonna-t-il en retournant s'asseoir derrière son bureau.

Il consulta son dossier et attendit qu'elle vienne prendre place sur l'une des deux chaises réservées aux visiteurs.

— Il y a pas grand-chose à faire, dit-il à sa patiente. T'as bien perdu ton petit. Je sais que c'est triste, ajouta-t-il en la scrutant, mais t'es jeune et t'en auras d'autres.

— Merci, docteur, dit Reine en finissant de boutonner son chemisier.

— T'as pas fait exprès de tomber pour essayer de t'en débarrasser, j'espère ?

— Ben non, docteur, fit-elle en prenant un air insulté.

— C'est correct. J'ai rien dit, poursuivit-il sur un ton égal. Tu sais, je pratique depuis plus de vingt ans et j'en ai vu de toutes les couleurs.

— Peut-être, docteur, mais je vous jure que c'était un accident. Je me marie dans une semaine, vous savez.

— Mes félicitations.

— Est-ce que vous allez parler de ça à ma mère ? se décida enfin à demander Reine.

— Ce qui se passe dans mon bureau regarde pas ta mère, ma fille, répliqua sèchement le praticien.

— Je disais ça parce que vous êtes notre docteur de famille, fit Reine, comme pour s'excuser.

— T'as pas à t'inquiéter. Ta mère en saura rien. Je te laisse l'informer toi-même.

— Merci, docteur. Ça sera fait bientôt, mais je crois que j'ai encore besoin de temps à moi pour digérer la nouvelle.

— Je comprends ça, dit le médecin.

Reine, rassérénée, quitta le bureau du docteur Laflamme après avoir acquitté le prix de sa visite. Elle se sentait brusquement comme neuve. Il ne lui resterait plus qu'à choisir avec soin le moment de révéler aux siens qu'elle avait perdu son enfant.

En revenant lentement vers la biscuiterie, elle eut une pensée pour sa sœur Estelle qui attendait avec une impatience croissante la venue de son premier enfant. Eh bien ! elle allait pouvoir profiter de son moment de gloire seule, sans avoir à supporter la concurrence de sa jeune sœur.

Ce soir-là, Jean rentra du travail harassé. Deux employés d'entretien ne s'étaient pas présentés. Malgré tout, Onésime Gagnon s'était mis en tête de faire exécuter tout le travail, même si l'équipe était incomplète. Il n'avait pas cessé de le houspiller et de le traiter de pousse-crayon incapable depuis le début de la matinée. À un moment donné, Magnan, son coéquipier, dut sentir que le jeune homme était à bout et allait sauter à la gorge de leur contremaître, car il intervint pour inviter ce dernier à les lâcher un peu. Brusquement, Gagnon avait paru se rendre compte du danger. Il avait alors tourné les talons pour aller s'occuper d'autres membres de son équipe en train de nettoyer une autre rame de wagons.

Après le souper, Jean alla faire sa toilette en ronchonnant contre l'obligation d'avoir à aller à l'église. Sa mère avait déjà donné le signal du départ.

— Bâtard! jura Claude en changeant de chemise. Il me semble que m'man devrait en avoir eu ben assez de faire la tournée des églises aujourd'hui. Elle pourrait nous laisser tranquilles à soir. Moi, je viens juste de commencer mes vacances. Si je l'écoutais, je les passerais toutes à l'église.

— Tu devrais assez connaître m'man pour savoir que tu perds ton temps à te plaindre, lui fit remarquer son frère aîné. On n'a pas le choix. On y va.

À sa sortie de sa chambre, sa mère lui suggéra d'inviter Reine à les accompagner. Excédé, Jean ne put se retenir de lui répondre:

— M'man, je suis trop fatigué à soir. Si elle veut y aller, elle est capable d'y aller toute seule.

— C'est comme tu voudras, laissa tomber Amélie. Bon, on y va, ordonna-t-elle aux siens.

— Mais m'man, il est même pas encore sept heures, protesta Claude en regardant l'horloge suspendue au mur de la cuisine.

— Je suis pas aveugle, Claude Bélanger. Je le sais qu'il est juste sept heures moins vingt. Si on part de bonne heure, il va y avoir moins de monde devant les confessionnaux et on va avoir le temps de se confesser avant la cérémonie.

— Mais moi, je veux pas retourner me confesser, plaida l'adolescent. J'y suis allé avec ma classe avant-hier.

— Il y a personne qui t'oblige à y retourner, rétorqua sa mère en vérifiant la position de son chapeau dans le miroir. T'auras juste à dire ton chapelet pendant ce temps-là.

— Maudit que c'est plate, cette affaire-là, se plaignit-il. Il fait clair et je pourrais aller casser de la glace dans la ruelle avec mes chums.

— Laisse faire tes chums, trancha sa mère en lui faisant signe de sortir. Aller prier est bien plus important que d'aller casser de la glace qui va fondre toute seule.

Déjà, Félicien, Lorraine et Jean les attendaient au pied de l'escalier. Tous se mirent en route en même temps. Claude, les deux mains enfoncées dans ses poches de pantalon, marchait en avant et boudait ostensiblement.

Les Bélanger montèrent les deux volées de marches conduisant au parvis de l'église en même temps qu'une poignée de fidèles. À leur entrée dans le temple, Amélie remarqua immédiatement les ampoules allumées au-dessus de la porte centrale de quatre confessionnaux.

— On est chanceux, chuchota-t-elle à son mari. Il y a quatre prêtres qui confessent et il y a pas trop de monde qui attend.

Jean n'entendit pas la suite. Il se dirigea immédiatement vers le premier confessionnal où la file d'attente était la moins importante. Claude était sur ses talons.

— Essaye de pas poigner le curé, conseilla-t-il à voix basse à son frère aîné. Lui, ses pénitences en finissent plus. Je suis encore tombé sur lui avant-hier.

Jean fit comme s'il ne l'avait pas entendu et poursuivit son chemin pour aller prendre place derrière une grosse dame et deux vieillards qui attendaient debout, à distance respectueuse de l'isoloir de gauche du dernier confessionnal. Il était fatigué et n'avait qu'une hâte, se débarrasser de cette corvée.

Le confesseur assis dans la partie centrale avait entrouvert la porte pour laisser pénétrer un peu d'air. Au moment de se mettre à répertorier les péchés dont il souhaitait se confesser, le jeune homme aperçut Lorraine et son père se dirigeant vers le confessionnal voisin, alors que sa mère s'agenouillait dans un banc pour se recueillir avant d'aller se placer en ligne pour confesser ses péchés. Durant un bref moment, il envia la foi ardente de sa mère. S'il avait été aussi croyant qu'elle, il aurait persévéré dans son désir de devenir prêtre et, aujourd'hui, il serait encore étudiant.

Il chassa cette idée pour penser à ses fautes depuis sa dernière confession. Bien sûr, si le confesseur était le curé Pelletier ou le vieux vicaire Dumas, il allait insister sur les péchés d'impureté, comme si c'étaient les seules fautes qu'on pouvait commettre. Il se rappela les mises en garde terrifiantes de l'aumônier de l'école et même de son directeur de conscience au collège qui répétaient jusqu'à plus soif que l'on était toujours puni par où on avait péché et qui brandissaient les flammes de l'enfer pour l'éternité si on se laissait aller à une pensée ou à un geste impur.

Un bref moment, il s'interrogea sur la réaction du confesseur s'il lui avouait avoir fait l'amour avec une jeune fille en dehors des liens sacrés du mariage... Il renonça immédiatement à un tel aveu. Pourquoi l'aurait-il fait puisque, dans une semaine, ce qui était un péché aujourd'hui deviendrait permis ? À cette seule idée, il se sentit tout émoustillé. Il dut orienter ses pensées vers d'autres fautes commises.

Quand la grosse dame quitta l'isoloir pour lui céder la place, Jean pénétra dans ce lieu exigu et referma la porte derrière lui avant de s'agenouiller dans le noir. Il entendit des chuchotements de l'autre côté du grillage qui l'isolait du prêtre. Le bruit d'un guichet qu'on referme fut suivi par un autre. Alors, Jean aperçut vaguement le profil de son confesseur. Ce dernier venait d'ouvrir le guichet de son côté. Il fut soulagé de constater que ce n'était ni le curé Pelletier ni l'abbé Dumas.

— Pardonnez-moi, mon père, parce que j'ai péché, commença-t-il immédiatement à réciter avant d'énumérer ses fautes.

Son confesseur l'écouta sans rien dire, puis il formula quelques questions précises auxquelles il fut bien obligé de répondre. Finalement, le prêtre lui donna un chemin de croix à faire comme pénitence avant de lui donner l'absolution.

À sa sortie du confessionnal, il se rendit compte que son père et sa mère attendaient encore derrière quelques pénitents. Il eut la tentation d'aller s'asseoir sur un banc pour se reposer quelques instants et de remettre à plus tard son chemin de croix. Il vit Claude du coin de l'œil lui adresser des signes discrets de venir le rejoindre, et cela le décida à se débarrasser tout de suite de sa pénitence avant le début de la cérémonie.

Peu avant huit heures, les ampoules au-dessus des portes des confessionnaux s'éteignirent et les prêtres les quittèrent en retirant ostensiblement leur étole mauve tout en se dirigeant vers la sacristie. L'église était maintenant aux trois quarts remplie. Amélie, entourée de Félicien et de Lorraine, chercha des yeux ses deux fils au moment où le célébrant rejoignait l'autel, précédé par une douzaine d'enfants de chœur, un thuriféraire et un cérémoniaire. Dans un banc de l'autre côté de l'allée centrale, Jean et Claude se levèrent pour accueillir le prêtre, comme tous les autres fidèles.

— Ça va être long en maudit, dit tout bas Claude à son frère.

— Si tu trouves que c'est long aujourd'hui, attends demain après-midi quand le prêtre va lire la Passion, rétorqua Jean sur le même ton.

— Chanceux! ne put s'empêcher de dire l'adolescent. Toi, tu vas travailler. Tu seras pas obligé de venir. Avec m'man, il y a pas grand chance que je puisse m'en sauver.

Après la lecture de l'Évangile, les fidèles assistèrent à la cérémonie traditionnelle du lavement des pieds.

— Je te dis que c'est pas le temps d'avoir des chaussons percés ou de puer des pieds, plaisanta tout bas Claude en se penchant vers son frère.

— Ferme ta boîte, lui ordonna ce dernier. M'man arrête pas de te regarder.

— Je m'en sacre. Moi, je suis écœuré. Ça fait des heures qu'on est poignés ici dedans. Est-ce que ça achève?

— Il y en a encore pour un bon bout de temps, répondit Jean. Après la messe, il y a le dépouillement des autels.

— V'là autre chose!

Les fidèles ne quittèrent l'église qu'un peu après neuf heures trente.

— Cybole! Un peu plus, le curé Pelletier nous gardait à coucher, ne put se retenir de faire remarquer Félicien en allumant une cigarette dès qu'il posa les pieds sur le parvis.

— C'est vrai que c'est long, reconnut Jean en imitant son père.

— Plaignez-vous donc, vous deux, intervint Amélie, sévère. Vous donnez même pas deux heures de votre temps au bon Dieu dans une semaine et vous trouvez encore moyen de vous lamenter.

L'air s'était passablement rafraîchi depuis le coucher du soleil et Jean réprima un frisson.

— C'est pas encore ben chaud, constata Félicien en boutonnant son manteau de printemps.

— On est juste au commencement d'avril, lui fit remarquer sa femme.

À leur retour devant leur maison, ils trouvèrent Omer Lussier, vêtu uniquement d'une chemise légère, occupé à ramasser des papiers et des déchets que la fonte des glaces avait finalement libérés de leur gangue le long de la clôture qui ceinturait le parterre des Dubé, les propriétaires qui habitaient le rez-de-chaussée.

— Omer, tu vas attraper ton coup de mort, fit Amélie en s'approchant de son voisin. Est-ce que Adrienne sait que tu es dehors ?

— Non, madame Bélanger. Adrienne est partie.

— Où est-ce qu'elle est partie ?

— Elle me l'a pas dit.

— Qu'est-ce que tu dirais de venir chez nous boire un verre de liqueur et manger des biscuits que je viens de faire ? proposa-t-elle pour l'inciter à rentrer au chaud.

— OK.

L'homme monta à l'étage rejoindre Lorraine et ses deux frères qui s'étaient arrêtés sur la galerie. Jean déverrouilla la porte et le fit entrer.

— Sonne donc chez les Lussier pour voir si sa sœur est pas là, lui ordonna son père à mi-voix avant de pénétrer à son tour dans l'appartement en compagnie d'Amélie.

Moins de deux minutes plus tard, Jean revint avec Adrienne Lussier. La sœur d'Omer, le nez rougi et la voix rauque, s'excusa du dérangement. Elle était victime d'une mauvaise grippe depuis quelques jours et elle s'était alitée tôt ce soir-là pour tenter de récupérer. De toute évidence, son frère en avait profité pour sortir sans rien sur le dos.

— Ça nous a pas dérangés une miette, dit Félicien pour la rassurer. On a juste eu peur qu'il attrape une pneumonie dehors, sans son manteau.

— Vous êtes bien fins.

Pendant que sa sœur s'entretenait avec ses hôtes, Omer, tranquille comme Baptiste, avait pris place à la table de la cuisine et mangeait paisiblement des biscuits à la mélasse cuisinés l'après-midi même par Amélie. Finalement, Adrienne Lussier parvint à entraîner son frère chez elle, non sans que ce dernier accepte avec un plaisir manifeste une demi-douzaine de biscuits qu'Amélie avait déposés dans un sac.

Chapitre 20

Le divan

Le lendemain matin, les Montréalais se levèrent sous une petite pluie froide.

— Une vraie température de vendredi saint, déclara Amélie en finissant de préparer les lunchs de son mari et de Jean. Je vous ai fait des sandwichs au beurre de peanuts pour dîner.

— On aurait pas pu en avoir aux œufs? demanda Félicien en esquissant une grimace.

— T'oublies que c'est maigre et jeûne le vendredi saint. T'es encore chanceux de pouvoir manger.

— Whow, cybole! Ceux qui travaillent ont le droit de manger, protesta-t-il en s'emparant quand même du sac de papier kraft dans lequel sa femme venait de déposer son maigre repas.

Son fils aîné prit le sien sans formuler le moindre commentaire.

— Ah! J'oubliais, dit-il au moment de boutonner son manteau. Je rentrerai pas souper à soir. C'est la fête de Reine. Ça se peut que je l'amène au restaurant si son père accepte de la laisser partir avant la fermeture de la biscuiterie.

— Même si c'est sa fête, oublie pas que c'est tout de même jeûne aujourd'hui, lui rappela sa mère, sévère.

— Si je l'amène au restaurant, on va aller à La Binerie, entre Saint-Denis et Drolet. Et je vous promets, m'man, que si on trouve un morceau de lard dans notre assiette, on le mangera pas, on le regardera même pas, ajouta-t-il, moqueur.

Amélie feignit de ne pas remarquer le sarcasme et souhaita une bonne journée au père et au fils.

Les deux hommes se séparèrent au coin de la rue. Jean trouva cette dernière journée de la semaine passablement moins pénible que la veille. Les deux absents avaient réintégré l'équipe et le travail se déroula rondement. Le hasard voulut que le contremaître soit retenu pratiquement tout l'après-midi par son supérieur, ce qui permit à ses hommes de souffler un peu. Onésime Gagnon ne revint sur les quais de la gare qu'au moment de remettre les enveloppes de paye à ses hommes.

— Dépensez pas tout à la taverne, leur dit-il en leur remettant leur dû.

— Ça risque pas, répondit un nommé Lemay. D'abord, on est vendredi saint et toutes les tavernes sont fermées depuis midi. En plus, ma femme doit m'attendre proche de la porte pour me prendre ma paye.

— Et toi, le jeune, je suppose que même si les tavernes étaient ouvertes, t'as pas encore assez le nombril sec pour avoir le droit d'entrer boire une bière là-dedans ? reprit le contremaître déplaisant en s'adressant à Jean.

Ce dernier prit son enveloppe et ne se donna même pas la peine de lui répondre.

Il se dépêcha de quitter les lieux pour monter dans le premier tramway qui s'arrêta près de la gare Windsor tant il était pressé d'arriver. Habituellement, Reine n'abandonnait son poste à la biscuiterie que vers six heures quinze pour monter souper chez elle. Elle mangeait après son père et devait attendre que ce dernier vienne la remplacer, car le vendredi soir, le commerce demeurait ouvert jusqu'à neuf heures. Mais en ce vendredi saint, la biscuiterie avait dû fermer ses portes à midi, comme pratiquement tous les commerces du quartier. Jean se demanda s'il n'allait pas être obligé d'aller sonner à la porte des Talbot pour l'inviter.

Par chance, il l'aperçut dans la biscuiterie en passant devant la vitrine. Elle était en train de décorer le magasin pour Pâques. Il frappa contre la vitre. La jeune femme lui sourit et vint lui ouvrir la porte. Son fiancé l'embrassa après lui avoir souhaité un bon anniversaire.

— Je t'ai pas acheté de cadeau, lui avoua-t-il, mais j'ai pensé que t'aimerais peut-être que je t'amène souper à La Binerie pour fêter ça. Qu'est-ce que t'en penses ?

— Là, je sais pas si mon père va accepter que j'y aille, dit-elle, soudain soucieuse. Déjà que cet après-midi j'ai dû le laisser tout seul presque deux heures parce que ma mère tenait absolument à ce que j'aille me confesser avec elle.

— Écoute, si t'aimes mieux que je t'achète un petit cadeau, j'ai vu un miroir et une brosse à cheveux chez Woolworth, proposa Jean.

— Non, j'aime mieux aller manger au restaurant avec toi. On va attendre mon père. Il est supposé descendre me donner un coup de main.

— Dis donc, on dirait que ça a ben marché vos œufs de Pâques, dit-il en montrant l'étalage presque vide.

— On n'a pas arrêté d'en vendre de la semaine. C'est à se demander où le monde trouve les coupons de rationnement. Les œufs ont beau pas être bien gros, ça prend des coupons.

Quand Fernand Talbot descendit quelques minutes plus tard, il hésita à peine avant de permettre à sa fille de partir.

— T'es pas obligée de revenir vite, prit-il soin de lui spécifier. Je suis capable de finir ce que t'as commencé. Après tout, c'est ta fête. Oublie pas d'avertir ta mère en sortant, qu'elle t'attende pas pour souper.

Reine ne demeura à l'étage que cinq minutes, le temps de se maquiller quelque peu avant de descendre rejoindre son fiancé qui tentait maladroitement de faire la conversation à son futur beau-père. Les deux jeunes gens quittèrent la biscuiterie et Reine glissa son bras sous celui de Jean. La petite pluie froide qui était tombée toute la journée s'était transformée en légers flocons de neige. En ce vendredi soir, il était étonnant de constater que si peu de gens arpentaient la rue Mont-Royal dont la plupart des commerces avaient fermé leurs portes. Les rares piétons rencontrés semblaient surtout pressés de rentrer chez eux.

— Je trouve donc ça démoralisant de la neige quand on est en plein printemps, dit Reine en se serrant contre Jean.

— Ça durera pas, ça va fondre demain.

— As-tu pensé que dans une semaine on va être à la veille de se marier ? lui demanda-t-elle en surveillant sa réaction du coin de l'œil.

— Ça s'en vient pas mal vite, se contenta-t-il de répondre.

Quelques minutes plus tard, ils prirent place sur deux tabourets de La Binerie et commandèrent de la soupe aux pois et des fèves au lard. Le restaurant ne payait pas de mine et n'était certes pas le plus luxueux du quartier, mais il était le plus souvent pris d'assaut à l'heure des repas par une clientèle fidèle qui appréciait la cuisine canadienne.

À la fin du repas, Jean proposa à sa fiancée de l'accompagner jusqu'à la rue Montcalm avant de rentrer à la maison. Le matin même, il avait décidé d'aller verser à Antoine Tremblay les cinq dollars de remboursement pour les meubles qu'ils lui avaient achetés.

— Qu'est-ce qui presse tant ? lui demanda-t-elle sur un ton cassant.

— Demain, j'ai prévu de passer une partie de la journée à enlever les doubles fenêtres autant chez mon père que chez nous.

— C'est correct, je te laisse y aller tout seul. J'aime mieux rentrer, décida-t-elle après avoir jeté un coup d'œil à l'horloge du restaurant. Oublie pas de faire remarquer à Tremblay que tu lui devras juste dix piastres après, au cas où il aurait pas compté comme il faut.

Ils quittèrent le restaurant. Jean la raccompagna jusque devant la biscuiterie et lui souhaita encore une fois un bon anniversaire avant d'aller prendre un tramway.

❧

Le lendemain avant-midi, Jean tint absolument à prêter main-forte à ses parents pour enlever les contre-fenêtres et installer les grosses persiennes vertes.

— On aurait ben pu attendre encore deux ou trois fins de semaine, fit remarquer Félicien, mécontent de voir sa journée de congé gâchée.

— Non, fit Amélie, déterminée. La température commence à se réchauffer.

— Aïe ! Il a neigé hier soir.

— Ça veut rien dire, s'entêta la mère de famille. On va être déjà à la mi-avril la semaine prochaine et on va avoir les noces. Du monde va venir à la maison pour porter les cadeaux de mariage et je veux avoir des vitres propres.

Claude et Jean se mirent au travail avec une bien meilleure volonté que leur père, et au milieu de la matinée tout était terminé. Après le dîner, Claude alla rejoindre des copains avec qui il devait disputer une partie de hockey dans la ruelle et Jean se garda bien de dire aux siens son intention de remplacer les contre-fenêtres par des persiennes dans son propre appartement de crainte que son père se sente obligé de venir l'aider.

Quand il dit sa volonté de passer à son appartement, sa mère s'empressa de lui remettre deux cadeaux laissés par des cousins la veille.

— Laisse donc ça chez les Talbot en passant, lui dit Amélie. Je suppose que la mère de Reine a installé une table quelque part pour y mettre vos cadeaux de noces.

— Reine m'a dit hier que sa mère avait l'intention d'en installer une dans le salon. Il paraît qu'elle avait pensé faire ça chez nous, mais Reine a pas voulu parce que ce monde-là allait salir nos planchers et se promener partout.

— Elle a bien fait, conclut Amélie en déposant dans ses bras deux boîtes enrubannées. La boîte bleue vient d'Alcide Moreau, l'autre vient d'Aurélie Provost, la cousine de ton père.

Pour ne pas avoir à affronter sa future belle-mère, Jean aurait préféré laisser les cadeaux à Reine, en train de travailler à la biscuiterie, mais il se doutait bien que sa fiancée lui dirait de laisser le tout chez ses parents en montant à l'appartement. Il frappa donc chez les Talbot au passage et Yvonne vint lui ouvrir, le visage fermé, comme d'habitude.

— Ce sont des cadeaux laissés par des cousins de mon père, lui dit-il, mal à l'aise.

— Tu peux les laisser dans le salon. On a mis une table pour ça, hier soir, se borna-t-elle à lui dire, avant de le laisser sur place et de retourner dans la cuisine.

Jean entra dans le salon et découvrit deux autres paquets qui avaient été ouverts sur une table recouverte d'une nappe blanche. Il ne se donna pas la peine de regarder ce que chacun renfermait. Il quitta l'appartement après avoir salué de loin la mère de Reine.

Mis de mauvaise humeur par l'accueil réfrigérant de sa future belle-mère, il entreprit de sortir les persiennes du hangar encombré laissé par l'ancien locataire. Il les lava avant de les installer en remplacement des contre-fenêtres. Vers quatre heures, il décida de s'accorder une pause bien méritée et alla s'asseoir sur le vieux divan couvert de peluche verte acheté à Antoine Tremblay avant d'allumer une cigarette.

Fatigué, il retira ses souliers et s'étendit sur les coussins pour fumer. Il n'y avait aucun bruit dans l'immeuble et il ferma les yeux un court moment pour profiter de ces quelques instants de repos. Après avoir fumé sa cigarette, il se releva, remit ses chaussures et pensa à replacer correctement les cousins. En déposant le dernier des trois coussins, ses doigts heurtèrent une chose dure qui avait dû accidentellement glisser entre le siège et le dossier.

Intrigué, Jean tâtonna plus profondément. Il voulait trouver un moyen de retirer ce rebut coincé profondément dans le divan, entre les coussins. Finalement, après dix minutes de travail intense, ayant écrasé les ressorts tant bien que mal pour agrandir l'ouverture, ses doigts extirpèrent quelque chose de rond et dur de l'endroit où il semblait niché depuis longtemps.

Stupéfait, il découvrit qu'il s'agissait de vieux billets de banque que son propriétaire avait pris la peine de rouler très serrés. Le cœur battant, il considéra durant un long moment ce qu'il venait de découvrir avant de se décider à l'apporter sur la table de cuisine pour être mieux à même de compter la somme.

Les jambes un peu flageolantes, il s'assit sur l'une des quatre chaises placées autour de la table. Il retira l'élastique et se mit à compter en défroissant chaque billet pour le déposer à plat devant lui.

— Trois cent vingt piastres ! s'exclama-t-il en plaçant le dernier billet sur la pile devant lui.

Aussitôt, il se mit à rêver à tout ce qu'il pourrait se payer avec une telle somme. C'était l'équivalent de plus de vingt semaines de salaire. Il s'agissait d'une véritable fortune ! Avec tout cet argent, il avait la possibilité de finir de rembourser Antoine Tremblay et de payer presque deux ans de loyer, s'il le désirait. Ou encore, il pourrait rembourser à Lorraine ses cinquante dollars et voir venir les premiers mois de vie commune avec Reine sans trop s'en faire. À la limite, il serait même capable d'envoyer promener Onésime Gagnon et le Canadien National et de prendre tout son temps pour se trouver un nouvel emploi plus convenable.

Soudain fébrile, il roula à nouveau les billets de banque empilés devant lui et les attacha avec l'élastique. Le cœur léger, il enfouit son magot dans l'une de ses poches et il allait se relever quand son excitation retomba brusquement. Soudain, il était pris d'un doute.

— Mais cet argent-là est pas à moi, dit-il à voix haute. Le garder, ce serait voler. Tremblay l'a dit lui-même que son père lui avait laissé de l'argent et qu'il ne savait pas où il l'avait caché.

Durant quelques minutes, il jongla avec l'idée de garder ou non l'argent. Après tout, c'était lui qui avait trouvé cet argent et c'était tout de même dans son propre appartement.

— Qui trouve garde ! murmura-t-il.

Mais sa conscience le taraudait toujours. L'argent ne lui appartenait pas et il connaissait, de plus, son propriétaire. Il ne vit aucune bonne raison de s'approprier le magot qu'il venait de découvrir et cela le mit de mauvaise humeur. Il tâta du bout des doigts l'importante somme d'argent enfouie dans ses goussets en affichant un air de profond regret.

— Il y a pas à dire, poursuivit-il à mi-voix avant de sortir de chez lui. Quand on n'est pas chanceux, on n'est pas chanceux.

La mort dans l'âme, il décida de retourner chez ses parents pour souper. Sa décision était prise. Son honnêteté avait triomphé. Il allait rapporter l'argent à son propriétaire légal et si ce dernier lui faisait un petit don pour le lui avoir remis, voilà qui serait de l'argent gagné honnêtement.

Dès qu'il poussa la porte de l'appartement de ses parents, il fut pris d'assaut par toutes sortes d'odeurs appétissantes. Il retira rapidement son manteau pour aller voir dans la cuisine ce qui mijotait et sentait si bon.

— Ôte ton grand nez de mes chaudrons, entendit-il sa mère lui ordonner au moment où elle entrait dans la pièce. C'est pour demain.

— Ça sent tellement bon que j'en aurais mangé pour souper, m'man.

— C'est pas la fin du monde, rétorqua sa mère, tout de même flattée. C'est juste un gros jambon aux ananas qui est en train de finir de cuire dans le four. Ce que tu sens, c'est surtout le gâteau aux carottes que j'ai fait cet après-midi.

— Et qu'est-ce qu'on mange pour souper ?

— Du steak et des patates.

— Ce sera pas mauvais, ça non plus.

Durant tout le repas, Jean eut du mal à ne pas révéler à ses parents la somme qu'il avait trouvée dissimulée dans le divan acheté à Tremblay. Il avait décidé d'apprendre d'abord la nouvelle à Reine.

Ce soir-là, le jeune homme se présenta chez sa fiancée au début de la soirée avec un autre cadeau, celui-là laissé par le frère de sa mère, Émile Corbeil. En pénétrant dans le salon, il se rendit compte que Reine avait ouvert les boîtes qu'il avait apportées au début de l'après-midi. En outre, il découvrit un magnifique coffret en noyer qui renfermait, selon toutes les apparences, une coutellerie.

— Tu aurais peut-être pu m'attendre pour les ouvrir ? lui fit-il remarquer, agacé qu'elle n'y ait pas songé. Après tout, ces cadeaux-là sont pour nous deux.

— Ça change quoi ? rétorqua-t-elle sèchement. Tu les vois là ! Ils sont sur la table.

Puis, sans plus se préoccuper de lui, elle entreprit de déballer le cadeau de l'oncle Émile. Ce dernier et sa femme Berthe avaient eu l'excellente idée de leur acheter un ensemble de vaisselle de quatre couverts.

— C'est pas mal, reconnut-elle du bout des lèvres, mais ça va avoir l'air pas mal *cheap* à côté de la belle coutellerie que mon oncle Henri nous a laissée cet après-midi.

— Il est venu chez vous ? C'est drôle, je l'ai pas entendu, lui fit remarquer Jean.

— Non, il était pressé. Il est arrêté au magasin et m'a laissé son cadeau de noces. Ma tante Germaine, sa femme, est pas mal fine. Sais-tu la meilleure ? demanda-t-elle, la voix soudainement excitée.

— Non.

— L'automne passé, ma tante a hérité de son père d'une petite maison qui donne sur le fleuve, à Verchères. Eh bien ! elle nous offre de nous installer là le temps qu'on va vouloir pour notre voyage de noces. Qu'est-ce que t'en penses ?

Jean réalisa brusquement qu'il n'avait nullement envisagé d'effectuer un voyage de noces. Il n'en avait ni les moyens ni le temps…

— On n'aura pas assez d'argent pour aller là, dit-il, la mine sombre.

— Mon oncle et elle vont nous la laisser pour rien.

— Je veux bien le croire, mais t'oublies que je peux pas dire à mon patron que je pars en voyage de noces. Je viens juste de commencer à travailler là. Ce serait des plans pour me faire mettre à la porte.

L'excitation de Reine retomba brutalement.

— T'es certain qu'il voudra pas ? demanda-t-elle.

— Je suis presque sûr. Écoute, je vais tout de même lui en parler lundi et on verra ben ce qu'il va me répondre.

— Fais tout ton possible pour qu'il dise oui. Mon père, lui, est prêt à me donner au moins une semaine pour y aller.

— C'est correct, accepta-t-il sans se faire d'illusion.

— Je vais aller te chercher un verre de Coke, dit-elle en se levant du divan. Ah ! pendant que j'y pense, Charles est passé aussi cet après-midi pour dire que ma sœur invitait la famille à souper à Saint-Lambert demain soir. Il paraît qu'elle nous a préparé un repas spécial pour Pâques.

— Comment on va aller là ?

Reine eut soudain l'air un peu gênée.

— Charles a pas mentionné que t'étais invité, finit-elle par lui avouer.

— Ah bon ! fit Jean, humilié.

— J'ai presque envie de pas y aller, reprit sa fiancée, mais ma sœur risque de se fâcher et de bouder nos noces si j'y vais pas. Déjà que j'ai pas mis les pieds chez elle à son réveillon de Noël.

— Non, vas-y, l'encouragea Jean. Ça me dérange pas de pas y aller.

— T'es sûr de ça ?

— Certain, mentit-il.

À cet instant précis, Jean se souvint du rouleau de billets de banque dans l'une de ses poches de pantalon. Il attendit qu'elle soit revenue et lui ait tendu un verre de cola avant de lui raconter sa découverte de l'après-midi.

— C'est pas vrai ! s'exclama-t-elle, les yeux luisants de convoitise.

— Puisque je te le dis, fit Jean en extirpant l'épais rouleau de papier-monnaie de sa poche. Tiens, regarde.

— Combien t'as dit qu'il y avait là-dedans ?

— Trois cent vingt piastres, précisa-t-il en lui tendant l'argent.

Rouge d'excitation, la jeune fille retira l'élastique et se mit à compter l'argent contenu dans la liasse.

— C'est dommage que ce soit pas à nous autres, reprit-il au moment où elle finissait de compter.

— Comment ça, pas à nous autres ?

— Voyons, Reine, cet argent-là est à Tremblay. Tu te rappelles pas quand il nous a dit que son père lui avait laissé de l'argent qu'il avait pas trouvé.

— Mais c'est toi qui l'as trouvé, et dans notre appartement. Il est à nous autres, déclara-t-elle abruptement, le visage dur. Il avait juste à fouiller comme du monde. Il nous a vendu le *set* de salon, l'argent était dedans. Cet argent-là est donc à nous autres.

— Il en est pas question, fit Jean sur un ton décidé. Je vais lui remettre son argent. On n'est pas des voleurs et on commencera pas notre vie de couple en volant quelqu'un.

— C'est bien beau à dire, mais t'oublies qu'il nous a lui-même volé en nous vendant les vieilles guenilles de son père deux fois le prix.

— Dis pas ça. Il nous a pas vendu les meubles de son père trop cher. Loin de là.

Un long silence tomba entre les fiancés.

— Je suppose que t'es décidé à lui rapporter son argent cette semaine ? lui demanda-t-elle en affichant un petit air sournois assez déplaisant.

— Oui. Je vais le lui rapporter vendredi soir prochain avec les cinq piastres qu'on lui doit.

— Qu'est-ce que tu dirais si je lui rapportais moi-même son argent mardi après-midi ? lui offrit-elle. Tu m'as dit qu'il restait sur Montcalm, proche de Sainte-Catherine. Je dois aller m'acheter des affaires pour compléter mon trousseau dans un magasin pas cher pas loin de là, sur Sainte-Catherine.

— Je sais pas…

— Je viens de penser que je vais piger dans l'argent que j'ai ramassé et je vais payer en même temps les derniers dix piastres qu'on lui doit. Comme ça, on va être débarrassés de cette dette-là et t'auras juste à me remettre cet argent-là quand t'auras ta prochaine paye. Qu'est-ce que t'en dis ? ajouta-t-elle en tendant la main pour qu'il lui remette le rouleau qu'il venait de lui prendre des mains.

Jean n'hésita qu'un bref moment avant d'accepter son offre.

— T'es pas mal fine de te charger de ça, reconnut-il. Hier, quand je suis allé le payer, il m'a dit qu'il était imprimeur et qu'il travaillait de six heures à trois heures et demie. Il paraît qu'il revient à la maison vers quatre heures.

— Inquiète-toi pas. Je vais même lui demander un billet prouvant qu'on a bien payé tout ce qu'on lui devait.

— Il va peut-être vouloir me donner une récompense pour avoir trouvé son argent.

— Tu peux être certain que je vais lui faire penser de t'en donner une, lui promit-elle.

Ce soir-là, avant de la quitter, Jean lui laissa l'adresse d'Antoine Tremblay. Il rentra chez lui en traînant les pieds. Durant une bonne partie de la soirée, il avait eu du mal à cacher son ressentiment envers la famille Talbot. Encore une fois, Yvonne Talbot lui avait à peine répondu quand il l'avait saluée avant de partir et sa fille, la snob, l'ignorait ostensiblement en ne l'invitant pas à son souper de Pâques.

Lorsqu'il entra chez ses parents, son père venait de se lever pour éteindre la radio après avoir écouté les informations. Une fois son manteau retiré, il accepta avec plaisir d'aller s'attabler avec eux et Claude pour prendre une légère collation.

— Essayez de pas parler trop fort, prévint Amélie. Lorraine est couchée depuis une heure.

— Son chum est pas venu ? demanda Jean.

— Il travaillait à soir, répondit sa mère.

— Je te dis que Duplessis énerve pas mal de monde avec sa nouvelle loi sur la distribution des tracts dans la province, intervint Félicien, encore préoccupé par les nouvelles qu'il venait d'entendre.

Claude déposa plusieurs biscuits dans son assiette, sous le regard réprobateur de sa mère.

— C'est normal, p'pa, on a tous compris qu'il voulait s'en prendre seulement aux Témoins de Jéhovah avec sa loi, lui fit remarquer son fils aîné, presque aussi intéressé que son père par les nouvelles.

— Est-ce qu'on peut dire que le carême est fini, à cette heure ? demanda Claude, hors de propos, à sa mère.

— Pas avant minuit, trancha Amélie.

— Ça, est-ce que ça veut dire que demain matin je serai pas obligé de faire mon lit et ma chambre ?

— Pantoute, tu vas continuer.

— Si je comprends ben, je suis le seul nono de la famille poigné pour faire un sacrifice de carême toute l'année, insista l'adolescent pour faire rager sa mère. Je devrais me faire payer…

— Ah ! Parlant de payer, intervint Jean. J'en ai une bonne à vous raconter.

394

Le jeune homme révéla sa découverte en ménageant ses effets.

— Arrête donc! T'es pas sérieux? s'exclama Amélie.

— Puisque je vous le dis, m'man.

— Naturellement, tu vas aller le porter au fils du vieux monsieur Tremblay, reprit-elle.

— Ben oui, m'man. Vous savez ben que je l'aurais jamais gardé. Reine va s'en occuper mardi en allant faire des commissions.

— Aïe! Le bonhomme va peut-être t'en donner la moitié pour te remercier, supposa Claude, excité. Tu vas être riche, mon frère!

— Je penserais pas, déclara Jean en finissant son verre de lait. S'il m'offre quelque chose, vous pouvez être certain que je refuserai pas.

Chacun mangea quelques biscuits en silence. Au moment de se lever de table, la mère de famille demanda à son fils aîné:

— Est-ce que les Talbot t'ont invité à souper demain soir?

— Non, m'man.

— Dans ce cas-là, tu diras à Reine de venir manger avec nous autres. Le jambon est bien assez gros. On n'en manquera pas.

— Merci de l'inviter, mais les Talbot vont souper chez Estelle, la sœur de Reine, à Saint-Lambert.

— Tu vas y aller? fit son père en allumant une dernière cigarette avant d'aller se mettre au lit.

— Je suis pas invité, laissa tomber Jean.

Félicien regarda sa femme qui lui fit signe de ne pas commenter.

Le matin de Pâques, il faisait un temps magnifique quand Jean alla chercher Reine pour l'accompagner à la grand-messe. La température douce avait incité la plupart des femmes à se vêtir d'un léger manteau de printemps et, surtout, à étrenner un chapeau d'aspect moins sévère que celui qu'elles portaient durant l'hiver.

Les fiancés s'installèrent dans le banc voisin de celui occupé par les Bélanger. De temps à autre, Amélie coulait un regard inquisiteur vers sa future bru, cherchant à détecter si sa grossesse commençait à paraître, même légèrement. Elle ne vit rien, mais elle se dit en aparté que le manteau de la jeune fille pouvait dissimuler un peu son état.

À la fin de la cérémonie, Jean attendit un court moment ses parents sur le parvis de l'église après avoir rappelé à la jeune fille que ce serait une excellente idée qu'elle leur souhaite des joyeuses Pâques. Par ailleurs, il vit que Fernand et Yvonne Talbot étaient déjà parvenus au pied des escaliers conduisant à l'église. À aucun moment ils n'avaient cherché à lui parler ou à s'adresser à ses parents qu'ils savaient présents à la messe.

Reine offrit ses vœux aux Bélanger sans trop manifester de chaleur, ce qui incita Amélie à lui faire remarquer :

— J'avais demandé à Jean de t'inviter à souper à la maison, mais il paraît que tu as déjà accepté d'aller manger chez ta sœur.

— Bien oui, madame Bélanger, fit Reine, un peu gênée.

— C'est pas bien grave, laissa tomber la mère de famille. On aura Jean avec nous autres toute la journée.

Reine sentit la pique et son visage changea d'expression.

Sur le chemin du retour, Amélie ne put s'empêcher de dire à son mari :

— Vinyenne qu'elle a des airs de sa mère, cette fille-là ! On sait jamais ce qu'elle pense.

— Elle va peut-être changer après le mariage, rétorqua Félicien pour la rassurer.

— Je sais pas trop. On dirait qu'elle a quelque chose de pas franc. En tout cas, si j'étais à sa place, je refuserais d'aller souper chez ma sœur parce qu'elle a pas invité mon fiancé. Je trouve ça pas mal insultant pour notre garçon.

— Fais attention, la mère. Tu te conduis déjà comme une belle-mère haïssable, la mit en garde le postier. Oublie pas que si tu t'organises pour que ton gars ait à choisir entre toi et sa femme, tu risques d'avoir des maudites surprises.

— Parlant de belle-mère haïssable, rétorqua la petite femme, je serai jamais aussi détestable que ta sainte mère, Félicien Bélanger. Elle, elle est difficile à battre. Te souviens-tu d'une seule fois où elle m'a fait un compliment en vingt-trois ans de mariage ? Jamais.

— C'est dans son caractère, on la changera pas à son âge.

— En tout cas, tout ce que je peux te dire, c'est que je plains bien gros tes deux sœurs. Je te dis que Camille et Rita gagnent leur ciel en vivant avec elle. Pour moi, si c'était à refaire, elles iraient jamais la chercher pour l'amener rester avec elles.

— Tu sais ben qu'elles l'auraient jamais laissée aller à l'hospice, fit Félicien. As-tu pensé que si mes sœurs s'en occupaient pas, ce serait nous autres qui serions poignés pour la garder ?

— Là, ce serait ma mort, tu peux en être sûr, affirma Amélie sur un ton définitif. Je serais jamais capable de l'endurer chez nous plus qu'une journée ou deux.

Chapitre 21

Quelques surprises

Le mardi après-midi suivant, Fernand Talbot poussa un soupir d'exaspération quand sa fille lui demanda encore une fois la permission de s'absenter de la biscuiterie.

— Pourquoi ? ronchonna-t-il.

— Pour aller acheter les derniers morceaux de mon trousseau, p'pa.

— Moi, je commence à avoir hâte que ces maudites noces-là soient passées, dit-il sur un ton rageur. Il me semble que je suis presque toujours tout seul dans le magasin. Vas-y, mais essaye de t'arranger pour que ce soit la dernière fois.

— C'est presque la dernière fois, p'pa, dit-elle en endossant son léger manteau de printemps beige. Il me restera juste la coiffeuse vendredi après-midi. Là, je suis obligée de prendre un peu plus de temps parce que je dois passer à la Caisse populaire pour aller me chercher de l'argent.

Pendant un bref moment, la jeune fille guetta la réaction paternelle au cas où il lui aurait offert une somme pour l'aider à payer ses achats. Voyant qu'il était retourné se plonger dans la pile de factures laissées par les fournisseurs, elle se résigna à quitter la biscuiterie.

Depuis quarante-huit heures, Reine éprouvait une étrange euphorie chaque fois qu'elle pensait à l'argent que

Jean lui avait laissé. À aucun moment elle n'avait songé à le remettre à son légitime propriétaire. Dès que son fiancé lui avait confié le rouleau de billets de banque, elle avait décidé de s'approprier la somme et de la déposer dans son compte de banque déjà passablement bien approvisionné, et cela, sans en dire un mot à personne. Il y avait déjà bien assez qu'elle devait en extraire dix dollars pour finir de rembourser Antoine Tremblay.

Tout en marchant vers la Caisse, coin Gilford et Garnier, elle ne pouvait s'empêcher de penser à la scène un peu pénible qui l'avait opposée à sa sœur la veille. Comme lors de chacune des invitations des Caron, Charles était venu chercher sa belle-famille en voiture pour les conduire chez lui, à Saint-Lambert. À leur arrivée dans la résidence cossue du dentiste, il avait entraîné son beau-père au salon et laissé Estelle montrer à sa mère et à sa sœur toutes les acquisitions faites par le couple en prévision de l'enfant que la future maman attendait. Évidemment, sa mère n'avait pas caché son admiration pour cette chambre d'enfant décorée avec un goût exquis et le trousseau qui n'attendait que le bébé.

— Et toi, est-ce que la chambre de ton petit est prête? eut le malheur de demander la femme du dentiste à sa jeune sœur.

— Ben, tu vas d'abord me laisser le temps de me marier avant de tomber en famille, je suppose, avait-elle répondu d'une voix acide.

Estelle allait répliquer sèchement qu'elles avaient déjà parlé de son état, mais sa mère lui avait lancé un regard lourd de reproches pour lui signifier qu'elle n'était pas censée savoir que sa sœur était enceinte. Comme elle n'avait pas fait part à sa mère de l'entretien qu'elle avait eu avec Reine à ce sujet, elle préféra ne rien dire.

Mise de mauvaise humeur par cette remarque de sa sœur, Reine ne lui avait pas caché qu'elle n'appréciait pas du tout le fait d'avoir été invitée sans son fiancé. Excédée, Estelle avait fini par lui dire sèchement que son Jean ne faisait pas encore officiellement partie de la famille et qu'elle ne se sentait pas obligée de le convier à sa table.

À son arrivée à la Caisse, elle extirpa son carnet de banque de son sac à main et le tendit au caissier avant de déposer devant lui trois cent dix dollars. Ce dernier, habitué à la voir déposer dix dollars presque chaque semaine, ouvrit de grands yeux en apercevant la pile de billets de banque. Cependant, en employé bien formé, il se garda de formuler la moindre remarque.

— À bien y penser, dit Reine au caissier, je vais conserver vingt dollars.

— Donc, vous voulez déposer deux cent quatre-vingt-dix dollars, madame.

— C'est exact. J'avais oublié que j'avais besoin de ce petit montant tout de suite.

Le caissier inscrivit ce montant dans le livret avant de le lui rendre.

Reine passa le reste de l'après-midi à faire surtout du lèche-vitrine dans la rue Sainte-Catherine. Le soleil brillait et il faisait très doux. Elle acheta rapidement les quelques articles dont elle avait besoin et occupa l'heure suivante à attendre quatre heures avant de se présenter chez Antoine Tremblay, rue Montcalm.

La jeune fille regarda une seconde fois l'adresse qu'elle avait notée sur un bout de papier avant de se décider à sonner à une porte à la peinture écaillée. Elle s'était arrêtée devant une vieille maison en brique décrépite à deux étages érigée au centre de plusieurs autres immeubles aussi mal entretenus. Une sonnerie déclencha l'ouverture de la porte sur un escalier intérieur obscur. Elle leva la tête vers le palier, à l'étage, et reconnut Antoine Tremblay, en manches de chemise, debout devant la porte de son appartement.

— Bonjour, monsieur Tremblay. Mon fiancé m'a demandé de vous apporter les derniers dix dollars qu'on vous doit, dit-elle, toujours debout au pied de l'escalier.

— Montez, l'invita Tremblay. Mais il y avait rien qui pressait, ajouta-t-il alors que Reine montait le rejoindre. Il me semblait que le dernier paiement n'était pas avant la semaine prochaine ?

— Oui, mais on se marie samedi prochain et c'est un cadeau en argent qu'on a reçu hier, mentit-elle, en ouvrant son sac à main pour en tirer le billet de dix dollars qu'elle avait préparé.

— Vous pouvez entrer, proposa l'homme. Ma femme est là, ayez pas peur.

Reine tendit l'oreille et entendit quelqu'un déposer de la vaisselle sur un meuble.

— Je vais pas vous déranger longtemps, dit-elle avec un sourire. J'aimerais juste que vous me donniez un petit billet prouvant qu'on vous a payé tout ce qu'on vous doit.

Antoine Tremblay la précéda dans la cuisine de son appartement où une femme à l'air maladif était en train de dresser le couvert. Reine la salua. Elle sortit un crayon et une feuille de papier pliée en quatre de son sac et les tendit à son hôte. Ce dernier signa après avoir empoché l'argent.

— Vous pouvez bien prendre une tasse de café, proposa-t-il, apparemment heureux d'avoir touché tout son argent.

— Merci, mais ce sera pour une autre fois. Je travaille avec mon père à la biscuiterie et il aime pas trop quand je lui laisse tout l'ouvrage sur les bras.

Reine salua le couple et quitta la maison, soulagée et heureuse d'avoir mené à bien la mission qu'elle s'était

donnée. Près d'une heure avant la fermeture de la biscuiterie, elle en poussa la porte, retira son manteau et reprit
sa place derrière le comptoir.

— T'as trouvé tout ce que tu cherchais ? lui demanda
son père en sortant de la pièce située à l'arrière du magasin.

— Oui, p'pa.

Jean avait vécu une avant-midi de travail pas tellement
différente de celles des semaines précédentes, si ce n'est
qu'il avait dû nettoyer trois wagons particulièrement sales.

— Ça, c'est le train de Toronto qui a ramené des partisans du Canadien, avait dit Magnan avec assurance en
évaluant les dégâts. C'est toujours la même chose quand
l'équipe gagne à Toronto. On dirait une gang de sauvages
qui se sentent obligés de boire comme des cochons et de
tout salir pour fêter.

— Naturellement, Gagnon le sait et c'est pour ça que
c'est nous deux qui sommes poignés pour décrotter ce
train-là.

— T'as tout compris.

À midi, il se dépêcha de quitter les quais de la gare
pour se rendre au bureau du personnel en espérant que le
directeur du personnel n'ait pas déjà quitté les lieux pour
aller manger. Pour sa part, il était affamé et espérait ne pas
avoir à attendre inutilement.

La chance fut de son côté. Aimé Corriveau était encore à
son bureau au moment où il se présenta au comptoir d'accueil.

— Qu'est-ce que je peux faire pour toi ? lui demanda
aimablement l'employé de bureau.

— J'aimerais parler à monsieur Corriveau, s'il est encore
ici.

— Je vais voir, dit l'homme en se dirigeant vers une porte à la vitre dépolie derrière laquelle travaillait le directeur du personnel.

L'employé frappa à la porte et l'entrouvrit. Il dit quelques mots à son patron avant de se retourner vers Jean.

— Il va vous recevoir. Entrez.

Jean le remercia et pénétra dans le bureau. Aimé Corriveau, debout et prêt à partir, lui demanda la raison de sa visite.

— Je vous dérangerai pas longtemps, monsieur Corriveau. Je voulais juste savoir si j'avais droit à un congé spécial en me mariant, dit Jean, conscient d'arriver à un mauvais moment.

— Viens pas me dire que tu te maries ? fit le sympathique directeur.

— Samedi prochain, monsieur.

— Ouais ! dit l'homme, la mine soudain songeuse. Normalement, t'as pas assez d'ancienneté pour avoir droit à un congé.

— Je comprends.

— Écoute, je pense qu'on peut s'arranger pour compter comme ancienneté les étés où t'as travaillé pour la compagnie, dit le directeur du personnel en se dirigeant vers la porte que Jean lui ouvrit. C'est pas grand-chose, mais c'est mieux que rien. Tu prendras ton vendredi et lundi prochain. On va te payer ces deux jours-là.

— Merci, fit le jeune homme, surpris qu'on lui offre deux jours de congé payés.

— Si tu veux prendre le reste de la semaine prochaine, on peut s'organiser, mais les quatre autres jours seront pas payés.

— Je pense pas en avoir besoin, monsieur.

— Presse-toi pas pour me répondre, répliqua Aimé Corriveau, sérieux, en lui faisant signe de sortir en refermant la porte de la pièce derrière lui. Si ta femme veut un petit voyage de noces et que t'as les moyens de le lui offrir, fais-le, mais avertis-moi avant de partir jeudi soir.

— Merci, monsieur Corriveau. Est-ce que je peux vous demander de pas parler de mon mariage aux autres ? murmura Jean pour ne pas être entendu par l'employé.

— Pourquoi ? As-tu honte de te marier ? l'interrogea le responsable, l'air narquois.

— Non, mais je voudrais pas d'un enterrement de vie de garçon.

— Je te comprends. Je vais me taire, aie pas peur.

— Encore une fois, merci pour tout.

Les deux hommes quittèrent l'endroit en même temps et se séparèrent dans le couloir.

Le cœur léger, Jean alla manger ses sandwichs avec Magnan dans l'un des wagons qu'ils avaient nettoyés durant l'avant-midi. Cependant, le jeune homme se garda bien de parler de son prochain mariage à son compagnon de travail. Il connaissait trop bien la tradition qui voulait qu'on enterre bruyamment la vie de garçon du fiancé, la veille de son mariage. Il n'avait pas l'intention de se présenter malade à ses noces. Même s'il avait peu de contacts avec les autres employés, il savait que Magnan était apprécié par tous et qu'il se ferait un plaisir de leur apprendre la nouvelle. Bien peu résisteraient alors au plaisir de passer une soirée trop bien arrosée à la taverne après l'avoir attaché, exposé et largement couvert de tout ce qui leur tomberait sous la main.

À la fin de l'après-midi, il descendit du tramway, coin De La Roche, bien décidé à attendre pour apprendre les dernières nouvelles à Reine. Il n'avait pas l'intention d'aller sonner à la porte des Talbot ce soir-là. Il s'y sentait trop mal reçu. En passant devant la vitrine de la biscuiterie, il changea toutefois d'idée en apercevant Reine qui remplissait des boîtes de biscuits. Il frappa discrètement contre la vitre. La jeune fille leva la tête et vint lui ouvrir.

— Qu'est-ce que tu fais dans le magasin ? lui demanda-t-il en entrant. Il est passé six heures.

— Je le sais, fit-elle sans sourire. J'ai passé l'après-midi à faire des commissions et je suis revenue pas mal tard. Mon père vient juste de monter. Je lui ai dit que je finissais de placer le stock sur les tablettes.

— As-tu eu le temps d'aller chez Tremblay ?

— Oui. Attends, je vais te donner le billet qu'il m'a signé, dit-elle en tendant la main vers son sac à main d'où elle tira le document. Et en plus, il m'a dit de te remettre vingt dollars pour te remercier.

— Eh bien ! c'est gentil de sa part. Ça fait toujours plaisir, dit Jean en prenant le billet.

— Aïe ! T'as vu dans quel trou il reste avec sa femme ! Moi, quand je l'ai vu, j'ai tout de suite cru qu'il nous donnerait pas une cenne, dit-elle pour cacher sa propre pingrerie.

— En tout cas, moi je le trouve pas mal généreux d'avoir pensé à nous.

— Et toi, t'es-tu informé pour notre voyage de noces ? demanda Reine, pressée de changer de sujet de conversation, ne sachant pas trop quoi inventer d'autre.

Jean lui rapporta la proposition de son employeur,

— C'est pas mal *cheap* de pas te donner au moins une semaine, lui fit-elle remarquer, mécontente.

— T'as pas compris, lui dit-il. Corriveau m'offre une semaine, si je le veux.

— Ben oui, une semaine, mais pas payée.

— Je peux la prendre, si tu veux.

— Il en est pas question, trancha Reine. On n'a pas les moyens de jeter l'argent par les fenêtres. Ça va tout prendre pour arriver. On va faire juste un petit voyage de noces jusqu'à lundi soir.

— Je serai en congé payé seulement vendredi et lundi. Qu'est-ce qu'on fait avec l'offre de ton oncle Henri ?

— On va l'accepter.

— Mais comment on va aller à Verchères ? C'est pas la porte à côté.

— Inquiète-toi pas. Je vais m'organiser avec mon frère Lorenzo. Il va accepter de venir nous conduire là-bas après les noces.

— Qu'est-ce qu'il va faire pour l'essence ?

— Lui, il a pas de problème avec ça. Il a beau se plaindre souvent pour le *gas*, il finit toujours par avoir les coupons de rationnement qu'il lui faut. Je sais pas comment il se débrouille, mais durant toute la guerre il en a jamais manqué.

À son retour à la maison quelques minutes plus tard, Jean vint s'attabler devant une assiette de fricassée que sa mère venait de lui servir.

— T'arrives plus tard que d'habitude, lui fit-elle remarquer. As-tu fini plus tard de travailler ?

— Non, je suis juste arrêté quelques minutes à la biscuiterie parler à Reine de notre voyage de noces. Le Canadien National va me donner deux jours payés.

— Pas plus que ça ? lui demanda Félicien en allumant une cigarette.

— J'ai pas d'ancienneté, p'pa.

— Est-ce que Reine est allée chez Tremblay, comme elle te l'avait dit ?

— Oui.

— J'espère que cet homme-là t'a donné un petit montant pour te récompenser pour ton honnêteté, intervint Amélie.

— Il m'a donné vingt piastres, dit-il en montrant fièrement son billet.

— Il me semble qu'il aurait pu te donner plus. Il est pas mal cochon ! s'exclama Claude qui avait écouté jusqu'alors sans rien dire.

— Il était pas obligé, fit sa mère, et surveille ta façon de parler, toi.

— T'aurais peut-être dû y aller toi-même lui rapporter son argent, suggéra Félicien, songeur. Pour moi, il aurait été pas mal plus généreux si tu lui avais conté toi-même comment tu as trouvé cet argent-là.

— À cette heure que c'est fait, il y a rien à dire, conclut Jean, philosophe. J'ai jamais compté sur cet argent-là. Il était pas obligé de m'en donner, et il a décidé de me donner vingt piastres, c'est plus qu'une semaine de salaire. C'est pas mal d'argent !

⁓

Deux jours plus tard, le jeune homme quitta son travail à l'heure habituelle sans avoir mentionné à quiconque son projet de ne pas rentrer avant le mardi matin suivant. Heureux à la perspective de ces quatre jours de congé durant lesquels il n'aurait pas à supporter Onésime Gagnon, il salua Magnan avec bonne humeur avant de sortir du vestiaire des employés.

Il venait à peine de faire quelques pas dans la gare qu'il s'immobilisa un instant pour allumer une cigarette. En relevant la tête, il aperçut un peu plus loin une voyageuse qui lui tournait le dos. Elle était vêtue d'un imperméable gris clair et coiffée d'un coquet petit chapeau de la même couleur orné de deux plumes rouge vin. Quelque chose dans le maintien et le port de tête de la jeune femme lui donna l'impression qu'il la connaissait. Quand cette dernière tourna la tête vers la gauche, il vit son profil. C'était Blanche

Comtois. Son cœur s'étreignit. Partait-elle ? Arrivait-elle ? Attendait-elle quelqu'un ? Impossible de le savoir.

Son premier mouvement fut de se diriger vers elle, ne serait-ce que pour éprouver le plaisir de lui serrer la main, de l'admirer de plus près. Il fit deux pas dans sa direction avant de s'arrêter brusquement.

— À quoi bon ! dit-il à mi-voix, la gorge serrée.

Son attirance envers la jeune fille n'avait été en rien amoindrie par les semaines qui venaient de passer. À sa vue, il ressentait toujours le même émoi bouleversant. Il se rappela soudain son invitation à peine déguisée à la fréquenter lorsqu'il l'avait rencontrée deux mois auparavant. Elle avait dû l'attendre et se sentir rejetée quand elle avait constaté qu'il ne se manifestait pas. À la limite, elle avait même dû se mettre à le haïr.

Incapable de la quitter des yeux, il s'éloigna à reculons jusqu'au mur le plus proche, prit un vieux journal abandonné sur un banc par un voyageur et se dissimula derrière les pages ouvertes. Ainsi, il put la lorgner durant une dizaine de minutes, le temps qu'elle mit à examiner, nerveusement lui sembla-t-il, les gens qui se déplaçaient dans la gare.

Blanche ne lui était jamais apparue aussi belle ni aussi désirable qu'en cet instant. L'effort qu'il dut faire pour résister à la tentation de s'approcher d'elle le laissa sans force et désemparé.

Finalement, quand la jeune fille se dirigea lentement vers l'une des portes, il fut soulagé. Il continua à la guetter depuis l'intérieur de la gare alors qu'elle avait pris place dans la queue de voyageurs attendant un tramway dans la rue La Gauchetière. Peu après, un tramway s'immobilisa au milieu de la rue et il la vit, la mort dans l'âme, s'y engouffrer.

Il attendit encore un moment avant de se décider à sortir à son tour et il dut marcher durant quelques minutes avant de retrouver son aplomb. Cette rencontre, quarante-huit heures avant son mariage, ne pouvait plus mal tomber. Elle lui faisait réaliser subitement qu'il aimait probablement Blanche plus que Reine, et cette constatation le bouleversait.

Rentré chez ses parents, il soupa rapidement et prétexta la fatigue pour se retirer tôt dans sa chambre.

— Qu'est-ce que tu vas faire demain ? lui demanda Claude, installé à son bureau, en train d'exécuter un devoir de français.

— Je vais déménager mes affaires dans mon appartement. Ça devrait faire ton affaire, pas vrai ? Tu vas avoir toute la chambre pour toi, ajouta-t-il, sarcastique.

— Tu me dérangeais pas, lui fit remarquer l'adolescent, comme s'il venait de réaliser que son frère allait quitter définitivement la maison paternelle. Je peux même dire que ça va être pas mal plate tout seul. Il y a ben des fois où on a eu du fun tous les deux.

Jean comprit que son frère allait peut-être regretter son départ et il en fut ému. Lui aussi, il allait regretter la fouine, comme il l'appelait si souvent.

— Si tu t'ennuies, t'auras pas trop loin à aller pour venir chez nous. Tu sais où je vais rester.

— Ce sera plus la même chose, lui fit remarquer Claude. Tu vas avoir une femme.

— Ça m'empêchera pas d'aller jouer au hockey et au baseball avec toi quand ça va nous tenter.

— Pourquoi t'attends pas demain soir pour déménager ? Je pourrais te donner un coup de main.

— T'es fin de me le proposer, mais j'ai pas tant d'affaires que ça à transporter. Si j'ai pas fini demain après-midi, tu pourras toujours m'aider.

Rassuré, Claude ramassa ses affaires.

— Où est-ce que tu t'en vas ? lui demanda son frère aîné.

— Je t'ai entendu dire que t'étais fatigué. Moi, j'ai presque fini mon devoir. Je vais te laisser dormir tranquille. Je vais aller le finir sur la table de la cuisine.

Jean ne protesta pas et, dès que son frère eut quitté la chambre, il enfila son pyjama et se mit au lit. Durant un long moment, l'image de Blanche le hanta, mais il finit par s'endormir.

Le lendemain avant-midi, le jeune homme transporta la plupart de ses vêtements, ses livres et quelques souvenirs dans son futur appartement. Pendant tout ce transfert, il sentit sa mère émue et il fit son possible pour alléger la situation.

Amélie prenait plus encore conscience que la vie serait désormais différente dans l'appartement de la rue Brébeuf. Elle pensait aussi à son Jean, elle ressassait les moments de sa petite enfance et trouvait qu'il était encore si jeune. Était-il bien prêt à affronter une nouvelle vie ? Avec Reine ?

— Voyons, m'man, je m'en vais pas au bout du monde, finit-il par lui dire quand il s'aperçut qu'elle avait les larmes aux yeux. On va rester juste au coin de la rue.

— Je le sais bien, dit-elle en s'essuyant les yeux après avoir esquissé un pauvre sourire. C'est juste parce que t'es le premier à partir. Quand t'auras le temps, tu me sortiras ton habit bleu marin et ta chemise blanche pour que je les repasse. Il manquerait plus que tu te maries demain matin dans du linge tout froissé.

Peu avant le souper, alors qu'il était occupé à ranger ses effets personnels dans son nouveau chez-lui, il entendit quelqu'un marcher dans le couloir. Au moment où il allait ouvrir la porte de la chambre pour s'enquérir de l'identité de son visiteur, il aperçut Reine qui arborait une coiffure très seyante qui mettait en valeur son visage fin et ses yeux gris.

— T'es déjà allée chez la coiffeuse, lui dit-il. Ça te fait bien.

— J'en reviens à l'instant, fit-elle sans relever le compliment. As-tu fini de déménager ?

— Presque.

— Moi, j'ai fini. As-tu remarqué que je suis allée acheter du manger ?

— Non.

— Je suis allée faire une commande à matin. La facture est sur la table, dans la cuisine. Oublie pas de me rembourser, prit-elle soin de lui préciser.

— C'est correct.

— J'ai parlé à Lorenzo quand il est venu nous porter son cadeau de noces à midi. Il va venir nous conduire à Verchères demain après-midi et il va même venir nous chercher lundi, à l'heure du souper.

— Tu me feras penser de le remercier.

— Est-ce que du monde de ta parenté ont laissé des cadeaux chez vous ?

— Non. Ils vont probablement attendre demain.

— On a reçu quatre autres cadeaux cette semaine. Je les ai mis sur la table dans le salon, chez mon père. As-tu pensé quand est-ce qu'on va transporter tous nos cadeaux ici dedans ?

— Ben…

— On peut pas faire ça avant de partir en voyage de noces, il y a des invités qui vont venir chez mes parents pour les voir.

— Tes parents peuvent pas attendre qu'on revienne lundi soir ?

— Ça énerve pas mal ma mère d'avoir ça dans son salon. Elle trouve que ça a l'air à l'envers.

— Bon, j'ai compris, laissa-t-il tomber. Je vais demander à Claude de tout monter dans notre appartement dimanche. Comme ça, ta mère pourra pas se plaindre qu'on l'encombre.

— Je vais lui dire ça, promit-elle. J'espère que ton frère en profitera pas pour fouiller partout, dit-elle d'une voix acide.

— Si t'aimes mieux le faire toi-même, gêne-toi pas, répliqua-t-il d'une voix cinglante.

Cette saute d'humeur de son fiancé poussa la jeune fille à changer de ton.

— Non, demande à ton frère de le faire. Pour demain, tu te rappelles que tu dois être à l'église avant moi, à neuf heures et demie. Est-ce que ton père a loué un char?

— C'est fait. Inquiète-toi pas, dit-il pour la rassurer.

— Si c'est comme ça, je vais descendre. J'ai encore laissé mon père se débrouiller tout seul tout l'après-midi. En plus, je dois aller chercher ma paye.

— Si je me fie à tous les congés que t'as pris cette semaine, elle sera pas ben grosse, dit Jean, pour plaisanter.

— Ah ben là! Il manquerait plus qu'il me coupe du salaire, protesta la jeune fille d'une voix dure, avant de tourner les talons.

Jean secoua la tête et finit le rangement de ses effets personnels dans sa commode. Curieux, il jeta un coup d'œil dans les tiroirs de celle que s'était appropriée Reine: ils contenaient entre autres de la belle lingerie. Avant de quitter l'appartement, il alla éteindre le poêle à huile de la cuisine. Il ouvrit la porte du garde-manger et constata que sa fiancée l'avait convenablement rempli. D'ailleurs, la facture déposée bien en évidence au centre de la table le força à se délester d'une somme plutôt rondelette.

— Simonac! il y a presque plus d'argent pour Verchères, jura-t-il en comptant les quelques billets de banque qui lui restaient, malgré les vingt piastres de monsieur Tremblay.

Il n'avait pas osé mentionner à Reine que son père avait négocié un forfait pour le lendemain avec Aurèle Durand, un chauffeur de taxi demeurant quelques maisons plus loin que les Bélanger, rue Brébeuf. Pour une somme très raisonnable, l'homme avait accepté de se mettre au service des Bélanger pour toute la durée de la journée. Quand Jean avait fait remarquer à son père que le voisin conduisait une vieille Pontiac 1936 bosselée et plutôt malpropre, ce dernier s'était borné à lui répondre :

— Sa bagnole roule, c'est ce qui compte.

— Vous avez raison, p'pa, s'était-il entendu dire.

Restait maintenant à savoir ce qu'allaient en penser les Talbot qui, aux dires de Reine, avaient retenu deux grosses Ford de l'année, une pour les jeunes mariés et l'autre pour eux-mêmes. Le taxi retenu par son père n'allait pas être le seul à faire partie du convoi nuptial. Sa grand-mère et ses tantes allaient sûrement adopter le même moyen de locomotion. De plus, la vieille Ford 1934 de l'oncle Émile ainsi qu'une ou deux autres voitures d'avant-guerre possédées par des cousins de sa mère n'allaient sûrement pas remonter le crédit de la famille Bélanger auprès de sa belle-famille. Il s'en fichait royalement. Son père avait fait au mieux avec le peu d'argent qu'il possédait. Il savait qu'il n'était pas du genre à lancer de la poudre aux yeux des gens.

Ce soir-là, Reine se mit au lit tôt après avoir discrètement suspendu un chapelet à la corde à linge, à la suggestion de sa mère pour s'assurer du beau temps le lendemain.

— C'est le meilleur moyen d'avoir une belle température pour le jour de ton mariage, lui avait promis Yvonne, sur un ton convaincu.

— Au lieu de ça, j'aurais bien plus besoin de savoir comment je vais pouvoir dormir cette nuit sans gâcher ma coiffure, avait répliqué Reine. Demain, je serai pas regardable, avait-elle ajouté, énervée.

— Enveloppe-toi la tête dans une serviette, lui avait conseillé Yvonne. Moi, c'est ce que je vais faire. Demain, quelques coups de brosse vont suffire pour tout remettre en place.

Peu convaincue, la jeune fille s'était tout de même enveloppé la tête dans une épaisse serviette en ratine et s'était couchée, persuadée que le sommeil viendrait tout de même rapidement après une journée aussi épuisante. Ce ne fut pas le cas. Pourtant, ce n'était pas l'idée de quitter le nid familial qui lui donnait du vague à l'âme. Pas du tout. Elle ne faisait que penser à tout ce qui l'attendait le lendemain.

— C'est la dernière nuit où je dors toute seule, murmura-t-elle. Ça va faire pas mal drôle d'endurer quelqu'un dans mon lit. Il faut que je m'endorme, demain, je vais avoir des poches sous les yeux…

Plus elle s'en faisait avec l'apparence que son insomnie allait lui donner, plus le sommeil la fuyait. Elle entendit ses parents aller se coucher après que sa mère eut entrouvert la porte de sa chambre pour vérifier si elle dormait déjà. Pour éviter d'avoir à lui parler, Reine ferma les yeux et feignit d'être plongée dans un profond sommeil.

Elle ne sut finalement jamais à quelle heure exactement elle s'endormit.

Tout à coup, elle se réveilla en sursaut, la sueur au front. Elle s'assit brusquement dans son lit, cherchant à reprendre pied dans la réalité. Elle venait de faire un cauchemar horrible. Elle avait rêvé qu'elle donnait naissance à son bébé à l'église, au moment où le curé Pelletier s'apprêtait à bénir son mariage. L'église s'était immédiatement remplie de cris et d'accusations. Jean avait mystérieusement disparu et elle voyait ses parents lui tourner le dos, se dirigeant vers la porte du temple.

Un coup d'œil vers son réveille-matin lui apprit qu'il était un peu plus de deux heures. Elle se leva et alla boire un verre d'eau avant de revenir se coucher. Elle se rendormit sans mal.

Tout ce dont elle se souvint le lendemain matin, à son réveil, fut qu'elle avait fait un cauchemar. Mais elle fut incapable de préciser en quoi il consistait, ce qui n'était pas plus mal dans les circonstances.

Chapitre 22

La noce

Ce matin-là, Yvonne Talbot dut s'y reprendre à trois reprises pour tirer sa fille du sommeil. Cette dernière, le teint brouillé, finit par sortir de sa chambre en bâillant bruyamment.

— Il est quelle heure ?

— Il est l'heure de commencer à te préparer, répondit sa mère déjà coiffée et maquillée. Il est sept heures et demie. Il faut te peigner et te maquiller avant de mettre ta robe. Laisse-moi te dire que t'es pas en avance, ma fille.

Reine fit comme si elle ne l'entendait pas et s'approcha de la fenêtre de la cuisine pour examiner le temps qu'il faisait. Le ciel était gris et le vent agitait les vêtements étendus sur la corde par la voisine de gauche.

— Il y a pas à dire, m'man, votre histoire d'accrocher un chapelet sur la corde à linge, c'est bon, persifla-t-elle. On dirait plutôt qu'il va mouiller. Avez-vous déjà déjeuné ? Moi, j'ai faim.

— Voyons, Reine, protesta sa mère. T'es pas pour déjeuner le matin de ton mariage. Il faut que tu ailles communier.

— C'est pas vrai ! fit la jeune fille avec mauvaise humeur. Dites-moi pas que je vais être obligée de passer l'avant-midi le ventre vide.

— Dis-toi que c'est pas pire que chaque dimanche matin, rétorqua Yvonne. Va me chercher ta brosse à cheveux et viens que je replace tes cheveux, ajouta-t-elle en lui enlevant la serviette qui avait protégé sa coiffure durant la nuit.

— Où est passé p'pa ?

— Il est parti fumer dehors. Il est nerveux sans bon sens depuis qu'il est levé. Il marie sa préférée aujourd'hui et ça l'énerve au plus haut point, précisa la mère de famille avec un sourire flatteur qu'elle destinait à sa fille pour la mettre en confiance.

Quelques minutes plus tard, assise devant sa mère armée d'une brosse, Reine s'impatientait.

— Arrête de grouiller comme un ver à chou ! lui ordonna Yvonne.

— Est-ce que ça achève ?

— J'ai presque fini. Prends patience.

Le ton de la mère de famille aurait dû alerter la future mariée. Depuis son lever, Yvonne se demandait comment aborder certaines questions avec sa fille. Elle finit par se jeter à l'eau.

— Est-ce qu'il y a des questions que t'aimerais me poser ? demanda-t-elle, la voix changée.

— Ben, m'man, protesta Reine, interloquée qu'elle lui pose une telle question.

— Il y a pas que ça, ma fille, dans le mariage, lui fit remarquer sa mère, en réalisant soudain ce que sa question pouvait avoir de loufoque, vu la grossesse de sa fille.

— Je vois pas, m'man.

— Laisse-moi au moins te donner un conseil ou deux, reprit Yvonne. Dis-toi qu'un homme a toujours envie de ce que tu sais et que si tu lui mets pas des bornes, tu vas passer ta vie en famille. Dans ton cas, disons que t'as tout un travail à faire parce que ton Jean semble pas avoir de limite si je me fie à ton état le jour de ton mariage.

— M'man, vous exagérez pas mal !

— OK, mais c'est à toi de t'organiser, dès le commencement de ton mariage, pour lui tenir la dragée haute et faire en sorte de te servir de ça pour obtenir ce que tu veux.

— Êtes-vous en train de me dire que c'est ce que vous faites avec p'pa ? lui demanda Reine, amusée par les paroles de sa mère, qui s'était toujours montrée particulièrement prude.

— Mêle pas ton père à ça. C'est une affaire entre femmes. Autre chose aussi, ma fille. Essaye de t'arranger pour que ce soit toi qui tiennes le porte-monnaie dans ton ménage. Ça, c'est un bien gros avantage.

— Pourquoi vous l'avez jamais fait ici dedans, m'man ? lui demanda Reine, étonnée du conseil.

— J'ai pas pu faire ça parce que ton père s'occupait du magasin et était déjà habitué à gérer de l'argent. Quand me suis mariée, c'était pas la tradition dans la famille Talbot que les femmes se mêlent des finances de la famille. On leur donnait l'argent pour acheter la nourriture et c'était le seul argent qu'elles voyaient. Mais pour toi, c'est autre chose. Tu peux faire ce que faisait ma mère, ta grand-mère Grenier. Même si mon père était dans les affaires, c'était ma mère qui tenait les cordons de la bourse et il se dépensait pas une cenne dans la maison sans qu'elle le veuille.

Yvonne prêchait une convertie. Sa fille n'avait jamais eu l'intention de procéder autrement dans son ménage.

Quand sa mère eut terminé de remettre en place sa coiffure, elle disparut dans sa chambre pour se maquiller et mettre sa robe de mariée. Elle revint dans la cuisine une heure plus tard. Elle y trouva son père qui avait déjà endossé son veston de costume noir dont il avait pris soin d'orner la boutonnière d'un œillet.

— Ton bouquet est dans le salon, lui dit-il en examinant avec une admiration non feinte la cadette de ses filles. Tu vas être la plus belle mariée que la paroisse aura vue cette année, ajouta-t-il fièrement.

— Elle est déjà bien assez orgueilleuse comme ça, fit sa femme qui venait d'entrer derrière lui dans la pièce. Mais c'est vrai qu'on va donner à Jean Bélanger une bien belle fille.

Pour la première fois de la matinée, la future mariée esquissa un sourire de contentement. Sa mère la suivit au salon pour y prendre son bouquet de corsage qui avait été déposé sur la table basse.

— Oublie pas de demander à ton père sa bénédiction, dit-elle à voix basse à Reine.

— Pourquoi ?

— Voyons, Reine. C'est ce qu'une fille bien élevée fait toujours le matin de ses noces.

— Ça, c'est une affaire qui se faisait à la campagne il y a longtemps, protesta-t-elle. C'est comme la bénédiction du jour de l'An. Il y a plus personne qui fait ces affaires-là.

— Peut-être, répliqua sa mère, sévère, mais ça fait plaisir à ton père et ça te coûte rien. Il me semble que c'est pas trop te demander après tout ce qu'il va dépenser aujourd'hui pour te donner les plus belles noces.

Sa fille exhala un soupir d'exaspération et retourna dans la cuisine demander à son père de la bénir. Ce dernier, ému, attendit qu'elle s'agenouille devant lui et il la bénit, les larmes aux yeux.

Ce matin-là, Jean fut le premier debout chez les Bélanger. Il était presque six heures et demie et le soleil n'était pas encore levé. Il avait passé une bonne nuit de sommeil et s'était réveillé frais et dispos. Il s'était empressé de faire bouillir de l'eau et de procéder à sa toilette avant que les autres envahissent la salle de bain.

Il venait à peine de sortir de sa chambre tout habillé quand son père et sa mère entrèrent dans la cuisine.

— Cybole! T'es ben pressé d'aller te passer la corde au cou, plaisanta Félicien en voyant son fils déjà cravaté. Arrangé comme ça, tu vas être à l'église avant monsieur le curé.

— À six heures, je m'endormais plus, expliqua le jeune homme en prenant place sur une chaise, au bout de la table.

— Est-ce que ta valise est prête? lui demanda sa mère.

— Oui, m'man. Je viens de mettre mes dernières affaires dedans. Pendant que vous vous habillez, je vais aller la porter chez les Talbot. Son frère a dit qu'il la mettrait avec celle de Reine dans le coffre arrière de sa voiture avant d'aller à l'église.

Jean mit son manteau, prit la petite valise cartonnée brune prêtée par ses parents et quitta l'appartement. Lorsqu'il arriva devant l'immeuble occupé par les Talbot, il jeta un coup d'œil à la vitrine où un écriteau de carton apprenait à la clientèle que la biscuiterie serait fermée toute la journée à cause du mariage. Il allait déverrouiller la porte qui permettait d'accéder au palier quand cette dernière s'ouvrit devant Fernand Talbot. Le commerçant, le cigare au bec, s'apprêtait à sortir.

— Tabarnouche! T'es de bonne heure sur le pont, ne put-il s'empêcher de s'exclamer en apercevant son futur gendre. J'espère que tu viens pas me voler ma fille aussi tôt.

— Non, monsieur Talbot, répondit Jean avec bonne humeur. Je pense que je vais attendre après la cérémonie à l'église. Je venais juste porter ma valise pour notre voyage de noces chez vous. Votre garçon est supposé passer la prendre.

— C'est correct. T'as juste à la laisser en haut, devant la porte. Quand je remonterai tout à l'heure, je la rentrerai. Il faudrait pas que tu voies ta future femme avant qu'elle te rejoigne à l'église. Il paraît que ça amène la malchance.

Jean le remercia et suivit le conseil de celui qui ce jour-là allait devenir officiellement son beau-père. Lorsqu'il revint sur le trottoir, ce dernier avait disparu. Le jeune homme pensa qu'il était probablement dans son magasin. Le ciel était gris, mais la pluie ne menaçait pas vraiment. Comme il n'avait pas le goût d'aller s'asseoir dans la maison pour regarder sa famille se préparer à venir assister à son mariage, il décida de marcher un peu dans la rue Mont-Royal qui, à cette heure matinale, était déserte.

Il marcha lentement jusqu'à la rue Papineau. Il faisait doux. Seuls le livreur de glace et le laitier semblaient déjà au travail dans le quartier. Il vit le premier monter un escalier en maintenant avec ses pinces un bloc de glace posé sur l'une de ses épaules protégée par un sac de jute. De l'autre côté de la rue, un laitier de chez J.-J. Joubert se tenait debout derrière sa voiture et déposait bruyamment des pintes de lait dans son panier métallique.

Au moment où il allait tourner au coin de Brébeuf, Jean se retrouva nez à nez avec son père.

— Je viens d'aller voir si Durand se rappelait que c'était aujourd'hui qu'il nous conduisait, expliqua-t-il à son fils.

— Il s'en souvenait, j'espère ?

— Pas de problème, il m'a promis d'être devant la porte à neuf heures et quart.

— J'espère que ce sera pas une journée qui va vous coûter trop cher, p'pa, reprit le jeune homme.

— Pas mal moins cher qu'à ton beau-père, rétorqua Félicien avec un rire malicieux.

Il y eut un court silence entre les deux hommes pendant qu'ils se dirigeaient sans se presser vers la maison.

— Je suppose que t'as pas de conseil à me demander ? fit le postier sur un ton un peu emprunté.

— Je pense que ça peut aller, p'pa.

— Laisse-moi quand même te conseiller une affaire, reprit le père de famille en s'immobilisant au pied de l'escalier qui conduisait à l'appartement. Laisse-toi jamais manger la laine sur le dos par ta femme. Je le sais, les Talbot c'est pas du mauvais monde, mais, comme le disait mon père, ils ont tendance à péter plus haut que le trou et à regarder tout le monde de haut. T'es plus instruit qu'eux autres et t'as pas à ramper devant eux.

— J'en ai pas l'intention, p'pa.

— Je connais pas trop la fille que tu vas marier et je sais pas si elle est ben influençable. À ta place, je m'arrangerais pour que sa mère vienne pas trop souvent mettre son grand nez dans votre ménage en vous donnant des conseils. C'est peut-être ben pratique des fois des parents qui restent proche, mais ça peut devenir pas mal achalant aussi.

À leur entrée dans l'appartement, Claude criait à sa sœur de sortir de la salle de bain, et cette dernière, retranchée derrière la porte, lui répondait sur le même ton qu'il n'avait qu'à patienter, qu'elle n'en avait plus que pour cinq minutes. Soudain, Amélie sortit de sa chambre, déjà prête à partir.

— Veux-tu bien me dire ce que t'as à crier comme un perdu ? demanda-t-elle à l'adolescent avant même que son mari intervienne.

— Ça fait une heure qu'elle est enfermée dans les toilettes, protesta Claude. Moi, j'en peux plus. J'ai envie.

— Lorraine, laisse-le aller aux toilettes, ordonna la mère de famille à sa fille à travers la porte.

— Vas-y, fatigant, dit Lorraine en sortant. Vous le connaissez, m'man. Il a pas plus envie que la mer a soif. Il veut juste aller se regarder dans le miroir pour voir s'il y a pas d'autres boutons qui lui ont poussé dans le visage pendant la nuit.

— Si tu penses que je t'ai pas entendue, la grande niaiseuse, s'écria l'adolescent derrière la porte fermée.

— Grouille-toi. À force de me retarder, Christian va arriver et je serai même pas prête.

— Il attendra, le Français ! répliqua Claude avec une joie mauvaise.

Comme pour donner raison à la jeune fille, on sonna à la porte, ce qui incita cette dernière à se précipiter dans sa chambre après avoir demandé à ses parents de faire passer le visiteur au salon.

— Grouille-toi, fit sa mère. On peut pas te laisser toute seule avec lui dans la maison et nous autres, on doit partir. Le taxi est à la veille d'arriver.

Au moment où Félicien ouvrait la porte à Christian Dupriez, Claude sortit de la salle de bain et s'immobilisa dans le couloir pour regarder l'ami de sa sœur entrer dans l'appartement. Le Français portait un imperméable couleur mastic et, surtout, un béret bleu du plus étrange effet. L'adolescent retint avec un effort évident un gloussement d'amusement et s'empressa d'aller rejoindre Jean dans leur chambre à coucher.

Tabarnouche ! t'as pas vu le chum de Lorraine, toi, dit-il à mi-voix à son frère. On dirait un poteau de téléphone avec une galette sur le dessus. Il a un béret ! Il a l'air d'un vrai maudit tata avec ça sur la tête. Je sais pas ce que va dire notre sœur quand elle va le voir avec ça sur la noix.

— C'est pas grave, lui fit remarquer Jean en train de fixer un œillet à sa boutonnière. Dis donc, toi, tu m'avais pas dit que tu viendrais à mon mariage avec une fille ? demanda-t-il pour plaisanter.

— J'avais dit : « peut-être », répondit l'adolescent avec une fausse assurance. J'ai ben regardé, mais j'en ai pas trouvé une à mon goût. Ça fait que je me suis dit que j'étais mieux d'aller à tes noces tout seul et que j'en trouverais peut-être une aujourd'hui qui aurait de l'allure dans la famille de Reine. Pour le grand tata assis dans le salon, j'espère pour lui qu'il va l'oublier ici dedans, son maudit béret, dit Claude en riant, pressé de changer de sujet de conversation.

Il sortit de la chambre, son veston sur le bras et se retrouva tout de suite devant sa mère qui l'examina.

— Tu vas attacher le dernier bouton de ta chemise et approche que j'arrange ton nœud de cravate, lui ordonna-t-elle. Avant de partir, va te peigner, t'as encore des cheveux qui se redressent.

— Ça se peut pas, m'man, j'ai mis du Brylcreem, protesta Claude en entrant dans les toilettes pour se regarder dans le miroir suspendu au-dessus de l'évier.

— Puis, sainte Bénite, arrête de jouer avec les boutons sur ton front, tu seras plus regardable, poursuivit Amélie en le voyant tenter de discipliner quelques mèches rebelles d'une main et tâter du bout des doigts quelques boutons qui ornaient son front.

Le visage de l'adolescent s'assombrit. Il détestait qu'on lui parle de son acné, ses boutons le rendaient particuliè- rement timide face aux filles. Il avait beau plastronner et feindre de faire le difficile dans ce domaine, aucun membre de la famille n'était dupe.

— On s'en va, le taxi vient d'arriver, annonça Félicien d'une voix forte en sortant du salon.

Le père de famille avait offert un siège à Christian et il s'était planté devant la fenêtre pour guetter l'arrivée de la voiture.

Lorraine apparut dans le salon vêtue d'une jolie robe vert eau qui mettait en valeur sa silhouette élancée et son épaisse chevelure bouclée. En l'apercevant, Christian ne put s'empêcher de s'exclamer, même en présence des parents de la jeune fille :

— Que t'es belle ! Tous les hommes présents à la noce vont m'envier aujourd'hui.

Lorraine rougit subitement. Ce n'était certes pas Édouard Lacombe qui lui aurait fait un pareil compliment, surtout pas en public. Elle appréciait de plus en plus le bagout et la bonne humeur du chef cuisinier que rien ne semblait jamais embarrasser.

— Il faut y aller, sinon on va être en retard, dit-elle à Christian, pour ne pas faire attendre inutilement ses parents.

— T'as les joncs ? demanda Félicien à son fils au moment où il passait la porte.

— Oui, répondit le jeune homme en tâtant la poche de veston dans laquelle il avait mis l'écrin renfermant les deux alliances que le prêtre aurait à bénir.

Tous quittèrent l'appartement en même temps. Avant de partir, Amélie s'était empressée de faire le tour des pièces parce qu'elle était certaine que plusieurs invités viendraient à la maison. D'ailleurs, la veille, elle avait cuisiné de manière à pouvoir leur servir quelque chose dans la soirée.

À leur arrivée au pied de l'escalier, Christian se rendit soudain compte qu'on n'avait pas prévu de place pour Lorraine et lui dans le taxi. Indécis, il inclina légèrement son béret et regarda Lorraine. Cette dernière lui chuchota quelques mots, ce qui l'incita à retirer précipitamment son couvre-chef.

— On peut toujours marcher jusqu'à l'église, dit la jeune fille sans grande conviction en regardant ostensiblement le ciel maussade.

— Mais non, protesta le Français. Nous allons trouver une voiture taxi, nous aussi.

Satisfaite, Lorraine dit à ses parents qu'ils les rejoindraient à l'église, avant de prendre la direction de la rue Mont-Royal où ils trouveraient facilement une voiture.

Jean n'ouvrit pas la bouche en se glissant sur la banquette arrière de la Pontiac jaune et noir d'Aurèle Durand. Assis aux côtés de sa mère et de Claude, il n'en pensa pas moins que l'homme aurait pu se donner la peine de laver sa voiture. Pendant qu'il contournait cette dernière pour s'asseoir derrière le volant, Amélie chuchota à son mari, installé sur la banquette avant :

— Il me semble qu'il aurait pu se faire la barbe et mettre son dentier, tu trouves pas ?

— Chut ! lui ordonna Félicien au moment où le conducteur ouvrait sa portière.

Le trajet jusqu'à l'église prit moins de cinq minutes.

— Où est-ce que vous voulez que je vous attende ? demanda Durand en immobilisant son véhicule sur le boulevard Saint-Joseph, au pied des deux volées de marches qui conduisaient au parvis de l'église Saint-Stanislas-de-Kostka.

La Ford 1934 noire d'Émile Corbeil était déjà rangée le long du trottoir.

— Ici, ça va être parfait, répondit Félicien. Je pense que c'est la meilleure place.

Les Bélanger sortirent de la Pontiac. Amélie reconnut son frère Émile et sa famille, debout sur le parvis, en grande conversation avec ses sœurs Agathe et Élisabeth accompagnées de leur mari. Quelques neveux et nièces discutaient, un peu à l'écart. Un peu plus loin, une douzaine de personnes, probablement des membres de la famille Talbot, s'étaient regroupées et attendaient les futurs mariés.

Amélie et Félicien saluèrent leur parenté au passage avant de s'engouffrer dans l'église en compagnie de Jean.

— Donnez-moi vos manteaux, ordonna Amélie à son fils et à son mari.

Ils obéirent avant de se diriger tous les deux vers l'un des fauteuils disposés devant la sainte table, à l'extrémité de l'allée centrale. Jean était si impressionné qu'il marchait aux côtés de son père, la tête droite, fixant le maître-autel. C'est à peine s'il se rendait compte qu'une vingtaine de personnes avaient déjà pris place dans l'église.

— Tu t'assois dans le fauteuil de droite, je pense, lui murmura son père avant de le laisser pour aller rejoindre sa femme et Claude déjà installés dans le premier banc, à sa droite.

Durant quelques minutes, le jeune homme suivit d'un œil distrait les évolutions du bedeau en train d'allumer les cierges sur l'autel et de vérifier si les burettes, déposées sur la crédence, avaient bien été remplies.

Soudain, des murmures dans son dos l'incitèrent à tourner la tête. Il vit alors Reine s'avancer lentement dans l'allée au bras de son père. La jeune fille était précédée par les chuchotements des personnes déjà présentes dans le temple. Jean ne remarqua même pas que les bancs s'étaient progressivement remplis tant sa fiancée, belle à couper le souffle, accaparait toute son attention dans sa robe blanche, la tête couverte d'un long voile en tulle.

La jeune fille vint s'asseoir à ses côtés et son père, avant d'aller rejoindre sa femme dans le premier banc du côté gauche de l'allée centrale, glissa un mot à l'oreille de son futur gendre pour lui signifier qu'il lui revenait maintenant de bien s'occuper de sa cadette. Jean posa sa main sur celle de sa future femme, incapable de cacher son émoi d'être près d'elle. Elle ne lui avait jamais semblé aussi désirable qu'en cet instant. En retour, Reine lui adressa un sourire complice.

Il était visible également qu'à ce moment précis Yvonne « buvait du petit-lait », comme le disait son mari. Dès son entrée dans l'église, la mère de la mariée avait constaté avec plaisir la présence d'un bon nombre de voisines et de connaissances. La grande femme, drapée dans sa robe couleur ivoire et les épaules couvertes par une étole de renard, se rengorgeait en prenant une pose impériale. Ces noces chics montraient à tous que les Talbot n'étaient pas n'importe quelle famille… Si Reine ne s'était pas mariée dans cet état, son bonheur aurait été parfait. Sous le prétexte de saluer un membre ou l'autre de sa famille, elle tourna la tête à plusieurs reprises vers l'arrière pour s'assurer que les Talbot comptaient largement plus d'invités que les Bélanger, et pour mieux scruter de quoi avait l'air la parenté de son futur gendre.

— Seigneur, ce qu'ils ont l'air miteux ! chuchota-t-elle à l'oreille de son mari.

— De qui tu parles ? fit le petit homme un peu boudiné dans son costume noir.

— Des Bélanger. Il y en a qui ont l'air d'être habillés à la chienne à Jacques. Le monde va bien se demander à quelle sorte de gens on marie notre fille, ajouta-t-elle, dépitée. Il y en a qui ont l'air de sortir de la campagne.

Du coin de l'œil, la mère de la mariée aperçut son fils Lorenzo qui venait de rejoindre Estelle et son mari dans le banc voisin. Il était accompagné d'une parfaite inconnue. Yvonne examina la jeune femme d'un œil inquisiteur avant de murmurer à son mari :

— Veux-tu bien me dire où Lorenzo a déniché cette fille-là ? Elle a l'air d'avoir un drôle de genre et...

— Chut ! Laisse faire la blonde de ton gars, l'interrompit Fernand en lui montrant d'un signe de tête le prêtre qui venait d'apparaître.

Le curé Pelletier venait d'entrer dans le chœur, encadré de deux servants de messe vêtus d'une soutane rouge et d'un surplis blanc. Tout le monde se leva et la cérémonie religieuse commença. Agenouillés au pied des marches conduisant à l'autel, les servants de messe faisaient les répons en latin.

Après la lecture de l'Évangile, le célébrant se dirigea vers la chaire. Il relut et expliqua l'épître de saint Paul aux Éphésiens à titre d'homélie. Reine, d'abord distraite, sembla tout à coup accorder une plus grande attention à ce qu'il disait.

« La femme doit être soumise à son mari comme au Seigneur. Car pour la femme, son mari est la tête de la famille, comme le Christ est la tête de l'Église. »

En entendant ces paroles, la jeune femme esquissa une petite moue qui en disait long sur son état d'esprit. Ses pensées vagabondèrent durant un bon moment et ne revinrent à la cérémonie qu'à l'instant où le prêtre concluait son sermon en citant encore les paroles de saint Paul : « Chacun de vous doit donc aimer sa femme comme lui-même, et la femme doit respecter son mari. »

Après l'offertoire, le curé Pelletier quitta l'autel et vint à la rencontre des deux jeunes gens qui se levèrent à son approche. Après une courte oraison, il bénit les anneaux et leur fit formuler à haute et distincte voix la promesse solennelle qui les engageait l'un envers l'autre pour la vie. Ensuite, sur son invitation, chacun passa à son conjoint l'un des anneaux qu'il venait de bénir.

Le prêtre dit quelques mots sur l'indissolubilité de l'union chrétienne avant de retourner à l'autel pour terminer la messe. Dès qu'il eut prononcé l'*Ite missa est*, l'organiste appointée par les Talbot plaqua les premières notes de la marche nuptiale de Mendelssohn. Tous les fidèles se levèrent et attendirent que les jeunes époux empruntent l'allée centrale en direction de la sortie. Debout dans le second banc, derrière son fils, Bérengère Bélanger examina sans ciller la nouvelle mariée qui s'avançait dans l'allée en donnant le bras à son petit-fils. Ses filles Rita et Camille, à ses côtés, en firent autant, mais se gardèrent bien de formuler la moindre remarque qui aurait pu alimenter la grogne de leur vieille mère.

Lors de la promesse, Amélie s'était mise à pleurer doucement. Sa belle-mère avait remarqué le tressautement de ses épaules et n'avait pu s'empêcher de se pencher vers l'avant pour lui chuchoter :

— Voyons, Amélie, arrête de pleurer comme un veau. Ton garçon est pas mort. Il fait juste se marier.

Félicien s'était alors tourné vers sa mère et lui avait adressé un regard lourd de reproches auquel la vieille dame avait semblé aussi insensible qu'à l'air désapprobateur de ses deux filles.

Les invités quittèrent un à un leur banc pour suivre les nouveaux époux à l'extérieur. Le ciel était toujours gris, mais il ne pleuvait pas. Un homme à l'épaisse moustache blanche demanda aux gens de s'immobiliser et de se regrouper sur les marches du parvis pour une photo.

— Cybole ! Talbot a fait les choses en grand, dit Félicien à son beau-frère Émile. Il a même engagé un photographe. Nous autres, à notre mariage, ça a tout pris pour qu'on aille se faire tirer le portrait chez Photos Modèles, sur Sainte-Catherine.

Les nouveaux mariés furent placés sur la première marche, encadrés par leurs parents. Derrière, tous les invités s'entassèrent les uns contre les autres pour être dans la photo-souvenir. Le photographe dut demander à deux reprises aux parents de la mariée de sourire, alors qu'ils ne parvenaient qu'à offrir un air emprunté à la caméra.

L'un et l'autre avaient une bonne raison d'être de mauvaise humeur. Ils avaient découvert derrière les deux magnifiques Ford grises louées à prix d'or pour le jeune couple et pour eux-mêmes une vieille Ford noire de plus de douze ans et trois taxis, dont deux étaient passablement sales. Le plus outrageant était que leurs conducteurs avaient même eu le culot d'orner le capot de leur véhicule de papier crépon blanc, pour bien montrer qu'ils faisaient partie de la noce. Les autres voitures décentes qui allaient participer au cortège avaient dû stationner plus loin.

— Fais quelque chose, Fernand, avait ordonné Yvonne à la vue de ce spectacle. De quoi on va avoir l'air quand on va défiler dans les rues du quartier ? On va penser que nous sommes une bande de pauvres.

— Qu'est-ce que tu veux que je fasse ? avait rétorqué son mari, aussi fâché qu'elle. Il y a du monde de notre noce qui ont engagé ces chauffeurs-là, je peux tout de même pas leur dire de s'enlever de là et de s'en aller à la fin de la queue parce qu'ils nous font honte.

— Ça vaut bien la peine de dépenser autant d'argent pour faire des belles noces et de se ramasser avec des gens comme ça.

Durant la prise de photos, Yvonne et Fernand ne pensaient qu'aux qu'en-dira-t-on. Quand vint le temps de monter à bord des véhicules, Fernand lutta un moment contre la tentation de donner l'ordre au conducteur de la première voiture du défilé, celle qui transportait les nouveaux époux, de prendre immédiatement la direction de la salle de réception, chez Duquette, rue Saint-Hubert. Il y renonça en se rendant compte que personne ne comprendrait une telle décision.

Le chauffeur de la première limousine ouvrit la portière arrière à Reine et Jean avant de prendre place derrière le volant. Debout sur le trottoir, quelques curieux, charmés par le spectacle, applaudirent. Reine leur adressa son plus ravissant sourire. Au moment où la voiture se mettait lentement en route, les premières gouttes de pluie se mirent à tomber.

— Il mouille à cette heure, dit Reine, peinée de voir sa journée de mariage gâchée par le mauvais temps.

— Ça durera pas, madame, lui dit l'homme chauve qui conduisait la voiture en mettant en marche les essuie-glaces de la Ford. Regardez au loin, le ciel est déjà en train de s'éclaircir.

En ce samedi matin du mois d'avril, la circulation sur le boulevard Saint-Joseph fut perturbée durant quelques minutes par ce bruyant défilé d'une quinzaine d'automobiles dont les conducteurs actionnaient le klaxon. Le cortège emprunta la rue De Lanaudière jusqu'à Mont-Royal. Coin Chambord, un tramway s'immobilisa en grinçant pour permettre aux autos de demeurer regroupées avant de tourner rue Brébeuf. En passant devant la maison de ses parents, Jean aperçut Adrienne Lussier et son frère Omer le saluant de la main. Il lui répondit en souriant.

Après avoir défilé jusqu'à Gilford, la première voiture descendit la rue De La Roche avant de prendre la direction du restaurant, dans la rue Saint-Hubert.

Le conducteur des nouveaux mariés avait eu raison. Lorsqu'il arrêta son véhicule devant la salle de réception, la pluie avait cessé, à la plus grande satisfaction de Reine. En quelques minutes, tous les invités s'engouffrèrent dans l'entrée de la salle après avoir laissé leur manteau au vestiaire.

Pendant ce temps, le maître de cérémonie engagé par le père de la mariée vérifia que le pianiste et le violoniste avaient bien pris place sur l'estrade placée derrière la table d'honneur avant de s'avancer vers les jeunes époux.

Le jeune homme aux manières un peu précieuses se présenta et disposa les nouveaux mariés et leurs parents à l'entrée de la salle pour recevoir les félicitations des invités. Durant un bref moment, Félicien eut la tentation de faire remarquer au jeune homme que sa mère devrait être debout à leurs côtés, comme le voulait la tradition, mais il y renonça quand il constata l'air revêche de Bérengère.

À l'invitation pressante du maître de cérémonie, il se forma rapidement une file d'invités qui félicitèrent les mariés et leurs parents. La plupart embrassèrent Reine après lui avoir adressé un compliment. Certains tendaient à Jean une enveloppe dans laquelle se trouvait leur cadeau de noces, tandis que d'autres leur apprenaient avoir laissé à leurs parents le présent qu'ils leur avaient acheté pour l'occasion.

Pendant ce temps, le duo de musiciens jouait une musique d'ambiance. Après avoir félicité les nouveaux époux, les invités s'empressaient d'entrer dans la salle et de prendre place autour de l'une ou l'autre des dix tables rondes disposées face à la table d'honneur. Évidemment, les gens se regroupaient selon leurs affinités.

Quand le curé Pelletier, les mariés et leurs parents s'installèrent à la table d'honneur au milieu de laquelle trônait un imposant gâteau à deux étages couvert de glaçage blanc, il était évident que les membres de la famille Talbot, comme ceux de la famille Bélanger, formaient des îlots séparés dans la salle. Une place était demeurée libre à la table d'honneur. Fernand dit quelques mots à l'oreille de

Félicien. Ce dernier hocha la tête et se dirigea vers la table où sa mère et ses deux sœurs étaient assises en compagnie de Lorraine et de Christian, ainsi que de deux copains et leurs épouses.

— M'man, il y a une place pour vous à la table d'honneur, dit le postier à Bérengère en se penchant vers elle.

— Je suis très bien où je suis, fit sèchement la vieille dame. Je vois pas pourquoi j'irais trôner à la table d'honneur quand je faisais même pas partie de ceux qui accueillaient les invités.

— C'est comme vous voudrez, répliqua Félicien, peu désireux de donner des explications.

Il retourna à la table et le prêtre se leva, à l'invitation du maître de cérémonie, pour réciter le bénédicité. À la fin, chacun se signa. Avant même que les serveuses se mettent à circuler entre les tables pour servir la soupe, le maître de cérémonie reprit la parole.

— Le gérant apprécierait beaucoup que vous frappiez sur votre table plutôt que sur votre coupe ou votre verre quand vous voudrez que les nouveaux mariés s'embrassent, dit-il sur le mode plaisant. En plus, monsieur Talbot, le père de la mariée, tient à ce que vous sachiez que c'est bar ouvert, que l'alcool est gratuit.

Cette dernière annonce fut suivie par des applaudissements nourris.

La dernière table située au fond de la salle avait été prise d'assaut par les jeunes de la famille Bélanger. Claude était attablé avec Réjean et Isabelle Corbeil ainsi qu'avec les cousins Paul et André Letendre, les fils de seize et dix-sept ans de sa tante Agathe. Claudine Brochu, la fille de quatorze ans de la tante Élisabeth, complétait le groupe.

— J'aime mieux aller m'asseoir avec Réjean et Isabelle même s'ils sont ben ennuyants que de manger avec grand-mère qui va passer son temps à me faire des sermons, avait-il chuchoté à Lorraine à leur entrée dans la salle.

Tout en mangeant sa soupe, l'adolescent regrettait presque son choix. Il n'avait pas vu les cousins Letendre depuis trois ou quatre ans et ils étaient devenus «de vrais baveux», selon ses critères. Ils le regardaient de haut et l'avaient même appelé «ti-cul», ce qui n'avait en rien amélioré son humeur. Comble de malchance, la cousine Claudine avait beaucoup grossi depuis la dernière fois qu'il l'avait vue et elle avait même des boutons d'acné, comme lui. Pendant que Réjean Corbeil lui racontait une bagarre survenue dans la cour de son école, la veille, Claude lorgnait une adolescente blonde assise entre ce qui semblait être ses parents, à la table voisine.

Au moment où les serveuses commençaient à déposer devant chacun des timbales au poulet, quelques invités se mirent à frapper sur les tables en cadence avec leurs ustensiles pour inciter les nouveaux mariés à se lever et à s'embrasser. Des cris d'encouragement fusèrent du côté des Bélanger, imités bien timidement par la famille Talbot. Durant les minutes suivantes, la même scène se répéta à plusieurs reprises, toujours à l'initiative des invités d'Amélie et Félicien Bélanger.

— De la vraie basse classe, ne put s'empêcher de chuchoter Estelle Caron à l'oreille de sa tante Germaine, assise à côté de son oncle Henri.

— J'espère qu'ils sont à la veille de se fatiguer de ce petit jeu idiot, laissa tomber une petite femme à l'air revêche vêtue d'une robe mauve et faisant étalage de bijoux qui semblaient fort coûteux.

— Inquiétez-vous pas, ma tante, reprit Estelle. Je connais ma sœur. Elle va bientôt refuser de se lever pour leur faire plaisir.

— Laissez-les donc faire si ça les amuse, fit Charles Caron, sur un ton bon enfant.

— Tout ce bruit me dérangerait moins s'il ne m'empêchait pas d'entendre la musique jouée par les musiciens que ton père a engagés, dit Jeanne-Mance Brien, la femme du notaire, qui se targuait d'être une mélomane avertie.

Au premier coup d'œil, tout observateur aurait reconnu en cette grande femme à l'air hautain la digne sœur d'Yvonne Talbot. Son mari, un homme plutôt effacé, se contentait d'écouter les conversations autour de la table depuis le début du repas. Il aurait préféré être assis près de son beau-frère Étienne, le propriétaire d'une petite scierie dans le Maine. Malheureusement, Étienne n'avait pu venir au mariage avec sa femme et il devait supporter Henri Grenier et son épouse Germaine avec qui il n'avait jamais eu beaucoup d'atomes crochus. Il en voulait un peu à sa femme d'avoir jeté l'ancre à cette table sans lui demander son avis.

Soudain, il y eut un échange de remarques assez lestes adressées aux nouveaux mariés. Elles provenaient de gens assis à des tables occupées par des Bélanger. Les plaisantins s'attirèrent un regard chargé de mépris d'Yvonne Talbot qui se crut obligée de les excuser auprès du curé Pelletier. Ce dernier, diplomate, hocha la tête et prétendit n'avoir rien entendu. Ensuite, il se retourna vers Amélie avec laquelle il s'entretenait avant d'être interrompu.

— Il ne manquait plus que ça ! fit une Jeanne-Mance Brien outrée qui avait bien entendu, elle, la dernière plaisanterie grivoise lancée par un cousin d'Amélie. Voulez-vous bien me dire d'où sortent ces gens ?

Quelques murmures de désapprobation se firent entendre en provenance des tables voisines.

Au moment du dessert, Estelle vit son père apparaître près d'elle. Il se pencha à son oreille pour lui chuchoter :

— Voudrais-tu faire un effort après le dîner pour aller parler à la parenté de Jean? Il y a personne de notre famille qui a essayé de se mêler à eux.

— Je les connais pas, p'pa, se défendit mollement la jeune femme qui, enceinte d'un peu plus de six mois, portait ostensiblement une robe de maternité pour que chacun n'ignore pas son état de future maman.

— Comme ça, tu vas en connaître une couple, trancha son père, mécontent qu'elle ne comprenne pas l'importance de la démarche qu'il lui confiait.

— Je vais essayer, lui promit-elle avec un soupir d'exaspération.

Elle vit son père, tout sourire, faire la tournée des tables pour s'informer si tout avait été au goût des invités. Peu après, le repas prit fin et les invités se levèrent pour laisser le personnel desservir les tables et remettre de l'ordre dans la salle. Beaucoup d'hommes sortirent à l'extérieur pour fumer pendant que les femmes se regroupaient pour échanger des nouvelles.

Pour sa part, Claude avait remarqué que les cousins Letendre possédaient des paquets de cigarettes et il décida de les suivre à l'extérieur dans l'intention de leur en demander une. Il aurait préféré demeurer près de Réjean Corbeil qu'il connaissait mieux, mais il était trop niaiseux, à son avis, pour fumer. Dès qu'il se retrouva sur le trottoir au milieu d'une quinzaine d'hommes, il n'eut pas à quémander une cigarette. Son cousin Paul lui en offrit une et même du feu sans faire de commentaires. L'adolescent avait à peine tiré une bouffée de sa cigarette qu'il vit son père sortir à son tour de la salle de réception. Ce dernier ne pouvait avoir fait autrement que de le voir, la cigarette à la bouche. Pourtant, il lui tourna carrément le dos et l'ignora au lieu de venir dans sa direction pour lui faire honte devant tout le monde. Claude laissa tomber sa cigarette sur le trottoir et s'empressa de l'écraser sous son talon avant de revenir dans la salle.

Quelques minutes plus tard, Fernand Talbot apparut à la porte. Il incita les hommes à rentrer pour inviter leur femme à danser. Debout au centre de l'estrade, le maître de cérémonie annonça peu après aux invités que le barman était maintenant prêt à les servir et que les nouveaux mariés allaient ouvrir la danse.

À cet instant précis, le curé Pelletier prit congé des parents et se retira. Après son départ, on fit cercle autour de la piste de danse au milieu de laquelle Reine et Jean dansèrent un peu maladroitement une valse. Quelques mesures plus tard, plusieurs invités se joignirent à eux.

Déjà, un bon nombre d'assoiffés prenaient d'assaut le serveur retranché derrière le bar et les consommations commençaient à circuler dans la salle. Lorenzo Talbot et son beau-frère Charles Caron faisaient particulièrement honneur au bar, bien décidés à célébrer.

— C'est pas mal rare que le père paye la traite, plaisanta l'aîné de la famille Talbot. Il faut en profiter, mon Charles.

— Inquiète-toi pas, on laissera rien se perdre, rétorqua le dentiste, déjà de fort bonne humeur après tout le vin ingurgité durant le repas.

À l'instigation de Fernand Talbot, Jean et Reine avaient entrepris de faire la tournée des tables pour remercier les gens d'avoir assisté à leur mariage et de leur avoir donné de si beaux cadeaux. Jean avait d'abord entraîné sa femme vers la table occupée par sa grand-mère et ses deux tantes, surtout pour les lui présenter.

— Grand-mère est un peu raide, la prévint-il tout bas, mais elle est pas méchante.

Si les tantes Rita et Camille furent tout sourire et félicitèrent leur jeune nièce par alliance pour la beauté de sa robe de mariée, Bérengère se contenta de la saluer d'un bref hochement de tête. Quand Reine la remercia pour son cadeau, la grand-mère prit un ton perfide pour lui dire :

— J'aurais bien aimé vous acheter quelque chose pour vos noces, mais vous vous êtes décidés tellement vite que j'ai pas eu le temps. C'est pour ça que je me suis contentée de vous donner de l'argent.

— Je suppose que c'est pas bien grave, s'interposa Rita sur un ton léger. Vous savez mieux que nous autres ce dont vous avez besoin. Vous vous servirez de cet argent-là pour acheter ce qui vous manque.

— C'est sûr, fit Reine avec un sourire un peu figé.

L'antipathie manifestée par la vieille dame ne lui avait pas échappé… et elle la lui rendait bien.

Un peu plus loin, Estelle avait attiré sa mère à l'écart pour lui dire qu'elle avait essayé de pousser un ou deux couples chez les Bélanger à venir s'asseoir à des tables occupées par des Grenier ou des Talbot, mais que ça ne fonctionnait pas.

— Pourquoi as-tu fait ça ? lui demanda Yvonne en jetant un regard hautain autour d'elle.

— C'est p'pa qui m'a demandé de le faire.

— Laisse donc faire. Tu vois bien que ces gens-là sont pas du monde comme nous autres.

Rassurée, Estelle alla rejoindre quelques cousines à qui elle n'avait pas eu le plaisir d'annoncer sa grossesse. Elle contourna la piste de danse, vit Charles, un verre à la main, en grande conversation avec son oncle Henri, mais la scène qui se déroulait à sa gauche lui échappa.

Claude Bélanger avait tenté de se procurer une bouteille de bière au bar, mais cette fois il avait trouvé sa mère sur son chemin.

— Tu bois juste de la liqueur, pas autre chose, lui ordonna-t-elle.

— Ben oui, m'man. Ayez pas peur.

Amélie savait à quel point son fils était frondeur et elle préférait prévenir plutôt que guérir. Elle le surveilla du coin de l'œil, le temps qu'il se procure une bouteille de Coke. L'adolescent, un peu penaud, revint s'asseoir à une table déserte. Depuis plusieurs minutes, il avait repéré la jeune fille blonde qui avait dîné, entre ses parents, à la table voisine de la sienne. Il avait entendu qu'elle s'appelait Christine.

— Tu parles d'un beau nom ! dit-il à mi-voix.

— C'est à moi que tu parles ? lui demanda son cousin Corbeil, qui venait de se laisser tomber sur la chaise à côté de la sienne.

— Non, je me parle tout seul, répondit-il, agacé.

Depuis, l'adolescent de quatorze ans ne la quittait pas des yeux. Ses cheveux blonds ondulés, ses joues roses et sa petite bouche en cœur l'émouvaient. Quand elle s'était levée quelques instants plus tôt, il s'était aperçu qu'elle était encore plus belle et gracieuse qu'il ne l'avait imaginé.

— C'est en plein le genre de fille que j'aime, dit-il cette fois à son cousin. Elle a peut-être quinze ou seize ans, mais c'est juste un an ou deux de plus que moi. Il faut que je l'invite à danser un *Three Step* ou un tango.

C'étaient les deux seules danses que Lorraine avait consenti à lui enseigner l'été précédent. Il devait trouver en lui le courage de l'inviter. Elle était tellement belle avec son petit air sage qu'elle le paralysait. À ce moment-là, il vit un invité laisser sur la table voisine un verre à demi plein d'un liquide incolore avant de se précipiter vers la piste de danse avec son amie ou sa femme. Après avoir jeté un coup d'œil autour de lui pour s'assurer que personne ne le surveillait, Claude se leva, le prit et en renifla le contenu : c'était de l'alcool. L'odeur forte fit grimacer l'adolescent.

— Qu'est-ce que tu fais là ? lui demanda son cousin, surpris de le voir s'emparer d'un verre à la table voisine.

Claude ne se donna pas la peine de lui répondre. Après avoir jeté un coup d'œil autour de lui pour vérifier si quelqu'un d'autre l'avait vu, il but d'un trait le contenu du verre. Il faillit s'étouffer tant l'alcool était fort. Les larmes aux yeux, il eut du mal à retrouver son souffle.

Claude se rassit, mais son cousin venait de quitter la table et il se retrouva seul. Il attendit quelques instants que l'alcool ait fait son effet. Quand il se rendit compte que les danseurs revenaient vers les tables parce que les musiciens venaient d'annoncer une courte pause, il s'empressa de quitter sa chaise et se dirigea vers les toilettes pour se donner une contenance. Il dut attendre une dizaine de minutes, le dos appuyé contre le mur au fond de la salle, avant que le pianiste et le violoniste reviennent. Maintenant, il se sentait étrangement bien et léger.

Lorsque la musique reprit, il aperçut le grand Christian Dupriez en train de danser en compagnie de sa sœur et il se rendit compte qu'il s'agissait de l'une des deux danses qu'il connaissait. Avec un aplomb auquel l'alcool consommé n'était pas étranger, il se précipita alors vers la jeune fille blonde.

— Veux-tu danser ? lui demanda-t-il en rougissant légèrement.

— Non, merci. Ça me tente pas, se contenta-t-elle de lui répondre sur un ton un peu dédaigneux en se tournant vers la fille assise près d'elle, comme s'il n'était déjà plus là.

— OK d'abord, ce sera pour une autre fois, fit-il avant de s'éloigner, le visage rouge d'humiliation.

L'adolescent, subitement dégrisé par ce refus, venait à peine de trouver un siège lorsqu'il vit son cousin, Paul Letendre, s'approcher à son tour de celle qui l'avait rejeté. Il ricana en songeant à la rebuffade que le fils du cultivateur de Sainte-Marie-Salomé allait essuyer. Son ricanement se transforma en stupeur quand il vit la blonde se lever immédiatement, donner la main à son cousin et, toute souriante, se diriger vers la piste envahie par les danseurs.

— Tu parles d'une maudite fraîche ! ne put-il s'empêcher de dire à haute voix à Réjean Corbeil, qui venait d'apparaître encore une fois à ses côtés.

— De qui tu parles ?

— De la blonde avec qui Paul danse. Je viens d'aller l'inviter et elle a pas voulu.

— Peut-être qu'elle t'aime pas la face ou qu'elle te trouve trop jeune pour elle, suggéra le fils d'Émile Corbeil. À ta place, j'inviterais plutôt Claudine. Personne l'a encore invitée à danser.

Claude chercha sa cousine du regard et la trouva assise en compagnie d'Isabelle, la sœur de Réjean. Il regarda la figure de sa cousine : les boutons d'acné étaient très visibles. Même s'il avait envie de danser, il y renonça. « On aurait l'air fin tous les deux avec nos boutons. Si encore je pouvais fumer », se dit-il en regardant son père en grande conversation avec son oncle Émile et les maris de ses tantes Élisabeth et Agathe.

— À voir comment certains boivent comme des cochons, j'ai ben l'impression que ça va coûter un bras au beau-père de ton gars, dit Émile Corbeil à son beau-frère en indiquant du menton Charles Caron qui revenait un peu chancelant du bar en portant deux consommations.

— C'est comme à toutes les noces, lui fit remarquer Félicien. Quand c'est *bar open*, il y en a qui ont pas de fond parce que c'est gratis. Mais quand on est obligé de payer ce qu'on boit, là, tout le monde traite le père de la mariée de *cheap*. Moi, en tout cas, une ou deux bouteilles de bière et j'en ai plein mon casque.

— La même chose pour moi, affirma le gros homme en tirant une bouffée de son cigare malodorant.

— Je veux pas trop rien dire, avança Georges Letendre à mi-voix, mais on dirait ben que la famille de ta bru est pas mal fraîche. J'ai essayé de parler à deux ou trois, ça a tout pris pour qu'ils me répondent.

— Ça, tu peux le dire, fit Félicien d'un air qui voulait tout dire.

Ce dernier n'avait jamais trouvé un repas aussi long que celui qu'il avait pris à la table d'honneur. Assis près d'Yvonne Talbot, c'est à peine si cette dernière lui avait adressé la parole durant tout le repas. Elle lui avait même tourné le dos à demi durant de longues minutes pour mieux s'entretenir avec le curé Pelletier, son voisin de droite. À plusieurs reprises, il avait regardé sa femme installée entre Reine et son père et elle ne lui avait pas paru mieux traitée. La nouvelle mariée s'occupait de Jean, et Fernand Talbot avait l'air nerveux et surtout préoccupé par le bon déroulement de la fête dont il assumait le coût.

Soudain, Félicien fut distrait par Charles Caron qui, maintenant, se parlait seul, assis un peu à l'écart. Il dodelinait de la tête. Les deux verres qu'il venait d'aller chercher étaient vides devant lui.

— Il a pas l'air dans son assiette, lui fit remarquer son beau-frère Émile avec un large sourire. Pour moi, il a fait le plein, le jeune.

— Laisse faire, v'là sa femme qui arrive. Elle va s'occuper de lui, répliqua le postier en voyant s'approcher Estelle, qui venait de repérer son mari.

Le hasard voulut que la musique cesse au moment où elle s'adressa au dentiste et plusieurs personnes l'entendirent.

— Tu me fais honte, lui dit-elle. Arrête de boire. Tout le monde te remarque.

— Et puis après, fit Charles d'une voix pâteuse. À des noces, on boit. C'est nor… normal.

— Va prendre l'air, ça va te faire du bien. T'es blanc comme un drap.

— Ça me ten… tente pas, bafouilla le dentiste en dodelinant de la tête.

Au même instant, Yvonne Talbot s'approcha de son gendre avec la grâce d'un navire amiral.

— Qu'est-ce qui se passe ? demanda-t-elle d'une voix impérieuse.

— Je pense que Charles a mangé quelque chose qui lui fait pas, mentit Estelle à mi-voix.

— Belle… Belle-maman, que je suis con… content de vous voir ! s'exclama Charles, assez fort pour être entendu par les gens assis aux tables voisines. C'est… c'est des mau… maudites belles noces.

— Mais il est soûl ! fit Yvonne, les dents serrées. T'aurais pas pu le surveiller un peu ! Tout le monde nous regarde.

À l'instant précis où elle prononçait ces mots, son gendre quitta difficilement sa chaise, le teint soudain livide. Instinctivement, Yvonne s'avança pour lui éviter de tomber quand elle le vit chanceler. Le dentiste eut d'abord un hoquet, puis vomit, éclaboussant abondamment la robe ivoire de la mère de sa femme. Il y eut des exclamations dégoûtées de la part des gens assis autour. On se leva précipitamment pour s'écarter le plus possible de l'endroit.

Émile Corbeil et Joseph Letendre esquissèrent le geste de se porter au secours de l'ivrogne, mais Félicien les retint.

— Laissez faire. Ils sont ben assez nombreux pour s'occuper de cet ivrogne-là.

Alerté par les éclats de voix, Fernand se précipita. D'abord interdite par ce qui venait de lui arriver, Yvonne Talbot repoussa sans ménagement son gendre, qui retomba assis sur

445

le sol à côté de la chaise qu'il venait de quitter. Se tournant vers sa fille, elle ne put s'empêcher de s'en prendre à elle.

— Comment ça se fait que t'es pas capable de mieux surveiller ton mari, toi ? lui reprocha-t-elle d'une voix grinçante. Regarde ce qu'il vient de faire, ajouta-t-elle, l'air dégoûtée en lui montrant sa robe gâchée.

— C'est pas le temps de faire ta crise, lui ordonna sèchement Fernand. Estelle, va aider ta mère à nettoyer sa robe dans les toilettes. Lorenzo va s'occuper de ton mari.

Le petit homme écrasa son cigare malodorant dans un cendrier et ne perdit pas de temps en vaines jérémiades. Il aperçut son fils Lorenzo en compagnie de celle qu'il leur avait présentée sous le nom de Rachel Rancourt et il lui demanda d'emmener son beau-frère à l'extérieur. Ensuite, il se tourna vers une serveuse pour l'inciter à nettoyer rapidement les dégâts. Plusieurs membres de la famille Bélanger s'étaient rassemblés un peu plus loin et commentaient la scène à laquelle ils venaient d'assister.

Pendant ce temps, dans les toilettes pour dames, Yvonne, rouge d'humiliation, cherchait à rendre sa robe présentable avec l'aide d'Estelle.

— J'ai jamais eu aussi honte de ma vie. Devant tout le monde, à part ça !

— Voyons, m'man. C'est pas la fin du monde, chercha à tempérer Estelle. Ça arrive dans presque toutes les noces que certains boivent trop et sont malades.

— Je veux bien le croire, fit sa mère, toujours aussi en colère, mais pas à des noces que ton père organise et surtout pas quelqu'un de notre famille.

— De toute façon, m'man, il est trop tard. Charles va se remettre d'aplomb dehors, et dans une heure plus personne va se souvenir de ce qui s'est passé. Là, votre robe va sécher et ça paraîtra presque plus.

— C'est correct, déclara abruptement Yvonne. Toi, tu vas aller surveiller ton mari pendant que je vais demander à ton père d'envoyer les mariés se changer. Je pense qu'il est assez tard.

La mère de la mariée quitta les toilettes. Elle fut arrêtée à deux ou trois reprises en route vers son mari par des gens qui voulaient s'informer si tout allait bien.

— Bien oui, affirmait-elle avec un sourire un tantinet crispé. C'est mon gendre. Il y a quelque chose qu'il a mangé qui lui est resté sur l'estomac.

— C'est sûr que trop d'alcool, ça ne facilite pas la digestion, osa dire Christian Dupriez avec un sourire bon enfant.

Cette remarque lui attira un regard assassin de son hôtesse.

— C'est qui ce grand fanal insignifiant ? demanda-t-elle à Estelle en s'éloignant de l'invité.

— Il me semble que c'est l'ami de la sœur de Jean.

Peu après, Yvonne chuchota quelques mots à l'oreille de son mari. Ce dernier acquiesça avant de s'éloigner d'elle en direction des jeunes mariés qui s'entretenaient avec des cousins de Reine. Fernand attira leur attention et leur dit à mi-voix :

— Je pense qu'il est temps que vous alliez vous préparer pour votre voyage de noces. Lorenzo est dehors avec Charles. Il m'a dit tout à l'heure qu'il était prêt à aller vous conduire à la maison. Oubliez pas votre valise et prenez pas trop de temps avant de revenir. Le monde commence à être fatigué et il y en a qui ont déjà un peu trop bu.

— Est-ce que je vais lancer mon bouquet ? lui demanda Reine, prête à se soumettre à cette vieille tradition.

— C'est correct, accepta son père. J'avertis le maître de cérémonie.

Ce dernier invita toutes les femmes célibataires présentes à la noce à s'avancer si elles désiraient avoir la chance de saisir le bouquet que la mariée s'apprêtait à lancer. De toute évidence, beaucoup avaient encore foi en cette vieille croyance qui voulait que celle qui attrapait le bouquet d'une mariée se marierait bientôt. Yvonne scruta le groupe de célibataires jacassantes à la recherche de l'amie de son fils Lorenzo.

— Comment ça se fait que la fille qui accompagne Lorenzo essaye pas d'attraper le bouquet ? demanda-t-elle à son mari, debout à ses côtés.

— Comment veux-tu que je le sache ? répondit ce dernier. Peut-être que le mariage l'intéresse pas.

Au signal, Reine tourna le dos à la demi-douzaine de jeunes filles rassemblées quelques pieds derrière elle et elle lança son bouquet à l'aveuglette. Appuyé contre un mur de la salle, Claude avait regardé la scène d'un œil ennuyé. Cependant, il sursauta quand il se rendit compte que c'était la belle Christine qui s'était emparée des fleurs. Il se rapprocha d'elle.

La jeune fille brandit fièrement les fleurs au milieu des exclamations dépitées des autres concurrentes.

— Tu sais que ça veut dire que tu vas être la prochaine chanceuse à te marier, fit l'une de ses cousines.

Claude ne put s'empêcher de dire à haute et intelligible voix :

— À la condition qu'elle ait l'air moins bête avec les gars.

Sa remarque lui attira un regard hautain de l'adolescente qui passa devant lui en l'ignorant ostensiblement.

Reine et Jean s'éclipsèrent rapidement. Ils retrouvèrent Lorenzo à la porte. Le jeune homme venait de confier son beau-frère à sa sœur. Après avoir dit quelques mots à la jeune femme qui l'accompagnait, il entraîna les nouveaux mariés vers sa Chevrolet rouge vin dans laquelle il les invita à monter.

— Est-ce que c'est arrangé avec ma tante Germaine ? demanda le jeune homme en mettant sa voiture en marche.

— Oui, j'ai les clés et elle nous a expliqué où se trouve la maison à Verchères.

— J'espère pour vous autres qu'elle viendra pas trop souvent vous voir pendant votre lune de miel. Pendant que j'y pense, est-ce que ça vous dérangerait que ma blonde vienne avec moi vous conduire à Verchères ?

Reine jeta un regard interrogateur à Jean avant d'accepter. Quand l'automobile s'immobilisa rue Mont-Royal, devant la porte de l'appartement, Lorenzo sentit le besoin de dire :

— Perdez pas trop de temps à vous faire des mamours en vous changeant, tous les deux. Ils nous attendent à la salle.

— Pas de danger, répliqua Jean, qui avait été passablement silencieux durant le court trajet. Moi, j'ai pas à me changer. Je monte seulement pour aller chercher nos valises et je descends tout de suite.

— Nos valises et la boîte de nourriture, le corrigea Reine. Si tu oublies la boîte, on va trouver le temps long en maudit jusqu'à lundi soir.

Dans la salle de réception, Claude s'ennuyait ferme maintenant. Il avait fumé quelques cigarettes en cachette, mais il n'avait pas osé inviter une autre jeune fille à danser. Après s'être fait rabrouer, il avait perdu le peu de confiance en lui qu'il possédait. Quand il avait vu partir Jean et Reine, il avait proposé à ses parents de les accompagner.

— Pourquoi ? lui demanda sa mère.

— Pour les surveiller, m'man, dit-il, malicieux.

— Ils ont pas besoin de toi, le comique, fit son père. Occupe-toi plutôt de tes cousins.

Peu après, les jeunes mariés firent leur entrée dans la salle sous les applaudissements des invités. Ces derniers, un peu émus, les regardèrent embrasser leurs parents avant de prendre congé. Amélie, les larmes aux yeux, serra son fils dans ses bras après avoir embrassé sa bru sur une joue. Finalement, plusieurs personnes les suivirent dehors pour les voir monter à bord de la Chevrolet où Lorenzo et son amie avaient déjà pris place sur la banquette avant.

Le départ des nouveaux mariés signifiait que la fête était terminée. Pendant que Fernand allait acquitter les frais de la réception dans le bureau du gérant, Yvonne lançait une discrète invitation à venir boire une tasse de café à la maison à quelques membres de sa famille.

Pour leur part, Félicien et Amélie adressaient une invitation semblable à leur parenté.

— Vous êtes bien fins, fit Bérengère sans sourire, mais je suis pas mal fatiguée. On se reprendra une autre fois.

Camille et Rita lancèrent un regard désolé à leur frère et à leur belle-sœur pour leur faire comprendre qu'elles auraient volontiers accepté d'aller leur rendre visite, mais qu'elles ne pouvaient laisser leur mère rentrer seule à l'appartement de la rue Saint-Urbain.

Un peu à l'écart, Claude souhaita que son oncle Émile refuse, lui aussi, l'invitation. Il ne se sentait guère de goût pour tenir compagnie à ses cousins Corbeil durant plusieurs heures encore. Heureusement pour lui, sa tante Berthe était un peu indisposée et désirait rentrer sans tarder à leur appartement de la rue Duquesne. Par ailleurs, les Brochu et les Letendre déclinèrent eux aussi l'invitation en arguant qu'ils devaient rentrer soigner leurs animaux à Sainte-Marie-Salomé.

— On dirait bien que j'ai cuisiné des tartes et des gâteaux pour rien, ne put s'empêcher de dire Amélie, dépitée de n'avoir aucun invité.

— Inquiétez-vous pas pour ça, m'man, intervint Claude. Je vais vous aider à les manger.

Peu à peu, la salle se vida. Avant de quitter, chacun remercia Fernand Talbot et sa femme d'avoir offert une si belle fête. Félicien et Amélie furent parmi les derniers à partir en compagnie de Claude, Lorraine et Christian.

— On peut bien rentrer en p'tit char, suggéra Lorraine.

— Pourquoi ça ? lui demanda son père. On a retenu le taxi pour la journée et il y a de la place pour vous deux. Venez.

Les Bélanger retrouvèrent Aurèle Durand en train de ronfler comme un bienheureux derrière son volant, la casquette inclinée sur les yeux. Félicien dut frapper à quelques reprises sur l'une des vitres pour que le conducteur se réveille.

À l'heure du souper, Christian déclina l'invitation des parents de Lorraine parce qu'il travaillait ce soir-là. Dès son départ de la maison, chacun s'empressa de se mettre à l'aise.

— V'là une bonne affaire de faite ! laissa tomber Félicien au moment où sa femme commençait à dresser le couvert.

— J'espère juste que Jean va être heureux en ménage.

— Il va l'être en autant que sa femme ressemblera pas trop à sa famille, rétorqua le postier. Cybole, j'ai jamais vu une bande d'airs bêtes comme ça ! On dirait qu'ils ont eu peur toute la journée que le visage leur craque s'ils souriaient. En plus, pas de saint danger qu'un seul nous adresse la parole. Il fallait toujours faire les premiers pas. Quand ils nous répondaient, c'était comme si on leur arrachait une dent.

— En tout cas, intervint Lorraine, en déposant des tasses sur la table, madame Talbot avait pas l'air trop heureuse d'avoir sali sa belle robe neuve.

— C'est sûr que c'était fâchant, fit Amélie, compatissante.

— C'est ben bon pour elle, renchérit Félicien, rancunier. Ça lui apprendra à se mêler de ses affaires. On le sait pas, mais son gendre a peut-être poigné mal au cœur juste à la voir, ajouta-t-il, malicieux.

— Là, tu manques à la charité chrétienne, le réprimanda sa femme en tâchant de ne pas sourire.

Il y eut un long moment de silence dans la cuisine. Le père de famille s'alluma une cigarette et Claude entra dans la pièce.

— Je suppose que t'as compris qu'à partir d'aujourd'hui t'es tout seul dans ta chambre et que tu vas aussi être tout seul à la nettoyer, lui fit remarquer sa mère.

— Je le sais, m'man. Mais je vais être aussi tout seul à la salir, par exemple.

— T'as du front tout le tour de la tête, Claude Bélanger. Tu parles comme si ton frère salissait bien gros.

— Aux dernières nouvelles, m'man, mon frère flottait pas dans les airs quand il entrait dans notre chambre. Il salissait autant que moi.

— T'as le temps d'aller me chercher *Le Petit Journal* au magasin avant que le souper soit prêt, intervint le père de famille.

— OK, p'pa. Je sais pas ce que mon frère va faire à soir, crut-il bon d'ajouter, moqueur. Pour moi, il va trouver la soirée pas mal plate.

— Ça va faire, la fouine. Mêle-toi de tes affaires, encore une fois, et va me chercher le journal, le rabroua son père en adressant à sa femme un regard entendu.

∽

L'atmosphère n'était guère plus bruyante chez les Talbot puisque seuls Henri Grenier et sa femme Germaine avaient accepté de passer quelques minutes chez les parents de la mariée. Estelle s'était empressée de prétexter l'état de Charles pour rentrer à Saint-Lambert et Lorenzo était parti conduire les nouveaux mariés à Verchères.

— Jeanne-Mance aurait bien pu venir manger un morceau de gâteau avant de retourner à Québec, dit Yvonne en déposant une tasse de thé devant sa belle-sœur. Tu me feras pas croire qu'Ernest devait être à son étude un samedi soir.

— Tu les connais, tous les deux, répliqua Germaine. Ils étaient inquiets. Ça leur arrive pas souvent de quitter la maison plus qu'une journée. Déjà, ils avaient couché chez nous hier soir…

— Pour moi, vous allez trouver votre appartement pas mal grand maintenant que vous êtes tout seuls, intervint Henri Grenier, directeur d'une succursale de la Prudentielle.

— Ça va vous prendre du temps à vous habituer, reprit sa femme d'un air convaincu. On a connu ça quand notre Aline s'est mariée.

— À cette heure qu'elle a trois enfants, je pense qu'on la voit plus souvent que dans le temps qu'elle restait avec nous autres, fit Henri Grenier avec un rire bon enfant. Fille, elle passait son temps enfermée dans sa chambre et n'en sortait que pour les repas. Maintenant, il se passe pas une semaine où elle vient pas nous laisser ses enfants à garder, même si elle reste à Longueuil.

— Ce sera pas tout à fait la même chose pour nous autres, dit Fernand en proposant un cigare à son beau-frère. Les jeunes vont rester dans l'appartement au-dessus et Reine va continuer à travailler avec moi à la biscuiterie.

— Elle va continuer à travailler même mariée ? lui demanda Germaine, sincèrement étonnée.

— Ben en tout cas, c'est ce qu'elle m'a dit, lui assura Fernand.

— Ça va faire tout de même drôle de voir une femme mariée travailler, insista Germaine, sur un ton légèrement réprobateur. Je pense qu'elle va être la première dans notre famille, pas vrai, Yvonne ?

— Elle a dit ça à son père avant ses noces, répondit Yvonne, mais il y a rien qui dit qu'elle changera pas d'idée.

— En tout cas, j'ai envoyé ma femme de ménage nettoyer un peu la maison que mon père m'a laissée, précisa sa belle-sœur. Ils vont être bien tous les deux. Il y aura personne qui va aller les déranger là.

— T'es bien fine de leur avoir offert la maison de ton père, dit Fernand.

— C'est rien, ça me fait plaisir. On cherche à la vendre depuis deux ans, mais on n'a pas encore trouvé d'acheteur. Aussi bien qu'elle serve à quelqu'un en attendant, dit Germaine. Je trouve juste que c'est dommage qu'ils aient pas un voyage de noces un peu plus long. Il me semble que deux jours, c'est pas beaucoup.

Yvonne comprit la critique que dissimulait cette remarque et s'empressa d'affirmer :

— Tu comprends, Jean est un garçon pas mal ambitieux et il a pas voulu manquer une seule journée d'ouvrage.

— Moi, je respecte ça, dit Henri en passant ses pouces sous sa ceinture. C'est important pour un jeune de se placer d'abord les pieds comme il faut.

Vers six heures, les Grenier prirent congé et les Talbot se retrouvèrent seuls dans leur appartement.

— J'aurais ben aimé qu'on puisse parler des noces avec Estelle ou Lorenzo, laissa tomber Fernand en retirant sa cravate.

— Pas moi, répliqua Yvonne d'une voix tranchante. J'aime autant te dire que ça va me prendre pas mal de temps pour oublier comment Charles nous a fait honte. Et pour

Lorenzo, il a trouvé le moyen de nous amener une parfaite inconnue qui sait même pas se tenir devant le monde.

— Exagère donc pas, lui ordonna Fernand.

— Tu l'as pas vue comme moi pendant qu'elle dansait. C'était une vraie honte. On n'aurait pas pu passer une feuille de papier entre elle et Lorenzo. Quand je vais le voir, lui, je vais tout de même lui dire ma façon de penser.

— C'est ça, fit son mari, sarcastique. Arrange-toi pour que les enfants nous boudent et mettent plus les pieds à la maison.

— On peut tout de même pas…

— Laisse faire. Ils sont assez vieux pour être responsables de ce qu'ils font. Si Charles a dépassé la mesure, il en supportera les conséquences. Pour Lorenzo, ça le regarde.

— Et pour Reine ?

— Quoi, pour Reine ?

— Qu'est-ce qui va se passer quand elle va accoucher ? As-tu pensé à ce que tout le monde va dire ?

— Elle aussi, elle est maintenant mariée et elle vivra avec les commérages. En plus, je te ferai remarquer qu'un enfant qui vient au monde avant terme, ça se voit presque tous les jours.

— Oui, mais il y a avant terme et avant terme, répliqua Yvonne qui se voyait déjà mal expliquer la chose à son entourage.

Chapitre 23

La lune de miel

En ce samedi après-midi, la circulation était passablement dense aux abords du pont Jacques-Cartier. Comme chaque fin de semaine, les automobilistes rageaient contre les percepteurs installés aux postes de péage vert bouteille à l'entrée du pont. Ces derniers semblaient prendre un malin plaisir à retarder le flot de véhicules qui cherchaient simplement à traverser le fleuve. Une fois cet obstacle franchi, Lorenzo traversa Longueuil et emprunta la route sinueuse qui longeait le fleuve en direction de Sorel.

Une vingtaine de minutes plus tard, la Chevrolet rouge vin traversa lentement le village de Verchères. Les renseignements offerts par Germaine Grenier aux jeunes mariés avant leur départ suffirent pour repérer rapidement la petite maison au pignon vert construite face au fleuve, le long de la route 3.

Lorenzo Talbot immobilisa la Chevrolet dans l'allée gravillonnée située à gauche de la demeure en pierre. Le conducteur descendit du véhicule et alla ouvrir le coffre. Ses trois passagers vinrent le rejoindre pour l'aider à porter les deux valises et la boîte de nourriture près de la porte.

— Entrez, offrit Reine à son frère et à son amie Rachel, qui s'était montrée particulièrement discrète durant tout le trajet.

Lorenzo allait accepter, mais Rachel le devança en disant :

— Ce serait avec plaisir, mais on doit rentrer en ville. On est invités à souper chez des amis.

Son compagnon sembla soudainement se rappeler cette sortie. On s'embrassa et on se serra la main. Reine et Jean remercièrent leur conducteur qui leur promit, avant de démarrer, de venir les chercher sans faute au milieu de l'après-midi le surlendemain. Les jeunes mariés saluèrent le couple de la main avant de se diriger vers la porte de la maison.

Jean déverrouilla la porte avec la clé que venait de lui tendre sa femme. Reine pénétra dans les lieux et Jean la suivit en portant leurs valises. Il retourna à l'extérieur chercher leurs victuailles avant de refermer la porte derrière lui.

— C'est pas chaud ici dedans, lui fit remarquer sa jeune femme en le précédant dans les diverses pièces de la maison.

— C'est l'humidité. Après tout, on est encore juste au mois d'avril. Je vais allumer le poêle à bois dans la cuisine, proposa Jean en retirant son manteau.

La maison prêtée par Germaine Grenier était modeste et assez ancienne. Elle avait deux chambres à coucher, un salon, une cuisine et une minuscule salle de bain dépourvue de baignoire. Pendant que Jean allumait tant bien que mal le poêle, sa femme avait légèrement écarté les rideaux qui masquaient l'unique fenêtre du salon et contemplait le fleuve qui charriait ses eaux grises sous un ciel de la même couleur.

— J'ai l'impression que le père de ma tante Germaine roulait pas sur l'or, dit-elle à son mari sans tourner la tête.

— En tout cas, ta tante est pas mal fine de nous prêter sa maison et d'avoir fait faire le ménage, rétorqua Jean du fond de la cuisine. J'imagine que ça devait être pas mal poussiéreux si ça faisait deux ans que personne restait là.

Reine ne releva pas la remarque et décida de venir ranger la nourriture demeurée dans la boîte que son mari avait déposée sur la table de la cuisine. Elle ouvrit l'antique glacière au moment où Jean se tournait vers elle.

— Dis-moi pas qu'elle a même pensé à nous faire livrer un bloc de glace ! s'exclama-t-il, surpris par tant de prévenance.

— C'est normal, répliqua sèchement sa femme. Elle savait bien qu'on en aurait besoin pour le manger.

— Quand même, répliqua-t-il. Rien l'obligeait.

Peu après, ils se dirigèrent vers la chambre à coucher pour y ranger les vêtements contenus dans leurs valises. Jean laissa galamment les deux premiers tiroirs de l'unique commode de la pièce à sa femme et utilisa le dernier. Au moment où ils terminaient le rangement, le jeune homme s'approcha de sa femme et l'enlaça tendrement.

— C'est pas le temps, dit Reine en le repoussant. Il est l'heure de souper.

Sur ces mots, elle retourna dans la cuisine en le laissant derrière elle, passablement dépité. Il retira son costume bleu et mit des pantalons et un chandail avant de quitter la pièce. Sans dire un mot, il sortit de la maison. Par la fenêtre, sa femme le vit faire le tour du terrain, sonder la porte d'un vieux cabanon puis traverser la route pour s'approcher du fleuve. Elle secoua la tête et retourna à la table pour peler des pommes de terre qu'elle mit à cuire sur le poêle. Elle retourna à la fenêtre : Jean avait disparu. Elle ne le voyait plus.

Elle alla changer de robe et prit son sac à main en sortant de la chambre à coucher. Elle l'ouvrit pour en sortir quatre cartes de vœux offertes par des invités. Chacune contenait un don en argent. Elle accumula ainsi cinquante dollars qu'elle s'empressa de dissimuler avant le retour de son mari. Lorsque les pommes de terre furent cuites, elle dressa les couverts et s'apprêtait à aller à la recherche de Jean quand elle le vit traverser la route et revenir à la maison.

— Il commence à mouiller, lui dit-il en entrant. En plus, c'est pas tellement chaud sur le bord du fleuve.

— T'arrives juste à temps. Je suis prête à faire cuire le steak. J'ai vu qu'il y avait un radio dans le salon. Essaye donc de trouver un poste où il y a de la musique.

Assis l'un en face de l'autre, les jeunes mariés mangèrent avec un bon appétit. Au moment du dessert, Reine présenta une assiette couverte de biscuits.

— J'ai apporté un gros sac de biscuits mélangés, dit-elle en reprenant place devant Jean. Mon père me les a donnés : ils étaient cassés.

— C'est correct.

— Pendant que j'y pense, dit-elle un instant plus tard, qu'est-ce que t'as fait des enveloppes que des invités t'ont données en arrivant à la salle ?

— Je les ai laissées dans les poches de mon veston. Pourquoi tu me demandes ça ?

— Parce qu'il y a sûrement de l'argent dedans, déclara Reine. Je vais aller les chercher, reprit-elle en se levant.

— Attends, c'est pas si pressant, voulut la retenir son mari.

— J'ai hâte de voir ce qu'il y a dedans, se contenta-t-elle de lui dire avant de disparaître dans la pièce voisine.

La jeune femme revint un instant plus tard en tenant deux enveloppes.

— Tu me feras pas croire qu'il y en avait juste deux, dit-elle, soupçonneuse.

— T'as bien regardé dans toutes mes poches ?

— Oui.

— Ben c'est qu'il y en a juste deux, dit-il sur un ton sans appel.

Sans plus se préoccuper de lui, Reine reprit sa place et entreprit d'ouvrir les deux enveloppes d'où elle tira deux billets de cinq dollars.

— Ah ben, tu parles des *cheap* ! s'exclama-t-elle avec mauvaise humeur. Juste cinq piastres chacun. On n'ira pas loin avec ça ! Pour moi, ça vient de ta famille, ça, ajouta-t-elle.

— T'as juste à regarder les noms sur les cartes, fit sèchement Jean en finissant de boire sa tasse de café.

Sa femme consulta chacune des cartes. Elles étaient signées par des cousins de Jean.

— C'est bien ça. Je m'étais pas trompée, reprit-elle, un rien triomphante.

— Je suppose qu'ils ont donné ce qu'ils ont pu, dit-il, agacé. Et toi ? Qu'est-ce que les enveloppes qu'on t'a données contenaient ?

— Quarante piastres, mentit-elle. Cinquante piastres en tout, ça va nous permettre de voir venir.

Jean était en train de tendre la main pour prendre les dix dollars sur la table devant sa femme quand cette dernière, plus vive, s'en empara.

— Qu'est-ce que tu dirais si je m'occupais des dépenses de notre ménage ? proposa-t-elle avec un air doucereux propre à le séduire.

— Là, je sais pas trop, répondit Jean. Chez nous, c'est pas la coutume que les femmes aient l'argent gagné par le mari. J'ai toujours vu mon père donner à ma mère l'argent nécessaire pour acheter la nourriture et le linge.

— Chez nous, ça a toujours été le contraire, mentit à nouveau Reine. Et je peux te dire que mon père a jamais eu

461

à se plaindre de ça. En plus, réfléchis un peu, Jean. Moi, je travaille depuis cinq ans, je suis habituée à faire un budget et à pas dépenser pour rien. Toi, t'étais étudiant, t'avais pas à t'occuper de ça, expliqua-t-elle après avoir contourné la table et avoir langoureusement passé sa main dans la chevelure ondulée de son mari.

Ce dernier ne résista pas plus longtemps.

— C'est correct. Je te laisse t'occuper des dépenses, consentit-il.

— Tu vas voir que j'ai pas mal le tour, lui promit-elle.

— J'aurais bien voulu rembourser les cinquante piastres que je dois à ma sœur avec cet argent-là, fit-il.

— Cinquante piastres ! s'exclama Reine sur un ton horrifié. Mais en quel honneur ?

— C'est elle qui m'a prêté l'argent pour acheter ta bague de fiançailles, expliqua-t-il.

— Ah ben ! j'aurai tout entendu. Je pensais qu'on s'était débarrassés de toutes nos dettes en remboursant Tremblay et voilà qu'on doit cinquante piastres à cette heure, dit-elle avec humeur.

— J'avais pas le choix. J'avais pas une cenne.

La jeune femme poussa un soupir d'exaspération avant de déclarer sur un ton sans appel :

— Eh bien ! ta sœur va attendre un peu. On va la rembourser petit peu par petit peu chaque semaine.

— Pourquoi ? On a déjà l'argent, dit Jean.

— Parce qu'on sait jamais ce qui peut nous arriver. Si on la rembourse d'un seul coup et qu'il nous arrive une malchance, on n'aura rien pour payer.

Maintenant qu'elle avait obtenu ce qu'elle désirait, Reine entreprit de ranger la cuisine et de laver la vaisselle. Elle était contente d'elle. Jean alla s'asseoir dans le salon sous le prétexte d'écouter les informations radiophoniques. La pièce était petite et ne contenait qu'une table basse, deux fauteuils au tissu décoloré et une radio en bois. En fait, il était surtout préoccupé par la nuit à venir.

Son expérience des femmes était pratiquement nulle, malgré le fait qu'il ait épousé Reine enceinte. En fait le choc de savoir Reine en famille avant le mariage lui avait complètement fait oublier comment s'était déroulé l'acte entre eux deux. Il ne pouvait même plus dire s'il en gardait un bon souvenir ou pas. Tout cela s'était produit si soudainement. Évidemment, il aurait eu bien trop peur d'être ridicule en interrogeant son père sur le sujet. Par ailleurs, il n'avait conservé que des souvenirs très imprécis des rares conversations qu'il avait eues avec des camarades de collège à propos des filles. Si certains d'entre eux étaient intarissables sur leurs conquêtes, il les avait toujours soupçonnés d'être des « grands parleurs, petits faiseurs », comme le disait parfois sa mère en parlant des vantards. Bref, en cette soirée cruciale, il se rendait compte qu'il y avait un gouffre entre le rêve et la réalité et il ne savait vraiment pas comment se comporter. Il ne voulait pas décevoir Reine. Cette crainte lui enlevait une partie de ses moyens et le rendait passablement timide.

Par ailleurs, dans la pièce voisine, Reine n'était guère plus rassurée. Elle hésitait entre satisfaire son mari comme elle le pourrait, et suivre, dès le soir même, le conseil maternel en se refusant à lui. Mais quelle excuse invoquer ? Non. Finalement, il valait peut-être mieux commencer leur vie de couple sur le bon pied et lui faire plaisir. Après tout, elle venait de lui arracher la gestion des finances familiales. Il ne fallait tout de même pas exagérer.

Elle eut alors une pensée fugitive pour l'enfant qu'elle avait perdu. Elle ne ressentit pas le moindre remords en songeant qu'elle avait omis volontairement de mentionner la perte du bébé à ses parents et plus encore à celui qui venait de l'épouser. Encore une fois, elle se demanda durant un court instant s'il l'aurait épousée quand même s'il ne l'avait pas crue enceinte. Cette question la taraudait déjà depuis longtemps. Elle se jura d'avoir la réponse à cette question le soir même.

Au moment où le jour tombait sous les nuages, Reine retira son tablier et alla proposer à son mari de faire une courte promenade dans le village parce que la pluie semblait s'être arrêtée. Jean accepta et ils quittèrent la maison après avoir jeté une bûche dans le poêle. La jeune femme se pendait amoureusement au bras de son conjoint en avançant lentement sur le bord de la route.

— Ça me fait tout drôle de me dire que je suis maintenant mariée, lui dit-elle soudain.

— À moi aussi, fit Jean après un court instant de réflexion.

Reine laissa passer un bon moment avant de reprendre.

— Si j'avais pas été en famille, chuchota-t-elle comme si elle craignait d'être entendue par des oreilles indiscrètes, m'aurais-tu mariée quand même ?

Elle attendit, le souffle court, que son mari réponde à la question qui la turlupinait depuis si longtemps.

— Ben oui, laissa-t-il tomber sans grande conviction.

— T'es sûr de ça ?

— Certain… Mais j'aurais attendu d'avoir fini d'étudier, par exemple, prit-il la peine de lui préciser. Là, je sais pas si tu t'en rends compte, mais on roulera pas sur l'or. J'ai pas un gros salaire et…

— T'es instruit, Jean, le coupa sa femme. Je suis sûre que tu vas te trouver une meilleure *job* que celle que t'as là. Un gars qui a fait presque tout son cours classique est pas fait pour torcher, ajouta-t-elle sur un ton sans appel.

— Je vais essayer de me trouver autre chose aussitôt que je vais en avoir la chance, lui promit-il au moment où ils arrivaient devant l'église.

— Sais-tu que je pensais à une chose, reprit Reine sans avoir l'air d'y toucher.

— À quoi ?

— Je me suis dit que ce serait pas une mauvaise idée pantoute que je retourne pas travailler à la biscuiterie.

— Parce que ça te tente pas ? demanda Jean.

— Non, je me dis que le monde pourrait penser que t'as pas les moyens de me faire vivre et que tu m'obliges à travailler pour arriver. Une femme mariée, d'habitude, travaille pas dehors.

— Tu feras ce que tu voudras, déclara Jean. Si tu penses que tu t'ennuieras pas à rien faire à la maison du matin au soir…

— Je vois pas pourquoi je m'ennuierais plus que ta mère ou la mienne, par exemple.

— Tu te rends compte qu'on va être obligés de se serrer un peu plus la ceinture sans ton salaire ?

— Je le sais, mais on vivra avec ce qu'on aura, fit Reine, heureuse d'avoir encore remporté sans mal une autre petite victoire. Est-ce qu'on retourne à la maison ? Ça commence à ne pas être chaud.

En fait, un petit vent frisquet en provenance du nord-ouest venait de se lever. Il faisait maintenant pratiquement nuit et le jeune couple décida de rentrer à la maison. Dès que la porte fut refermée, Jean et Reine décidèrent de s'installer dans le salon après avoir allumé la grosse radio Marconi qui avait appartenu au père de la tante Germaine. Après avoir écouté quelques chansons françaises interprétées par Lucille Dumont et Robert l'Herbier, ils rirent de bon cœur aux plaisanteries de Juliette Béliveau dans

Métropole. Durant l'émission suivante, Jean n'avait vraiment plus la tête à ce qui était raconté à la radio. Son regard s'attardait sur les courbes appétissantes de sa jeune femme assise dans l'un des deux fauteuils et il avait de plus en plus de mal à penser à autre chose qu'à ce qui allait se produire à la fin de la soirée.

Reine finit par se rendre compte de son regard insistant et décida qu'il était inutile de s'attarder davantage au salon.

— Je vais aller faire ma toilette, lui annonça-t-elle en se levant. Laisse-moi quelques minutes avant de venir me rejoindre.

Jean fit un effort pour adopter un air détaché :

— T'auras juste à m'avertir quand je pourrai aller me laver.

Lorsque sa femme lui apprit qu'elle l'attendait, le jeune homme s'empressa d'éteindre la radio et d'aller procéder à sa toilette dans la minuscule salle de bain. Il avait beaucoup de mal à contrôler sa fébrilité quand il pénétra quelques minutes plus tard dans la chambre à coucher plongée dans l'obscurité.

— Allume pas la lumière, lui demanda-t-elle d'une voix légèrement suppliante quand elle l'entendit refermer la porte de la chambre derrière lui.

— C'est correct, accepta-t-il en se dirigeant à tâtons vers le lit.

Cette demande lui convenait parfaitement. Il était heureux de pouvoir cacher son trouble à sa jeune femme. Il voyait à peine devant lui. Il n'y avait qu'une vague clarté qui filtrait dans la pièce entre les deux rideaux mal joints qui obstruaient la fenêtre. Il se glissa dans le lit en frissonnant légèrement tant le drap et les couvertures étaient humides.

— Calvince ! C'est pas chaud, dit-il dans un souffle en se rapprochant de sa femme qui s'était instinctivement réfugiée à l'autre extrémité du lit.

— J'ai pas chaud, moi non plus, dit-elle sur le même ton.

Jean l'attira doucement à lui et se mit à l'embrasser doucement.

— Tu vas faire attention ? fit-elle, craintive.

— Certain, répondit-il, le souffle déjà court pendant que ses mains se mettaient à la caresser tendrement.

Durant plusieurs minutes, il n'y eut plus dans la pièce que des murmures et le bruit d'un sommier malmené.

❦

Le lendemain matin, ce furent les cloches de l'église paroissiale qui réveillèrent les nouveaux mariés.

— Quelle heure il est ? demanda Reine en s'étirant.

Jean s'assit dans le lit et chercha son réveille-matin du regard. Réalisant tout à coup l'avoir oublié, il prit sa montre-bracelet déposée sur la table de chevet.

— Huit heures.

— Je suppose que c'est la première messe qui est à la veille de commencer, dit-elle.

— On a amplement le temps de se préparer pour aller à la grand-messe.

— On pourrait même laisser faire pour une fois. On y est allés hier matin, proposa-t-elle.

— Voyons, Reine, on n'est pas pour commencer notre vie de couple comme ça, protesta Jean en s'étendant de nouveau aux côtés de sa femme. Il nous reste au moins une grosse heure et demie, sinon deux heures avant d'aller à la grand-messe, ajouta-t-il en tendant la main vers elle dans une intention on ne pouvait plus claire.

Reine feignit de ne pas remarquer le projet évident de son mari. Elle rejeta soudain les couvertures et se leva.

— Où est-ce que tu t'en vas ? l'interrogea-t-il, dépité de se voir rejeté aussi cavalièrement.

— J'ai faim et on gèle dans la maison. Si on est pour aller à la messe à matin, c'est bien de valeur, mais je vais déjeuner avant de partir. Je communierai une autre fois.

Sur ces mots, elle passa sa robe de chambre rose sur sa robe de nuit et sortit rapidement de la chambre à coucher. Son mari, d'humeur morose, demeura dans le lit un long moment avant de se décider à le quitter. Quand il pénétra dans la cuisine, sa femme était en train de mettre la table pour le déjeuner après avoir allumé le poêle à bois.

— Est-ce que tu manges avec moi ou bien tu jeûnes ? lui demanda-t-elle sans le regarder.

— Je vais manger, mais donne-moi le temps de me raser, lui répondit-il sans grand entrain.

Il trouva un bol à main qu'il remplit d'eau chaude et alla faire sa toilette dans la salle de bain. À son retour dans la cuisine, une appétissante odeur d'œufs en train de frire le fit saliver. Il s'assit en face de sa femme et mangea avec plaisir.

À la fin de l'avant-midi, à leur retour de l'église, Reine ne put s'empêcher de dire à son mari :

— J'espère que ma tante et mon oncle viendront pas nous déranger.

— Ils s'attendent peut-être à ce que nous allions leur faire une petite visite de politesse aujourd'hui, répliqua Jean.

— C'est bien de valeur, mais ils vont attendre longtemps. J'ai pas l'intention d'aller gaspiller une partie de la journée à aller niaiser chez eux, laissa tomber la jeune femme.

— Est-ce qu'ils restent loin dans Verchères ?

— Non, à cinq ou six minutes de marche.

— Tu les as pas vus à l'église ?

— Je les ai pas cherchés, convint Reine.

— En tout cas, d'une façon ou d'une autre, il va ben falloir aller les voir pour les remercier. Si c'est pas aujourd'hui, ça va être demain, lui fit-il remarquer. En plus, ce serait normal qu'on leur donne un petit cadeau pour leur montrer notre reconnaissance.

— T'es pas malade, toi! s'emporta sa femme. Ils sont cent fois plus riches que nous autres. Penses-tu qu'on a les moyens de leur acheter un cadeau? Non. Ce qu'on va faire, c'est que je leur écrirai un petit mot de remerciement quand on sera revenus en ville.

Cette solution ne plut pas particulièrement à Jean, mais sa femme ne semblait pas d'humeur à supporter la moindre contradiction depuis son réveil et il ne voulait surtout pas se disputer avec elle en ce premier jour de vie commune.

Cette journée fut passablement morne. Après le repas du midi, ils sortirent faire une courte promenade en prenant bien soin de ne pas passer devant la maison des Grenier, condition imposée par Reine. Au milieu de l'après-midi, Jean, l'œil allumé, proposa une sieste à sa femme, mais celle-ci repoussa l'idée en prétextant qu'elle n'avait pas envie de gâcher sa nuit de sommeil. Déçu, le jeune homme était allé retirer de sa valise un roman qu'il s'était mis à lire, confortablement assis dans le salon.

— Qu'est-ce que tu fais? lui avait demandé sa femme, qui venait d'allumer la radio.

— Je lis, se contenta-t-il de lui répondre.

— C'est quoi ce livre-là?

— C'est un roman, *Trente arpents* de Ringuet.

— Pourquoi tu lis ça?

— Parce que ça me tente, fit-il, agacé.

— Pour moi, lire, c'est une vraie perte de temps, déclara-t-elle tout net. Ça sert à rien!

— En tout cas, c'est certainement plus intelligent que de passer des heures à écouter des niaiseries à la radio, lui fit-il remarquer, sarcastique.

— C'est ça, prends tes petits airs supérieurs parce que t'as fait ton cours classique, rétorqua-t-elle sèchement.

Jean leva la tête de son roman et la regarda. Ses yeux gris étaient durs et les traits fins de son visage étaient crispés. Avec le temps, il allait apprendre à reconnaître ces signes annonciateurs d'une bouderie de durée très variable.

Le silence retomba dans la pièce. Si Reine s'était imaginée que son mari allait s'excuser et laisser de côté son livre pour la satisfaire, elle faisait fausse route. Ce dernier en avait déjà assez. Il plongea dans la lecture de la vie d'Eucharistе Moisan, un cultivateur dont la seule passion était sa terre.

À l'heure du souper, le jeune homme chercha à tirer sa femme du silence boudeur dans lequel elle s'était enfermée depuis le milieu de l'après-midi, mais ce fut en pure perte. Après le repas, elle refusa de l'accompagner à l'extérieur.

— Comme tu voudras, lui dit-il froidement en endossant son manteau. Moi, je vais marcher.

Lorsqu'il rentra au coucher du soleil, elle était déjà installée dans le salon en train d'écouter une pièce quelconque offerte par le radio-théâtre de Radio-Canada. Jean se contenta de venir prendre place dans l'autre fauteuil, en regrettant que la pièce soit dépourvue d'un divan. Il lui semblait que ce meuble aurait favorisé grandement leur rapprochement et contribué à faire oublier cette dispute puérile. Un peu après dix heures, Reine quitta la pièce pour aller se mettre au lit. Lorsqu'il pénétra dans la chambre quelques minutes plus tard, elle feignit de dormir.

Comme la veille, il n'alluma pas le plafonnier et se contenta de se glisser sous les couvertures. Quand il se pencha sur elle pour l'embrasser, les sens déjà enflammés, elle le repoussa.

— Tu t'imagines tout de même pas que ça va être tous les soirs, fit-elle, hargneuse. Laisse-moi tranquille et va lire ton maudit livre !

Sur ces mots, elle lui tourna carrément le dos.

Démonté par ce commentaire pour le moins sec, Jean ne sut d'abord comment réagir. Il quitta le lit et retourna au salon où il s'assit dans l'obscurité pour réfléchir à ce qui lui arrivait. Depuis quelques heures, il se rendait compte progressivement à quel point il connaissait mal la femme qu'il avait épousée la veille.

Bien sûr, ils se voyaient deux ou trois fois chaque semaine depuis l'été précédent. Reine était non seulement jolie, mais assez facile à vivre. Elle ne lui avait jamais fait la tête et acceptait avec joie ses suggestions de sortie. Ses seules sautes d'humeur s'étaient produites lorsque ses études l'avaient obligé à restreindre ses visites. En d'autres mots, il la connaissait sous un tout autre jour… Il chercha bien à mettre le tout sur le compte de la fatigue générée par la préparation au mariage, mais il n'y parvint pas. Après tout, le seul véritable travail accompli par elle avait été de suspendre les rideaux… « Non, conclut-il, amer. Ça, c'est son vrai caractère, et j'ai été trop bête pour m'en apercevoir avant. »

— Elle est complètement folle ! finit-il par dire à mi-voix. Qu'est-ce qui lui prend ? Elle me fait une crise parce que je lis ! Ben, si elle s'imagine qu'elle va me faire faire tout ce qu'elle veut en boudant, elle se trompe en simonac !

Il ne retourna se coucher qu'une heure plus tard, bien décidé à ne pas s'en laisser imposer par la fille d'Yvonne Talbot.

Le lendemain matin réservait une surprise de taille au jeune homme. Il fut réveillé par un baiser d'une Reine d'excellente humeur. Une appétissante odeur de bacon flottait dans la maison.

— Aïe! grand paresseux, te lèves-tu? Ton déjeuner est prêt.

Jean se leva et alla s'attabler dans la cuisine en compagnie de sa femme qui lui servit une belle assiette avec des œufs et du bacon. Il renonça à comprendre le comportement de sa femme et mangea de bon appétit en se disant que Reine avait probablement été prise de remords pendant la nuit après sa conduite de la veille, et qu'elle avait décidé de se faire pardonner. Il songea que le mieux était de tout oublier et de recommencer à neuf.

Après le repas, il alla écouter les informations à la radio pendant que Reine remettait de l'ordre dans la maison. Roger Baulu annonça que le gouvernement de Mackenzie King venait de voter d'importants crédits pour permettre à l'Alberta de développer les gisements de pétrole découverts à Leduc au début de l'année.

— Est-ce qu'on sort? Il a l'air de faire doux dehors, lui demanda Reine en entrant dans le salon.

Jean accepta. À l'extérieur, le soleil brillait de tous ses feux et le vent avait chassé les nuages qui encombraient le ciel la veille. L'air embaumait et déjà les bourgeons avaient fait leur apparition dans les arbres. L'herbe était vert tendre.

— Je me sens pas mal paresseux d'être là à rien faire, dit-il en regardant les gens en train de s'activer au village.

— Console-toi en pensant que tu seras déjà de retour à l'ouvrage demain matin, comme tout le monde, rétorqua sa femme.

— Et toi, t'es sûre que tu t'ennuieras pas toute seule à la maison?

— Je vais m'occuper, inquiète-toi pas. Le lavage, le repassage, le ménage et la cuisine, tout ça, ça se fera pas tout seul.

Après le dîner, le jeune couple fit ses bagages et travailla à remettre de l'ordre dans la maison.

— Il faudrait au moins aller remettre sa clé à ta tante, finit par dire Jean.

— C'est pas nécessaire, trancha sa femme. Ma tante m'a dit de barrer la porte en partant et de laisser la clé dans la boîte à lettres.

— Il reste que j'aurais bien mieux aimé aller la remercier avant de partir.

— On en a déjà parlé, répliqua sèchement Reine. Je t'ai dit que je lui écrirais un mot de remerciement.

Il n'insista pas, voyant que son humeur allait encore changer. Il s'apercevait qu'à la moindre contradiction ses yeux gris s'assombrissaient, signe précurseur de mauvaise humeur.

Un peu après trois heures, la voiture de Lorenzo Talbot vint s'immobiliser dans l'allée. Jean sortit à l'extérieur pour l'accueillir. Le jeune commis voyageur de la compagnie Familex descendit de son véhicule et déverrouilla le coffre.

— J'espère que tu t'es pas trop chicané avec ma sœur ? plaisanta-t-il.

— Pas trop, convint Jean.

Quelque chose dans le ton de son nouveau beau-frère dut l'alerter parce qu'il reprit, un ton plus bas :

— Reine est ma sœur et je la connais bien. Si j'ai un conseil à te donner, passe-lui pas tous ses caprices. Souviens-toi qu'elle a toujours été le chouchou de son père et qu'elle est habituée à ce qu'on fasse ses quatre volontés.

— Je vais m'en souvenir, fit Jean sur le même ton.

Au même moment, Reine ouvrit la porte et sortit en portant sa petite valise.

— Avez-vous fini vos messes basses tous les deux ? clama-t-elle sans sourire.

— J'espère qu'on peut se parler sans te demander ta permission, répliqua son frère en lui faisant signe de déposer sa valise dans le coffre.

Jean alla chercher sa valise et la boîte de nourriture. La porte fut verrouillée et la clé laissée dans la boîte aux lettres. Lorenzo se remit derrière le volant et la Chevrolet reprit la direction de Montréal.

— Ça t'a pas tenté d'amener Rachel avec toi ? s'enquit Reine, curieuse.

— Je travaillais aujourd'hui. Je suis pas retourné à mon appartement depuis sept heures à matin.

— Es-tu en train de me dire qu'elle reste avec toi ?

— T'es ben curieuse, toi ! Pantoute. Qu'est-ce que tu t'imagines ? la rabroua son frère en adoptant un ton vertueux. Rachel Rancourt est la propriétaire de la maison où je reste, rien de plus.

— Elle est pas mariée ?

— Ben oui, mais elle est séparée de son mari.

— Ayoye ! Si jamais m'man apprend que t'as amené à nos noces une séparée, elle va piquer une vraie crise.

— Pourquoi elle le saurait ? rétorqua son frère aîné. C'est pas écrit dans le front de Rachel qu'elle vit plus avec son mari.

— Et toi, tu sors avec elle ?

— Si on te le demande, tu diras que tu le sais pas, fit Lorenzo sur un ton définitif en immobilisant son véhicule devant le poste de péage du pont pour tendre au percepteur son billet.

Quand le conducteur s'apprêta à tourner coin Papineau et Mont-Royal, Reine demanda à son frère de stationner sa voiture un peu en retrait de la biscuiterie de manière à ne pas être obligée d'aller rendre visite immédiatement à leur père.

— J'aimerais bien avoir le temps de défaire les bagages et de remettre un peu d'ordre dans la maison avant d'aller voir p'pa, expliqua-t-elle.

— Tu sais ben que m'man va t'entendre marcher sur sa tête. En tout cas, tu feras ce que tu voudras, répliqua Lorenzo, mais moi j'ai l'intention d'aller lui dire bonjour avant de partir.

Lorenzo arrêta la Chevrolet quelques pieds avant d'arriver à la biscuiterie de façon à ce qu'on ne le voie pas depuis la vitrine du commerce. Reine remercia son frère avant de franchir la porte que son mari venait de déverrouiller. Ce dernier ne la suivit pas immédiatement. Il laissa la porte se refermer derrière elle avant de demander à son beau-frère en tirant son porte-monnaie de l'une de ses poches :

— Bon, combien je te dois, Lorenzo ?

— Rien pantoute.

— Voyons, t'es venu nous conduire et nous chercher à Verchères, protesta Jean. La moindre des choses serait que je te dédommage.

— Laisse faire. Ça m'a fait plaisir de vous rendre service, dit le représentant. Une dernière chose, et là je voudrais que ça reste entre nous, ajouta-t-il avec l'air de se demander s'il devait poursuivre.

— Oui ? fit Jean, intrigué.

— Ma sœur est pas méchante, poursuivit finalement Lorenzo, mais la laisse pas trop te contrôler. En plus, tu vas peut-être t'apercevoir qu'elle donne ben de l'importance à l'argent. À moins qu'elle ait ben changé depuis un an ou deux, c'est pas mal difficile de lui faire dépenser une cenne.

— Merci de me le dire, fit Jean, sans avoir l'air de trop y croire.

— Bon, je parle peut-être trop, déclara Lorenzo. Je te laisse t'occuper de tes bagages et de ta femme et je vais dire bonjour à mon père.

Pour montrer son indépendance à son tour, Jean avança volontairement jusqu'à la biscuiterie. Il n'y avait aucun client dans la boutique et Fernand Talbot était en train de placer des biscuits dans un bocal en verre. Jean frappa contre la vitre jusqu'à ce que son beau-père lève la tête et il le salua de la main en retour. Le père de sa femme lui rendit son sourire et son salut au moment même où Lorenzo poussait la porte du magasin.

Quelques instants plus tard, Jean mit les pieds dans son appartement.

— Ça t'a bien pris du temps à monter, fit Reine en voyant son mari déposer la petite boîte de nourriture sur la table en pin blanc de la cuisine.

— J'ai parlé avec ton frère.

Elle lui jeta un regard soupçonneux avant d'ouvrir la porte de la glacière.

— Naturellement, plus de glace ! dit-elle. J'espère qu'on perdra rien en attendant demain matin. Il me semble que ma mère aurait pu penser nous en prendre quand le livreur lui en a laissé à matin.

— Elle était pas obligée, lui fit remarquer Jean en se dirigeant vers la chambre à coucher pour y défaire sa valise. Les nuits sont encore fraîches. On peut mettre la viande et le lait sur la galerie en arrière pendant la nuit en attendant.

Quand il revint dans la cuisine peu après, sa femme s'affairait à la préparation du souper.

Pendant que Reine finissait de dresser le couvert, Jean fit le tour des pièces de leur appartement. Elles sentaient la peinture fraîche et tout était propre. Durant le repas, la jeune femme lui annonça que la radio usagée donnée par son père pourrait demeurer dans le salon et qu'elle allait brancher dans la cuisine la radio RCA Victor qui provenait de sa chambre de jeune fille.

Après le souper, Jean eut du mal à convaincre sa femme de faire une brève visite de politesse à leurs parents.

— Tu peux pas ne pas aller dire bonjour à ton père et à ta mère. Ils sont pas sourds. Ils nous entendent marcher sur leur tête, comme te l'a fait remarquer ton frère. De toute façon, tu t'imagines ben qu'en voyant ton frère, ils savent qu'on est revenus, ajouta-t-il en taisant le fait qu'il avait déjà salué son beau-père.

— Ça me tente pas pantoute, déclara Reine, l'air buté.

— Bon, toi, tu fais ce que tu veux, fit Jean; moi, je vais arrêter dire bonsoir à ton père et à ta mère avant d'aller voir mes parents.

Sur ces mots, il se dirigea vers la patère placée près de la porte d'entrée dans l'intention d'y prendre son léger manteau de printemps. Durant quelques secondes, Reine demeura immobile, debout au milieu du salon.

— Maudit que t'es fatigant! s'exclama-t-elle en se dirigeant à son tour vers la patère. Là, je descends chez mon père, mais c'est pas sûr pantoute que j'aille voir tes parents.

— Tu feras ce que tu voudras, fit Jean sur un ton détaché.

Le jeune couple descendit au premier étage et frappa à la porte. Fernand, le cigare à la main, vint répondre. Inexplicablement d'excellente humeur, Reine embrassa son père et sa mère et accepta avec entrain de leur raconter leur bref séjour à Verchères.

— J'espère que vous avez pas eu trop de visite après les noces, fit Reine.

— Il y a eu juste ta tante Germaine et ton oncle Henri qui sont arrêtés une petite heure avant de rentrer chez eux, répondit Yvonne. Est-ce qu'ils sont allés vous voir?

— Non, madame Talbot.

Yvonne hocha la tête. Jean s'était rendu compte, dès son entrée dans l'appartement de ses beaux-parents, que son changement de statut n'avait pas poussé sa belle-mère à se montrer plus chaleureuse à son endroit. Elle lui avait tendu la joue à son arrivée et s'entretenait uniquement avec sa fille. Pour sa part, son beau-père fumait béatement son cigare en buvant les paroles de sa fille cadette.

Au moment où Jean adressait un signe discret à sa femme qu'il était temps de partir, cette dernière sembla se rappeler soudain quelque chose d'important.

— Ah oui, p'pa, j'allais l'oublier, dit-elle à son père sur un ton léger. Jean et moi, on en a parlé en fin de semaine et on pense que ça serait mieux pour moi et dans mon état que je retourne pas travailler.

— Hein ! sursauta Fernand.

Reine jeta un coup d'œil à son mari à la recherche d'un appui, mais ce dernier ne broncha pas, la laissant se débrouiller avec ses mensonges.

— Mais pourquoi tu m'en as pas parlé avant ? lui reprocha le petit homme en passant une main tavelée sur sa calvitie. J'aurais pu mettre une annonce dans la vitrine pour me trouver une autre vendeuse. Ça fait déjà presque trois semaines que t'es pas là la moitié du temps.

— Je le sais bien, p'pa, mais je m'aperçois tout à coup que je fatigue plus vite.

— Comment ça, plus vite ?

— Fernand ! intervint sa femme pour lui rappeler implicitement l'état de leur fille.

— Bon, c'est correct d'abord, laissa tomber le commerçant d'une voix lasse. Je vais essayer de me débrouiller pour trouver quelqu'un pour te remplacer.

À voir l'air de contentement affiché par Yvonne Talbot, Jean se demanda un bref moment si l'idée de Reine d'abandonner son travail ne venait pas, en fin de compte, de sa mère.

— Lorenzo est pas monté me voir, déclara Yvonne. Il s'est contenté d'aller jaser un peu avec son père avant de retourner chez lui. Je suppose qu'il a eu peur que je lui pose des questions sur sa petite amie. Toi, est-ce qu'il t'en a parlé ? demanda-t-elle à sa fille en épiant sa réaction.

— Non, m'man.

— Mais cette fille-là a dû vous parler. Elle a fait le voyage avec vous autres samedi jusqu'à Verchères, non ?

— Elle a presque pas ouvert la bouche, affirma Reine. Je vous dis que c'est pas une bavarde.

— Moi, mon petit doigt me dit qu'il y a quelque chose de louche dans cette affaire-là, dit sa mère, l'air soupçonneux. Si cette fille-là était correcte, il aurait pas honte de nous en parler.

Jean se garda bien de dire un mot. C'était d'autant plus aisé que sa belle-mère s'adressait exclusivement à sa fille.

— On va y aller, nous autres, finit-il par dire en se levant. Je travaille de bonne heure demain, et je veux aller faire un tour chez mes parents avant qu'ils se couchent.

Dès qu'ils eurent franchi la porte, Fernand ne put s'empêcher de dire, les dents serrées :

— J'aurais dû me douter qu'elle reviendrait pas au magasin. Je comprends pas. Je la payais ben et son mari fait un salaire de misère…

— Moi, j'aime mieux ça, déclara Yvonne en éteignant le plafonnier de la cuisine. La place d'une femme mariée, c'est chez elle, pas derrière un comptoir.

Son mari souleva les épaules et se dirigea vers le salon pour finir d'y lire le journal.

Reine hésita un bref moment avant de se décider à suivre son mari au rez-de-chaussée.

— Ça me tente pas pantoute d'aller perdre une heure chez vous, dit-elle, acide, à son mari.

— Dans ce cas-là, t'as juste à monter. J'irai les voir tout seul, répliqua Jean d'une voix indifférente.

— Pour qu'ils me prennent pour une sans-cœur ! protesta-t-elle.

Il ne répondit pas et se contenta d'ouvrir la porte d'entrée pour sortir. Elle le suivit en ronchonnant.

— Qu'est-ce que tu veux que je leur dise, à ton père et à ta mère ?

— Inquiète-toi pas, ils vont te parler et t'auras juste à leur répondre. C'est pas comme quand je vais chez tes parents.

— Pourquoi tu dis ça ?

— Je sais pas si t'as remarqué, mais ta mère fait comme si j'existais pas. Pour ton père, il a l'air plus intéressé par ce que vous vous racontez toutes les deux que par ce que je lui dis. C'est le fun en calvince d'aller en visite là !

Ils parcoururent en silence les quelques centaines de pieds qui les séparaient de la maison à deux étages en brique rouge de la rue Brébeuf. Comme d'habitude, Omer Lussier était planté sur la dernière marche de l'escalier extérieur qui permettait d'accéder au 4626.

— Nous laisses-tu passer, Omer ? lui demanda Jean en tapant sur l'épaule du gros homme.

— Bonjour, fit ce dernier en arborant son sourire niais distinctif et en s'effaçant pour laisser passer le jeune couple.

— Qu'est-ce que tu fais ?

— Je compte les chars qui passent, répondit le voisin.

— Tu serais bien mieux au coin de la rue pour faire ça. Il en passe bien plus sur Mont-Royal.

— Il en passe trop, déclara Omer. Je sais pas compter plus que trente.

— Dans ce cas-là, t'as raison, l'approuva Jean. T'es mieux de rester ici.

Parvenu devant la porte de l'appartement de ses parents, le jeune homme sonna. Lorraine vint lui ouvrir.

— On s'attendait bien à ce que vous veniez faire un tour à soir, dit-elle en invitant son frère et sa belle-sœur à pénétrer dans le vestibule.

Félicien et Amélie apparurent à l'autre extrémité du couloir et s'approchèrent des visiteurs, le sourire aux lèvres.

— À ce que je vois, le voyage de noces a pas été trop fatigant, plaisanta le postier en embrassant sa bru sur une joue et en serrant la main de son fils.

Jean embrassa sa mère et sa sœur. À cet instant précis, il aperçut Christian Dupriez debout près de la porte du salon. Il s'avança pour lui serrer la main.

— On restera pas trop longtemps, prévint Jean. On sait que vous vous levez de bonne heure le matin.

— On va laisser le salon aux amoureux et aller s'installer dans la cuisine devant une tasse de café, fit Amélie en entraînant déjà sa bru vers le fond de l'appartement.

Lorraine retourna s'asseoir au salon avec Christian pendant que Jean emboîtait le pas à son père. Tout en servant ses invités, Amélie s'informa sur la maison qui leur avait été prêtée ainsi que sur les impressions que leur avait laissées la journée de leur mariage.

Jean mit un doigt sur ses lèvres pour faire comprendre aux personnes présentes de ne rien dire et il s'avança sur la pointe des pieds vers la porte de son ancienne chambre qu'il ouvrit avec brusquerie.

— Dis donc, le sauvage, t'es pas capable de venir dire bonjour à ton frère? dit-il, l'air sévère, à un Claude qui venait de sursauter en voyant la porte de sa chambre s'ouvrir.

— Je t'ai pas entendu pantoute arriver, expliqua l'adolescent en quittant le bureau sur lequel il était en train de faire un devoir.

Il aperçut le visage de sa jeune belle-sœur qui le regardait, assise au bout de la table.

— La prochaine fois, tu frapperas, reprit-il. Là, t'aurais pu me poigner en train de me déshabiller.

— Et ça t'aurait gêné, se moqua Jean en lui allongeant une tape amicale.

— Tu sauras qu'un bel homme, ça se montre pas comme ça à tout le monde.

— Je vais m'en rappeler, fit son frère aîné en riant. En attendant, tu peux venir embrasser ma femme.

L'adolescent quitta la chambre et vint embrasser Reine.

— Elle embrasse ben et elle sent bon, déclara-t-il en prenant l'air d'un connaisseur, ce qui suscita un rire général dans la cuisine.

Claude retourna rapidement dans sa chambre pour terminer ses travaux scolaires. Amélie et Félicien parlèrent longuement de la parenté qui avait assisté au mariage et ne tarirent pas d'éloges sur la fête offerte par le père de leur bru. Quand Jean annonça que sa femme ne retournait pas travailler pour son père, Amélie approuva ouvertement la décision en disant que ce serait plus normal ainsi. En quelques occasions, elle chercha discrètement à savoir comment se déroulait la grossesse de Reine, mais cette dernière fit comme si elle ne comprenait pas les allusions de sa belle-mère. Peut-être finalement avait-elle plus honte de sa situation qu'elle ne le croyait, se disait Amélie.

Au moment où le jeune couple allait prendre congé, Claude sortit de sa chambre en déclarant en avoir fini avec ses devoirs.

— Si c'est comme ça, va donc voir si Omer traîne encore dans le coin, lui demanda sa mère. Si tu le trouves, dis-lui que j'ai affaire à lui.

— Est-ce que c'est ben nécessaire, m'man ? dit l'adolescent sans grand enthousiasme.

— Fais ce que je te dis de faire, et sans te traîner les pieds, lui ordonna la petite femme en durcissant le ton.

Claude sortit au moment où sa mère disait à mi-voix :

— S'il peut sortir de l'âge ingrat, celui-là ! Il me semble que ça fait longtemps qu'il est comme ça.

— Dites-moi pas, m'man, que vous donnez encore des tartes et des gâteaux aux Lussier, fit Jean, habitué à la générosité de sa mère.

— Cette pauvre Adrienne fait des ménages du matin au soir. Elle est en train de se tuer à l'ouvrage. Elle a pas le temps de cuisiner bien gros quand elle revient à la maison.

Au moment d'ouvrir la porte, Jean eut une idée soudaine et il s'immobilisa.

— Savez-vous, m'man. Monsieur Talbot va mettre une annonce dans sa vitrine demain matin pour se trouver une nouvelle vendeuse. Pourquoi la sœur d'Omer essayerait pas d'avoir l'ouvrage ? Ce serait ben moins épuisant que de laver des murs et des planchers.

— C'est pas bête comme idée. Je vais lui en parler, promit Amélie.

Reine ne fit aucun commentaire. Elle souhaita une bonne nuit aux Bélanger avant de suivre son mari à l'extérieur. Ils croisèrent Omer et Claude dans l'escalier et les saluèrent. Dès qu'ils parvinrent au pied de l'escalier, Reine ne put se retenir plus longtemps.

— T'aurais pas dû te mêler de ça, lui reprocha-t-elle.

— Me mêler de quoi ? s'étonna Jean.

— Suggérer que la voisine de ta mère aille voir mon père pour avoir mon ancienne *job*, fit la jeune femme. Tu sais bien que mon père sera jamais assez fou pour engager quelqu'un de pas normal.

— Mais Adrienne Lussier est normale, protesta son nouveau mari. Omer est comme ça parce qu'il a eu la méningite quand il était bébé, mais elle, elle est comme tout le monde.

— As-tu pensé à ce qui va arriver si mon père l'engage et que son frère décide de venir passer ses journées à traîner dans le magasin avec sa sœur ?

— Voyons donc ! On voit que tu connais pas Adrienne Lussier, toi, protesta Jean. Si elle est engagée, son frère va tout de suite se faire dire de rester loin de la biscuiterie… et je peux te dire que quand elle lui donne un ordre, il a le meilleur de lui obéir.

— En tout cas, je trouve ça pas mal drôle que ta mère gaspille du manger en le donnant à de purs étrangers.

— Si tu connaissais mieux ma mère, tu serais pas surprise, répliqua Jean avec une certaine fierté. Elle a toujours eu bon cœur. Elle est pas regardante pour deux cennes.

— Moi, je trouve pas ça normal pantoute.

Jean secoua la tête sans rien dire, mais n'en pensa pas moins.

À leur arrivée devant la maison, Reine ne put s'empêcher de jeter un coup d'œil à la vitrine chichement éclairée de la biscuiterie et eut un léger pincement au cœur en songeant qu'elle n'y travaillerait plus. Le couple rentra dans son appartement.

— Qu'est-ce que tu veux dans ton lunch pour demain midi ? demanda-t-elle à son mari au moment où il allait disparaître dans la salle de bain pour faire sa toilette.

— Deux sandwichs et des biscuits devraient faire l'affaire.

Lorsqu'il reparut dans la cuisine, vêtu de son pyjama, Reine ne put s'empêcher de dire :

— Sais-tu que je regardais le chum de ta sœur. Être géant comme ça, c'est une vraie infirmité. Il a l'air d'un grand insignifiant et en plus il parle avec la bouche en cul de poule.

— Il est grand, mais il est loin d'être bête, le défendit Jean. C'est un bon chef cuisinier.

— Ça, c'est lui qui le dit, laissa tomber la jeune femme d'une voix acide. Je trouve qu'il a pas l'air normal, ajouta-t-elle, fielleuse.

— Peut-être, mais on a pu se rendre compte qu'il buvait avec modération à nos noces et on peut pas en dire autant de tout le monde…

L'allusion ne pouvait être plus claire et Reine la saisit. Son visage se ferma. Jean s'éclipsa aussitôt et se dirigea vers le salon. Il alluma une lampe et décida de lire quelques minutes avant de se mettre au lit. Sa femme ne vint pas le rejoindre. Il l'entendit se déplacer dans la cuisine, puis dans la salle de bain avant de fermer la porte de leur chambre à coucher. Un épais silence tomba dans l'appartement. Quand il se mit au lit quelques minutes plus tard, Reine dormait déjà ou feignait de dormir, le visage tourné vers le mur.

Chapitre 24

L'aveu

Le lendemain matin, Jean se leva à cinq heures quinze et eut la surprise de voir sa femme s'empresser de le suivre dans la cuisine pour lui préparer son déjeuner.

— T'es pas obligée de te lever aussi de bonne heure, lui dit-il. Je suis capable de me débrouiller seul pour mon déjeuner.

— Il manquerait plus que ça, fit-elle en déposant la bouilloire sur le poêle à huile qu'elle venait d'allumer.

La jeune femme bâilla et resserra contre elle les pans de sa robe de chambre.

— Si je suis fatiguée, je pourrai toujours faire une sieste durant la journée, expliqua-t-elle en commençant à dresser le couvert.

Peu avant six heures, Jean l'embrassa, quitta l'appartement et se dirigea vers la rue Mont-Royal pour prendre le tramway. Il s'entassa avec les travailleurs à cette heure matinale et il arriva à la gare Windsor près de quinze minutes avant l'heure de commencer sa journée de travail. Il venait à peine de déposer son repas du midi dans son casier qu'Onésime Gagnon se dressa devant lui.

— Tiens, un revenant! s'exclama-t-il sur un ton agressif.

Les conversations entre les autres membres de l'équipe cessèrent. Jean sentit qu'on les épiait.

— Il paraît que monsieur Bélanger s'est marié la fin de semaine passée et que nous autres, c'était pas important qu'on le sache.

Jean se limita à hocher la tête.

— Tu sauras, le jeune, que j'ai pas aimé pantoute d'apprendre par le bureau que tu serais pas là pendant deux jours, ajouta le contremaître, l'air mauvais. D'habitude, c'est moi que mes hommes préviennent qu'ils vont être absents parce que c'est encore moi qui suis poigné pour réorganiser tout l'ouvrage qui se fera pas quand ils sont pas là. Est-ce que c'est clair ? J'aime pas pantoute qu'on me passe par-dessus la tête.

— Oui, monsieur Gagnon, répondit Jean d'une voix neutre.

Le contremaître lui tourna brusquement le dos et se mit à distribuer les tâches de chaque équipe de deux employés. Jean s'était rendu compte depuis qu'il avait commencé à travailler au Canadien National que les tandems ne variaient à peu près jamais, à moins que l'un des membres de l'équipe soit absent. Le jeune homme s'approcha de Marcel Magnan, son coéquipier habituel, quand Gagnon annonça :

— Bélanger, tu travailleras avec Beaudoin à partir d'aujourd'hui et, surtout, traînez-vous pas les pieds, tous les deux. Je vous préviens, je vous ai à l'œil.

Jean eut du mal à réprimer une grimace d'agacement. Grégoire Beaudoin était réputé pour être le plus fainéant des employés supervisés par Gagnon et personne ne souhaitait être jumelé avec lui parce qu'il fallait continuellement lui pousser dans le dos pour qu'il accomplisse sa part du travail donné à l'équipe.

Le petit homme rondelet à l'air indolent sembla accepter avec une parfaite indifférence son nouveau coéquipier. Il se contenta d'allumer une cigarette et de jeter un coup d'œil vers Jean.

— Pourquoi il m'a fait ça, le vieux maudit ? demanda Jean à voix basse à Marcel Magnan.

— Il a pas digéré que tu l'avertisses pas que tu te mariais, répondit son ex-coéquipier à voix basse. Pourquoi tu me l'as pas dit, à moi ? ajouta-t-il avec une nuance de reproche dans la voix.

— Je voulais pas que quelqu'un pense à m'organiser un enterrement de vie de garçon, s'excusa Jean. En plus, je me suis dit que ça intéressait pas personne, cette affaire-là.

— Comme tu peux le voir, ça intéressait au moins le père Gagnon, fit Magnan avant de s'éloigner pour aller rejoindre son nouveau coéquipier.

Avant la fin de l'avant-midi, Jean Bélanger se mit à regretter amèrement l'époque où il faisait équipe avec Marcel Magnan. Beaudouin s'avéra pire que tout ce qu'il avait imaginé. L'homme dans la quarantaine avancée était d'une paresse crasse. Il avait une nette tendance à s'accorder de longues pauses sous le prétexte « d'en fumer une », disait-il.

— On est déjà pas mal en retard, avait fini par protester poliment Jean en voyant s'approcher Onésime Gagnon du wagon dans lequel ils étaient depuis de longues minutes.

— Aïe, le jeune ! Je faisais cette *job*-là ben avant que tu sois au monde, avait rétorqué Beaudoin. Sers-toi de ta tête un peu. Le Canadien National demande pas mieux que de nous faire mourir à l'ouvrage. Moi, j'ai toujours dit que pour le salaire de misère que cette maudite compagnie-là me donne, elle aurait pas ma peau.

Le contremaître avait poussé la porte communicante pour entrer dans le wagon-restaurant où Jean s'activait à ramasser les déchets laissés par les voyageurs pendant que son coéquipier essuyait nonchalamment les banquettes.

— Vous me ferez pas croire, vous deux, que vous avez juste eu le temps de nettoyer deux chars depuis le commencement de la journée, explosa Gagnon.

Jean se tut et Beaudoin ne se donna même pas la peine de cesser son lent travail.

— Les autres ont eu le temps d'en faire au moins le double, ajouta le responsable, furieux. Grouillez-vous un peu, maudits sans-cœur ! Je veux que ce char-là soit fini dans dix minutes.

Jean lança un regard lourd de reproches à son partenaire qui n'accéléra en rien après le départ du contremaître. Il aurait aimé le secouer et lui dire qu'il n'avait pas l'intention d'avoir continuellement Gagnon sur le dos parce qu'il était trop paresseux pour accomplir sa part de la tâche. Mais comment s'en prendre à quelqu'un qui faisait ce travail depuis plus de vingt ans ? Alors, il fit ce que Gagnon avait dû escompter en le mettant avec Beaudoin. Il se mit à travailler de plus en plus vite pour accomplir une bonne partie de la tâche de son coéquipier et éviter ainsi les reproches du contremaître.

À midi, il était déjà fatigué, et il lui restait encore une demi-journée de travail à faire. Au moment où il alla chercher sa collation dans son casier, Grégoire Beaudoin lui dit sur un ton pénétré :

— Tu sais, le jeune, tu tiendras pas longtemps à travailler en fou comme tu le fais. À ta place, je me calmerais.

Le sang du jeune homme ne fit alors qu'un tour.

— Écoutez, monsieur Beaudoin, répliqua-t-il, furieux. Je serais pas obligé de travailler comme un fou, comme vous dites, si vous faisiez votre part de l'ouvrage. Moi, j'ai pas l'intention d'avoir Gagnon sur le dos du matin au soir parce que l'ouvrage est pas fait.

— Tu t'énerves ben pour rien, rétorqua le quadragénaire d'une voix égale. Qu'est-ce que tu veux qu'il fasse, le bonhomme, à part gueuler comme un putois ? Rien. Laisse-le s'énerver. On dirait que tu comprends pas encore comment marche toute l'affaire. Plus tu vas en faire, plus il va t'en demander. Comprends-tu ? Si tu l'habitues tranquillement à pas faire toute la *job* qu'il te donne le matin, il va finir par s'écœurer de crier après toi et il va t'en donner de moins en moins.

— Vous pensez vraiment ça ? lui demanda Jean, un peu éberlué par tant d'aplomb.

— Je te le dis. Jusqu'à hier, j'étais avec le gros Charland. Eh ben ! On n'a jamais eu à faire plus que la moitié que ce qu'il nous a donné à matin. Je suis habitué à Gagnon. Chaque fois qu'il le peut, il me met avec un autre pour essayer de me faire travailler plus vite. Ça marche pas avec moi. S'il était pas aussi bouché, il l'aurait compris depuis longtemps, le vieux sacrament !

— Ah bon !

— Tu penses que c'est de la paresse, le jeune ? J'ai une nouvelle pour toi. C'est juste savoir se servir de sa tête pour protéger sa peau, ajouta Grégoire Beaudoin avec un sourire malin. Penses-y une minute ! Qu'est-ce que ça me donnerait de me crever à l'ouvrage ? Rien pantoute. Ça fait des années que j'en fais la moitié des autres et je gagne le même salaire.

Durant la pause du dîner, Jean finit par se persuader que son nouveau compagnon de travail n'avait peut-être pas entièrement tort et il décida de reprendre un rythme normal de travail. Il ne chercha pas à ralentir, comme le lui avait suggéré Beaudoin, mais il cessa d'accomplir la part de la tâche qui revenait à l'autre. Avant la fin de la journée, le contremaître vint les houspiller à deux autres occasions, mais il dut se rendre compte qu'il perdait son temps parce que sa dernière intervention était passablement moins vigoureuse que les précédentes.

À son retour à la maison ce jour-là, Jean n'aspirait qu'à un repos bien mérité. Il trouva l'appartement parfaitement rangé et la table mise. Reine avait cuisiné des macaronis pour le souper et semblait d'humeur égale.

— Tu sais pas la meilleure ? lui demanda-t-elle au moment où il prenait place à table. Mon père a engagé votre voisine.

— Tant mieux.

— Cette femme-là est loin d'être jeune.

— D'après ma mère, elle est au début de la cinquantaine.

— Je serais bien curieuse de savoir combien mon père va la payer, ajouta-t-elle, songeuse.

— C'est pas notre problème. L'important, c'est que madame Lussier ait trouvé un ouvrage proche de chez elle et…

— Et que le fou vienne pas traîner autour de la biscuiterie, compléta-t-elle.

— Appelle-le pas comme ça, protesta Jean. Omer est juste retardé.

— Chez nous, on appelle ça un fou, laissa-t-elle tomber sur un ton définitif.

Durant les jours suivants, la routine s'installa tranquillement dans l'appartement du couple nouvellement marié. Jean découvrit sans surprise que sa femme avait décidé de gérer aussi la fréquence de leurs rapports conjugaux. Chaque fois qu'il avait tenté des approches depuis le mariage, elle l'avait repoussé en prétextant une migraine, la fatigue ou le bébé. Alors, frustré, il avait cessé ses avances.

Par fierté, il acceptait mal ces rebuffades à répétition. Bien sûr, il avait même sérieusement songé à la forcer à remplir son devoir de femme mariée, mais il répugnait à employer la force dans ce domaine. Au moment où il allait s'y résoudre parce qu'il n'en pouvait plus, Reine se faisait tendre et câline et se donnait à lui avec un enthousiasme qui lui faisait oublier toutes ses frustrations.

Par ailleurs, à la fin de leur première semaine de vie commune, Reine avait été on ne peut plus claire. Il n'était pas question qu'elle rende visite à ses beaux-parents chaque dimanche, comme Jean l'avait suggéré.

— J'ai pas l'intention pantoute d'aller m'enfermer chez vous tous les dimanches. Moi, je passe ma semaine emprisonnée dans la maison. J'ai besoin de sortir la fin de semaine, pas d'aller m'ennuyer à écouter radoter des vieux.

— Je te trouve effrontée en maudit de traiter mon père et ma mère de vieux. Ils sont plus jeunes que tes parents, avait rétorqué Jean, sincèrement insulté. Si c'est comme ça, avait-il poursuivi, ce sera la même règle avec tes parents.

Une semaine plus tard, soit le premier samedi de mai, le jeune homme avait aperçu ses parents assis sur leur galerie en revenant de l'épicerie en compagnie de sa femme, au milieu de l'après-midi. Le jeune couple les avait salués sans toutefois s'arrêter.

Il régnait une douce chaleur depuis quelques jours et ce temps incitait à profiter des chauds rayons du soleil. D'ailleurs, le matin même, ils étaient allés marcher une heure au parc La Fontaine voisin pour admirer les arbres centenaires parés de leur tout nouveau feuillage.

— Pendant que tu ranges la commande, je vais aller dire bonjour à mon père et à ma mère, annonça-t-il à Reine en déposant les deux sacs d'épicerie sur la table de la cuisine. Je vais en profiter pour laisser de l'argent à Lorraine.

— Reste pas trop longtemps, lui recommanda Reine. J'aimerais qu'on soupe de bonne heure.

La semaine précédente, Jean avait exigé qu'on prélève un montant sur sa paye pour commencer à rembourser les cinquante dollars dus à sa sœur.

— Ça peut pas attendre? avait demandé Reine.

— Non, ça peut pas attendre. Cet argent-là est à elle et elle s'en est privée pour m'aider. À cette heure, c'est le temps de la rembourser.

— Mais ton salaire…

— Laisse faire ça, toi. On va lui rembourser au moins cinq piastres par semaine.

— On peut pas, avait prétendu sa femme. Si on fait ça, on n'arrivera pas.

— D'après toi, combien on peut lui remettre?

— Pas plus que trois piastres par semaine.

— Mais ça va prendre une éternité pour la rembourser, avait-il protesté.

— On peut pas faire autrement, avait-elle déclaré sèchement.

Alors, il avait été entendu qu'il irait remettre à Lorraine trois dollars chaque fin de semaine. Si, à ce moment-là, Jean avait su que Reine avait près de sept cents dollars accumulés dans son compte d'épargne, il en aurait eu le souffle coupé.

Il avait descendu précipitamment les deux étages et marché jusqu'au coin de Brébeuf. De là, il put constater que son père et sa mère étaient encore assis sur la galerie et que Claude s'était joint à eux. Il monta l'escalier tournant et se retrouva sur le palier, à peine essoufflé.

— Claude, va donc chercher une chaise à ton frère, demanda Félicien à son fils cadet.

— Laissez faire, p'pa. Je suis encore capable d'aller me chercher une chaise, protesta-t-il en faisant signe à son frère de demeurer assis.

Au moment où il allait pousser la porte de l'appartement, il s'arrêta brusquement pour mieux examiner le visage de son frère. L'adolescent arborait un magnifique œil au beurre noir, de longues égratignures sur une joue et des lèvres enflées.

— Qu'est-ce qui t'est arrivé? lui demanda-t-il. Es-tu passé sous les p'tits chars pour être arrangé comme ça?

Claude ne sembla guère désireux d'expliquer son état et son père dut intervenir pour l'inciter à parler.

— Envoye! Raconte à ton frère ce qui s'est passé, lui ordonna-t-il. Mais t'es mieux d'aller te chercher d'abord une chaise, ça pourrait être long, conseilla-t-il à Jean en dissimulant un demi-sourire.

— Ris pas de ça, toi, fit Amélie. Il y a rien de drôle de voir son garçon rentrer à moitié défiguré.

Jean s'empressa d'aller chercher une chaise dans la cuisine et de venir la déposer près de celles de ses parents.

— Puis, te décides-tu à me le dire? demanda-t-il à Claude sans chercher à se moquer de son frère cadet.

Ce dernier hésita encore un instant avant de se décider à raconter sa mésaventure.

— Ben, hier après-midi, après l'école, deux filles ont commencé à se battre au coin de Gilford.

— Puis?

— Puis, comme d'habitude, il a voulu se mêler de ce qui le regardait pas, intervint sa mère, mécontente.

— Écoutez, m'man, si vous voulez le raconter à ma place…

— Vas-y, continue, lui commanda Amélie.

— J'ai essayé de les calmer, mais c'étaient deux vraies folles, expliqua l'adolescent. Elles voulaient rien savoir. Il y avait plein de monde autour, mais au lieu de s'en mêler, le monde les encourageait à continuer. Ça fait que j'ai essayé de les séparer.

— C'était pas une mauvaise idée, fit Jean.

— Attends la suite, fit son père, narquois.

— Sais-tu ce qu'elles ont fait, ces maudites folles-là ?

— Surveille ton langage, lui ordonna sa mère, sévère.

— Elles m'ont sauté dessus comme des vraies enragées.

— Es-tu en train de me dire que c'est des filles qui t'ont arrangé le portrait comme ça ? s'étonna Jean en se retenant difficilement de rire.

Claude, qui venait d'avoir quinze ans trois jours plus tôt, était pourtant un jeune homme plutôt costaud.

— Aïe ! j'étais tout de même pas pour fesser sur des filles, protesta ce dernier. Tout le monde aurait ri de moi.

— Ben oui, beau sans-dessein ! intervint encore sa mère. C'est ça ! Laisse-toi défigurer parce que ce sont des filles. Je te dis, toi, des fois, je me demande où t'as mis ta jugeote.

— Si je comprends ben, tu les as laissées faire, s'étonna Jean.

— Ben non, j'ai essayé de les empêcher en leur retenant les bras, mais on aurait dit des pieuvres, expliqua Claude, dégoûté. Elles cherchaient juste à m'arracher les yeux.

— Et les gens autour ?

— Ils trouvaient ça drôle, eux autres. En tout cas, je te garantis qu'il va faire chaud en maudit avant que je me mêle de séparer une bataille. La prochaine fois, même si ce sont des filles, je vais les laisser s'entretuer. Là, j'arrête de parler, ça me fait mal, ajouta-t-il en se tenant la bouche. En plus, j'ai une dent qui branle.

Claude entra dans l'appartement et Jean lui tapa sur l'épaule au passage pour l'encourager.

— Pauvre lui ! le plaignit-il.

— Il va finir par apprendre à pas fourrer son nez partout, répliqua son père.

— Ah ! Je suis venu laisser un peu d'argent à Lorraine, reprit Jean en tendant trois dollars à sa mère, qui prit l'argent sans faire le moindre commentaire.

Quand Félicien et Amélie avaient appris que Lorraine avait prêté de l'argent à son frère pour lui permettre d'acheter sa bague de fiançailles, ils s'étaient bien gardés d'émettre la moindre opinion. Au fond, l'un et l'autre étaient fiers de constater que leurs enfants avaient à cœur de s'entraider.

— Ça tentait pas à ta femme de venir jaser avec nous autres ? demanda Félicien, par politesse.

— Elle est pas heureuse quand tout est pas « Spic and Span » dans la maison, prétendit Jean. Là, elle voulait d'abord ranger la commande et préparer le souper.

— Je l'ai regardée tout à l'heure quand vous êtes passés, intervint Amélie. Même si on peut pas dire qu'elle a bien grossi, elle va finir par avoir besoin d'une robe ou deux de maternité. Tu lui diras que je suis prête à l'aider à les coudre quand elle se décidera à en porter.

— Vous êtes bien fine, m'man. C'est sûr que je vais lui dire.

— Elle est pas malade le matin ?

— Je le sais pas. Elle l'est peut-être quand je suis déjà parti à l'ouvrage. Je peux pas dire qu'elle est plaignarde.

Trente minutes plus tard, Jean prit congé de ses parents et rentra chez lui.

À peine venait-il de tourner au coin de la rue qu'Amélie ne put s'empêcher de faire remarquer à son mari :

— J'ai bien l'impression que notre bru nous aime pas trop.

— Pourquoi tu dis ça ? lui demanda Félicien, surpris.

— Ils restent à deux pas d'ici et elle a pas trouvé dix minutes pour venir nous voir en deux semaines, expliqua la mère de famille.

— Elle est venue avec Jean, la contredit son mari.

— Une saucette en revenant de leur voyage de noces. Là, tu pourras pas dire qu'elle avait pas le temps de venir dix minutes.

— Tu viens pourtant de proposer de l'aider, lui fit remarquer Félicien.

— Je le sais, mais c'est pour notre garçon. Pour lui sauver de l'argent. Il est tout seul à gagner et il fait pas un gros salaire.

— Peut-être que c'est son état qui…

— Laisse faire son état, l'interrompit Amélie en se levant pour aller préparer le souper des siens. Moi, je commence à trouver que pour une femme qui a plus de quatre mois de faits, ça paraît pas bien gros.

— Qu'est-ce que tu veux dire par là ? s'étonna Félicien.

— Tu l'as vue comme moi tout à l'heure. Elle a beau porter une jupe ample, normalement, il me semble qu'on devrait commencer à s'en apercevoir.

— Elle doit faire ben attention pour que ça se voie pas quand elle sort.

— Ouais, se contenta de répliquer Amélie, apparemment peu convaincue.

De retour à la maison, Jean fit part à sa femme de l'offre de sa mère.

— J'ai déjà dit à ta mère que je savais pas coudre, dit-elle d'une voix neutre.

— Elle le sait aussi, fit Jean. C'est pour ça qu'elle t'offre de te le montrer.

— On verra.

∼

Le lendemain, après le dîner, Jean se planta devant la porte moustiquaire donnant sur le balcon situé à l'arrière de l'appartement pendant que Reine finissait de laver la vaisselle.

— Maudit que je trouve ça ennuyant de pas avoir de balcon en avant, se plaignit-il. Chez nous, on s'assoyait toujours en avant quand il faisait beau et on pouvait au moins voir passer le monde.

Depuis qu'ils habitaient l'appartement de la rue Mont-Royal, il s'était soudainement rendu compte de l'inconvénient de n'avoir qu'une galerie située à l'arrière et donnant sur les hangars des voisins. Il trouvait le spectacle déprimant, même quand le soleil brillait.

— Ben oui, fit Reine sarcastique. Ce serait le fun encore d'avoir un balcon qui donnerait sur Mont-Royal avec les petits chars qui arrêtent pas de passer et tout le trafic.

— En tout cas, moi, j'ai pas l'intention de passer mon après-midi à regarder les hangars, répliqua-t-il. J'ai besoin de sortir. Est-ce que ça te dirait d'aller à la bibliothèque municipale aujourd'hui avec moi ?

— Je pensais qu'on irait voir un film, déclara sa femme.

— Pas quand il fait beau comme aujourd'hui.

— Dans ce cas-là, vas-y tout seul, fit-elle de mauvaise humeur.

Jean haussa les épaules et disparut dans le salon pour aller y prendre les livres qu'il devait rapporter à la bibliothèque avant d'être obligé de payer une amende. Sa passion de la lecture continuait à indisposer sérieusement sa femme qui ne lisait strictement rien. Elle y voyait une sorte de déloyauté à son égard. Elle ne comprenait manifestement pas qu'il puisse avoir besoin d'oublier son quotidien.

Quelques minutes à peine après le départ de son mari, on frappa à la porte de l'appartement. Reine découvrit sur le palier sa mère en compagnie de sa sœur Estelle.

— On te dérange pas, j'espère? demanda Yvonne à sa fille cadette.

— Pantoute, m'man. Entrez, ajouta-t-elle en s'effaçant pour laisser pénétrer les visiteuses chez elle.

— Seigneur! Tu resterais au bout du monde qu'on te verrait pas plus souvent, lui fit remarquer sa mère. Ça fait quinze jours qu'on t'a pas vue. Je t'entends marcher sur ma tête, mais tu viens pas nous voir. Ton père se demande si tu boudes pas.

— Ben non, m'man. J'ai juste un peu de misère à m'habituer à passer mes journées dans la maison.

— Justement, sors et viens me voir.

Estelle n'avait encore rien dit. Elle se contentait d'examiner sa jeune sœur après l'avoir embrassée en pénétrant dans le couloir. Il était évident qu'elle cherchait à déceler un signe visible de la grossesse chez son hôtesse. Reine s'en rendit compte, mais ne dit rien. Dans le cas de l'épouse du dentiste, il n'y avait pas à se poser de question. Sa prochaine maternité était évidente. Enceinte maintenant de sept mois, elle portait une robe de maternité rose pâle au chic col en dentelle.

— Où sont p'pa et Charles? demanda Reine en offrant un siège aux visiteuses, dans le salon.

— Ils sont allés s'asseoir sur la galerie, répondit sa mère. Jean peut bien aller les rejoindre s'il en a envie.

— Jean est parti à la bibliothèque. Je sais pas à quelle heure il va revenir.

La jeune hôtesse jeta un coup d'œil vers sa sœur qui examinait ostensiblement la pièce où elle était assise. C'était sa première visite chez elle, et elle découvrait enfin l'appartement où vivaient les jeunes mariés.

— C'est vrai. T'es jamais venue, dit-elle à Estelle. Veux-tu faire le tour de l'appartement?

— J'aimerais ça.

— Je t'avertis tout de suite que c'est pas beau comme chez vous, prit la précaution de dire Reine.

— Exagère donc pas, fit Estelle. Je reste tout de même pas dans un château.

Yvonne et Estelle suivirent leur hôtesse qui leur fit voir chacune des pièces de l'appartement. Elles étaient toutes bien rangées et d'une propreté incontestable.

— Je te dis que t'as le tour de tenir ça propre, lui dit sa mère en guise de louange. Moi, je sais pas ce que je ferais sans ma femme de ménage.

— Moi non plus, reconnut Estelle en reprenant son siège dans le salon. On a enfin fini de préparer la chambre du petit. Les meubles sont installés et tout est prêt, ajouta-t-elle avec une fierté évidente.

— C'est vrai que c'est pas mal beau, reconnut Yvonne, que son gendre était venu chercher trois jours auparavant pour lui montrer la pièce.

— Et vous autres, quand est-ce que vous allez vous en occuper ?

Il fallut quelques secondes à Reine pour comprendre que son aînée faisait référence à sa prochaine maternité. Il était évident qu'elle avait déjà oublié la rebuffade que sa cadette lui avait fait subir la dernière fois qu'elle avait osé lui parler de sa maternité.

Reine baissa les yeux et garda le silence un long moment, s'interrogeant s'il convenait de tout avouer là, maintenant, à sa mère et à sa sœur avant d'en parler à son mari. Finalement, elle prit une décision et fit un effort extraordinaire pour adopter un visage triste et laisser couler une larme.

— Qu'est-ce qui se passe ? s'inquiéta tout de suite Yvonne en remarquant la tristesse de sa fille.

Reine secoua la tête et fit comme si elle avait la gorge trop serrée pour dire ce qu'elle désirait leur dire.

— Voyons, Reine, dis-nous ce qui se passe, intervint Estelle.

— J'aurai pas de petit… Je l'ai perdu la semaine passée, avoua-t-elle avec difficulté.

À cet instant, alors qu'elle se confiait à sa mère et sa sœur, elle éprouvait une réelle peine à la pensée qu'elle n'enfanterait pas dans quelques mois, contrairement à sa sœur.

— Comment ça ? s'exclama sa mère. Es-tu tombée ? As-tu commencé à…

— Je le sais pas, m'man, répondit avec une certaine impatience la jeune femme. J'ai commencé à avoir des contractions pendant la nuit. Je me suis levée, j'avais très mal au ventre. Puis, tout d'un coup, tout a cessé. Je n'ai plus rien senti, sauf le sang couler entre mes cuisses. Et je l'ai perdu, expliqua Reine toute bouleversée de revenir sur les événements, qui s'étaient pourtant déroulés il y avait un certain temps déjà.

— J'espère que t'es allée voir le docteur, s'inquiéta Yvonne.

— Ben oui, répondit sa fille avec agacement.

— Mais comment ça se fait que tu sois pas venue me chercher pour que je t'aide ?

— J'étais capable de me débrouiller toute seule, répondit Reine assez sèchement.

— Comment ton mari a pris ça ? intervint Estelle, compatissante.

— Il le sait pas encore, fit Reine.

— Hein ! Tu lui as pas dit ? s'insurgea sa mère.

— Ben non, m'man. Pensez-vous que c'est facile à dire une affaire comme ça ?

— Il va bien falloir que tu te décides à le lui dire, fit Estelle d'une voix raisonnable. Après tout, c'était son petit.

— J'ai l'intention de lui apprendre ça cette semaine, avoua Reine.

— Retarde pas trop, lui conseilla sa mère. Il va bien finir par s'apercevoir de quelque chose.

— Ce sera pas facile de lui dire ça, admit Reine, l'air sombre.

— Console-le en lui disant que vous êtes jeunes et que vous allez avoir la chance de vous reprendre…

Des coups furent frappés à la porte arrière et une voix se fit entendre dans l'appartement.

— Dites donc, les femmes, où est-ce que vous vous cachez ? demanda Charles, debout devant la porte moustiquaire.

Reine alla lui ouvrir la porte. Il l'embrassa sur une joue avant de la suivre au salon.

— Il fait tellement beau que j'ai pensé qu'on pourrait peut-être aller faire un tour en auto, dit-il aux trois femmes.

— Et l'essence ? lui demanda sa belle-mère.

— Inquiétez-vous pas pour ça, madame Talbot. J'ai acheté des coupons au marché noir. Où est passé ton mari ? demanda le dentiste à Reine.

— Il est parti à la bibliothèque pour l'après-midi.

— Pourquoi tu viendrais pas avec nous autres ? lui proposa-t-il.

Reine n'hésita qu'un bref instant avant d'accepter la balade. Elle avait bien besoin de se changer les idées. Avant de quitter précipitamment l'appartement, elle laissa un court message sur la table.

Elle ne revint à la maison qu'un peu après huit heures pour découvrir que son mari ne l'attendait pas. Ce dernier ne rentra qu'une heure plus tard.

— Où est-ce que t'étais passé ? lui demanda-t-elle, suspicieuse.

— Chez mon père. Je suis allé souper chez nous quand je me suis aperçu que tu revenais pas, ajouta-t-il sur un ton qui laissait sentir un reproche certain.

— Charles et Estelle nous ont amenés faire un tour jusqu'à Sorel. En revenant, ils tenaient absolument à me faire voir la chambre du petit. Finalement, Estelle nous a gardés à souper.

— C'est correct, dit Jean sans lui demander plus de nouvelles de sa famille. Je descends la poubelle dans la ruelle, lui annonça-t-il en se dirigeant vers la porte moustiquaire donnant sur le balcon.

Reine entreprit de lui confectionner les deux sandwichs au jambon de son dîner du lendemain et elle ajouta dans le sac de papier kraft deux biscuits à l'érable. Ensuite, elle disparut dans la salle de bain pour revêtir sa robe de nuit sur laquelle elle passa sa robe de chambre.

Elle se rendit compte soudain que son mari n'était pas encore revenu. Serrant contre elle les pans de sa robe de chambre, elle sortit sur le balcon pour voir ce qui retardait son retour. Elle ne vit rien à cause de l'obscurité, mais entendit Jean en train de parler avec quelqu'un de la maison voisine. C'était une voix de femme, une voix jeune si elle se fiait à ce qu'elle entendait.

Quand il revint quelques minutes plus tard, elle l'attendait, le regard mauvais.

— Veux-tu bien me dire avec qui tu parlais ?

— Avec Huguette Boudreau, la voisine de la maison d'à côté.

— C'est qui, cette fille-là ?

— C'est juste une voisine, dit Jean en retirant ses souliers. Tout ce que je sais, c'est qu'elle reste avec sa mère, qui est veuve.

— Elle est pas mariée, elle ?

— Je le sais pas. C'est juste la deuxième fois que je lui parle.

— C'est drôle quand même, t'avais l'air à jaser avec elle comme si tu la connaissais pas mal.

— Veux-tu ben m'arrêter ça, lui ordonna son mari, exaspéré par tant de jalousie sans fondement. Je l'ai juste saluée en passant et comme elle est polie, elle m'a répondu.

Reine cessa de le harceler à ce sujet et lui annonça qu'elle allait se coucher. Il se borna à lui souhaiter une bonne nuit et prit la direction du salon.

— Tu viens pas te coucher ? lui demanda-t-elle.

— Pas tout de suite. Je vais lire un peu avant.

— C'est comme tu veux, répliqua-t-elle sèchement en ouvrant la porte de leur chambre.

Dès le lendemain de leur mariage, son mari lui avait expliqué qu'il avait besoin de lire quelques pages chaque soir, avant de s'endormir. Elle s'était toutefois fermement opposée à ce qu'il allume la lampe posée sur sa table de chevet en prétextant que la lumière l'empêchait de dormir. Par conséquent, il avait pris l'habitude de lire dans le salon avant de regagner leur chambre à coucher.

Ce soir-là, avant de s'endormir, Reine décida qu'elle allait informer Jean au sujet de la perte du bébé pas plus tard que le lendemain après-midi, à son retour du travail.

Durant de longues minutes, elle mit sur pied un scénario propre à le convaincre et à l'émouvoir. Quand elle eut fignolé dans sa tête tous les détails, elle aurait bien aimé se lover contre lui et lui prouver qu'elle l'aimait, mais il était encore dans la pièce voisine. Bien sûr, elle aurait pu l'appeler et l'inviter à venir la rejoindre… Finalement, elle préféra l'attendre dans le noir parce qu'il était hors de question qu'il s'imagine qu'elle avait besoin de lui. Malheureusement, elle finit par sombrer dans le sommeil avant qu'il vienne se mettre au lit.

Le lendemain matin, Jean se leva avant même que son réveille-matin ne sonne et se déplaça sans bruit pour ne pas réveiller sa femme. Il alla s'enfermer dans la salle de bain pour faire sa toilette, mais à son retour dans la cuisine il la découvrit en train de poser au centre de la table la pinte de lait qu'elle venait de tirer de la glacière.

— Est-ce que je t'ai réveillée ? lui demanda-t-il.

— Non, c'est le petit qui m'a réveillée. Il a commencé à bouger, mentit-elle en se rappelant soudain les paroles prononcées par sa sœur la veille.

Estelle avait affirmé que son bébé avait commencé à bouger dès le quatrième mois de sa grossesse.

— En tout cas, ça a bien l'air que je pourrai pas faire mon lavage aujourd'hui, reprit Reine en regardant par la fenêtre. On dirait qu'il va mouiller.

— Si t'as mal dormi, t'as juste à aller te recoucher.

— C'est peut-être ce que je vais faire.

À sa sortie de la maison, Jean fut surpris par l'humidité qui régnait. L'air était comme immobile. Dans le tramway numéro 7 qui l'amenait vers l'ouest, il faisait déjà chaud malgré l'heure matinale. Il travailla toute la journée avec Grégoire Beaudoin, supportant de plus en plus difficilement les fréquentes visites du contremaître venu les houspiller. De toute évidence, leur tandem était devenu la tête de Turc de Gagnon et le sujet de plaisanteries des autres membres de l'équipe.

À la fin de sa journée de travail, le jeune homme avait été étonné de constater qu'il n'avait pas plu. Le ciel avait pris une teinte violacée et il était traversé de temps à autre d'éclairs prometteurs d'orage. À sa descente du tramway, il aperçut Omer Lussier appuyé contre la façade de l'édifice voisin de la biscuiterie. En passant devant le gros quadra-génaire, il ne put s'empêcher de lui dire :

— Pour moi, Omer, t'es mieux de rentrer chez vous. Tu vas te faire prendre par l'orage.

— J'attends Adrienne. J'ai un parapluie. C'est ta mère qui m'a dit de venir l'attendre avec un parapluie pour qu'elle se fasse pas mouiller, ajouta-t-il.

— Ah ! C'est une bonne idée, reconnut Jean en lui tapotant amicalement une épaule. Tu vois, moi, j'y ai pas pensé et je vais finir par me faire mouiller si je me dépêche pas à rentrer chez nous.

Sur ces mots, le jeune homme le quitta. En passant devant la biscuiterie voisine, il aperçut Adrienne Lussier quittant le magasin et son beau-père en train de verrouiller la porte. Il les salua l'un et l'autre avant d'ouvrir la porte voisine. Au moment même où il posait le pied sur la pre-mière marche de l'escalier intérieur, la pluie commença à tomber.

Jean fut surpris par le silence qui régnait dans l'appar-tement quand il poussa la porte. Habituellement, Reine écoutait la radio toute la journée. C'était un bruit de fond auquel il avait d'ailleurs passablement de peine à s'habituer. Même si l'heure du repas était proche, rien ne cuisait sur le poêle. Étonné de ne pas la voir dans la cuisine en train de préparer le repas, il l'appela.

— Où est-ce que t'es ?

— Dans la chambre, lui répondit-elle d'une toute petite voix.

Il changea de direction et alla pousser la porte de leur chambre à coucher plongée dans une demi-obscurité.

— Tu peux allumer la lampe, lui dit-elle.

— Qu'est-ce qui se passe ? lui demanda-t-il, soudain inquiet après avoir obtempéré. Es-tu malade ?

Reine laissa passer un moment avant de déclarer, des larmes dans la voix :

— J'ai perdu le bébé…

— Quoi ? Comment ça ?

— J'ai eu des contractions au commencement de l'avant-midi. Elles ont pas arrêté. Je l'ai perdu, ajouta-t-elle en se mettant à pleurer de façon fort convaincante.

— As-tu fait venir le docteur, au moins ? fit son mari, troublé.

— C'était pas utile. Il était trop tard.

— Mais là, qu'est-ce qui te dit que t'es correcte ?

— Après le dîner, j'ai pris un taxi et je suis allée chez le docteur Laflamme. Il m'a examinée. Je suis correcte. Il m'a dit de me coucher et de reprendre des forces. D'après lui, il y avait rien d'autre à faire. Il m'a affirmé que ça m'empêcherait pas d'en avoir d'autres, sentit-elle le besoin de lui affirmer.

— Maudite malchance ! s'emporta Jean.

Sa femme épiait sa réaction et fut satisfaite de constater qu'il réagissait exactement comme elle l'avait prévu.

— On va se reprendre, lui dit-elle en guise de consolation.

— Ben sûr, laissa-t-il tomber, incapable de trouver à dire davantage pour réconforter sa femme pour la perte de son bébé.

— Je me sens encore pas mal faible, ajouta-t-elle en baissant la voix. Est-ce que ça te dérangerait de te débrouiller tout seul avec ton souper ? Moi, je mangerai pas. J'ai pas faim.

— Je peux te faire cuire un œuf, lui proposa-t-il, plein de sollicitude.

— Non, laisse faire. Je mangerai plus tard. Là, j'ai juste envie de dormir. S'il faisait moins chaud encore…

— Il vient de commencer à mouiller. Ça va rafraîchir le fond de l'air, ce sera pas long, lui dit-il en éteignant la lampe avant de quitter la pièce.

Jean traversa la cuisine, ouvrit la porte moustiquaire et alla sur la galerie. Il se posta debout, appuyé contre le mur de brique pour ne pas être éclaboussé par la pluie qui tombait maintenant à torrent. Le ciel était zébré par des éclairs et le tonnerre grondait à l'ouest. Il était secoué et incapable de préciser tous les sentiments qui se bousculaient en lui.

Reine ne mettrait pas au monde l'enfant qu'elle portait. Leur vie recommençait à zéro… Non, c'était faux! Ils ne pouvaient revenir en arrière.

Il avait de la peine pour Reine, mais il ne parvenait pas à en éprouver pour le bébé qu'il ne connaîtrait jamais. Il était à la fois soulagé et honteux de cette insensibilité. Pire, il ne pouvait s'empêcher de songer que sa vie avait basculé pour rien quatre mois auparavant. De frustration, il donna une grande claque contre le mur auquel il était adossé. Il en aurait pleuré de rage.

Une suite de scènes se présenta à son esprit. Reine et lui assis à une table du restaurant alors qu'elle lui révélait son état et le mettait en demeure de prendre ses responsabilités. Le soir où il avait appris la vérité à ses parents. Son humiliation lors de sa demande en mariage. Sa fuite du collège et sa recherche d'un emploi. Son mariage… Puis, le visage enjoué de Blanche Comtois vint le hanter, rendant la situation encore plus pénible.

Il demeura debout sur le balcon durant de longues minutes, cherchant à analyser en quoi le fait que sa femme n'était plus enceinte allait changer sa vie. Finalement, il ne put que conclure que cette dernière allait se poursuivre comme elle était, avec ou sans enfant. S'il ne voulait pas passer son existence à nettoyer des wagons de chemin de fer, il allait devoir faire quelque chose.

Tenaillé par la faim, il finit par rentrer dans l'appartement et il se prépara un sandwich qu'il s'empressa de dévorer avant de prendre la direction du salon. Au passage, il jeta un coup d'œil dans la chambre à coucher. Reine semblait dormir, le dos tourné à la porte. Il referma doucement cette dernière et alla se réfugier dans la lecture des *Rougon-Macquart* d'Émile Zola. Ce soir-là, il s'endormit sur le divan et c'est là que Reine le découvrit en fin de soirée quand elle s'étonna de ne pas le sentir près d'elle dans leur lit.

Elle éteignit la lampe et le laissa dormir. Après avoir mangé quelques biscuits, la jeune femme retourna se mettre au lit.

Jean ne révéla à ses parents la nouvelle de la fausse couche de sa femme que quelques jours plus tard. Le jeune homme ne s'arrêta à leur appartement qu'un court moment en revenant de son travail, le jeudi suivant.

— Pauvre petite fille, elle doit être dévastée, fit sa mère en parlant de Reine.

— Ça, c'est sûr, confirma Jean.

— Est-ce qu'elle a besoin d'aide ?

— Ça va aller, m'man. Elle a déjà commencé à reprendre le dessus.

— Dis à ta femme qu'on va arrêter la voir deux minutes en revenant de l'église à soir, lui annonça Amélie. Veux-tu souper avec nous autres, c'est prêt, offrit-elle à son fils.

— Merci, m'man, mais Reine doit m'attendre.

Après le repas du soir, Amélie et Lorraine s'empressèrent de laver la vaisselle et de ranger la cuisine. Pendant ce temps, Claude s'était rapidement esquivé. Parfois, les deux femmes entendaient sa voix dans la ruelle où il s'amusait avec des garçons de son âge.

— Dans cinq minutes, on va être prêtes à aller à l'église, dit la mère de famille en retirant son tablier.

Elle ouvrit la porte moustiquaire et cria à Claude de rentrer.

— On pourrait ben sauter un soir, avait proposé Félicien.

— Ben oui, m'man, avait affirmé Claude, qui venait d'apparaître dans la cuisine, légèrement essoufflé. On n'est pas obligés pantoute d'aller à l'église tous les soirs pour dire le chapelet. Mes chums y vont pas, eux autres.

L'adolescent n'avait pas du tout apprécié le fait de mettre fin à la partie de balle qu'il était en train de disputer avec des copains dans la ruelle pour venir «se débarbouiller», comme disait sa mère, avant d'aller à l'église. Il faisait beau et chaud et il ne comprenait pas pourquoi il était le seul de sa bande à être tenu de suivre ses parents pour aller prier.

— Toi, personne t'a demandé ton avis. Fais ce que je te dis et va changer de chemise, rétorqua sa mère.

— Mais m'man, il y a presque plus personne qui va là pour dire le chapelet.

— Arrête de jaser et grouille-toi, lui ordonna Amélie.

Félicien connaissait bien l'entêtement de sa femme quand il s'agissait de pratique religieuse. Il se contenta de replier son journal et de se préparer à la suivre, mais son visage en disait long sur ce qu'il pensait.

— Je le sais bien, vous deux, vous allez toujours à l'église à reculons, reprit Amélie en s'emparant de son sac à main après avoir vérifié la position de son chapeau dans le miroir. C'est le mois de Marie. C'est normal d'aller réciter le chapelet. Regardez Lorraine, elle, elle a compris ça depuis longtemps.

Dans le dos de sa mère, la jeune fille haussa les épaules et fit une mimique dont son père comprit la signification.

Les Bélanger prirent la direction de l'église. Au moment où ils arrivaient au coin du boulevard Saint-Joseph, les cloches de l'église Saint-Stanislas-de-Kostka se mirent à tinter pour appeler les fidèles à la récitation du chapelet. Contrairement à ce qu'avait affirmé avec aplomb Claude quelques minutes plus tôt, des dizaines de fidèles se dirigeaient déjà vers le temple en cette belle soirée de printemps.

Moins d'une heure plus tard, les Bélanger quittèrent les lieux pour revenir sans se presser vers la maison.

— Nous autres, on va aller dire bonsoir à Reine, annonça Amélie à ses enfants quand ils arrivèrent au pied de l'escalier qui menait à leur galerie, à l'étage. On sera pas longtemps partis.

— Je vais attendre un peu pour aller chez Jean, déclara pour sa part Lorraine.

La jeune fille n'avait guère d'atomes crochus avec sa belle-sœur, qui ne l'avait pas encore invitée une seule fois à aller lui rendre visite depuis son mariage, presque un mois auparavant.

— Moi… commença Claude.

— Toi, mon garçon, tu vas aller me finir tes devoirs, le coupa sa mère, sévère. Il me semble que depuis qu'il fait beau, je te vois pas souvent le nez dans tes livres. T'es pas encore rendu à tes vacances. Organise-toi pas pour doubler ton année.

Dompté, Claude monta l'escalier sans répliquer.

Félicien et Amélie poursuivirent leur route jusqu'au coin de la rue et tournèrent à droite pour aller sonner, deux minutes plus tard, chez leur fils. Ce dernier, debout sur le palier du deuxième étage, tira la corde qui commandait l'ouverture de la porte d'entrée. Amélie monta péniblement les deux étages, s'arrêtant à deux reprises pour reprendre son souffle. Derrière elle, son mari, habitué à monter des escaliers du matin au soir, était à peine essoufflé quand il arriva sur le palier.

— Mon Dieu, que c'est haut chez vous! ne put s'empêcher de dire la petite femme grassouillette d'une voix un peu rauque.

— Ça devrait vous plaire, m'man, on est plus proches du ciel, plaisanta Jean en faisant passer devant lui ses parents.

Reine, tout sourire, vint au-devant de ses beaux-parents pour les inviter à s'asseoir au salon. Elle leur servit un verre de limonade rafraîchissante. Amélie s'informa de sa santé et lui exprima ses regrets pour la perte qu'elle venait de subir. La jeune femme sut manifester suffisamment de peine pour convaincre ses visiteurs que le choc était pénible, mais qu'elle le surmonterait avec courage. Quelques minutes plus tard, Félicien et Amélie se levèrent pour prendre congé.

— Dire que si c'était arrivé un mois avant, il y aurait peut-être pas eu de mariage, déclara Félicien à sa femme en rentrant à la maison.

— C'est le bon Dieu qui l'a voulu, répliqua Amélie. Ils sont jeunes, ils vont en avoir d'autres, ajouta-t-elle en guise de consolation.

— Je veux ben le croire, reprit le postier, mais il aurait pu continuer ses études et…

— Ça sert à rien de revenir en arrière. Ce qui est fait est fait, dit sa femme sur un ton qui se voulait définitif. À cette heure, Jean est marié et il a une femme à faire vivre.

— En tout cas, tous ceux qui, dans la parenté, comptent les mois parce qu'ils sont sûrs que c'est un mariage obligé vont avoir l'air bête quand ils vont s'apercevoir qu'il se passe rien.

— Si tu veux parler de ta mère et de tes sœurs, c'est pas bien important, laissa tomber Amélie en commençant à monter l'escalier conduisant à leur appartement.

— Il y a pas juste elles qui comptaient, affirma Félicien, sûr de son fait. J'en connais d'autres qui devaient se faire aller le mâche-patates sur notre dos.

Sa femme ne répondit rien. Elle préféra s'adresser à Claude, assis sur le balcon, en train de lire les bandes dessinées publiées par *La Patrie* le samedi précédent alors que l'obscurité tombait.

— Je t'avais pas dit d'aller faire tes devoirs, toi ?

— Je les ai faits, m'man. Il me restait juste un problème d'arithmétique à faire. Je l'ai fait.

— En tout cas, là, il commence à faire trop noir pour continuer à regarder des *comics*. Je commence à avoir pas mal hâte que tu vieillisses, toi. Quand est-ce que tu vas lire autre chose que ça ?

L'adolescent ne se donna pas la peine de répondre qu'il lisait aussi autre chose parfois. Il rentra dans l'appartement alors que ses parents décidaient de demeurer sur le balcon pour prendre le frais. Félicien rapprocha sa chaise du garde-fou pour tenter d'entendre ce qui se racontait chez les Dubé, assis sur leur galerie, au rez-de-chaussée. Il ne remarqua pas l'air préoccupé de sa femme qui s'était mise à se bercer, les yeux dans le vague. Une ombre d'inquiétude apparut dans son visage.

Amélie était tiraillée par des doutes sérieux depuis que son fils lui avait appris la fausse couche de sa femme. Cela arrivait à un moment trop propice. Depuis quelques semaines, elle avait cherché des signes de maternité chez sa bru sans vraiment en découvrir, et cela l'avait intriguée et inquiétée. Au quatrième mois de sa grossesse, le ventre de cette dernière aurait dû commencer à s'arrondir... Se pourrait-il qu'elle ait tenté de le cacher avec un corset ? De plus, rien dans ses yeux ou dans sa démarche ne laissait deviner son état... Était-il possible que... ?

« Non, c'est pas possible, rejeta la mère de Jean. Elle peut pas avoir inventé tout ça juste pour se faire marier. Ce serait trop écœurant. Aucune fille normale risquerait de perdre sa réputation pour le seul plaisir de traîner un garçon au pied de l'autel. »

Amélie se secoua. Elle s'imaginait des choses. Reine ne pouvait avoir joué cette comédie. Elle ne pouvait avoir si peu de cœur.

Dans l'appartement de la rue voisine, Reine se coucha satisfaite ce soir-là. Elle était parvenue à berner tout le monde et, apparemment, personne ne s'était douté qu'elle avait perdu son enfant bien avant son mariage. Quand Jean se mit au lit quelques minutes plus tard, elle feignit de dormir déjà. Pourtant, il était clair dans son esprit qu'elle souhaitait un enfant le plus tôt possible. En aucun cas elle ne désirait être en reste avec sa sœur Estelle.

Chapitre 25

Une rencontre inattendue

Les jours suivants, Jean s'était fait à l'idée qu'il n'aurait pas d'enfant tout de suite et son train-train quotidien avait repris le dessus. Il faut dire que son travail au Canadien National occupait le plus clair de sa journée, alors que sa nouvelle femme l'accaparait le reste du temps.

En ce lundi 2 juin, il n'y en avait dans les journaux que pour monseigneur Maurice Roy qui devenait archevêque de Québec, en remplacement du très contesté cardinal Villeneuve, décédé au mois de janvier précédent. Après avoir lu un article consacré à la demande d'une enquête par le sénateur McCarthy sur les ramifications de l'espionnage au profit des Soviétiques aux États-Unis, Jean jeta dans la poubelle le journal oublié par un voyageur. Il avait fini de manger ses sandwichs et s'apprêtait à lire *Menaud, maître-draveur*, emprunté la semaine précédente à la bibliothèque de Montréal.

Le jeune homme était seul à sa table dans le vestiaire des employés du Canadien National et il venait de terminer de manger son dîner.

Quelques jours auparavant, Onésime Gagnon avait décrété qu'il ne voulait plus voir aucun employé manger dans les wagons. Évidemment, il le visait en particulier puisqu'il était pratiquement le seul à se retirer là pour manger.

Un peu plus tôt, son coéquipier, Grégoire Beaudoin, l'avait quitté sur un clin d'œil mystérieux. À la longue table voisine, le contremaître chantait les vertus de la Chevrolet 1936 qu'il possédait depuis quelques semaines. À l'entendre, il n'existait pas meilleur véhicule sur la route. Jean leva la tête un instant de son livre, à temps pour saisir quelques coups d'œil goguenards échangés entre ses compagnons de travail qui avaient pris place à la table du quinquagénaire.

Il était bien connu de tous que Gagnon se donnait de grands airs depuis un an ou deux. Par exemple, Jean avait entendu dire que le petit homme à la drôle de moustache avait brusquement décidé que la chemise blanche et la cravate convenaient beaucoup plus à un contremaître de son envergure que la chemise grise des travailleurs. Quelques mois avant son arrivée, il avait donc troqué l'une pour l'autre. Il avait la nette impression qu'avec une telle tenue il en imposait plus à « ses hommes », comme il disait. Si cette dernière le distinguait, elle n'en suscitait pas moins des sourires moqueurs dans son dos et certains l'avaient surnommé irrévérencieusement « le roquet ».

— C'est surtout un char qui a l'air d'être fait fort, monsieur Gagnon, dit un nommé Brisson.

— Ça, il y a pas à s'inquiéter, il est solide en maudit, ce char-là, déclara Onésime sur un ton qu'il voulait convaincu en finissant de boire la bouteille de Coke posée devant lui. C'est un gros char. Il faut juste savoir le conduire.

Il y eut des sourires entendus parmi ses auditeurs. Il était bien connu que l'homme était un piètre conducteur dont les rues de Montréal se seraient volontiers passées. Il était d'une lenteur désespérante et ses manœuvres au volant étaient plutôt imprévisibles. Lorsqu'il avait la chance de suivre un tramway, aucun coup de klaxon rageur ne pouvait le décider à le dépasser. En un mot comme en cent, Onésime Gagnon était un véritable danger public qui aurait mieux fait de continuer à utiliser les transports publics. Cependant, quand il parlait de sa voiture, il en devenait presque lyrique, surtout lorsqu'il abordait les soins qu'il lui prodiguait. À l'entendre, on n'aurait jamais cru qu'il s'agissait d'une mécanique âgée de plus de dix ans. Il la bichonnait et la surveillait avec un soin jaloux, ne permettant pas qu'on s'en approche de trop près. Si on se fiait à ses récits, il passait ses fins de semaine à l'astiquer. Bref, s'il y avait une faiblesse chez cet homme intransigeant, c'était bien sa voiture noire qu'il stationnait toujours au même endroit, près de la gare. D'ailleurs, il avait pris l'habitude de quitter précipitamment la gare quatre ou cinq fois durant la journée pour aller vérifier si on n'avait pas égratigné la carrosserie de sa Chevrolet.

— S'il fallait que quelqu'un touche à sa maudite bagnole, avait chuchoté Magnan à Jean le matin même, il en ferait une maladie. Pour moi, il est à moitié fou, le bonhomme.

Grégoire Beaudoin revint s'asseoir en face de Jean quelques minutes avant l'heure de la reprise du travail.

— Attends tout à l'heure, lui conseilla son partenaire de travail à voix basse. Je pense qu'on va avoir du fun.

— Qu'est-ce qu'il va y avoir? demanda Jean, intrigué.

— Tu vas entendre le roquet japper dans pas longtemps, je t'en passe un papier, dit l'autre en ricanant.

— Il est une heure, déclara Onésime Gagnon en se levant peu après. On recommence.

Au même moment, les quatre employés qui étaient sortis dîner à l'extérieur entrèrent dans la salle. Ceux qui avaient mangé sur les lieux s'empressèrent de se rendre à leur casier avant de se diriger vers leur travail. Onésime Gagnon houspilla les plus lents, vérifia que chacun avait bien rejoint son poste avant de disparaître. Chacun savait qu'il était allé jeter un coup d'œil à sa voiture.

— Viens voir, ordonna Beaudoin à Jean en l'entraînant vers une fenêtre qui donnait sur l'endroit où le contremaître stationnait son automobile.

Jean le suivit et allait se planter devant la fenêtre quand son compagnon le tira vers l'arrière.

— Montre-toi pas, innocent ! Il va te voir.

Jean aperçut alors le petit homme en train de trépigner sur le trottoir, rouge de fureur.

— Qu'est-ce qu'il a à s'énerver comme ça ? demanda-t-il à Beaudoin qui ricanait à ses côtés.

— Regarde les *tires* de son char, lui suggéra-t-il.

En fait, les quatre pneus de la Chevrolet avaient été dégonflés et le lourd véhicule reposait sur ses jantes.

— C'est pas vous qui avez fait ça, monsieur Beaudoin ?

— Attends, c'est pas fini, ajouta ce dernier, hilare.

Onésime Gagnon venait de se rendre compte que l'une des glaces de sa Chevrolet avait été un peu abaissée et qu'il se dégageait de son véhicule une odeur atroce propre à soulever le cœur de n'importe qui. Fou d'inquiétude, l'homme avait ouvert précipitamment la portière avant, côté passager, pour tenter d'identifier l'origine de l'odeur en se plaquant une main sur le nez tant c'était insupportable.

— Qu'est-ce qu'il a ? demanda Jean.

— Il a que ça sent la charogne dans son maudit char, murmura Beaudoin avec un sourire malicieux. C'est vrai que ça sent ben mauvais du poisson qui a passé deux jours au soleil…

— Comment vous avez fait pour le mettre là ?

— Ça, mon jeune, tu me demandes ça parce que t'écoutes pas notre *boss* quand il parle de son char, répondit le petit homme rondouillard, toujours souriant. Il a dit la semaine passée qu'il était plus capable de barrer une des portes de son char…

— Est-ce que ça veut dire que c'est vous qui avez dégonflé ses pneus ?

— Devine, fit l'autre, un sourire en coin.

Le spectacle qui se déroulait à l'extérieur avait attiré quelques curieux qui s'étaient arrêtés sur le trottoir. Plongé à l'intérieur de l'habitacle, Gagnon avait fini par glisser ses mains sous le siège avant et il en avait tiré les deux poissons, responsables de l'odeur nauséabonde. Les gens reculèrent de quelques pas en affichant une mine dégoûtée quand il les exhiba en les tenant loin de son nez entre le pouce et l'index. De toute évidence, il cherchait un endroit où s'en débarrasser. La malchance voulut qu'à ce moment précis le contremaître lève les yeux et aperçoive Jean et Grégoire Beaudoin, qui s'étaient trop avancés devant la fenêtre. Ces deux derniers n'eurent pas le temps de s'esquiver.

Un sourire mauvais illumina le visage d'Onésime Gagnon. Il laissa tomber les poissons sur le bord du trottoir, entrouvrit les glaces des autres portières de son véhicule et rentra dans la gare au pas de charge.

— Vous deux, vous venez avec moi au bureau du personnel, ordonna-t-il aux deux hommes qui venaient à peine de réintégrer le wagon qu'ils devaient nettoyer.

— Tout de suite ? osa demander Grégoire Beaudoin d'une voix nonchalante.

— Ouais, tout de suite.

Jean regarda son compagnon de travail et lui emboîta le pas alors que le contremaître les devançait déjà d'une vingtaine de pieds, l'air farouche.

— C'est vrai qu'il a l'air d'un maudit roquet, murmura Beaudoin à Jean, apparemment pas du tout inquiet de la tournure des événements.

Quand les deux hommes entrèrent dans le bureau du personnel, Onésime Gagnon avait déjà disparu dans le bureau du directeur.

— Oui ? demanda le secrétaire d'Aimé Corriveau.

— Nous sommes avec monsieur Gagnon, répondit Jean, pas trop rassuré.

— Ah bon. Assoyez-vous et attendez-le. Il vient d'entrer dans le bureau.

Les deux hommes durent attendre une dizaine de minutes avant que le contremaître quitte la pièce en affichant un air obséquieux. Il jeta un regard farouche à ses deux employés avant de quitter le bureau du personnel sans leur adresser la parole.

— Monsieur Bélanger, entrez donc, fit la voix d'Aimé Corriveau qui venait d'ouvrir la porte à la vitre dépolie.

Le directeur du personnel arborait un visage sévère qui contrastait avec l'air aimable qu'il affichait d'habitude à l'égard de Jean. Il n'offrit même pas un siège au jeune homme. Il alla s'asseoir derrière son bureau et l'observa un long moment avant de demander abruptement :

— Voulez-vous bien me dire ce qui s'est passé avec monsieur Gagnon ?

Jean jugea que le vouvoiement inhabituel employé par son patron était plutôt de mauvais augure. Auparavant, il l'avait toujours tutoyé.

— Il s'est rien passé, monsieur, répondit Jean, la gorge sèche.

— C'est pas l'avis de votre contremaître. Il vient de me raconter que vous vous seriez amusé à dégonfler les pneus de sa voiture et que vous avez mis des poissons pourris à l'intérieur.

— Pourquoi j'aurais fait ça ?

— Parce qu'il doit être souvent sur votre dos pour vous faire travailler, d'après lui.

— Mais, monsieur Corriveau, c'est pas moi qui ai fait ça, protesta le jeune homme. Je suis même pas sorti de la gare depuis que je suis arrivé ce matin. J'étais même là avant que monsieur Gagnon arrive. Et j'ai dîné dans la salle avec tous les autres. Monsieur Gagnon le sait. J'étais à la table à côté de la sienne. Je comprends pas qu'il m'accuse de ça.

Un air de doute se peignit sur les traits du directeur du personnel qui scruta le visage de son vis-à-vis pour tenter de détecter un mensonge.

— Dans ce cas-là, vous devez savoir qui a fait ce mauvais coup-là, dit-il finalement.

— Même si je le savais, je pense pas que je vous le dirais, monsieur. Je pourrais pas faire ça.

— Le problème est que votre contremaître vous a vus, vous et Grégoire Beaudoin, en train de le surveiller par la fenêtre et vous aviez l'air de trouver ça pas mal drôle, d'après lui.

— C'est vrai, reconnut Jean. On l'a vu faire sa crise sur le trottoir et on n'a pas pu s'empêcher de rire, mais ça veut pas dire que…

— C'est correct, l'interrompit sèchement Aimé Corriveau en se passant une main sur le front. Là, j'ai un problème. Gagnon veut plus vous voir dans son équipe. Normalement, je devrais vous mettre à la porte. Avec vous, c'est pas comme avec Grégoire Beaudoin. Lui, je dois tenir compte de son ancienneté et Gagnon devra l'endurer, même s'il l'aime pas.

— Mais j'ai rien fait, monsieur Corriveau, protesta Jean, soudain terrifié à l'idée de perdre son emploi au moment où le taux de chômage n'avait jamais été aussi élevé dans la province depuis des années. J'ai besoin de travailler pour faire vivre ma femme.

Le directeur du personnel le regarda un instant avant de se tourner vers le classeur vert placé à sa droite. Il ouvrit le premier tiroir et en tira un mince dossier beige qu'il consulta.

— Bon, je vais vous donner une chance, une dernière chance. À partir de demain, vous allez faire partie de l'équipe d'entretien de la gare. Vous allez travailler de trois heures à onze heures. Vous vous présenterez à Frank Demers demain après-midi, à deux heures et demie. C'est votre chef d'équipe.

— Merci, monsieur, fit Jean, soulagé.

Il quitta le bureau, salua au passage Grégoire Beaudoin qui fumait tranquillement en attendant de passer devant le directeur du personnel.

À son retour à la maison au milieu de l'après-midi, le jeune homme eut la désagréable surprise de découvrir que sa femme était absente encore une fois. Contrarié, il alla sonner à la porte de ses beaux-parents, mais personne ne répondit. Il descendit à la biscuiterie où il fut accueilli par Adrienne Lussier. La voisine de ses parents lui dit avoir vu passer sa femme et sa belle-mère au début de l'après-midi. Pour sa part, son beau-père était parti faire une commande chez un fournisseur. Il la remercia et retourna chez lui où il se plongea dans la lecture du roman de Félix-Antoine Savard.

Reine ne revint à l'appartement que sur le coup de six heures, l'air harassée.

—Veux-tu ben me dire où t'étais passée ? lui demanda-t-il.

— Whow ! Je suis pas ta servante. J'ai bien le droit de sortir sans ta permission, déclara-t-elle, tout de suite sur la défensive.

—Je te reproche rien, je veux juste savoir où tu étais. Tu m'as pas laissé de message sur la table, expliqua son mari.

— J'étais partie faire des commissions avec ma mère, si tu tiens tant à le savoir, répondit-elle en retirant ses souliers à talons hauts.

— Qu'est-ce que tu voulais acheter?

— Rien de spécial. Ma mère avait entendu dire qu'on pouvait encore acheter une ou deux paires de bas de soie chez une femme de la rue Amherst. On est allées voir.

— Des bas remaillés, je suppose.

— C'est sûr, les neufs coûtent bien trop cher. Si le rationnement peut finir…

— En fin de compte, en avez-vous trouvé?

— Deux paires. Ma mère m'en a donné une, dit-elle en exhibant fièrement un petit sac.

— Qu'est-ce qu'on mange pour souper?

— Des sandwichs aux tomates. Il fait trop chaud pour commencer à cuisiner, déclara-t-elle.

Pendant qu'elle préparait les sandwichs, Jean entreprit de lui raconter ce qui s'était passé à son travail et lui apprit son changement d'affectation et d'horaire qui allaient entrer en vigueur dès le lendemain. Tout ça ne sembla guère intéresser sa femme. Quand il s'en rendit compte, il cessa de parler et se leva pour allumer la radio.

Il tomba sur une émission consacrée aux conséquences de la loi qu'avait fait adopter le 28 mars précédent le premier ministre et procureur général de la province, Maurice Duplessis. Cette loi visait surtout les Témoins de Jéhovah qui distribuaient des tracts durant la nuit. Elle donnait le droit aux municipalités du Québec de sanctionner ce comportement. L'analyste déplorait que cette mesure engorge les tribunaux de la province puisque près de mille poursuites avaient déjà été déposées en quelques mois. Ensuite, deux journalistes commentèrent pendant quelques minutes l'inaction gouvernementale face à l'agitation qui secouait les ouvriers du textile qui cherchaient, par tous les moyens, à gagner dix dollars par semaine.

— Que le gouvernement de Mackenzie King commence donc par faire disparaître le rationnement, commenta Jean. Ça, ça aiderait tout le monde. Ça fait deux ans que la guerre est finie, calvince ! En plus, c'est rendu une vraie farce. Ceux qui ont de l'argent trouvent tout ce qu'ils veulent au marché noir. Ils se sacrent pas mal des coupons de rationnement, eux autres.

Reine secoua les épaules comme si tout cela ne l'intéressait pas.

— Arrange-toi pas pour me faire manquer *Un homme et son péché* avec ce programme plate-là, se contenta-t-elle de lui dire en versant du thé dans les tasses.

— Il reste encore deux minutes, lui fit remarquer Jean.

Au moment où la jeune femme se levait pour commencer à ranger la cuisine, la chanson thème de l'émission fut suivie par la voix d'Hector Charland, personnifiant Séraphin Poudrier. L'avare s'en prenait violemment à la pauvre Donalda, interprétée par Estelle Mauffette, qui avait osé acheter un peu de beurre au magasin général.

— Maudit que c'est laid du monde gratteux comme ça ! s'exclama la jeune femme, oubliant qu'il ne s'agissait que d'une émission radiophonique.

« Une cenne, c'est une cenne, ma femme ! disait Séraphin. T'oublies qu'on est pauvres et qu'on n'a pas les moyens, viande à chien, de jeter l'argent par les fenêtres. On n'a pas besoin de beurre pour manger de la galette. C'est meilleur avec de la mélasse. »

— Aïe, lui, je l'haïs ! s'écria Reine. Moi, du monde cochon comme ça, je peux pas endurer ça.

— Calme-toi, c'est juste une émission de radio, la raisonna Jean. J'espère que tu vas pas faire comme les gens qui envoient du linge à Radio-Canada pour aider la pauvre Donalda à passer l'hiver.

— Me prends-tu pour une niaiseuse, toi ?

En son for intérieur, le jeune homme ne put s'empêcher de penser que sa femme n'était pas particulièrement dépensière et qu'il fallait se lever de bonne heure pour la décider à ouvrir sa bourse. Son frère, Lorenzo, l'avait bien mis en garde sur cet aspect de la personnalité de Reine. Il se rappelait encore trop bien qu'il avait été incapable de la persuader d'offrir un petit cadeau à sa tante qui leur avait si gracieusement prêté sa maison pour leur voyage de noces. Il avait dû se fâcher le jour de la fête des Mères pour qu'elle consente à acheter quelques fleurs pour leur mère respective. Et avec la fête des Pères qui approchait…

— C'est pas mal laid d'être accroché à ses cennes comme ça, laissa-t-il tomber. Comme le répète mon père, on n'est pas enterré avec son argent.

— C'est sûr, reconnut Reine, qui ne se sentait apparemment pas visée par la remarque de son mari.

Le lendemain après-midi, Jean quitta la maison peu après le dîner. Il avait senti que sa femme n'appréciait pas particulièrement sa présence dans l'appartement durant le jour. Il dérangeait sa routine, même s'il s'était le plus souvent cantonné dans le salon pour lire et écouter la radio. Aux informations, on laissait entendre que Mackenzie King allait enfin annoncer dans quelques jours la fin du rationnement en vigueur depuis le début de la guerre. Il allait de soi que tout le monde attendait ce moment avec impatience depuis longtemps, Jean le premier.

Lorsqu'il se présenta à Frank Demers, le jeune homme fut étonné de se retrouver devant un anglophone qui s'exprimait en français avec quelque difficulté. L'homme semblait avoir moins de quarante ans et était d'une taille légèrement supérieure à la normale.

— Ton ouvrage sera pas compliqué, annonça-t-il à Jean. V'là une moppe et une chaudière. Tout ce que t'as à faire, c'est de laver des planchers et de voir à ce que ça reste propre. Tu vides aussi les poubelles et tu laves les toilettes parce qu'il y a des toilettes dans ta section. Ici, c'est pas comme nettoyer des trains. Chaque homme travaille tout seul et a une section à entretenir. Viens avec moi, je vais te montrer la tienne.

Après lui avoir précisé les limites de son nouveau domaine, le contremaître le laissa en lui disant:

— À sept heures, tu peux t'arrêter une heure pour manger.

Deux ou trois soirs suffirent à Jean pour apprendre à apprécier son nouveau travail. Demers n'était pas du genre à harceler son monde. Le contremaître profitait habituellement de l'heure de pause de ses employés pour faire une tournée rapide et il était très rare qu'il formule une remarque désagréable. S'il le faisait, il devait probablement parler en particulier avec l'employé concerné, loin des oreilles des autres parce que Jean n'en eut pas connaissance. Par ailleurs, le climat était agréable avec les collègues et on l'avait accepté dès le premier soir en l'invitant à prendre place à la table commune à l'heure du souper.

Le principal avantage de son nouvel emploi était pro-bablement la possibilité de travailler en solitaire, ce qui lui donnait largement le temps de réfléchir, sans avoir à se soucier des humeurs d'un compagnon.

À la fin de la troisième semaine de juin, une rencontre allait faire basculer le monde confortable dans lequel Jean Bélanger était en train de s'installer.

Ce mardi-là, il faisait une chaleur agréable. Le jeune homme s'était réveillé tôt et réfugié rapidement sur la galerie pour échapper à la radio que sa femme écoutait en repassant dans la cuisine.

Il éprouvait d'ailleurs une vague nostalgie en regardant passer dans la ruelle les jeunes écoliers excités par la perspective de commencer leurs longues vacances estivales quelques heures plus tard. Il y avait des cris suivis de cavalcades qui rappelaient d'autres 21 juin du passé. Il se revoyait revenant de Saint-Pierre-Claver, les bras chargés de prix, habituellement des livres qu'il mourait déjà d'envie de dévorer. Il se souvint particulièrement combien il avait adoré *Premier de cordée* de Frison-Roche, le premier roman qu'il avait lu.

Les minutes passèrent et le quartier retrouva peu à peu son calme. Jean en était à se demander s'il ne partirait pas plus tôt pour passer à la bibliothèque municipale avant de se rendre à la gare quand la voix de sa femme le tira de sa rêverie.

— Je te laisse quelque chose dans la glacière pour dîner, lui annonça-t-elle en se présentant devant la porte moustiquaire. Lorenzo s'en vient me chercher.

— Où est-ce que vous allez?

— Il a proposé de nous laisser, ma mère et moi, chez Estelle. Il paraît qu'elle s'ennuie pas mal depuis qu'elle peut plus sortir parce que son heure approche.

— C'est correct.

— Quand le boulanger va passer tout à l'heure, tu prendras un pain tranché. Je te laisse l'argent sur la table.

Il ne se donna pas la peine de se retourner. Il entendit la porte d'entrée se refermer peu après. Reine venait de partir. Il songea un court moment qu'elle allait rejoindre sa mère à l'étage inférieur et à l'évocation d'Yvonne Talbot, il eut un rictus.

Sa relation avec elle ne s'était guère améliorée depuis qu'il avait épousé sa fille. La femme de Fernand Talbot continuait de le regarder de haut et de le considérer comme un étranger qui n'avait rien à faire dans sa famille, malgré son éducation pourtant bien supérieure à celle de n'importe quel Talbot. Depuis son mariage, elle n'avait pas jugé bon une seule fois de le recevoir chez elle en compagnie de sa fille. Mieux, elle semblait faire en sorte d'inviter Reine dès qu'il avait le dos tourné. À aucun moment elle n'était montée à l'appartement quand il était présent. Bien sûr, il l'avait croisée plusieurs fois tant dans les escaliers que dans la rue, ordinairement le dimanche matin, en allant à la messe. Les échanges avaient été distants. Une remarque de la femme du commerçant, deux semaines auparavant, avait été la goutte qui avait fait déborder le vase.

— Ma mère trouve que tu devrais mettre un *coat* et une cravate quand tu vas travailler, lui avait dit Reine un midi, alors qu'il se préparait à aller travailler.

— Pourquoi ? avait-il demandé, intrigué.

— Elle trouve que ça manque de classe que t'ailles travailler arrangé comme ça.

Le sang de Jean n'avait fait qu'un tour lorsqu'il entendit ces paroles.

— Veux-tu dire à ta mère de se mêler de ses maudites affaires ! avait-il répliqué. Rappelle-lui donc que je gagne ma vie en lavant des planchers. J'ai pas une *job* de premier ministre, bâtard !

— Elle le sait, avait rétorqué Reine, mais c'est pas une raison pour que tous les voisins sachent que t'as ce genre d'ouvrage-là. Il y a pas de quoi s'en vanter.

Le jeune homme avait vu rouge quand il s'était rendu compte que sa propre femme, qu'il faisait vivre en lavant des planchers, avait honte de lui.

— À ce que je vois, tu penses la même chose que ta sainte mère, avait-il dit, sarcastique. Dans ce cas-là, t'avais juste à pas me mettre le couteau sur la gorge pour te marier, si tu pensais que t'aurais honte de l'ouvrage que je fais. Si ça t'empêche de dormir, t'as juste à penser que c'est grâce à ça que tu peux passer tes journées tranquille chez vous, sans travailler, et manger tes trois repas par jour.

— Whow ! J'ai jamais dit que j'avais honte de toi, tu sauras, s'était emportée Reine à son tour en élevant la voix.

— Non, mais t'en es pas spécialement fière non plus... En attendant, tu diras à ta mère que quand elle aura quelque chose à me dire, elle viendra me le dire en pleine face, qu'elle te fasse pas faire ses commissions.

Cette dernière réplique avait mis fin abruptement à la discussion et avait été le déclenchement de trois jours de bouderie de la part de Reine envers son mari.

Par ailleurs, Jean ne pouvait pas dire qu'il avait de bien meilleures relations avec son beau-père. Après être parvenu à faire marier sa fille enceinte, ce dernier semblait avoir jugé qu'il avait vraiment dépensé toutes ses réserves de bienveillance à l'égard de celui qui l'avait forcé à précipiter des noces. Si le commerçant n'était pas aussi ouvertement hostile que sa femme à son endroit, il reste qu'il l'ignorait et qu'il ne lui adressait la parole que lorsqu'il ne pouvait faire autrement. Quant à la sœur de Reine et à son mari, ils semblaient prendre prétexte de la maternité prochaine d'Estelle pour éviter de recevoir le jeune couple... à moins qu'ils n'attendaient une invitation de Reine, ce qui ne semblait pas près de se produire.

Il ne restait donc chez les Talbot que Lorenzo, l'unique célibataire de la famille, qui était d'un commerce agréable, mais il ne l'avait croisé qu'en une occasion alors qu'il venait rendre une courte visite à ses parents.

Jean chassa sa belle-famille de ses pensées et entra à l'intérieur pour dîner avant de se préparer à partir. Peu après, il quitta l'appartement, sa collation du soir et ses livres à la main, bien décidé à s'arrêter quelques minutes à la bibliothèque, coin Amherst et Sherbrooke.

Il attendait le tramway en compagnie de deux vieilles dames quand son frère Claude vint lui taper sur l'épaule, le visage rayonnant de bonheur.

— Aïe ! Je suis en vacances, lui déclara-t-il, tout content.

— Penses-tu que t'as réussi tes examens ? lui demanda son frère aîné, heureux de la rencontre.

— Me prends-tu pour un niaiseux ? répliqua l'adolescent. Certain que j'ai passé mon année. Sais-tu d'où je viens ?

— Non.

— Je viens de me trouver une *job* chez Drouin. Je commence à porter les commandes à partir de demain matin.

— Je suis ben content pour toi.

— Là, en attendant, je m'en vais au bain Lévesque nager avec mes chums.

Jean ne put continuer à converser plus longtemps avec son frère, un tramway venait de s'immobiliser au milieu de la rue. Il se limita à le saluer avant de monter dedans. Quand le véhicule se remit en marche, le jeune homme déposa son billet dans la boîte de perception et chercha du regard un siège libre. Il en trouva un et s'y dirigea en se tenant solidement.

À peine venait-il de s'asseoir qu'il sentit que quelqu'un lui touchait le bras. Il tourna vivement la tête et découvrit un long visage glabre dont les yeux bleus un peu globuleux le fixaient derrière des lunettes épaisses à fine monture métallique.

— Dis donc, tu serais pas Jean Bélanger? lui demanda l'inconnu en prenant place à ses côtés.

— Oui, fit Jean en reconnaissant Olivier Marchand, un ancien du Collège Sainte-Marie.

Le jeune homme âgé d'une vingtaine d'années était maigre et dégingandé. Il affectait une allure décontractée avec sa chemise à col ouvert et son veston en velours prune.

Plus de trois ans auparavant, alors qu'il était étudiant en belles-lettres, Jean avait eu l'idée d'offrir ses services comme reporter au journal du collège alors dirigé par un étudiant de philosophie II, Olivier Marchand. Ce dernier avait accepté sans grand enthousiasme son offre de collaboration mais, peu à peu, lui avait confié quelques reportages à réaliser. En pleine adolescence, Jean avait trouvé son aîné prétentieux et désagréable au point de refuser de renouveler l'expérience l'année suivante, même si le jeune directeur du journal avait quitté le collège.

— Est-ce que tu te souviens de moi? lui demanda Marchand en lui tendant la main.

— Olivier Marchand?

— En plein ça. Je suppose que tu viens de finir ta première année de philosophie chez nos bons pères, ajouta-t-il avec bonne humeur.

Jean garda le silence un court moment avant de lui avouer:

— Non, j'ai lâché le collège cet hiver… Et toi, t'es à l'Université de Montréal?

— Non, monsieur, moi aussi j'ai lâché les études. Je suis marié et je travaille pour le *Montréal-Matin* depuis deux ans. Et toi, qu'est-ce que tu fais?

— Quelque chose de pas trop intéressant. Je travaille à la gare.

Jean fut étonné de retrouver intact ce vieux réflexe de soigner son langage quand il parlait à d'anciens confrères du collège.

— T'as pas été tenté par le journalisme ? insista son vis-à-vis. Si je me souviens bien, t'avais une belle plume.

— J'aurais bien voulu, dit Jean avec regret, mais il y avait pas de place pour moi nulle part.

— T'as essayé au *Montréal-Matin* ?

— Oui, mais j'imagine que là comme ailleurs, il faut avoir quelqu'un pour nous aider à entrer.

— Peut-être, reconnut Marchand en se levant. Écoute, si ça t'intéresse, viens me voir demain dans la journée. Je pourrai te présenter au rédacteur en chef, Antoine Fiset. Je m'entends bien avec lui. Il pourra peut-être t'offrir quelque chose d'intéressant.

— Merci, fit Jean, reconnaissant. Tu peux être certain que je vais passer te voir demain avant-midi.

L'autre le salua de la main et descendit du tramway. Soudain, Jean se rendit compte qu'il avait passé l'arrêt où il devait descendre. Il consulta sa montre et calcula qu'il n'aurait pas le temps de revenir sur ses pas pour passer à la bibliothèque avant de se rendre à son travail. Pendant le reste du trajet, il repassa mentalement la conversation qu'il venait d'avoir avec son ex-confrère. Il regretta même de l'avoir toujours jugé désagréable. Ensuite, il s'imagina quittant définitivement son travail de concierge pour celui de journaliste. Là, sa femme et ses beaux-parents n'auraient plus honte de lui…

Durant son quart de travail ce soir-là, il prit la ferme résolution de taire ses projets à Reine. Ainsi, s'il ne parvenait pas à obtenir un autre emploi parce que Marchand s'était vanté en disant être en bons termes avec le directeur du journal, il ne perdrait pas la face.

Soudain, il réalisa que son changement d'horaire de travail allait enfin le servir. S'il avait continué à travailler dans l'équipe d'Onésime Gagnon, il n'aurait jamais pu aller postuler un nouvel emploi. De fil en aiguille, il en vint à se dire que si cela ne fonctionnait pas au *Montréal-Matin*, il irait poser sa candidature ailleurs. Dorénavant, il allait mettre ses avant-midis à profit pour trouver un travail plus valorisant. À la fin de la soirée, il avait déjà trouvé l'excuse qu'il présenterait à Reine pour quitter la maison dès neuf heures, le lendemain matin.

À son retour à l'appartement, Reine dormait et il fit en sorte de ne pas la réveiller quand il se glissa dans le lit à ses côtés. Durant de longues minutes, il demeura les yeux ouverts, imaginant la nouvelle vie qu'il pourrait connaître s'il devenait un grand journaliste connu et respecté. Son existence en serait sûrement transformée.

Le lendemain matin, veille de la Saint-Jean, il se leva tôt. Étrangement, sa belle assurance avait fondu durant son sommeil. Pendant qu'il procédait à sa toilette, il se demanda s'il ne ferait pas mieux de demeurer tranquillement à la maison jusqu'au début de l'après-midi, moment où il devrait partir pour la gare. Soudain, Marchand ne lui inspirait plus la même confiance et il réalisait que cet ancien du Collège Sainte-Marie n'avait vraiment aucune raison de lui venir en aide. Si ça se trouvait, tout ce qu'il lui avait dit la veille n'était que vantardises.

— Tu me demandes pas ce que j'ai fait hier ? fit la voix acrimonieuse de Reine, venue s'asseoir à table, en face de lui.

— J'allais le faire, répondit-il. Ta sœur va bien ?

— Elle est correcte.

— Es-tu revenue tard, hier ?

— Charles nous a ramenées vers neuf heures. Estelle tenait absolument à nous garder à souper.

Dès qu'il eut avalé la dernière bouchée de son déjeuner, Jean se leva et se dirigea vers la chambre à coucher d'où il sortit quelques instants plus tard, vêtu de son costume du dimanche et cravaté.

— Où est-ce que tu t'en vas, arrangé comme ça ? s'étonna sa femme.

— Examen médical obligatoire exigé par le Canadien National, mentit-il avec aplomb.

— Et t'es obligé de t'habiller chic pour aller chez le docteur ?

— Non, mais c'est toi-même qui m'as dit il y a pas plus tard que deux semaines que je devrais mettre une cravate et un veston quand je sors. Ben, comme tu peux voir, c'est ce que je fais. Comme ça, je te ferai pas honte, ajouta-t-il, narquois.

— À quelle heure est-ce que tu vas revenir ?

— Je le sais pas. Attends-moi pas, dit-il en ouvrant la porte.

Reine demeura figée au milieu du couloir. Elle avait le net pressentiment qu'il se passait quelque chose d'anormal. Elle s'empressa d'aller soulever un coin du rideau de la fenêtre du salon, juste à temps pour voir son mari se diriger vers l'est, sur Mont-Royal.

Quand Jean Bélanger arriva devant l'immeuble occupé par le *Montréal-Matin*, il s'immobilisa, en proie à de sérieux doutes sur l'utilité de la démarche qu'il s'apprêtait à faire. Il s'accorda quelques minutes de réflexion en allumant une cigarette qu'il prit le temps de griller. Pourquoi revenir demander un emploi dans ce journal ? Quatre mois auparavant, on lui avait répondu clairement qu'il n'y avait pas de travail pour lui.

Le ciel était gris et il remarqua que beaucoup de passants avaient pris la précaution de se munir d'un parapluie. Pas lui.

— Il manquerait plus que ça se mette à tomber, se dit-il à mi-voix en songeant à son unique costume qu'il portait ce matin-là.

Il écrasa son mégot sur le trottoir et prit son courage à deux mains pour franchir les portes de l'édifice. Une réceptionniste souriante l'accueillit.

— Est-ce que je pourrais voir monsieur Marchand ? lui demanda-t-il.

— Je vais l'appeler, lui répondit l'employée. Si vous voulez bien vous asseoir.

La jeune femme planta une fiche dans son central téléphonique, attendit un instant et parla à un interlocuteur invisible avant de se tourner vers le visiteur pour lui dire que monsieur Marchand arrivait.

Moins de cinq minutes plus tard, Olivier Marchand fit son apparition, sans cravate et les manches de sa chemise roulées sur ses bras maigres.

— Je me disais aussi que ce ne pouvait être que toi, dit le journaliste en lui tendant la main.

— Je t'avais dit que je viendrais, fit Jean, un peu gêné de venir l'importuner.

— On peut dire que t'es béni des dieux, toi, reprit Marchand, avec un grand sourire.

— Comment ça ?

— Viens avec moi, je vais t'expliquer ça, se contenta de répondre le journaliste en se mettant en marche vers l'intérieur du bâtiment.

Marchand poussa une porte et tous les deux se retrouvèrent dans la grande salle de rédaction occupée par des dizaines de personnes. Le bruit qui y régnait était assourdissant. Les interpellations le disputaient au crépitement de dizaines de machines à écrire et aux sonneries des téléphones.

Le journaliste fit entrer Jean dans un cubicule et lui indiqua une chaise de la main avant de glisser sa grande carcasse derrière un bureau encombré par de nombreux documents et une antique machine à écrire Underwood.

— Je t'ai dit que t'es chanceux parce que tu tombes à pic, poursuivit Marchand. Notre correspondant à Québec, Joseph Comeau, vient de tomber malade et a décidé de prendre sa retraite. J'ai persuadé tout à l'heure mon rédacteur en chef de m'envoyer le remplacer.

— Ah oui, fit Jean, qui ne comprenait pas trop bien en quoi cela le concernait.

— Il est prêt à le faire s'il parvient à trouver un journaliste capable de couvrir les affaires municipales à ma place, reprit le jeune homme en repoussant ses lunettes qui avaient glissé sur son nez. Je lui ai dit que je pensais avoir l'homme qu'il lui fallait : toi.

— Moi ?

— Oui, je suis certain que, comme ancien du Collège Sainte-Marie, t'es capable de faire le travail, lui assura Olivier Marchand. Je vais te donner une couple de tuyaux et tu vas vite comprendre que c'est pas sorcier. Tu vas avoir à préparer quatre ou cinq papiers par semaine et l'affaire va être dans le sac. Qu'est-ce que t'en dis ?

— C'est sûr que ça m'intéresse, reconnut Jean, soulevé par une vague d'allégresse teintée tout de même d'un peu d'inquiétude. T'es certain que je suis capable de faire ça ? prit-il la précaution de demander à celui qui s'offrait pour être son mentor.

— Sans problème. On va prendre le reste de l'avant-midi pour te mettre au courant des dossiers dont je m'occupe et après ça, un peu avant midi, je vais t'amener voir mon rédacteur en chef. À ce moment-là, tu vas être bien armé pour le convaincre que t'es capable de faire le travail. Qu'est-ce que t'en dis ?

— Allons-y. Je t'écoute.

Durant près de deux heures, le journaliste parla de la campagne électorale que préparait le maire Camilien Houde pour se faire réélire à la tête de la Ville de Montréal au mois de novembre suivant, ainsi que des défis qu'il aurait à relever. Il lui résuma les déclarations incendiaires de monseigneur Charbonneau, archevêque de Montréal, qui mettait le gouvernement provincial au défi de faire quelque chose pour régler la crise du logement et la hausse du coût de la vie dans la métropole canadienne. Il l'informa des dernières affaires criminelles qui allaient occuper les tribunaux de Montréal dans les semaines à venir en lui rappelant qu'il pouvait être appelé à couvrir ces événements. Il lui parla des négociations en cours avec les pompiers et les policiers de la municipalité, ainsi que de la vaste campagne menée par les autorités municipales pour améliorer l'hygiène dans certains quartiers ouvriers.

Peu avant l'heure du dîner, un peu étourdi par toutes les informations dont on venait de le gaver, Jean fut jugé prêt à affronter le redoutable rédacteur en chef du journal.

— Méfie-toi de lui, lui chuchota Marchand avant de frapper à la porte du bureau du patron. Il est méticuleux et pas mal exigeant. En passant, je lui ai dit que t'avais un peu d'expérience. Va pas dire le contraire.

— Mais j'ai pas d'expérience, protesta Jean.

— Ben oui, t'en as. T'as juste à lui dire que t'as fait pas mal de reportages à la pige pour des journaux régionaux.

Sur ces mots, le journaliste dégingandé frappa. Jean, mal à l'aise et le visage pâle, attendit à ses côtés.

— Entrez! fit une voix de basse de l'autre côté de la porte.

Marchand ouvrit la porte et fit passer Jean Bélanger devant lui.

— Bonjour, monsieur Fiset. Je vous ai amené Jean Bélanger, le journaliste dont je vous ai parlé ce matin.

— Entrez et assoyez-vous, dit l'homme en désignant deux chaises placées devant son bureau surchargé de papiers.

Antoine Fiset était un homme âgé de quarante-cinq ans, cinquante tout au plus, posé et d'une politesse plutôt glaciale. Par ailleurs, son bureau était une sorte de havre de paix si on le comparait à la bruyante salle voisine. Il remonta ses lunettes sur son front dénudé et ses petits yeux noirs scrutèrent Jean durant un bref moment.

— Bon, j'ai pas grand temps à vous accorder, déclara l'homme d'entrée de jeu. J'attends Jacques Beauchamp pour organiser les pages sportives du numéro de demain. Quel âge avez-vous? ajouta-t-il.

— Vingt et un ans, monsieur.

Un appel téléphonique obligea le rédacteur en chef à s'interrompre et il expliqua longuement à son interlocuteur ce qu'il désirait qu'il fasse. Pendant ce temps, Jean se rappela son dernier anniversaire.

Il avait célébré son vingt et unième anniversaire de naissance sept jours plus tôt. À son retour à la maison après sa soirée de travail à la gare, il avait trouvé sur la table de cuisine divers cadeaux et son gâteau au chocolat préféré, confectionné par sa mère.

— Ton père et ton frère ont apporté ça après le souper, lui dit Reine, qui venait de quitter son lit. C'est pour ta fête.

Sur ce, elle lui avait souhaité un bon anniversaire et était retournée se mettre au lit en refusant de manger un morceau du gâteau cuisiné par sa belle-mère. Ému par tant d'attentions des siens, Jean s'était assis à table et avait ouvert les cadeaux offerts par ses parents, Lorraine et Claude avant de se verser un grand verre de lait et de manger un morceau de gâteau. Il ne fut même pas étonné de constater que Reine ne lui avait rien donné ni n'aurait rien préparé.

Antoine Fiset le tira de sa rêverie en le soumettant à une avalanche de questions qui avaient pour but de sonder l'étendue de ses connaissances du monde municipal mont-réalais. Vingt minutes plus tard, il mit fin à son enquête et sembla satisfait de ce qu'il venait d'entendre.

Pour sa part, Jean ignorait s'il s'était bien tiré d'affaire et sentait la sueur lui couler dans le dos.

— Bon, il reste à savoir maintenant si vous savez écrire, poursuivit Fiset. Quelles études avez-vous faites, monsieur Bélanger ?

— J'ai fait mon cours classique, monsieur.

— C'est pas une grosse garantie que vous savez écrire. Je verrai si vous faites l'affaire en lisant vos premiers papiers.

Le rédacteur en chef sembla réfléchir un court moment avant de déclarer en se levant :

— Je vais vous prendre à l'essai pour trois mois. Vous commencez aujourd'hui. Il y a une réunion du conseil municipal ce soir. Vous me rapporterez un papier de deux cents mots avant l'heure de tombée. Pour le salaire, il va de soi que vous commencerez au bas de l'échelle, soit vingt-cinq dollars par semaine, à part, bien sûr, les frais de déplacement. Monsieur Marchand, voyez à ce qu'on lui remette son accréditation et trouvez-lui une place où travailler, voulez-vous ?

— Oui, monsieur.

Sur ce, on frappa à la porte. Antoine Fiset tendit la main à son nouveau journaliste, signifiant ainsi la fin de l'entretien. Quand Marchand ouvrit la porte, il se retrouva en face de Jacques Beauchamp qui laissa passer les deux visiteurs avant de pénétrer dans le bureau de son patron.

À sa sortie, Jean était euphorique. Il avait la chance de commencer une nouvelle vie. Il suivit Olivier Marchand qui lui indiqua une alcôve à une faible distance de la sienne. Un vieux bureau, deux chaises et une machine à écrire en composaient l'ameublement.

— Ici, t'es chez vous, déclara le journaliste. À cette heure, viens avec moi pour qu'on te donne ton accréditation et qu'on te mette sur la liste de paye.

— Qu'est-ce que monsieur Fiset a voulu dire par frais de déplacement? lui demanda Jean pendant qu'ils se dirigeaient vers le bureau du personnel.

— Si un reportage t'oblige à rentrer chez vous ou au bureau quand les tramways circulent plus, tu prends un taxi et tu demandes un reçu et le journal te rembourse. Dans les autres cas, le journal te rembourse tes billets de tramway.

— Parfait.

Les formalités furent réglées en quelques minutes et les deux jeunes hommes quittèrent l'endroit et retournèrent vers la salle de rédaction.

— Bon, je te laisse t'organiser un peu. À cette heure, il faut que j'aille me mettre au courant des dossiers de Comeau, déclara Marchand.

— Je te remercierai jamais assez de ton aide, fit Jean en lui tendant la main. Tu peux pas savoir comme je suis content d'avoir ce travail-là.

Marchand sembla se rendre compte subitement de l'émoi de son jeune collègue et lui serra la main.

— Ah oui, deux conseils avant que je te laisse, ajouta-t-il, très solennel. Tout d'abord, parle jamais contre l'Union nationale ni contre le clergé dans tes articles. Et là, je suis sérieux! Souviens-toi toujours que le journal appartient au parti de Maurice Duplessis. Une seule critique et tu vas te retrouver dehors avant même que tu t'en rendes compte. Deuxième conseil, écris simplement, avec des mots de tous les jours. Le *Montréal-Matin*, c'est pas *Le Devoir* ou même *La Presse*. Pas de grandes phrases ou de mots savants. Nous, on écrit pour le peuple. Tu vas vite t'apercevoir que Fiset acceptera pas que tu cherches à épater. Dis-toi bien que ton article, c'est pas une dissertation comme au collège.

— J'ai compris.

— Parfait. De toute façon, à soir, quand tu reviendras au journal, tu pourras venir me montrer ton papier avant de le donner à Fiset. Moi, je pars toujours après l'heure de tombée. Perds pas ton temps après la réunion du conseil. Reviens vite et, en chemin, prépare ton papier dans ta tête si tu veux être prêt à temps. Souviens-toi de la règle d'or qu'un reporter doit respecter. Toujours répondre dans ton papier aux questions : Qui ? Quoi ? Où ? Quand ? Comment ? Et pourquoi ?

— Merci, je m'en souviendrai, promit Jean. Ah ! Un dernier détail. Comment fait-on pour les heures de présence au journal ?

— Habituellement, tu te pointes ici vers huit heures et tu te présentes au bureau du rédacteur en chef qui te confie du travail. J'ai vu que t'avais l'air surpris du salaire que t'allais gagner, mais dis-toi bien que c'est pas si bien payé que ça quand tu calcules que tu es en devoir presque sept jours sur sept. Bien sûr, tu vas avoir droit à des jours de congé quand il n'y a rien de prévu sur la scène municipale. Après ta rencontre avec Fiset le matin, tu peux faire ce que tu veux de ta journée et préparer ton travail comme tu l'entends, pourvu que tu remettes ton article à l'heure. Là, tu sais ce que t'as à faire aujourd'hui.

— C'est parfait, conclut Jean avec un sourire.

Dès que Marchand eut tourné les talons, il vérifia la bonne marche de la machine à écrire et la présence d'une rame de papier dans l'un des tiroirs du bureau avant de décider de se rendre au bureau du personnel du Canadien National pour signifier qu'il abandonnait son travail.

Une heure plus tard, il pénétra dans le bureau d'Aimé Corriveau, passablement étonné de le voir.

— Ne viens pas me dire que t'as encore des problèmes avec ton *boss*? fit-il en retrouvant le tutoiement qu'il avait abandonné lors de sa dernière visite.

— Non, monsieur Corriveau. Je m'entends très bien avec monsieur Demers. Je viens plutôt juste vous prévenir que j'arrête de travailler pour le Canadien National.

— Tiens!

— J'ai trouvé un emploi de journaliste et je vais essayer de me faire un nom, expliqua Jean avec une fierté évidente.

— C'est correct, fit le directeur du personnel en lui tendant la main. Je te souhaite bonne chance. T'as juste à passer à côté pour qu'on te paie ce qu'on te doit.

— Merci, monsieur.

Aimé Corriveau lui tendit la main et Jean quitta le bureau. Après un bref arrêt au comptoir de la pièce voisine pour prendre possession de la somme qu'on lui devait, il quitta sans regret la gare Windsor. Le cœur léger, il rentra à la maison au début de l'après-midi.

— Ça a bien pris du temps, cet examen-là, dit Reine en train de ranger la nourriture que son jeune beau-frère venait de lui apporter à titre de livreur de l'épicerie Drouin.

— T'es allée faire tes commissions un mercredi? s'étonna Jean sans se donner la peine de répondre.

— Au cas où tu le saurais pas, demain, tout va être fermé à cause de la Saint-Jean-Baptiste, et même vendredi, les épiceries ouvriront pas.

Jean s'assit au bout de la table et s'alluma une cigarette. Il laissa sa femme finir son rangement. Au moment où elle allait allumer la radio, il s'interposa.

— Attends, lui dit-il. J'ai quelque chose à te dire.

— Qu'est-ce qu'il y a ? demanda-t-elle, agacée.

— À matin, je suis pas allé à un examen médical, lui avoua-t-il. Je suis allé passer une entrevue pour une nouvelle *job*.

— Bon, v'là autre chose, fit-elle, apparemment inquiète.

— À partir d'aujourd'hui, je suis journaliste au *Montréal-Matin*. J'ai lâché le Canadien National.

Reine fut trop étonnée pour formuler la moindre remarque durant un long moment. Finalement, elle surmonta sa surprise pour demander du tac au tac à son mari :

— Est-ce que c'est plus payant que le Canadien National ?

— Oui, un peu plus, mais seulement à la fin de l'été, quand je serai permanent, mentit-il. Là, je vais gagner quinze piastres par semaine, comme au Canadien National.

Durant le trajet qui l'avait ramené à la maison, le jeune homme avait décidé de cacher à sa femme qu'il allait gagner chaque semaine dix dollars de plus qu'à l'emploi qu'il venait de quitter. Depuis son mariage, il en avait assez de calculer le moindre cent. Reine avait décidé, à titre de responsable des finances familiales, qu'il avait assez de deux dollars chaque semaine pour payer son transport et acheter son tabac. Dorénavant, il aurait un montant confortable à sa disposition pour faire face aux imprévus et il n'aurait plus à quémander à celle qui tenait les cordons de la bourse un peu trop serrés à son goût.

— Si je comprends bien, il y a pas grand avantage à avoir changé d'ouvrage, reprit sa femme d'une voix acide. Tu gagneras pas une cenne de plus.

Cette remarque de Reine le mit en colère.

— Aïe ! Reine Talbot, réveille-toi, calvince ! Depuis qu'on est mariés, t'arrêtes pas de me faire comprendre que t'as honte de me voir laver des planchers. Là, j'ai une *job* de journaliste et tu trouves encore à chialer !

— Ben non, je critique pas. Mais je pensais que ce serait mieux payé. Là, j'ai préparé du pâté au saumon pour dîner, ajouta-t-elle en changeant de sujet de conversation. En veux-tu ou t'aimes mieux attendre le souper ?

— J'ai faim, se contenta-t-il de dire. De toute façon, je serai pas ici pour souper. À soir, je dois aller à la réunion spéciale du conseil municipal et rentrer au journal pour écrire mon premier article, qui doit être remis avant la fin de la soirée. Je sais même pas à quelle heure je vais rentrer.

— Est-ce que ça va être comme ça tous les jours ? demanda-t-elle.

— Je le sais pas. Mon ouvrage va être de couvrir tout ce qui se passe en ville.

— Ça va être le fun encore de jamais savoir quand tu vas rentrer manger, laissa-t-elle sèchement tomber.

Avant de dresser son couvert, la jeune femme alluma enfin la radio. De son côté, Jean était amèrement déçu. Il avait naïvement cru que sa femme serait aux anges d'apprendre qu'il était parvenu à décrocher un emploi plus valorisant que celui qu'il exerçait. Il aurait dû s'en douter, c'était d'abord l'argent qui l'intéressait. Il était certain qu'elle se serait beaucoup plus réjouie s'il lui avait dit qu'il gagnerait vingt-cinq dollars par semaine...

À la fin de l'après-midi, il annonça à Reine qu'il devait partir sans lui mentionner que son intention était de s'arrêter chez ses parents pour leur apprendre la bonne nouvelle. Comme il s'y était attendu, son père et sa mère furent enchantés d'apprendre que son nom allait se retrouver au bas de certains articles publiés dans le *Montréal-Matin*.

— Je pense même que je vais essayer de lire ce journal-là de temps en temps au lieu de *La Presse* ou *La Patrie*, promit Félicien.

— Quand je vais dire ça à la famille, reprit Amélie, toute fière, ça va jaser, je te le garantis.

— Comment ta femme a pris ça ? fit son père, curieux. Je suppose qu'elle doit être pas mal contente.

— Oui, pas mal, répondit Jean, sans en dire plus.

Amélie lança un coup d'œil à son mari. Au ton de la voix de son fils, elle avait compris que Reine n'avait pas manifesté un grand enthousiasme en apprenant la nouvelle.

Ce soir-là, Jean Bélanger, armé d'un calepin et d'un crayon, alla prendre place dans la salle du conseil à l'hôtel de ville de Montréal. Il écouta les débats avec soin et prit en note les points importants du rapport des inspecteurs municipaux faisant état de l'insalubrité d'un bon nombre de logements dans le sud-ouest de la ville. À la fin de la réunion somme toute assez brève, il se joignit aux quelques journalistes qui tinrent à poser quelques questions au maire, Camilien Houde. Ce dernier répondit avec sa jovialité habituelle.

Le journaliste en herbe rentra sans tarder au journal et s'empressa d'écrire l'article d'une vingtaine de lignes exigé par le rédacteur en chef. Quand il l'eut terminé, il passa devant l'alcôve occupée par Olivier Marchand et lui demanda de jeter un coup d'œil à son texte. Ce dernier le lut et l'approuva.

— Ça devrait faire l'affaire, laissa-t-il tomber. Normalement, Fiset devrait l'accepter.

Encouragé, Jean alla frapper à la porte d'Antoine Fiset et lui tendit son article. Ce dernier le lut rapidement.

— C'est correct, fit-il d'une voix neutre. La prochaine fois, je veux une introduction mieux structurée et plus de *punch* dans la conclusion. Demain, tu vas aller t'installer au début du défilé de la Saint-Jean-Baptiste et tu vas me décrire les chars allégoriques les plus intéressants. Après, éloigne-toi et mêle-toi aux gens dans la foule pour prendre le pouls de leurs réactions. Trouve un bon petit mot pour le garçon qui fait le saint Jean-Baptiste et parle aussi de l'accueil qu'on va réserver au maire qui devrait suivre le défilé dans une voiture ouverte. Tu me pondras un papier d'environ trois cents mots là-dessus.

— Entendu, monsieur Fiset.

À sa sortie du bureau, Jean fut intercepté par Marchand.

— Il l'a pris ?

— Oui, mais on dirait qu'il a pas aimé mon introduction et ma conclusion.

— C'est normal, le rassura son confrère. Attends-toi à ce qu'il critique tout ce que tu vas écrire durant ta période d'essai. Il fait ça avec tous les nouveaux. Je te garantis que tu vas apprendre pas mal de choses avec lui. C'est un excellent professeur et il est capable de faire de toi un bon journaliste.

Jean rentra chez lui un peu après minuit, heureux de cette première journée au journal. Il était déjà en train d'oublier les cinq derniers mois passés à la gare.

Chapitre 26

Une nouvelle vie

Le mois de juillet 1947 s'annonçait comme le mois le plus chaud que la métropole ait connu depuis bien longtemps. Depuis près de deux semaines, Montréal étouffait sous une humidité suffocante qui semblait ne jamais vouloir finir. Cette véritable canicule fit en sorte que la démission, le 7 juillet, d'André Laurendeau, le chef provincial du Bloc populaire, passa presque inaperçue tant les gens souffraient de la chaleur.

— Si encore il y avait un orage de temps en temps, se plaignit Reine en s'épongeant le front, on respirerait mieux. Mais là, on crève du matin au soir.

— Au moins, tu peux rester tranquillement à la maison sans avoir à courir, répliqua Jean, agacé par ses jérémiades.

Depuis son entrée en fonction comme journaliste au *Montréal-Matin*, ce dernier réalisait progressivement que cette profession avait des exigences autrement plus grandes que ce qu'il avait imaginé. S'il avait cru un instant que le seul fait d'avoir fait pratiquement tout son cours classique en faisait un journaliste accompli, Antoine Fiset lui prouvait quotidiennement le contraire en l'obligeant à rédiger à nouveau certains articles qu'il jugeait mal structurés ou bâclés. Bref, le journaliste néophyte était d'autant plus tendu qu'il craignait chaque jour que son patron mette fin à sa période d'essai et le renvoie sur le marché du travail.

Par ailleurs, Jean devait reconnaître que sa femme s'était facilement pliée à son nouvel horaire de travail. Elle avait même fini par tirer une certaine fierté de son changement de situation et montrait volontiers à ses parents et connaissances les articles signés par son mari dans le quotidien montréalais. Profitant de ces nouvelles bonnes dispositions, ce dernier l'avait convaincue de rendre des visites régulières autant à ses propres parents qu'aux siens.

Pour lui montrer qu'il appréciait à sa juste valeur cette heureuse métamorphose, il ne rechignait plus à l'accompagner en soirée au parc La Fontaine tout proche quand son horaire de travail le lui permettait. Grâce à ses érables centenaires et à ses canaux, le parc était l'endroit idéal pour profiter d'un peu de fraîcheur. Certains soirs, le jeune homme aurait aimé louer un canoë et sillonner paresseusement les canaux en compagnie de sa femme, mais Reine refusait obstinément de débourser les vingt-cinq cents exigés pour la location. Même s'il possédait maintenant suffisamment d'argent pour assumer cette dépense, il préférait ne pas le faire pour ne pas mettre la puce à l'oreille de sa femme. Par conséquent, ils finissaient toujours par aller s'asseoir près du kiosque où une fanfare venait jouer à la tombée de la nuit. Ils demeuraient là de longues minutes à admirer les jeux de lumière sur ce que les Montréalais appelaient la fontaine lumineuse.

En somme, près de trois mois après son mariage, le jeune couple finit par établir une sorte de tradition. Il prit l'habitude de consacrer un soir par semaine à une courte visite familiale. Pour y parvenir, Jean avait dû tout de même insister longuement auprès de sa femme et même la menacer de la laisser seule à l'appartement. Ainsi, le mari et la femme avaient commencé à aller veiller sur la galerie des Bélanger et sur celle des Talbot assez régulièrement.

Quand Félicien voyait son fils et sa bru tourner au coin de la rue Brébeuf, il ne pouvait s'empêcher de murmurer à sa femme :

— Maudit qu'elle a l'air fraîche. Regarde-la, on dirait qu'elle porte pas à terre.

— Voyons, p'pa, elle est pas si pire que ça, disait Lorraine, assise avec ses parents sur la galerie pour prendre l'air.

En prononçant ces paroles, il était évident que la jeune femme n'éprouvait pas beaucoup de sympathie pour sa jeune belle-sœur qui se montrait toujours assez froide avec les Bélanger. À l'exemple de sa mère, elle ne tolérait Reine que par amour pour son frère.

— En tout cas, ça me surprendrait pas pantoute que Jean soit obligé de lui tordre le bras pour venir nous voir, dit un jour le facteur.

— Ça, ça nous regarde pas, Félicien, avait rétorqué Amélie. Si elle veut que Jean aille avec elle chez les Talbot, elle doit s'habituer à venir nous voir avec lui.

Amélie regarda attentivement sa bru s'approchant, pendue au bras de son mari. Elle ne put que constater que Reine se déplaçait la tête bien droite, le dos cambré et le visage fermé. Les quelques voisins qui connaissaient les deux jeunes gens les saluaient au passage, mais ils ne recevaient en échange qu'un bref salut de la tête de Reine.

Bref, depuis trois semaines, Jean et sa femme avaient donc pris l'habitude de venir rendre visite aux Bélanger une heure ou deux chaque semaine et on en profitait pour échanger les dernières nouvelles. Souvent, Félicien abordait les sujets traités dans les derniers articles signés par son fils, lui prouvant ainsi qu'il avait définitivement abandonné la lecture de *La Presse*.

Le jeune couple faisait exactement la même chose avec les Talbot. Quand Jean et sa femme descendaient chez eux pour veiller, ils le faisaient par l'escalier arrière parce qu'ils étaient sûrs d'y trouver Fernand et Yvonne déjà installés sur la galerie qui donnait sur la ruelle. Yvonne se cantonnait à une extrémité du balcon en compagnie de sa fille pendant que Jean prenait place près de son beau-père en train de fumer béatement l'un de ses gros cigares Tip-Top malodorants. La conversation avec le commerçant de la rue Mont-Royal n'était pas aisée parce que ce dernier ne faisait pas grand effort pour l'alimenter. Il ne s'intéressait à ce que lui disait son gendre que lorsque ce dernier abordait l'actualité municipale.

～∽

Au milieu de la troisième semaine de juillet, la chaleur humide n'avait pas encore desserré son étau sur la région montréalaise et les gens avaient l'impression de vivre dans une véritable fournaise. Cependant, il y avait de l'espoir depuis quelques heures parce que le ciel s'était couvert de lourds nuages cuivrés. Peut-être allait-on enfin avoir de la pluie.

À peine le souper terminé, Félicien et Amélie s'étaient empressés de sortir leurs chaises berçantes sur leur galerie pour tenter de profiter du petit courant d'air. Claude, propriétaire depuis le début des vacances d'une vieille paire de patins à roulettes, avait pris la direction du parc La Fontaine avec des amis, malgré la chaleur, dans l'intention de s'amuser dans les allées récemment asphaltées. Lorraine n'était pas rentrée manger à la maison. Christian devait l'emmener au cinéma après sa journée de travail chez Messier.

— Dis donc, fit soudain Amélie, son tricot sur les genoux et la tête tournée vers la rue Mont-Royal, c'est pas ta mère et Rita qui s'en viennent ?

Son mari leva les yeux de son journal pour regarder dans la même direction qu'elle. Il reconnut immédiatement les deux femmes qui s'avançaient sans se presser sur le trottoir.

— Ma foi du bon Dieu, c'est ben trop vrai ! s'exclama-t-il. Veux-tu ben me dire à quoi a pu penser Rita de laisser sortir la mère par une chaleur pareille. Bâtard ! Il me semble qu'une garde-malade devrait être assez intelligente pour pas laisser marcher une femme de soixante-seize ans en plein soleil quand il fait aussi chaud.

Le postier abandonna son journal sur sa chaise et s'empressa de descendre l'escalier pour aller à la rencontre de sa vieille mère.

— Bonsoir, m'man, la salua-t-il en l'embrassant sur une joue. Bonsoir, Rita. Vous êtes braves en sacrifice de faire vos visites de politesse quand on crève de chaleur comme ça, ajouta-t-il en jetant un regard désapprobateur à sa sœur.

— Regarde-moi pas comme ça, lui ordonna sa sœur bien en chair. J'ai bien essayé de la faire changer d'idée, mais tu la connais. Elle écoute jamais, elle est têtue comme une mule.

— Aïe ! protesta Bérengère, toujours aussi irascible. Je suis pas une enfant et j'ai pas besoin qu'on me dise ce que j'ai à faire. Il fait beau. J'ai décidé de venir voir comment Jean et sa petite femme se débrouillaient. Viens donc nous montrer où ils restent, conclut-elle en s'immobilisant au pied de l'escalier tournant qui conduisait chez les Bélanger.

— Je sais pas trop s'ils sont là à soir, m'man, fit Félicien, qui ne savait pas trop comment sa bru allait prendre cette visite impromptue.

— Le meilleur moyen de le savoir, c'est d'aller sonner à leur porte, répliqua la vieille dame. Si ça répond pas, ça veut dire qu'ils sont pas là ou qu'ils veulent pas nous voir, d'après moi, ajouta-t-elle, sarcastique. Envoye! On n'est pas pour prendre racine sur le trottoir.

— Attendez une seconde, m'man. Amélie va venir avec nous autres.

Félicien leva la tête à temps pour voir sa femme se pencher au-dessus du garde-fou.

— Viens avec nous autres, lui dit-il. On va faire un saut chez Jean.

Amélie salua les visiteuses, verrouilla la porte et descendit les rejoindre au pied de l'escalier. Tous les quatre retournèrent rue Mont-Royal et Félicien sonna chez son fils en espérant que ce soit ce dernier qui réponde. La chance lui sourit, Jean déclencha l'ouverture de la porte et eut la bonne idée de s'exclamer avec bonne humeur en apercevant les visiteurs debout au pied de l'escalier.

— Ah ben, de la belle visite! Montez donc, les invita-t-il. Vous allez voir que l'air est pas mal plus frais ici, en haut.

Quelques secondes plus tard, Reine apparut sur le palier et regarda les quatre visiteurs monter lentement la double volée de marches sans manifester trop de plaisir. L'ascension était passablement ralentie par la grand-mère qui avait le souffle court.

— Mon Dieu que vous restez haut! ne put-elle s'empêcher de dire en posant le pied sur le palier du second étage. Si ça a du bon sens d'obliger le monde à grimper aussi haut.

Jean avertit sa femme du regard de ne pas répliquer, ce qu'elle s'apprêtait à faire.

— Venez vous asseoir au salon. La fenêtre est ouverte et il fait pas trop chaud, invita Jean en précédant ses parents, sa grand-mère et sa tante dans la pièce qui donnait sur la façade de l'immeuble.

Reine embrassa du bout des lèvres les quatre personnes qui venaient de franchir le pas de sa porte et leur offrit un verre de citronnade pour se rafraîchir. Amélie se rendit compte tout de suite que sa belle-mère lorgnait sans aucune gêne la taille de sa bru, comme si elle tentait de déceler une prochaine grossesse.

— Vous êtes pas venues en p'tits chars, j'espère ? dit Jean à sa tante et à sa grand-mère.

— Tu penses tout de même pas, mon garçon, qu'on allait prendre un taxi, rétorqua Bérengère. On n'est pas riches au point de jeter notre argent par les fenêtres.

Reine revint en portant des verres de citronnade sur un plateau et chacun se servit en la remerciant.

— Puis, comment t'aimes ça être journaliste ? lui demanda sa tante Rita.

— Je suis juste à l'essai, ma tante, mais c'est pas mal intéressant.

— Tes tantes me lisent ce que t'écris dans le drôle de journal…

— Ta grand-mère appelle le *Montréal-Matin* un drôle de journal parce qu'il est tout petit, expliqua Rita Bélanger à son neveu.

— C'est sûr qu'il est plus petit que les autres journaux, mais c'est pour permettre aux travailleurs qui voyagent en tramway de pouvoir le lire plus facilement, grand-mère.

— Elles me lisent ce que t'écris parce que je commence à avoir de la misère avec mes yeux, même avec des lunettes. Je te dis que c'est pas drôle de vieillir, ajouta-t-elle, la mine sombre.

— Voyons, m'man, vous allez tous nous enterrer, voulut la consoler Félicien.

— J'y tiens pas pantoute, conclut sèchement la vieille dame.

Les visiteurs demeurèrent sur place une trentaine de minutes avant de prendre congé. Au moment de partir, Bérengère tint à dire à son petit-fils :

— On reste toujours sur Saint-Urbain, mon garçon. C'est pas au bout du monde. Viens donc avec ta femme veiller un bon soir. Ça nous fera plaisir de vous recevoir. L'invitation est bonne pour vous aussi, dit-elle à l'intention de Félicien et d'Amélie.

Au moment de tourner au coin de Brébeuf, cinq minutes plus tard, Bérengère annonça à son fils et à sa bru :

— Bon, on va vous souhaiter le bonsoir.

— Ben voyons, madame Bélanger, vous allez au moins venir manger un morceau de gâteau et boire une tasse de café avant de vous en retourner, protesta Amélie.

— T'es ben fine, Amélie, mais ce sera pour une autre fois, refusa la mère de Félicien. Je sais pas si je me trompe, mais on dirait que l'orage est à la veille d'arriver. À part ça, je pense que j'ai monté assez d'escaliers à soir. On va plutôt essayer de rentrer à la maison avant que la pluie nous tombe dessus.

— Merci, Amélie, intervint Rita qui avait été passablement silencieuse durant toute la brève visite. Je pense que ma mère a raison. Il est à la veille de mouiller.

Félicien et Amélie étaient restés à discuter avec leurs visiteuses en attendant le prochain tramway. Ils ne se décidèrent à rentrer chez eux que lorsque ce dernier eut démarré vers l'ouest en emportant Rita et Bérengère.

— C'est drôle pareil que ma mère vienne nous voir en pleine semaine, surtout quand il fait aussi chaud, dit Félicien en se dirigeant vers la rue Brébeuf.

— Tu sais bien qu'elle est pas venue pour nous autres, le corrigea sa femme, qui marchait main dans la main avec son mari.

— Si c'était pour voir Jean, elle aurait pu attendre un peu, poursuivit le postier en s'allumant une cigarette.

— À mon avis, elle venait surtout pour voir Reine, laissa tomber Amélie.

— Pourquoi ?

— Sainte bénite, Félicien. On dirait que tu connais pas ta mère ! Tu sais bien qu'elle devait croire que Jean et Reine se sont mariés obligés. Elle est pas folle, ta mère. Elle a attendu assez longtemps pour que l'état de notre bru paraisse. Là, à soir, elle est venue voir si Reine était à la veille d'accoucher.

— Si c'est vrai ce que tu dis là, elle a dû être pas mal déçue, ajouta Félicien en abandonnant la main de son épouse pour prendre les clés de l'appartement.

— Peut-être pas, fit sa femme d'une voix pensive. Elle doit surtout se demander pourquoi Jean s'est marié si vite s'il était pas obligé de le faire. En tout cas, laisse faire. On finira bien par savoir le fin mot de l'histoire par Camille ou Rita quand on les verra seules.

Amélie finissait à peine de parler que le ciel devint brusquement tout noir.

Un éclair zébra le ciel et le tonnerre gronda à l'ouest et presque en même temps quelques grosses gouttes de pluie vinrent s'écraser sur les marches de l'escalier alors qu'Amélie et Félicien ouvraient la porte de l'appartement.

Pour profiter du temps finalement plus frais grâce à cette pluie, les époux Bélanger s'installèrent sur la galerie, repoussant les chaises berçantes plus près du mur où ils étaient protégés de la pluie par le balcon des Lussier.

— J'espère que Claude sera pas assez bête pour aller se mettre en dessous d'un arbre, dit Amélie, inquiète, en regardant la pluie qui s'intensifiait progressivement.

Plusieurs éclairs accompagnés de coups de tonnerre précédèrent subitement un véritable déluge. Le ciel venait d'ouvrir ses vannes et un vent violent poussait le rideau opaque de pluie à l'horizontale. Soudain, la rue Brébeuf s'était vidée de tous ses passants et des enfants qui s'amusaient quelques minutes plus tôt sur les trottoirs. La pluie dansait dans la rue et claquait sur les toits des automobiles.

— Il me semble qu'on respire déjà mieux, dit Amélie.

Un bruit de course la fit étirer le cou pour voir qui courait sur le trottoir. Elle n'eut pas à s'interroger très longtemps. Il y eut une cavalcade dans l'escalier et Claude apparut sur le balcon, les patins sur l'épaule, trempé de la tête aux pieds.

— Tu parles d'un insignifiant ! s'écria sa mère en l'apercevant. T'étais pas capable d'attendre que ça se calme avant de t'en venir ? Regarde de quoi t'as l'air, sans-dessein !

— Où est-ce que vous vouliez que j'aille, m'man ? J'étais déjà sur la rue Rachel quand ça a commencé à tomber.

— Va te changer et essaye au moins de pas mouiller mon plancher partout, lui ordonna sa mère.

— Je sais pas ce qu'on va faire avec ce numéro-là, dit Amélie à son mari quand l'adolescent eut disparu dans l'appartement.

Depuis le début de l'été, Claude travaillait six jours par semaine à transporter les commandes des clients de l'épicerie Drouin avec une bicyclette pourvue d'un grand panier métallique à l'avant. Il grandissait et adoptait de plus en plus des airs frondeurs, ce qui avait le don d'agacer sa mère.

∾

Ce soir-là, chez Jean, Reine avait ramassé les verres des invités dans le salon et les avait lavés sans faire de commentaire sur la visite inopinée que la grand-mère et la tante de son mari venaient de leur rendre. La jeune femme s'était aperçue que la vieille dame l'avait reluquée un long moment et avait semblé déçue de ne pas voir ce qu'elle croyait probablement trouver. Après avoir rangé les verres, elle se préparait à sortir sur la galerie quand Jean rentra précipitamment.

— Il commence à mouiller, se contenta-t-il de lui dire.

Comme il n'existait aucune protection au-dessus de leur galerie, ils n'avaient d'autre choix que d'attendre que la pluie cesse avant de sortir.

— Il va faire plus frais et on va peut-être enfin mieux dormir, dit Reine en se dirigeant vers la radio pour l'allumer.

☙

À la fin de la semaine suivante, au moment où il rentrait du travail, Jean trouva sa belle-mère en train de siroter une tasse de thé, assise au bout de la table de la cuisine. Il était plus de sept heures et il n'avait pas encore soupé. Reine lui servit son repas.

— Vous mangez pas avec nous? offrit-il par politesse à Yvonne Talbot.

— On a déjà mangé, s'empressa de lui préciser Reine. T'arrives juste au moment où j'allais te laisser un billet. On s'en va chez Estelle. Lorenzo s'en vient nous chercher.

— Dites-moi pas que c'est enfin le temps? demanda-t-il encore poliment.

Selon Reine et sa mère, Estelle était en retard d'une dizaine de jours pour donner naissance à son premier enfant. Les Caron étaient inquiets, mais pas autant qu'Yvonne qui tournait en rond dans son appartement, en attente de l'annonce de la délivrance de son aînée. Évidemment, Reine participait à tout cela et rendait de fréquentes visites à sa mère durant la journée pour s'informer.

— Charles a téléphoné à Lorenzo pour lui dire que le travail était commencé et on a décidé d'aller aider, dit Yvonne avec une certaine hauteur.

— Charles vous attend toutes les deux ? s'étonna Jean.

— Non, répondit Reine. Il s'attend juste à ce que ma mère y aille pour aider Estelle à se relever, mais je pense que je serai pas de trop, ajouta-t-elle avec assurance.

— Et votre mari, madame Talbot ?

— Mon mari est au magasin jusqu'à neuf heures, comme tous les vendredis, dit Yvonne. Il est capable de se débrouiller quelques jours sans moi.

Finalement, Reine ne revint à la maison que le lendemain et Jean ne la vit qu'à l'heure du souper, alors qu'il rentrait du journal, au moment où elle venait à peine de se lever.

— Es-tu revenue tard de chez ta sœur ? lui demanda-t-il.

— À dix heures à matin.

— Puis ?

— Estelle a eu un garçon. Elle a accouché vers six heures à matin. Le travail a arrêté au milieu de la nuit et il est reparti tôt dans la matinée. Je te dis que Charles était nerveux.

— Ta mère est restée à Saint-Lambert ?

— Oui, pour la semaine complète. Mais Charles a décidé de venir me conduire après le déjeuner.

— Tu pourrais peut-être offrir à ton père de venir manger avec nous autres si ta mère est pour rester avec ta sœur.

— Ben non, il y a pas de raison qu'on le nourrisse pour rien. De toute façon, je suis sûre que ma mère lui a préparé toutes sortes d'affaires à manger. Il est capable de se débrouiller tout seul.

Jean n'insista pas. Après tout, il s'agissait du père de sa femme et non du sien.

— Qui va être parrain et marraine ? demanda-t-il à Reine pendant qu'elle sortait une poêle de l'armoire.

— Charles a dit que c'était son père et sa mère. C'est normal, c'est un garçon. Ils vont le faire baptiser dimanche prochain. Il m'a demandé d'être la porteuse. Comme ils ont les moyens, Estelle et lui vont faire un gros baptême. Ils vont inviter toute la parenté chez eux et ils ont dit qu'ils commanderaient un buffet.

— C'est beau avoir de l'argent, laissa tomber Jean.

— Tu vas enfin pouvoir voir leur maison. C'est quelque chose, précisa-t-elle avec un air d'envie.

— As-tu pensé qu'il va falloir que t'ailles acheter un beau cadeau pour le petit ?

Les traits de Reine se figèrent légèrement quand elle entendit ces paroles. De toute évidence, elle n'avait pas songé à cela.

— Cet enfant-là va avoir tout ce qu'il va lui falloir, dit-elle. C'est peut-être pas nécessaire qu'on lui achète quelque chose.

— Voyons donc, Reine ! On donne toujours un cadeau quand ça arrive.

— Ma mère et mon père vont certainement acheter un cadeau. Ça pourrait faire pour toute la famille.

— Il en est pas question, s'insurgea son mari. On n'est pas pour passer pour des gratteux.

— Je sais pas, moi, ce qu'on devrait lui acheter.

— Achète-lui un ensemble pour bébé. Robillard, au journal, disait justement que sa femme, qui vient d'accoucher, a reçu des ensembles pour leur petite fille et qu'elle est ben contente de ça.

— C'est cher, cette affaire-là.

— Ça doit pas être si cher que ça.

Le lendemain, Reine montra à son mari un joli petit ensemble en lainage bleu qu'elle tira d'une boîte.

— J'espère que t'es content, là. Ça m'a coûté quatre piastres.

— C'est pas si cher, dit-il en admirant le vêtement et le bonnet.

— C'est cher, le contredit sa femme. Je pensais payer pas mal moins cher. Je suis allée chez Messier et j'ai demandé à ta sœur de me faire profiter du rabais que les employés ont quand ils achètent là. J'ai sauvé cinquante cennes.

Jean la scruta pour s'assurer qu'elle ne plaisantait pas avant d'éclater.

— Ah ben, calvince ! J'aurai tout entendu ! T'as pas honte d'aller déranger ma sœur et de quêter pour cinquante cennes ? Moi, à ta place, j'aurais été gêné ! Quand tu la rencontres chez mon père, c'est tout juste si tu lui parles. En plus, tu l'as même jamais invitée à venir faire un tour chez nous.

— Pour une fois qu'elle pouvait être utile, fit Reine, pourquoi je me serais gênée ?

— On n'est pas si pauvres que ça, bâtard ! s'emporta-t-il. Arrête de gratter la moindre cenne comme si on était dans la misère noire.

Reine ne se donna pas la peine de lui répondre. Elle remit l'ensemble dans son papier de soie et referma la boîte avant d'emporter le tout dans leur chambre à coucher.

Le dimanche après-midi suivant, Jean aurait bien aimé pouvoir couper à la corvée d'assister au baptême de son neveu, mais il fut incapable de trouver une raison valable pour refuser de monter dans la Chevrolet de son beau-frère Lorenzo quand il vint sonner à leur porte. Il avait toujours sur le cœur le refus de sa belle-sœur et de son mari de l'inviter au dîner de Pâques sous prétexte qu'il n'appartenait pas encore à la famille.

— Salut, les jeunes, dit Lorenzo avec bonne humeur en pénétrant dans le couloir après que Jean lui eut ouvert la porte. Traînez pas trop, le pont va être bloqué et on va arriver en retard au baptême. P'pa est déjà dans le char et il nous attend.

Reine était déjà prête. Son père l'avait prévenue la veille que son frère allait venir les prendre pour les conduire à Saint-Lambert.

— Je le trouve pas mal serviable, ton frère, avait alors dit Jean qui trouvait son beau-frère plutôt sympathique, même s'il ne l'avait guère vu depuis son retour de voyage de noces. Il est pas obligé de jouer encore une fois au chauffeur de taxi.

— Ça lui coûte pas plus cher de *gas*, rétorqua sa femme. De toute façon, il doit y aller au baptême.

— Je te dis, toi… commença le journaliste, mais il préféra ne pas compléter sa pensée.

En arrivant près de l'auto de Lorenzo, Jean découvrit son beau-père déjà installé sur la banquette arrière de la Chevrolet rouge vin. Il s'aperçut alors que le côté passager de la banquette avant était occupé par Rachel, l'amie de son beau-frère. Il la salua et cette dernière lui répondit avec un large sourire.

Reine aperçut la jeune femme en même temps que lui et son sourire se figea, probablement au souvenir que la femme élégante au visage agréable était mariée et séparée de son mari. Sans dire un mot, elle se glissa à l'arrière du véhicule et Jean vint la rejoindre.

— Vous reconnaissez Rachel ? demanda Lorenzo par politesse.

Si Reine répondit à peine à l'accueil chaleureux de la femme, Jean s'empressa de prendre de ses nouvelles. Il aimait le charme et la distinction que dégageait Rachel Rancourt. Sa manière d'être et son profil délicat lui rappelaient douloureusement Blanche Comtois…

En ce début de dimanche après-midi du mois d'août, Lorenzo eut de la chance. Il n'eut à attendre qu'une dizaine de minutes avant de pouvoir traverser le pont Jacques-Cartier et prendre la direction de la rue Victoria, à Saint-Lambert. Quand l'automobile s'immobilisa le long du trottoir, six voitures étaient stationnées tant dans l'allée à gauche d'une maison en pierre à un étage que devant cette dernière. Tous descendirent. Pendant que Lorenzo et son père encadraient Rachel Rancourt, Reine retint Jean un peu en arrière pour lui glisser à voix basse :

— Il faut être effronté comme lui pour amener une femme comme ça au baptême. Quand ma mère va apprendre quel genre de femme c'est, elle va en faire une maladie.

— C'est pas de nos maudites affaires, rétorqua Jean, agacé. Moi, je la trouve ben correcte, cette femme-là.

— Moi, je trouve ça écœurant, trancha Reine en se mettant en marche vers la maison.

Pendant qu'ils se dirigeaient vers le domicile des Caron, Jean en examina l'extérieur. À son avis, il s'agissait d'une maison bien ordinaire et il comprenait mal que tous les Talbot s'entêtent à appeler ça un château. À côté de la maison des Comtois à Outremont, c'était une demeure de qualité, mais sans plus. Cependant, il ne put pas se faire immédiatement une opinion sur l'intérieur de la résidence de son beau-frère parce que les invités sortirent au même moment de l'endroit pour monter dans leurs voitures dans l'intention de se rendre à l'église.

Reine apparut sur le balcon en pierre en portant l'enfant qui allait se faire baptiser. Elle le prévint qu'elle montait dans la voiture du parrain et de la marraine avant de s'engouffrer dans une grosse Buick bleu nuit.

La cérémonie passa rapidement et on fit grand cas de ce que le bébé n'avait pas crié quand le prêtre avait fait couler de l'eau sur son front. Durant la cérémonie, Jean constata avec un certain malaise qu'à aucun moment un sourire d'attendrissement n'était venu adoucir le visage de sa femme quand elle regardait l'enfant qu'elle portait. D'ailleurs, de retour à la maison, elle s'empressa de le déposer dans les bras de la mère de Charles, qui se mit aussitôt à le cajoler.

Tout en servant des rafraîchissements aux invités, l'hôte expliqua qu'on avait donné le prénom de Thomas à son fils en l'honneur de son grand-père paternel. Au moment où Estelle se retirait dans sa chambre pour nourrir le bébé, son mari invita tout le monde à venir s'installer dans la cour arrière où le traiteur avait dressé une longue table chargée de victuailles. Même si on n'était qu'au milieu de l'après-midi, chacun fit honneur au buffet.

Jean avait craint d'être un peu snobé autant par les Grenier que par les Talbot et les Caron. Il ne connaissait pas la famille du dentiste, mais il se rappelait trop bien à quel point les Talbot et les Grenier l'avaient regardé de haut à ses noces. Cependant, il n'en fut rien. Il fallait croire que son beau-frère et ses beaux-parents avaient parlé à plusieurs de son travail de journaliste parce qu'on l'accueillit avec plaisir et on lui posa de nombreuses questions tant sur l'administration municipale que sur l'affaire Roncarelli.

— Duplessis a eu raison de demander à la Commission des liqueurs de suspendre son permis, déclara le père de Charles Caron. Ça avait pas d'allure. C'est lui qui payait les cautionnements de tous les Témoins de Jéhovah qui se faisaient arrêter.

— Peut-être, monsieur, mais l'affaire risque d'aller pas mal haut, lui fit remarquer Jean. Il y en a même qui disent que ça va aller jusqu'en Cour suprême parce que Roncarelli dit qu'il était dans son droit de le faire.

— De toute façon, si ça va jusque-là, affirma Edmond Grenier, un juge à la retraite, ça va prendre des années avant que ça se règle. En attendant, notre premier ministre va avoir d'autres chats à fouetter.

— Il devrait d'abord s'occuper des grèves dans le textile, intervint Fernand Talbot.

— T'as pas écrit d'articles sur ces grèves-là ? demanda Charles à son beau-frère.

— Non, c'est Gaston Meunier qui s'occupe de ça.

— Il va falloir que ça se règle avant que ça tourne mal, reprit le juge à la retraite. Au mois de mars, il y a eu des grèves à Lachute et à Louiseville. On a fait rentrer de force les ouvriers sans rien régler. Depuis cinq mois, si je me trompe pas, il y a sept mille ouvriers de la Dominion Ayers en grève. Il paraît qu'on leur offre juste deux cennes de plus de l'heure…

— C'est vrai ce que vous dites, monsieur Grenier, fit le dentiste. Il est temps que le gouvernement s'en mêle. Un de mes clients travaille à la Dominion Textile. Ils parlent de s'en aller en grève, eux autres aussi.

Pendant que les hommes parlaient de politique à une extrémité de la cour, les femmes avaient formé un petit cercle un peu plus loin. Jean se rendit compte que sa belle-mère avait pris la précaution de s'asseoir près de l'amie de son fils Lorenzo. Il en déduisit, sans grand risque de se tromper, qu'elle cherchait à savoir qui était exactement celle que son fils fréquentait.

Vers cinq heures, Lorenzo prévint discrètement ses passagers qu'il fallait se préparer à partir. Jean se retrouva pendant quelques instants seul en compagnie de Rachel Rancourt et en profita pour lui glisser à mi-voix :

— Ça doit vous soulager d'être sortie vivante de l'interrogatoire de ma belle-mère ?

Rachel lui adressa un sourire entendu avant de murmurer :

— Je m'y attendais. Lorenzo m'avait prévenue.

— Mais faites-vous-en pas trop. Elle parle beaucoup, mais elle mord pas.

Ce dernier commentaire eut pour effet de faire sourire l'amie de Lorenzo. Un sourire qui ne la rendait que plus charmante d'ailleurs.

Au retour, Lorenzo ne ramena que Jean et Reine à la maison. Son père avait décidé de demeurer chez son gendre jusqu'à la fin de la soirée, moment où ce dernier avait promis de le raccompagner avec sa femme à la maison. Le représentant des produits Familex refusa de monter boire une tasse de café chez les Bélanger avec Rachel en prétextant qu'il avait des bons de commande à remplir avant de commencer sa semaine. Reine et son mari le remercièrent et prirent congé.

Lorsque la Chevrolet rouge vin se fut éloignée en direction de l'est, Jean ne put s'empêcher de faire remarquer à sa femme :

— Il me semble que t'aurais pu insister un peu plus pour qu'ils montent.

— J'y tenais pas, tu sauras. Je dis pas, s'il avait été tout seul…

— Aïe, Reine Talbot, viens pas faire le curé. On n'a pas à juger le monde. Ce qui se passe entre ton frère et Rachel Rancourt nous regarde pas. Il y a déjà ben assez de ta mère qui a mené son enquête cet après-midi. Ajoutes-en pas, s'il te plaît. Il me semble que venant de quelqu'un qui s'est mariée en famille…

Jean ne termina pas sa phrase de peur que sa pensée ne l'amène sur un terrain glissant. Cependant, il avait clairement fait comprendre à sa femme qu'avant de juger les autres, il fallait peut-être se regarder dans le miroir de temps en temps. Reine et lui, qui étaient-ils pour juger Lorenzo et Rachel ?

Chapitre 27

Un vent de changement

Le mois d'août tirait doucement à sa fin. Déjà, le soleil se couchait plus tôt le soir et certaines nuits étaient devenues plus fraîches. Jean continuait à couvrir les affaires municipales et se sentait de plus en plus à l'aise dans un monde où il fallait avoir ses entrées. Il apprenait aussi à quel point les horaires d'un journaliste étaient exigeants. Au *Montréal-Matin*, il existait deux éditions, celle du matin et celle de l'après-midi. Il lui arrivait souvent d'avoir à écrire un article sur des événements différents pour chacune des heures de tombée, ce qui l'obligeait à de longues heures de travail. Lorsque cela se produisait, il rentrait à la maison aux petites heures du matin pour en repartir au milieu de l'avant-midi. Avec le temps, il commençait à comprendre aussi bien l'air épuisé de certains confrères que leur tendance à boire de façon déraisonnable pour tenir le coup.

Le dernier samedi du mois d'août, un coup de sonnette le fit sursauter alors qu'il se préparait pour une courte sieste. Reine, de son côté, était en train de se maquiller et s'apprêtait à aller faire du lèche-vitrine avec une certaine Gina, une camarade d'école qu'elle avait rencontrée par hasard quelques jours auparavant. À l'entendre, c'était l'une de ses rares amies et elle tenait à renouer avec elle.

— Laisse faire, je vais aller répondre, dit-il à Reine en quittant son fauteuil dans le salon.

Il déclencha l'ouverture de la porte et découvrit avec surprise son frère Claude sur le seuil.

— Monte, l'invita-t-il, heureux de le voir.

Il n'avait pas vu l'adolescent depuis une dizaine de jours.

— Qu'est-ce que tu fais là ? T'as pas de commandes à aller porter ? lui demanda-t-il.

— Je suis en vacances depuis hier soir, déclara Claude en finissant de monter la seconde volée de marches.

— Entre, viens t'asseoir.

Claude salua Reine en train de finir de se coiffer et suivit son frère dans le salon.

— Qu'est-ce qu'ils ont, tes cheveux ? Ils sont pas comme d'habitude, demanda Jean à son cadet.

— T'as remarqué ? fit Claude en tâtant doucement sa chevelure du bout des doigts. Je mets de la vaseline. Mes cheveux sont ben plus beaux avec ça.

— T'as l'air d'en mettre une tonne, dit Jean sur un ton critique.

— Viens pas faire comme m'man, se rebella l'adolescent. Elle dit ça, elle aussi. En plus, elle arrête pas de chialer que ça salit mes oreillers.

— OK, j'ai rien dit, s'excusa son frère aîné. T'es en vacances ? demanda-t-il pour changer de sujet de conversation.

— En plein ça.

— Mais il reste encore une dizaine de jours avant que tu recommences l'école, lui fit remarquer Jean en s'allumant une cigarette.

Claude tendit la main pour en obtenir une. Son frère n'eut pas le cœur de lui refuser ce petit plaisir et lui tendit son étui à cigarettes et son briquet Ronson.

— C'est en plein ce que j'ai dit à m'man, mais tu la connais. Elle a décidé que j'avais besoin de me reposer avant de retourner à l'école. C'est plate, mais c'est comme ça. J'ai dû lâcher ma *job* chez Drouin hier soir. Le bonhomme était pas content pantoute, je te le garantis.

— Pense plus à ça. Amuse-toi avant la rentrée, lui suggéra son frère.

— C'est ce que j'essaye de faire et c'est pour ça que je me suis dit que t'haïrais peut-être pas venir patiner avec moi au parc La Fontaine.

— Patiner ? Mais il y a pas de glace, s'esclaffa Jean pour ridiculiser un peu son jeune frère.

— Je le sais ben, protesta l'adolescent. Je voulais dire faire du patin à roulettes.

— T'es pas malade, toi ? C'est juste bon pour les filles, cette affaire-là.

— Pantoute, tu sauras que c'est la mode, cet été. C'est plein de gars qui vont patiner dans les allées du parc. C'est le fun en maudit. J'ai acheté une vieille paire de patins à l'un de mes amis il y a trois semaines. C'est plus facile de patiner avec ça dans les pieds qu'avec des patins à glace et tu vas pas mal plus vite.

— Tant mieux si t'aimes ça, fit Jean, mais même si je voulais y aller avec toi, j'ai pas de patins à roulettes, moi.

— J'y ai pensé. J'en ai emprunté une paire pour toi.

— C'est ben beau, mais j'en ai jamais fait, protesta le journaliste.

— Ça s'apprend tout seul, fit Claude. Dis-moi pas que t'es rendu tellement pépère que t'as pas le *guts* d'essayer quelque chose de nouveau. Viens donc. Je suis tout seul cet après-midi et c'est pas mal plate de patiner tout seul.

À l'extérieur, il faisait beau et frais et la tentation était grande de succomber à une pareille invitation pour un garçon de vingt et un ans habitué à faire du sport. Claude sentit l'hésitation de son frère et en profita pour pousser son avantage.

— Viens, je te le dis que ça va te faire du bien. T'es pas encore un petit vieux, non?

— Où ils sont, ces patins-là? demanda Jean en se levant après avoir éteint son mégot dans le cendrier.

— Je les ai laissés en bas de l'escalier.

— J'espère que tu les as pas laissés dans l'escalier, fit son frère. Mon beau-père et ma belle-mère…

— Ben non, je suis pas épais, je les ai mis au fond du portique.

Jean s'absenta un court instant pour prévenir Reine qu'il allait faire un tour avec son frère et il alla rejoindre ce dernier qui l'attendait déjà sur le trottoir, devant la porte. Claude lui tendit une paire de patins à roulettes qui avaient connu de meilleurs jours et qui semblaient surtout beaucoup trop petits pour lui.

— Pauvre toi, tu vois ben que je pourrai jamais mettre ces patins-là. Ils sont ben trop petits, dit-il à l'adolescent en lui tendant les patins qu'il venait de lui remettre.

— Ben non, le contredit Claude. Regarde, j'ai une clé. Avec ça, tu peux les élargir et les allonger autant que tu veux. Après, t'as juste à les attacher avec les *straps* sur tes souliers.

Peu convaincu, Jean imita tout de même son jeune frère, déposa sur son épaule la paire de patins et prit la direction du parc La Fontaine en sa compagnie.

— Tu sais ce qui est le plus le fun, dit Claude à un certain moment, c'est jouer au hockey en patins à roulettes avec une balle bleu-blanc-rouge.

— Peut-être, mais moi, j'aime encore mieux jouer avec des patins à glace sur une vraie patinoire, comme on l'a toujours fait.

Parvenus à l'entrée du parc, les deux frères Bélanger s'assirent sur un banc et entreprirent de chausser leurs patins. Claude dut enseigner à son frère comment adapter ses patins à ses chaussures.

— T'es sûr que ça va pas débarquer, cette affaire-là ? lui demanda Jean, inquiet, au moment de se lever.

— Ben non.

— Oui, c'est ben beau, mais comment on fait pour arrêter avec ça dans les pieds ?

— Tu mets un pied sur le côté, puis l'autre. Aie pas peur, ça va finir par arrêter.

Jean fit quelques pas maladroits en moulinant l'air de ses bras. Deux passantes s'écartèrent prudemment.

— Es-tu ben certain qu'il y a des gars qui font du patin à roulettes, toi ? demanda-t-il à l'adolescent. J'en vois pas un nulle part, fit-il en regardant autour de lui. Pis, tout le monde me regarde.

— C'est parce que tu t'es pas vu. Écoute-moi au lieu de t'énerver. Laisse-toi glisser, lui conseilla Claude. Regarde-moi aller. Tu vas voir.

Joignant le geste à la parole, son jeune frère s'élança en donnant quelques coups de patin vigoureux et il partit comme une flèche avant de s'arrêter à une cinquantaine de pieds pour aussitôt revenir vers lui à la même vitesse.

— Tu vois, c'est pas compliqué pantoute, dit-il à son aîné.

— OK, je crois que j'ai compris, fit Jean.

Durant les minutes suivantes, ils circulèrent assez lentement dans une allée asphaltée où les promeneurs étaient plutôt rares. Puis, succombant à son envie d'aller vite, Claude quitta son frère en accélérant soudain et en criant :

— À cette heure, suis-moi, si t'es capable, et arrête de te regarder les pieds, sinon tu vas planter.

Jean releva le défi et se mit à donner des coups de patins plus vifs pour prendre de la vitesse. C'était grisant, même si son équilibre était plutôt précaire. La vue de son jeune frère le distançant de plus en plus lui donna un goût enivrant de compétition, et il accéléra davantage.

Malheureusement, à un croisement de sentiers, trois personnes âgées apparurent soudain devant lui. Affolé, il n'eut que deux ou trois secondes pour décider comment éviter de les percuter de plein fouet.

— ATTENTION! leur cria-t-il en arrivant à toute vitesse.

Les vieillards se figèrent et il n'eut d'autre choix que de se lancer sur le côté en tentant de freiner. Emporté par son élan, le patineur néophyte fit une embardée, tomba lourdement sur le sol et glissa sur une dizaine de pieds sur l'asphalte avant de s'immobiliser, étourdi et passablement mal en point.

Claude avait entendu son cri et il se dépêcha de revenir vers lui. Il le rejoignit au moment où l'une des vieilles dames se penchait sur Jean pour lui demander s'il s'était fait mal.

—Je suis correct, madame, parvint-il à dire en s'assoyant péniblement sur l'asphalte.

— Tu devrais pas monter sur ces affaires-là, lui conseilla le seul homme du trio. Ça a l'air dangereux sans bon sens.

Jean se contenta de hocher la tête et les trois vieillards reprirent leur promenade. Pendant ce temps, Claude, agenouillé à ses pieds, s'empressait de lui retirer ses patins en catastrophe.

— T'as rien de cassé? lui demanda-t-il, visiblement inquiet.

— Attends, je vais essayer de me relever.

Jean dut rassembler toute son énergie pour se remettre debout, sous le regard inquisiteur de deux enfants qui s'étaient approchés, en tenant dans leur main leur virevent. Il fit un pas et grimaça de douleur.

— Qu'est-ce que t'as ?

— Je pense que je me suis foulé une cheville. En plus, j'ai mal au poignet gauche, ajouta-t-il en regardant son bras gauche tout éraflé.

— Attends, je vais t'aider. On va aller s'asseoir une minute sur un banc.

Claude enleva rapidement ses patins, saisit ceux qu'il avait prêtés à son frère et offrit à ce dernier de s'appuyer sur son épaule pour se rendre jusqu'à un banc voisin. Jean s'y laissa choir lourdement et entreprit de faire l'inventaire des dégâts causés par sa chute.

— On peut dire que tu t'es pas manqué, constata Claude en regardant le visage de son frère qui portait une ecchymose sur une joue.

— J'ai une jambe et un bras éraflés, constata le journaliste après avoir relevé une jambe de son pantalon. En plus, j'ai l'air d'avoir une bonne foulure à une cheville et à un poignet.

— Ton poignet droit ?

— Non, le gauche.

— C'est pas si pire. Au moins, tu vas pouvoir continuer à écrire, tenta de plaisanter l'adolescent.

Soudain, Jean imagina ce qui se serait produit à son travail s'il n'avait pu écrire pendant plusieurs jours. Fiset aurait pu en profiter pour mettre fin à sa période d'essai.

— D'après moi, tes pantalons et ta chemise sont finis, poursuivit Claude, pince-sans-rire. Tu vas te faire engueuler par ta *boss*, si jamais t'es capable de monter jusqu'au troisième étage.

— En tout cas, je vais m'en souvenir de tes maudits patins à roulettes, s'emporta brusquement Jean, en proie à une peur rétrospective. Tu parles d'une affaire de mongol. C'est juste bon pour se casser la gueule, cette patente-là et…

— Quand t'auras fini de te lamenter comme une mémère, tu me le diras, le coupa l'adolescent. Je pourrai peut-être te donner un coup de main à retourner chez vous… à moins que t'aimes mieux que j'aille chercher la barouette à jardin du père Lacombe, à côté de chez nous.

— Pour faire quoi ?

— Tu pourrais t'asseoir dedans et je te ramènerais, plaisanta Claude.

Jean se leva en grimaçant et les deux frères prirent lentement le chemin du retour. Quand ils arrivèrent devant la porte voisine de la biscuiterie, Claude proposa à son frère de l'aider à monter la double volée de marches qui allaient le conduire à son appartement.

— Laisse faire. Je suis capable de monter tout seul.

— Bon, si c'est comme ça, je vais rapporter ses patins à Lamarche.

— C'est ça et dis-lui que c'est pas demain la veille qu'on va les reprendre, fit Jean en glissant la clé dans la serrure de la porte d'entrée.

Peu après, au moment où il parvenait au palier où demeuraient les Talbot, la porte de l'appartement de ses beaux-parents s'ouvrit sur sa belle-mère qui s'apprêtait apparemment à sortir. La quinquagénaire sursauta légèrement en l'apercevant.

— Veux-tu bien me dire ce qui t'est arrivé ? lui demanda-t-elle en le voyant en si piteux état.

— Votre fille vient de me battre, plaisanta-t-il.

— Très drôle, répliqua une Yvonne Talbot dépourvue de tout sens de l'humour.

— Non, je suis tombé, madame Talbot, corrigea-t-il, soudain pressé de rentrer chez lui.

— Tu devrais faire attention, mon garçon, dit-elle, toujours aussi altière.

— C'est bien mon intention, se borna-t-il à dire avant d'entreprendre de monter la dernière volée de marches.

Quand Reine rentra à la maison à l'heure du souper, il avait eu le temps de bander son poignet et sa cheville, de mettre du mercurochrome sur ses écorchures et de changer de vêtements.

— Il paraît que t'es tombé, lui dit-elle sans manifester une compassion exagérée à son endroit.

— On voit que les nouvelles vont vite. Qui t'a dit ça ? Mon frère ?

— Non, ma mère. Je viens de la rencontrer. Comment t'as fait ton compte ?

— J'ai planté en faisant du patin à roulettes, lui dit-il. Mon pantalon et ma chemise sont finis. Je les ai jetés.

— Il y a pas à dire, c'est payant ton affaire, fit-elle mécontente. Là, tu vas être obligé de t'en acheter d'autres.

— Ben oui, dit-il sur le même ton. À part ça, inquiète-toi pas, je suis pas mort.

Elle tourna les talons et disparut dans la cuisine. À aucun moment elle ne demanda s'il souffrait ni ne proposa de le soigner.

Le lendemain, Jean se rendit quand même à la messe en sa compagnie en boitillant. Il avait passé une mauvaise nuit qu'il avait terminée sur le divan, tant sa cheville et son poignet l'avaient fait souffrir. À la sortie de l'église, sa mère et son père étaient venus à sa rencontre pour se renseigner sur son état de santé. Lorraine et Christian Dupriez les suivirent de près en compagnie de Claude.

— Claude nous a raconté que tu t'es fait mal hier, au parc La Fontaine, lui dit Félicien en examinant son visage un peu tuméfié.

— J'en mourrai pas, p'pa, répondit-il en s'efforçant de sourire. Vous serez pas obligé de venir veiller au corps à soir, ajouta-t-il pour détendre l'atmosphère.

— T'aurais pu te casser un membre, dit Lorraine, compatissante.

— Claude m'a dit que tu t'étais foulé une cheville et un poignet, intervint Amélie.

— Oui, m'man.

— Lui as-tu mis un bandage trempé dans du beurre chaud salé ? demanda-t-elle à sa bru qui n'avait pas ouvert la bouche depuis que sa belle-famille s'était rassemblée au pied des marches du parvis.

— Non, madame Bélanger. Votre garçon se soigne tout seul. Il m'a rien demandé.

— Tu devrais assez le connaître, Reine, pour savoir qu'il te demandera jamais rien. Il a toujours été indépendant. Soigne-le de force, s'il le faut.

Tout le groupe se mit en marche vers la rue Brébeuf, calquant son pas sur la démarche plutôt lente de Jean. Ce dernier et sa femme quittèrent les Bélanger devant leur maison et poursuivirent leur route jusqu'au coin de la rue avant de tourner sur Mont-Royal.

— C'est pas possible être arrangé comme ça, dit soudain Reine sur un ton méprisant.

— De quoi tu parles ?

— Du chum de ta sœur, laissa-t-elle tomber. Il a l'air d'un grand tata, et avec son maudit béret, on dirait qu'il a une tarte sur la tête. Je comprends pas Lorraine de pas avoir honte de sortir avec un gars comme ça. Un vrai clou !

— C'est peut-être parce que ma sœur s'occupe pas de ce que le monde peut penser, rétorqua-t-il, sarcastique. Christian est un bon diable. Même mes parents s'habituent à sa façon de parler et ma sœur trouve qu'il a des belles qualités. L'apparence, c'est pas tout dans la vie.

Reine ne jugea pas utile de répliquer, mais il était évident que son idée était faite. Pour sa part, son mari s'étonna de ce qu'elle n'ait pas pris ombrage de la leçon que sa mère venait de lui donner devant tous les membres de la famille Bélanger. Apparemment, sa femme n'avait pas pris comme une critique le fait que sa mère lui ait conseillé de soigner son mari.

Dans les jours suivants, l'état de santé de Jean s'améliora peu à peu de lui-même, lui permettant de retrouver toute l'autonomie que son travail exigeait et que sa femme lui imposait…

❧

Un mois plus tard, un lundi matin, le jeune couple se réveilla au bruit de la pluie heurtant les vitres de la fenêtre de leur chambre à coucher. Jean jeta un coup d'œil au réveille-matin : six heures trente. Il se leva et s'empressa d'aller fermer la fenêtre avant que la pluie ne pénètre à l'intérieur. Il faisait froid dans l'appartement. Il mit sa robe de chambre et sortit de la pièce. Au passage, il alluma la fournaise à huile dans le couloir et fit de même avec le poêle dans la cuisine. Reine le suivit une minute plus tard.

— T'as allumé le poêle et la fournaise ? lui demanda-t-elle en remplissant la bouilloire.

— Oui, c'est humide sans bon sens dans l'appartement.

— Tu dépenses de l'huile pour rien, dit-elle de mauvaise humeur. On a ben assez du poêle.

— Ben, c'est ça. T'éteindras la fournaise quand je partirai au journal dans ce cas-là. T'aimes peut-être ça, geler, toi, mais pas moi. Manger mes toasts en claquant des dents, c'est pas mon fort.

Elle déposa le beurre et le pot de marmelade avec brusquerie sur la table après avoir branché le grille-pain.

— Ça va être d'avance encore aujourd'hui. Il mouille et je pourrai pas faire mon lavage, dit-elle, revêche.

— Tu peux le faire. T'as juste à étendre ton linge en dedans, fit-il sans montrer grand intérêt.

— Pour que le linge sèche en dedans, il faut chauffer et l'huile, on la donne pas, si tu veux savoir.

— Écoute donc, toi, fit Jean, excédé. Si t'as tellement peur de manquer d'argent, pourquoi tu vas pas travailler à la biscuiterie ? Je suis sûr que ton père demanderait pas mieux que de t'engager.

— J'ai pas peur de manquer d'argent, répliqua-t-elle, le regard mauvais, mais j'aime pas le gaspiller.

— J'espère que tu te dis ça quand tu vas aux vues deux fois par semaine avec Gina, lui fit-il remarquer, sarcastique.

— Tu sauras que ça me coûte rien d'y aller, tint-elle à lui préciser. Le mari de Gina est gérant du Bijou et on entre pour rien.

Jean s'empressa de déjeuner pour la laisser seule avec sa mauvaise humeur. Il fit rapidement sa toilette et alla s'habiller. Ensuite, après avoir vérifié que sa femme était encore à table dans la cuisine, il alla dans le salon, s'assit sur l'un des fauteuils, glissa sa main entre le dossier et le siège pour en retirer une vieille chaussette de laine dans laquelle il dissimulait ses économies. Il ajouta huit dollars aux soixante-cinq dollars déjà là. Après avoir enfoui la chaussette dans sa cachette, il se promit, encore une fois, d'aller ouvrir un compte d'épargne à la Caisse populaire, une promesse qu'il se faisait pratiquement toutes les semaines depuis le début de l'été.

Il endossa son imperméable, prit son parapluie et alla embrasser sa femme avant de quitter l'appartement. Reine était dans ses mauvais jours, elle s'était à peine contentée de lui tendre la joue. Elle continuait à être imprévisible et la moindre contrariété la faisait sortir de ses gonds. Ce matin-là, c'était la température et le fait d'être obligée de chauffer l'appartement qui l'avaient rendue de mauvaise humeur.

À son arrivée au journal, Jean fit comme tous les matins. Il se présenta au bureau d'Antoine Fiset. Il dut attendre plusieurs minutes parce que le rédacteur en chef était en discussion avec Jean-Paul Sarraut, le journaliste sportif, et Olivier Marchand. À entendre les éclats de voix en provenance du bureau, quelque chose semblait ne pas avoir plu au patron.

À sa sortie de la pièce, Olivier Marchand lui chuchota au passage :

— Je sais pas ce qu'il a mangé à matin, mais il est pas de bon poil, c'est le moins qu'on puisse dire.

Jean entra dans le bureau à l'invitation d'Antoine Fiset et attendit son affectation pour la journée.

— Tu vas aller faire un tour à la Dominion Textile de la rue Notre-Dame à matin. Il paraît que ça brasse. Les ouvriers parlent de prendre un vote de grève pour le mois de novembre. Essaye d'interviewer une couple d'ouvriers sans trop te faire voir à l'heure du dîner. Ces gars-là doivent avoir des choses à dire, ils gagnent même pas dix piastres par semaine pour soixante heures de travail.

— C'est correct.

— Je veux un papier bien fait. Mêle surtout pas le premier ministre à cette affaire-là, tu m'entends. Et parle pas des autres grèves qu'il y a eu cette année dans le textile. Je veux que tu donnes une idée de ce qui se passe ici, à Montréal.

— J'ai compris.

Jean se leva, prêt à prendre congé, quand le rédacteur en chef laissa tomber, comme si cela n'avait aucune importance :

— En passant, à compter d'aujourd'hui, ta période d'essai est finie. T'es un régulier, ajouta sur un ton simple et sans félicitations son patron, comme si la chose allait de soi et restait, à ses yeux, bien secondaire par rapport au papier qu'il attendait de lui le jour même.

Le cœur du jeune homme avait raté un battement. Il sentit une énorme joie le soulever en apprenant cette nouvelle. Il était maintenant un journaliste confirmé. Voyant le sourire sur le visage de Jean, Antoine Fiset prit soin d'ajouter :

— Ça veut pas dire que tu connais le métier, mais je pense que t'es capable de l'apprendre comme du monde, dit-il en le scrutant derrière les verres épais de ses lunettes.

Ce soir-là, à son retour à la maison, il découvrit que Reine avait retrouvé sa bonne humeur, et cette dernière n'hésita pas à exprimer sa joie quand elle apprit l'excellente nouvelle de la confirmation de l'embauche de son mari au journal.

∾

L'automne ne fit sa véritable entrée qu'à la fin d'une première semaine d'octobre particulièrement maussade. Après plusieurs jours de pluie, le froid s'installa.

— Si t'as le temps, on pourrait installer les châssis doubles quand tu reviendras du journal, proposa Reine le mardi suivant, au moment où Jean se préparait à partir pour le journal.

Il consulta sa montre avant de lui offrir de sortir les contre-fenêtres du hangar et de les déposer sur le balcon de manière à lui donner la chance d'en laver les vitres.

— Je vais essayer de revenir de bonne heure pour décrocher les persiennes et poser les fenêtres avant qu'il fasse noir.

— C'est correct, moi je vais aller chez mon père téléphoner au livreur d'huile pour qu'il vienne remplir le baril aujourd'hui, ajouta Reine.

À son retour du travail, Jean remarqua à quel point la frondaison des arbres du quartier avait changé de couleur en quelques jours. Encore partiellement vert la semaine précédente, le feuillage était maintenant orangé, rouge et jaune. Déjà, beaucoup de feuilles jonchaient même les trottoirs de la rue Mont-Royal. Ce spectacle lui rappela avec nostalgie les automnes précédents où, étudiant, il s'impatientait de voir arriver les premiers froids pour enfin pouvoir chausser ses patins et jouer au hockey. Durant quelques instants, son esprit vagabonda vers le Collège Sainte-Marie où ses copains avaient entrepris la dernière année de leur cours classique. Il aurait pu être avec eux... À ces pensées, il ressentit du vague à l'âme et il rentra à la maison pour s'occuper de préparer l'appartement pour l'hiver qui approchait.

Ce soir-là, Reine et lui se mirent au lit de bonne heure, fatigués par leur journée de travail. Reine avait entrepris un grand ménage des armoires après avoir lavé les contre-fenêtres et lui, il avait passé plusieurs heures à amasser des renseignements sur la campagne électorale de Camilien Houde qui voulait se faire réélire à la mairie de la métropole. Au moment d'éteindre la lampe, Reine lui dit :

— Estelle est venue faire un tour cet après-midi avec son petit. Ça faisait exprès, je venais de vider l'armoire de notre chambre sur le lit.

— Comment va Thomas ? lui demanda-t-il.

— Il a l'air d'aller bien.

— Est-ce qu'elle avait une raison précise de venir te voir ?

— Je pense qu'elle aurait pas haï que je garde son petit, le temps d'aller faire des commissions avec ma mère.

— Puis?

— Je lui ai pas offert. J'avais trop d'ouvrage. Je pense qu'elle a laissé le petit à ma mère et qu'elle est allée magasiner toute seule.

Jean n'ajouta rien, mais n'en pensa pas moins…

Au petit matin, un bruit tira Jean du sommeil dans lequel il avait la vague impression de venir de sombrer. Il ouvrit les yeux dans le noir et tourna la tête vers son Westclock pour regarder l'heure. Les chiffres phosphorescents lui apprirent qu'il était tout près de cinq heures. Il tendit la main vers Reine. Le lit était vide. Il réalisa peu à peu que c'était le bruit d'une porte qu'on fermait qui l'avait réveillé. Il tendit l'oreille, il lui sembla entendre des bruits étranges en provenance du couloir.

Il repoussa les couvertures et posa les pieds à terre. Immédiatement, le froid qui régnait dans l'appartement le fit frissonner.

— Dis-moi pas qu'elle a encore éteint la fournaise avant de se coucher, calvince! ragea-t-il.

Cela faisait plusieurs fois qu'il disait à sa femme de laisser chauffer la fournaise installée dans le couloir durant la nuit de manière à ce que l'appartement ne ressemble pas à une glacière quand ils se levaient le matin.

Il glissa ses pieds dans ses pantoufles et sortit dans le couloir. La porte de la salle de bain était entrouverte et la lumière était allumée. Il entendit alors les efforts faits par Reine pour vomir.

— As-tu besoin de quelque chose? lui demanda-t-il en poussant doucement la porte.

— Non, laisse-moi tranquille, lui lança-t-elle sèchement avant d'être secouée par de nouveaux spasmes.

Il n'insista pas. Il remit la fournaise en marche avant de se rendre dans la cuisine et y allumer une cigarette en attendant que sa femme sorte des toilettes. Il eut le temps de la fumer pratiquement au complet avant que Reine ne le rejoigne, le visage blafard et les traits tirés.

— Veux-tu ben me dire ce que t'as pas digéré ? lui demanda-t-il, inquiet de la voir ainsi.

Le visage de sa femme se durcit avant qu'elle lui dise sèchement:

— C'est pas une indigestion.

— Qu'est-ce que c'est d'abord ?

— Devine ! lui ordonna-t-elle en se laissant tomber sur une chaise.

— Comment tu veux que…

— Il me semble que c'est facile à trouver, non ? fit-elle, sur un ton exaspéré. Ça fait deux mois que j'ai pas eu mes affaires… Ça te dit rien ? Là, j'ai mal au cœur tous les matins depuis trois jours…

— Est-ce que tu veux dire que…

— Ben oui, c'est en plein ça. Je suis en famille. J'espère que t'es content, là ?

— T'es allée voir le docteur ?

— Non, je suis supposée y aller vendredi. Tu parles d'une malchance ! s'emporta-t-elle subitement. Tomber en famille deux fois dans la même année…

— Voyons, Reine, on est mariés. C'est normal qu'on ait des enfants, dit-il pour la calmer.

Ces paroles eurent l'effet inverse de celui qu'il escomptait, il s'en aperçut quand il la vit le regarder avec une haine inexplicable.

— C'est sûr que c'est normal ! persifla-t-elle. Une femme mariée, c'est fait pour avoir des enfants tous les ans, pas vrai ? Ben là, ce sera pas de même ici dedans, je te le garantis.

Si tu t'imagines que je vais tomber enceinte chaque année pour te donner une trâlée d'enfants, t'es mieux d'oublier ça. Je passerai pas ma vie entre les quatre murs de la maison à torcher des enfants, à faire à manger et à faire du ménage. Non, monsieur! La folle qui va se ramasser à trente ans toute défaite avec l'air d'en avoir vingt de plus, c'est pas moi. Tu te trompes d'adresse si tu penses ça.

— Si tu te calmais les nerfs, lui jeta-t-il sèchement. Tu déparles, il y a personne qui parle d'une trâlée d'enfants.

— T'es aussi bien, parce qu'on va prendre des moyens.

— C'est ça. En attendant, tu ferais peut-être mieux d'aller te recoucher, lui conseilla-t-il.

Sans lui jeter le moindre regard, elle se leva et se dirigea vers leur chambre dont elle referma bruyamment la porte. Jean alla remplir la bouilloire et alluma le poêle avant de se rasseoir, encore secoué par la scène qu'il venait de vivre.

Il aurait compris une telle scène quand Reine s'était rendu compte qu'elle était enceinte avant leur mariage, mais là… Ils étaient mariés depuis six mois et elle aurait dû accueillir la nouvelle avec joie. Elle allait être mère… La seule excuse qu'il parvint à lui trouver après une longue réflexion fut qu'elle était encore perturbée par le fait d'avoir perdu leur premier enfant et qu'elle craignait que cela ne se reproduise.

Un peu plus tard, lorsqu'il quitta l'appartement sur le coup de sept heures, Reine dormait encore et il fit en sorte de ne pas la réveiller. Il se contenta de lui laisser un petit message d'amour sur la table pour lui remonter le moral. Peut-être serait-elle de meilleure humeur à son retour, à la fin de la journée, comme c'était souvent le cas.

Mais cette fois, il fallut plusieurs jours à Reine pour retrouver un semblant de sourire. Après sa visite chez le docteur Laflamme, elle parut plus sereine et accepta d'annoncer la nouvelle aux Bélanger et aux Talbot. Ensuite, elle consentit à discuter avec son mari de la préparation d'une chambre de bébé, mais elle refusa l'achat de meubles neufs.

— Il y a moyen de trouver une bassinette et une commode usagées qui ont du bon sens sans payer un prix de fou, déclara-t-elle. Je vois pas pourquoi on achèterait du neuf quand il y a juste des vieilleries dans tout le reste de la maison. Pour le linge, je vais demander à ta mère de lui faire des couches et, moi, je vais lui tricoter un ou deux ensembles.

Son mari finit par constater qu'une fois le premier choc passé, Reine semblait tirer une certaine fierté de son nouvel état, surtout en présence des membres de sa famille. Tout se passait comme si elle avait tenu à leur prouver qu'elle aussi était capable, comme sa sœur aînée, d'avoir un enfant.

Tout bascula une dizaine de jours plus tard.

Cet après-midi-là, Jean revint assez tôt du journal et il ne s'étonna pas de trouver le nid vide. Sa femme l'avait informé avant son départ, le matin, qu'elle se proposait d'accompagner sa mère chez l'ophtalmologiste durant l'après-midi.

Le journaliste venait à peine de retirer son manteau qu'un coup de sonnette impérieux le fit sursauter. Il se rendit sur le palier et déclencha l'ouverture de la porte d'entrée. Il vit alors une Adrienne Lussier hors d'elle-même qui poussait la porte.

— Vite, dépêche-toi, lui cria-t-elle, monsieur Talbot est malade. Il est tombé dans le magasin. Je sais pas quoi faire.

Jean attrapa son manteau et dégringola la double volée de marches pour suivre la vendeuse de la biscuiterie. Celle-ci était bouleversée. À son entrée dans le magasin, il découvrit son beau-père étendu derrière le comptoir, le visage d'une blancheur inquiétante. Fernand Talbot ne bougeait plus, il semblait avoir perdu connaissance.

— Il a pas l'air de respirer, fit Adrienne Lussier. On dirait une attaque d'apoplexie.

— Desserrez sa cravate, madame Lussier, lui ordonna le jeune homme avant de se précipiter sur le téléphone pour appeler les services de police.

— Il est pas en train de mourir au moins ? s'affola la femme au bord de la panique. Moi, je l'aime beaucoup monsieur Talbot, ça peut pas arriver comme ça. Et qu'est-ce que je vais faire, moi, si le propriétaire de la biscuiterie n'est plus là ? Il faut que je travaille.

— Calmez-vous, madame Lussier. L'ambulance va arriver très bientôt.

Quelques minutes plus tard, une voiture noire de la police de Montréal vint s'immobiliser devant la biscuiterie et les ambulanciers se précipitèrent vers le commerce après avoir tiré une civière de l'arrière du véhicule. Déjà, des passants s'attroupaient devant les vitrines pour chercher à voir ce qui se passait à l'intérieur.

Le spectacle n'avait rien de rassurant. Et autant Jean cherchait à calmer et rassurer madame Lussier, autant il était lui-même inquiet pour son beau-père. Pour une fois, il aurait aimé à cet instant que sa femme et sa belle-mère soient présentes pour l'épauler lors de cette épreuve.

Fernand Talbot fut déposé sur la civière et recouvert d'une couverture rouge à bandes noires.

— On l'amène à l'Hôtel-Dieu, déclara l'un des ambulanciers. Est-ce qu'il y a quelqu'un qui va monter avec le malade ?

— Moi, décida Jean. Madame Lussier, vous avertirez ma femme et ma belle-mère qu'on a transporté monsieur Talbot à l'Hôtel-Dieu. Mais surtout essayez de pas leur faire peur. Rappelez-vous qu'on sait pas exactement ce qu'il a. Vous fermerez le magasin à six heures. Les clés sont accrochées sous le comptoir.

Adrienne Lussier, encore mal remise de toutes ces émotions, accepta et regarda partir l'ambulance où venaient de prendre place Jean et son beau-père.

Yvonne Talbot et Reine ne firent leur apparition à l'urgence de l'hôpital de la rue Saint-Urbain que deux heures plus tard. Jean se porta à leur rencontre pour leur apprendre que le quinquagénaire avait été transporté aux soins intensifs dès son arrivée et qu'une religieuse lui avait donné l'ordre d'attendre. Un docteur viendrait lui donner des nouvelles.

— Est-ce que ça a l'air bien grave ? lui demanda sa belle-mère, bouleversée et les yeux rougis par l'émotion de ce qui venait d'arriver à son vieux compagnon.

— Je le sais pas, madame Talbot. C'est peut-être juste une petite affaire, ajouta-t-il pour tenter de la rassurer. Les docteurs vont venir nous voir tantôt.

La grande femme à l'air hautain lui faisait subitement pitié. Pour une première fois, sa belle-mère était complètement dépassée par des événements qu'elle ne contrôlait pas et Jean aurait bien voulu la réconforter, mais il se disait que cela revenait plutôt à sa fille. Reine, de son côté, donnait l'impression d'accuser le coup beaucoup plus facilement. Elle s'assit près de sa mère et semblait chercher ses mots pour la rassurer.

— On devrait peut-être téléphoner à Lorenzo et à Estelle, suggéra Yvonne Talbot.

— Pourquoi les énerver pour rien, m'man ? On est peut-être mieux de savoir exactement ce que p'pa a avant de les appeler, lui dit sa fille.

L'attente dura une quinzaine de minutes qui en parurent des centaines, jusqu'à ce que Jean se décide à aller demander au guichet s'il était possible d'avoir enfin des nouvelles de l'état de santé de son beau-père. La religieuse quitta son poste un bref moment pour disparaître à l'arrière. Quand elle revint, elle lui annonça que le médecin viendrait le voir tout de suite.

Quelques instants plus tard, un petit homme vêtu d'un sarrau blanc apparut. La religieuse lui désigna Jean et les deux femmes.

— Docteur Bissonnette. Si vous voulez bien me suivre, poursuivit-il en les entraînant dans une petite pièce voisine dont il referma la porte derrière eux. Assoyez-vous.

— Est-ce que c'est grave ? demanda Yvonne d'une voix légèrement chevrotante.

— Vous êtes parente de monsieur Talbot ?

— Je suis sa femme.

— Et vous ? demanda-t-il en regardant Reine et Jean.

— Ma fille et mon gendre, répondit Yvonne pour eux.

— Bon, ça servirait à rien de vous cacher la vérité, commença le praticien. Monsieur Talbot a eu ce qu'on appelle communément une attaque d'apoplexie. Je pense qu'on l'a réchappé de justesse.

Les trois personnes assises en face de lui laissèrent voir un soulagement apparent qui sembla agacer légèrement le médecin.

— On va probablement le sauver, mais il risque d'avoir de sérieuses séquelles, continua le docteur Bissonnette en retirant le stéthoscope autour de son cou. À moins d'un miracle, il va demeurer paralysé du côté gauche.

— Mais c'est pas possible avec son commerce, dit Yvonne, atterrée.

— C'est certain qu'il ne sera plus en mesure de s'en occuper, madame. Mais aujourd'hui, c'est secondaire : l'important, c'est d'abord de le sauver.

— Est-ce qu'on peut le voir ? demanda Yvonne en déglutissant péniblement.

— Pas plus que cinq minutes et uniquement vous, madame. Aussi longtemps qu'il sera aux soins intensifs, les visites seront pas permises.

— Vous pensez garder mon père combien de temps? demanda Reine.

— Impossible à dire, madame. Ça va dépendre de sa constitution et de sa récupération.

Le médecin se leva et indiqua à Yvonne de le suivre.

— On vous attend, madame Talbot, dit Jean à sa belle-mère pour la rassurer.

Dès que sa mère eut disparu derrière les portes battantes à la suite du médecin, Reine dit à mi-voix à son mari:

— Il va falloir que quelqu'un s'occupe de la biscuiterie si mon père est plus capable de s'en charger.

— Le mieux sera peut-être de la vendre, suggéra Jean. À moins que Lorenzo soit intéressé à prendre la relève.

— Il en est pas question, déclara sèchement sa femme. Tu penses tout de même pas que je vais lui laisser la biscuiterie. Je suis la seule de la famille à être capable de prendre ça en main et il y a personne qui va venir me voler cette affaire-là.

— Aujourd'hui, il y a des choses pas mal plus importantes que le commerce de ton père, non? déclara-t-il. L'important, c'est qu'il vive.

— Ben oui! Ben oui, fit Reine, agacée par son ton moralisateur.

À voir l'air dur de la jeune femme, il était évident qu'elle pensait au moins autant au commerce de la rue Mont-Royal dans lequel elle avait longtemps travaillé qu'à l'état de santé de son père.

Les prochaines semaines annonçaient donc de grands changements: Reine attendait un bébé, le quotidien de monsieur et madame Talbot ne serait plus jamais le même, sans parler de la biscuiterie du Plateau dont l'avenir était soudainement mis en péril.

TOME 2

La biscuiterie

Au cœur de toute joie
La peine en partage
S'est incrustée.

Alma de Chantal
Miroirs fauves

Les principaux personnages

Famille de Jean et Reine

Jean : journaliste âgé de 33 ans, marié à Reine (ménagère de 32 ans) et père de Catherine (12 ans), de Gilles (9 ans) et d'Alain (8 ans)

Famille Bélanger

Félicien : postier âgé de 64 ans, marié à Amélie (ménagère âgée de 59 ans) et père de Lorraine (35 ans, épouse de Marcel Meunier, plâtrier de 37 ans, et mère de Murielle, 6 ans), de Jean (33 ans) et de Claude (couvreur âgé de 27 ans et mari de Lucie Paquette, ménagère de 25 ans)

Bérengère Bélanger : mère de Félicien, âgée de 88 ans

Rita et Camille Bélanger : sœurs de Félicien

Famille Talbot

Yvonne : propriétaire de la biscuiterie familiale, veuve de Fernand Talbot, âgée de 66 ans et mère de Lorenzo, 43 ans, d'Estelle (ménagère de 39 ans, épouse de Charles Caron, dentiste de 40 ans, et mère de Thomas, 13 ans) et de Reine, 32 ans

Voisins et amis

Blanche Comtois : amie de Jean

Joseph Hamel : rédacteur en chef du *Montréal-Matin* et patron de Jean

Gina Lalonde : amie de Reine

Adrienne Lussier : vendeuse à la biscuiterie Talbot et voisine d'Amélie et Félicien

Omer Lussier : frère d'Adrienne, il partage l'appartement de la rue Brébeuf avec sa sœur.

Rachel Rancourt : petite amie de Lorenzo

Prologue

La voix sirupeuse de Tino Rossi chantait *Besame mucho* à la radio. Reine fredonnait l'air tout en disposant les couverts sur la table de cuisine. Une bonne odeur de jambon cuit au four se répandait dans la pièce. Jean leva la tête de son journal pour la regarder durant un court moment. Il ne pouvait que constater que sa jeune femme, enceinte de deux mois, surmontait admirablement le deuil.

Son père, Fernand Talbot, n'avait jamais pu quitter l'hôpital Hôtel-Dieu après son attaque d'apoplexie survenue un mois et demi auparavant. L'homme âgé d'une cinquantaine d'années s'était éteint au début de la semaine précédente et on l'avait enterré trois jours plus tard.

— T'as mis une assiette de trop, fit-il remarquer à sa femme en lui montrant une troisième assiette sur la table.

— Non, j'ai invité ma mère à souper.

— En quel honneur ? lui demanda le jeune journaliste.

— Parce que ça me tentait, dit-elle sur un ton abrupt qui ne laissait place à aucune discussion.

Jean Bélanger connaissait assez bien sa femme pour savoir qu'elle agissait rarement de façon désintéressée. Or, c'était la première fois qu'elle conviait quelqu'un à leur table depuis leur mariage. Il se leva et alla se planter devant la porte donnant sur la galerie arrière de leur appartement de la rue Mont-Royal, situé au deuxième étage de l'immeuble appartenant maintenant à sa belle-mère. Une petite neige folle tombait en cette fin d'après-midi du mois de décembre.

Au moment où il allait se rasseoir, on frappa à la porte d'entrée. Il alla ouvrir à Yvonne Talbot. La grande femme à l'air impérieux pénétra dans l'appartement et lui tendit distraitement une joue pour qu'il l'embrasse. Fait inusité, sa belle-mère portait son manteau noir à col de renard alors qu'elle demeurait à l'étage juste au-dessous.

— Bonsoir, madame Talbot! la salua son gendre. Dites-moi pas que vous gelez chez vous au point d'être obligée de mettre un manteau?

— Non, j'ai voulu aller jeter un coup d'œil à la biscuiterie avant de monter, expliqua Yvonne, un peu essoufflée d'avoir dû monter deux volées de marches.

— Je suppose que madame Lussier fait ça bien.

— On dirait bien, reconnut sa belle-mère sans grand entrain et en lui tendant son manteau qu'elle venait de retirer. En tout cas, tout était en ordre dans la biscuiterie et elle se préparait à fermer.

— J'espère, m'man, que vous lui avez pas laissé les clés? intervint Reine qui venait de les rejoindre au bout du couloir.

— Bien non, ma fille. Ça aurait pas été normal que la vendeuse ait les clés du magasin.

— En tout cas, Adrienne Lussier a eu l'air de bien se débrouiller tout le temps que votre mari a été hospitalisé, lui fit remarquer Jean en suivant les deux femmes qui se dirigeaient vers la cuisine.

— C'est vrai que j'ai pas encore eu à me plaindre, reconnut la mère de Reine. Mais j'ai bien de la misère à m'habituer à me retrouver toute seule dans un aussi grand appartement. Mon Fernand me manque bien gros.

— Estelle et Charles vous ont offert d'aller rester chez eux, à Saint-Lambert, lui rappela sa fille.

— Il en est pas question, fit sa mère d'une voix tranchante en prenant place dans l'unique chaise berçante de la pièce. J'ai pas l'intention de devenir la gardienne à temps plein de leur petit. Je suis pas encore assez vieille pour ça.

— Je disais ça pour vous, m'man, reprit aussitôt Reine, qui sentait qu'elle abordait un sujet délicat.

— Je le sais, Lorenzo aussi m'a offert son aide. Mais ton frère a pas l'air de vouloir venir rester avec moi.

Jean ne dit rien, mais il se doutait bien que son beau-frère célibataire entretenait une relation suivie avec Rachel Rancourt, une femme qui était séparée de son mari, et qu'il n'avait pas envie de retomber sous la coupe de sa mère.

Reine invita son mari et sa mère à passer à table et les servit avant de venir prendre place à son tour en face de son invitée. Encore une fois, tout au long du repas, le maître des lieux se rendit compte que sa belle-mère s'adressait presque exclusivement à sa fille, comme elle l'avait toujours fait. Il finit par manger en silence, se bornant à écouter les deux femmes parler du vide laissé par la disparition de Fernand Talbot, des parents venus aux funérailles de ce dernier et de l'approche de la période des fêtes.

Au moment du dessert, Reine déclara de but en blanc :

— Il va tout de même falloir que vous preniez une décision pour la biscuiterie, m'man.

Cette remarque de sa femme, en apparence anodine, fit dresser l'oreille au jeune homme de vingt et un ans. Il comprit alors la raison de l'invitation à souper de sa belle-mère. Son intuition ne l'avait pas trompé, la présence de madame Talbot ce soir ne pouvait s'expliquer que si son épouse pouvait en tirer quelque profit. Et voilà, elle s'intéressait à la biscuiterie…

— Quelle décision ? lui demanda Yvonne en déposant sur la soucoupe sa tasse de thé.

— Voyons, m'man. Vous savez bien que la biscuiterie marchera pas toute seule. Vous pouvez pas laisser une étrangère s'en occuper. En plus, madame Lussier est là juste depuis quelques mois. Il faut quelqu'un qui s'y connaisse derrière le comptoir pour voir à tout, et surtout pour passer les commandes aux fournisseurs.

— Je le sais, reconnut Yvonne Talbot.

— Vous le savez, m'man, mais vous avez pas l'expérience qu'il faut. Vous avez jamais voulu descendre en bas donner un coup de main à p'pa, lui rappela Reine sur un ton qui n'était pas dénué de reproche.

— Parce que ça m'a jamais intéressée, se défendit la veuve.

— Moi, je sais ce qu'il faut faire, prétendit la jeune femme enceinte. Oubliez pas que j'ai travaillé cinq ans à la biscuiterie. Je connais tous les fournisseurs et le prix de tout ce qu'on vend.

— C'est pour ça que je compte sur toi, annonça Yvonne.

Un mince sourire de satisfaction apparut sur le visage de sa fille. Jean se douta immédiatement de ce qui allait suivre.

— Comme ça, vous avez pas l'intention de vendre tout de suite ? demanda Reine.

— Non.

— Vous faites bien, m'man, l'approuva-t-elle.

— Au fond, j'ai pas le choix, finit par avouer Yvonne Talbot, un ton plus bas. J'ai calculé que j'avais besoin du revenu de la biscuiterie encore deux ou trois ans au moins. Si je la vends, je vais être obligée de vendre la maison avec. À ce moment-là, j'aurai pas le choix de payer un bon loyer au nouveau propriétaire.

— C'est vrai ce que vous dites là, fit Reine d'un air pénétré.

Jean avait de plus en plus envie d'intervenir dans la conversation qui se tenait devant lui, comme s'il n'avait pas été là, et il dut faire un effort méritoire pour continuer à se contenir.

— Même si j'ai jamais tenu le budget de la maison, je sais encore calculer, poursuivit Yvonne Talbot sur un ton suffisant.

— Parlant de calculer, m'man, j'ai pensé à quelque chose, dit sa fille.

— À quoi ?

— Qu'est-ce que vous diriez de me donner la gérance de la biscuiterie ? Je pourrais m'en occuper comme il faut et vous me donneriez un salaire, comme si j'étais une employée.

— Là, je... commença à dire sa mère.

— Dans deux ou trois ans, je pourrais vous la racheter et l'affaire resterait dans la famille Talbot. Je suis certaine que c'est ce que p'pa aurait voulu, conclut la jeune femme sur un ton triomphal.

— T'es bien fine, Reine, mais je pense pas que ce soit la solution à mes problèmes. Ce serait pas normal que toi, en famille, tu sois prise à t'occuper de la biscuiterie pendant que je m'ennuierais à l'étage au-dessus. Non, j'ai décidé autre chose.

Sur ces paroles, le visage de Reine se crispa, passant rapidement du sourire triomphal à la vive déception.

— Quoi ? fit-elle.

— À partir de demain matin, c'est moi qui vais m'occuper du commerce que ton père m'a laissé.

— Mais vous avez jamais fait ça, m'man, dit Reine d'une voix acide qui laissait clairement sous-entendre que sa mère ne pouvait pas accomplir cette tâche.

— Je suis pas folle, ma fille. Je sais compter et je suis capable de consulter les papiers de ton père pour faire affaire avec les fournisseurs. Je vais apprendre. Madame Lussier va être capable de me donner un coup de main et toi-même, tu viens de me le dire, t'es prête à m'aider quand je serai mal prise.

Dès ce moment, Reine sentit le tapis lui glisser sous les pieds. Elle ne pouvait que constater que sa mère avait été plus rusée qu'elle. Elle prit alors un air buté avant de déclarer :

— Là, m'man, je suis pas sûre de pouvoir vous aider bien gros quand le petit va être arrivé.

— Si c'est comme ça, je vais me débrouiller sans toi, affirma Yvonne en feignant d'ignorer la déception évidente de sa fille.

— Vous avez pas peur de perdre de l'argent ? lui demanda la jeune femme. Vous savez, une ou deux mauvaises commandes, et vous pouvez manger tous les profits d'un mois, ajouta-t-elle pour noircir le tableau.

— Je m'en fais pas trop pour ça, rétorqua sa mère avec un mince sourire. De toute façon, inquiète-toi pas, si tu peux pas m'aider quand je serai mal prise, ton frère m'a offert de venir me donner un coup de main n'importe quand.

Le repas prit fin dans une certaine morosité et Jean profita de ce que les femmes parlaient de desservir pour s'esquiver dans le salon.

Moins d'une heure plus tard, Yvonne Talbot prit congé et descendit chez elle. Après avoir fermé la porte derrière sa mère, Reine pénétra dans le salon et alla prendre place dans le fauteuil libre. Le fait qu'elle n'avait pas allumé la radio à son entrée dans la pièce en disait long sur son état d'esprit. Jean la regarda, elle avait son visage fermé des mauvais jours, ce qui ne l'empêcha nullement de lui dire ce qu'il pensait de son comportement.

— Tu penses pas que t'aurais pu m'en parler ? lui demanda-t-il sur un ton égal.

— Aïe! Tu sauras que j'ai encore le droit d'inviter chez nous qui je veux, fit-elle, l'air mauvais.

— Je te parle pas de l'invitation à ta mère, mais de ton projet de devenir gérante de la biscuiterie.

— J'avais pas d'affaire à t'en parler, ça te regarde pas, laissa-t-elle sèchement tomber.

— T'as du front tout le tour de la tête, Reine Talbot! s'emporta-t-il à son tour. T'oublies une chose : t'es ma femme. Si t'avais l'intention de mener ta vie comme tu l'entendais, t'avais juste à rester fille et à pas m'obliger à te marier le printemps passé, ajouta Jean qui avait encore en mémoire le mariage précipité que lui avait imposé sa femme.

Le visage de Reine pâlit à ce rappel de la façon dont elle était devenue une Bélanger.

— Tu comprends rien, reprit-elle. Si Lorenzo commence à se mêler de la biscuiterie, c'est à lui que ma mère risque de tout laisser quand elle va s'apercevoir qu'elle est pas capable de s'en occuper.

— Puis après? demanda Jean.

— La biscuiterie, c'est à moi qu'elle doit la donner, rétorqua Reine avec une assurance désarmante. J'ai travaillé là durant des années et…

— Et t'as été payée par ton père pour le faire, la coupa son mari. Moi, je comprends ta mère, poursuivit-il. Quand on est revenus de notre voyage de noces, t'as dit à ton père que tu voulais plus travailler au magasin parce que t'étais enceinte. Ben là, c'est la même chose. T'attends un petit et ta mère s'en souvient.

— J'aurais ramassé mon argent et j'aurais voulu qu'elle me vende le magasin dans deux ou trois ans, quand j'aurais eu assez d'argent, conclut la jeune femme avec rage en frappant à mains ouvertes sur les bras de son fauteuil.

— Là, ta mère a décidé de se débrouiller toute seule. En deux ou trois ans, il va couler pas mal d'eau sous les ponts et les choses peuvent changer, se sentit obligé de dire Jean, pour rassurer tout de même un peu sa femme.

— Mais chanceuse comme je suis, je vais me ramasser avec rien.

Reine, le visage fermé, se leva, sortit du salon et se dirigea vers sa chambre à coucher. Son mari devina que cette soirée marquait le début d'une longue bouderie dont sa mère allait faire les frais. Il haussa les épaules en signe d'indifférence. Il y était déjà habitué.

❦

Les mois, puis les années passèrent. À la surprise générale, Yvonne Talbot avait pris la relève de son mari à la biscuiterie sans trop de problèmes et sans avoir recours à l'aide de l'un ou l'autre de ses enfants. La transition s'était faite en douceur. Pour le plus grand dépit de Reine, sa mère s'était parfaitement entendue avec Adrienne Lussier, la vendeuse, voisine de ses beaux-parents Bélanger, qui lui avait succédé derrière le comptoir.

Après avoir accouché de Catherine en juillet 1948, l'épouse de Jean Bélanger eut un premier fils, Gilles, en octobre 1950, puis un second, Alain, en avril 1952. À la suite de cette troisième naissance, la jeune femme de vingt-cinq ans avait déclaré sur un ton sans appel que c'était assez et qu'elle ne voulait plus d'enfant. D'ailleurs, chacune de ses grossesses avait donné lieu à des scènes pénibles, qui laissaient croire que Reine n'en avait souhaité aucune.

— Tu sauras que je suis pas une poule pondeuse ! avait-elle jeté à la figure de son mari peu après la naissance

d'Alain. Je passerai pas ma vie en famille à pleine ceinture !
C'est fini, F-I-N-I. Fini, tu m'entends ?

Bon gré mal gré, Jean avait dû accepter sa décision et les
moyens qu'elle lui avait imposés, même si l'Église catholique les réprouvait clairement. Dans ce domaine, Reine
n'était pas particulièrement scrupuleuse. Les menaces des
flammes de l'enfer brandies par les prêtres en confession
ne l'empêchaient guère de dormir. Rien de bien étonnant
chez une telle « catholique à gros-grain », comme l'aurait
sans aucun doute affirmé sa belle-mère si elle avait su.

— C'est facile pour eux autres de nous dire de pas
empêcher la famille, avait-elle déclaré à son mari sur un
ton outré en parlant des prêtres, ils en ont pas d'enfants,
eux, et ils savent pas ce que ça coûte de les nourrir et de les
habiller. Moi, je me mêle pas de leurs maudites affaires au
presbytère, ben eux, ils viendront pas me dire ce que j'ai à
faire chez nous.

Tout avait été dit. À compter de ce jour, il n'avait plus
jamais été question d'agrandir la famille Bélanger.

Toutefois, cette décision n'avait pas empêché la jeune
mère de famille de donner à ses trois enfants une éducation
religieuse minimale qui se limita à leur apprendre la prière
du soir et à les emmener à la messe le dimanche et les jours
de fête. Jean ne s'en était pas davantage mêlé, estimant qu'il
s'agissait là de la tâche d'une mère.

Cette façon d'élever des enfants finit cependant par
inquiéter la grand-mère Bélanger, la mère de Jean, une
femme profondément religieuse. Quand Catherine avait fait
sa première communion, Amélie n'avait pu s'empêcher de
mentionner à son fils, hors de la présence de sa bru :

— Ça me surprend pas mal, mon garçon, que tu donnes
pas plus l'exemple que ça à tes enfants. C'est pas comme ça
que je t'ai élevé.

— Pourquoi vous me dites ça, m'man ? s'était étonné Jean.

— Je te dis ça parce que je te vois jamais avec eux autres à la récitation du chapelet à l'église au mois de mai, à la procession de la Fête-Dieu ou même une fois de temps en temps aux vêpres. Si tu les amènes jamais à l'église, ils apprendront pas à y aller tout seuls, avait-elle ajouté sur un ton réprobateur qui affichait du même coup son éducation et ses convictions catholiques très ancrées.

Jean avait cependant bien senti que sa mère visait plus sa femme que lui.

— On les amène à la messe tous les dimanches, m'man, s'était-il défendu, mal à l'aise.

— C'est pas assez, avait-elle tranché. Il faut que tu les habitues à aller plus souvent à l'église. Mais pour ça, il faut que tu leur donnes l'exemple, avait répété Amélie sur un ton sentencieux.

Assis à l'écart dans sa chaise berçante, son père, Félicien, n'avait rien dit, mais tout dans son comportement semblait approuver les paroles de sa femme. Jean s'était bien gardé de rapporter les paroles de sa mère à Reine, sachant que la situation n'était pas près de changer.

⌒

En 1954, Yvonne Talbot avait procédé à d'importantes transformations à la biscuiterie en la dotant d'un comptoir réservé à la vente de chocolats et surtout d'une belle enseigne lumineuse rose et bleue. Le magasin avait dorénavant un air pimpant propre à inciter la clientèle à en franchir la porte.

— Mais c'est bien des dépenses ! lui avait fait alors remarquer sa fille cadette, comme si elle devait assumer une partie des coûts de ces changements.

— C'est vrai, avait alors reconnu sa mère, mais j'ai pas le choix. Tous les magasins autour sont en train de se moderniser. Il faut que je suive.

Le printemps suivant, lors de la rencontre familiale du jour de Pâques, la propriétaire de l'immeuble annonça aux siens qu'elle allait remplacer toutes les vieilles fenêtres en bois de la maison par de nouvelles fenêtres en aluminium qui faisaient maintenant fureur dans le monde de la construction. Reine avait dû cacher sa désapprobation parce que son mari, son frère Lorenzo et son beau-frère, Charles Caron, avaient approuvé chaleureusement la décision. Elle avait cependant laissé éclater sa mauvaise humeur en rentrant chez elle quelques heures plus tard.

— Veux-tu bien me dire ce qui t'a pris de féliciter ma mère de changer les fenêtres de la maison? avait-elle demandé, furieuse, à son mari. Si ça a de l'allure de jeter l'argent par les fenêtres comme ça !

— C'est son argent et elle a le droit d'en faire ce qu'elle veut, se contenta de répondre Jean.

— Bien oui, c'est brillant encore, cette idée-là ! Tu vois pas qu'elle va se dépêcher d'augmenter notre loyer quand ça va être fait et que c'est nous autres, les niaiseux, qui allons payer pour ces dépenses-là.

— Je te ferai remarquer qu'on paye le même loyer depuis sept ans et que ta mère nous a jamais demandé une cenne d'augmentation, avait pris la peine de préciser Jean pour ainsi signifier clairement à sa femme que leur propriétaire n'abusait pas tellement.

— C'est normal, je suis sa fille, avait laissé tomber Reine avec une mauvaise foi flagrante.

— Ben oui, mais elle a pas à nous faire la charité, avait-il rétorqué. Oublie pas qu'avec les nouvelles fenêtres, l'appartement va être pas mal plus facile à chauffer l'hiver, et que ça va être fini le temps des persiennes et des fenêtres doubles. En plus, elle ajoute de la valeur à l'immeuble en faisant ça.

— Ça fait rien, s'était entêtée sa femme. Si elle continue à gaspiller comme ça, il nous restera plus rien quand elle va partir.

— Mais rien ne l'oblige à te laisser quelque chose, lui avait fait remarquer Jean, stupéfait que l'on puisse être calculateur au point de compter sur le décès d'un parent pour s'enrichir.

— C'est pas son argent, c'est de l'argent laissé par mon père, avait conclu Reine. C'est notre héritage qu'elle dilapide.

Yvonne Talbot avait procédé aux rénovations annoncées et n'avait exigé qu'une augmentation très modérée du loyer de l'appartement occupé par les Bélanger.

— Qu'est-ce que je t'avais dit? s'était écriée Reine après le départ de sa mère venue faire signer à son gendre un nouveau bail.

— C'est son droit, s'était-il limité à lui répondre en haussant les épaules, afin de couper court à cette discussion, car l'augmentation n'avait, à ses yeux, rien d'exagéré.

Le jeune père de famille avait laissé sa femme à sa mauvaise humeur et s'était réfugié dans le salon, peu désireux de faire l'arbitre entre sa belle-mère et sa femme.

Si Jean Bélanger avait cru être mieux accepté par la famille Talbot après le décès de son beau-père, il avait dû rapidement changer d'idée. Le fait qu'il soit le seul homme résidant dans l'immeuble ne lui avait pas conféré une plus grande importance aux yeux d'Yvonne Talbot. Pour cette dernière, il était demeuré l'étranger sans grand avenir qui avait mis sa fille enceinte avant le mariage. Elle ne lui avait apparemment pas plus pardonné le fait de provenir d'une simple famille d'ouvriers que de l'avoir obligée à organiser un mariage en catastrophe pour cacher le scandale. À aucun moment, elle ne lui avait été reconnaissante d'avoir évité un scandale par un mariage de raison, et encore moins de lui avoir donné trois beaux petits-enfants.

Toujours aussi hautaine, la sexagénaire avait repoussé systématiquement toutes ses offres de lui venir en aide. Il la soupçonnait même d'avoir encouragé en sous-main sa fille cadette à limiter le nombre de leurs enfants. Quoi qu'il en soit, la disparition de son mari n'avait rien changé dans leurs rapports. Yvonne Talbot l'évitait le plus possible et ne l'invitait chez elle avec sa femme et ses enfants que lors des réunions familiales incontournables, à Pâques et durant les fêtes de fin d'année. Lorsqu'il passait devant la vitrine de la biscuiterie et qu'elle le voyait, elle se bornait à lui adresser un brusque signe de tête de reconnaissance. À la longue, il avait fini par faire de même.

— Telle mère, telle fille, disait-il parfois. Aussi chaleureuses l'une que l'autre.

∽

Avec le temps, les jeunes époux trouvèrent un *modus vivendi* pour vivre ensemble sans s'affronter quotidiennement. Comme dans beaucoup d'autres ménages, chacun accumulait ses griefs et rongeait son frein en silence jusqu'à ce qu'une crise particulière lui permette d'exprimer clairement ses reproches à son conjoint. En de telles occasions, tout se déroulait comme si le trop-plein de rancune accumulée faisait tout exploser.

Ainsi, dès les premières années de son mariage, Jean apprit très rapidement que sa femme ne lui pardonnait pas plus son manque d'ambition que la vie, à son avis trop modeste, qu'il la condamnait à mener ; ce qui n'était pas sans le faire sourciller, car c'était bien elle qui l'empêchait de dépenser le moindre sou.

Par ailleurs, lui-même ne parvenait pas à accepter sa sécheresse de cœur, son mauvais caractère et son avarice un peu sordide. Il ne comprenait pas qu'elle soit incapable de la moindre générosité, même à l'endroit de ses propres enfants. Elle n'était ni une mauvaise épouse ni même une mauvaise mère, non. L'appartement était bien tenu et elle cuisinait bien. Les enfants ne manquaient de rien. Le problème était qu'elle semblait tout faire à contrecœur, comme si elle était insatisfaite de la vie qu'elle menait.

S'il s'était habitué à ne plus attendre des marques de tendresse de la part de sa jeune femme, il déplorait qu'elle en prive ses enfants. De toute évidence, elle préférait régner sur eux par la crainte plutôt que par la douceur. « On n'est ni mieux ni pires que ben du monde marié que je connais », se disait-il parfois, résigné, pour s'encourager lorsque le couple traversait une tempête.

Il ne lui venait jamais à l'esprit d'envisager une séparation, même dans les pires moments. À cette époque, il n'était pas question d'abandonner son foyer et de mettre ainsi en jeu l'avenir de ses trois enfants.

Lorsque le couple franchit le cap de la trentaine, les crises se firent plus rares, comme si chacun des partenaires avait finalement renoncé à changer l'autre. Mais, après une longue accalmie, les derniers mois de l'année 1959 allaient apporter certains bouleversements dans la famille Bélanger.

Chapitre 1

Bérengère

— Où sont tes frères ? demanda Jean à la jeune adolescente qui venait d'apparaître à ses côtés.

— Je viens de les voir dans le fumoir, p'pa. Mon oncle Claude vient de leur payer une liqueur.

— Amène-les dans le parc en face, ma grande. Assoyez-vous sur un banc proche du trottoir, là où c'est éclairé. Il fait trop chaud pour rester en dedans. De toute façon, on est à la veille de partir.

Catherine accepta la mission sur un signe de tête et Jean regarda son aînée se diriger vers l'escalier qui permettait d'accéder au fumoir du salon funéraire. La jeune fille, qui avait fêté son douzième anniversaire le 31 juillet précédent, avait un visage délicat encadré par une épaisse chevelure châtaine qu'elle tenait de sa mère et éclairé par des yeux bruns brillants, un signe distinctif qu'on retrouvait plutôt chez les Bélanger.

En cette mi-août 1959, les Montréalais étouffaient littéralement sous un soleil de plomb. Depuis plusieurs jours, le mercure oscillait autour de 90 °F et la chaleur humide et écrasante enlevait toute envie de bouger. Dans le salon funéraire, l'odeur des fleurs ne faisait qu'ajouter à l'atmosphère suffocante, même si le gérant de l'endroit avait ouvert les portes et les fenêtres pour aérer.

Les années n'avaient guère marqué Jean Bélanger. À trente-trois ans, son visage énergique surmonté d'une élégante chevelure brune attirait toujours le regard des femmes qu'il croisait. De taille moyenne, il était solidement charpenté et n'avait pas encore commencé à s'empâter.

Lorsqu'il tourna la tête, il aperçut son père sur le pas de la porte, en train d'ouvrir son porte-cigarettes. Il fit quelques pas pour aller le rejoindre.

— Il y a pas grand monde à soir, laissa tomber le fils de la défunte.

— C'est un peu normal, p'pa, grand-maman avait quatre-vingt-huit ans. En plus, elle avait pas beaucoup d'amis. À part sa famille, on peut pas s'attendre à ce que ben des gens viennent la voir.

— C'est sûr, approuva le facteur de soixante-quatre ans, qui était tout de même déçu de la petite foule.

— En plus, on est au dernier soir. Ceux qui voulaient la voir sont déjà venus. Ils vont peut-être revenir pour le service, demain matin.

Félicien hocha la tête. Il avait de la peine à imaginer sa vie sans les remarques acides de sa vieille mère qui ne ratait jamais une occasion de donner son opinion sur tout ce qui se passait dans la famille.

Bérengère Bélanger avait surpris tout le monde par sa longévité. Cette femme fragile, dorlotée par ses deux filles infirmières depuis le décès de son mari survenu vingt-deux ans auparavant, avait survécu à la plupart de ses contemporains malgré tous les petits maux qui l'avaient accablée. Certaines mauvaises langues ne s'étaient pas gênées pour laisser entendre que Dieu hésitait à la rappeler à ses côtés parce qu'il ne tenait pas du tout à supporter son caractère acariâtre plus longtemps que nécessaire. Quoi qu'il en soit, la vieille dame était décédée paisiblement au début de la semaine, dans son sommeil. Ses filles, Rita et Camille, l'avaient trouvée sans vie le lundi matin. Tout s'était passé comme si elle avait décidé elle-même que son cœur avait assez battu.

— Elle est partie comme un petit poulet, avait déclaré une cousine.

— Elle a été chanceuse jusqu'à la fin, avait conclu sa vieille interlocutrice d'une voix envieuse.

— Le salon ferme dans un quart d'heure, je pense qu'on va y aller, nous autres, finit par dire Jean à son père en écrasant son mégot de cigarette sur le trottoir. On va revenir demain matin pour le service. Claude m'a dit tout à l'heure qu'il était pour vous ramener à la maison.

— C'est ça. On se voit demain dans ce cas.

Jean rentra dans le salon funéraire et chercha sa femme des yeux. Il la découvrit assise seule, à l'écart, près de l'une des fenêtres ouvertes. À son maintien, il était visible que la jeune femme de trente-deux ans ne manquait pas d'assurance et qu'elle aurait été très séduisante si un sourire avait éclairé plus souvent son joli visage. Sa chevelure soigneusement coiffée et ses grands yeux bleu-gris attiraient autant le regard que les traits réguliers de son visage.

Il remarqua que Reine avait pris soin de s'asseoir loin des femmes de sa famille. Cela ne l'étonnait pas. Le temps lui avait appris qu'elle semblait plus à l'aise en compagnie des hommes.

Il sourit à sa mère, en grande conversation avec ses tantes Rita et Camille, avant de s'approcher du cercueil dans lequel reposait sa grand-mère. Il s'agenouilla un instant sur le prie-Dieu, fixant sans le voir le chapelet en cristal de roche enroulé autour des mains osseuses et tavelées de la défunte. Durant un court moment, il pensa à la longue vie qu'avait connue la vieille dame qui reposait devant lui. Inexplicablement, il lui revint une remarque formulée par son oncle Corbeil le jour de la Saint-Sylvestre, l'année précédente. Le retraité de la Vicker's avait alors dit en blague à sa sœur Amélie, en parlant de Bérengère Bélanger :

— Batèche, arrête de lui souhaiter une bonne santé à chaque jour de l'An ! Tu vois ben que ta belle-mère te prend au mot. Elle va finir par t'enterrer.

— Pas si fort ! lui avait ordonné la mère de Jean, scandalisée par de tels propos. Si Félicien t'entendait, ça lui ferait de la peine.

Jean se releva et repéra son frère Claude en train de parler avec sa sœur Lorraine et son mari, Marcel Meunier. Il s'approcha du trio en même temps que Lucie, la femme de son frère.

— T'oublies pas que tu ramènes p'pa et m'man, dit-il à Claude. Moi, je pars tout de suite. Le salon est à la veille de fermer et les enfants sont fatigués.

— Pas de problème, je les oublierai pas, répondit le jeune homme qui avait desserré sa cravate et enlevé son veston qu'il portait maintenant sur un bras.

Âgé de vingt-sept ans, Claude Bélanger était un peu plus grand que son frère aîné et apparemment plus costaud. Sa figure allongée et marquée par plusieurs petits accidents de travail le faisait ressembler à son père. À la fin de ses brèves études, le cadet de la famille était devenu couvreur, même si sa mère l'avait supplié de choisir un métier moins dangereux.

— C'est une *job* de fou, ça. Tu vas finir par tomber et te tuer, lui avait-elle répété maintes fois, angoissée.

— C'est pas plus dangereux qu'autre chose, m'man.

— Pourquoi tu deviens pas facteur comme ton père ?

— Jamais de la vie, avait-il plaisanté, ça, c'est dangereux. Je pourrais tomber dans un escalier, me casser une jambe et rester infirme pour le reste de ma vie. Au fond, m'man, vous avez juste à prier pour moi pour que je tombe pas d'une toiture, avait-il ajouté en plaisantant.

«Il a une tête de cochon, comme tous les hommes Bélanger», avait conclu sa mère.

Trois ans plus tôt, le fils cadet d'Amélie et de Félicien Bélanger avait quitté le nid familial pour convoler en justes noces avec Lucie Paquette, l'unique fille d'une famille de sept enfants de la rue Gilford. Selon ses parents, Claude avait eu la main heureuse parce que sa jeune femme était la bru idéale. Dotée d'un bon caractère sans égal, Lucie semblait être la gentillesse même et ne rechignait jamais à rendre service autour d'elle. En somme, elle possédait toutes les qualités propres à la faire détester par Reine, qui sentait qu'elle supportait mal la comparaison avec la nouvelle venue dans la famille Bélanger.

Personne ne demanda à Jean pourquoi sa femme se tenait à l'écart. On la connaissait bien dans la famille. Son air revêche ne lui attirait guère de sympathie et l'on avait tendance à fuir sa compagnie lorsque c'était possible.

Cette vérification faite auprès de son frère, Jean se dirigea vers sa femme qui venait de s'éponger le front avec un mouchoir tiré de son sac à main.

— Bon, est-ce qu'on s'en va enfin? demanda-t-elle en se levant. On crève ici dedans.

— Oui, on y va, répondit-il. Veux-tu saluer quelqu'un avant de partir?

— Pourquoi? laissa-t-elle tomber. C'est à peine si on m'a parlé depuis qu'on est arrivés, répondit-elle sur un ton sec.

— Si tu souriais un peu plus, ça donnerait peut-être le goût au monde de te parler, lui fit-il remarquer.

— Laisse faire. J'ai rien à leur dire, fit-elle en s'avançant déjà vers la sortie.

Jean salua son père de la main avant de la suivre.

— Où sont les enfants? demanda Reine en posant le pied sur le trottoir.

— De l'autre côté de la rue, dans le parc, répondit-il en se mettant en marche à ses côtés.

Une bouffée de chaleur mêlée à l'odeur des gaz d'échappement des voitures les saisit à la gorge. L'air chaud et humide leur tomba sur les épaules comme une chape de plomb. Jean adressa un signe à Catherine, assise de l'autre côté de la rue, en bordure du parc, en compagnie de ses deux jeunes frères. Tous les trois se levèrent, se rendirent au coin de la rue et traversèrent au feu vert pour venir rejoindre leurs parents qui s'étaient immobilisés près de la Pontiac 1952 brune. Les portières furent déverrouillées et les vitres abaissées.

— Attendez que l'air chaud sorte un peu du char avant de monter, ordonna le père de famille.

Cinq minutes plus tard, Jean fit signe aux siens de monter à bord de la Pontiac et il démarra. La voiture venait à peine de se mettre en route qu'Alain, du haut de ses huit ans, se plaignit d'être obligé de toujours s'asseoir entre Catherine et Gilles.

— Pourquoi je suis pas sur le bord de la fenêtre, moi? demanda-t-il. Je suis toujours poigné pour être au milieu et j'ai jamais d'air.

— Parce que t'es le plus petit, répondit son frère de neuf ans.

Catherine ne dit rien et se contenta de se glisser sur la banquette afin de lui céder sa place près de la fenêtre. Jean vit le petit manège par le rétroviseur et eut un sourire. Sa fille était de nature généreuse et il ne se passait guère de jour sans qu'il s'en rende compte. Il regarda sa femme qui, elle, ne se préoccupait pas de ce qui se passait derrière.

— Sais-tu qu'on n'a pas vu un seul Talbot au salon, lui dit-il pour lui faire remarquer que leur présence aurait été appréciée.

— Je vois pas pourquoi ils seraient venus, rétorqua-t-elle sur un ton indifférent.

— Par sympathie pour nous autres. Moi, quand ton père est mort, j'ai passé les trois jours au salon, même si c'était pas de ma famille, précisa-t-il, acide. Il me semble que ta mère, ta sœur et ton frère auraient pu faire l'effort de se déplacer, juste par politesse.

— Ils ont dû se dire que c'était juste ta grand-mère.

— Ben oui… laissa-t-il tomber sur un ton désabusé.

Le journaliste regretta alors d'avoir entamé cette discussion. Après treize ans de mariage, il aurait dû savoir qu'il était inutile de faire une remarque sur la famille de sa femme. Les Talbot appartenaient à une race particulière qui n'avait rien en commun avec le bas peuple. On ne pouvait pas s'attendre à ce que la plupart d'entre eux songent à venir offrir leurs condoléances au mari de l'une des leurs. S'il avait prolongé la discussion, Reine aurait probablement ajouté que sa mère ne pouvait quitter la biscuiterie un vendredi soir, que sa sœur Estelle n'avait pu venir en ville parce que son mari, dentiste à Saint-Lambert, recevait des clients ce soir-là et que son frère Lorenzo devait livrer des commandes de produits Familex à l'extérieur de Montréal.

Le reste du court trajet se fit en silence. Même si le soleil était couché depuis près de deux heures, l'air s'engouffrant dans l'automobile ne rafraîchissait pas les passagers.

Jean Bélanger eut la chance de trouver un espace de stationnement presque au coin de la rue Brébeuf, à quelques dizaines de pieds de l'appartement où habitaient encore ses parents. La plupart des galeries des maisons d'un ou deux étages de cette rue paisible étaient encore occupées par les locataires à la recherche d'un peu de fraîcheur. Il verrouilla les portières de la vieille Pontiac après que les siens furent descendus de l'auto et il suivit sa femme et ses enfants sans se presser jusqu'à la maison qui appartenait toujours à sa belle-mère. Avant de pousser la porte du 1225, rue Mont-Royal, il jeta un coup d'œil à la vitrine de la biscuiterie voisine située au rez-de-chaussée de l'immeuble et éclairée par des néons roses.

En cette fin de soirée, les passants avaient pratiquement déserté les trottoirs de cette rue commerciale. Il n'y avait que le flot habituel de véhicules, entravé par un autobus qui venait de s'immobiliser au coin de la rue pour laisser monter quelques usagers.

Avant d'escalader la double volée de marches de l'escalier intérieur qui allait le conduire chez lui, au second étage, Jean leva les yeux, encore peu habitué à la disparition de tous ces fils électriques qui tissaient comme une toile au-dessus de la rue à l'époque des tramways bruyants et inconfortables. La veille, il avait écrit un court article pour le *Montréal-Matin* annonçant aux Montréalais qu'avant la fin du mois, soit le 30 août prochain, le dernier tramway allait disparaître à jamais des rues de la métropole. Il secoua brusquement la tête et entreprit de monter à l'étage. Au passage, il nota l'absence de tout bruit dans l'appartement habité par Yvonne Talbot.

À son entrée chez lui, ses deux fils avaient déjà reçu l'ordre de leur mère de se mettre au lit et Catherine était en train de se verser un verre de citronnade dans la cuisine.

— Où est ta mère ? lui demanda-t-il en retirant son veston.

— Dans la salle de bain. Elle veut prendre un bain.

Le père de famille poussa la porte de la chambre de ses fils. Il leur souhaita une bonne nuit avant de revenir dans la pièce voisine. Il retira ses souliers, prit une bouteille de Pepsi dans le réfrigérateur et alla s'asseoir sur l'unique galerie de l'appartement située à l'arrière et donnant sur la ruelle et les hangars. L'endroit bruissait des conversations tenues par les voisins assis également à l'extérieur pour profiter de la petite brise que procurait la soirée. Il pouvait voir la lueur rouge des cigarettes allumées sur les galeries à l'arrière des maisons de la rue De La Roche. En étirant un peu le cou, il aurait pu vérifier si son frère Claude et sa femme étaient déjà revenus puisqu'ils demeuraient à l'étage de l'une de ces maisons de la rue voisine.

Il alluma une cigarette et décida de ne rentrer dans l'appartement que lorsqu'il se sentirait prêt à être vaincu par le sommeil. Il faisait encore chaud. Le bruit d'une chaise déplacée sur la galerie à l'étage inférieur lui apprit que sa belle-mère était là. Il ne se donna pas la peine de se pencher au-dessus du garde-fou pour la saluer.

Quelques minutes plus tard, il entendit la porte de la chambre de sa fille se refermer et l'appartement devint silencieux dans son dos. Il savait que sa femme demeurerait un long moment à tremper dans la baignoire. C'était le moyen qu'elle utilisait le plus souvent pour combattre la chaleur.

Tant mieux, lui aussi avait besoin d'un peu de solitude, pour mieux réfléchir, de son côté, au problème qui le préoccupait depuis le début du mois. Le décès de sa grand-mère ne pouvait tomber à un pire moment. Il sentait qu'il allait devoir prendre une décision importante au sujet de son emploi au journal avant la fin du mois, qu'il le veuille ou non.

Journaliste au *Montréal-Matin* depuis un peu plus de douze ans, Jean Bélanger avait acquis de l'expérience en même temps qu'une plume efficace, grâce à la tutelle exigeante d'Antoine Fiset, son rédacteur en chef. Au fil des années, sa situation au journal s'était progressivement améliorée et il avait gagné la confiance de son patron. Jusqu'à tout récemment, il avait l'impression de faire partie du petit cercle de journalistes chevronnés et dynamiques et il était même convaincu que le quotidien pouvait difficilement se passer de ses services.

Tout avait soudainement basculé au début du mois de juin quand Olivier Marchand, son mentor depuis son entrée au journal, avait abandonné le journalisme écrit pour un emploi au service d'un groupe de périodiques français. Le grand journaliste, spécialiste de la politique provinciale, avait annoncé sa décision le soir même où les employés du quotidien montréalais fêtaient le départ à la retraite d'Antoine Fiset.

Quand il avait appris la nouvelle, Jean s'était mis à rêver au poste que quittait son ami Marchand. Il s'était alors empressé d'isoler le chroniqueur dans un coin de la salle où se déroulaient les festivités.

— On peut dire que t'es chanceux de pouvoir aller vivre à Paris, lui avait dit Jean d'entrée de jeu.

— Tu peux pas savoir comment, avait répliqué Olivier Marchand en riant. Mais tu sais pas la meilleure. J'ai failli avoir un poste au service des nouvelles de Radio-Canada. Il y a pas mal de brasse-camarade depuis la grève des réalisateurs le printemps passé. Il paraît même que Radio-Canada va retirer *Point de mire* de l'horaire pour se venger de René Lévesque parce qu'il s'est mêlé de la grève. Je me suis laissé dire qu'il va peut-être y avoir d'autres têtes qui vont rouler.

— C'est ce que je dis, t'es chanceux, avait répété Jean, très envieux. Mais moi, je reste, avait-il poursuivi, et ta *job* de chroniqueur des affaires provinciales m'intéresse pas mal. Est-ce que tu pourrais pas demander au remplaçant de Fiset de me la refiler avant de partir ?

— Ben là, je sais pas trop, avait dit Marchand d'une voix hésitante en se grattant la tête.

— Tu sais à quel point la politique provinciale m'a toujours intéressé, avait insisté Jean. Ça fait une éternité que je croupis aux affaires municipales. Il se passe jamais grand-chose d'intéressant. Les élections vont avoir lieu seulement dans quinze mois et elles sont presque jouées d'avance. On est sûrs que Jean Drapeau va écraser Sarto Fournier qu'on veut plus voir à la mairie.

— Pauvre vieux ! avait fini par dire un Marchand compatissant. Tu sais qui prend la place de Fiset à partir de demain ?

— Non.

— Joseph Hamel. C'est à lui que j'ai remis ma démission cet après-midi. Il a jamais pu me sentir depuis qu'il travaille au journal. T'imagines un peu comment il accepterait que je te propose pour me remplacer ?

— Je comprends.

— Ce serait le meilleur moyen de jamais avoir le poste que tu veux. Pour moi, t'es mieux de passer par Fiset avant qu'il vide les lieux. S'il y en a un qui a du poids pour influencer ton nouveau patron, c'est bien lui. Ils sont comme les deux doigts de la main. Mais perds pas de temps. J'ai entendu dire que Fiset va vider son bureau dès demain avant-midi et ça me surprendrait que tu le revoies au journal après ça. Moi, j'ai déjà ramassé mes cliques et mes claques et j'ai pas l'intention de revenir, avait-il annoncé en retrouvant un large sourire.

— Tu vas nous manquer, avait dit Jean, désolé de le voir partir.

— Si t'arrives pas à avoir ma *job* au journal, t'as juste à aller poser ta candidature à Radio-Canada ou même à Télé-Métropole. On dit partout que ce poste-là va entrer en ondes dans une quinzaine de mois, au début 1961. Il va certainement chercher des journalistes expérimentés pour sa salle des nouvelles.

— C'est possible, avait répondu Jean, mais j'aimerais mieux rester au journal et m'occuper de ta chronique de politique provinciale.

— Attention, l'avait mis en garde son ami. Je veux bien croire que le temps de Duplessis achève, mais quand tu tiens cette chronique-là, tu peux jamais oublier que le journal appartient à l'Union nationale et tu peux pas écrire ce que tu veux. Je te garantis que parfois, la plume nous démange de critiquer ce qui se fait dans la province…

Jean Bélanger avait suivi le conseil de Marchand et avait guetté le passage de l'ex-rédacteur en chef du journal le lendemain avant-midi pour obtenir un court entretien. Il n'avait pas eu à se démener puisque le nouveau retraité s'était fait un point d'honneur d'aller saluer personnellement, avant de partir, chacun de ceux qui avaient travaillé sous ses ordres durant tant d'années.

Évidemment, le journaliste de trente-trois ans s'était empressé de lui demander d'intercéder auprès de son remplaçant pour qu'il lui confie la rubrique tant désirée.

— Tu tombes bien mal, lui avait déclaré rapidement Antoine Fiset. Hamel vient de donner le poste de Marchand à Paul Tremblay.

— Mais ça fait même pas un an que Tremblay est entré au journal, avait-il protesté.

— Peut-être, mais Hamel a confiance en lui.

— Comme ça, j'ai aucune chance d'avoir la chronique, même si j'ai bien plus d'expérience que le jeune ? avait demandé Jean, révolté par cette injustice.

— Tu peux toujours aller le demander et essayer de discuter, mais ça me surprendrait que ton nouveau rédacteur en chef revienne sur sa décision.

— J'en reviens pas, avait-il laissé tomber, dépité par la nouvelle.

— Hamel est humain et il a ses têtes, l'avait prévenu Fiset, la main sur la poignée de la porte.

— Mais je lui ai jamais rien fait, moi, avait-il protesté, surpris par la remarque.

— Non, mais dans sa tête, tu étais peut-être un peu trop près de Marchand et tu sais à quel point ils s'aimaient pas tous les deux. Marchand a dû apprendre entre les branches la nomination de Hamel et c'est probablement pour ça qu'il s'est trouvé de l'ouvrage ailleurs. En tout cas, tarde pas trop pour rencontrer Hamel, avait conseillé le nouveau retraité en arborant un sourire contraint. Tu vas bien voir.

L'après-midi même, Jean avait obtenu un rendez-vous avec Joseph Hamel, un petit homme sec dont les verres de lunettes étaient épais comme des culs de bouteille. Jean n'avait eu aucun accrochage avec celui qui avait longtemps été le bras droit d'Antoine Fiset, mais il ne l'avait jamais trouvé particulièrement sympathique non plus. Il lui avait toujours paru cassant et peu ouvert à la discussion.

Dès les premiers instants de la rencontre, il se rendit compte que son accession au poste de rédacteur en chef du journal avait rendu l'homme encore plus déplaisant. À son entrée dans le bureau vitré, Hamel avait à peine quitté des yeux l'article qu'il était en train de corriger en arborant un air contrarié. Il ne lui avait même pas offert de siège. Il s'était limité à écarter légèrement son fauteuil de son bureau.

— Bon, qu'est-ce qu'il y a ? lui avait-il sèchement demandé. Fais ça vite, j'ai de l'ouvrage par-dessus la tête.

Sans dire un mot, il avait écouté Jean lui expliquer brièvement ses raisons de demander la chronique tenue durant plus de dix ans par Olivier Marchand. Dès qu'il avait prononcé le mot «justice», le nouveau rédacteur en chef avait regardé ostensiblement sa montre et levé une main pour signifier à son vis-à-vis qu'il en avait assez entendu.

— La justice a rien à voir là-dedans, avait-il déclaré abruptement. C'est une question d'efficacité. Toi, t'es bon dans les affaires municipales et c'est pour ça que je te laisse là. Le jeune Tremblay a du potentiel et il va être capable de faire encore pas mal mieux que ce que Marchand faisait. As-tu un autre point à discuter ? ajouta tout aussi vite le nouveau rédacteur en chef.

Soufflé, Jean n'avait rien trouvé à ajouter.

— Si c'est comme ça, oublie pas la réunion des membres du Parti civique à soir. Il paraît que Drapeau a trouvé d'autres candidats de prestige pour les élections de l'année prochaine.

Son sort était certes réglé au journal. Il allait rester aux affaires municipales tant et aussi longtemps que Hamel serait en poste, et cette perspective ne lui plaisait guère. Les semaines suivantes, il aurait pu finir par se faire une raison et se dire qu'il était au moins respecté dans son champ de compétence, mais il n'en fut rien. À la mi-juillet, son nouveau patron l'avait fait venir un lundi matin dans son bureau pour lui présenter un jeune homme nommé Michel Parenteau.

— J'aimerais que tu lui montres le métier, lui avait-il ordonné sur un ton qui ne souffrait pas la contestation, après avoir prié Parenteau d'attendre quelques instants à l'extérieur. Amène-le partout avec toi et présente-le à ceux que tu rencontres d'habitude.

— Mais c'est qui, ce jeune-là ? avait-il demandé.

— C'est un stagiaire, s'était borné à répondre Hamel en lui faisant signe qu'il pouvait disposer.

À compter de ce jour, tout avait semblé soudainement clair à Jean Bélanger. Il avait reçu le mandat de former son successeur, celui qui allait lui voler son emploi quand Hamel le jugerait prêt à prendre sa place. Cependant, il s'était bien gardé de lui révéler quelles étaient ses sources, afin de préserver son réseau, qu'il avait mis des années à constituer. Si Parenteau le suivait dans tous ses déplacements, il lui parlait le moins possible et le laissait se débrouiller. Comme ce dernier avait reçu l'ordre d'écrire un article sur les mêmes sujets que son tuteur, Jean s'abstenait de le conseiller et le laissait remettre ses articles à Hamel sans les corriger.

— Je trouve que tu fais pas grand-chose pour l'aider, s'était emporté le rédacteur en chef quelque temps plus tard, en fait deux jours avant le décès de Bérengère Bélanger. On dirait que tu lui apprends rien.

— Je suis pas professeur, avait répliqué Jean, à qui la moutarde commençait à monter au nez. Je suis pas payé pour former des étudiants en journalisme. S'il est pas doué, j'y peux rien. C'est pas moi qui suis allé le chercher.

— Je t'ai pas demandé de le former, mais de l'aider, avait rétorqué Hamel en assenant une claque sur son bureau. Et tu le fais pas !

— Peut-être qu'un autre, au journal, pourrait s'occuper de lui, avait-il suggéré, comme s'il ignorait que son patron rêvait d'en faire son remplaçant.

Là-dessus, pour une fois, Jean n'avait pas attendu que Joseph Hamel lui signifie la fin de l'entretien. Il avait quitté son bureau en claquant la porte derrière lui. C'était fini, il n'allait pas attendre les bras croisés qu'on lui montre la sortie pour quitter le journal. Même s'il lui en avait beaucoup coûté, il avait pris la décision de se chercher du travail ailleurs le jour même.

— Hamel est pas content de toi, avait-il déclaré au jeune Parenteau en entrant dans le cubicule qu'ils partageaient depuis trois semaines. Ça fait que tu vas rester ici cet après-midi et recommencer ton dernier article.

Sans plus d'explications, il l'avait planté là et avait quitté les bureaux du *Montréal-Matin*. Il régnait une telle chaleur à l'extérieur de l'immeuble du journal qu'il avait eu la tentation de rentrer chez lui en montant dans sa vieille Pontiac. Pendant un long moment, il était demeuré assis derrière le volant, incapable de se décider.

Finalement, il avait mis le moteur en marche et avait pris la direction de l'ouest de la ville pour aller proposer ses services au journal *La Presse*. Comme il était maintenant assez connu dans le milieu, il avait été reçu plutôt cordialement chez un concurrent de son employeur, mais on lui avait tout de même laissé bien peu d'espoir de lui offrir un emploi à court terme.

À sa sortie de l'imposant édifice, le jeune père de famille avait décidé de se rendre rue Saint-Sacrement, aux bureaux du journal *Le Devoir*. À cet endroit, l'accueil avait été passablement moins chaleureux quand il avait révélé être journaliste au *Montréal-Matin*. Responsable de l'embauche pour un journal d'obédience ouvertement libérale, son interlocuteur ne voyait pas très bien l'intérêt d'engager un journaliste qu'il jugeait à la botte de Duplessis, comme il ne s'était pas privé de le lui dire. Jean l'avait remercié du bout des lèvres avant de quitter l'endroit.

Persuadé d'avoir fait chou blanc dans sa quête d'un nouveau travail, il était retourné à sa voiture dont il s'était empressé d'abaisser les vitres. Un rapide coup d'œil à sa montre lui avait appris qu'il avait encore le temps d'aller poser sa candidature ailleurs avant le dîner. Mais à la porte de quel journal pouvait-il aller frapper? Ce fut à ce moment-là qu'il se rappela les paroles de Marchand au sujet de Radio-Canada.

— Pourquoi pas! avait-il dit sans grand enthousiasme en mettant son moteur en marche.

Il avait pris la direction de l'ancien hôtel Ford du boulevard Dorchester, immeuble occupé par Radio-Canada.

En stationnant sa voiture à proximité du siège de la société d'État, il avait regretté durant un court instant de ne pouvoir compter sur le parrainage d'Olivier Marchand. Tout aurait été beaucoup plus facile si ce dernier avait choisi de travailler pour Radio-Canada plutôt que pour des périodiques français. Puis, il s'était dit que son ancien confrère au journal n'aurait probablement pas pu faire grand-chose pour lui venir en aide puisqu'il n'aurait eu pratiquement aucune influence auprès du bureau du personnel.

Il avait poussé la porte de l'édifice sans se faire de grandes illusions et on l'avait orienté vers le bureau du personnel. Impressionné par le cadre, il n'en avait pas moins rempli une demande d'emploi et posé sa candidature au service des nouvelles. L'employée l'avait invité à prendre place dans la petite salle d'attente au cas où le directeur du personnel voudrait le rencontrer.

Pendant son attente, Jean avait décidé de poursuivre sa recherche d'emploi durant tout le reste de la semaine. D'une façon ou d'une autre, il lui fallait trouver autre chose, il n'avait plus le choix. Il allait faire le tour de tous les hebdomadaires et peut-être même accepter un travail de pigiste. Puis, si rien ne fonctionnait, il irait jusqu'à postuler à Télé-Métropole, le futur poste de télévision privé, dès qu'il entendrait dire qu'on y engageait du personnel.

Il avait dû attendre près d'une heure, puis le directeur du personnel lui avait accordé une courte entrevue. Au moment où Jean avait cru que l'homme allait le congédier avec une vague promesse de le contacter plus tard s'il y avait une ouverture, ce dernier avait appelé sa secrétaire et l'avait priée de le piloter jusqu'au bureau du directeur de l'information.

Arthur Lapointe s'était montré agréable et plutôt intéressé par ses services, sans toutefois préciser à quel titre. Il l'avait longuement interrogé sur son expérience de journaliste. Finalement, ils s'étaient séparés sur une poignée de main et l'homme avait conclu leur entretien en lui disant qu'il lui donnerait probablement des nouvelles avant la fin du mois. Jean avait considéré ces paroles comme une promesse si encourageante qu'il avait cessé de chercher un autre emploi, persuadé que Radio-Canada allait l'embaucher dès l'automne.

⌒

Le jeune père de famille sursauta légèrement en entendant des pas derrière lui dans la cuisine. Tournant la tête, il aperçut sa femme qui venait de quitter la salle de bain.

— Je m'en vais me coucher, lui annonça-t-elle en s'approchant de la porte moustiquaire. Essaye de pas me réveiller quand tu viendras te coucher.

— C'est correct.

Il aurait aimé pouvoir lui raconter les difficultés qu'il rencontrait au travail ainsi que sa décision de quitter le journal, mais il savait qu'elle ne lui aurait prêté qu'une oreille distraite et n'aurait pas compris qu'il abandonne une paye respectable par fierté. Pour elle, l'important demeurait qu'il rapporte régulièrement de l'argent à la maison et que rien ne vienne mettre en danger le budget serré qu'elle gérait depuis leur mariage.

Il eut un demi-sourire au souvenir du jour où, sept ans auparavant, il était revenu à la maison au volant de sa première voiture. Au journal, plusieurs confrères se moquaient de lui depuis quelques mois parce qu'il était le dernier reporter connu, disaient-ils, à se déplacer encore en tramway et en taxi.

Peu à peu, il en était venu à envisager la possibilité d'acheter une automobile. À vingt-sept ans, il ne voyait pas pourquoi il n'en possèderait pas une. Cela rendrait son travail plus facile et lui permettrait de transporter sa petite famille quand le besoin s'en ferait sentir. En réalité, à l'époque, la perspective de conduire une voiture l'excitait. Il possédait un compte en banque bien approvisionné, grâce à la somme qu'il continuait à prélever sur son salaire chaque semaine, à l'insu de Reine évidemment. Il pouvait donc s'offrir le luxe de posséder une automobile.

Quelques jours plus tard, le hasard avait voulu que Jérôme Ouellet, un confrère, décide de faire l'acquisition d'une voiture neuve. Il lui avait acheté sa vieille Dodge 1948 bleue sans rien y connaître et, surtout, sans savoir conduire. Son unique condition fut que Ouellet vienne stationner la Dodge dans la rue Brébeuf, près de Gilford, où elle demeurerait jusqu'au jour où il pourrait la piloter.

Ensuite, il s'était empressé de suivre des cours de conduite sans en parler à qui que ce soit. Deux semaines plus tard, en possession de son permis de conduire, il avait réservé une surprise de taille aux siens. Un vendredi soir, après le souper, il avait insisté pour que sa femme et ses trois enfants viennent faire une promenade. Parvenu près de la Dodge, il avait déverrouillé les portières et les avait invités à prendre place dans le véhicule en feignant la plus grande indifférence.

— Mais qu'est-ce que tu fais là ? lui avait demandé Reine, estomaquée.

— On s'en va faire un tour dans mon char, avait-il déclaré en contournant le véhicule pour prendre place derrière le volant.

— Comment ça, ton char ? À part ça, tu sais même pas conduire, avait-elle ajouté, toujours debout devant la portière ouverte, côté passager.

— Inquiète-toi pas, j'ai appris, avait-il simplement dit pour la rassurer.

Puis, vint la vraie question :

— Mais où est-ce que t'as pris l'argent pour payer ça ? l'avait-elle questionné, soupçonneuse, en se décidant enfin à s'asseoir sur la banquette et en refermant la portière.

— J'ai pas eu à débourser une cenne, avait-il menti. C'est le journal qui l'a acheté. Ils trouvent que ça va leur revenir moins cher de me payer ce bazou-là que de rembourser tous les taxis que je prends pour travailler. Ils ont même payé mes cours de conduite. Qu'est-ce que tu dis de ça ?

Il avait soigneusement préparé son mensonge à l'intention de sa femme. Cette dernière lui laissait si peu d'argent de poche chaque semaine qu'elle n'aurait jamais cru qu'il puisse réunir la somme nécessaire à un tel achat.

— Et qui va payer le *gas* ? avait-elle demandé, toujours suspicieuse.

— Le journal, avait-il affirmé encore une fois pour éviter de se lancer dans une grande explication avec sa femme, en mettant le moteur en marche.

Il se souvenait parfaitement à quel point les trois enfants, entassés sur la banquette arrière, avaient été excités à la perspective de faire une balade en auto. Lui, les mains moites rivées sur le volant, avait roulé durant plusieurs minutes dans les rues les moins achalandées du quartier. Il était alors un conducteur encore trop peu expérimenté pour goûter les plaisirs de la conduite automobile. Durant tout le trajet, Reine n'avait pas ouvert la bouche.

— On dirait que t'es pas contente qu'on ait enfin un char? lui avait-il fait remarquer, un peu dépité de son manque d'enthousiasme, au moment où il verrouillait les portières.

— Je suis contente, avait-elle finalement reconnu sans sourire. Ça va être pas mal utile.

Lorsqu'il avait troqué la Dodge pour une Pontiac plus récente, deux ans auparavant, il lui avait servi les mêmes mensonges avec un égal bonheur... Mais s'il quittait le *Montréal-Matin*, il allait devoir inventer une autre fable pour expliquer pourquoi il conservait une voiture qui appartenait, du moins le croyait-elle, au journal. Il verrait bien si jamais cela se concrétisait. Peut-être pourrait-il avancer que l'automobile vieille de sept ans représentait un cadeau de départ du journal?

Au fond, il devait reconnaître que Reine, si soupçonneuse soit-elle, était passablement naïve dès qu'il n'était pas question de son argent. Cependant, dans ce dernier domaine, elle était intraitable et il fallait l'acculer au pied du mur chaque fois qu'il fallait procéder à une dépense. Ouvrir son porte-monnaie semblait lui causer une souffrance presque physique. Il en avait été ainsi quand il avait fallu la convaincre de remplacer le poêle à huile par une cuisinière électrique quelques années auparavant. Pour l'installation d'une ligne téléphonique, cela n'avait guère été plus facile.

Pour éviter cette dernière dépense, Reine avait toujours déclaré que c'était inutile puisqu'on pouvait toujours aller téléphoner chez sa mère ou même à la biscuiterie en cas de besoin. Jean avait eu beau arguer que tout le monde avait maintenant le téléphone et qu'il en avait besoin pour son travail, sa femme se cramponnait à sa décision.

— Là, ça va faire! avait-il éclaté un beau matin. J'ai besoin du téléphone pour mon ouvrage et j'ai pas l'intention d'aller quêter chez ta mère chaque fois que j'ai un coup de fil à donner. J'ai demandé à Bell de venir installer le téléphone cette semaine et tu vas laisser entrer les installateurs, tu m'entends?

— C'est un gaspillage!

— Je m'en sacre! s'était-il emporté. T'es mieux de t'arranger pour pas les retourner à la porte, l'avait-il même menacée, à bout de patience.

Il en avait été quitte pour une semaine de bouderie. Toutefois, il avait gagné un appareil téléphonique suspendu au mur de la cuisine et sa femme n'avait pas été la dernière à s'en servir. Avec Reine, toute dépense devait être réfléchie trois fois plutôt qu'une, et encore là le consentement était rarement accompagné d'un sourire. Mais Jean y était désormais habitué.

Maintenant, la situation était passablement plus grave. Il s'agissait de son avenir et de celui des siens. Il sentait le tapis lui glisser de plus en plus sous les pieds au journal et il attendait avec une impatience difficilement réprimée des nouvelles de Radio-Canada. Il lui semblait que chaque jour qui passait l'éloignait un peu plus du poste rêvé à la société d'État.

En entendant le raclement d'une chaise chez sa belle-mère, à l'étage au-dessous, il se dit qu'il était temps d'aller se coucher. Il quitta sa chaise et pénétra dans l'appartement en prenant bien soin de ne pas faire de bruit en refermant la porte derrière lui. Il alla mettre son pyjama, suspendu, comme d'habitude, au crochet fixé derrière la porte de la salle de bain. À sa sortie de la pièce, il hésita un bref moment entre aller s'étendre sur le divan, dans le salon, ou rejoindre Reine dans leur chambre à coucher. Cependant, à la pensée des courbatures dont il hériterait après une nuit passée sur le divan inconfortable, il opta pour son lit, même si l'idée d'y rejoindre sa femme, d'une humeur massacrante aujourd'hui, ne l'enchantait guère.

Il entra dans la chambre sur la pointe des pieds sans allumer la lumière. Il remonta le mécanisme de son réveille-matin, puis s'allongea sur le lit dans le noir après avoir repoussé la légère couverture inutile. Même s'il faisait encore passablement chaud malgré l'heure tardive, il s'endormit rapidement aux côtés de sa femme.

Chapitre 2

Le testament

Le lendemain matin, Jean fut réveillé par les roulements du tonnerre. Soulevant la tête, il jeta un coup d'œil à son réveille-matin. Il indiquait sept heures moins le quart. Il faisait étrangement sombre vu l'heure. À ses côtés, Reine ouvrit les yeux sans toutefois esquisser le moindre geste indiquant une intention de se lever.

— Qu'est-ce qui a fait ce bruit-là ? demanda-t-elle d'une voix ensommeillée.

— Ma grand-mère te répondrait que c'est le diable qui charrie de la pierre, répondit-il en bâillant. C'est le tonnerre. On dirait qu'on va enfin avoir un peu de pluie.

— Si ça peut rafraîchir.

— Il faut se lever, lui dit-il. Il est déjà presque sept heures et le service est à neuf heures et demie.

— Je pense que j'irai pas au service, fit-elle. Je suis allée passer deux soirs au salon. Me semble que c'est bien assez.

— Mais tu peux pas faire ça, s'insurgea Jean en s'assoyant dans le lit.

— Je vois pas ce qui m'en empêcherait, dit-elle d'une voix mordante. Ta grand-mère pouvait pas me sentir et elle s'en est jamais cachée.

— Ça va faire de la peine à mon père que tu sois pas là pour l'enterrement de sa mère.

— Il le remarquera même pas.

— Dans ce cas-là, lève-toi quand même pour aider à préparer les petits. Eux autres vont venir.

Jean quitta le lit et, avant de sortir de la chambre, alla jusqu'à la fenêtre. Au moment où il écartait les rideaux pour mieux constater le temps qu'il faisait, un éclair zébra le ciel et un violent coup de tonnerre sembla ébranler les vitres. Il laissa retomber les rideaux et prit la direction de la salle de bain pour se raser et faire sa toilette. Quand il quitta la pièce quelques minutes plus tard, Reine avait eu le temps de dresser le couvert pour le déjeuner, mais les enfants étaient encore couchés.

— T'as pas réveillé les enfants?

— Penses-tu que c'est bien raisonnable de les amener là à matin avec le temps qu'il fait? lui demanda-t-elle en débranchant la bouilloire électrique.

Il ne se donna pas la peine de lui répondre. Il alla réveiller Catherine, puis ses deux fils en leur demandant de venir déjeuner.

— S'il mouille et qu'ils gaspillent leur beau linge, qui est-ce qui va être encore poigné pour leur en payer du neuf? fit sa femme en lui versant une tasse de café.

— Moi, comme d'habitude. À ce que je sache, il y a personne d'autre dans cette maison qui rapporte de l'argent, non? rétorqua-t-il sur le même ton.

— Allez faire votre lit avant de venir manger, ordonna-t-elle à sa fille et à ses fils au moment où ils entraient dans la cuisine.

Ensuite, Reine se tut, l'air buté. Elle se leva de table pour allumer la radio et prépara trois tasses de chocolat chaud destinées aux enfants. Catherine et ses frères revinrent dans la pièce les uns après les autres, quelques instants plus tard.

— Mangez des céréales, leur dit sèchement leur mère, mais exagérez pas sur le lait.

Dès qu'il eut fini de manger ses rôties, Jean se leva de table, se versa une seconde tasse de café et prit la direction de la galerie. Malgré l'heure matinale, il faisait déjà chaud. Le ciel plombé était traversé par des éclairs, mais la pluie n'avait pas encore commencé. Brusquement, le tonnerre roula à l'ouest. Au moment même où il s'assoyait sur sa vieille chaise berçante en bois, les premières gouttes de pluie se mirent à tomber. En quelques secondes, ce fut le déluge. La pluie se transforma en un véritable rideau opaque et elle se mit à tambouriner sur le toit du hangar. L'orage était si violent qu'il avait peine à voir de l'autre côté de la ruelle. Il dut même reculer sa chaise près du mur pour ne pas être éclaboussé.

Un peu plus tard, Catherine vint rejoindre son père sur la galerie pour regarder tomber la pluie.

— On part à neuf heures moins quart, lui dit-il.

— On va être prêts, p'pa, fit l'adolescente. On a déjà fini de manger. J'attends juste que Gilles sorte de la salle de bain pour aller me brosser les cheveux.

Peu après, le jeune père de famille rentra dans la maison et retrouva sa femme dans leur chambre à coucher, en train de remettre de l'ordre.

— T'es sûre que tu veux pas venir? lui demanda-t-il dans un dernier espoir de la convaincre d'assister aux funérailles de sa grand-mère.

— Non, t'auras juste à dire à ton père que j'y suis pas allée parce que je filais pas à matin.

— Et tu t'imagines qu'il va croire ça?

— Qu'il le croie ou pas, c'est pas important, trancha-t-elle en contournant le lit pour étendre la couverture.

Il haussa les épaules et endossa son veston. Il alla ensuite chercher son imperméable suspendu à la patère du couloir avant de s'armer d'un parapluie.

— Prenez le grand parapluie noir, dit-il à ses enfants, et attendez-moi au pied de l'escalier. Sortez pas dehors tant que je serai pas revenu avec le char. Attendez que je klaxonne avant de sortir.

Sur ce, il dévala les deux volées de marches. Lorsqu'il ouvrit la porte au pied de l'escalier, il se rendit compte que la pluie violente avait chassé la plupart des passants des trottoirs de la rue Mont-Royal. Il ouvrit son parapluie et se précipita vers la rue Brébeuf où il avait stationné sa Pontiac la veille. Il déverrouilla fébrilement la portière et se glissa à l'intérieur du véhicule après avoir refermé son parapluie, en maudissant le temps exécrable. Maintenant, il fallait que son automobile y mette du sien et accepte de démarrer. Depuis qu'il en avait fait l'acquisition, il n'avait pu faire autrement que de constater que la Pontiac était particulièrement sensible à l'humidité et refusait obstinément de démarrer un matin sur deux lorsqu'il pleuvait.

Il eut de la chance. Sa voiture démarra sans problème. Il actionna les essuie-glaces, remonta la rue Brébeuf jusqu'à Gilford et descendit Chambord jusqu'à Mont-Royal avant de venir s'immobiliser devant la biscuiterie Talbot au moment où sa belle-mère pénétrait dans son magasin. Il allait klaxonner pour signaler son arrivée à ses enfants quand quelqu'un ouvrit à la volée la portière avant de la Pontiac, côté passager.

— Je suis ben content de pas être arrivé trop tard, déclara Lorenzo Talbot en se glissant aux côtés de son beau-frère. Je voulais téléphoner chez vous à matin pour savoir où était chanté le service de ta grand-mère, mais la ligne était en dérangement. Ça fait que j'ai pris une chance de venir avant que tu partes.

— Où est ton char ? lui demanda Jean, une fois la surprise passée.

— Derrière le tien. Je suis arrivé en même temps que toi.

— Monte avec nous autres, lui proposa-t-il, heureux de constater qu'au moins un Talbot s'était dérangé pour la circonstance.

— Où a lieu le service ?

— À l'église Saint-François-Solano, rue Dandurand.

— Je pensais que ta grand-mère restait dans l'ouest de la ville ?

— Oui, sur Saint-Urbain, reconnut Jean, mais elle avait demandé à mes tantes que son service soit célébré là parce qu'elle est restée longtemps dans cette paroisse-là.

— Est-ce que tu vas aller au cimetière après ?

— Il va bien falloir.

— Moi, je pourrai pas. Je dois être chez Familex à la fin de l'avant-midi. Ça fait que je vais me contenter de te suivre. Où est ta famille ?

— Attends une seconde. Tu vas voir arriver les enfants, lui annonça Jean.

Sur ces mots, il donna un petit coup de klaxon. Aussitôt la porte palière voisine de celle de la biscuiterie s'ouvrit pour livrer passage aux trois enfants serrés sous le parapluie noir tenu par Catherine. Ils s'engouffrèrent dans le véhicule. Ils découvrirent avec plaisir leur oncle Lorenzo sur le siège avant.

— À l'eau, les canards, plaisanta ce dernier en se tournant vers eux.

— Ma tante Rachel est pas avec vous, mon oncle ? lui demanda Catherine, qui avait un faible pour l'agréable compagne du commis voyageur.

— Elle est dans le char, en arrière, répondit Lorenzo. Là, je vais vous suivre jusqu'à l'église. Retiens ton père pour qu'il prenne pas son tacot pour un char de course, ajouta-t-il avec le sourire.

— Il y a pas de danger, intervint Jean. C'est déjà un miracle que ma bagnole ait voulu démarrer à matin avec la pluie qui tombe.

— Au fait, où est passée ma sœur ?

— Elle file pas à matin, se borna à répondre Jean.

Le frère de Reine secoua la tête d'un air entendu avant d'annoncer en ouvrant la portière :

— Bon, on se retrouve à l'église.

Lorsque Jean arriva devant l'église aux deux clochers de Saint-François-Solano quelques minutes plus tard, la pluie était beaucoup moins violente, mais le vent s'était levé, apportant enfin une fraîcheur bienvenue. En compagnie de ses trois enfants, il attendit Lorenzo et sa compagne et tous s'empressèrent de pénétrer à l'intérieur du temple. Une vingtaine de personnes à peine s'étaient regroupées à l'arrière, attendant l'arrivée du corbillard qui devait transporter la dépouille de Bérengère Bélanger.

Catherine alla embrasser sa grand-mère et ses tantes Lorraine et Lucie pendant que Jean saluait son frère et son beau-frère à qui il présenta Lorenzo et Rachel.

— Je suppose que p'pa est dans la limousine avec ses sœurs ? demanda-t-il à sa mère après l'avoir embrassée sur une joue.

— Oui, ils devraient pas tarder, répondit Amélie en replaçant machinalement une mèche de cheveux de son petit-fils Alain.

La mère de Jean salua Rachel et Lorenzo qu'elle avait déjà rencontrés en quelques occasions et feignit de ne pas remarquer l'absence de sa bru. Un jeune prêtre de la paroisse, accompagné d'un porte-croix et de deux servants de messe, apparut à l'arrière de l'église. Les conversations se transformèrent en chuchotements.

— Ils arrivent, déclara soudain Claude qui venait de pousser la porte pour regarder à l'extérieur.

En fait, le corbillard venait de s'immobiliser au pied du parvis et quatre porteurs vêtus de noir prirent place à l'arrière de l'imposant véhicule. Une énorme Cadillac noire s'était arrêtée derrière. Félicien Bélanger en sortit en compagnie de ses sœurs, Rita et Camille. Tous les trois attendirent que les porteurs soulèvent le cercueil en chêne contenant les restes de leur mère et les suivirent à l'intérieur de l'église. La bière fut déposée sur un chariot drapé de noir qui fut poussé lentement dans l'allée centrale. Le prêtre, précédé de ses servants de messe et du porte-croix, le suivit et la maigre assistance l'imita.

La cérémonie funèbre ne donna pas lieu aux crises de larmes assez habituelles dans ces circonstances. Elle fut d'une sobriété exemplaire. Chacun des participants était conscient que la disparue avait vécu une belle et très longue vie et qu'elle était partie sans trop souffrir. Dans une courte homélie, le célébrant prononça quelques paroles propres à consoler les membres de la famille et les amis. À la fin de la messe, il bénit encore le corps avant que les porteurs ne s'emparent du cercueil et le poussent sur le chariot vers la sortie.

À l'extérieur, la pluie n'avait pas encore cessé et c'est un maigre cortège de cinq voitures qui accompagna Bérengère Bélanger à son dernier repos au cimetière Notre-Dame-des-Neiges. La traversée de la ville se fit tout de même assez rapidement et les membres de la famille Bélanger, plus ou moins bien protégés par des parapluies, se regroupèrent autour de la fosse au-dessus de laquelle les porteurs venaient de déposer le cercueil. On récita une courte prière avant que Félicien signale à ses sœurs qu'il était temps de se retirer.

À la sortie du cimetière, Amélie fit savoir aux personnes présentes qu'elle les attendait à la maison pour dîner. Avec l'aide de Lorraine et de Lucie, elle avait préparé un buffet la veille. Elle rejoignit son fils Jean au moment où il se dirigeait vers sa voiture en compagnie de ses trois enfants.

— Où est passée ta femme ? lui demanda-t-elle, comme si elle remarquait seulement à cet instant l'absence de sa bru.

— Elle était pas dans son assiette quand elle s'est levée à matin, m'man, mentit-il.

Sa mère fit un gros effort pour ne pas formuler une remarque désagréable. Elle garda le silence un court instant avant de poursuivre.

— Je veux que tu viennes manger à la maison avec les enfants, exigea-t-elle. On n'a pas préparé tout ce manger-là pour rien.

— Reine va nous attendre pour dîner, prétexta-t-il mollement.

— Elle va comprendre, ton père a besoin d'être entouré aujourd'hui, ajouta-t-elle en désignant Félicien du menton alors qu'il était en train de parler à ses deux sœurs.

— Vous auriez pu demander à Reine de venir vous donner un coup de main à préparer le buffet hier soir, dit-il à sa mère dans une dernière tentative de faire mieux accepter l'absence de sa femme. Elle y serait allée avec plaisir.

— Je le sais bien, dit Amélie sur un ton peu convaincant, mais il était tard quand on est sortis du salon, et à cette heure-là je suppose qu'elle devait s'occuper des enfants. La fille de Lorraine était gardée par sa grand-mère et Lucie a pas d'enfant. Toutes les deux, ça les dérangeait pas de venir m'aider. Quand on arrivera à la maison, t'auras juste à envoyer un de tes petits chercher leur mère. Qu'il lui dise de venir manger avec nous autres.

Jean ne put faire autrement que d'accepter l'invitation de ses parents. Cependant, il n'avait pas été dupe des raisons avancées par sa mère pour ne pas avoir fait appel à Reine pour participer à la confection du repas. Elle était si peu appréciée dans la famille Bélanger qu'on avait préféré se passer de son aide. En tout cas, c'était ainsi que sa femme allait l'interpréter. Il était presque certain qu'elle allait refuser de venir le rejoindre chez son père.

À l'arrivée des voitures rue Brébeuf, la pluie avait enfin cessé. Il ne tombait plus qu'un crachin. On pouvait même voir des lambeaux de ciel bleu. Tout était détrempé, mais l'air était sensiblement plus frais. Jean envoya Gilles prévenir sa mère qu'elle était attendue chez grand-mère pour le dîner. Ensuite, il monta l'escalier extérieur qui conduisait chez ses parents en compagnie de Catherine et d'Alain.

Au moment où Amélie déverrouillait la porte, la limousine du salon funéraire s'immobilisa le long du trottoir pour laisser descendre Félicien et ses deux sœurs. On entra dans l'appartement et on s'empressa d'ouvrir toutes les fenêtres qu'on avait laissées fermées en partant pour éviter que la pluie pénètre à l'intérieur. Pendant que les femmes déposaient sur la table les sandwichs aux œufs et au jambon préparés la veille ainsi qu'un généreux gâteau, les hommes avaient disposé des chaises autant dans le salon que dans la cuisine.

Finalement, aucun étranger à la famille n'avait accepté de se joindre au repas et les membres du clan Bélanger se retrouvaient entre eux.

— C'est de valeur qu'on ait dû aller au cimetière, déplora Amélie au moment où chacun commençait à garnir son assiette, je suis certaine que Lorenzo Talbot et son amie seraient venus manger avec nous autres. Parce que là, on n'est pas ben nombreux pour tout ce qu'il y a sur la table.

— Il devait aller travailler, m'man, lui expliqua Jean. Mais j'ai vu madame Lussier et Omer à l'église. Pour moi, elle a dû demander à ma belle-mère un congé pour venir.

— Va donc sonner à côté pour voir s'ils sont chez eux, lui suggéra-t-elle. Dis-leur qu'on les attend pour manger.

Félicien adressa à sa femme un regard entendu. Il était évident qu'ils auraient trouvé plus normal qu'Yvonne Talbot ait été présente aux funérailles plutôt que sa vendeuse, mais tout commentaire était bien futile.

À l'instant où le journaliste sortait de l'appartement de ses parents, son fils Gilles revint.

— M'man est couchée et elle dit qu'elle a un gros mal de tête, dit-il à son père.

— C'est correct, tu peux aller rejoindre les autres.

Jean dut sonner plusieurs fois à la porte voisine avant qu'on l'ouvre. Il leva la tête et découvrit Omer Lussier, debout sur le palier du second étage.

— Est-ce que ta sœur est là ? lui demanda-t-il.

— Non, elle est partie travailler, répondit le quinquagénaire.

— Est-ce que ça te tente de venir manger avec nous autres ? l'invita Jean.

— OK, répondit le plus simplement du monde Omer.

Le frère d'Adrienne Lussier descendit pesamment l'escalier intérieur, tout heureux à l'idée d'aller s'empiffrer. Depuis de nombreuses années, c'était un habitué de la maison parce qu'Amélie, mue par la charité chrétienne, ne ratait jamais une occasion de lui donner un morceau de gâteau, une pointe de tarte ou des biscuits. Elle ne s'était jamais plainte d'Omer, même s'il était un voisin parfois un peu malcommode à cause de la déficience intellectuelle dont il souffrait.

Omer pénétra chez les Bélanger à la suite de Jean et s'empara de l'assiette que venait de préparer la maîtresse de maison à son intention. Lorraine lui tendit un grand verre de cola et lui indiqua une chaise où il pouvait prendre place. Jean vit que ses enfants étaient assis aux côtés de l'épouse de son frère Claude. Il ignorait ce que Lucie leur racontait, mais cela avait l'air de les amuser.

— On dirait que ta femme a le tour avec les enfants, fit-il remarquer à son frère, qui venait de s'asseoir près de lui.

— Tu peux pas savoir à quel point elle aimerait en avoir, murmura le cadet des Bélanger.

— Ça va venir. Il faut pas vous inquiéter, voulut le rassurer Jean. Ça fait juste trois ans que vous êtes mariés.

— Presque quatre, le corrigea le couvreur.

— P'pa, ma tante dit qu'il y a deux beaux programmes pour les jeunes à la télévision le soir, dit Alain, qui venait de se matérialiser près de son père.

— Quels programmes ? demanda-t-il distraitement.

— *La boîte à surprises* avec Guy Sanche et *Le grenier aux images* avec André Caillou, répondit Lucie, qui venait de s'avancer vers les deux frères. Remarque que je sais pas si c'est pas trop enfantin pour Catherine, mais je suis certaine que Gilles et Alain aimeraient beaucoup ça.

Jean allait dire qu'il n'avait pas encore de téléviseur à la maison, mais son frère le devança.

— Laisse donc les jeunes venir jeter un coup d'œil un soir. C'est pas ben tard, je pense que c'est à l'heure du souper. Ils risquent pas de se perdre en chemin, on reste de l'autre côté de la ruelle.

— Ça me surprendrait que Reine accepte qu'ils aillent vous achaler en pleine heure de souper pour regarder la télévision.

— Si Lucie les invite, tu peux être certain que ça dérange pas.

— Ça me ferait plaisir qu'ils viennent, intervint la petite femme blonde aux yeux bleus. Inquiète-toi pas. Tes enfants mangeront tout de même pas la bourrure de mes fauteuils. S'ils essaient de faire ça, je les inviterai plus, ajouta-t-elle en prenant une grosse voix pour faire rire les enfants.

À la fin du repas, Amélie remplit une assiette de sandwichs qu'elle remit à Omer en lui demandant de l'apporter chez lui pour sa sœur.

— Manges-les pas, prit-elle la peine de lui préciser. C'est pour Adrienne, quand elle viendra souper.

— J'ai plus faim, madame Bélanger, affirma son voisin, sa grosse figure lunaire illuminée par un large sourire.

Pendant que les femmes remettaient de l'ordre dans la cuisine, les hommes allèrent fumer sur la galerie. À un certain moment, Marcel Meunier rentra dans l'appartement et attira sa femme dans le couloir pour lui dire quelques mots. Quand il revint sur la galerie, il semblait de mauvaise humeur. Debout dans son dos, Claude adressa une mimique qui en disait long à son frère.

Lorraine, leur sœur aînée, n'avait vraiment pas eu de chance dans ses amours. Édouard Lacombe l'avait fréquentée durant trois ans avant de disparaître quand leur père lui avait demandé de clarifier ses intentions. Ensuite, il y avait eu le grand Christian Dupriez, chef cuisinier de son état. Malheureusement, le jeune Français avait été pris du mal du pays un an et demi après son arrivée au Québec, et il était retourné chez lui sans proposer le mariage à la jeune fille de vingt-cinq ans. Enfin, deux ans plus tard, son jeune frère, Claude, lui avait présenté Marcel Meunier, un plâtrier célibataire qu'il côtoyait assez souvent sur les chantiers de construction. Âgé de trente ans, l'homme de taille moyenne compensait une chevelure châtain clairsemée par une petite moustache rectiligne qui lui conférait un air plutôt conquérant. Au demeurant, il s'était rapidement montré un amoureux attentif et délicat, veillant soigneusement à séduire aussi bien les parents de la jeune fille que la jeune fille elle-même. Un an et demi plus tard, il avait demandé à Félicien Bélanger la main de sa fille. Après le mariage, le jeune couple s'était installé dans un petit appartement de la rue Mentana, à faible distance des autres membres de la famille Bélanger. Puis, une année plus tard, Lorraine avait donné naissance à Murielle, leur unique enfant.

Lorraine était particulièrement discrète sur sa vie familiale, mais les Bélanger soupçonnaient depuis longtemps que tout n'était pas nécessairement rose avec son Marcel. Ce dernier était sujet à des crises de rage et chacun sentait qu'il avait toutes les peines du monde à se contenir en public quand on le contrariait. Bien sûr, il cherchait toujours à offrir la meilleure image possible, mais on le sentait souvent prêt à exploser pour un oui ou pour un non.

— Il m'a l'air pas mal mauvais, lui, décrétait de temps en temps Amélie lors d'épisodes où Marcel semblait particulièrement têtu et obstiné envers sa femme.

Mais au moins, il ne s'isolait pas et ne boudait pas, comme Reine pouvait le faire lorsqu'une situation la contrariait.

— En tout cas, il est mieux de pas lever la main sur Lorraine, avait rétorqué Félicien, un peu inquiet pour sa fille. Si jamais il fait ça, il va avoir affaire à moi, je t'en passe un papier, saint cybole !

Lorsque les femmes se présentèrent sur la galerie en déclarant en avoir fini avec la vaisselle, Félicien Bélanger s'esquiva un court moment dans sa chambre pour en revenir avec un document à l'air officiel.

— Si ça vous fait rien, j'aimerais vous lire le testament de m'man, déclara-t-il.

— Bon, je pense que nous autres, on va y aller, annonça Émile Corbeil en faisant signe à sa femme Berthe et à son fils Réjean de le suivre. Je pense pas que ça nous regarde, ajouta-t-il avec un rire bon enfant.

Le frère d'Amélie, sa femme et leur grand fils étaient venus au salon funéraire deux fois, en plus d'être présents aux funérailles.

— Je pense que vous avez raison, mon oncle, l'approuva Jean. Nous autres aussi, on va y aller.

— Non, restez, insista Félicien. Vous êtes tous de la famille, ça vous regarde.

Jean regarda son oncle et sa tante et tous décidèrent d'obéir à leur hôte.

— On pourrait s'installer dans le salon pour une couple de minutes, ajouta Félicien en regardant ses deux sœurs qui n'avaient rien dit.

Tout le monde rentra et le maître des lieux attendit que chacun ait trouvé un siège pour lire le testament de Bérengère Bélanger.

— Bon, ce sera pas ben long ni ben compliqué, annonça le facteur. M'man a fait faire son testament il y a une vingtaine d'années, et elle me l'a donné le printemps passé parce qu'elle m'a désigné comme son exécuteur testamentaire.

Le document n'était constitué que de deux feuilles. La disparue laissait toutes ses possessions à partager à parts égales entre ses trois enfants. Rita et Camille hochèrent la tête en entendant leur frère aîné lire le contenu du testament.

— Ça, c'était ce que ma mère demandait. Mais je pense qu'en toute justice, le peu qu'elle laisse devrait revenir à mes sœurs qui se sont occupées d'elle si longtemps.

— Voyons donc ! protesta Camille.

— Non, c'est décidé. Hier soir, j'ai préparé un papier que j'ai signé devant deux témoins. Je vous le remets avec le testament.

— On peut pas accepter ça, intervint Camille. M'man avait un peu plus que six cents piastres dans son compte de banque.

— C'est à vous deux que ça revient, dit Amélie qui approuvait le geste généreux de son mari. Ça sert à rien de revenir là-dessus. C'est fait.

Si la lecture officielle du testament était terminée, les discussions se poursuivirent plusieurs minutes. Tout le monde ajouta ses commentaires pour dire à Félicien que son geste l'honorait, et pour dire à Rita et Camille à quel point c'était mérité. Quelques minutes plus tard, Jean remercia ses parents et entraîna ses enfants vers la sortie.

De retour à la maison, il trouva sa femme, assise sur la galerie, en train de repriser un pantalon de Gilles. Il sortit, mais ne s'assit pas sur la chaise libre. Il préféra s'adosser contre la porte.

— Pourquoi t'es pas venue manger chez ma mère ? lui demanda-t-il. T'étais la seule à pas être là.

— Ça me tentait pas, laissa-t-elle tomber. J'étais pas pour aller me braquer là quand j'étais même pas allée au service.

— Lorenzo et Rachel sont venus, eux autres, lui apprit-il.

— Tu parles d'une idée ! Ils connaissaient même pas ta grand-mère.

— C'est vrai, mais ton frère a l'esprit de famille, lui, dit-il, la voix chargée de reproche.

Reine feignit de ne pas comprendre le sous-entendu et poursuivit.

— À la place de mon frère, je me promènerais pas partout en traînant une séparée comme il le fait, surtout pas à l'église.

— On n'a rien à reprocher à Rachel Rancourt. C'est vrai qu'elle est séparée de son mari, mais on sait pas ce qui s'est passé et on n'a pas à la juger.

— On sait bien, toi, t'as l'esprit large, fit-elle, sur un ton sarcastique.

— Mon père a lu le testament de ma grand-mère, dit-il en changeant de sujet de conversation avant que la situation s'envenime.

— À qui elle laisse son argent ? demanda Reine, tout de suite intéressée par la question.

— À ses trois enfants, naturellement. Mais mon père a fait un beau geste et a décidé de laisser sa part à mes deux tantes parce qu'elles se sont toujours occupées de ma grand-mère.

— À l'âge où elle était rendue, elle a pas dû leur laisser grand-chose.

— Tout de même, à peu près deux cents piastres, chacun, en plus des meubles et de quelques cossins, précisa-t-il.

— Quoi ? Es-tu en train de me dire que ton père a laissé tout ça à ses sœurs ?

— Ben oui, qu'est-ce qu'il y a ? ajouta Jean, sachant très bien que sa femme ne pouvait pas comprendre tant de générosité, d'autant plus lorsqu'il était question d'argent.

— Il peut bien être pauvre, s'exclama la jeune femme, qui n'en revenait pas. Si ça a de l'allure de cracher sur de l'argent comme ça !

— Mon père est peut-être pas riche, rétorqua Jean, mais il a un cœur et un esprit de famille.

— Bien sûr, fit sa femme, on le sait, les Bélanger ont toutes les qualités.

Jean rentra dans la maison. Il s'assit à la table de cuisine après être allé chercher son porte-document. Il avait promis un court article dans lequel il énumérerait les avantages que le port de Montréal comptait tirer de la voie maritime du Saint-Laurent inaugurée en grande pompe deux mois auparavant par la reine Élisabeth et le président Eisenhower. Il se mit au travail.

Chapitre 3

Des changements importants

Une douzaine de jours plus tard, Jean Bélanger broyait du noir. Il n'avait toujours reçu aucun signe de vie de Radio-Canada, et l'atmosphère était devenue irrespirable au journal depuis qu'il avait refusé, la semaine précédente, de continuer à former le stagiaire, Michel Parenteau. En cela, il avait suivi les conseils de certains de ses confrères qui voyaient bien que la direction du *Montréal-Matin* avait décidé d'utiliser ce subterfuge peu élégant pour le chasser de son poste.

Quand il avait fait connaître sa décision au nouveau rédacteur en chef, ce dernier avait tempêté et l'avait même menacé de licenciement, mais il n'avait pas bronché. Il ne continuerait pas à former celui qui lui volerait son emploi. Joseph Hamel avait dit qu'il en appellerait à la direction générale pour ajouter un peu de pression sur son journaliste, mais il ne lui en avait pas moins enlevé son stagiaire pour le confier aux bons soins de Maurice Savard. Lequel collègue qui avait tout de même promis secrètement à son ami Jean de ne pas faire trop de zèle dans son nouveau rôle de mentor.

Toutefois, Jean Bélanger n'avait plus d'autre choix que d'admettre qu'il vivait maintenant sur du temps emprunté et que la guillotine tomberait plus tôt que tard.

En cette fin d'après-midi, il quitta, soulagé, l'édifice du journal. Il venait de laisser sur le bureau de la rédaction, quelques minutes avant l'heure de tombée, un article sur les réactions des Montréalais depuis que les tramways avaient été retirés des rues de la métropole. Il faisait un temps si magnifique qu'il se promit de faire une balade dans les allées du parc La Fontaine après le souper.

À son arrivée à la maison, il s'étonna de ne pas trouver Reine en train de cuisiner le repas du soir. À peine venait-il de faire quelques pas dans le couloir qu'elle sortit de la chambre des garçons.

— Viens voir, lui dit-elle en lui faisant signe de la suivre dans la pièce. Je sais pas ce qu'il a. Il se plaint qu'il a de la misère à avaler depuis le déjeuner.

Elle lui montra Alain, couché dans son lit. Le jeune garçon de huit ans semblait avoir un sérieux mal de gorge.

— As-tu appelé le docteur Laflamme ?

— Oui, il veut qu'on l'amène le voir à soir à sept heures.

Jean fit ouvrir la bouche à son fils cadet pour tenter de se faire une idée.

— On dirait que ce sont les amygdales, fit-il.

— C'est ce que je pense aussi, reconnut-elle.

— Je te l'avais dit, il y a deux ans, qu'on aurait été mieux de les lui faire enlever en même temps que Gilles.

Reine ne répondit rien. Elle s'était opposée à cette dépense qu'elle jugeait inutile. À l'époque, il avait fallu faire opérer Gilles, sujet à des amygdalites à répétition, mais ce n'était pas le cas de son jeune frère.

Le soir même, la promenade au parc La Fontaine fut abandonnée au profit d'une visite chez le médecin de la famille. Gilles fut confié aux soins de sa sœur aînée pendant que les parents conduisaient Alain chez le médecin. Aurèle Laflamme diagnostiqua bien une amygdalite et prescrivit un médicament propre à diminuer l'inflammation. Il recommanda cependant l'ablation dès que possible.

— On va faire faire ça avant le commencement de l'école de manière à ce qu'il manque pas pour rien, déclara Reine.

— Samedi, l'inflammation devrait s'être résorbée et je pourrais l'opérer ici même dans mon cabinet, proposa le médecin.

Durant les trois jours suivants, Gilles fit en sorte de calmer les appréhensions de son frère et lui fit miroiter la grande quantité de crème glacée qu'il allait pouvoir manger durant sa convalescence.

Le samedi matin, le père de famille alla déposer une couverture et un oreiller sur le siège arrière de la Pontiac pendant que sa femme voyait à ce que son plus jeune fils finisse de se préparer.

— Je vais te laisser y aller tout seul avec lui, déclara-t-elle. J'ai un rendez-vous chez la coiffeuse à dix heures.

Jean se retint de lui faire remarquer devant les enfants que sa présence aux côtés de son fils nerveux était bien plus importante qu'une permanente. Il se contenta de laisser tomber :

— Comme tu voudras. Quelle sorte de crème en glace veux-tu manger en revenant ? demanda-t-il à Alain en se tournant vers lui.

— Aux fraises, p'pa.

— Vous deux, vous irez acheter un gros contenant de crème en glace aux fraises pendant qu'on va être partis, dit-il à Catherine et Gilles. Le plus gros qu'il y a chez Drouin. Et je vous défends d'en manger, ajouta-t-il pour faire bonne mesure en adressant un clin d'œil de connivence à ses deux aînés. C'est juste pour Alain quand on va revenir tout à l'heure.

— Tu penses pas qu'une brique de crème en glace… commença Reine.

— J'ai dit le plus gros contenant, répéta son mari, sans se donner la peine d'écouter plus avant le commentaire de sa femme.

Déjà qu'elle n'accompagnait pas leur fils qui avait pourtant besoin de soutien, il n'était pas d'humeur à entendre une remarque qu'il savait destinée à lui rappeler le prix d'une brique de crème glacée.

Sur ces mots, il quitta l'appartement en compagnie de son fils cadet. L'intervention chirurgicale bénigne se déroula sans problème et le père put ramener son fils à la maison bien avant l'heure du dîner. Encore sous l'effet de l'anesthésie, Alain effectua le trajet de retour à la maison étendu sur la banquette arrière. À leur arrivée à destination, Jean le prit dans ses bras et le monta à l'appartement. Catherine avait préparé le lit de son frère. Son père n'eut qu'à l'y déposer.

— La crème en glace est dans le frigidaire, lui dit-elle. M'man a préparé du pâté chinois pour dîner. Elle sait pas à quelle heure elle va revenir de chez la coiffeuse. Je vais juste avoir à le faire réchauffer.

— T'es sûre qu'elle a dit qu'elle sera pas revenue pour dîner ? lui demanda-t-il, surpris que sa femme ait à passer plus de trois heures chez la coiffeuse.

— C'est ce qu'elle a dit, p'pa, intervint Gilles. Elle a aussi dit qu'elle était pour arrêter voir madame Lalonde après.

Jean esquissa une grimace. Il détestait Gina Lalonde, l'unique amie de sa femme. Toutes les deux s'étaient connues à l'école primaire et s'étaient perdues de vue à la fin de leurs courtes études, jusqu'au jour où elles s'étaient rencontrées par hasard quelques mois après leur mariage.

La femme, âgée d'une trentaine d'années, était célibataire et cultivait un genre que le journaliste n'appréciait pas particulièrement. Barmaid dans un cabaret de la rue du Havre, Gina Lalonde affichait une liberté de mœurs que toute femme honnête aurait désapprouvée. Pas Reine, ce qui n'était pas sans paradoxe puisque c'était la même Reine qui reprochait tant de choses à Rachel Rancourt, pourtant beaucoup plus respectable, à ses yeux, que Gina. La fille d'Yvonne Talbot semblait éprouver à l'endroit de son amie une admiration qu'il avait du mal à comprendre. Rien ne lui déplaisait autant que de voir cette femme blonde à l'allure vulgaire installée chez lui à son retour du travail. Heureusement, cela ne se produisait pas trop souvent. Par contre, sa femme allait au cinéma régulièrement en sa compagnie.

— Il me semble que s'occuper de son garçon malade était ben plus important que d'aller se faire coiffer ou courir chez la Lalonde, dit-il à mi-voix dès que sa fille fut retournée dans la cuisine pour faire réchauffer le hachis parmentier.

En fait, Reine ne revint à la maison qu'à la fin de l'après-midi. Soigneusement coiffée et toute pimpante, elle déposa un sac sur la table de cuisine avant de retirer ses talons hauts. Jean, assis sur la galerie, rentra dans l'appartement.

— Tu trouves pas que ta place aurait été ben plus ici dedans à t'occuper de ton garçon qu'à courir les rues avec la Lalonde? lui dit-il, agressif.

— Il est pas mort, non? répliqua-t-elle sur le même ton. T'étais là, toi. Je vois pas ce que j'aurais pu faire de plus en restant encabanée toute la journée, ajouta-t-elle avant de disparaître dans leur chambre pour changer de robe.

Ensuite, elle alla toutefois voir le malade dans la pièce voisine.

— Va porter à ton frère une coupe de crème en glace, commanda-t-elle à Catherine. Il vient de se réveiller. Après, tu viendras m'aider à mettre la table.

— Laisse faire la crème en glace, intervint Jean. Je m'en occupe.

Il ouvrit le réfrigérateur, sortit le contenant de crème glacée et en déposa une généreuse portion dans une coupe qu'il alla porter à Alain.

— J'ai mal à la gorge, se plaignit son fils d'une voix rauque.

— C'est pas grave, ça va partir, le rassura son père. Mange ça doucement, sans te presser. Ça va te faire du bien.

— Moi aussi, j'ai mal à la gorge, l'imita son frère, présent dans la chambre, en changeant sa voix.

— Pas de problème, répliqua son père. Je t'amène tout de suite chez le docteur, et après ça tu vas avoir droit à de la crème en glace, toi aussi.

En réalité, ces paroles n'étaient destinées qu'à faire croire au jeune opéré que la crème glacée lui était entièrement destinée. Mais dans les faits, toute la famille en eut une généreuse portion ce soir-là.

⁓

Le jeudi 3 septembre, Jean trouva l'appartement vide à son retour du travail. Un billet laissé sur le coin de la table de cuisine lui apprit que sa femme et ses enfants étaient partis chez ses parents, rue Brébeuf, et qu'ils reviendraient à l'heure du souper. Immédiatement, le journaliste devina que sa femme était allée voir sa mère pour lui demander de procéder à certains ajustements des vêtements des enfants.

Chaque année, quelques jours avant la rentrée scolaire, c'était la même histoire. Les enfants avaient grandi durant l'été et il était nécessaire de voir à ce qu'ils soient convenablement habillés. Chaque fois, Reine faisait une véritable crise en constatant que les habits ne faisaient plus et qu'il fallait en acheter de nouveaux. Un peu plus, elle aurait reproché à ses enfants d'avoir grandi uniquement pour l'obliger à dépenser.

Dans ces moments-là, la jeune mère de famille n'éprouvait aucun remords à faire appel au talent de couturière de sa belle-mère pour raccourcir ou allonger une robe, un pantalon ou un manteau. C'était gratuit.

— Ça te gêne pas de te servir comme ça de ma mère ? lui avait-il demandé l'année précédente alors qu'elle avait obligé Amélie à coudre gratuitement pour ses petits-enfants durant trois jours.

— Pantoute, avait-elle répondu. Ça lui fait plaisir et ça lui donne l'impression d'être utile.

— Tu penses pas que tu pourrais apprendre à coudre ? Ça fait ben des années que ma mère t'offre de l'apprendre.

— Pour quoi faire ?

— Pour montrer que t'es capable de te débrouiller toute seule. Regarde Lucie, elle...

— Laisse faire sainte Lucie, avait-elle sèchement répliqué, l'air mauvais. Je suis pas elle, et moi, je cherche pas à tout prix à me faire aimer par tout le monde.

Bref, depuis que les enfants fréquentaient l'école, c'était devenu une sorte de tradition. Reine débarquait un beau matin chez les Bélanger en portant tous les vêtements qu'elle tenait à faire réparer ou ajuster pour ses enfants et la grand-mère devait s'échiner sur sa vieille machine à coudre Singer durant des heures.

Jean se promit d'acheter un cadeau à sa mère pour la remercier de son dévouement envers ses petits-enfants.

Profitant de ce qu'il était seul, il alluma une cigarette et s'empara de la note laissée par sa femme sur le coin de la table dans l'intention de la jeter à la poubelle quand il découvrit un second message écrit au verso de la feuille.

Il reconnut l'écriture de Catherine. Sa fille avait noté qu'il devait rappeler monsieur Arthur Lapointe avant six heures. Son cœur eut un raté lorsqu'il reconnut le nom du directeur de l'information de Radio-Canada. Il croisa les doigts et jeta un coup d'œil à sa montre pour vérifier l'heure. Il s'empressa ensuite de téléphoner au numéro noté par sa fille. Une voix féminine lui répondit et lui demanda de patienter quelques instants.

— Arthur Lapointe, fit une voix grave un moment plus tard.

Jean se présenta.

— Bonjour, monsieur Bélanger, dit l'homme. Je suppose que vous vous souvenez de moi ?

— Bien sûr, monsieur Lapointe, répondit Jean, la gorge sèche.

— J'ignore si vous allez considérer ce que je vais vous apprendre comme une bonne nouvelle, mais j'aurais une ouverture pour vous dans mon service.

Le cœur de Jean se mit à battre la chamade.

— L'un de mes recherchistes m'a annoncé cet après-midi qu'il entendait prendre sa retraite à la fin du mois de janvier prochain. J'ai immédiatement pensé à vous.

— Vous êtes bien aimable, monsieur.

— Si vous pouvez vous permettre d'attendre encore quelques mois, poursuivit le directeur de l'information, je pourrais peut-être vous réserver le poste.

— Vous pouvez être certain que je vais attendre, l'assura Jean.

— Mais il ne faut pas s'emballer trop vite, fit la voix au téléphone. J'ignore encore si vous avez les compétences requises pour faire ce travail. Il va falloir qu'on se rencontre à nouveau pour en discuter.

— Bien sûr, monsieur Lapointe.

— En tout cas, j'aurai tenu parole. Je vous avais presque promis, je crois, de vous contacter à la fin du mois d'août. C'est fait quelques jours plus tard. J'aimerais cependant vous rencontrer demain après-midi, si c'est possible, reprit Lapointe, au bout du fil.

— Avec plaisir, monsieur.

— Disons deux heures.

. — J'y serai, promit Jean.

Après avoir raccroché, le journaliste était partagé entre la déception et l'espoir. Il était déçu d'apprendre qu'il ne pourrait décrocher ce nouvel emploi que quatre mois plus tard alors qu'il avait cru, durant un moment, avoir la possibilité de l'occuper dès les jours suivants. Cependant, il se sentait soulevé par l'espoir d'obtenir un emploi intéressant dans un tout nouveau domaine. Et cela pouvait même signifier de l'avancement rapide avec des émoluments conséquents. Il se frotta les mains d'excitation tout en prenant la décision de ne pas prévenir sa femme de cette entrevue. Ainsi, si rien de positif n'en résultait, elle ne serait pas déçue.

Le lendemain, il s'esquiva de l'édifice du journal après le dîner et se présenta au bureau du directeur de l'information de Radio-Canada. La secrétaire de ce dernier le fit patienter une quinzaine de minutes avant de l'inviter à entrer dans la pièce. Il reconnut alors le grand homme à l'air surmené qu'il avait rencontré quelques semaines auparavant. Arthur Lapointe se leva pour lui serrer la main avant de l'inviter à prendre place dans l'un des fauteuils placés devant son bureau. La pièce, bien éclairée par deux larges fenêtres, était sobrement meublée. Un immense bureau en chêne occupait une bonne partie de l'espace.

— Excusez mon retard, mais il est toujours difficile de prévoir la durée des réunions, dit l'homme en s'assoyant et en tirant vers lui une chemise cartonnée que sa secrétaire avait déposée sur le coin de son bureau avant de se retirer discrètement dans la pièce voisine.

Il chaussa ses lunettes à monture de corne, ouvrit le dossier et le consulta brièvement avant de reporter toute son attention sur son vis-à-vis.

— J'ai ici un bon aperçu de votre carrière, poursuivit Arthur Lapointe. À ma demande, on a même pris la peine de joindre à votre dossier plusieurs de vos articles parus dans le *Montréal-Matin*. Je ne me souviens pas si je vous l'ai demandé lors de notre rencontre précédente, mais j'aimerais maintenant que vous m'expliquiez pourquoi vous tenez tant à vous joindre à nous.

L'entretien dura plus d'une trentaine de minutes et le directeur du service des nouvelles sembla favorablement impressionné par le candidat assis devant lui. Il prit la peine de lui expliquer que Radio-Canada avait fait installer une vingtaine de studios et un grand service des reportages dans l'ancien hôtel Ford où ils se trouvaient présentement.

— Nous diffusons tout de même six mille heures par année, tint à préciser le directeur.

— C'est très impressionnant, fit Jean.

— Bon, comme je vous l'ai laissé entendre hier, au téléphone, déclara Arthur Lapointe, j'aurai un poste de recherchiste doublé de celui de rédacteur de nouvelles à pourvoir en janvier. Si vous êtes intéressé, monsieur Bélanger, il est à vous. Vous me semblez taillé sur mesure pour ce travail. Avec votre expérience de l'écriture concise, je suis certain que vous n'aurez aucun mal à vous plier aux exigences d'un bulletin de nouvelles radiophonique ou télévisé.

— Je suis intéressé, monsieur, affirma Jean, rayonnant de joie.

Arthur Lapointe consulta brièvement l'agenda placé à sa droite avant de déclarer :

— Pensez-vous être capable de commencer, disons, au début de la troisième semaine de janvier, soit le…

Il consulta brièvement un calendrier placé sur son bureau.

— Soit le 18 janvier prochain ? Ça permettra à Henri-Claude Langelier, notre futur retraité, de vous aider à vous familiariser avec votre nouveau travail.

Jean allait se précipiter sur l'offre d'emploi qui lui était faite quand il songea soudain qu'on n'avait nullement parlé de ses futures conditions de travail et de son salaire.

— Puis-je savoir combien vous m'offrez pour ce poste ? demanda-t-il, un peu gêné. Vous comprenez, j'ai une famille et…

— Ne vous excusez pas, monsieur Bélanger. Rien de plus naturel que de vous informer de ça. Nous vous offrons soixante-dix dollars par semaine, précisa-t-il. Votre horaire de travail est fixe. C'est du huit à cinq, cinq jours par semaine. Est-ce que cela vous convient ?

— J'accepte avec plaisir, déclara Jean. Je vais remettre ma démission au journal de manière à être libre le 15 janvier prochain. J'ai hâte de commencer, ajouta-t-il, enthousiaste.

— Bienvenue à Radio-Canada, conclut le directeur du service des nouvelles avec un grand sourire.

À sa sortie de l'immeuble, Jean avait presque l'impression de voler tant il se sentait délivré de la tension qui l'avait habité durant les dernières semaines. Maintenant, son avenir lui semblait clairement tracé. Il n'avait plus qu'une épreuve à surmonter : conserver son emploi au journal encore quatre mois de manière à ce que les siens ne manquent de rien. Durant tout le trajet qui le séparait de la maison, il imagina sa dernière rencontre avec Joseph

Hamel. Il se promettait de lui dire ses quatre vérités avant de quitter définitivement le journal.

Ce soir-là, le jeune père de famille attendit que tous les siens soient réunis autour de la table pour leur faire part de son heureux changement de travail.

— J'ai une bonne nouvelle à vous apprendre, leur annonça-t-il. Au mois de janvier, je vais lâcher le journal pour aller travailler à Radio-Canada.

— T'es pas sérieux? s'exclama sa femme. Est-ce que ça veut dire que t'as perdu ta *job* au journal?

— Pantoute, je vais continuer à travailler là jusqu'en janvier. J'ai juste décidé de me trouver quelque chose de mieux payé.

— Ah! C'est mieux payé, fit-elle, visiblement soulagée. Combien ils vont te donner par semaine?

— Dix piastres de plus qu'au journal, mentit-il avec aplomb.

— Soixante piastres?

— En plein ça.

— C'est pas à dédaigner, laissa-t-elle tomber, ravie.

Il n'avait jamais douté que telle serait sa réaction. Depuis le premier jour où il avait commencé à travailler au *Montréal-Matin*, Jean avait toujours laissé croire à sa femme qu'il gagnait dix dollars de moins par semaine que ce qu'il gagnait en réalité parce que, à titre de gestionnaire du budget familial, elle ne lui avait accordé, chaque semaine, que deux dollars d'argent de poche depuis les premiers mois de leur vie commune.

Treize ans plus tard, il était obligé de convenir que Reine était une excellente cuisinière et une bonne ménagère. Par contre, sortir de l'argent de son porte-monnaie semblait toujours la faire souffrir et il la soupçonnait même de gratter sur les achats de nourriture pour grossir son bas de laine. Il allait de soi que la moindre hausse du coût d'un aliment la faisait grincer des dents et, par réaction, elle tentait toujours de récupérer cette dépense supplémentaire en rognant sur l'achat d'autres aliments.

— Est-ce qu'on va vous voir à la télévision, p'pa ? demanda Gilles à son père.

— Non, moi, je vais écrire les nouvelles que le lecteur va lire devant la caméra ou à la radio, expliqua-t-il à son fils.

— C'est pas grave, fit son frère. De toute façon, nous autres, on n'a pas de télévision.

— Non, et c'est pas demain la veille qu'on va dépenser de l'argent pour cette niaiserie-là, intervint sa mère en tartinant une tranche de pain.

— Parlant de dépenser, reprit son mari. T'oublieras pas d'acheter quelque chose pour remercier ma mère d'avoir encore cousu pour les petits.

— Pourquoi ça ? demanda-t-elle. C'est naturel qu'elle fasse ça. C'est ses petits-enfants après tout.

— Est-ce que ta mère fait ça, elle ? rétorqua-t-il d'une voix cinglante.

— Ma mère a pas le temps. Elle travaille à la biscuiterie.

— Ma mère est pas obligée pantoute de coudre pour les enfants parce que toi, t'as pas voulu apprendre à coudre, reprit-il. Achète-lui une boîte de chocolats demain et envoie Catherine la lui porter. Si tu le fais pas, je l'achèterai moi-même et je l'enlèverai sur ma paye.

Furieuse, Reine se tut et mangea son repas. Les enfants, habitués à ce genre de scène et à l'atmosphère pesante qui en découlait, se concentrèrent sur le contenu de leur assiette.

— Et le char, lui ? demanda Reine quelques minutes plus tard, au moment où elle venait de commencer à desservir la table avec l'aide de Catherine.

De toute évidence, la jeune femme avait continué à réfléchir aux implications qu'allait entraîner le changement d'emploi de son mari pendant le repas.

— Quoi, le char ? fit Jean, surpris par la question.

— Le char appartient au journal. Il va falloir que tu le remettes. Ça veut dire qu'on va être obligés de prendre l'autobus quand on va avoir à sortir.

— Inquiète-toi pas pour ça. Je vais m'arranger avec le journal.

Jean avait fini par oublier qu'il lui avait raconté que la Pontiac était fournie par le *Montréal-Matin*, alors qu'en réalité la voiture lui appartenait. Il trouverait bien un moyen de lui faire croire qu'on la lui donnait… peut-être à titre d'indemnité de départ. De toute façon, il avait bien le temps de voir venir.

Il se leva de table et annonça à sa femme qu'il allait apprendre la nouvelle à ses parents. Il lui offrit de l'accompagner, mais elle déclina l'invitation en prétextant avoir encore du repassage à faire. Il n'insista pas et quitta l'appartement.

Chez les Bélanger, on se réjouit de sa bonne fortune et l'on chercha à l'encourager quand il leur fit part de son inquiétude de perdre son emploi au journal bien avant janvier.

— C'est de valeur que t'ailles pas travailler au nouveau poste de télévision qui va ouvrir l'année prochaine, déplora Félicien. J'ai encore lu dans le journal, la semaine passée, qu'il va être pas mal intéressant, ce poste-là.

— On sait jamais ce qui va se passer, p'pa, dit Jean en riant. D'ici à ce qu'il ouvre ses portes, Radio-Canada va peut-être avoir eu le temps de me mettre dehors et j'irai me faire engager là.

— Je pense pas que ça t'arrive, répliqua son père, sérieux. Ça empêche pas que, moi, j'ai hâte en maudit que ce poste de télévision-là commence. Ça va faire du bien d'avoir le choix du programme de temps en temps. Moi, *L'heure du concert* ou encore *Pays et merveilles* avec Laurendeau, ça m'ennuie à mourir. Je tombe toujours endormi sur ces maudits programmes plates-là.

— Ça, je peux pas vous contredire, p'pa, j'ai pas la télévision.

Trois ans auparavant, Félicien avait acheté un téléviseur Marconi qu'il avait installé dans un coin du salon. Il avait été le premier de la famille à s'en procurer un et, par conséquent, son salon avait accueilli des visiteurs presque chaque soir durant les premières semaines.

— Une chance que les programmes commencent à six heures et finissent à onze heures, sinon il y aurait toujours du monde ici dedans et on pourrait jamais se coucher, avait fini par déclarer le facteur à sa femme.

Finalement, Claude, puis Marcel s'étaient procuré un appareil à leur tour avant la fin de l'année et la nouveauté avait perdu de son attrait… sauf pour Jean et les siens. Quand ce dernier avait parlé d'en acheter un en prétextant que les enfants adoreraient cela, sa femme s'y était farouchement opposée en arguant que ça nuirait à leurs études et les énerverait inutilement.

— Nous autres, quand on était jeunes, on n'avait pas ça et on n'en est pas morts.

— Presque tout le monde a une télévision à cette heure, avait plaidé son mari.

— Je dis pas qu'on n'en aura pas une, nous autres aussi, mais seulement quand on aura de l'argent. Là, on est trop serrés.

Tout avait été dit. Les mois, puis les années avaient passé et il n'en avait plus été question puisque la situation financière de la petite famille n'avait pas suffisamment évolué aux yeux de Reine.

La première semaine de septembre prit fin sur un temps si magnifique que Jean proposa aux siens une balade en voiture jusqu'à Nicolet. Dans son esprit, il s'agissait plus de finir en beauté les vacances scolaires que de célébrer la fête du Travail.

Par chance, Reine était d'excellente humeur et ne rechigna pas à préparer un pique-nique pour les siens avec l'aide de Catherine. Prévoyante, la mère de famille apporta aussi deux bouteilles familiales de boisson gazeuse Denis pour faire plaisir aux enfants. Sur le coup de dix heures, toute la famille s'entassa avec enthousiasme dans la Pontiac brune au toit beige et la voiture prit la direction du pont Jacques-Cartier.

Il fallait croire que les Bélanger n'étaient pas les seuls à avoir planifié de sortir de l'île ce jour-là parce qu'ils durent patienter près de trente minutes pour parvenir aux postes de perception installés à l'entrée du pont. Cependant, cette attente n'entama pas la bonne humeur de la famille. Pendant que les enfants jouaient aux devinettes sur la banquette arrière, Reine, les yeux rêveurs, fredonnait *Don't be cruel*, le dernier grand succès d'Elvis Presley que diffusait la radio CJMS.

Après avoir traversé Longueuil, la voiture emprunta la route 3 qui longeait le fleuve jusqu'à Sorel où Jean s'arrêta une demi-heure pour permettre aux siens de se dégourdir les jambes. Ensuite, tous remontèrent dans l'auto, et quelques minutes plus tard le conducteur repéra un endroit en bordure de la route, un peu avant d'arriver à Yamaska.

— Ce serait en plein la place qu'il nous faudrait pour pique-niquer, déclara le père de famille en braquant pour entrer dans le champ.

— Es-tu certain qu'on a le droit d'entrer ici ? lui demanda Reine en jetant un coup d'œil inquiet autour d'elle.

Le champ n'était pas protégé par une clôture de fil barbelé. Il y avait une large trouée dans les arbustes qui semblaient le ceinturer. Çà et là, en bordure, il y avait d'énormes érables dont l'épais feuillage promettait une ombre rafraîchissante.

— Étendez les couvertes en dessous d'un arbre, ordonna Jean à sa famille, je vais aller voir si on peut s'installer ici. Il y a beau pas avoir de clôture, c'est tout de même un terrain privé.

— C'est vrai qu'on dérange pas personne, lui fit remarquer sa femme.

— Je le sais ben, mais il suffit qu'on tombe sur un cultivateur un peu regardant et on peut avoir du trouble, fit-il avant de se diriger à pied, en compagnie d'Alain, vers la ferme voisine distante de quelques centaines de pieds.

Le jeune cultivateur qu'il rencontra dans la cour de la ferme voisine n'avait pas d'objection à faire quant à leur présence dans son champ pourvu qu'ils ne laissent aucun déchet à leur départ.

— Je cultive rien dans ce champ-là cette année, dit-il à Jean. C'est pour ça qu'il y a pas de clôture. Je laisse reposer la terre. Mais vous autres, faites ben attention, l'été passé, c'était un maudit nid à guêpes.

Jean le remercia et revint à l'endroit où il avait stationné la Pontiac. L'herbe était haute et le soleil à son zénith. Les insectes stridulaient. Reine, aidée par Catherine et Gilles, avait étalé deux vieilles couvertures grises au centre desquelles les sandwichs et les biscuits avaient été placés sur deux grandes assiettes.

— On peut rester ici tant qu'on veut, annonça-t-il à sa femme. Ça dérange pas le propriétaire. On va être ben, à l'ombre, ajouta-t-il en constatant avec plaisir à quel point l'épais feuillage de l'érable sous lequel le repas avait été servi offrait une protection efficace contre le soleil.

Le dîner fut avalé en quelques minutes. Pendant que Reine et sa fille rassemblaient les reliefs du repas, le jeune père de famille se sentit envahi par une agréable torpeur. Sa femme s'en rendit compte après avoir déposé ce qui restait de la nourriture dans le coffre de la Pontiac.

— On pourrait bien rester ici un bout de temps et s'en retourner en ville après, suggéra-t-elle. Il y a rien qui nous oblige à aller jusqu'à Nicolet, et ça coûterait juste moins cher de *gas*, ajouta-t-elle, toujours guidée par son attitude avare.

— Pourquoi pas, fit Jean, tenté par une sieste.

— De toute façon, les enfants ont apporté ce qu'il faut pour s'amuser.

Les enfants approuvèrent la suggestion de leur mère.

— Si c'est comme ça, je pense que je vais faire un somme, déclara Jean en s'étendant sur l'une des couvertures.

— Laisse-moi de la place, fit Reine. Je vais dormir un peu, moi aussi. On va laisser l'autre couverte aux enfants.

— Moi, je vais lire, annonça Catherine en se levant pour aller chercher le livre qu'elle avait apporté.

— Lis, mais jette tout de même un coup d'œil à tes frères, lui ordonna sa mère. Vous deux, ajouta-t-elle en se tournant vers Gilles et Alain, vous pouvez aller jouer avec votre ballon, mais faites pas de bruit. Nous autres, on va dormir quelques minutes.

Les parents sombrèrent rapidement dans un agréable sommeil à peine troublé par les automobiles qui passaient sur la route voisine. Catherine, assise à l'écart sur l'autre couverture, finit par somnoler elle aussi.

— Aïe! C'est quoi ça? cria soudainement Alain en se précipitant vers son frère en tenant son ballon.

Le cri avait réveillé Jean en sursaut et il se leva, un peu courbaturé d'avoir dormi à même le sol. Son mouvement brusque tira sa femme de sa sieste.

— Qu'est-ce qu'il y a? demanda-t-il en se précipitant vers son fils cadet qui courait maintenant vers l'auto en compagnie de Gilles.

— Il y a des guêpes qui essaient de me piquer, p'pa! lui cria Alain.

— Vite, entrez dans le char et montez les vitres, cria Jean à ses deux fils. Et vous autres, dit-il à sa femme et à sa fille! qui n'avaient pas bougé d'où elles étaient, dépêchez-vous à les rejoindre. Il y a des guêpes.

Affolées, elles s'emparèrent des couvertures sur lesquelles elles étaient étendues et coururent vers la Pontiac. Jean les avait précédées et se dépêchait de remonter la vitre du côté conducteur pendant que ses deux fils remontaient celles des portières arrière. Les couvertures furent jetées dans l'auto. Reine monta la dernière glace avant de se laisser tomber sur la banquette.

— Voulez-vous bien me dire ce qui s'est passé? demanda-t-elle, de mauvaise humeur.

— Gilles a lancé le ballon. Je l'ai manqué et il est tombé dans les petits arbres là-bas, expliqua Alain en se grattant furieusement la tête. Je pense que le ballon a cassé leur nid. Quand je suis allé le chercher, les guêpes ont commencé à me piquer.

— Tu parles d'une façon de se faire réveiller, ronchonna leur père qui venait de mettre sa voiture en marche.

— Il en est pas entré dans le char, j'espère? fit Reine en se tournant vers l'arrière.

— Non, m'man. Il y en avait juste une et je l'ai écrasée, répondit Gilles.

— Vous êtes-vous fait pas mal piquer ? demanda Jean en engageant la voiture sur la route.

— Moi, j'ai une piqûre dans le cou et une autre sur la joue, déclara Gilles.

— Moi, c'est sur le front et sur la tête. C'était vrai, p'pa, ce que l'homme nous a dit, ajouta-t-il.

— Qu'est-ce qu'il a dit ? fit sa mère, intriguée par la remarque.

— Il nous a dit de faire attention aux guêpes, m'man.

— T'aurais peut-être pu nous le dire, tu penses pas ? dit-elle d'une voix acide à son mari.

— Ça aurait changé quoi ? rétorqua-t-il.

— En tout cas, grattez-vous pas trop, sinon ça va être pire, dit-elle à ses fils. Je regarderai ça en arrivant.

Les Bélanger rentrèrent à la maison. Dès que les garçons eurent franchi la porte, Reine examina les piqûres. Il n'y avait pas grand-chose à faire. Le front d'Alain était orné de deux magnifiques bosses et, au toucher, il y en avait deux autres dissimulées dans le cuir chevelu. Gilles semblait encore plus touché puisqu'il avait une joue et un côté du cou passablement enflés.

— Il y a pas à dire, vous allez être beaux à voir pour le début des classes demain matin, laissa tomber leur mère en imbibant deux chiffons avec de l'huile végétale. Tenez, tamponnez vos piqûres avec ça. Elles vont vous piquer moins.

La mère de famille confectionna une grosse omelette pour le souper. Après avoir bu sa tasse de thé, elle se leva en disant :

— Catherine, tu vas laver la vaisselle et tes frères vont l'essuyer. Pendant ce temps-là, je vais aller jeter un coup d'œil pour être certaine que votre linge va être prêt pour demain matin.

— Mais c'est de l'ouvrage de fille, ça, protesta Gilles.

— T'as mangé ? lui demanda sa mère.

— Oui, m'man.

— Dans ce cas-là, t'es capable d'essuyer la vaisselle. Ici dedans, tout le monde fait sa part.

Ces paroles enlevèrent à Alain toute envie de protester. Même le père de famille se sentit visé. Il décida de donner l'exemple, pour une fois.

— Ta mère a raison. On va tous donner un coup de main.

Il se leva à son tour et entreprit de ranger la cuisine avec ses enfants.

Quand sa femme revint dans la pièce quelques minutes plus tard, tout était rangé et elle arborait un air satisfait.

— À soir, on reprend la routine de l'école. Vous vous couchez tous à huit heures, sauf Catherine qui peut rester debout jusqu'à neuf heures, si elle veut.

— C'est pas juste, m'man, protesta Gilles. Pourquoi elle se couche pas à la même heure que nous autres ?

— Parce qu'elle a douze ans. Quand t'auras son âge, toi aussi, tu te coucheras à cette heure-là. Bon, je vais aller faire un tour chez ma mère, en bas, dit-elle à son mari en se tournant vers lui. Si je suis pas revenue à huit heures, pense à les envoyer se coucher.

Jean se contenta de hocher la tête.

— Elle se plaint que je vais pas la voir assez souvent, se sentit-elle obligée d'ajouter.

Il ne dit rien. Il était habituel qu'elle aille seule rendre visite à sa mère. L'absence d'un homme chez Yvonne Talbot justifiait son abstention de la visiter. Sa belle-mère n'avait jamais formulé la moindre remarque sur le fait qu'il ne lui rendait pas visite, et c'était tant mieux ainsi. Même s'il avait accompagné sa femme, elle lui aurait à peine adressé la parole, comme elle l'avait toujours fait depuis son entrée dans la famille Talbot.

Dès que Reine eut quitté l'appartement, Jean s'installa dans le salon pour lire pendant que les enfants se réfugiaient dans leurs chambres à coucher. Avant de s'asseoir, il alluma la radio pour écouter les informations. Il venait à peine d'ouvrir son livre qu'il sursauta en entendant la voix grave de Jean-Paul Nolet annoncer :

— Nous apprenons à l'instant que l'honorable Maurice Duplessis, en visite dans une concession de Québec Iron, à Shefferville, dans le nord du Québec, serait tombé gravement malade. Est-il nécessaire de rappeler que le premier ministre du Québec, âgé de 69 ans, a eu quelques ennuis de santé ces derniers mois ? Toutefois, aucun représentant du gouvernement n'a voulu commenter la nouvelle.

Jean se leva pour éteindre la radio en s'interrogeant sur le bien-fondé de ces rumeurs. Il reprit sa lecture d'*Agaguk*, un livre d'Yves Thériault publié l'année précédente. À huit heures, il n'eut pas à rappeler à ses fils de se mettre au lit et, un peu plus tard, Catherine vint l'embrasser avant d'imiter ses frères. Fatigué de lire, il décida d'aller s'asseoir sur la galerie où Reine vint le rejoindre peu après. Dès que sa femme eut pris place près de lui, il la sentit agitée et nerveuse.

— Qu'est-ce qui se passe ? lui demanda-t-il. T'es-tu chicanée avec ta mère ?

— Bien non. Mais, tu sais pas la meilleure ? Elle pense qu'elle va mettre la biscuiterie en vente.

— Pourquoi tout d'un coup ?

— Il paraît que madame Lussier veut arrêter de travailler au milieu de décembre.

— Remarque que c'est normal. Adrienne Lussier doit avoir plus que soixante-cinq ans. Elle a ben le droit de vouloir se reposer.

— Elle a juste soixante-six ans, le même âge que ma mère, rétorqua Reine.

— Dans ce cas-là, ta mère a le droit, elle aussi, de s'arrêter.

Jean n'aurait jamais cru que sa belle-mère avait atteint cet âge. Il ne l'avait jamais vue autrement que soigneusement habillée, bien coiffée et les cheveux teints. Elle avait l'air beaucoup plus jeune que sa propre mère, pourtant âgée de quelques années de moins.

— J'ai essayé de lui expliquer qu'elle pourrait garder le magasin et que je pourrais être la gérante. Trouver une vendeuse, c'est pas difficile pantoute.

— Tu vas pas recommencer, s'impatienta son mari. As-tu oublié qu'elle t'a déjà dit non après la mort de ton père ? Pourquoi elle changerait d'avis aujourd'hui ?

— Dans le temps, c'était pas la même chose. J'attendais Catherine et elle était pas mal plus jeune. Là, les enfants sont assez vieux et ils vont tous à l'école. J'aurais tout le temps qu'il faut pour m'occuper de la biscuiterie.

— En fin de compte, qu'est-ce que ta mère a décidé ?

— Elle m'a dit qu'elle était pour y penser, conclut Reine en quittant sa chaise. Bon, je vais aller préparer ton lunch et après ça, je vais aller me coucher. Toi, qu'est-ce que tu fais ?

— Je vais écouter les nouvelles avant d'aller te rejoindre. Il paraît que Duplessis est tombé malade à Schefferville.

— Mets pas le radio trop fort pour pas réveiller les enfants, fut la seule réponse de Reine, qui ne semblait pas aussi intéressée par l'état du premier ministre que son mari.

Quelques minutes plus tard, Jean venait à peine de se laisser tomber dans son fauteuil que Radio-Canada interrompit son émission régulière pour émettre un bulletin spécial :

«Nous apprenons en dernière heure que le médecin de l'honorable Maurice Duplessis s'est envolé à la fin de l'après-midi pour aller au chevet de son patient. Des rumeurs de plus en plus persistantes affirment que le premier ministre serait très gravement malade. Nous attendons de plus amples informations de notre envoyé spécial dans quelques minutes.»

— Viens-tu te coucher? demanda Reine qui avait déjà revêtu sa robe de nuit.

— Je vais attendre encore un peu. On dirait qu'il se passe quelque chose de pas normal avec Duplessis.

— Essaye de pas me réveiller en venant te coucher, ajouta-t-elle avant de tourner les talons.

Le lecteur de nouvelles de Radio-Canada revint en ondes moins de trente minutes plus tard pour céder immédiatement l'antenne à un reporter qui annonça que Gérald Martineau, trésorier de l'Union nationale et ami intime de Maurice Duplessis, venait de sortir sur le balcon du chalet où était soigné son chef. Il était accompagné du médecin et l'on avait annoncé qu'il allait faire incessamment une déclaration. Soudain la voix du conseiller législatif se fit entendre sur les ondes.

— Le premier ministre du Québec, Maurice Duplessis, vient de décéder et son corps sera ramené à Québec dès ce soir, annonça Gérald Martineau. Il sera exposé en chapelle ardente à l'assemblée législative dans les prochains jours. Je laisse maintenant la parole à son médecin.

Ce dernier s'empara du micro que lui tendait l'éminence grise de l'Union nationale.

— Le 3 septembre, monsieur Duplessis a été victime d'une hémorragie cérébrale, déclara-t-il sur un ton égal. Malgré tous nos efforts pour le ramener, il a malheureusement succombé à la fin de cet après-midi.

S'il avait été plus tôt, Jean se serait précipité chez ses parents pour discuter de politique avec son père, qui avait toujours été un unioniste convaincu et un partisan inconditionnel de Maurice Duplessis. Il devait dormir à une heure aussi tardive. Il allait sans doute avoir tout un choc en apprenant au réveil que son idole était décédée. Et il ne serait pas le seul, une grande partie de la population de la province allait être bouleversée par la nouvelle.

Le lendemain, la première édition du *Montréal-Matin* fut consacrée au décès du premier ministre. La plupart des journalistes reçurent le mandat de Joseph Hamel d'aller chercher les réactions des personnalités de la province devant cette disparition. Pour sa part, Jean avait vaguement espéré être l'un des deux journalistes envoyés couvrir l'événement à Québec. Le corps serait exposé à l'assemblée législative avant d'être transporté à Trois-Rivières où les funérailles seraient célébrées le 10 septembre. Il n'en fut rien. Le rédacteur en chef préféra envoyer le jeune Parenteau avec Marc Laberge, un journaliste chevronné.

Hamel se borna à lui demander d'aller chercher les réactions de certaines personnalités montréalaises. Ce jour-là, Jean eut la surprise de découvrir qu'il circulait dans la population de la métropole des rumeurs comme quoi le premier ministre aurait été empoisonné. Quand il rapporta ces bruits à la rédaction, son rédacteur en chef haussa les épaules en lui spécifiant qu'il ne s'agissait là que de commérages sans fondement, qui visiblement ne méritaient pas d'être publiés dans un journal ouvertement unioniste.

Cette journée correspondait également à la rentrée des classes, et cet après-midi-là Alain revint d'excellente humeur de sa première journée. Surprise de voir son fils heureux d'être retourné en classe, lui qui n'appréciait pas beaucoup l'étude, Reine s'informa.

— Est-ce que t'es de bonne humeur parce que t'es tombé sur un professeur à ton goût? lui demanda-t-elle.

— Non, j'ai le bonhomme Simard et il est bête comme ses pieds.

— Pourquoi tu ris d'abord?

— C'est parce que je viens de raconter à mes *chums* que j'avais des bosses sur la tête et dans le front parce que vous m'aviez battu à matin, dit le garçon de huit ans en s'esclaffant. Ils m'ont cru, les niaiseux.

— Espèce de maudit innocent! s'emporta sa mère. Qu'est-ce que tu penses que leurs parents vont penser de moi quand ils vont raconter ça chez eux? Ça, ce sont des affaires pour me causer des troubles! Pour t'apprendre à pas raconter des menteries, tu vas aller te coucher tout de suite après le souper.

Jean, assis au bout de la table, n'avait rien dit.

— Tu feras ce que ta mère vient de te dire, ordonna-t-il à son fils en s'efforçant de prendre un ton sévère.

Mais il était évident que Jean avait la tête ailleurs, car normalement sa réaction aurait été plus vive. Il n'avait jamais accepté les écarts de conduite. Pour lui, l'éducation était très importante et il n'était pas question que les enfants manquent de respect à qui que ce soit.

❧

Les jours suivants, le journal ne fit aucune mention de ces bruits non fondés selon lesquels le décès du premier ministre n'était pas dû à une cause naturelle. On se contenta de rapporter longuement les témoignages louangeurs de personnalités qui avaient côtoyé l'homme politique.

Beaucoup d'articles furent consacrés à la description de la ferveur manifestée par les habitants du Québec venus faire la queue durant des heures pour avoir l'occasion de saluer une dernière fois celui qui avait dirigé si longtemps les destinées de la province. On s'étendit aussi longuement sur la carrière de Paul Sauvé qui venait d'être désigné par le conseil des ministres pour succéder à celui qui avait été son chef durant deux décennies.

La veille des funérailles de Maurice Duplessis à Trois-Rivières, Jean rencontra par hasard le frère de sa mère au centre commercial du boulevard Pie IX. Émile Corbeil, à la retraite depuis quelques mois, errait sans but précis et sembla tout heureux de rencontrer son neveu.

— Ça a l'air ben ennuyant la retraite, mon oncle, fit le journaliste en souriant.

— Ben non, il faut juste s'habituer à rien faire, répondit son gros oncle chauve avec un bon rire. Toi, je suppose que tu t'occupes de Duplessis ? ajouta-t-il.

— Un peu, mon oncle.

— Laisse-moi te dire qu'il était temps qu'il débarrasse le plancher, le vieux maudit, dit à mi-voix Émile Corbeil, bien connu dans la famille pour ses opinions libérales affichées. On va souffler un peu.

— Voyons, mon oncle ! Si mon père vous entendait, ça lui ferait pas mal de peine, fit le jeune homme, sarcastique.

— Laisse faire, toi ! T'es trop jeune pour l'avoir ben connu. Mais moi, je sais ce qu'il nous a fait, à nous autres, les ouvriers qui travaillaient en ville. Il était peut-être ben bon pour les cultivateurs, mais pour nous autres, il y avait pas pire ennemi que lui.

— J'espère que vous irez pas dire ça à mon père, répéta Jean. Pour lui, c'est comme s'il avait perdu un membre de sa famille.

— Ben non, tu sais ben, le rassura son oncle, sur un ton beaucoup plus modéré. Ton père a ben le droit de l'aimer, son Maurice, même si j'ai jamais compris pourquoi.

Jean avait quitté Émile Corbeil quelques instants plus tard, après avoir refusé d'aller boire un café chez lui, par manque de temps.

Le mercredi avant-midi, l'activité au journal cessa pour permettre au personnel de se rassembler devant les téléviseurs afin d'assister aux funérailles nationales du chef d'État qui avait dirigé la province durant vingt ans. Le cortège de quarante-six landaus transportant mille six cents couronnes de fleurs était aussi impressionnant que la foule massée le long du parcours conduisant à la cathédrale de Trois-Rivières. La voix feutrée du commentateur ajoutait encore à la solennité de l'événement.

Une heure et demie plus tard, les téléspectateurs purent enfin voir le cercueil quitter la cathédrale. Le corbillard transportant la dépouille de Maurice Duplessis prit lentement la direction du cimetière devant une foule silencieuse.

Un des plus vieux journalistes du *Montréal-Matin* se leva et éteignit le téléviseur de la salle de la rédaction en disant :

— On a vraiment l'impression que c'est toute une époque qui vient de nous quitter.

Un profond silence accueillit cette déclaration.

Chapitre 4

La télévision

Les jours suivants, des bruits circulèrent au journal comme quoi il y avait eu un peu de brasse-camarade au conseil des ministres lorsqu'on avait désigné Paul Sauvé pour remplacer le disparu. Certaines rumeurs faisaient état de dissensions entre les jeunes du conseil et la vieille garde. Paul Sauvé avait la réputation d'être le seul ministre à tenir tête à Duplessis et il en inquiétait plusieurs par tous les changements qu'il préconisait. Au journal, toujours propriété de l'Union nationale, les journalistes se demandaient si le départ du vieux chef allait se traduire par une plus grande liberté quand il s'agirait de contester certaines politiques gouvernementales.

Pris par la campagne électorale municipale qui débutait à peine, Jean se désintéressa peu à peu de ce qui se passait à Québec. Tout laissait présager que la lutte entre Sarto Fournier et Jean Drapeau ne manquerait pas d'intérêt. Le chef ambitieux du Parti civique de Montréal ne cessait de présenter des candidats de prestige et il contestait vigoureusement et sans exception toutes les mesures proposées par son adversaire politique. Jean se devait, selon Joseph

Hamel, d'informer fidèlement les lecteurs du journal de tout ce qui se passait à l'hôtel de ville.

Mais bien rapidement, à la mi-octobre, un événement en apparence anodin poussa Jean à bouleverser l'ordre établi dans son ménage.

Ce samedi après-midi-là, il annonça après le dîner qu'il fallait songer sérieusement au dixième anniversaire de Gilles, qui allait avoir lieu le lendemain.

— Mon cadeau est prêt, déclara Catherine.

— Le mien aussi, dit Alain à son tour.

Le père de famille eut un regard attendri pour ses enfants qu'il avait habitués très jeunes à faire un petit présent à chacun des anniversaires. Il ne souhaitait surtout pas les voir devenir pingres comme leur mère.

— Eh bien, vous êtes en avance sur votre mère et moi, déclara-t-il avec bonne humeur. Même s'il fait pas trop beau dehors, on va aller magasiner chez Dupuis Frères cet après-midi pour voir si on trouverait pas quelque chose pour le fêté. Qu'est-ce que vous en dites?

Reine accepta cette sortie sans grand enthousiasme.

— J'aurais juste pu lui faire un gâteau de fête et lui acheter un petit quelque chose dans un magasin sur Mont-Royal, dit-elle à son mari quand ils se retrouvèrent seuls dans la chambre à coucher pour se préparer à sortir.

— J'espère que tu vas lui faire un gâteau de fête, mais pour le cadeau, je pense qu'il est temps de lui acheter une autre paire de patins. Ceux qu'il a étaient déjà pas mal petits pour lui l'hiver passé. Là, il est à la veille de vouloir jouer au hockey et il aura pas de patins à se mettre dans les pieds.

— Mais t'es pas sérieux, Jean Bélanger! s'écria-t-elle. Ça coûte les yeux de la tête, des patins neufs. La paire qu'il a, on l'a achetée il y a deux ans au petit Pelletier, à côté, et déjà on avait payé quatre piastres pour ça.

— Whow! Débarque de sur tes grands chevaux, rétorqua-t-il sèchement. Il y a une vente chez Dupuis Frères et je veux qu'il ait des patins neufs. On n'est tout de même pas pauvres au point de laisser nos enfants jouer au hockey avec des patins trop petits.

— Je te dis qu'on n'a pas les moyens pantoute de dépenser en fous comme ça, protesta-t-elle avec véhémence. Une paire de patins neufs ça coûte cher. Oublie pas que c'est moi qui m'occupe de l'argent de la maison. Je sais de quoi je parle. Toi, si on t'écoutait, on dépenserait toutes tes payes à acheter des bébelles et des cadeaux à Pierre, Jean, Jacques. T'as jamais su administrer une cenne.

Tous les deux se faisaient face en chiens de faïence, de chaque côté du lit. Blême de fureur, Jean garda le silence durant plusieurs secondes avant de laisser tomber d'une voix tranchante :

— Tu penses ça ? Ben, ma fille, j'ai des nouvelles pour toi ! À compter d'aujourd'hui, tu te contenteras de me dire ce que la commande de nourriture coûte et je te donnerai l'argent. Hier, t'as touché à ma dernière paye. Je vais te montrer, moi, que je suis au moins aussi capable que toi de régler les factures.

Reine le fixa un long moment, comme pour mesurer le sérieux de sa décision. Voyant qu'il ne revenait pas sur sa déclaration, elle laissa tomber, le visage fermé :

— Si c'est comme ça, t'as pas besoin pantoute que j'aille avec les enfants chez Dupuis.

Son mari lui tourna le dos et sortit de la chambre. Cinq minutes plus tard, il dévala les escaliers, suivi par sa fille et ses deux fils.

Après le départ des siens, Reine alla se planter devant la fenêtre du salon et les regarda monter à bord de la Pontiac stationnée devant la maison. Durant de longues minutes, elle songea à ce que sa vie allait être sans le contrôle des finances familiales. La moindre des choses serait que cela allait marquer presque la fin de l'enrichissement de son bas de laine.

En treize ans, son compte d'épargne avait atteint un peu plus de mille six cents dollars, une somme faramineuse à ses yeux. Mis à part les quelque trois cents dollars volés au fils du vieux monsieur Tremblay avant son mariage, tout le reste représentait la somme de ses économies depuis près de vingt ans. Lorsqu'elle avait cessé de toucher un salaire après son mariage, elle s'était appliquée avec persévérance à rogner sur la moindre dépense pour pouvoir mettre quelques sous de plus de côté à l'insu de son mari, « au cas où… », comme elle le disait.

Elle aurait été stupéfaite d'apprendre que son mari possédait, lui aussi, des économies respectables.

— Il sera pas capable, dit-elle à mi-voix, pleine de suffisance. Dans deux semaines, au plus, il va me supplier de m'occuper des dépenses. À partir de janvier, il va avoir un meilleur salaire et ça va m'en faire un peu plus à mettre de côté.

Cette certitude l'apaisa peu à peu et elle entreprit de confectionner le gâteau pour l'anniversaire de son fils.

Pendant ce temps, Jean était parvenu à découvrir un endroit libre où stationner sa voiture dans la rue Saint-André. Une petite pluie froide s'était mise à tomber et il se précipita avec ses enfants à l'intérieur du grand magasin à rayons.

Quelques minutes suffirent pour trouver les patins dont Gilles avait besoin. Jean les paya.

— C'est de valeur, p'pa, qu'on puisse pas regarder les parties de hockey à la télévision, dit Alain en contemplant une grande photo du club de hockey Canadien affichée derrière le comptoir des articles de sport.

— C'est vrai que ce serait le fun, renchérit son frère. À cette heure, tout le monde a la télévision. Pourquoi on n'en a pas, nous autres ?

— Votre mère pense que c'est pas bon pour les yeux et que ça empêche de bien étudier, répondit Jean sans grande conviction.

Catherine adressa un sourire entendu à son père. L'adolescente savait bien pourquoi les Bélanger n'avaient pas d'appareil.

— C'est drôle, presque tous les gars de ma classe ont la télévision chez eux, et il y en a juste un qui a des barniques, ajouta Gilles sur le ton sérieux d'un enfant qui veut bien donner raison à sa mère, sans toutefois comprendre son entêtement.

Le père de famille choisit de ne rien répondre et il entraîna les siens vers les escaliers mobiles dans l'intention de sortir du grand magasin envahi par la foule en cet après-midi automnal. Au moment où ils allaient quitter l'étage consacré à la vente des meubles pour prendre l'escalier mécanique suivant, Jean eut une idée subite.

— Venez, ordonna-t-il à ses enfants. On va aller voir quelque chose.

Sans donner plus d'explications, il se dirigea vers le rayon où les téléviseurs étaient en démonstration. Les enfants se regardèrent sans rien dire quand ils virent leur père faire lentement le tour du rayon en consultant les prix affichés sur chaque appareil.

Quand Alain voulut parler, Catherine lui fit signe de se taire. En compagnie de ses deux frères, elle demeura en retrait, priant intérieurement pour que son père cède à la tentation d'acheter enfin un téléviseur. Ses amies ne cessaient pas de lui raconter à quel point c'était passionnant de regarder *Les Belles Histoires des pays d'en-haut* et *Le Survenant* à la télévision, le soir.

Finalement, un vendeur s'approcha de Jean et se mit à lui vanter les téléviseurs en solde dans son rayon. Le jeune père de famille se conduisait comme s'il avait oublié la présence de ses enfants, debout derrière lui.

— Je vous recommande celui-là, déclara l'homme à la calvitie naissante en indiquant au journaliste un appareil RCA Victor. C'est une télévision vingt et un pouces avec un beau meuble. RCA Victor, c'est une compagnie fiable qui donne une bonne garantie. Avec une paire d'oreilles de lapin, je vous certifie que vous allez avoir une image parfaite.

— C'est une belle télévision, reconnut Jean.

— Vous êtes chanceux, monsieur, dit le vendeur avec un sourire. C'est une fin de ligne. Cette télévision-là, on la vendait cinq cent quarante-neuf piastres la semaine passée. Là, on vous la laisse à quatre cent soixante-neuf. C'est tout un rabais. Je peux vous jurer que vous trouverez un meilleur prix nulle part ailleurs en ville pour une télévision de cette qualité-là.

— Je comprends, dit Jean, mais c'est beaucoup d'argent pour quelque chose dont on peut se passer.

— À vous de voir, monsieur, fit l'homme en sentant son client lui échapper.

Le vendeur le quitta pour aller s'occuper d'un jeune couple qui venait de s'immobiliser devant un petit téléviseur posé sur une table, un peu plus loin. Jean se tourna vers ses enfants et il ne put que constater à quel point ils semblaient déçus qu'il n'ait pas acheté l'appareil.

— Il y en a des plus petits, p'pa, osa suggérer Alain en montrant un petit appareil dépourvu de meuble.

— Non, ça ferait pas l'affaire, dit le père de famille en s'approchant pour consulter le prix affiché. Il est trop petit et il coûte presque aussi cher que l'autre.

Jean s'éloigna du rayon. Il se sentait intérieurement déchiré. Avait-il les moyens financiers d'offrir un téléviseur aux siens ? Maintenant qu'il était responsable du budget familial, il devait montrer à Reine qu'il était conscient du coût des biens qu'il souhaitait acheter pour les siens et surtout que la famille en avait les moyens. Quelle allait être la réaction de sa femme lorsqu'il lui apprendrait la somme payée pour ce qu'elle considérerait sûrement comme un caprice ? Il s'arrêta si brusquement au milieu de l'allée que Gilles le heurta involontairement.

— Venez, commanda-t-il à ses enfants en faisant demi-tour.

Il revint au rayon des meubles au moment même où le jeune couple s'en éloignait. Il s'approcha immédiatement du vendeur dont le visage s'illumina lorsqu'il le vit revenir.

— J'ai bien réfléchi. Est-ce qu'on peut l'acheter à crédit cette télévision-là ? lui demanda Jean en lui indiquant le RCA Victor de la main.

— Bien sûr, monsieur, et à un taux d'intérêt imbattable, à part ça.

— Est-ce qu'on peut me la livrer aujourd'hui ?

— Ça, j'en serais surpris, mais ça coûte rien de s'informer, répondit l'homme en s'approchant d'un téléphone.

Il parla quelques instants au responsable des livraisons et raccrocha.

— Malheureusement, il peut pas vous promettre de vous livrer votre télévision aujourd'hui. Si c'est possible, il va le faire. Vous avez quand même une petite chance, car il paraît qu'il y a un camion qui doit rentrer d'une minute à l'autre. Vous comprenez, on est déjà au milieu de l'après-midi. En tout cas, si c'est pas aujourd'hui, vous allez la recevoir lundi, sans faute.

Jean alla régler les formalités et ses enfants, bien qu'excités, l'attendirent sagement. Quand il revint vers eux, heureux de son achat, Gilles lui dit :

— P'pa, si vous voulez, on peut rapporter mes patins. J'aime mieux la télévision.

— Ben non, fit son père, ému de constater que son fils s'inquiétait de la dépense importante qu'il venait de faire. Tu peux garder tes patins neufs. T'es pas pour passer ton hiver assis devant la télévision. À part ça, au point où on en est, je vous offre un *sundae* au restaurant. Il y en a un bon pas loin, sur Sainte-Catherine.

Cinq minutes plus tard, tous les quatre pénétrèrent dans le restaurant et prirent place à une table pouvant recevoir jusqu'à six clients.

— Commandez le *sundae* que vous voulez, dit Jean à ses enfants lorsqu'une serveuse se fut approchée de leur table. Moi, je vais prendre un café.

À peine venait-elle de s'éloigner que le père de famille sentit qu'on lui touchait l'épaule droite. Il tourna la tête et découvrit une jeune femme vêtue d'un élégant imperméable gris, debout derrière lui, qui lui souriait.

— Est-ce que monsieur Bélanger serait rendu aveugle au point de ne plus reconnaître une vieille amie ? demanda l'inconnue avec un sourire aguichant.

Catherine et ses frères avaient subitement cessé de parler pour regarder celle qui venait de s'adresser à leur père. Ce dernier demeura muet de stupeur durant un court instant avant de se lever, le cœur battant la chamade.

— Bonjour, Blanche, comment vas-tu ? dit-il, ravi. Je t'avais vraiment pas vue... Pourtant, je t'aurais reconnue, tu n'as pas changé depuis toutes ces années. Tu es toujours aussi élégante, ajouta-t-il en lui faisant la bise. Eh bien, c'est toute une surprise. On s'est pas vus depuis quoi ? Huit, dix ans au moins.

— La dernière fois qu'on s'est croisés près du journal, tu venais d'avoir ton premier enfant.

— Et aujourd'hui ma Catherine est une grande fille de douze ans déjà. Et voici Gilles et Alain.

Sa voix était étreinte par l'émotion et il se douta que ses enfants s'en étaient aperçus. Il n'y pouvait rien. Revoir aussi inopinément celle qu'il avait rêvé de fréquenter avant son mariage avec Reine le bouleversait. Il l'avait aimée en secret et, au moment où elle lui avait presque avoué être amoureuse de lui, Reine, enceinte, avait exigé qu'il prenne ses responsabilités. En un éclair, il se revit patinant avec elle au parc La Fontaine un soir de décembre, la tenant dans ses bras durant une danse lors d'une soirée de Noël chez elle et discutant avec animation, assis à ses côtés, dans un restaurant de la rue Saint-Laurent. Il aurait tout donné pour revivre ce moment vécu treize ans auparavant.

La sœur de Paul Comtois dut se rendre compte de son trouble parce qu'elle dit avec un charmant sourire en lui serrant la main :

— Mon Dieu ! Tu m'inquiètes, on dirait que tu viens de voir un fantôme.

Les enfants éclatèrent de rire, ce qui eut pour effet de ramener Jean à la réalité.

— Excuse-moi, Blanche. J'étais un peu dans la lune. Ça fait si longtemps. Je ne pensais pas te revoir ici, lui avoua-t-il. Veux-tu t'asseoir avec nous ? On vient de commander.

— Avec plaisir, mais pas trop longtemps. Mon père doit me prendre dans quelques minutes et il aime pas trop que je le fasse attendre.

La jeune femme prit place sur la chaise libre placée près d'Alain.

— Si ça te dérange pas, je vais m'asseoir à côté de ton plus beau, dit-elle en regardant Alain dans les yeux.

Le visage du benjamin de la famille s'illumina. Jean s'empressa de lui parler de ses trois enfants avec la plus grande fierté.

— Je trouve que ta grande fille a tes yeux, déclara Blanche Comtois en adressant un sourire chaleureux à l'adolescente.

— Elle a aussi mon bon caractère, plaisanta-t-il.

— Je te demande pas ce que tu fais, poursuivit Blanche. Ton nom apparaît assez souvent au bas d'articles du *Montréal-Matin*. Mais j'ignorais que tu avais autant d'enfants.

— Ben oui, je suppose que ça me rajeunit pas. Mais toi, qu'est-ce que tu deviens ? Es-tu mariée ?

— Non, monsieur. Je suis toujours célibataire et fière de l'être, plaisanta-t-elle.

— Comment ça se fait ?

Il allait ajouter «une femme belle et intelligente comme toi», mais il se retint à temps.

— Je suis peut-être devenue trop difficile.

— Tu restes tout de même pas encore chez tes parents ? lui demanda-t-il. Si je me souviens bien, tu avais tout de même un caractère plutôt indépendant.

— Mais je te défends d'en parler au passé, dit-elle en riant. Je suis toujours indépendante, même si je demeure encore chez mon père.

À ce moment-là, la serveuse revint avec les consommations. Jean déposa son café devant Blanche et en commanda un autre pour lui.

— Est-ce que tu travailles ?

— Bien sûr, tu ne crois tout de même pas que mon père m'entretient encore à mon âge, dit-elle en riant. Même si mes parents continuent de croire que ce n'est pas la place d'une jeune fille, je m'occupe de publicité depuis sept ou huit ans.

— Pour un grand magasin ?

— Non, pour Radio-Canada. Au cas où tu l'ignorerais, il faut trouver des commanditaires pour payer les émissions télévisées.

— Pour Radio-Canada ! s'exclama Jean.

— Depuis trois ans. Pourquoi as-tu l'air aussi surpris ?

— Parce que je viens justement d'être engagé par le service des nouvelles de Radio-Canada. Je commence en janvier.

— Toute une coïncidence, dit Blanche, apparemment ravie. On dirait qu'on va être appelés à se croiser plus souvent, lui fit-elle remarquer en lui adressant un sourire plein de promesses.

— Probablement. Mais tu m'as pas donné de nouvelles de ton frère.

— Paul a terminé sa médecine, il y a quelques années. Il n'a pas voulu exercer à Montréal, même si mon père aurait bien aimé qu'il s'installe avec lui dans son cabinet. Il a préféré en ouvrir un à Granby.

— Est-il marié ?

— Oui, et il a un garçon de quatre ans. Il vient de temps à autre…

Blanche s'interrompit soudain en entendant un coup de klaxon provenant d'une voiture dans la rue. Une Chrysler noire venait de s'immobiliser le long du trottoir et le conducteur lui faisait signe.

— Bon, je dois te laisser, dit-elle en se levant. Mon père vient d'arriver et il est plutôt impatient. On va sûrement se revoir bientôt, ajouta-t-elle.

Elle posa sa main sur son bras et le remercia pour la tasse de café avant de se diriger vers la porte. En passant devant la vitrine du restaurant, elle adressa à Jean et aux enfants un charmant signe de la main, ouvrit la portière de la Chrysler et disparut à l'intérieur du véhicule. Pendant un long moment, Jean, le regard vide, fixa l'endroit où la jeune femme s'était tenue peu auparavant. Cette rencontre ravivait tant de souvenirs chez lui. Il imaginait parfois ce qu'aurait été sa vie avec Blanche, si Reine n'était pas tombée enceinte avant leur mariage. Mais la revoir était autre chose…

— Grouillez-vous un peu de finir votre *sundae*, dit-il à ses enfants quelques instants plus tard en cessant de penser à cette rencontre. Si on traîne trop, votre mère sera pas contente.

— Qui c'était cette femme-là, p'pa ? lui demanda Gilles, curieux.

— Une amie, se borna-t-il à lui répondre.

À son retour à la maison avec les enfants, à la fin de l'après-midi, Jean trouva sa femme en train d'éplucher des légumes dans la cuisine. En pénétrant dans la pièce, il ne put que remarquer qu'elle avait entrepris l'une de ses bouderies habituelles quand quelque chose ne lui convenait pas. De toute évidence, elle n'avait pas encore digéré qu'il lui enlève la gestion des finances familiales. Il ne s'en formalisa pas et se conduisit comme si elle ne boudait pas.

— Montre à ta mère tes patins neufs, ordonna-t-il à Gilles.

Ce dernier s'exécuta et montra fièrement ses nouveaux patins à sa mère qui y jeta à peine un coup d'œil.

— J'ai aussi acheté autre chose chez Dupuis, poursuivit Jean.

— …

— Tu me demandes pas ce que c'est ?

— C'est quoi ?

L'excitation de Catherine, Gilles et Alain aurait dû alerter la mère de famille.

— Une télévision, m'man, ne put s'empêcher de s'écrier Alain.

— Quoi ! s'exclama-t-elle en plaquant bruyamment le couteau qu'elle tenait sur le comptoir.

— T'as ben entendu, intervint son mari. J'ai acheté une télévision chez Dupuis. Elle était en spécial et j'ai trouvé que ça faisait assez longtemps qu'on s'en privait. On a le droit d'être comme tout le monde, nous aussi.

— Et comment tu vas arriver à la payer, cette télévision-là ? lui demanda-t-elle, les dents serrées, en se tournant pour lui faire face.

— À crédit, comme tout le monde, répondit-il, indifférent à sa rage.

— Ah ben maudit, par exemple ! s'écria-t-elle, hors d'elle-même. La première journée que tu t'occupes de l'argent, tu trouves le moyen de nous endetter ! Il y a pas à dire, t'as le tour ! Et dans combien de temps tu calcules qu'on va se retrouver dans la rue, sans une cenne ?

— Calvince, veux-tu ben arrêter de dramatiser ! dit-il en haussant le ton. J'ai pas dépensé une fortune. J'ai juste acheté une télévision. J'ai fait le calcul et on a les moyens de se payer ça. C'est réglé et on n'en parle plus.

Là-dessus, il se tourna vers Gilles.

— Viens m'aider, on va aller faire une place dans le salon pour la télévision. Comme ça, s'ils nous la livrent à soir, on va pouvoir regarder la partie du Canadien.

Il vit Alain s'esquiver vers sa chambre et Catherine entreprendre d'étendre la nappe sur la table. Une heure plus tard, Catherine prévint son père et ses frères que le souper était prêt. Dès que chacun fut assis à table, Reine se mit à distribuer des assiettes de bouilli de légumes dans un silence pesant.

La mère de famille n'avait pas desserré la mâchoire depuis que son mari lui avait déclaré sur un ton sans appel que l'affaire du téléviseur était close et qu'on n'en reparlerait plus. Elle venait à peine de s'asseoir à son tour à table qu'on sonna à la porte. Jean se leva et alla ouvrir.

— On est chanceux, dit-il, enthousiaste, en tournant la tête vers la cuisine. C'est notre télévision qui arrive.

Aussitôt, les enfants repoussèrent leur chaise dans l'intention d'aller rejoindre leur père dans le couloir, mais leur mère intervint.

— Restez assis et finissez votre assiette, leur ordonna-t-elle sèchement. Vous avez pas affaire là.

Tous les trois se rassirent à la table à regret. Ils eurent un regard suppliant vers leur mère, mais celle-ci demeura inébranlable.

— C'est au troisième ! dit un livreur à son compagnon.

Tous les deux étaient debout, au pied de la double volée de marches, devant la porte ouverte et chargés du téléviseur qui semblait très lourd.

— Christ ! Tu parles d'une chance de grimper cette affaire-là dans un troisième étage pour finir la semaine, rétorqua l'autre avec mauvaise humeur.

— Vous avez besoin d'un coup de main ? offrit Jean.

— Laissez faire, monsieur, on va y arriver, répondit le premier livreur, légèrement essoufflé par l'effort alors qu'il n'avait encore monté que quelques marches.

Alors que les livreurs peinaient à hisser la grande boîte de carton contenant le téléviseur dans l'escalier, Yvonne Talbot apparut à la porte d'entrée. Jean se rendit compte que sa belle-mère désirait rentrer chez elle et que les deux hommes l'empêchaient d'accéder à son appartement. À cette heure-là, la belle-mère venait probablement de fermer la biscuiterie et aspirait au repos. Il feignit de ne pas la voir.

Parvenus enfin sur le premier palier, les livreurs déposèrent un instant leur fardeau, le temps de reprendre leur souffle. Jean se garda de les prévenir que la dame derrière eux attendait qu'ils repartent pour entrer chez elle. Yvonne Talbot ne dit rien non plus et patienta jusqu'à ce qu'ils reprennent leur boîte et se remettent en marche vers le second étage.

— Où est-ce qu'on vous la met ? demanda l'aîné des livreurs en pénétrant dans l'appartement des Bélanger.

— Dans le salon, à côté, lui indiqua Jean en s'effaçant devant lui.

Les deux hommes transportèrent leur colis jusqu'au salon et le déposèrent au centre de la pièce. Ils éventrèrent la boîte pour en sortir le téléviseur RCA que Jean avait acheté l'après-midi même. De la main, ce dernier montra l'encoignure où il désirait voir installer le meuble.

— Voulez-vous regarder votre meuble comme il faut pour vous assurer qu'il est pas égratigné ? lui conseilla l'un des deux hommes, occupé déjà à installer une antenne.

Jean examina l'appareil. Il était parfait. L'autre livreur alluma le téléviseur.

— Ça prend toujours quelques secondes avant que les lampes se réchauffent, expliqua-t-il.

Il eut un sourire à la vue des trois enfants qui venaient d'apparaître soudain dans l'entrée de la pièce. Son compagnon vint se placer devant le téléviseur et ajusta l'antenne de manière à ce que l'image soit correcte.

— Vous êtes chanceux, dit-il à Jean. Il y a pas d'interférence. L'image est ben belle.

697

Jean donna à chacun un pourboire et les remercia avant de les raccompagner jusqu'à la porte de l'appartement. Il referma derrière eux et découvrit Reine qui venait vers lui pour voir le téléviseur.

— Puis, qu'est-ce que vous en dites ? demanda-t-il sans s'adresser à quelqu'un en particulier.

Les enfants s'exclamèrent à qui mieux mieux tandis que leur mère demeurait silencieuse.

— Et toi, tu dis rien ? lui demanda-t-il pour la faire sortir de son mutisme boudeur.

— J'ai rien à dire, laissa-t-elle tomber en quittant la pièce.

Ce soir-là, Reine se cantonna dans la cuisine, refusant obstinément d'aller s'installer dans le salon pour regarder le match de hockey avec les enfants. Même Catherine avait regardé la partie et avait applaudi avec ses frères quand Jean Béliveau avait marqué ses deuxième et troisième buts de la jeune saison. À neuf heures, la mère de famille se contenta d'apparaître à la porte du salon pour commander aux enfants d'aller se coucher.

— Mais la partie est pas finie, m'man, protesta Gilles.

— Ton père te racontera la fin demain matin. Il est pas question que tu te couches plus tard que d'habitude parce qu'on a la télévision à cette heure.

Plus tard dans la soirée, Jean alla trouver sa femme qui venait de mettre sa robe de nuit.

— Viens voir *Les couche-tard*, ça commence, lui dit-il.

— Il est tard.

— Voyons donc, t'es pas une petite vieille, répliqua-t-il.

— C'est quoi, ce programme-là ? ronchonna-t-elle.

— Tu sais ben, c'est le programme dont Lucie et Claude parlaient la semaine passée quand on les a rencontrés chez mon père. C'est avec Jacques Normand et Roger Baulu. Il paraît que c'est pas mal drôle.

— Cinq minutes, pas plus, consentit-elle de mauvaise grâce.

En fait, elle regarda toute l'émission et la trouva aussi amusante que son mari tout en se gardant bien de manifester son plaisir. Quand Jean éteignit le téléviseur, elle se contenta de dire :

— C'est pas pire, mais je comprends pas ce que fait là la grande insignifiante…

Cette remarque de Reine au sujet du mannequin Élaine Bédard ne l'étonna pas. Lorsqu'elle voyait une belle femme, elle ne pouvait s'empêcher de la déprécier. De son côté, il trouvait la présence de la belle femme tout à fait à propos. Elle donnait, à ses yeux, un petit plus à l'émission.

⁓

À leur sortie de l'église Saint-Stanislas-de-Kostka, le lendemain avant-midi, Jean, Reine et leurs enfants retrouvèrent au pied des marches menant au parvis Claude et Lucie en compagnie des parents de Jean.

— C'est la fête de notre filleul, aujourd'hui, déclara Amélie avec bonne humeur en embrassant Gilles. On a un cadeau pour lui.

— Il est chanceux, lui, ne put s'empêcher de dire Alain, envieux.

— Aïe, toi ! fit semblant de le gronder son oncle Claude, qui était son parrain. Si je me trompe pas, on t'oublie pas à ta fête, non ?

— Non, mon oncle, répondit le jeune, mais elle est loin, ma fête. C'est au mois d'avril.

— Il y a toujours Noël, en attendant, fit sa tante Lucie en lui passant une main affectueuse dans les cheveux.

— Reine lui a fait un beau gâteau de fête. Pourquoi vous viendriez pas en manger un morceau cet après-midi? les invita Jean. En même temps, je vais vous montrer la télévision que j'ai achetée hier.

— Barnak! mon frère, tu t'es lancé dans les grandes dépenses, se moqua Claude. C'est payant en maudit d'être journaliste.

— Autant que d'être couvreur, répondit Jean, du tac au tac.

— On va y aller, lui promit sa mère, qui parlait en son nom et celui de Félicien.

— T'es pas mal fin de nous inviter, fit Lucie. On va venir, ça va me permettre de revoir mon beau filleul une autre fois aujourd'hui, ajouta-t-elle. J'espère que t'aimes ça te faire dire que t'es beau, dit-elle à Alain pour le taquiner.

— Je commence à être habitué, ma tante. Une amie de mon père m'a dit hier que j'étais le plus beau de la famille, se rengorgea-t-il.

— Rien que ça! s'exclama la petite femme blonde en éclatant de rire. Sais-tu que tu m'as l'air de devenir pas mal orgueilleux, mon petit tornom!

Personne ne semblait avoir remarqué que le visage de Reine s'était soudainement rembruni.

— C'était qui cette amie-là? demanda Claude à son frère. Est-ce que je la connais?

— C'est juste la sœur d'un gars qui venait au collège avec moi, dans le temps, répondit Jean d'une voix légèrement embarrassée.

Claude parut fouiller dans sa mémoire un court moment avant de demander:

— Ce serait pas la belle fille avec qui tu étais allé patiner un soir au parc La Fontaine? Je pense même que tu me l'avais présentée.

— Oui, c'est ça, fit son frère en lui faisant les gros yeux.

— Elle était belle en maudit. Est-ce qu'elle l'est toujours autant?

— Je le sais pas, je regarde pas les autres femmes. Je suis un homme marié, répondit Jean, de plus en plus mal à l'aise, en constatant subitement l'air mécontent de sa femme qui n'avait pas ouvert la bouche depuis qu'ils avaient rencontré ses parents. Bon, comme ça, on vous attend cet après-midi. Tardez pas trop, sinon il restera plus de gâteau.

Jean entraîna les siens vers la Pontiac pendant que Claude et Lucie, fidèles à leur habitude, se dirigeaient à pied vers leur appartement de la rue De La Roche. Ils allaient faire route avec Félicien et Amélie comme ils le faisaient chaque dimanche.

— J'ai comme l'impression que Reine a pas trop aimé apprendre que Jean avait rencontré une fille avec qui il a déjà sorti, dit Félicien en enfonçant son chapeau un peu plus profondément sur sa tête.

— Voyons, p'pa. Jean est pas vraiment sorti avec cette fille-là, protesta Claude, un peu mal à l'aise d'être peut-être à l'origine d'une scène familiale chez son frère aîné.

— C'étais pas la fille qu'il était supposé amener souper un jour de l'An à la maison? demanda Amélie d'une voix mal assurée.

— Je pense que c'est elle, fit Claude.

— Bah! Il y a pas de quoi fouetter un chat, intervint Lucie d'une voix apaisante. C'est de l'histoire ancienne. Je suis certaine que Reine en fera pas tout un plat.

— Je suis pas aussi sûre de ça que toi, laissa tomber sa belle-mère.

En fait, Amélie parlait comme si elle assistait au même moment à la scène qui se déroulait dans l'automobile qui ramenait la famille de son fils à l'appartement de la rue Mont-Royal.

— Est-ce que je peux savoir qui c'est exactement cette fille-là? demanda Reine à son mari, les dents serrées, aussitôt que la portière de la Pontiac se fut refermée sur elle.

— Blanche Comtois, la sœur de Paul Comtois qui était au collège Sainte-Marie avec moi. On l'a rencontrée par hasard au restaurant hier après-midi quand j'ai payé un *sundae* aux enfants.

— Comment ça se fait que tout le monde dans ta famille a l'air de se souvenir d'elle comme si tu l'avais fréquentée?

— D'abord, tu charries. C'est pas tout le monde, c'est Claude qui se souvient d'elle. La seule fois que je suis sorti avec elle, ça a été pour aller patiner au parc La Fontaine. Ça s'est arrêté là et c'était avant qu'on sorte ensemble, mentit-il avec aplomb.

— Et tu l'as jamais revue depuis ce temps-là?

— Une seule fois, il y a une dizaine d'années, et je crois même que tu étais avec moi.

— Elle est mariée?

— Non.

— Qu'est-ce qu'elle fait dans la vie, cette «belle fille-là», comme le dit ton frère?

— Je le sais pas, mentit-il à nouveau, persuadé qu'il aurait droit à toute une crise s'il lui apprenait qu'ils allaient travailler au même endroit.

Sa femme sembla se contenter de ces explications et le silence tomba dans l'auto durant un court instant avant qu'elle reprenne la parole.

— En passant, tu penses pas que t'aurais pu me demander mon avis avant d'inviter toute la gang des Bélanger à venir manger chez nous cet après-midi?

— Ils viennent pas manger un repas. Ils vont juste partager le gâteau de fête de Gilles et lui apporter un petit cadeau.

— Je suppose que t'as aussi assez d'argent pour payer de la liqueur aux invités, parce que je t'avertis tout de suite, moi, il me reste plus une cenne de l'argent de la commande et on n'a rien à leur offrir à boire.

— Inquiète-toi pas pour ça. On va aller en acheter. Tiens, un coup parti, invite donc en passant ta mère à venir fêter Gilles.

Jean pouvait se permettre cette suggestion, sachant fort bien que sa belle-mère trouverait un prétexte quelconque pour ne pas monter chez lui lorsqu'elle apprendrait que sa famille serait présente. Marraine de Catherine, elle n'oubliait jamais l'anniversaire de sa filleule, mais sa générosité n'allait pas jusqu'à offrir un cadeau à l'anniversaire de chacun de ses petits-fils.

— En passant, j'aimerais ben que tu fasses un effort pour faire une belle façon à ma famille, laissa-t-il tomber, juste pour leur prouver que t'es capable d'être fine en d'autres temps que quand t'as besoin d'un service.

Le visage de Reine se renfrogna, mais elle sembla juger inutile de se défendre.

À leur descente de voiture, Jean n'eut plus qu'une source d'inquiétude : quel genre d'accueil sa femme réserverait-elle à sa famille ? Elle était si imprévisible qu'elle pouvait aussi bien être tout sourire et agréable que leur présenter une face de carême. Avec Reine, on ne savait jamais.

Chapitre 5

L'inquiétude

Jean Bélanger sortit du bureau de Joseph Hamel, heureux de constater que le rédacteur en chef n'avait rien trouvé à critiquer dans l'article qu'il venait de lui remettre. Dans quelques jours, toute l'agitation entourant la publication du livre de Jean Drapeau allait être chose du passé et il pourrait se consacrer à d'autres tâches que celle consistant à courir les conférences de presse de ce candidat à la mairie plutôt remuant.

En cette première semaine de novembre, la salle de rédaction du journal bruissait d'une activité fébrile à laquelle les événements qui se succédaient à Québec n'étaient pas étrangers. Assermenté depuis à peine deux mois, le nouveau premier ministre avait annoncé un train de mesures extraordinaires qui promettaient de transformer la vie des habitants de la province. Tout concourait à démontrer que Paul Sauvé avait bien l'intention de se démarquer clairement de son prédécesseur avec son « Désormais », qu'il avait tendance à prononcer à chacune de ses apparitions publiques.

Paul Tremblay, le jeune successeur d'Olivier Marchand à titre de spécialiste des affaires provinciales, pérorait, retenant ainsi l'attention de quelques reporters du journal intéressés par ce qui se passait dans la capitale nationale.

— J'étais là quand Sauvé a inauguré l'autoroute des Laurentides au mois d'octobre, assura Tremblay. Même si Lesage avait sorti son fameux livre *Lesage s'engage* la veille, il en a pas dit un mot. Il s'est contenté de hausser les épaules avant de parler de la gratuité scolaire et du ministère des Affaires fédérales-provinciales dont il va annoncer la création dans le discours du trône. Vous allez voir, prédit-il plein de suffisance, avec un homme comme lui, on va vite oublier Duplessis et c'est pas demain que les libéraux vont prendre le pouvoir à Québec.

Jean contourna le petit groupe sans s'arrêter. Il n'avait pas pardonné au jeune journaliste de lui avoir été préféré par Hamel, alors qu'il avait plusieurs années d'expérience de plus que lui. Il rentra dans son cubicule pour préparer les questions qu'il projetait de poser à Jean Drapeau qui devait venir, le soir même, présenter un autre de ses candidats vedettes à la presse.

Avant de prendre place derrière son bureau, il jeta un coup d'œil à l'extérieur : il pleuvait encore. Quel automne étrange ! La pluie tombait presque chaque jour et il faisait froid. La grisaille était si déprimante qu'on en était à souhaiter la première chute de neige pour égayer un peu le paysage. Il eut une pensée pour les siens. Les enfants se débrouillaient bien à l'école et Reine semblait s'habituer lentement à le voir tenir les cordons de la bourse. Depuis quelques semaines, elle avait repris son habitude d'aller au cinéma une ou deux fois par semaine en compagnie de son amie Gina Lalonde. La veille, il lui avait reproché de sortir trop souvent avec cette femme dont la vulgarité le choquait. Elle s'était contentée de lui dire :

— Ça me coûte rien d'aller aux vues avec elle et ça me change les idées. J'ai besoin de ça !

Au même moment, un silence troublé uniquement par des froissements de papier régnait dans la classe de sœur Sainte-Fabienne, à l'école des Saints-Anges. La trentaine d'élèves de sa classe de sixième année étaient penchées studieusement sur leur cahier de composition française que la religieuse venait de leur remettre avec ordre de corriger toutes les erreurs qu'elle avait soulignées. La religieuse à la figure poupine, installée derrière son bureau placé sur une estrade à l'avant de la classe, leva soudainement la tête de son registre de notes. Au premier coup d'œil, elle se rendit compte qu'il y avait quelque chose d'anormal dans l'attitude de Catherine Bélanger, la meilleure élève de sa classe.

L'adolescente venait d'appuyer sa tête sur son bras après avoir déposé son crayon. Sans dire un mot, l'enseignante quitta son bureau et se dirigea vers le second pupitre de la première rangée, là où était installée Catherine.

— Qu'est-ce qui se passe, Catherine? lui demanda-t-elle.

La jeune fille leva la tête. Son institutrice remarqua immédiatement sa pâleur et ses yeux fiévreux.

— Je pense que je suis malade, ma sœur, répondit l'adolescente.

La religieuse allongea la main et la posa sur le front de Catherine. Il était bouillant.

— Bon, je pense que le mieux serait que tu ailles voir la directrice pour lui dire que tu es malade et que tu dois retourner chez toi. Prends tes affaires et vas-y, lui ordonna l'enseignante à mi-voix.

La plupart des élèves du groupe avaient cessé de travailler pour voir de quoi il s'agissait. Un regard sévère de leur institutrice les incita à retourner au travail. Sœur Sainte-Fabienne se déplaça entre les deux rangées de pupitres pour regagner son bureau. Pendant ce temps, Catherine rangea dans son sac d'école ses livres et ses cahiers. Elle se leva et se dirigea en chancelant vers la porte de la classe.

— Attends, lui commanda la religieuse qui venait de remarquer son pas peu assuré. Madeleine, dit-elle en se tournant vers une grande fille assise au fond de la classe, accompagne Catherine chez la directrice.

L'élève quitta sa place et vint rejoindre la fille de Jean Bélanger qui l'attendait près de la porte. Toutes les deux sortirent du local et prirent la direction du bureau de mère Saint-Rédempteur. Madeleine Prévost frappa à la porte pendant que Catherine se laissait tomber sur l'une des deux chaises placées près de l'entrée.

— Bonjour, ma sœur, salua l'élève quand la directrice vint lui ouvrir. Sœur Sainte-Fabienne m'a envoyée reconduire à votre bureau Catherine Bélanger. Elle est malade.

— Où est-ce qu'elle est ? demanda la petite religieuse à la figure pointue dont le nez important était chaussé de petites lunettes rondes.

— Elle est assise à côté de la porte. On dirait qu'elle a de la misère à marcher, ma sœur.

— Merci, ma fille. Va me chercher son manteau et ses bottes. Après, tu pourras retourner dans ta classe.

Madeleine quitta le bureau et alla faire ce qui lui était demandé pendant que la supérieure s'approchait de Catherine.

— Es-tu malade au point de pas être capable de marcher ? lui demanda-t-elle, le visage inquiet.

— Je peux marcher, ma sœur, affirma l'adolescente en tentant de se relever difficilement.

— Non, reste assise. Je vais téléphoner chez vous pour qu'ils viennent te chercher.

La directrice disparut dans la pièce voisine et alla téléphoner chez les Bélanger.

Quand le téléphone sonna, Reine venait de commencer son repassage après avoir remis de l'ordre dans la maison. La religieuse s'identifia et lui apprit que sa fille était souffrante et qu'elle ne semblait pas en mesure de retourner à la maison par ses propres moyens.

— Qu'est-ce qu'elle a, ma sœur ? lui demanda la mère de famille, soudain inquiète.

— Je ne sais pas, madame. J'aurais voulu la faire raccompagner chez vous par une de ses camarades, mais Catherine tient à peine sur ses jambes.

— Bon, je vais appeler tout de suite mon mari. Nous allons passer la prendre le plus vite possible. Merci, ma sœur.

Reine s'empressa d'alerter son mari au journal et lui demanda de venir la chercher à la maison immédiatement.

— Si la directrice a pas exagéré, je pense qu'on va être obligés de l'amener à l'hôpital, lui dit-elle avant de raccrocher.

Elle ne perdit pas un instant. Elle téléphona à sa belle-mère pour qu'elle accueille ses deux fils pour le dîner. Ensuite, elle endossa son manteau et descendit à la biscuiterie où sa mère s'activait en compagnie d'Adrienne Lussier. À son entrée dans la boutique, la vendeuse lavait les vitrines des deux grands comptoirs pendant que sa patronne vérifiait une livraison qui venait d'arriver.

— M'man, il paraît que Catherine est malade à l'école. Jean et moi, on va aller la chercher et ça se peut qu'on aille ensuite à l'hôpital avec elle.

— Qu'est-ce qu'elle a ? lui demanda Yvonne Talbot en s'approchant de sa fille.

— On le sait pas. Jean s'en vient. Voulez-vous dire aux garçons d'aller dîner chez leur grand-mère Bélanger quand ils vont rentrer de l'école tout à l'heure ? Je vous laisse la clé de l'appartement au cas où ils auraient besoin de quelque chose à midi.

— C'est correct. Oublie pas de venir me donner des nouvelles quand tu reviendras.

Peu après, la Pontiac s'immobilisa devant la biscuiterie. Reine se précipita à l'extérieur et monta dans la voiture. À leur arrivée à l'école des Saints-Anges, coin Gilford et Garnier, en face de l'église, la cloche qui annonçait la fin des classes pour la matinée se fit entendre. Reine et Jean s'empressèrent de pénétrer dans l'institution.

Dès leur entrée, ils virent leur fille assise devant le bureau de la directrice. L'adolescente tremblait de fièvre malgré le fait qu'elle portait déjà son chaud manteau d'hiver. Ils se rendirent compte immédiatement qu'il ne s'agissait pas d'une simple grippe. Ils remercièrent la religieuse de les avoir prévenus et s'apprêtèrent à quitter les lieux rapidement. Lorsque Jean se rendit compte que sa fille éprouvait de la peine à se lever de la chaise sur laquelle elle était assise, il la prit dans ses bras, malgré ses protestations.

— Mon Dieu! Mais qu'est-ce qu'elle peut bien avoir? s'écria Reine, folle d'inquiétude.

— Prends son sac d'école et ouvre-moi la porte, lui ordonna son mari. On va la faire voir tout de suite par un docteur.

La mère de famille maintint la porte ouverte et le précéda jusqu'à la voiture dont elle ouvrit l'une des portières arrière. Quand Jean eut déposé leur fille sur la banquette, Reine prit place à côté d'elle pour la rassurer. Sans plus tarder, Jean se glissa derrière le volant et prit la direction de l'hôpital Hôtel-Dieu.

— Si on a un peu de chance, ma tante Camille ou ma tante Rita va être à l'urgence, déclara-t-il.

Les deux infirmières, les sœurs de Félicien, travaillaient à l'urgence de l'hôpital depuis déjà plusieurs années.

Jean ne perdit pas de temps. À son arrivée devant l'urgence, il descendit de voiture, s'empara d'un fauteuil roulant et y déposa leur fille.

— Entre-la en dedans pendant que je vais aller stationner, commanda-t-il à Reine.

Malheureusement, aucune de ses deux tantes n'était en service ce jour-là. Il suffit de quelques instants pour que la sœur Grise responsable des admissions juge de la gravité de l'état de Catherine. Elle la fit passer dans une petite pièce voisine, la fit étendre sur une civière et appela un médecin. Ensuite, elle pria les parents d'aller s'asseoir dans la salle d'attente attenante.

— Maudit que j'haïs cette place-là ! dit Reine à mi-voix.

Évidemment, cet hôpital lui rappelait de bien mauvais souvenirs. C'était dans cette même pièce qu'elle avait attendu des nouvelles de son père, treize ans plus tôt, après qu'il eut été victime d'une attaque d'apoplexie.

— Il faut pas s'énerver pour rien, lui dit Jean, pour la rassurer et se réconforter lui-même. Ils savent quoi faire. C'est peut-être juste un microbe qu'elle a attrapé à l'école. Ils vont lui donner un remède et on va la ramener à la maison dans quelques minutes.

Il n'en fut cependant rien, l'attente se prolongea et l'inquiétude des parents croissait en conséquence.

— Veux-tu bien me dire ce qu'ils ont à niaiser ? finit par exploser Reine, angoissée. Ça prend pas une éternité pour dire ce qu'elle a.

Au bout de deux heures, Jean en eut assez et il alla s'informer auprès de la religieuse qui les avait accueillis à leur arrivée.

— Bonjour, ma sœur. Est-ce qu'on va finir par savoir ce qu'a notre fille ? Ça fait presque trois heures qu'on attend.

— Le docteur Mercure s'en vient vous parler bientôt, lui annonça la religieuse d'une voix apaisante. Patientez encore quelques minutes, il arrive.

Jean retourna s'asseoir près de sa femme et lui murmura que le docteur venait les voir. Peu après, un grand homme très maigre vêtu d'un sarrau blanc s'arrêta près de la religieuse, qui les désigna de la main. Aussitôt, Reine et Jean se levèrent et allèrent à sa rencontre.

— Voulez-vous me suivre ? leur demanda-t-il sur un ton pressé.

Il les fit pénétrer dans un bureau minuscule dont il referma la porte derrière eux. Il les invita à s'asseoir avant de prendre place lui-même dans un fauteuil, derrière le bureau.

— Je suppose que votre fille a eu le vaccin Salk contre la polio ? s'enquit-il.

— Oui, répondit Reine sans hésiter.

— Bon, je dois d'abord vous dire que ce vaccin-là est excellent. Il nous a permis d'enrayer une épidémie. Pour tout dire, il est habituellement efficace jusqu'à soixante-dix pour cent.

Les traits des visages des Bélanger se creusèrent, car ils devinaient déjà ce que le médecin allait leur apprendre.

— Si ça a pris tant de temps pour vous donner des nouvelles de votre fille, c'est qu'on a été obligés de la soumettre à un examen très poussé. Et j'ai bien peur qu'elle souffre de la polio. C'est un cas rare, mais la polio n'est pas encore totalement enrayée. Je ne veux pas vous affoler, mais rappelez-vous qu'il s'agit d'une maladie infectieuse grave.

— Mon Dieu ! s'exclama Reine en mettant une main devant sa bouche.

— Calmez-vous, madame. Nous avons maintenant tout ce qu'il faut pour combattre cette maladie et empêcher le virus de s'attaquer trop gravement à la moelle épinière.

Nous avons déjà placé votre fille dans un poumon d'acier et elle va recevoir tous les soins appropriés.

— Un poumon d'acier ! s'écria Jean, dont le visage était devenu subitement blafard.

— Le poumon d'acier va uniquement l'aider à respirer. Dans quarante-huit heures, nous allons être plus à même de savoir à quel point elle est atteinte.

— Est-ce que nous pouvons la voir ? demanda Reine en se levant déjà.

— Oui.

— Est-ce qu'on va pouvoir rester à côté d'elle ? fit Jean.

— Je ne pense pas que ce soit souhaitable, répondit le docteur Mercure. De toute façon, les religieuses voudront pas que vous restiez là après les heures de visite. Des visiteurs, ça complique les soins à donner aux patients. Soyez courageux et dites-vous qu'on va tout faire pour que votre fille s'en sorte sans séquelles. Pour l'instant, elle est installée ici, à l'urgence. On va la garder sous observation un bout de temps avant de la monter dans une chambre à l'étage.

Les parents de Catherine quittèrent le bureau et suivirent le médecin jusqu'à la petite chambre où était alitée leur fille. Ils subirent un choc en la voyant emprisonnée dans un énorme poumon d'acier. L'adolescente avait les yeux fermés et semblait dormir. Elle avait les traits détendus et ne paraissait pas souffrir, malgré la situation, ce qui rassura un peu son père et sa mère. Voir sa fille dans un tel état restait une épreuve difficile pour tout parent, même Reine montrait les signes d'une mère attentionnée et très inquiète, un aspect de sa personnalité qu'elle présentait rarement.

Le docteur Mercure les laissa pour aller s'occuper d'autres patients et ils demeurèrent debout au chevet de leur fille durant de longues minutes.

— Vous pouvez revenir à sept heures, ce soir, leur dit une petite religieuse qui venait d'entrer dans la chambre. Les heures de visite sont de deux à quatre et de sept à huit heures et demie, leur apprit-elle.

Jean et Reine hochèrent la tête et se retirèrent de la chambre sans faire de bruit.

Le trajet de retour à la maison se fit dans un silence complet. Au moment où Jean immobilisait sa Pontiac dans la rue Brébeuf, près de Mont-Royal, les premiers flocons de neige de la saison se mirent à tomber doucement.

— Je vais prendre l'autobus tous les après-midi pour aller la voir, annonça Reine.

— On va y aller le plus souvent possible, tint à préciser Jean.

À leur arrivée dans l'appartement, ce dernier était vide. Alain et Gilles auraient dû être de retour de l'école depuis plusieurs minutes.

— Ils doivent être chez ma mère, déclara le père de famille.

— Va les chercher pendant que je prépare le souper, lui dit sa femme en déboutonnant son manteau.

Jean descendit les escaliers et sortit de la maison. Au moment où il allait se diriger vers la rue voisine, il se dit qu'il se devait de prévenir sa belle-mère, encore présente à la biscuiterie. Il fit quelques pas et poussa la porte du magasin. Pour une fois, Yvonne Talbot ne lui opposa pas cette figure hautaine et dédaigneuse qu'il détestait tant.

— Puis ? Qu'est-ce qu'elle a, la petite ? lui demanda-t-elle alors qu'Adrienne Lussier s'approchait, elle aussi, pour mieux entendre ce qu'il avait à dire.

— Les nouvelles sont pas bonnes, madame Talbot, dit-il. Le docteur pense qu'elle a la polio.

— C'est pas vrai ! s'exclama la grande femme, apparemment bouleversée. Comment Reine prend ça ?

— Pas trop bien. Elle a peur pour sa fille, c'est normal.

— Je vais prier pour elle, intervint Adrienne Lussier, qui connaissait Jean depuis plus de vingt ans.

— Merci, madame Lussier, fit Jean. Bon, je dois aller chercher les garçons chez ma mère, annonça-t-il avant de sortir de la biscuiterie.

Il prit la direction de la rue Brébeuf. Même si le soir tombait déjà, il vit des enfants excités qui regardaient tomber la première neige de la saison. Il parcourut les quelques centaines de pieds qui le séparaient de la maison où ses parents vivaient. Il escalada le long escalier tournant extérieur qui le mena à l'étage et il sonna. Ce fut son frère Claude qui vint lui ouvrir.

— On va enfin avoir des nouvelles, dit-il d'une voix forte pour être entendu par les personnes rassemblées dans la cuisine.

Jean suivit son frère dans la cuisine où ses parents, Lucie et ses deux fils étaient attablés.

— Qu'est-ce que Catherine a? lui demanda sa mère en lui faisant signe de s'asseoir.

— D'après le docteur, c'est la polio, dit-il, la voix changée.

En l'entendant, tous les adultes se rembrunirent. Gilles et Alain se regardèrent, incertains de la gravité de la maladie dont souffrait leur sœur.

— Est-ce qu'elle est ben malade, p'pa? demanda Gilles.

— Pas mal, répondit son père. Il va falloir qu'elle reste un bout de temps à l'hôpital pour guérir.

Il y eut un long silence dans la pièce, comme si chacun évaluait les conséquences de la maladie qui venait de frapper l'adolescente.

— Comment Reine encaisse ce coup-là? finit par demander Lucie.

— Elle trouve ça pas mal dur, lui avoua Jean.

— Qu'est-ce que le docteur dit de tout ça? intervint Félicien.

— On va être plus à même de savoir à quel point c'est grave dans quarante-huit heures.

Il allait de soi que pour tous ces adultes, la poliomyélite était associée à des images de membres atrophiés et de paralysie. Ils avaient du mal à croire qu'une telle maladie puisse s'attaquer à l'un des leurs.

— Le vaccin… commença Claude.

— Elle l'a eu, le vaccin, l'interrompit son frère aîné, mais il y a des cas où il protège pas. La malchance a voulu que ça tombe sur Catherine.

— Je vais commencer une neuvaine à soir, annonça Amélie. Et je vais aller à la messe demain matin prier pour qu'elle guérisse.

Jean continua à discuter avec ses parents, son frère et sa belle-sœur durant quelques minutes avant de demander à ses fils d'aller s'habiller. Il remercia ses parents d'avoir accueilli Gilles et Alain.

— Tu nous laisses tes deux gars avant d'aller à l'hôpital ce soir, dit Lucie.

— Écoute… voulut protester le père de famille.

— Tu nous les laisses, dit sa belle-sœur sur un ton catégorique qui refusait toute opposition. Ils vont voir comment leur tante Lucie est mauvaise quand les devoirs et les leçons sont pas faits à son goût, ajouta la petite femme blonde en roulant les yeux pour faire rire ses deux neveux.

Jean accepta l'offre et rentra à la maison.

Ce soir-là, malgré la neige qui avait continué à tomber, Jean et Reine se rendirent à l'hôpital et veillèrent leur fille jusqu'au moment où une religieuse leur demanda de partir. De retour à la maison après être allés chercher leurs fils chez Claude et Lucie, à leur appartement de la rue De La Roche, il leur fallut téléphoner à Yvonne Talbot et aux parents de Jean pour leur communiquer les dernières nouvelles. L'état de Catherine était stable. Quand ils se mirent au lit, ils glissèrent rapidement dans le sommeil tant ils étaient épuisés par cette journée éprouvante.

Le lendemain après-midi, Reine eut l'heureuse surprise de découvrir que sa fille avait quitté l'urgence et qu'on l'avait installée dans une chambre du troisième étage du pavillon Le Royer.

— Est-ce que ça veut dire qu'elle va mieux? demanda-t-elle à Rita Bélanger, la tante de son mari venue à sa rencontre lorsqu'elle l'avait aperçue.

— Je sais pas, admit l'infirmière, mais c'est sûrement pas mauvais signe. Mais attends avant de monter à l'étage, je vais me renseigner pour savoir si tu peux aller la voir.

— Comment ça? s'étonna la jeune mère de famille. On a pu la voir hier après-midi et hier soir. Pourquoi je pourrais pas la voir aujourd'hui?

— Parce qu'il paraît que le docteur Mercure a demandé qu'elle soit placée en isolement, lui répondit sa tante par alliance. Ta belle-mère nous a téléphoné hier soir pour nous dire que Catherine était à l'hôpital. Je suis entrée plus de bonne heure pour avoir la chance de passer la voir. J'ai pas pu, lui apprit-elle.

Pendant que Rita Bélanger allait téléphoner à l'étage, Reine vit arriver sa belle-sœur Lucie en compagnie de sa belle-mère. L'infirmière revint après un court moment et salua Amélie et Lucie.

— Tu peux monter au troisième, dit-elle à Reine. Le docteur Mercure est sur l'étage et il veut te parler. T'as juste à le demander au poste de garde en arrivant.

— Qu'est-ce qui se passe? demanda Amélie.

— Ta petite-fille a été mise en isolement. Le docteur veut expliquer pourquoi à Reine.

Lucie jeta un coup d'œil à sa belle-mère avant de déclarer :

— Si c'est comme ça, on va attendre ici, en bas. Tu viendras nous le dire, Reine, si on peut voir Catherine.

Reine accepta d'un signe de tête et monta au troisième étage. Elle trouva le docteur Mercure en train de remplir un dossier au poste de garde.

— Bonjour, madame Bélanger, la salua-t-il en la reconnaissant. Venez avec moi, j'ai deux mots à vous dire, fit-il en lui indiquant la pièce voisine.

Inquiète, Reine le suivit dans la petite salle dont il venait d'ouvrir la porte avant de s'effacer devant elle. Elle pénétra dans la pièce et il l'invita à s'asseoir près de la table qu'il contourna pour prendre place en face d'elle.

— Je pense que j'ai une bonne nouvelle pour vous, madame, fit-il d'entrée de jeu en lui adressant un large sourire. J'ai reçu les résultats des analyses que j'avais demandées. Votre fille n'a pas la polio. On lui a enlevé son poumon d'acier cet avant-midi.

— Là, vous me soulagez, vous pouvez pas savoir à quel point, ne put s'empêcher de dire Reine en retrouvant des couleurs. Mais qu'est-ce qu'elle a d'abord ? Elle était malade comme un chien, hier.

— Elle a attrapé un virus, madame Bélanger. D'après les résultats des analyses, ce virus a beaucoup de points communs avec l'ARN et provoque des symptômes presque identiques à ceux d'une grippe. Heureusement, il ne semble pas causer d'inflammation de la moelle épinière.

— C'est rassurant.

— Comme on ignore à quel point le virus qui s'est attaqué à votre fille est contagieux, nous avons dû l'installer dans une chambre privée, en isolement. Tout à l'heure, nous allons la faire transférer à l'hôpital Pasteur de la rue Sherbrooke, où elle devra rester une quinzaine de jours, de manière à nous assurer qu'elle ne risque pas de contaminer son entourage.

— L'hôpital Pasteur, répéta Reine, stupéfaite.

— On n'a pas le choix, madame. Cet hôpital est mieux outillé que nous pour traiter ce genre de cas.

— Et qu'est-ce qu'on va faire, mon mari et moi, pour la voir ?

— Il faudra vous renseigner auprès des autorités, dit le médecin en se levant. Cet hôpital a des règles très strictes. Mais consolez-vous en vous disant que votre fille est sur la voie de la guérison et qu'elle s'en sortira bientôt.

Lorsque Jean rentra de son travail ce soir-là, ses deux fils étaient attablés devant leurs devoirs et Reine finissait de préparer le souper.

Cette dernière s'empressa de lui apprendre les dernières nouvelles concernant leur fille, ce qui le remplit de joie.

— Il me semble que t'aurais pu me téléphoner au journal pour m'apprendre ça, lui reprocha-t-il. J'ai passé la journée à m'en faire.

Reine ne dit rien. Elle savait que Catherine avait toujours été sa préférée et cela paraissait souvent, même s'il se donnait passablement de mal pour le dissimuler la plupart du temps. Quand elle lui révéla que leur fille était maintenant hospitalisée à Pasteur, il ne s'en inquiéta pas le moins du monde, tant il était soulagé d'apprendre que tout rentrerait dans l'ordre dans quelques jours.

— On pourra pas aller la voir avant samedi après-midi, le prévint Reine. Ils m'ont dit au téléphone qu'on va être obligés d'attendre encore deux jours. Ils veulent pas de visites le soir.

— As-tu demandé si on pouvait au moins lui apporter quelque chose ?

— Oui, on peut lui apporter du linge, des livres, des crayons et du papier, mais pas de nourriture. Ils vont tout désinfecter avant de les lui donner.

— Parfait, prépare-lui un sac de tout ce qui peut l'aider à passer le temps. Après le souper, je vais aller le porter à l'hôpital. As-tu téléphoné à la famille pour leur dire tout ça ?

— C'était pas nécessaire. Ta mère et Lucie étaient à l'hôpital en même temps que moi, cet après-midi. Je leur ai tout dit. En revenant, je suis arrêtée le dire à ma mère et j'ai téléphoné à Estelle.

Le jeune père de famille fut tellement soulagé en apprenant cette merveilleuse nouvelle que toute la fatigue accumulée durant sa journée de travail avait disparu d'un seul coup. Plein d'allant, il remit son manteau et chaussa ses couvre-chaussures.

— Je vais aller lui chercher une couple de livres à la bibliothèque, annonça-t-il à sa femme. Ça va la distraire.

Jean se rendit à la bibliothèque municipale, coin Amherst et Sherbrooke, où il emprunta quelques *Sylvie*, des romans que sa fille appréciait particulièrement.

Ce soir-là, après le souper, Jean alla porter à l'hôpital deux grands sacs contenant diverses affaires personnelles destinées à Catherine. Il avait joint un mot d'encouragement à ceux écrits par Gilles et Alain. Il fit le trajet sous une pluie froide qui effaça les dernières traces de la faible neige tombée la veille. Lorsqu'il immobilisa sa voiture dans le stationnement de l'institution, l'édifice en brique rouge de la rue Sherbrooke lui sembla particulièrement rébarbatif. À la réception, on accepta les colis destinés à l'adolescente en promettant qu'on les lui remettrait après désinfection le lendemain matin.

Une semaine plus tard, à son entrée au travail, Joseph Hamel convoqua Jean dans son bureau.

— Monseigneur Charbonneau est mort hier, lui annonça-t-il. Tu vas m'écrire une brève notice nécrologique en évitant, bien sûr, de mentionner les démêlés qu'il a eus avec Maurice Duplessis quand il y a eu la grève de l'amiante. Ne parle pas non plus de ses disputes avec les autres évêques. Contente-toi de retracer sa carrière et mentionne qu'il est décédé simple prêtre dans une paroisse en Colombie-Britannique.

Jean détestait ce genre de mission où il ne pouvait écrire que des demi-vérités. À son avis, l'homme d'Église qui venait de mourir avait été un grand homme, bien en avance sur son époque par ses prises de position sociales. Il se rappelait encore trop bien le tollé que sa supposée démission avait suscité chez les fidèles du diocèse de Montréal en janvier 1950. Le prélat possédait peut-être un caractère difficile, mais on ne pouvait lui reprocher de ne pas être près des gens du peuple.

Il allait recommencer pour la troisième fois son court article quand Reine lui téléphona.

— J'ai une bonne nouvelle, lui dit-elle. L'hôpital vient d'appeler, on peut aller chercher Catherine cet avant-midi. Il n'y a plus aucun risque. Est-ce que tu y vas ou bien t'aimes mieux que je prenne un taxi pour aller la chercher ?

Jean devina immédiatement que s'il acceptait qu'elle prenne un taxi, elle allait encore faire des histoires pour cette dépense qu'elle jugerait inutile.

— Laisse faire. Je vais aller la chercher tout de suite et je reviendrai au journal après.

Lorsqu'il quitta l'édifice du *Montréal-Matin*, le ciel gris à son arrivée quelques heures plus tôt était devenu pratiquement noir et était annonciateur de neige. Il s'engouffra dans sa Pontiac et prit la direction de l'hôpital. À Pasteur, Catherine l'attendait, assise sagement sur une chaise, une main posée sur la petite valise marron qu'il lui avait apportée quelques jours plus tôt.

Jean la serra contre lui et l'embrassa sur les deux joues avant de signer les papiers. Il entraîna ensuite sa fille jusqu'à la voiture après avoir appris qu'on recommandait que la jeune fille profite de trois ou quatre jours de repos avant de retourner à l'école.

— Je te ramène tout de suite à la maison, dit-il à l'adolescente après avoir déposé sa valise sur la banquette arrière. Ta mère a ben hâte de te voir. Toute la famille s'est pas mal inquiétée pour toi. T'as entendu comme moi? ajouta-t-il avec bonne humeur. Tu vas pouvoir profiter d'un petit congé à la maison à te faire gâter par ta mère avant d'être obligée de retourner à l'école.

Il se mit au volant et démarra.

— J'ai peur d'avoir pris pas mal de retard à l'école, dit l'adolescente d'une voix où perçait l'inquiétude.

— C'est pas deux semaines d'absence qui vont te faire doubler ton année, fit son père pour la rassurer. Tu es une première de classe, ma Catherine. Ne t'inquiète pas.

À leur arrivée devant la maison, Catherine tint à saluer sa grand-mère Talbot en passant. Elle pénétra un instant dans la biscuiterie, le temps d'embrasser sa grand-mère et de saluer Adrienne Lussier. Elle suivit ensuite son père jusqu'à l'appartement.

Reine avait déjà préparé le dîner. Gilles et Alain attendaient leur sœur pour manger. Toute la petite famille se retrouva enfin réunie autour de la table pour la plus grande satisfaction des parents. On mangea avec un bel appétit les pommes de terre et les saucisses cuisinées par la mère de famille.

— Bon, il est temps que vous retourniez à l'école, si vous voulez pas être en retard, décréta Reine en se levant. Toi, Catherine, tu vas aller te reposer dans ta chambre.

— Je peux vous aider à laver la vaisselle, m'man. Je me sens pas fatiguée.

— Non, j'ai pas besoin de toi. J'ai tout l'après-midi pour faire ça. Va t'étendre.

Jean quitta la table à son tour après avoir allumé une cigarette et annonça qu'il retournait au travail.

Quand il ouvrit la porte de la maison, au pied des escaliers, il se rendit compte que la neige s'était mise à tomber. Le seuil disparaissait déjà sous une épaisse couche de neige. Il avait suffi de quelques minutes pour transformer le paysage. Tout était devenu soudainement blanc et il voyait à peine à quelques pieds de distance.

Durant un court moment, le journaliste se demanda s'il n'était pas préférable de demeurer à la maison plutôt que d'affronter la tempête qui venait de commencer. Non, il lui fallait aller au journal. Il avait son article à écrire et Hamel serait bien trop heureux de le prendre en faute. Il s'avança sur le trottoir et aperçut alors ses deux fils en train de se chamailler au coin de la rue, énervés par toute cette neige. Il eut d'abord envie de les disputer, mais il se retint en se rappelant à quel point la neige l'excitait quand il était jeune. Il se revoyait au même âge faire pareil avec son frère Claude.

— Aïe ! vous deux, montez dans l'auto, leur dit-il en prenant un ton qui se voulait sévère, mais qui reflétait toute la nostalgie de sa propre jeunesse. Je vais vous laisser à l'école en passant.

Les deux garçons ne se firent pas prier et montèrent dans la Pontiac après avoir aidé leur père à enlever la neige qui obstruait le pare-brise et la lunette arrière. Jean laissa Gilles et Alain à l'école Saint-Stanislas, rue Gilford, avant de prendre la direction du journal. La chaussée était devenue glissante et le trajet lui demanda deux fois plus de temps que d'habitude.

Peu avant son arrivée au *Montréal-Matin*, le vent s'était levé, poussant devant lui un véritable rideau opaque de flocons. À sa descente de voiture, il dut pencher la tête et relever le col de son paletot pour se protéger le visage avant de parcourir la courte distance entre sa voiture et l'édifice du journal.

— Monsieur Hamel vous cherche partout, lui annonça la réceptionniste sur un ton réprobateur. Il avait pas l'air trop de bonne humeur, ajouta-t-elle.

— Je passe le voir, dit Jean en secouant ses pieds pour en faire tomber la neige.

Il laissa son manteau et ses couvre-chaussures dans son cubicule et alla frapper à la porte du bureau du rédacteur en chef.

— Où est-ce que t'étais encore passé? lui demanda l'autre en repoussant ses lunettes sur son nez.

— J'ai été obligé d'aller chercher ma fille à l'hôpital. Vous vouliez me demander quelque chose? ajouta-t-il sans formuler plus d'explications.

— Tu regarderas sur ton bureau. Je t'ai laissé quelques informations supplémentaires pour ton article sur monseigneur Charbonneau. Il va falloir que tu l'étoffes un peu plus et arrange-toi pour qu'il soit prêt pour la deuxième édition.

— Qu'est-ce qui se passe?

— Le secrétaire du cardinal Léger nous a téléphoné à la fin de l'avant-midi. Il paraîtrait que le cardinal a décidé que le corps devait être rapatrié à Montréal. Il veut qu'on fasse à l'ancien archevêque du diocèse de grandes funérailles. Elles vont même être télévisées. Ensuite, on va déposer le corps dans la crypte de la cathédrale, où il va aller rejoindre les autres évêques de Montréal.

— Est-ce que ça signifie qu'on lui a pardonné? demanda Jean, intrigué par tout le faste avec lequel on se proposait de célébrer les funérailles de celui qui n'était plus qu'un simple prêtre.

— On le dirait. En tout cas, le secrétaire m'a dit que plusieurs évêques du Canada et des personnalités politiques sont attendus. Il est pas impossible que le premier ministre et quelques-uns de ses ministres assistent même à la cérémonie. Tu sais ce que ça veut dire?

— Ben…

— Ça signifie qu'il me faut avant la fin de l'après-midi un article de fond qui va paraître en première page.

Jean rentra dans son cubicule, téléphona à l'archevêché pour obtenir quelques précisions supplémentaires et écrivit son article qu'il remit avant de quitter le journal.

À sa sortie de l'édifice, l'obscurité était tombée depuis longtemps et il dut déneiger la Pontiac. La neige n'avait pas cessé de tomber. Montréal faisait face à sa première grande tempête de l'hiver. Il lui fallut près de trois quarts d'heure pour atteindre la rue Brébeuf où il réussit à stationner tant bien que mal sa voiture.

Quand il poussa la porte de son appartement, il fut accueilli par une agréable chaleur et par une réconfortante odeur de nourriture. Il retira son manteau et ses couvre-chaussures avant de passer la tête dans le salon où ses trois enfants étaient occupés à regarder la télévision. Après les avoir salués, il alla rejoindre Reine dans la cuisine.

— Tout le monde a soupé depuis longtemps, lui dit-elle. Je vais te faire réchauffer du spaghetti, c'est ce qu'on a mangé.

— Ça va être parfait, accepta-t-il en allumant une cigarette.

— Les enfants ont fini leurs devoirs et leurs leçons. Je viens de leur permettre de regarder la télévision.

— Et Catherine ?

— Elle a dormi une partie de l'après-midi. Elle a bien mangé ce soir. Comme t'as pu le voir, elle est avec les garçons dans le salon.

Le lundi suivant, Catherine retourna à l'école et l'on s'empressa d'oublier les heures d'angoisse. La maladie était maintenant chose du passé.

Chapitre 6

Le chat

Dès les premiers jours de décembre, les rues commerciales du quartier prirent des allures bien différentes de celle des autres rues. Les commerçants firent preuve d'ingéniosité pour décorer leurs magasins et leurs vitrines de lumières multicolores, de grands bas résille rouges remplis de cadeaux factices et de sapins de Noël. Chez L.-N. Messier, on avait même orné un arbre artificiel argenté, ce qui était une nouveauté remarquable. S'il était encore trop tôt pour acheter un sapin de Noël, il n'en restait pas moins que tout concourait à rappeler aux Montréalais que la période des fêtes approchait à grands pas.

La rue Mont-Royal, par exemple, devenait féerique aux yeux des enfants en cette période de l'année tant il y avait de lumières multicolores qui s'allumaient dès le coucher de soleil. Même la propriétaire de la biscuiterie Talbot avait fait un effort spécial pour égayer l'une des deux vitrines de son commerce en y faisant installer un traîneau conduit par un père Noël rubicond sur une épaisse couche de ouate.

Le premier samedi du mois, Alain et Gilles se levèrent très tôt, soit bien avant leurs parents. Ils se glissèrent dans la cuisine et entreprirent de confectionner leur déjeuner en faisant le moins de bruit possible. Il faisait froid dans la maison et, jusqu'à un certain point, ils étaient heureux de porter leurs longs sous-vêtements d'hiver imposés depuis quelques semaines par leur mère, intraitable sur le sujet.

— Maudit que ça pique, se plaignit Alain en se grattant vigoureusement la poitrine.

— Moi aussi, j'haïs ça, les longues combines, fit son frère aîné en lui faisant signe de baisser la voix, mais ça sert à rien de se lamenter, m'man veut pas qu'on mette autre chose. Elle a ôté de nos tiroirs nos maillots de corps et nos petites culottes.

Les deux jeunes déposèrent le grille-pain sur la table après y avoir étendu la nappe. Pendant que Gilles sortait la boîte de chocolat Quick en poudre, son frère se chargeait de tirer hors de l'armoire le pot de confiture de fraises.

Ce samedi matin était spécial. Leur père leur avait promis de les emmener voir la parade du père Noël rue Sainte-Catherine. Cette décision avait entraîné une vive discussion entre leurs parents, la veille, au moment où ils les envoyaient se coucher.

— C'est une maudite niaiserie de les traîner là, avait protesté leur mère. D'abord, à leur âge, ils croient plus au père Noël et tout ce qui va arriver, c'est qu'ils vont attraper la grippe, plantés sur le bord du trottoir, à geler pendant des heures.

— Voyons donc! avait rétorqué leur père. On dirait que t'as jamais été jeune, toi. Tu viendras pas me dire que t'aimais pas ça aller voir la parade quand le père Noël arrivait en ville quand t'étais jeune.

— Tu sauras que j'y suis jamais allée et j'en suis pas morte.

— Là, je te comprends pas, avait repris Jean, qui commençait à perdre patience. Les autres années, t'as jamais rien dit quand j'y allais avec les enfants. Pourquoi tu t'énerves cette année ?

— Parce que je trouve que c'est courir après les troubles pour rien. Avant, les enfants étaient plus jeunes et Alain croyait encore au père Noël. En plus, on n'avait pas la télévision. À cette heure qu'on l'a, tu l'as dit toi-même, les enfants peuvent regarder la parade dans le salon, bien au chaud.

— C'est pas la même chose, avait affirmé le père de famille. Sur place, on sent toute l'atmosphère.

— Dans ce cas-là, je t'avertis tout de suite. S'ils sont malades à cause de ça, c'est toi qui vas les soigner.

Alain échappa un ustensile sur le parquet, et aussitôt quelqu'un bougea dans la chambre des parents.

— Maudit tata ! l'injuria son frère. Tu peux pas faire attention ! Là, on va se faire engueuler si t'as réveillé m'man.

La porte de la chambre à coucher des parents s'ouvrit sur leur père qui s'empressa de refermer sa robe de chambre en réprimant un frisson. Il fut immédiatement suivi par leur mère.

— Calvince ! Veux-tu ben me dire pourquoi t'as encore baissé autant la fournaise ? demanda-t-il à sa femme. On gèle tout rond dans la maison. Les pieds nous collent au plancher tellement c'est froid.

— Tu vas pas recommencer tes mêmes lamentations chaque matin pendant tout l'hiver, rétorqua Reine. C'est chaque année la même histoire. C'est normal de baisser le chauffage la nuit. Ça dort mieux et ça coûte moins cher d'huile.

Jean préféra ne rien ajouter. Il savait que ce serait en pure perte. Il s'empressa d'aller régler la fournaise du couloir de manière à réchauffer l'appartement.

— Et vous autres, qu'est-ce que vous faites debout aussi de bonne heure ? demanda Reine à ses deux fils attablés.

— On s'endormait plus, m'man, répondit Alain.

— On a fait ben attention de pas faire de bruit pour pas vous réveiller, ajouta Gilles.

— Je vous ai déjà dit que je voulais pas vous voir debout avant nous autres le samedi matin. J'ai bien envie de vous défendre d'aller à la parade, ajouta-t-elle, l'air mauvais.

Les deux jeunes garçons ne dirent rien. Ils connaissaient assez leur mère pour savoir que ce n'était pas une menace en l'air. Elle alla brancher la bouilloire et prépara le café. Quelques minutes plus tard, Catherine vint rejoindre le reste de la famille et déjeuna.

Lorsque le moment arriva de s'habiller chaudement pour aller assister au défilé du père Noël, Jean offrit à sa femme de venir.

— Es-tu malade, toi ? se borna-t-elle à répondre. Je suis pas encore assez folle pour aller me geler pendant des heures sur le bord du trottoir pour voir passer quelques chars allégoriques et des fanfares. À part ça, penses-tu que ce soit bien raisonnable d'amener Catherine après ce qui vient de lui arriver ? ajouta-t-elle. Parce qu'aujourd'hui c'est pas juste l'atmosphère que vous allez ressentir, c'est le froid aussi.

Jean jeta un coup d'œil vers l'adolescente, apparemment inquiète de se voir refuser cette sortie.

— Elle est guérie, laissa-t-il tomber. Un peu d'air frais peut pas lui faire de mal.

À leur sortie de l'appartement, le père et ses enfants constatèrent qu'il régnait un froid mordant. Le mercure devait indiquer environ – 5 °F et le petit vent en provenance du nord n'arrangeait rien.

— J'espère que la Pontiac va partir, dit Jean à ses enfants en se dirigeant vers la voiture stationnée un peu plus loin, près d'un banc de neige.

Avec les années, la Pontiac était devenue une mécanique plutôt capricieuse, mais ce samedi-là, elle daigna démarrer après quelques sollicitations seulement. Les dix minutes nécessaires au père de famille pour conduire les siens rue Saint-André ne suffirent pas à réchauffer l'habitacle du véhicule. Quand le conducteur parvint, non sans mal, à garer sa voiture un peu au nord de la rue Sainte-Catherine, tous les passagers avaient déjà commencé à avoir froid. Jean entraîna ses enfants à sa suite et ils eurent la chance de découvrir une trouée dans la foule déjà massée le long des trottoirs de la grande rue commerciale montréalaise. Ils s'installèrent en frissonnant pour guetter le passage des premiers chars allégoriques.

Peu à peu, la foule devint plus bruyante et plus nombreuse le long du parcours qu'allait emprunter le défilé. Les minutes passaient lentement, trop lentement au gré des gens qui tapaient du pied et se frappaient dans les mains pour tenter de se réchauffer.

— Ça a pas d'allure geler comme ça! fit une dame accompagnée d'une petite fille chaudement emmitouflée dont seuls les yeux étaient visibles.

— Voulez-vous ben me dire ce qu'ils ont à traîner? demanda une autre. La parade est supposée commencer à neuf heures et demie. Il est passé dix heures et on n'a encore rien vu.

— C'est rire du monde! décréta un vieil homme, apparemment dégoûté.

Jean ne sentait plus ni ses pieds ni ses mains tant ils étaient gelés. Il se félicitait d'avoir exigé que ses enfants portent des cache-oreilles et des moufles chaudes. Au moins, ils ne gelaient pas comme lui. Il aurait dû écouter Reine et se coiffer de la tuque qu'elle lui avait tendue avant son départ. Il l'avait refusée en prétextant qu'il aurait l'air fou avec ça sur la tête. Maintenant, il regrettait sa coquetterie parce qu'il sentait que ses oreilles étaient en train de geler malgré le fait qu'il n'arrêtait pas de plaquer ses mains sur elles.

Finalement, un bruit lointain de fanfares fit taire la grogne qui semblait en voie de s'installer autour de lui. Ce premier signe d'existence du défilé suscita l'excitation des enfants durant un court moment. Puis plus rien. Un bruit courut alors dans la foule qu'il y avait un problème avec l'un des chars allégoriques, ce qui occasionnait un sérieux retard dans le défilé.

— Je suis gelé, p'pa, se plaignit Alain.

— Moi aussi, affirma son frère en levant vers son père un visage où apparaissaient deux plaques blanches sur les joues.

— Et toi, Catherine ? demanda Jean à son aînée.

— Moi aussi.

— Est-ce qu'on s'en retourne à la maison ? On pourra se réchauffer et regarder la parade à la télévision, si ça vous tente.

Tous les trois acceptèrent la proposition paternelle avec enthousiasme. Toutefois, les Bélanger eurent beaucoup de mal à se dégager de la foule qui les cernait. Après de gros efforts, ils parvinrent tout de même à regagner la Pontiac.

Ce retour précipité à la maison étonna Reine, qui ne se gêna pas pour claironner qu'elle avait prédit ce qui leur était arrivé. Finalement, la famille se retrouva assise devant le téléviseur pour voir passer le défilé dans la rue Sainte-Catherine.

— Au fond, dit Jean à ses enfants, on est ben mieux en dedans. On est au chaud et, en plus, on peut entendre des descriptions et explications sur chaque char allégorique.

Quelques jours plus tard, Gilles Bélanger sortait de la cour de l'école Saint-Stanislas à l'heure du dîner quand il fut rejoint par Serge Gélinas, un copain de sa classe.

— Aïe ! Bélanger, il va falloir que tu te décides aujourd'hui pour le chat, lui dit-il, légèrement essoufflé d'avoir dû courir pour le rejoindre.

— J'ai pas encore eu le temps d'en parler à ma mère, déclara Gilles.

— Ben, il va falloir que tu le fasses vite parce que mon père a dit à matin qu'il allait se débarrasser aujourd'hui du dernier petit chat. Il a dit qu'on t'avait assez attendu. On va garder juste notre chatte.

— Tu peux pas attendre encore un peu ? demanda Gilles, inquiet.

— Ça fait une semaine que j'attends que tu te décides, lui fit remarquer le petit noiraud en enfonçant sa tuque sur sa tête. Aboutis, sacrifice !

— Bon, c'est correct. J'en parle à midi à ma mère et je te le dirai tout à l'heure si ça marche.

Gilles quitta son copain au coin de la rue Chambord et poursuivit seul sa route jusqu'à la maison. Depuis une semaine, il cherchait un moyen d'adopter un chaton faisant partie de la dernière portée de la chatte de son camarade d'école. Tout le problème venait de sa mère : elle ne voulait rien entendre d'avoir un chat dans la maison.

Reine Talbot avait vécu une expérience traumatisante dans son enfance. Le gros matou d'un voisin qu'elle avait voulu chasser de la galerie, chez ses parents, avait sauté sur elle et l'avait mordue au bras. Depuis, elle ne pouvait voir un chat sans avoir un mouvement de recul. Elle avait développé une peur irraisonnée de ces bêtes. Elle allait même jusqu'à changer de trottoir quand elle apercevait un chat.

Dans ces conditions, son fils avait peu de chance de la persuader d'abriter un chaton sous son toit. Une semaine auparavant, le garçon de dix ans avait accepté l'invitation de Serge Gélinas à aller voir les petits de sa chatte, nés le mois précédent. Il était immédiatement tombé amoureux de celui dont le pelage était beige.

— Si tu le veux, tu peux le prendre, avait déclaré Serge. Les deux autres vont partir demain. Des voisins veulent les avoir.

— Il faut que j'en parle chez nous, mais je pense que ça va marcher, avait dit le fils de Reine avec une feinte assurance. Je suis sûr que ma mère va vouloir que je le garde quand elle va le voir. Il est trop beau.

Le jeune Bélanger savait bien que sa mère n'accepterait jamais d'héberger un chaton dans la maison, aussi mignon soit-il. Il aurait fallu un miracle pour que cela se produise, miracle qu'il attendit jour après jour en cherchant désespérément un moyen pour qu'il se réalise.

La semaine avait passé et chaque jour, Serge lui avait demandé, de plus en plus impatient, quand il allait se décider à prendre le chaton. À chaque occasion, Gilles avait trouvé une excuse. Mais cette fois, il lui fallait se décider. L'ultimatum de son copain avait l'air sérieux.

Un peu désespéré, le gamin avait tâté le terrain du côté de sa grand-mère Bélanger quelques jours auparavant. Il s'était arrêté chez elle après l'école, le jeudi précédent, pour lui demander de recoudre une ganse de son manteau.

— Vous aimeriez pas ça avoir un beau petit chat, grand-mère ? lui avait-il demandé pendant qu'Amélie s'installait à sa machine à coudre pour réparer son manteau.

— Qu'est-ce que tu voudrais que je fasse d'un chat? avait-elle répliqué.

— Ben, je sais pas. Il pourrait venir se faire prendre, jouer avec vous et…

— Et faire ses crottes partout, déchirer mes rideaux et mon divan, miauler la nuit… T'es pas sérieux, Gilles? Il serait pas dans la maison depuis une heure que ton grand-père le sortirait par la peau du cou. Non, j'en voudrais pas pour tout l'or du monde. Les animaux, c'est pas fait pour vivre dans un appartement. Moi, j'ai été élevée à la campagne et les animaux restaient dehors. Je suis pas habituée de voir un animal à l'intérieur, et ça me rendrait folle d'en voir un rôder partout.

Gilles se l'était tenu pour dit. Sa grand-mère ne voudrait pas adopter le chaton qu'il avait déjà baptisé Caramel.

La chance sembla tout de même sourire à Gilles ce midi-là. Après le dîner, au moment où il endossait son manteau en compagnie de son jeune frère dans le but de retourner à l'école, sa mère lui demanda de prendre la clé de l'appartement à la biscuiterie en passant quand il reviendrait de l'école.

— Je dois aller voir le docteur avec Catherine cet après-midi. Je suis pas certaine qu'on va être revenues quand vous rentrerez.

— Je peux ben prendre la clé, moi, proposa Alain.

— Non, si t'arrives avant ton frère, t'attendras à la biscuiterie qu'il soit là. Je veux pas te voir tout seul dans l'appartement.

— Je suis pas fou, m'man. Je mettrai pas le feu, s'offusqua le jeune.

— Laisse faire. Fais juste ce que je te dis.

C'était peut-être l'occasion dont rêvait Gilles. Il attendit son frère devant la porte, à l'extérieur.

— Niaise pas après l'école, dit-il à Alain dès que ce dernier posa le pied sur le trottoir.

— Pourquoi? demanda l'autre, intrigué.

— C'est aujourd'hui que j'apporte mon chat.

— T'es malade, toi! s'exclama le cadet. M'man voudra jamais.

Quelques jours auparavant, Gilles, incapable de conserver son secret, lui avait révélé son désir d'avoir un chat à la maison. Son jeune frère ne s'était pas caché pour lui dire qu'il rêvait debout s'il croyait parvenir à le faire accepter par leur mère.

— Ben non, on a juste à se dépêcher de revenir à la maison après l'école. Je vais prendre Caramel en passant et on va l'installer dans une boîte dans le garde-robe. M'man s'apercevra jamais qu'il y a un chat dans la maison. Elle va jamais là.

— Et s'il miaule?

— Il miaulera pas. On va le nourrir là. Ça va être sa maison.

Ce midi-là, dès qu'il aperçut Gélinas, Gilles se précipita à sa rencontre.

— Dépêche-toi de sortir de l'école à trois heures et demie. Je vais t'attendre à la porte. On va aller chez vous chercher mon chat. Je dois revenir vite chez nous.

Son camarade de classe, apparemment heureux de se débarrasser enfin de l'animal, se contenta d'acquiescer et, à la fin de l'après-midi, le conduisit chez lui. Avant de lui donner son dernier chaton qu'il avait enfermé dans une petite boîte de carton, il lui fit tout de même quelques recommandations. Gilles, impatient de revenir à la maison avant sa mère, ne l'écouta que d'une oreille. Si elle était déjà revenue de chez le médecin avec Catherine, il ne pourrait jamais introduire son chat dans l'appartement.

Il courut durant une bonne partie du trajet qui l'amena devant la biscuiterie de sa grand-mère. Là, il éprouva un immense soulagement en apercevant son frère Alain debout devant la vitrine qui, de toute évidence, l'attendait.

— M'man est pas encore arrivée, lui apprit ce dernier. Je venais juste de sortir du magasin pour voir si t'arrivais.

— Tiens la boîte pendant que je vais chercher la clé, dit Gilles en la lui tendant. Essaye pas de l'ouvrir pour voir mon chat. Il va se sauver si tu fais ça.

Sans plus attendre, le plus vieux des deux garçons entra dans la biscuiterie, salua sa grand-mère et sortit de l'endroit moins d'une minute plus tard en tenant la clé de l'appartement de ses parents. Il reprit la boîte confiée à son jeune frère et monta les deux volées de marches intérieures conduisant à la porte d'entrée. Les deux jeunes retirèrent leurs bottes et leur manteau et s'empressèrent d'entrer dans la chambre à coucher qu'ils partageaient.

— Là, tu me promets de rien dire à personne, fit Gilles sur un ton solennel en extirpant le chaton de sa boîte.

Aussitôt, Alain allongea la main pour caresser la bête qui se mit à ronronner. Charmés, les deux jeunes eurent un sourire de contentement.

— OK, accepta son jeune frère, mais à condition que ce chat-là soit à moi aussi.

— Non, c'est mon chat, mais tu vas avoir le droit de jouer avec quand je m'en occuperai pas.

— C'est correct.

— Là, tu peux le prendre pendant que je vais aller chercher une boîte plus grande dans le hangar. Mais avant, fais-lui une place sur le plancher, au fond du garde-robe. La petite boîte va lui servir de litière et on va mettre dedans un journal. L'autre, ça va être son lit.

En quelques minutes, le chaton fut installé confortablement. Gilles s'empara de l'une des couvertures que sa mère rangeait dans le haut d'une armoire pour en tapisser la litière du chaton.

— Si jamais m'man voit que tu lui as pris une de ses couvertes pour ton chat, elle va t'étrangler, prédit Alain, peu rassuré.

— Elle s'en apercevra pas. Il y en a d'autres dans le haut de l'armoire.

Gilles profita aussi de l'absence de la maîtresse de maison pour rafler dans le garde-manger une bonne provision de ce qu'il croyait qu'un chat mangeait.

— Et pour le lait ? lui demanda Alain.

— On va lui en mettre dans un bol.

— M'man va s'en apercevoir, lui fit remarquer le cadet. Elle nous défend d'en prendre quand elle est pas là et elle se souvient toujours combien il en reste dans la pinte.

— Laisse faire, lui ordonna son frère, qui alla tirer la pinte de lait du réfrigérateur.

Il en versa une bonne quantité dans un bol à soupe, quantité qu'il remplaça par de l'eau dans la pinte. Les deux garçons venaient d'apporter le lait dans la garde-robe lorsqu'ils entendirent des pas dans l'escalier. Ils s'empressèrent de refermer la porte du placard et se précipitèrent dans la cuisine. Ils eurent à peine le temps d'étaler sur la table leurs articles scolaires avant que la porte livre passage à Catherine et à leur mère.

— Vous avez pas fouillé dans le frigidaire, j'espère ? leur demanda Reine après avoir retiré son manteau.

— Non, m'man, mais on a pas mal faim, répondit Gilles.

— Vous pouvez vous prendre deux biscuits chacun.

— Est-ce qu'on peut prendre un verre de lait ? fit Alain.

— Non, touchez pas au lait. Vous en boirez un verre au dessert.

— Est-ce que t'es encore malade ? demanda Gilles à sa sœur.

— Non, le docteur dit que je suis correcte, ajouta Catherine. M'man, est-ce que je peux aller chercher mes devoirs et mes leçons chez Guylaine Laurier ? Elle est supposée me les donner, ajouta l'adolescente.

— Fais ça vite, lui ordonna sa mère. Il commence à faire noir et j'aime pas ça te voir dehors à cette heure-là.

Guylaine Laurier était une camarade de classe de Catherine qui demeurait rue De La Roche, la maison voisine de celle où habitaient Lucie et Claude Bélanger.

Jean rentra à la maison quelques minutes plus tard et Reine servit à sa petite famille des saucisses et du boudin. Au moment du dessert, elle déposa un plat de biscuits brisés au centre de la table. Il s'agissait là du cadeau hebdomadaire d'Yvonne Talbot. Chaque samedi, un peu avant la fermeture du magasin, elle prélevait des boîtes de biscuits en vente en vrac tous ceux qui étaient brisés et elle en remplissait un sac qu'elle offrait à sa fille, trop heureuse d'en nourrir les siens sans bourse délier.

— Sais-tu que je commence à avoir hâte en calvince que les fêtes arrivent, dit Jean à sa femme. Je suis rendu que je peux plus sentir ces maudits biscuits-là. Ça va faire tout un changement de manger du gâteau et des tartes pour dessert.

— Je peux t'en faire de temps en temps, répliqua sa femme. T'as juste à me donner plus d'argent le vendredi quand je vais faire les commissions.

Son mari se garda bien de faire une remarque à ce sujet. Il savait qu'il s'attirerait une réponse où il serait encore question de dépense inutile. Reine versa un demi-verre de lait à chacun de ses enfants.

— Le lait a un drôle de goût, m'man, dit Catherine après en avoir bu une gorgée.

Sa mère reprit la pinte en main et en huma le contenu. Ensuite, elle en versa un peu dans son thé et regarda s'il faisait des grumeaux à la surface de sa boisson préférée. Rien.

— Il est correct, ce lait-là, rétorqua-t-elle. Ça doit être le goût que t'as dans la bouche.

Les deux garçons se lancèrent en même temps un regard entendu qui échappa aux autres membres de la famille.

Après le repas, Gilles s'esquiva un court moment pour aller voir Caramel, prisonnier dans la garde-robe. À première vue, l'animal avait lapé une bonne quantité de lait et dormait sagement sur la couverture étalée dans sa boîte. Le garçon revint dans la cuisine, aida au rangement de la pièce avec l'aide de son jeune frère et s'installa à table pour terminer ses devoirs.

— Vous irez montrer vos devoirs à votre père, déclara Reine avant de se diriger vers le salon.

C'était l'heure de son émission télévisée préférée, *La poule aux œufs d'or*. Jean était déjà assis devant le téléviseur et écoutait Wilfrid Lemoyne discuter avec le ministre des Finances qui avait annoncé, le jour même, que la province aurait un surplus budgétaire de cinq cent mille dollars à la fin de l'année.

— Il se pète les bretelles avec ça, lui dit Jean, mais moi je voudrais ben savoir où il le prend, cet argent-là.

— Moi, ça m'intéresse pas, fit sa femme en s'assoyant dans l'autre fauteuil. Est-ce que ça achève, ce programme-là ?

— Il est presque fini.

Dès que leur mère eut disparu dans le salon, Alain et Gilles allèrent de temps à autre jeter un coup d'œil à Caramel pour s'assurer que tout allait bien. À huit heures, Reine n'eut pas à les prévenir d'aller se mettre au lit.

Ils vinrent souhaiter une bonne nuit à leurs parents et s'éclipsèrent dans leur chambre. Catherine alla rejoindre les adultes dans le salon pour regarder *La pension Velder*. À titre d'aînée, elle avait droit à une heure de grâce avant d'être obligée d'aller se coucher.

Après leur entrée dans leur chambre, le premier soin de Gilles et de son frère fut de sortir Caramel de sa prison. Ils le caressèrent durant de longues minutes et le laissèrent se balader sur le lit. Puis, craignant une visite surprise de l'un ou l'autre de leurs parents, ils décidèrent de lui faire réintégrer son abri. La bête émit alors un faible miaulement, ce qui eut pour effet de semer la panique chez ses maîtres. Ces derniers, inquiets, tendirent l'oreille pour vérifier si quelqu'un réagissait... Comme rien ne se produisait, ils se rassurèrent.

— La télévision joue. Ils ont rien entendu, déclara Gilles à voix basse en refermant la porte de la garde-robe sur le chaton.

Ils finirent par s'endormir et si l'animal miaula durant la nuit, personne ne l'entendit.

Au matin, Gilles s'empressa d'ouvrir à l'animal qui faisait ses griffes contre la porte. Il n'y avait plus de lait. Il prit le chaton qui se mit à ronronner de contentement.

— Va lui chercher de l'eau, ordonna-t-il à son frère. Dépêche-toi avant que m'man se lève.

Alain obéit en rechignant et revint en portant un verre d'eau. Quelques minutes plus tard, les deux garçons entendirent leurs parents se lever. Gilles déposa le chat dans la garde-robe avant de quitter la chambre en compagnie de son frère pour aller déjeuner. Ensuite, comme tous les matins, les deux frères firent leur lit et rangèrent leur chambre.

Quand vint le moment de partir pour l'école, Gilles était passablement inquiet d'avoir à abandonner son chat, même s'il était presque certain que sa mère ne l'entendrait pas, protégé qu'il était par les portes fermées de la chambre et de la garde-robe. Le maître de Caramel réalisait tout de même peu à peu qu'il lui serait impossible de conserver bien longtemps son animal dans de pareilles conditions.

Tout en se dirigeant vers l'école, il chercha désespérément un moyen de se tirer de cette situation. Il lui fallait absolument trouver une solution pour garder Caramel. La chance ne pouvait pas durer indéfiniment.

À la fin de la matinée, Reine trouva un bouton sur le linoléum du salon et en déduisit qu'il provenait d'une chemise de l'un de ses fils. Pour en avoir le cœur net, elle alla dans la chambre des garçons et ouvrit la porte de la garde-robe pour examiner leurs chemises suspendues sur des tringles.

Dès qu'elle ouvrit la porte, le chaton lui fila entre les jambes. En sentant quelque chose lui frôler les jambes, la jeune femme poussa un cri perçant et faillit tomber à la renverse, persuadée qu'une souris venait de s'échapper du placard.

— Ah ben ! Il manquait plus que ça ! s'écria-t-elle, affolée. Des souris, à cette heure !

Elle n'avait pas particulièrement peur des souris, mais elles lui soulevaient le cœur. Elle en avait parfois pourchassé dans la biscuiterie, à l'époque où elle était vendeuse. À son avis, c'était une question d'hygiène et il n'était pas question que ce genre de bestiole se promène en liberté chez elle.

Elle se précipita vers la cuisine, s'empara d'un balai et revint dans la chambre pour frapper un peu partout dans la garde-robe pour en faire sortir les autres souris, s'il y en avait. Rien. Lorsque son balai heurta une boîte de carton, elle se pencha, étonnée par cette présence incongrue au fond du placard.

— Veux-tu bien me dire ce que cette boîte fait là ? demanda-t-elle à haute voix.

Son étonnement fut encore plus grand d'y découvrir l'une de ses couvertures soigneusement pliée au fond ainsi qu'une soucoupe à moitié remplie d'eau.

— Mais c'est quoi, cette affaire-là ? reprit-elle, n'y comprenant plus rien. Qu'est-ce qu'il y avait ici dedans ?

Elle sortit le tout de la garde-robe et, toujours armée de son balai, elle décida d'inspecter la chambre après en avoir fermé la porte. Elle regarda sous les meubles. Elle ne trouva rien.

— Maudite affaire ! jura-t-elle. Dis-moi pas que cette vermine-là est sortie de la chambre !

C'était la seule explication possible.

— C'est le fun ! Là, je vais être poignée pour faire le tour de tout l'appartement pour la trouver, s'écria-t-elle, en colère.

Elle quitta la pièce pour aller examiner chaque recoin de la chambre de Catherine. Comme elle n'y trouva rien, elle passa à sa chambre sans obtenir de meilleurs résultats.

— Où est-ce qu'elle est passée, cette maudite souris-là ? dit-elle les dents serrées en pénétrant dans le salon.

Elle n'eut pas à chercher plus loin. Confortablement installé au creux de l'un des fauteuils, Caramel émit un miaulement pitoyable lorsqu'elle pénétra dans la pièce. La maîtresse de maison se figea sur place, comme si elle venait de heurter un mur. Sa bouche s'ouvrit pour crier, mais aucun son n'en sortit. De saisissement, son balai lui échappa des mains et elle n'osa pas se pencher pour le reprendre, se souvenant trop bien que ces bêtes-là pouvaient vous sauter dessus. Elle aurait vu le diable en personne qu'elle n'aurait pas eu plus peur.

Il lui fallut un bon moment avant de reprendre ses esprits. Alors, elle recula lentement sans quitter la bête des yeux, puis elle courut s'enfermer dans sa chambre d'où elle n'entendait pas bouger aussi longtemps que le monstre ne serait pas parti de chez elle.

— Attends que je leur mette la main dessus, les petits bâtards! Ils vont me payer ça! promit-elle, folle de rage.

Gilles et Alain rentrèrent pour dîner un peu avant midi, quelques minutes à peine avant leur sœur Catherine. Étonné de ne pas voir sa mère dans la cuisine en train de préparer le repas, Alain demanda où elle était.

— Je suis dans ma chambre, lui cria sa mère. Est-ce que ton frère est avec toi?

— Oui, m'man.

— Venez ici tous les deux, leur ordonna-t-elle.

Gilles, qui se dirigeait déjà vers sa chambre pour aller voir Caramel, dut faire demi-tour et suivit son frère jusqu'à la chambre de ses parents.

— Qu'est-ce qu'il y a, m'man? demanda-t-il à sa mère.

— Fermez d'abord la porte, leur commanda-t-elle sèchement.

Le garçon, étonné, lui obéit en écartant son frère qui l'empêchait de refermer la porte.

— C'est quoi l'affaire qu'il y a dans le salon? demanda-t-elle, l'air mauvais.

— Quelle affaire? fit Gilles.

— Le chat, maudit hypocrite! hurla-t-elle, à bout de nerfs.

Alain allait répondre quand son frère lui jeta un regard d'avertissement.

— Qui a apporté ça dans la maison? cria Reine.

— C'est moi, m'man, reconnut Gilles, piteux.

Il n'eut aucune chance d'éviter la gifle magistrale que sa mère lui administra. Les larmes lui vinrent aux yeux tellement la joue lui brûlait.

— Là, tu vas me sortir ça de la maison tout de suite. Quand ton père va rentrer à soir, tu vas avoir affaire à lui. Grouille, remets ton manteau. Va te débarrasser de ça.

— Qu'est-ce que je vais en faire ?

— T'aurais dû y penser avant, espèce d'innocent !

— Mais m'man, on gèle dehors. Son chat va mourir de froid, intervint Alain.

— Mêle-toi de tes maudites affaires, toi ! lui ordonna sèchement sa mère. Sors de la chambre. Toi, ajouta-t-elle en se tournant vers Gilles, dépêche-toi à faire ce que je viens de te dire.

Gilles remit son manteau et ses bottes et prit la petite boîte de carton que lui tendait son frère pour y mettre Caramel qui s'était laissé prendre par son maître avec des ronronnements de satisfaction. Le plus vieux des garçons Bélanger le remit dans la boîte et le cœur gros, quitta l'appartement. Il n'était pas question qu'il abandonne son chaton sur le trottoir ou dans la ruelle, il allait mourir de froid.

Prenant son courage à deux mains, il poussa d'abord la porte de la biscuiterie pour le montrer et l'offrir à sa grand-mère Talbot.

— Ta mère veut que t'aies ça dans la maison ? lui demanda-t-elle, étonnée.

— Non, grand-mère, justement, elle veut que je m'en débarrasse.

— Elle a raison, déclara Yvonne Talbot, sans la moindre compassion pour la peine manifeste de son petit-fils. Ces bêtes-là sont des vraies nuisances et quand on en a dans une maison, ça finit toujours par sentir mauvais.

Gilles quitta la biscuiterie. Pendant un court moment, il songea à tenter d'attendrir sa grand-mère Bélanger pour la persuader d'adopter Caramel. Il y renonça en pensant qu'il y parviendrait peut-être, mais que son grand-père n'endurerait pas un chat dans son appartement.

Avant de se résoudre à le rapporter chez son copain Gélinas, qui allait refuser de reprendre sa bête selon toute probabilité, il eut l'idée de s'arrêter chez son oncle Claude, rue De La Roche. Sa tante Lucie vint lui ouvrir et sembla étonnée de le trouver sur le seuil de sa porte à l'heure du dîner.

— Qu'est-ce qui se passe, Gilles ? Est-ce qu'il y a quelqu'un de malade chez vous ?

— Non, ma tante, je voulais juste vous montrer mon chat, répondit-il la voix triste.

L'air piteux du gamin n'échappa pas à la jeune femme.

— Montre-moi ça, lui dit-elle avec un large sourire.

Gilles tira de la boîte un Caramel tout heureux d'échapper à sa prison.

— Mais il est bien mignon, ce chat-là ! s'exclama sa tante à qui il le tendit.

Lucie caressa la bête qui se mit à ronronner bruyamment.

— Il a l'air de vous aimer, ma tante, fit Gilles. Ça vous tenterait pas de le garder ?

— Ben non, fit Lucie. C'est ton chat, je suis pas pour te le voler.

— Ma mère en veut pas, avoua-t-il, les larmes aux yeux. Elle était pas mal fâchée que je l'apporte à la maison.

À ce moment-là, Lucie remarqua la joue marbrée de son neveu et devina que Reine l'avait giflé à cause de l'animal. Elle réfléchit un court moment avant de déclarer à son neveu de dix ans, apparemment très malheureux d'avoir à se défaire de son animal :

— Écoute, je vais le garder un bout de temps, mais ça va rester ton chat. Je sais pas si ton oncle Claude va accepter un chat dans la maison, mais moi, ça me dérange pas. En tout cas, tant qu'on va l'avoir, tu pourras venir le voir quand tu voudras.

Gilles, tout heureux de cet arrangement, remercia sa tante et retourna à la maison. À son retour, il constata que sa mère était loin de lui avoir pardonné la frayeur vécue durant l'avant-midi et il mangea sans prononcer une parole. Il se garda bien de mentionner que son chat était maintenant pensionnaire chez sa tante Lucie.

À sa sortie de la maison, après le repas, Catherine lui demanda ce qu'il avait fait de Caramel. Il lui révéla la vérité.

— J'espère juste qu'elle ira pas dire à m'man qu'elle garde mon chat. Là, elle serait pas contente.

— Inquiète-toi pas, le rassura sa sœur. Ma tante est tellement fine qu'elle dira rien à personne.

Quand Jean revint à la maison après sa journée de travail, il trouva sa femme encore remontée contre ce qu'elle appelait l'hypocrisie de leur fils.

— Va dans ta chambre, j'ai à parler à ton père, ordonna-t-elle à Gilles quand son mari pénétra dans la cuisine.

Dès que le jeune garçon eut refermé la porte de sa chambre à coucher, elle s'empressa de raconter à son mari la matinée infernale qu'elle avait vécue à cause de leur fils.

— Je veux que tu le punisses, tu m'entends ? exigea-t-elle d'une voix dure.

— T'aurais pu le faire toi-même, lui fit remarquer le journaliste, fatigué.

— T'es son père. C'est pas juste à moi de toujours punir.

— Tu trouves pas qu'il a été assez puni comme ça en étant obligé de se débarrasser de son chat.

— Non, je pense que ce qu'il a fait mérite une bonne volée.

— Non, c'est pas aujourd'hui que je vais commencer à battre mes enfants. Chez nous, on n'a pas été élevé comme ça. Je vais le coucher à sept heures toute la semaine, et ça va faire, déclara-t-il sur un ton sans appel.

— C'est ça. Continue à être mou comme ça et les enfants vont finir par faire la loi ici dedans, fit-elle, amère, avant de lui tourner le dos pour s'occuper de la préparation du souper.

Jean préféra ne rien ajouter. Il appela Gilles et le réprimanda sévèrement pour ce qu'il avait fait.

— Comme punition, tu iras te coucher tous les soirs cette semaine à sept heures.

L'affaire du chat était terminée. Claude Bélanger accepta sans faire d'histoire que sa femme garde le chaton. Si l'histoire fut connue de toute la famille Bélanger, elle ne vint jamais aux oreilles des parents de Gilles. Bien sûr, Jean s'étonna un peu de voir un chat chez son frère lors de l'une de ses visites, mais il ne sembla pas faire le rapprochement avec le chaton chassé de chez lui par sa femme.

Pour sa part, Gilles alla rendre quelques visites à son chat, mais bien vite il finit par le considérer comme la propriété de sa tante et s'en désintéressa peu à peu.

Chapitre 7

L'accident

Le samedi suivant, Jean alla acheter un sapin de Noël en compagnie de ses deux fils. En ce début de matinée, le ciel était clair et l'air froid et vivifiant. Sa femme avait quitté la maison quelques minutes plus tôt avec sa sœur Estelle venue la chercher pour faire leurs emplettes des fêtes ensemble. Catherine, demeurée seule à la maison, devait se charger de préparer les décorations qui allaient orner l'arbre au retour de son père et de ses frères.

En passant devant les vitrines de la biscuiterie, Jean remarqua que sa belle-mère avait déjà installé un écriteau annonçant une offre d'emploi pour une vendeuse. Cela lui rappela qu'Adrienne Lussier, la voisine de ses parents, devait quitter son emploi bientôt.

Le père de famille monta jusqu'au boulevard Saint-Joseph et se rendit au coin de Mentana. Il y découvrit un camion à demi rempli de sapins, comme le lui avait indiqué son frère Claude, la veille.

Le vendeur, un homme bourru engoncé dans une épaisse canadienne grise, lui céda un arbre pour quatre dollars.

— Il est pas très gros, dit-il à ses fils, mais il est bien garni. Ce sera parfait pour les décorations.

Tous les trois rapportèrent le sapin jusqu'à la maison et ce dernier fut installé dans un coin du salon. Après vérification des ampoules des guirlandes lumineuses, ces dernières furent posées dans l'arbre. Ensuite, Catherine, Gilles et Alain se chargèrent de suspendre des boules de Noël et des glaçons en aluminium pendant que leur père voyait à fixer une couronne à la porte d'entrée et des guirlandes dans le couloir.

— Il reste juste la crèche à installer, annonça Jean avec satisfaction après avoir admiré le sapin dont ses enfants venaient d'achever la décoration.

— On l'a oubliée dans le hangar, fit Gilles en jetant un coup d'œil aux boîtes vides qui encombraient le salon.

— Va la chercher et rapporte avec toi les boîtes vides, lui demanda son père.

Moins de cinq minutes plus tard, Gilles rentra dans la maison avec une boîte abîmée par l'eau.

— Calvince ! J'espère que la crèche va être encore bonne, s'écria le père de famille en ouvrant la boîte.

Cet espoir s'estompa rapidement. Dès qu'il sortit la crèche et les petites maisons qui devaient former un village au pied de l'arbre, il fut clair que le tout avait été irrémédiablement gâché par l'eau.

— Comment ça se fait qu'il y a eu de l'eau dans le hangar ? demanda Jean, mécontent.

— Ça devait venir du plafond, p'pa, répondit son fils. La boîte était en haut, sur une tablette.

— En tout cas, les personnages sont encore bons, fit remarquer Catherine en tirant de la boîte la Sainte Vierge, Joseph, le petit Jésus, le bœuf, l'âne et les rois mages.

— On a l'air fin en sacrifice, fit son père. On a les personnages, mais pas de crèche où les mettre.

— Pourquoi on n'en ferait pas une nous-mêmes avec du papier mâché, de la colle et des bâtons de *popsicle*? suggéra Alain. Celle qu'on a dans ma classe est faite comme ça.

— On pourrait faire ça, déclara Catherine, enthousiaste.

— C'est vrai, ce serait le fun, renchérit Gilles, séduit par l'idée.

Jean hésita un moment. Il était tenté d'aller acheter une crèche, puis à la vue de l'enthousiasme manifeste de ses trois enfants à l'idée d'en fabriquer une eux-mêmes, il se laissa convaincre par leur suggestion.

— Oui, mais pour le village? demanda-t-il. Les petites maisons aussi ont pris l'eau et on peut plus s'en servir.

— On peut aussi faire des maisons, avança Catherine.

— C'est correct, accepta-t-il après une brève hésitation. Là, vous allez faire une liste de tout ce qu'il vous faut et on va aller acheter tout ça.

Quand Reine rentra à la fin de l'après-midi, elle trouva son mari et ses trois enfants en train de faire du découpage et du collage sur la table de la cuisine qu'on avait protégée avec du papier journal.

— Qu'est-ce que vous faites là? demanda-t-elle, surprise.

— On fait une crèche et un village, répondit Jean. Ceux qu'on avait ont été complètement ruinés par l'eau dans le hangar.

— En tout cas, vous êtes en train de me faire un beau plancher de cuisine avec vos cochonneries, fit-elle remarquer avec humeur.

— Inquiète-toi pas. S'il faut laver le plancher après, on le fera.

— Une chance que ma sœur a refusé de monter, poursuivit-elle en attachant son tablier. La cuisine aurait été belle à voir.

— Pourquoi elle est pas montée?

— Elle voulait parler un peu avec ma mère, qui lui a téléphoné hier soir pour lui dire qu'Adrienne Lussier avait déjà quitté son emploi et qu'elle était toute seule dans le magasin. Il paraît qu'elle a pas encore trouvé de vendeuse.

Jean ne trouva rien à dire. Il ne se sentait pas tellement concerné par les ennuis de sa belle-mère.

— Bon, dans une demi-heure, vous allez me libérer la table pour qu'on puisse souper, déclara Reine. On va manger des rigatonis, précisa-t-elle en se dirigeant vers le placard pour y prendre les nouilles.

— Les six maisons dont on avait besoin sont prêtes à être installées, dit Jean à ses enfants au moment où il finissait de percer un trou dans le mur arrière de la dernière pour pouvoir y installer une lumière. Il reste juste à aller les placer sur la ouate au pied de l'arbre.

Pendant que Catherine et Gilles terminaient ce qui allait tenir lieu de crèche, Alain alla aider son père à disposer les petites maisons cartonnées aux couleurs pastel sur la ouate symbolisant la neige. Le père de famille glissa dans l'ouverture arrière de chacune une lumière et installa de petites clôtures plastifiées.

— Elle est peut-être pas bien belle, dit Catherine en apportant la crèche constituée de bâtonnets en bois, mais c'est mieux que rien.

L'abri fut déposé au fond du village miniature et Gilles apporta un peu de papier découpé en fines lanières qu'il répandit sur le parquet de la crèche pour représenter la paille. Les enfants placèrent adroitement les personnages pendant que leur père installait tant bien que mal une petite ampoule sur le toit.

— Allume les lumières, Gilles, ordonna-t-il finalement à son fils en s'éloignant de l'arbre de Noël.

Le plafonnier fut éteint. Dans l'obscurité de cette fin d'après-midi, l'arbre ainsi que le village s'illuminèrent quand les lumières furent branchées.

— Moi, je trouve que ça a jamais été aussi beau, déclara Jean. Alain, dis à Reine de venir voir.

Le cadet de la famille alla demander à sa mère de venir admirer ce à quoi ils avaient travaillé depuis le début de la matinée. Reine vint dans le salon et se planta devant l'arbre pour bien le regarder avant de laisser tomber, sans manifester beaucoup d'enthousiasme, un :

— Oui, c'est pas pire.

❦

Trois jours plus tard, tous les membres de la famille Bélanger étaient attablés, en train de déjeuner quand un grand bruit les fit tous sursauter.

— Qu'est-ce qui vient encore de tomber dans votre chambre ? explosa Reine en accusant ses deux fils.

— Ben…

— Restez pas là à rien faire et allez voir ce qui est tombé, leur ordonna-t-elle en se versant une tasse de café.

Gilles, Alain et Catherine se levèrent en même temps et disparurent dans le couloir. Il y eut des bruits de porte qu'on ouvre et ferme. Les trois jeunes revinrent presque immédiatement dans la cuisine en déclarant que rien n'était tombé dans leur chambre.

— Chut ! ordonna soudain leur père en tendant l'oreille. Écoutez !

Le silence se fit dans la pièce et chacun écouta attentivement.

— On dirait que ça vient de chez ta mère, dit-il en se tournant vers sa femme.

— Catherine, va frapper chez ta grand-mère pour lui demander si elle a besoin d'aide, commanda Reine. Fais ça vite. Pour moi, elle a dû échapper quelque chose, supposa-t-elle.

L'adolescente s'empressa de quitter la table, parcourut le couloir et ouvrit la porte d'entrée. Elle n'eut pas besoin d'aller plus loin. Des gémissements lui parvinrent immédiatement.

— Grand-maman est tombée dans l'escalier, s'écria-t-elle en se précipitant pour porter secours à sa grand-mère qui geignait, étendue au pied de la seconde volée de marches.

Reine et son mari s'empressèrent de la suivre et descendirent à leur tour les marches pour venir au secours d'Yvonne Talbot. La grande femme était recroquevillée au pied de l'escalier et gémissait, le visage blafard, couvert de sueur. Reine remarqua immédiatement que l'une des jambes de sa mère faisait un angle bizarre.

— Comment vous avez fait votre compte pour tomber comme ça, m'man ? demanda Reine.

— Je le sais pas, répondit sa mère entre deux gémissements. J'ai perdu pied.

— C'est peut-être juste une bonne foulure, dit son mari en se penchant vers la blessée. On va l'aider à remonter dans son appartement.

— Non, on est mieux de pas la bouger, fit Reine. Regarde sa jambe, on dirait qu'elle est cassée. Va appeler une ambulance.

— Reste là, j'y vais, dit-il en remontant dans l'appartement.

En se tournant, il s'aperçut que Gilles et Alain étaient debout derrière lui et avaient rejoint leur sœur.

— Les enfants, remontez, vous autres aussi. Restez pas là, ordonna-t-il aux jeunes massés tous les trois quelques marches plus haut. Catherine, tu pourrais descendre un oreiller et une couverture pour ta grand-mère en attendant que l'ambulance arrive.

Jean téléphona rapidement pour demander les services d'une ambulance et redescendit tenir compagnie à sa femme demeurée aux côtés de sa mère.

— T'es mieux d'aller t'habiller, lui conseilla-t-il. J'ai l'impression que tu vas être obligée de monter dans l'ambulance avec ta mère.

— Et le magasin ? s'inquiéta Reine.

— Laisse faire la biscuiterie. Il y a personne qui va en mourir si elle reste fermée aujourd'hui.

Reine eut à peine le temps d'endosser son manteau et de chausser ses bottes avant que les ambulanciers viennent sonner à la porte. Ces derniers déposèrent la vieille dame sur une civière et la transportèrent dans l'ambulance sous le regard de quelques curieux qui s'étaient massés sur le trottoir, devant la porte, pour tenter de savoir de quoi il retournait.

— On l'amène à l'hôpital Notre-Dame, déclara un ambulancier. Est-ce qu'il y a quelqu'un qui monte avec la dame ?

— Oui, moi, dit Reine en s'avançant. Tu vas venir me rejoindre à l'hôpital ? demanda-t-elle à son mari.

— Non, il faut que j'aille au journal. De toute façon, je serais pas ben utile. Quand tu seras prête à revenir, tu peux toujours essayer de me rejoindre. Si je suis encore au journal, je viendrai te chercher.

— Et les enfants ?

— Je m'en occupe avant de partir, dit-il pour la rassurer.

La portière arrière de l'ambulance se referma sur Reine et le véhicule s'engagea dans la circulation de ce mercredi matin de décembre. Jean monta à l'appartement et demanda à ses enfants de remettre de l'ordre dans la cuisine et dans les chambres avant de partir pour l'école. Il confia la clé de l'appartement à l'aînée en lui demandant de préparer des sandwichs pour elle et ses frères en guise de dîner.

— Remarque que ça se peut que ta mère soit revenue de l'hôpital à midi. Mais si elle est pas encore là, je pense que vous êtes capables de vous débrouiller sans elle pour une fois.

Sur ce, il quitta les lieux. En route pour le journal, il éprouva quelques remords en songeant qu'il aurait pu accompagner sa belle-mère à l'hôpital. Mais comme elle ne lui avait toujours manifesté qu'une hautaine indifférence, il ne voyait pas pourquoi il se serait dérangé pour la réconforter. À quoi bon faire des efforts si ce n'était pas réciproque ?

Le journaliste attendit durant une bonne partie de la matinée l'appel téléphonique de sa femme. Il ne vint pas. Joseph Hamel l'envoya rencontrer au début de l'après-midi l'animateur bien connu Wilfrid Lemoyne, à qui l'on reprochait sa façon d'avoir mené l'interview que lui avait accordée Simone de Beauvoir. Quand il rentra à la maison après avoir remis son article au pupitre, il eut la surprise de constater que sa femme n'était pas encore rentrée. Les enfants étaient seuls dans l'appartement et ils étaient en train de faire leurs devoirs sur la table de cuisine quand il pénétra dans la pièce.

— Où est passée votre mère ? leur demanda-t-il en s'allumant une cigarette.

— Elle vient de téléphoner, p'pa, répondit Catherine. Elle s'en vient avec mon oncle Charles.

Jean ne s'en étonna pas. Il avait dû se présenter quelques complications à l'hôpital et Reine avait prévenu sa sœur qui était probablement venue la rejoindre à l'hôpital

Notre-Dame en compagnie de Charles, son mari. Comme le dentiste ne faisait pas de bureau le mercredi, il avait dû décider de jouer les chauffeurs.

— J'ai fait cuire des patates, dit Catherine. Il y a du steak pour souper.

— C'est correct, on va attendre ta mère.

Une demi-heure plus tard, Jean entendit une clé jouer dans la serrure et Reine pénétra dans l'appartement. Au lieu de la femme exténuée qu'il s'attendait à voir après une journée passée à l'urgence d'un hôpital, il se retrouva devant quelqu'un qui arborait une mine étrangement satisfaite.

Pendant que sa mère retirait son manteau et son chapeau, Catherine lui apprit ce qu'elle avait préparé pour le souper.

— C'est parfait, lui dit Reine. À cette heure, dis à tes frères d'enlever leurs affaires et de mettre la table.

— Ça tentait pas à Charles et à ta sœur de monter boire un café? lui demanda Jean.

— Ils avaient pas le temps, Thomas était tout seul à la maison.

— Pauvre petit gars, se moqua son mari, sur un ton sarcastique. Après tout, il va juste avoir quatorze ans bientôt.

Reine ne releva pas le commentaire gratuit de son mari.

— Puis, qu'est-ce qui se passe avec ta mère? lui demanda Jean, debout dans l'entrée du salon.

— En fait, elle a pas seulement une jambe cassée, lui apprit Reine, elle s'est fracturé une hanche.

— Ayoye! fit Jean. Elle pouvait ben se lamenter pour une fois.

— Elle en a pour un bon bout de temps avant de pouvoir marcher, précisa-t-elle.

— Ils l'ont gardée à l'hôpital?

— Juste pour une journée. Elle doit sortir demain.

— Ça va être tout un casse-tête pour elle, affirma Jean. Et là, je parle pas seulement pour la biscuiterie. Si elle peut pas marcher, comment elle va se débrouiller toute seule dans son appartement?

— J'y ai pensé, moi aussi, répondit Reine avec un fin sourire. J'ai même proposé à ma mère que Catherine aille rester avec elle, le temps qu'elle va rester alitée.

À voir la mine affichée par l'adolescente, la perspective n'avait pas l'air de l'enchanter particulièrement.

— Puis? continua Jean.

— C'est pas une solution. Catherine a de l'école encore une semaine avant de tomber en vacances. À part ça, d'après le docteur, il est pas question que ma mère marche avant la fin du mois de janvier. Catherine sera alors déjà retournée à l'école depuis longtemps à ce moment-là. Ça fait que c'est Estelle qui va s'occuper de ma mère.

— Dis-moi pas qu'elle s'en vient rester chez ta mère?

— Bien non! Charles a pris des mesures pour qu'une ambulance transporte ma mère chez eux, à Saint-Lambert, demain après-midi.

Jean se retint à temps de s'exclamer: «Le chanceux!»

— Je trouve ta sœur pas mal dévouée d'accepter de s'occuper de ta mère aussi longtemps, finit-il par dire, sur un ton qui à la fois cachait mal sa satisfaction de ne pas avoir à prendre soin de sa belle-mère et qui trahissait aussi le malin plaisir qu'il ressentait de savoir que cette tâche ingrate serait assumée par sa belle-sœur.

— On va faire chacune notre part, lui apprit Reine. Pendant que ma sœur va s'occuper de m'man, moi, je vais me charger de la biscuiterie. À partir de demain matin, je vais descendre au magasin et voir à ce que ça marche, ajouta-t-elle, incapable de dissimuler le profond contentement qu'elle éprouvait en prononçant ces paroles.

— Je suppose que ça t'est pas venu à l'idée de me demander mon avis avant de t'embarquer là-dedans ? lui demanda-t-il.

— Je suis certaine que t'aurais dit oui.

— Ben voyons ! As-tu pensé comment tu vas te débrouiller avec toutes les affaires qu'il y a à faire pour les fêtes qui s'en viennent ? Comment tu vas faire pour acheter les cadeaux, préparer le réveillon et tout le reste ?

— Je vais me débrouiller.

Jean eut soudain une lueur de compréhension.

— Et tu vas t'occuper de la biscuiterie gratuitement, pour rendre service à ta mère ?

— Me prends-tu pour une folle, Jean Bélanger ? s'emporta-t-elle. Je suis pas niaiseuse à ce point-là, tu sauras. Ben non, j'ai demandé à ma mère un salaire de gérante, parce que c'est ça que je vais être.

— Et elle a accepté ? s'étonna son mari.

— Elle avait pas le choix. C'était ça ou garder la biscuiterie fermée.

— Surtout que t'avais le gros bout du bâton puisque madame Lussier l'a lâchée, lui fit remarquer Jean d'une voix acide.

— C'est sûr que ça a pas nui.

— Mais il y a une pancarte demandant une vendeuse dans la vitrine, précisa Jean. Est-ce que ça veut dire que tu vas en engager une à la place de ta mère ?

— Je suis pas folle au point de me couper le cou, protesta Reine. Si j'en trouve une, ça pourrait donner l'idée à ma mère de lui demander de me remplacer quand elle va connaître l'ouvrage. Non, j'engagerai personne. Demain matin, je vais enlever la pancarte. Ça va être plus d'ouvrage, mais je vais mener l'affaire toute seule. Dans une semaine, quand les vacances vont arriver, Catherine va pouvoir me donner un coup de main.

Jean ne dit rien, mais il n'en pensa pas moins. Tout ça, c'était bien à l'image de sa femme : rien de gratuit, aucun élan de générosité. Tout était toujours calculé en fonction de ce que cela pouvait lui rapporter. Il n'avait donc pas pris la peine de lui demander combien elle avait exigé de sa mère pour se charger de la biscuiterie, mais il était certain qu'elle ne lui avait pas fait de cadeau. Reine avait beau critiquer sa sœur Estelle et se moquer de son snobisme, il n'en restait pas moins qu'elle était autrement plus généreuse qu'elle.

Le souper se prit dans une atmosphère fébrile. Après avoir donné brièvement des nouvelles de leur grand-mère aux enfants, Reine toucha à peine à son assiette, tant elle était excitée par la perspective de jouer à la patronne trônant derrière les deux comptoirs du magasin du rez-de-chaussée.

Elle avait déjà planifié l'emploi du temps de chacun en fonction de son nouveau travail. Ainsi, Catherine serait chargée de faire réchauffer le dîner de ses frères avant de ranger la cuisine et de retourner à l'école. Les garçons continueraient à faire le ménage de leur chambre, mais elle leur avait trouvé d'autres tâches annexes le samedi parce qu'elle serait dans l'incapacité de procéder au ménage hebdomadaire de l'appartement. Enfin, elle affirma compter sur la bonne volonté de son mari pour aller acheter la nourriture pour la famille le vendredi soir, alors qu'elle était tenue de garder la biscuiterie ouverte jusqu'à neuf heures. Il restait le lavage et le repassage à régler. Elle allait y réfléchir, mais tout laissait croire que Catherine allait hériter de l'une ou l'autre de ces deux tâches.

— Sais-tu que c'est le fun en calvince, ton affaire ! ne put s'empêcher de dire Jean, excédé. Si je comprends ben, toi, tu vas faire de l'argent sur notre dos.

— Comment ça ? demanda-t-elle, l'air mauvais.

— On va être poignés pour faire ton ouvrage dans la maison pendant que tu joues à la gérante, en bas.

— C'est pour rendre service à ma mère, affirma-t-elle, l'air offusqué.

— Ben oui, on sait ben, fit-il, sarcastique.

Dès le lendemain matin, une certaine routine s'installa. Après le déjeuner, Reine descendit à la biscuiterie au moment où ses enfants partaient pour l'école. À midi, après avoir servi le dîner à ses jeunes frères, Catherine laissa une assiette à sa mère, qui ne pouvait quitter le magasin pour monter manger. À quatre heures, les enfants revinrent de l'école et firent leurs devoirs, surveillés par leur sœur. Deux heures plus tard, la mère de famille monta souper avec les siens après avoir verrouillé la porte de la biscuiterie.

Cependant, le scénario changea vingt-quatre heures plus tard parce que la biscuiterie devait demeurer ouverte jusqu'à neuf heures. Ce soir-là, l'adolescente prépara seule le souper. Après avoir mangé, Jean alla offrir à sa femme de la remplacer durant quelques minutes, le temps qu'elle aille souper à son tour.

— Vas-y pendant que les enfants te reconnaissent encore, plaisanta-t-il, même si le commentaire reflétait aussi une ambiance étrange au sein de la famille.

Reine ne se fit pas prier. Elle sentit toutefois que son mari n'était descendu qu'à contrecœur. Quand elle revint prendre sa place derrière le comptoir, il remonta à l'appartement. La vue de Catherine en train de trier des vêtements sales dans l'intention de les laver suscita chez lui un élan de pitié et il ne put faire autrement que de l'aider.

— Lave le linge, moi, je vais l'étendre dans le couloir, lui dit-il en commençant à installer les cordes auxquelles sa femme avait l'habitude de suspendre les vêtements fraîchement lavés durant la saison froide.

Quand sa femme rentra à la maison un peu après neuf heures, elle vit le linge suspendu, mais ne fit aucune remarque. Elle se contenta de retirer ses chaussures à talons hauts en poussant un soupir de soulagement avant de se rendre dans la cuisine pour se préparer une tasse de café. Après une courte période de repos, elle retira de la corde à linge les vêtements secs qu'elle déposa dans un panier d'osier avant de planifier ce qui allait être servi à manger aux siens le lendemain. Peu après, elle mit sa robe de nuit et vint rejoindre son mari devant le téléviseur, au moment où les nouvelles commençaient.

— Comment ça s'est passé au magasin aujourd'hui ? lui demanda-t-il pour lui manifester son intérêt. Si je me fie à la quantité de clients que j'ai servis durant l'heure de ton souper, t'as pas manqué de monde.

— Ça a été comme ça toute la journée. Ça a pas arrêté, admit-elle sur un ton fatigué. J'ai souvent pensé que ma mère payait Adrienne Lussier pour rien, mais je me suis rendu compte qu'il y avait de l'ouvrage pour deux.

— Dans ce cas-là, engage une vendeuse. C'est ce qu'elle veut de toute façon.

— Non, je vais voir avant si je suis capable de me débrouiller toute seule.

— Ça te permettrait de souffler un peu et t'aurais pas autant besoin de Catherine, plaida-t-il.

— Catherine est assez vieille à cette heure pour donner un coup de main dans la maison. Elle en mourra pas, se contenta de dire Reine d'une voix tranchante.

Le vendredi, le même horaire fut observé, à une différence près cependant, Jean dut aller acheter la nourriture pour la famille à l'épicerie Drouin.

— Vas-y avec les garçons, lui suggéra sa femme ce matin-là en lui remettant la liste des achats à effectuer qu'elle avait déjà préparée. Catherine va venir m'aider au magasin après le souper.

Ce soir-là, le journaliste se sentit tout à fait ridicule de pousser un chariot dans les allées étroites de la petite épicerie de quartier, prise d'assaut par un bon nombre de ménagères en ce vendredi soir. Pour leur part, Gilles et Alain s'amusaient à trouver les produits indiqués sur la liste. Au retour, à bout de patience, Jean déposa les sacs d'épicerie sur la table et ordonna à ses fils de ranger la nourriture.

— Là, on va se mettre à prier pour que votre grand-mère guérisse au plus sacrant, dit-il à ses deux fils en se laissant aller à un accès de mauvaise humeur.

— Pourquoi, p'pa ? lui demanda Alain.

— Parce que j'ai pas l'intention de faire les commissions encore ben longtemps, répondit-il en éteignant son mégot de cigarette.

Une heure plus tard, Reine et sa fille rentrèrent. La mère de famille semblait enchantée du travail de sa fille.

— Je pense qu'elle va descendre avec moi au magasin demain, déclara-t-elle.

— Non, fit son mari sur un ton sans appel. Moi, j'ai pas l'intention de passer ma journée enfermé à garder les garçons. Je veux ben donner un coup de main à faire le ménage demain matin, mais ça va s'arrêter là. Ta fille a des devoirs à faire, je suppose. En plus, il faut qu'elle souffle un peu. Si t'as besoin d'aide, calvince ! engage une vendeuse, encore une fois. Arrête de gratter ! C'est pas ton argent, c'est l'argent de ta mère.

— Je t'ai déjà dit que je voulais pas en engager une parce que ma mère risque de lui dire de s'occuper toute seule du magasin.

— C'est pas notre problème pantoute. À douze ans, Catherine est trop jeune pour se mettre à travailler comme une folle. Elle s'occupe déjà de pas mal d'affaires dans la maison. Il est pas question qu'elle commence à faire la vendeuse.

Le ton acerbe de Jean fit comprendre à sa femme qu'il ne reviendrait pas sur sa décision et elle se retrancha dans son mode de manifestation habituelle de mauvaise humeur. Elle boudait encore.

Chapitre 8

Noël

Le congé scolaire tant espéré par les écoliers survint le mardi 23 décembre, et fut salué par une agréable chute de neige. En ce premier jour de vacances, Gilles et Alain s'aperçurent que l'absence de leur mère de la maison durant la journée pouvait présenter quelques avantages appréciables en leur conférant une liberté bienvenue.

Dès leur retour à la maison ce midi-là, ils obtinrent la permission d'aller jouer au hockey avec leurs amis sur la patinoire située dans la cour de l'école voisine et même d'aller se balader tout à leur aise dans les rues du quartier pourvu qu'ils soient de retour à quatre heures trente. En cette occasion, ils se rendirent compte que leur sœur aînée préférait ne pas les avoir à tourner autour d'elle pendant qu'elle se chargeait de toutes sortes de tâches ménagères.

Pour sa part, leur père termina sa journée au journal assez tôt ce mardi-là et il s'esquiva rapidement de son lieu de travail, peu enclin à participer à la fête annuelle bien arrosée offerte par la direction du *Montréal-Matin*. Il n'avait aucune envie de risquer de se retrouver assis à la même table que Joseph Hamel et les quelques journalistes flagorneurs qui lui faisaient du lèche-bottes quotidiennement depuis sa nomination au poste de rédacteur en chef. Il avait calculé qu'à son retour au journal, le surlendemain de Noël, il ne lui resterait plus que trois semaines de travail avant de remettre sa démission.

À son arrivée à la maison au milieu de l'après-midi, il fut accueilli par l'odeur appétissante de la dinde en train de cuire dans le four. Reine l'avait mise au fourneau avant de descendre au magasin au début de l'avant-midi.

La fin de semaine précédente, il avait été décidé que les Bélanger réveillonneraient en famille, après avoir assisté à la messe de minuit. Cependant, cette année, les pâtés à la viande auraient un autre goût, moins savoureux, parce que Reine n'avait pas eu le temps d'en cuisiner. On se rabattrait sur des pâtés La belle fermière achetés à l'épicerie le vendredi précédent. Pour le reste, rien ne changerait. Il y aurait de la dinde, du ragoût et de la bûche de Noël. Les cadeaux étaient déjà en place sous le sapin.

Jean s'installa à table pour confectionner sa provision de cigarettes de la semaine. Tout en remplissant de tabac le cylindre métallique sur lequel il faisait glisser le tube de papier blanc, il songeait aux Noëls de son enfance et aussi à ceux qu'il avait connus depuis son mariage.

Il n'avait participé qu'en une seule occasion au réveillon de la veille de Noël traditionnellement offert à la famille Talbot par Estelle et Charles Caron dans leur confortable maison de Saint-Lambert. L'année suivante, le couple n'avait invité que Lorenzo et sa mère, ce qui avait frustré passablement Reine.

— C'est normal, lui avait-il reproché. Tu les invites jamais à manger. Ils sont pas fous. Pourquoi ils nous recevraient?

— Ils ont plus les moyens que nous autres de nous recevoir, avait-elle répliqué avec mauvaise foi.

Si le réveillon se prit à la maison et uniquement en présence des enfants à compter de cette année-là, Yvonne Talbot, pour sa part, tint tout de même à offrir chaque année le souper de Noël à tous les membres de sa famille.

Pour l'occasion, Jean était persuadé que sa belle-mère faisait semblant d'ignorer le fait que Rachel Rancourt vivait en concubinage avec son fils pour s'assurer de la présence de celui-ci au repas de fête. Comme la mère de sa femme battait froid à Rachel durant toute la soirée, comme à lui-même d'ailleurs, il se sentait proche d'elle. Au demeurant, il trouvait la compagnie de cette femme, sans complexe et d'humeur égale, beaucoup plus rafraîchissante que le snobisme agaçant de sa belle-sœur et de sa belle-mère.

Heureusement, il échapperait à cette corvée cette année puisque la mère de sa femme était à Saint-Lambert pour plusieurs semaines, à moins que sa fille Estelle prenne la relève et décide d'inviter la famille le soir de Noël, ce qui l'étonnerait beaucoup.

Traditionnellement, le jour de l'An appartenait à la famille de Félicien Bélanger. Comme Amélie tenait mordicus à recevoir tout son monde pour souper, la femme de Claude avait insisté, dès la première année de son mariage, pour partager la tâche de sa belle-mère en confectionnant une partie du repas. Alors, Jean avait refusé d'être en reste et il avait dû se disputer avec sa femme pour qu'elle cuisine, elle aussi, un mets à apporter chez ses parents ce jour-là. Bref, au fil des ans, l'habitude s'était créée. Maintenant, il était entendu que chacun apportait un plat chez leurs hôtes, même les tantes célibataires et les Corbeil.

Quand Jean eut terminé la confection de ses cigarettes, il les rangea dans sa boîte métallique d'Export A qu'il plaça sur la première tablette de l'armoire de cuisine.

— Aidez votre sœur à mettre la table, ordonna-t-il à ses deux fils qui venaient de rentrer. Je vais aller remplacer votre mère au magasin pour qu'elle puisse venir souper.

Reine l'accueillit avec reconnaissance et s'empressa de monter manger à l'appartement.

Ce soir-là, quand elle revint chez elle un peu après neuf heures, elle découvrit que de nouveaux cadeaux étaient apparus sous le sapin de Noël.

— Il y a bien trop de cadeaux au pied de l'arbre, déclara-t-elle. Je trouve qu'il se dépense bien trop d'argent pour ça cette année. Un cadeau par personne, il me semble que ce serait bien assez.

— Arrête donc de t'en faire avec ça, lui suggéra Jean en train de regarder un film de Louis Jouvet.

— En tout cas, moi, j'ai pas eu le temps d'acheter grand-chose, le prévint-elle.

Son mari ne releva pas ce qu'elle venait de dire. Il la connaissait, il savait qu'elle n'avait acheté que le strict nécessaire et couru toutes les aubaines de manière à dépenser le moins possible. À la limite, il n'aurait pas été étonné d'apprendre qu'elle regrettait un peu de s'être précipitée pour acheter les cadeaux de Noël au début du mois, avant l'accident survenu à sa mère. Si elle avait attendu un peu, elle aurait toujours pu prétexter ne pas avoir eu le temps d'acheter des étrennes aux siens à cause de son travail à la biscuiterie.

Le lendemain matin, Jean se glissa sans bruit hors du lit dès cinq heures. Il sortit de la chambre en grelottant et regarda la fournaise à huile au passage. Encore une fois, sa femme était passée derrière lui, la veille, pour baisser le chauffage. Il régla le thermostat à la hausse.

— Maudite gratteuse! jura-t-il entre ses dents en se dirigeant vers la cuisine où il mit de l'eau à bouillir.

Il fit rapidement sa toilette et mangea deux rôties. Au moment où il atteignait la patère à laquelle était suspendu son manteau, Reine sortit de leur chambre à coucher en bâillant bruyamment.

— Où est-ce que tu t'en vas? lui demanda-t-elle. Il fait encore noir dehors.

— C'est le 24, se contenta-t-il de répondre.

— Tu trouves pas que tu pourrais laisser faire pour une fois? fit-elle.

— Non, c'est sa dernière année. Je tiens à y aller. Claude va être là, lui aussi. En passant, ajouta-t-il, veux-tu arrêter de jouer avec le thermostat de la fournaise? Il y a rien qui me met aussi en maudit que de claquer des dents le matin en mangeant mes toasts!

— T'es bien trop frileux, laissa-t-elle tomber sur un ton méprisant.

Là-dessus, il endossa son manteau et remplaça son Stetson par une tuque après avoir chaussé ses couvre-chaussures. Reine le regarda partir sans juger bon d'ajouter quoi que ce soit. Depuis qu'elle connaissait son mari, il était de tradition qu'il accompagne son père dans sa dernière tournée avant le congé de Noël. Elle sembla même le comprendre d'y tenir plus cette année que les années précédentes parce que son père allait prendre sa retraite de facteur dans quelques semaines.

Jean descendit rapidement les escaliers, sortit de la maison et se rendit directement au coin de la rue Brébeuf. Il était près de six heures, l'heure à laquelle son père sortait habituellement de chez lui. Au moment où il s'avançait sur le trottoir en évitant une plaque de glace dissimulée sous la neige, il aperçut son frère Claude sortant de la ruelle qui permettait de communiquer entre les rues Brébeuf et De La Roche. De toute évidence, le cadet de la famille

Bélanger n'avait pas plus oublié le rendez-vous tacite que lui.

Quand Félicien vit ses deux fils adultes l'attendant au pied de l'escalier tournant qui conduisait à la galerie où il venait de paraître, il eut un sourire de contentement.

— Vous aviez pas autre chose de plus intelligent à faire aujourd'hui que de me suivre comme deux chiens de poche ? leur demanda-t-il en feignant un air bougon.

— Il faut croire que non, p'pa, répondit le couvreur chaudement emmitouflé dans un parka bleu marine.

— J'espère que vous êtes pas rendu indépendant au point de refuser de l'aide gratuite ? fit Jean, répétant presque mot pour mot l'échange qui avait lieu chaque année entre eux à cette occasion.

Quelques minutes plus tard, dès que Félicien eut reçu le courrier qu'il avait à livrer, il procéda rapidement à son tri. Quand il eut déposé sur son épaule le lourd sac rempli de lettres, le travail s'organisa. Comme chaque année, les deux frères allaient se charger de distribuer le courrier aux étages pendant que leur père s'occuperait des boîtes aux lettres installées au rez-de-chaussée des demeures qui faisaient partie de sa *run*, comme il disait. Le fait de se faire aider dans son travail par ses fils n'était pas permis par ses patrons, mais les responsables du centre de distribution fermaient les yeux parce que l'événement ne se produisait qu'une fois l'an et parce qu'ils considéraient le geste comme une preuve d'amour filial, ce qu'il était réellement.

À la fin de la tournée un peu après midi, Félicien devint subitement triste et ses deux fils s'en rendirent compte.

— Je crois ben que c'est la dernière année que vous venez me donner un coup de main, leur dit-il en flanquant une claque sur son sac vide.

— On fera autre chose, tous les trois ensemble, p'pa, promit Jean, qui réalisait subitement que son père ne partirait peut-être pas de gaieté de cœur vers sa retraite au mois de février.

Le père et les fils allèrent boire une bouteille de bière à la taverne avant de rentrer chez eux, contents de leur journée.

Depuis le début de l'après-midi, la température s'était adoucie au point que la neige s'était mise à fondre.

∽

En cette veille de Noël, la biscuiterie ferma ses portes à cinq heures. Après un léger souper, Reine et sa fille dressèrent la table du réveillon. Ensuite, les parents décidèrent de faire une sieste.

— Prenez un livre et allez vous étendre dans votre lit, ordonna Jean à ses enfants. Si vous vous reposez pas avant d'aller à la messe de minuit, vous serez pas capables de rester éveillés pour le réveillon.

— On s'endort pas, p'pa, plaida Gilles.

— Essayez quand même de dormir un peu, insista le père de famille.

— En tout cas, organisez-vous pour pas faire de bruit, intervint leur mère.

Dès que sa tête se posa sur son oreiller quelques instants plus tard, Reine sombra dans un sommeil réparateur et son mari en fit autant. Quand tous les deux ouvrirent les yeux dans leur chambre plongée dans l'obscurité, il était près de dix heures et la maison était tout à fait paisible.

La mère de famille alla réveiller ses enfants pendant que Jean s'habillait. Lorsqu'il fut prêt, il alluma le téléviseur, mais il ne le regarda pas. Il se planta devant la fenêtre du salon qui donnait sur la rue Mont-Royal. Les trottoirs étaient pratiquement déserts et peu de voitures circulaient.

— Est-ce qu'on est à la veille de partir ? demanda-t-il à Reine quand elle apparut dans le salon, près d'une demi-heure plus tard.

— Whow ! Je suis pas ta mère, moi, répondit-elle. J'ai pas pantoute envie d'aller niaiser à l'église une heure avant la messe de minuit.

— Il est déjà passé onze heures, lui fit-il remarquer. Tu le sais comme moi que si on arrive trop tard, on va être poignés pour écouter la messe debout.

— Si on peut pas s'asseoir, on s'en reviendra, trancha-t-elle.

Finalement, Reine et les enfants ne furent prêts qu'à onze heures et demie.

— Il y a pas de presse, fit Reine en fermant la porte derrière elle après avoir fait passer les enfants devant. On y va en char, ça va prendre cinq minutes.

Une surprise de taille attendait la famille dès qu'elle posa un pied hors de la maison. Jean comprit tout de suite pourquoi la circulation était devenue si fluide dans la rue Mont-Royal. La pluie s'était mise à tomber durant la soirée et le thermomètre avait franchi le point de congélation. La conséquence était que la pluie s'était transformée en verglas. Tout semblait luire sous l'éclairage des lampadaires. Les trottoirs, comme la chaussée, semblaient devenus de dangereuses patinoires.

— J'ai bien envie de remonter, déclara Reine en posant le pied sur le trottoir. Ça, c'est une affaire pour se casser une jambe, comme ma mère.

— On n'est pas pour manquer la messe de minuit, m'man, la supplia Catherine.

— Avant de s'énerver, on va commencer par essayer de se rendre au char, fit Jean. Si je suis pas capable de casser la glace dans les vitres et de le faire démarrer, on pourra pas aller à l'église. C'est trop glissant sur les trottoirs.

Reine se tut et suivit son mari à petits pas prudents, en levant les bras de temps à autre, pour maintenir son équilibre instable. Par chance, la Pontiac était stationnée près de l'intersection. Jean parvint avec peine à introduire la clé dans la serrure et à déverrouiller les portières. Il tendit un grattoir à Gilles et se chargea de l'autre après avoir fait démarrer le moteur. Pendant que Reine, Alain et Catherine attendaient à l'intérieur du véhicule, le père et le fils s'acharnèrent à débarrasser le pare-brise et les vitres de l'épaisse couche de verglas qui recouvrait la Pontiac.

Finalement, tous les deux montèrent à bord.

— Il se remet à mouiller, dit Jean en faisant fonctionner les essuie-glaces après avoir embrayé.

Il engagea la voiture doucement sur la chaussée. C'était extrêmement glissant et il sentait que le moindre geste brusque pouvait les faire déraper contre l'un ou l'autre des véhicules stationnés le long des trottoirs.

— On aurait peut-être mieux fait d'aller à l'église à pied, dit-il à sa femme.

— On se serait jamais rendus, laissa-t-elle tomber.

Il leur fallut pratiquement une quinzaine de minutes pour arriver coin De Lanaudière et Saint-Joseph. La Pontiac s'immobilisa tant bien que mal devant la magnifique église Saint-Stanislas-de-Kostka. Tout illuminé en cette nuit de la Nativité, le temple aux deux clochers semblait inviter les fidèles à entrer prier. À la vue des paroissiens qui se hissaient péniblement jusqu'au parvis à cause des marches couvertes de glace, Jean proposa d'entrer dans l'église par la porte de la rue Garnier.

— T'es pas obligé de te dépêcher, lui fit remarquer Reine en se pendant à son bras. Tu sais bien que l'église sera pas à moitié remplie avec un temps de fou comme ça.

En réalité, elle se trompait lourdement en croyant que le mauvais temps empêcherait les fidèles de venir participer à la messe de minuit. Elle comprit son erreur dès qu'elle pénétra dans l'église. Il régnait dans l'endroit une chaleur étouffante et, à dix minutes du début de la célébration, de nombreux paroissiens se pressaient déjà debout à l'arrière de l'église, faute de places assises.

Reine fit quelques pas vers l'avant et s'apprêtait à déclarer qu'elle retournait à la maison parce qu'il ne semblait pas y avoir de places disponibles quand un marguillier se matérialisa soudain devant elle.

— Venez, madame, j'ai trois places en avant.

Un peu malgré elle, elle dut suivre l'homme. Jean poussa Catherine et Alain à suivre leur mère. Il demeura debout à l'arrière avec Gilles. Si la station debout était inconfortable, elle leur permit au moins d'avoir moins chaud puisqu'on avait fini par ouvrir l'une des portes du temple pour laisser entrer l'air frais de l'extérieur.

Le curé Alexandre Bergeron, en poste depuis cinq ou six ans, apparut dans le chœur, précédé d'un diacre, d'un sous-diacre et de servants de messe alors que la chorale paroissiale entonnait *Adeste Fideles*. Le célébrant, un petit homme sec extrêmement nerveux et volubile, monta les marches conduisant à l'autel et commença à réciter la messe de la Nativité. Quand vint le moment de son homélie, Jean vit plusieurs hommes debout à ses côtés se glisser par la porte ouverte, probablement dans l'intention de sortir fumer une cigarette ou de boire une gorgée d'alcool. Il les aurait imités avec plaisir, n'eût été la présence de son fils à ses côtés. Il n'allait tout de même pas lui donner le mauvais exemple.

Heureusement, le curé de la paroisse fit un sermon très court et retourna à l'autel terminer la célébration de la messe. Quand son *Ite missa est* se fit entendre dans le silence relatif de l'église, le maître-chantre respecta la tradition en entonnant le *Minuit, Chrétiens*. Les fidèles entreprirent alors de quitter le temple. Jean et Gilles, parmi les premiers sortis, durent attendre un bon moment l'apparition de Reine, Alain et Catherine. Il ne pleuvait plus, mais le vent s'était levé et il faisait plus froid.

Jean chercha à apercevoir son père et sa mère dans la foule qui se massait à l'extérieur. Puis il réalisa que sa femme et ses enfants pouvaient fort bien être sortis par la porte donnant sur la rue Garnier et l'attendre près de la Pontiac. Il quitta le parvis en compagnie de Gilles et contourna l'église. Il ne s'était pas trompé, il les trouva tous les trois en train de le chercher des yeux, debout près de la voiture.

Le retour à la maison ne fut guère plus aisé que l'aller parce que la chaussée était toujours aussi glacée. Ce fut en poussant un soupir de soulagement que tous se retrouvèrent dans le couloir d'entrée de l'appartement en train de retirer leur manteau et leurs couvre-chaussures.

— Je vais mettre les affaires sur le feu et on déballe les cadeaux, déclara Reine avec un entrain inhabituel.

Jean mit cette bonne humeur sur le compte de la longue sieste faite après le souper et s'empressa d'aller illuminer le sapin. Les jeunes, excités par la perspective de recevoir leurs étrennes, prirent place dans le salon, attendant l'arrivée de leur mère dans la pièce.

— Faites attention en ouvrant les paquets, dit la mère de famille en prenant place dans l'un des fauteuils du salon. Déchirez pas le papier.

Cette phrase de Reine était devenue aussi traditionnelle que la remise des étrennes à Noël. Elle récupérait les rubans et le papier d'emballage d'une année à l'autre. Elle pliait le tout et le rangeait sur une tablette du placard de sa chambre à coucher dans l'intention de s'en servir de nouveau l'année suivante. Comme elle ne se gênait pas pour le répéter : « Il n'y a pas de petites économies. »

Les enfants tinrent à offrir les premiers leurs cadeaux à leurs parents. Ils donnèrent un porte-cigarette plaqué en argent à leur père. Reine reçut un vaporisateur à parfum et une brosse à cheveux. L'un et l'autre manifestèrent bruyamment leur plaisir d'avoir reçu d'aussi beaux cadeaux. Ensuite, les parents donnèrent à Catherine un album relié de *Fillette, jeune fille*, ce qui remplit de joie l'adolescente, qui adorait cette revue. Les garçons reçurent chacun une paire de gants de hockey, ce qu'ils désiraient depuis longtemps.

— Au tour de votre mère de recevoir aussi un cadeau, annonça Jean en tendant à sa femme un paquet assez volumineux enveloppé dans un papier argenté.

— Aïe ! Ça fait une semaine que j'essaye de deviner ce qu'il y a dans ce paquet-là, affirma-t-elle en s'emparant du cadeau.

En retirant le papier, elle découvrit le tout dernier modèle de sèche-cheveux et elle en fut tout heureuse. Elle embrassa son mari et lui tendit le dernier cadeau demeuré encore sous le sapin. Jean découvrit une paire de pantoufles grises. Il remercia sa femme en évitant de lui faire remarquer qu'il possédait maintenant deux paires de pantoufles neuves dans sa garde-robe.

On passa ensuite à table et on mangea avec appétit la dinde, le pâté à la viande et la bûche de Noël servis par la maîtresse de maison.

— Cette tourtière-là est pas mauvaise, fit remarquer Jean, mais elle est pas bonne comme celle que tu fais.

— Mes journées ont juste vingt-quatre heures, répliqua sèchement Reine, en prenant la remarque comme une critique de ne pas avoir trouvé le temps de cuisiner des pâtés à la viande.

Cela jeta un léger froid sur la fête.

— Ça va faire drôle de pas aller souper chez ma mère à soir comme on le fait toutes les années, reprit Reine en finissant de manger son dessert quelques instants plus tard. Je me demande ce que Lorenzo va faire.

— Il va probablement aller souper quelque part avec Rachel, à moins qu'on les invite à venir manger avec nous autres, suggéra Jean, qui cachait mal à quel point il se sentait soulagé de ne pas être obligé d'aller souper et passer la veillée chez sa belle-mère.

— Bien non, on n'est pas pour commencer à faire ça, s'empressa de répondre Reine. De toute façon, ça se peut qu'Estelle les ait invités, ajouta-t-elle, l'air un peu songeur.

— Pourquoi pas ? répliqua Jean.

— Là, je trouverais ça pas correct pantoute qu'elle les ait invités et que, nous autres, on soit mis de côté.

— Pas moi, laissa-t-il tomber. Je comprendrais que ta sœur fasse ça. Quand est-ce que t'as invité les Caron à manger ?

Reine ne se donna pas la peine de lui répondre. Elle se leva en demandant à tous d'aider à ranger, de manière à ne pas se lever le lendemain avec du ménage à faire.

∽

La sonnerie du téléphone réveilla Jean en sursaut. Il ouvrit les yeux et jeta un coup d'œil vers la fenêtre. Les rideaux laissaient entrer la clarté du jour. Il tourna la tête vers son réveille-matin : onze heures dix. La sonnerie continua.

— Ce maudit téléphone-là va réveiller toute la mai-sonnée, dit-il en se levant précipitamment pour aller répondre.

En posant les pieds sur le linoléum froid, il ne put réprimer un frisson désagréable. Il se dirigea rapidement vers la cuisine, mais il fut devancé par Gilles qui venait de décrocher au moment où il pénétrait dans la pièce.

— Oui, mon oncle. Je vous le passe, fit le gamin en tendant le récepteur à son père. C'est mon oncle Claude, p'pa.

— Dis donc, toi, tu dors pas le matin de Noël? dit-il à son frère en feignant d'être de mauvaise humeur.

— Le matin, oui, mais là, c'est l'heure du dîner, répondit Claude en riant. J'espère que tu penses pas passer ta journée à faire des plaies de lit? plaisanta le couvreur.

— Non, mais on s'est couchés pas mal tard, expliqua Jean. Toi, t'as pas réveillonné?

— Oui, mais on est rentrés pas mal de bonne heure. Le père de Lucie a une bonne grippe et il ne filait pas pour veiller tard. C'est pas pour ça que je t'appelais, poursuivit le cadet de la famille Bélanger. Qu'est-ce que tu dirais de venir jouer aux cartes à soir? Si ta belle-mère est pas chez elle, je suppose qu'elle vous reçoit pas comme d'habitude.

— Je sais pas trop, dit Jean, réticent.

— Envoye! Fais pas le casseux de *party*. Vous êtes pas pour rester tout seuls chez vous le soir de Noël, plaida Claude. On est comme vous autres, on n'a nulle part où aller. P'pa et m'man vont aller souper chez mon oncle Émile, comme chaque année. Lorraine et Marcel vont chez les parents de Marcel. Venez donc.

— OK, j'en parle à Reine quand elle va se lever et je te rappelle. Si on peut y aller, Catherine va garder ses frères.

— Ben non, t'amènes les enfants, dit Claude avant de raccrocher.

La sonnerie du téléphone était bien parvenue à réveiller tous les habitants de l'appartement. Le visage passablement chiffonné, Reine vint rejoindre son mari dans la cuisine. Jean l'informa de l'invitation et, à sa grande surprise, elle ne marqua qu'une légère hésitation avant d'acquiescer. Habituellement, elle n'appréciait pas beaucoup sa belle-sœur qu'elle appelait «sainte Lucie» par dérision.

— J'espère juste qu'elle va avoir pensé à enfermer son maudit chat quelque part, dit-elle. Si elle a pas fait ça, je resterai pas une minute.

— Lucie est pas folle. Elle sait que t'as peur des chats, la rassura son mari.

Jean conclut que si sa femme avait accepté si facilement cette invitation malgré la présence du chat dans l'appartement de son frère, c'était qu'elle n'avait vraiment pas envie de passer le soir de Noël à la maison. Il s'empressa de rappeler son frère avant qu'elle change d'idée.

Après un dîner frugal, les garçons décidèrent d'aller jouer au hockey dans la ruelle, histoire d'étrenner leurs gants de hockey neufs et Catherine se retira dans sa chambre pour lire ses revues. Les parents purent s'offrir un après-midi de repos bienvenu.

Au début de la soirée, les Bélanger s'habillèrent chaudement et allèrent sonner à la porte de l'appartement de la rue De La Roche où habitaient Claude et sa femme. Lucie vint ouvrir et les invita à entrer avec son chaleureux sourire habituel.

— Déshabillez-vous et venez vous réchauffer, leur dit-elle. Reine, inquiète-toi pas, mon chat est enfermé dans l'autre chambre et en sortira pas de la soirée.

— Merci d'y avoir pensé, fit cette dernière.

Après avoir déposé les manteaux sur un lit, le couple fit passer les invités au salon.

— Avant de jouer aux cartes, on va donner quelque chose aux jeunes pour se sucrer le bec, annonça Claude pendant que sa femme prenait sous les branches du sapin allumé dans un coin de la pièce trois gros bas de Noël qui semblaient regorger de toutes sortes de bonnes choses.

— On vous allume la télévision et vous vous amuserez à vider votre bas, reprit Lucie à l'intention de Catherine, Gilles et Alain, curieux de découvrir ce que contenaient les bas que leur tante venait de leur donner.

— Voyons donc! protesta Jean. Vous auriez jamais dû faire des folies comme ça.

— Tu parles pour rien dire, fit sa belle-sœur avec bonne humeur. Tu sais même pas ce qu'il y a dans les bas. Si ça se trouve, il y a juste un peu de lunes de miel et des boules noires. Bon, là, on les laisse tranquilles et on s'en va jouer aux cartes dans la cuisine, ajouta-t-elle en faisant signe à ses invités de sortir du salon.

— Vous les gâtez bien trop, se sentit obligée de dire Reine avant de quitter la pièce en compagnie de son mari.

— Bien non, la contredit Lucie. Ah! Pendant que j'y pense, dit-elle en se tournant vers les jeunes, vous pouvez aller jouer avec le chat dans la pièce à côté tant que vous voudrez, mais laissez-le pas sortir de la chambre. J'ai pas envie de voir votre mère mourir d'une syncope chez nous ce soir.

Durant près de trois heures, les deux couples jouèrent à la canasta. Lucie ou son mari ne quittait la table de temps à autre que pour aller servir des boissons gazeuses aux enfants installés dans le salon. À tour de rôle, ces derniers étaient venus apprendre à leurs parents ce qu'ils avaient trouvé dans leur bas de Noël. Ils avaient tous eu une pomme, une orange, plusieurs chocolats, des bonbons et des croustilles. De plus, Catherine avait hérité de gants de cuir, Gilles d'une tuque du club de hockey Canadien et Alain d'une boîte de crayons à colorier Prismacolor.

À la fin de la soirée, Claude et sa femme tinrent absolument à servir un morceau de tarte et une tasse de café à leurs invités. Les jeunes avaient tellement fait honneur au chocolat et aux bonbons qu'on leur avait offerts que leur tante dut presque les supplier pour qu'ils goûtent à sa tarte aux raisins. Quand les enfants eurent réintégré le salon, les adultes discutèrent entre eux en sirotant leur café.

— Ça fait deux fois en quinze jours que je rencontre Marcel en allant faire des commissions, fit Lucie, l'air préoccupé.

— Le mari de Lorraine ? demanda Reine.

— Oui. Je devrais peut-être pas le dire, ajouta la petite femme blonde en baissant instinctivement la voix, mais il avait l'air d'en avoir un coup dans le nez, même si on était en plein cœur de l'après-midi.

— Il travaille pas, lui ? demanda Jean à son frère.

— Tu devrais savoir que la construction est pas mal tranquille l'hiver. Ça arrive qu'on travaille une journée ou deux dans la semaine, pas plus.

— Moi, j'ai eu l'impression qu'il sortait de la taverne, reprit Lucie. Remarquez, je sais que ça me regarde pas, mais j'aimerais pas que Lorraine en pâtisse.

Chacun se regarda. Quelques années plus tôt, Félicien Bélanger avait dû intervenir quand il s'était rendu compte que son gendre était un peu trop porté sur l'alcool et dépensait dans une taverne de la rue Papineau une bonne partie de sa paye, privant ainsi sa femme et sa fille du nécessaire. Honteux, Marcel Meunier avait alors promis de s'amender, mais rien ne prouvait qu'il ne buvait pas en cachette, et ce n'était pas Lorraine, toujours discrète sur sa vie familiale, qui allait raconter ce qui se passait chez elle.

Le reste de la famille avait appris l'affaire par des allusions d'Amélie et on n'en avait plus reparlé.

— On a toujours su que le beau-frère crachait pas sur un petit verre de temps en temps, intervint Jean.

— Et même un peu plus, se crut obligée d'ajouter Reine.

— Oui, mais de là à trouver que le trottoir est pas assez large pour lui quand il rentre à la maison en plein après-midi, c'est autre chose, tint à préciser Claude.

— Est-ce que tu peux pas lui en parler ? lui demanda son frère aîné.

— Si je fais ça, il va tout de suite savoir que ma femme a fait la porte-panier.

— Moi, je pense la même chose que Claude, dit Reine. Ta sœur doit bien connaître son mari. Je suis sûre qu'elle est capable de trouver un moyen de l'empêcher de boire comme un trou.

— Il y a juste qu'il a l'air de poigner vite les nerfs, le Marcel, fit Lucie, avant de boire une dernière gorgée de café.

— C'est bien pour ça qu'on est peut-être mieux de pas s'en mêler, dit son mari. Ce serait de valeur de faire de la chicane dans la famille en mettant notre nez dans quelque chose qui nous regarde pas. S'il prend le feu, il peut empêcher Lorraine et Murielle de venir chez mon père et ça, ça ferait ben de la peine à ma mère.

— En tout cas, c'est utile de savoir qu'il a recommencé à boire, tint à préciser Jean. On va le surveiller. S'il exagère, on va peut-être être obligés de s'en mêler d'une façon ou d'une autre.

En revenant à la maison quelques minutes plus tard, Catherine et ses frères ne cessèrent de chanter les louanges de leur tante dont ils appréciaient tellement la gentillesse.

Aucun des enfants ne sembla remarquer l'air renfrogné de leur mère.

— Dépêchez-vous à aller vous coucher, leur ordonna-t-elle sur le ton sec qu'on lui connaissait dès qu'ils eurent retiré leur manteau et leurs bottes à leur retour dans l'appartement. Il est presque minuit.

Dès qu'elle se retrouva seule avec son mari dans leur chambre à coucher, Reine ne put s'empêcher de laisser éclater sa mauvaise humeur.

— Elle est donc fine, sainte Lucie ! fit-elle, sarcastique. Il y a rien qu'elle ferait pas pour se faire aimer par tout le monde. C'est bien simple, juste lui voir la face avec ses airs de femme parfaite, ça me donne envie de l'étrangler.

— Bon, qu'est-ce qui te prend encore ? lui demanda Jean en retirant ses souliers.

— Il y a que la femme de ton frère me tombe sur les nerfs, bâtard !

— Qu'est-ce qu'elle t'a fait ? s'étonna-t-il.

— Rien, rien pantoute. C'est juste sa manie de vouloir faire plaisir à tout le monde qui m'énerve, explosa-t-elle. Viens pas me faire croire, toi, que c'est normal quelqu'un qui aime tout le monde et qui s'enrage jamais.

— En tout cas, on dirait ben que c'est pas ton cas, laissa tomber son mari en retirant sa chemise.

— Tu peux ben dire ce que tu veux, Jean Bélanger, mais c'est clair qu'elle a pas d'enfants pour agir comme ça. Elle sait pas que les avoir vingt-quatre heures sur vingt-quatre, sept jours sur sept, c'est pas mal moins drôle que juste une soirée.

— Reine, t'exagères. Tu sais à quel point Lucie et Claude aimeraient avoir un enfant. Tu peux pas dire ça. Et en matière de s'occuper des enfants à longueur de journée, t'es pas le meilleur exemple avec tout le temps que tu passes en bas, à la biscuiterie. Alors, pour les commentaires sur la bonne mère, je pense que tu peux te garder une petite réserve.

— Même toi, tu prends sa défense, répliqua Reine avant de tourner le dos à son mari.

Chapitre 9

Le vol

Le lendemain de Noël, la routine reprit ses droits. Reine descendit à la biscuiterie un peu avant neuf heures alors que son mari était déjà retourné au journal depuis près d'une heure. Catherine avait reçu la tâche de remettre de l'ordre dans la maison avec l'aide de ses deux frères. Ces derniers pourraient ensuite aller jouer avec des amis pourvu qu'ils soient rentrés pour dîner.

En ce samedi matin, Reine était d'excellente humeur. Elle retrouvait son royaume tel qu'elle l'avait laissé la veille de Noël. La jeune femme de trente-trois ans s'était légèrement maquillée et coiffée avant de descendre. Il était dommage, pensait-elle en s'admirant dans un miroir, que le tablier qu'elle devait porter dissimule en partie sa silhouette agréable. Après avoir vérifié que tout était en ordre dans le magasin, elle entreprit de compter l'argent contenu dans la caisse, une activité qui était loin de lui déplaire.

Elle était si concentrée à calculer les profits faits la veille de Noël qu'elle sursauta en entendant la clochette sonner lorsque quelqu'un poussa la porte du magasin. Levant la tête, elle aperçut un homme svelte de haute stature portant un paletot noir et un foulard de soie blanche. Il lui adressa un sourire charmeur et souleva légèrement son chapeau pour la saluer. Reine lui rendit son sourire et referma sa caisse enregistreuse avant de s'occuper de lui.

— Bonjour, madame, j'espère que je vous dérange pas?

— Non, le magasin est ouvert.

Reine attendit que le client lui dise quels biscuits ou friandises il désirait. Pendant qu'il examinait la boutique, elle le détailla.

L'homme devait avoir environ trente-cinq ans et portait beau. Ses yeux noirs, son nez un peu busqué et son épaisse chevelure brune faisaient oublier les traits un peu relâchés de son visage, en partie masqués par une fine moustache. Il était évident que le client était un homme sûr de lui. À voir son assurance, il était probable que bien peu de femmes lui résistaient.

— Vous êtes la propriétaire? demanda l'inconnu.

— Oui, mentit Reine pour se mettre en valeur.

— Vous avez un bien beau magasin. Seriez-vous tentée d'augmenter votre clientèle de plus de cinquante pour cent?

— Comment ça? fit-elle, déjà sur la défensive.

— Benjamin Taylor, de Taylor Publishing, se présenta l'homme en lui tendant la main. Je suis président d'une compagnie de publicité. Depuis dix ans, ma compagnie se spécialise dans la mise en marché des commerces aussi bien à Montréal qu'à Toronto.

— Mise en marché?

— Oui. On s'occupe de la publicité dans les journaux, à la radio et même à la télévision pour mieux faire connaître un magasin, par exemple. En règle générale, d'après nos études, les propriétaires des magasins dont on s'occupe multiplient presque par deux leur chiffre d'affaires dès les premiers mois.

— Ah oui ! fit Reine, incrédule.

— Par contre, on prend pas n'importe quels clients, tint-il à préciser en lui adressant un sourire éclatant. On a une réputation à préserver, ajouta-t-il avec un bagout qui sentait le professionnel et le beau parleur à cent lieues. Mais quand l'affaire est prometteuse, on tient à en faire la promotion.

Même si elle affichait une certaine réserve, Reine était tout de même séduite. Elle aurait probablement accepté d'en discuter plus à fond s'il s'était agi de son affaire. Toutefois, comme la biscuiterie appartenait à sa mère, elle ne pouvait pas prendre le genre d'engagement que l'homme allait sûrement lui proposer.

— Laissez-moi votre carte et je vais y réfléchir, promit-elle sans avoir aucunement l'intention de tenir parole.

— C'est parfait. Je vois que vous êtes une vraie femme d'affaires, la flatta Taylor en lui tendant une carte qu'il venait de tirer de l'une de ses poches. Bon, on a assez parlé d'affaires, poursuivit-il en tournant la tête dans toutes les directions, comme s'il cherchait quelque chose en particulier. Voulez-vous me donner votre meilleure boîte de chocolats ? finit-il par demander.

Reine se déplaça derrière le comptoir et alla chercher une boîte de chocolats Laura Secord qu'elle lui présenta.

— Est-ce que ça vous convient ? lui demanda-t-elle.

— C'est votre meilleur chocolat ?

— Oui, et c'est aussi le plus cher, lui assura-t-elle avec un sourire enjôleur.

— Parfait, enveloppez-la pas, elle est pour vous.

— Voyons donc ! protesta Reine.

— Une aussi belle femme mérite d'être gâtée, ajouta-t-il galamment avec un large sourire. Et allez pas croire que j'offre du chocolat à toutes les femmes que je rencontre, ajouta-t-il.

— Je sais pas si je dois…

— Vous pouvez pas refuser, madame. Considérez ça comme le cadeau d'un admirateur. Est-ce que je peux connaître votre prénom ?

— Reine, dit la jeune femme, flattée.

— Vous avez le prénom qui vous convient parfaitement, fit le beau parleur. J'espère avoir le plaisir de vous revoir bientôt. En attendant, je vous souhaite une bonne année 1960 à l'avance.

Il lui tendit la main. Elle ne put faire autrement que de la serrer. Il garda sa main dans la sienne un peu plus longtemps que nécessaire, suscitant chez elle un frisson d'aise qui la fit légèrement rougir.

— Mes amis m'appellent Ben, tint-il à préciser avant de prendre congé.

Cet après-midi-là, Reine profita d'un moment où aucun client n'était dans le magasin pour téléphoner à sa mère. D'entrée de jeu, elle lui demanda si elle avait déjà songé à payer de la publicité pour mieux faire connaître la biscuiterie.

— Pourquoi tu me parles de ça aujourd'hui ? demanda Yvonne, toujours alitée chez sa fille Estelle, à Saint-Lambert.

— Il y a quelqu'un qui…

— Non, dis-moi pas qu'il est encore revenu, lui ? s'écria la sexagénaire au bout du fil.

— De qui est-ce que vous parlez, m'man ?

— Ah ! Je le sais pas trop. J'ai pas retenu son nom. C'est un homme grand avec un nom anglais. Je pense que ça fait au moins trois fois qu'il vient me fatiguer avec ça. Même si je lui ai dit que j'étais pas intéressée, il arrête pas de revenir.

— Je pense que c'était encore lui, avoua Reine, un peu déçue.

— J'espère que tu lui as rien promis et que t'as rien signé ? reprit sa mère, inquiète.

— Je suis pas niaiseuse, m'man ! s'emporta Reine.

Il y eut un court silence, puis elle demanda à sa mère :

— Est-ce qu'il vous a offert un cadeau, quand il est passé à la biscuiterie ?

— Pourquoi il aurait fait ça ? fit Yvonne, apparemment surprise par la question de sa fille. Est-ce qu'il t'a donné quelque chose ?

— Ben non, mentit Reine.

— Tant mieux, conclut Yvonne. Avec ces gens-là, on sait jamais à quoi on s'engage quand ils nous donnent quelque chose.

Ensuite, les deux femmes se désintéressèrent du sujet pour s'occuper des ventes du magasin durant la dernière semaine.

Quand elle eut raccroché, Reine fut incapable de cacher sa déception. Elle en déchira même la carte de visite que lui avait remise l'inconnu et en jeta les morceaux à la poubelle. Celui qui voulait se faire appeler Ben avait bien dû rire dans sa barbe quand elle avait affirmé être la propriétaire de la biscuiterie alors qu'il savait pertinemment que c'était faux, puisqu'il était déjà venu plusieurs fois parler à sa mère. Cependant, au fur et à mesure que la journée s'écoulait, elle en vint à conclure qu'elle avait sûrement plu à Ben Taylor puisqu'il lui avait offert une boîte de chocolats.

Comme pour s'en convaincre, elle ouvrit cette dernière et en mangea un avec gourmandise. À l'instant même, elle prit la décision de conserver la boîte sous le comptoir pour en profiter seule. Comme ça, chaque fois qu'elle mangerait un chocolat, elle ne pourrait faire autrement que de penser au bel homme qui lui avait fait ce cadeau.

La veille du jour de l'An, Joseph Hamel chargea Jean d'aller interviewer des travailleurs sur leurs lieux de travail pour connaître leurs impressions sur la décision du ministre du Travail, Antonio Barrette, d'augmenter le salaire minimum à soixante-neuf cents l'heure à Montréal, à soixante-deux cents à Québec et à cinquante-sept cents dans les autres petites villes.

Il régnait sur la métropole un froid sibérien en ce 31 décembre 1959. Le journaliste avait eu toutes les peines du monde à faire démarrer sa voiture ce matin-là et il avait espéré ne pas être obligé de quitter les bureaux du journal par une journée aussi froide. Mais il n'avait pas le choix. Le rédacteur en chef avait décidé que cette augmentation substantielle du salaire minimum du travailleur montréalais méritait qu'on aille chercher des réactions sur place.

Après avoir fait quelques appels téléphoniques, Jean Bélanger décida d'aller interviewer des travailleurs de la cimenterie Miron de la rue Jarry ainsi que des vendeuses œuvrant au centre commercial Boulevard du boulevard Pie IX. Par chance, la Pontiac accepta encore de démarrer et il prit la direction du nord de la ville. Trois travailleurs de chez Miron étaient d'accord pour dire que l'augmentation prévue le 1er janvier était insuffisante et ne couvrait pas la hausse du coût de la vie. De plus, ils ne comprenaient pas que le gouvernement Sauvé s'entête à faire une différence entre les travailleurs de Montréal et ceux des autres villes de la province. Par ailleurs, les quelques vendeuses des magasins Morgan et Greenberg du centre commercial lui offrirent un tout autre son de cloche. Elles étaient heureuses de cette décision et considéraient cette augmentation du salaire horaire comme un véritable cadeau des fêtes bienvenu à une époque où les prix de presque toutes les denrées grimpaient.

— C'est rendu que ça a pas d'allure, déclara l'une d'entre elles âgée d'une cinquantaine d'années. On n'arrive plus avec notre salaire. Il faut pas oublier qu'aujourd'hui une tasse de café au restaurant coûte dix cennes et un club sandwich en coûte 60.

Cependant, une mauvaise surprise attendait le journaliste. À sa sortie du magasin Greenberg, il releva le col de son manteau et se dirigea vers l'épicerie Steinberg en face de laquelle il avait stationné sa voiture.

Avant de verrouiller sa portière à son arrivée dans le grand stationnement du centre commercial, il avait pris soin de noter qu'il l'avait immobilisée entre deux camionnettes.

Le vent soufflait et le froid était si vif qu'en sortant il plaqua ses mains sur ses oreilles tout en cherchant des yeux sa voiture beige et brune. Il finit par s'arrêter entre deux rangées d'automobiles stationnées les unes à côté des autres, persuadé d'avoir immobilisé sa Pontiac à cet endroit précis. Les deux camionnettes avaient disparu, lui enlevant ainsi ses points de repère. Un peu désorienté, il regarda dans toutes les directions tout en se demandant comment il avait pu se tromper ainsi. Pas de Pontiac.

En colère contre lui-même pour ne pas avoir songé à mieux identifier l'endroit où il avait garé son véhicule avant de l'abandonner à son arrivée, il se mit à parcourir tout le stationnement en long et en large. Plus il s'éloignait des magasins, plus il était persuadé de ne pas avoir rangé sa voiture aussi loin.

Finalement, il fut bien forcé d'admettre que sa Pontiac avait disparu. Ce n'était pas possible ! Il semblait bien que quelqu'un la lui avait volée. Par malchance, il avait justement cessé de l'assurer cette année, autant parce que le véhicule avait huit ans d'usure que pour faire des économies. Là, il allait être bien avancé si on ne le retrouvait pas. Complètement frigorifié, les doigts et les pieds gourds, il décida de rentrer chez Greenberg pour téléphoner à la police.

Quelques minutes plus tard, une auto-patrouille s'immobilisa devant le magasin, suscitant la curiosité des passants. Jean avait attendu les policiers, planté derrière la vitrine. Il s'empressa de sortir pour aller à la rencontre des agents. Ces derniers l'invitèrent à venir s'asseoir au chaud, à l'arrière de leur voiture, avant de prendre tous les renseignements utiles.

— C'est la première fois que ça m'arrive, reconnut-il. D'après vous, est-ce que vous pensez que vous avez des chances de la retrouver?

— Ça, on peut pas le dire, reconnut le conducteur de l'auto-patrouille. On peut aussi bien retrouver votre Pontiac abandonnée dans une rue, pas loin d'ici, dans moins d'une heure que plus jamais la revoir.

— Là, je suis mal pris. J'en ai besoin pour mon travail. Je suis journaliste, prit-il soin d'ajouter, comme si cette information pouvait inciter les deux policiers à démontrer plus de zèle.

— Dans ce cas-là, vous allez pouvoir vous entendre avec votre agent d'assurances, voulut le rassurer l'autre policier, un jeune homme au visage ouvert. Ils ont l'habitude.

— Je suppose qu'on va m'appeler à la maison ou à l'ouvrage quand on va retrouver ma voiture.

— En plein ça, monsieur.

Jean avait vaguement espéré que les policiers le ramèneraient à la maison ou, au pire, au journal. Ils ne le lui proposèrent pas. Il descendit donc de voiture et se dirigea vers l'arrêt d'autobus situé en face du magasin Morgan. Il dut attendre un bon moment avant de pouvoir monter dans un autobus parcourant le circuit 39 qui le laissa au coin du boulevard Saint-Joseph.

À la fin de sa journée de travail, il eut tout le loisir d'évaluer les nombreux avantages de posséder une automobile alors qu'il attendait en grelottant l'autobus qui allait le ramener à la maison. En sept ans, il avait fini par considérer comme tout à fait normal de se déplacer dans sa propre voiture. Il avait oublié combien il était pénible d'avoir à attendre l'autobus ou une correspondance, particulièrement les jours où il faisait froid ou quand il pleuvait.

Comment allait-il faire pour se déplacer afin de réaliser ses entrevues ? Bien sûr, dans deux semaines, le besoin serait moins pressant puisqu'il n'aurait pas à quitter l'imposant édifice en brique de Radio-Canada, sur le boulevard Dorchester, pour effectuer son travail, mais il lui faudrait quand même emprunter le transport en commun aux heures de grande affluence matin et soir.

À son retour à la maison, Reine venait de fermer la biscuiterie. Il était un peu plus de six heures. Sa femme remarqua tout de suite son air préoccupé.

— T'as bien l'air bête, lui dit-elle après avoir sorti du réfrigérateur le bœuf haché qui allait être servi au souper quelques minutes plus tard.

— Il y a de quoi, dit-il en se laissant tomber dans la chaise berçante placée près de la fenêtre. Je me suis fait voler mon char.

— Comment ça ?

— Comment veux-tu que je le sache ? Je suis allé interviewer du monde au centre d'achat Boulevard et quand je suis sorti, il avait disparu.

— Qu'est-ce qu'ils ont dit de ça au journal ?

— Ça les regarde pas.

— Comment ça, ça les regarde pas ? s'étonna-t-elle. C'est tout de même leur char, non ?

Jean avait fini par totalement oublier qu'il avait fait croire à sa femme que l'automobile appartenait au *Montréal-Matin* pour la lui faire accepter. Évidemment, elle n'aurait jamais cru qu'avec le peu d'argent de poche qu'elle daignait lui laisser chaque semaine, il aurait pu s'offrir ce luxe.

— Ben oui, s'empressa-t-il de dire, mais ça fait tellement longtemps que je l'avais que c'est comme s'il avait été à moi. Qu'est-ce que tu veux qu'ils disent au journal ? C'est des affaires qui arrivent. Mais c'est pas sûr pantoute qu'ils m'en passent un autre.

— Même si c'est pas mal enrageant, reprit Reine, c'est tout de même pas la fin du monde. De toute façon, t'aurais été obligé de leur laisser la Pontiac dans deux semaines, quand tu vas commencer à travailler ailleurs.

— C'est vrai, reconnut-il du bout des lèvres.

Le silence tomba dans la cuisine. Il regarda sans la voir Catherine s'activer à dresser le couvert. Il avait complètement oublié qu'il lui aurait fallu inventer une fable pour expliquer pourquoi le journal lui laisserait la Pontiac à son départ, le 15 janvier. Une bien mince consolation quand il songeait que ce vol le libérerait de cette obligation si on ne retrouvait pas sa Pontiac. Maintenant, il allait devoir faire preuve d'imagination pour justifier l'acquisition d'une autre voiture... Mais il avait le temps de voir venir. De toute façon, il n'en achèterait pas une autre avant le printemps, si on ne retrouvait pas sa voiture volée. De plus, cela lui serait plus facile puisque, maintenant, il tenait les cordons de la bourse dans son ménage. D'ailleurs, il avait remarqué que depuis que Reine travaillait à la biscuiterie, elle se préoccupait beaucoup moins du budget familial.

— Commence à faire cuire les boulettes de steak haché pendant que je vais me changer, ordonna Reine à sa fille.

— Tu te changes ? s'étonna son mari.

— Oui, je vais aux vues avec Gina. Elle m'a appelée cet après-midi. Elle travaille pas à soir et on a décidé d'aller voir *La mort aux trousses*, au Saint-Denis. C'est un film d'Alfred Hitchcock et j'aime ses films.

— C'est le fun de passer la veille du jour de l'An tout seul avec les enfants, lui fit-il remarquer, amer.

— Ça fait longtemps que je veux voir cette vue-là. De toute façon, on aurait passé la soirée devant la télévision, lui dit-elle sur un ton sans appel. Qu'est-ce que ça va changer pour toi? Moi, j'ai besoin de me changer les idées. Ça fait deux semaines que j'ai pratiquement pas mis le nez dehors.

Jean se retint de lui dire qu'à part la veillée passée chez son frère Claude, il n'était pas sorti plus qu'elle ces dernières semaines. Puis il songea qu'elle aimait le cinéma beaucoup plus que lui et qu'au fond il préférait demeurer à la maison avec ses enfants ce soir-là plutôt que de l'accompagner. Ce qui l'agaçait surtout, c'était le fait qu'elle allait encore passer la soirée en compagnie de Gina Lalonde. Mais il savait qu'il était inutile d'entreprendre une dispute avec sa femme sur ce sujet. Elle tenait à son unique amie et la défendait bec et ongles quand il disait ne pas aimer qu'elle la fréquente.

À sept heures pile, il vit Reine sortir de leur chambre, toute pomponnée et soigneusement maquillée et coiffée.

— Attends-moi pas pour te coucher, dit-elle à son mari en mettant son manteau.

Ce soir-là, Reine rentra à la maison un peu après minuit, toute prête à servir à Jean une histoire selon laquelle Gina avait tenu à lui servir un goûter chez elle après la séance de cinéma. Elle s'était donné la peine d'inventer tout cela bien inutilement. Son mari dormait déjà quand elle rentra. Au lit depuis plus d'une heure, ce dernier l'entendit vaguement se préparer à se coucher sans pour autant s'éveiller complètement. Heureusement d'ailleurs, parce qu'il aurait été obligé de constater alors que sa femme sentait l'alcool et rentrait bien tard d'une séance au cinéma.

En fait, Reine n'avait pas mis les pieds au cinéma Saint-Denis. Elle était allée rejoindre Gina Lalonde au Mocambo pour assister gratuitement à un spectacle de Jen Roger en cette veille du jour de l'An.

En dehors de ses heures de travail, son amie aimait fréquenter l'établissement qui l'employait, ne serait-ce que parce qu'on lui laissait ses consommations à moitié prix. De plus, «on rencontre là des hommes intéressants qui ont de l'argent et qui savent faire plaisir aux femmes», avait-elle l'habitude d'affirmer avec un rire de gorge qui en disait long sur ce qu'elle entendait par ces mots.

Bref, ce décor factice de boîte de nuit où la fumée le disputait à une odeur prenante d'alcool et de sueur avait plu à Reine qui y était allée pour la première fois ce soir-là. Bien sûr, elle aurait adoré demeurer sur place jusqu'à deux ou trois heures du matin, parce que c'était à ces heures-là que ça devenait intéressant, selon Gina, mais son mari n'aurait jamais accepté un tel comportement de la part de la mère de ses enfants. Il n'aurait pas compris qu'une femme ait besoin d'un peu d'imprévu et de fantaisie dans sa vie.

Elle s'était vite endormie, l'esprit un peu embrumé par l'alcool et surtout envieuse de la liberté dont pouvait jouir une célibataire comme son amie Gina.

Chapitre 10

Quelques blessures

— Je te dis que c'est le fun d'être obligé de marcher quand on gèle comme ça, ronchonna Reine en faisant signe à ses enfants d'avancer plus vite devant elle et leur père au moment où ils quittaient l'église.

La famille Bélanger venait d'assister à la messe de dix heures à l'église Saint-Stanislas-de-Kostka en ce matin du jour de l'An. La jeune femme s'était réveillée en proie à une pénible migraine à laquelle n'étaient pas étrangères les consommations alcoolisées de la veille, au cabaret. Si elle s'était écoutée, elle serait demeurée au lit en ce premier jour de l'année 1960. C'était cependant impossible. Déjà, les enfants étaient debout et Jean avait dû s'y reprendre à trois reprises pour l'inciter à se lever.

— Je te dis, toi, quand tu te lèves du pied gauche, t'es pas facile à endurer, fit son mari en relevant le collet de son manteau pour se protéger un peu mieux du vent.

— Je suis gelée, bâtard! dit Reine rageusement.

— Il fait froid pour tout le monde, répliqua-t-il sèchement. On dirait que t'as pris l'habitude de te promener en char avec les années. T'as déjà oublié ce que c'était quand on n'en avait pas.

— C'est normal, non ? Il y a juste les pauvres de la paroisse qui viennent à pied à l'église.

À peine arrivé dans leur appartement, Jean se rendit dans la cuisine pour décrocher le téléphone et composer un numéro. Quand Reine pénétra dans la pièce après avoir changé de robe, il raccrochait.

— À qui tu parlais ? lui demanda-t-elle.

— À ton frère, je l'ai appelé pour lui souhaiter une bonne année. J'ai aussi parlé à Rachel. Ils sont tous les deux de bonne humeur et ils se préparaient justement à partir pour Lachenaie pour aller dîner chez les parents de Rachel. Ils vont faire un crochet pour venir en personne nous souhaiter une bonne année.

— T'aurais bien pu laisser faire. Là, on va les avoir sur les bras pendant des heures.

— Je viens de te dire qu'ils s'en vont à Lachenaie, fit Jean avec impatience. Ils peuvent bien rester le temps qu'ils vont vouloir. De toute façon, on n'est pas attendus avant trois heures chez mes parents. On n'est pas pour se plaindre qu'ils viennent nous voir. Ton frère est le seul Talbot qui sait vivre. Lui, il s'arrange toujours pour venir nous voir durant les fêtes et, quand on a besoin de lui, il est toujours prêt à nous rendre service, ajouta-t-il.

— Là, je suppose que je dois préparer du café et leur offrir un morceau de gâteau.

— S'ils veulent rester un peu, ce serait pas une mauvaise idée, reconnut-il avant de se retirer dans le salon.

Reine alluma la radio et la voix d'Ovila Légaré chantant *La p'tite jument* remplit la pièce. La maîtresse de maison fronça les sourcils, toujours en proie à sa migraine, et elle chercha inutilement à syntoniser un poste qui ne faisait pas entendre des airs folkloriques. Elle renonça après quelques tentatives infructueuses et éteignit l'appareil.

Quelques minutes plus tard, on sonna à la porte et Catherine alla ouvrir à son oncle Lorenzo et à sa compagne. Il y eut un échange chaleureux de bons vœux, mais les visiteurs refusèrent d'enlever leur manteau, prétextant qu'ils étaient déjà en retard. Rachel tendit un petit paquet à Catherine et une enveloppe à chacun des garçons au moment de prendre congé des Bélanger.

— Calvince! On peut pas dire que vous restez ben longtemps, leur fit remarquer Jean, un peu déçu de les voir partir si rapidement. Reine vous avait préparé un bon café et un morceau de gâteau.

— T'es ben fine, ma sœur, mais ce sera pour une autre fois. Il faut y aller, expliqua Lorenzo. Tu connais pas la mère de Rachel, toi. Si on arrive en retard pour le dîner, on risque de passer sous la table, ajouta-t-il dans un éclat de rire.

— J'espère que vous allez vous reprendre, fit Reine.

— Certain, lui répondit son frère en ouvrant la porte pour laisser passer Rachel devant lui.

Après le départ des visiteurs, Reine voulut voir ce que Rachel avait donné à ses enfants. Catherine découvrit une petite bouteille de parfum après avoir retiré l'emballage cadeau tandis que les garçons avaient reçu deux dollars chacun.

— Je veux pas vous voir dépenser cet argent-là pour des niaiseries, leur ordonna leur mère. Bon, maintenant, on va mettre la table et dîner, poursuivit-elle en s'emparant du tablier suspendu derrière la porte du garde-manger.

Vers trois heures, quand vint le moment de quitter l'appartement pour aller chez les parents de Jean, Reine lui dit:

— J'ai bien envie de pas y aller. Je me sens pas pantoute dans mon assiette.

— Tu peux pas faire ça à mon père et à ma mère au jour de l'An, protesta son mari qui endossait déjà son veston. Toute la famille se réunit juste une fois par année.

— On dirait que je couve une grippe, mentit-elle en s'efforçant d'avoir l'air malade.

En réalité, sa migraine de l'avant-midi avait disparu depuis le repas du midi et elle se sentait très bien. Seule la perspective de passer plusieurs heures avec tous les Bélanger réunis ne l'enchantait guère.

— T'es pas pour passer ton jour de l'An toute seule, la raisonna Jean. Viens au moins souhaiter une bonne année au monde et tu reviendras te coucher si tu te sens pas mieux dans une heure ou deux. Ils vont comprendre.

Voyant qu'elle ne pouvait fuir cette obligation, elle houspilla ses enfants pour qu'ils s'habillent plus rapidement.

— Je t'avertis que je resterai pas longtemps, prévint-elle son mari en lui tendant le gâteau aux fruits qui représentait sa participation au souper offert par ses beaux-parents.

Jean ne dit rien. Il la laissa sortir de l'appartement devant lui et verrouilla la porte. Encore une fois, elle cherchait à gâcher le plaisir que lui procurait une réunion familiale.

La famille parcourut la centaine de pieds qui la séparait de la rue Brébeuf et entreprit de remonter celle-ci jusqu'au 4676, où demeuraient Félicien et Amélie Bélanger. En cours de route, Jean demanda à sa femme :

— As-tu pensé à téléphoner à ta mère et à ta sœur pour leur souhaiter une bonne année ?

— J'y ai pensé, mais je l'ai pas fait. Estelle doit recevoir la famille de Charles aujourd'hui et la maison doit être pleine de monde, ajouta-t-elle d'une voix acide.

Il était évident qu'elle n'appréciait pas que sa sœur n'ait pas jugé bon de l'inviter, ou au moins de lui téléphoner durant les fêtes.

Tous les cinq montèrent l'escalier conduisant à l'appartement du premier étage. Au moment où Jean s'apprêtait à sonner, la porte voisine s'ouvrit sur Omer Lussier et sa sœur aînée, les voisins du deuxième étage.

— Omer, si tu te calmes pas, on va rester à la maison, dit la retraitée d'une voix exaspérée en refermant la porte palière derrière elle.

L'homme qui souffre d'une déficience intellectuelle semblait dans l'un de ses mauvais jours. Il marmonna quelques paroles incompréhensibles. Il aperçut en même temps que sa sœur la famille de Jean massée devant la porte voisine.

Il y eut un échange de vœux et, avant d'entreprendre la descente de l'escalier extérieur à la suite de son frère, l'ex-vendeuse de la biscuiterie Talbot leur apprit qu'ils allaient rendre visite à une lointaine cousine demeurant dans la rue Désiré.

— Excusez-le, quand on prend l'autobus, ça l'énerve chaque fois, dit-elle.

Jean sonna et son frère vint lui ouvrir.

— Tabarnouche! Un peu plus, je m'en allais vous chercher chez vous! s'exclama Claude en riant. Vous êtes les derniers à arriver. Tout le monde est déjà là.

Toute la famille pénétra dans le couloir. Le bruit des conversations tenues dans le salon était assourdissant. Un nuage de fumée planait près du plafond. Tout le monde semblait parler en même temps. Félicien et Amélie apparurent dans le couloir, derrière leur fils cadet. On s'embrassa et on formula des vœux de bonne année.

— Claude, rends-toi utile au lieu de jaser comme une mémère, plaisanta sa mère. Prends le gâteau de Reine et va le porter dans la cuisine pendant qu'ils enlèvent leur manteau.

Les vêtements furent déposés sur un lit dans l'une des chambres et Jean, Reine et les enfants pénétrèrent dans le salon et purent constater que les maîtres des lieux s'étaient donné le mal de vider leur chambre contiguë au salon pour créer une grande pièce où tous les invités pouvaient prendre place. D'ailleurs, il y avait une vingtaine de chaises alignées le long des murs. Un bon nombre d'entre elles étaient déjà occupées.

Jean et Reine entreprirent de faire le tour des invités pour leur souhaiter une bonne année.

— Mais c'est ben la première année où vous êtes toutes les deux en congé en même temps, fit remarquer Jean à ses tantes Camille et Rita qu'il venait d'embrasser.

— Presque, reconnut Rita en arborant un air un peu chagrin, mais c'est aussi la première année où ta grand-mère est pas là.

— C'est vrai, fit sa sœur. Il va falloir trouver quelqu'un d'autre pour partir une chicane, ajouta-t-elle, pince-sans-rire.

Cette phrase fit sourire autant Camille et Jean que ceux qui l'avaient entendue. Bérengère Bélanger avait un caractère acariâtre qui la portait aussi bien à trouver à redire sur tout qu'à formuler des remarques désagréables. Amélie, sa bru, en savait quelque chose et il lui avait fallu faire preuve d'une grande charité chrétienne pour parvenir à pardonner toutes les insultes dont la vieille dame n'avait jamais été avare.

— Les retraités ont pas trop l'air épuisés, plaisanta Jean en serrant la main d'Émile Corbeil, le frère de sa mère.

— Ah ! Tu peux être certain qu'il se magane pas trop, mon gros, intervint sa tante Berthe en tapant sur le ventre très confortable de son mari.

L'homme chauve bien en chair eut un rire bon enfant avant de dire :

— Un fou ! Tu penses tout de même pas que je cherche à crever plus vite.

Pendant que Jean parlait à son oncle et à sa tante, Reine avait eu le temps de saluer Réjean et Isabelle Corbeil qui étaient venus avec leur conjoint. Chaque couple avait un garçon de cinq ou six ans. Jean les salua à son tour avant de se tourner vers sa sœur Lorraine en train de parler avec sa belle-sœur Lucie, assise près d'elle. Il leva la tête et chercha son mari des yeux. Il ne le vit pas. Il souhaita une bonne année à la jeune femme avant de lui demander :

— Où sont passés Marcel et Murielle ?

— Murielle est dans la cuisine en train de verser de la liqueur. Pour Marcel, il a un commencement de grippe, ajouta-t-elle d'une voix peu convaincante et plutôt embarrassée.

— C'est comme moi, s'empressa d'intervenir Reine. Je pense que j'aurais été mieux de rester à la maison. Tu connais ton frère, il tenait absolument à ce que je vienne. Mais je resterai pas longtemps, annonça-t-elle.

— Attends, ma bru, j'ai un petit boire qui va tuer tous tes microbes, lui dit Félicien qui passait derrière elle en adoptant une bonhomie forcée.

Après avoir fait le tour des invités, Jean alla s'asseoir près de son oncle Émile qui discutait avec Félicien des avantages de la retraite.

— Arrête donc de t'en faire avec ça, dit le gros homme à son beau-frère sur un ton convaincu. Tu vas voir comment c'est plaisant de plus avoir à se lever tous les matins pour aller travailler.

— Je veux ben le croire, mais...

— Je te le dis, Félicien, c'est une autre vie que tu vas avoir.

— Ce qui m'inquiète le plus, dit le facteur en voyant Amélie s'approcher de lui, c'est que moi, je suis pas habitué pantoute d'avoir un *boss* qui me suit à la trace du matin au soir, tu comprends ? Là, ça va être une autre paire de manches quand je vais arrêter de travailler.

— Comment ça ? demanda Émile Corbeil, surpris.

— Ben, ta sœur...

— Va pas t'imaginer que je t'ai pas entendu, s'interposa Amélie en prenant un air fâché. Crois-le pas, Émile. Il raconte n'importe quoi. Ce qui est sûr, par exemple, c'est qu'il passera pas ses journées à se bercer pendant que je vais travailler comme une folle. Non, monsieur. Il va faire sa part dans la maison.

— Tiens ! C'est ça que je voulais te dire, s'empressa d'expliquer Félicien à son beau-frère.

Jean avait écouté l'échange avec le sourire. Cependant, il se rendait compte tout à coup que sa retraite prochaine semblait angoisser son père beaucoup plus qu'il ne l'avait cru, et cela, même s'il plaisantait sur le sujet ce jour-là. C'était un rappel que son père allait avoir soixante-cinq ans au début du mois de février et que le cap ne serait peut-être pas franchi facilement par celui qui allait devoir renoncer à sa raison de vivre : son travail de facteur.

Ensuite, la conversation dériva sur le travail des uns et des autres. Réjean Corbeil et André Legris, le mari d'Isabelle Corbeil, étaient soudeurs tous les deux à la Vickers, comme l'avait été Émile Corbeil. Quand Jean parla de son dernier article sur le salaire minimum, aucun des deux jeunes hommes au début de la trentaine ne se sentit concerné puisque leur salaire horaire était nettement supérieur. Puis, Jean parla de son prochain emploi et on discuta longuement de l'arrivée prochaine de Télé-Métropole.

— Avec ce nouveau poste-là, on va peut-être avoir des programmes moins ennuyants de temps en temps, souhaita Émile.

— En tout cas, on va au moins avoir le choix de changer de poste quand ça fera pas notre affaire, affirma Claude. Moi, je comprends pas un mot d'anglais. Ça fait que quand le canal 2 donne un programme que j'aime pas, j'ai pas le choix, je le regarde ou je ferme la télévision.

Puis, comme tous les ans, quelqu'un finit par proposer de danser.

— Qu'est-ce que vous diriez d'un set carré? suggéra Émile avec entrain. Moi, je danse pas, mais je suis capable de vous *caller* par exemple.

Devant la réponse enthousiaste que la suggestion suscita, Félicien alla poser sur le plateau du tourne-disque un album de musique folklorique, et la plupart des invités se mirent à danser au milieu de la pièce en suivant les directives d'Émile Corbeil.

Après la deuxième danse, Reine s'approcha de sa belle-mère pour lui chuchoter qu'elle devait malheureusement rentrer parce qu'elle ne se sentait vraiment pas bien. Amélie l'accompagna jusqu'à la chambre où étaient entassés les manteaux et l'aida à retrouver le sien. La jeune femme le mit et chaussa ses bottes. Au moment où elle allait quitter l'appartement en remerciant Amélie, Jean apparut dans la pièce.

— Tu t'en vas déjà? lui demanda-t-il.

— Ta femme a la grippe, répondit sa mère à la place de sa bru.

— Veux-tu que je te ramène à la maison?

— C'est pas nécessaire, je vais aller prendre deux comprimés et me coucher.

— Si tu sens que tu vas mieux plus tard, reviens. Je vais te garder une portion, offrit Amélie avec gentillesse.

— Vous êtes bien fine, madame Bélanger. J'irai pas saluer tout le monde pour pas casser le *party*, fit-elle en se dirigeant vers la porte.

Cette fois-ci, Reine ne jouait pas la comédie. Elle se sentait patraque et n'avait qu'une idée: aller se mettre au lit après avoir avalé un analgésique.

Jean allait retourner dans la pièce double pour rejoindre les invités quand sa mère le retint en posant une main sur son bras.

— As-tu remarqué quelque chose avec Lorraine? demanda-t-elle à son fils.

— Non, quoi?

— Je sais pas, elle est pas dans son assiette et il me semble qu'elle a un côté du visage un peu enflé.

— Ça se peut, m'man. Je l'ai pas regardée de proche. Elle a presque pas bougé du fond de votre chambre et c'est pas tellement éclairé.

— C'est peut-être des idées que je me fais, conclut Amélie en se dirigeant vers la cuisine pour y prendre un plat de sucre à la crème qu'elle avait l'intention d'offrir aux invités.

De retour dans le salon, Jean scruta sa sœur à la dérobée. Lorraine était toujours assise près du tourne-disque placé sur une petite table, au fond de la pièce double. Il remarqua surtout qu'elle avait gardé un lainage malgré la chaleur d'étuve qui régnait dans la pièce au plafond de laquelle stagnait un nuage de plus en plus dense de fumée de cigarette. Encore une fois, Lucie, l'épouse de Claude, lui tenait compagnie.

Jean fit signe à son fils Gilles de lui céder sa chaise qui était près de celle de sa sœur et il s'y assit.

— Dis donc, est-ce que t'as mal aux dents? demanda-t-il à Lorraine.

— Non, pourquoi tu me demandes ça? fit la jeune femme de trente-cinq ans.

— On dirait que t'as un côté du visage un peu enflé.

Lucie examina sa belle-sœur avec plus de soin avant de reconnaître qu'il avait raison.

— Ça doit être une allergie, esquiva Lorraine.

— T'as pas la grippe, toi aussi, j'espère? insista son frère.

— Non, veux-tu bien me dire pourquoi tu tiens absolument à ce que je sois malade? tenta-t-elle de plaisanter avec un petit rire qui sonna faux.

— J'y tiens pas pantoute, répliqua Jean, mais à te voir avec ta veste sur le dos, comme une petite vieille, quand on crève de chaleur ici dedans, ça fait pas mal bizarre.

— C'est vrai qu'il fait chaud, intervint Lucie. Regarde-toi le visage, t'as chaud sans bon sens avec ça. Tiens, donne-moi ta veste, je vais aller la porter dans la chambre où sont les manteaux.

Lorraine ne pouvait s'entêter à vouloir conserver son lainage plus longtemps alors que tout prouvait qu'elle avait très chaud. Elle dut s'en départir. Dès qu'elle l'eut retiré, Jean aperçut de larges bleus sur ses deux bras.

— Qu'est-ce que t'as aux bras? demanda-t-il à sa sœur sur un ton soupçonneux.

— C'est rien. Je me suis cognée, répondit-elle, gênée.

— Tu t'es cognée, reprit son frère, incrédule. Tu t'es cognée aux deux bras en même temps. Et je suppose que ta joue enflée, c'est ça aussi?

Lorraine, rouge de confusion, ne répondit pas et Lucie lança à son beau-frère un regard d'avertissement. Jean se leva. Il venait de voir son frère Claude prendre la direction de la cuisine en compagnie de son père, probablement pour l'aider à servir de la bière aux invités assoiffés par la danse et la chaleur qui régnait dans l'appartement. Il attendit que son père soit occupé à décapsuler les bouteilles pour chuchoter à l'oreille de Claude qu'il voulait lui parler seul quand il aurait un moment de libre.

Moins de cinq minutes plus tard, Claude revint dans la cuisine pour lui demander ce qu'il avait à lui dire de si important.

— Je viens de parler avec Lorraine. Tu l'as peut-être pas remarqué, mais elle a tout un côté du visage enflé et quand ta femme et moi, on l'a forcée à ôter sa veste, on a vu qu'elle avait des bleus sur les deux bras. Et ça, c'est ce qu'on peut voir parce qu'elle est habillée, ajouta-t-il. Qu'est-ce que tu penses de ça, toi ?

— Ah ben, sacrement ! jura le couvreur dont les traits s'étaient subitement durcis. Viens pas me dire que Meunier a levé la main sur notre sœur, par exemple !

— On le dirait bien.

— Ça se passera pas comme ça. Je m'habille et je vais aller le brasser, moi, ce maudit ivrogne-là.

— En tout cas, ça expliquerait pourquoi il a pas voulu venir cet après-midi.

Il s'en allait ajouter qu'il n'avait pas plus la grippe que sa propre femme, mais il se retint à temps. Quand il se rendit compte que son frère se dirigeait vers la chambre où étaient entreposés les manteaux, il prit la décision de l'accompagner, autant pour l'empêcher de faire une bêtise que pour participer à la mise au pas du beau-frère, si c'était nécessaire. Il était hors de question qu'il le laisse battre sa sœur.

— Attends, ordonna-t-il à Claude, je vais dire à p'pa que je vais voir si Reine a besoin de quelque chose et que tu m'accompagnes pour prendre l'air.

Jean s'esquiva quelques instants et revint mettre son manteau à son tour.

— Est-ce que je peux y aller avec vous autres ? proposa Gilles.

— Non, reste avec ta sœur et ton frère. On sera pas partis longtemps, répondit Claude à son neveu.

Quelques minutes suffirent pour que les deux frères se retrouvent devant la porte de l'appartement de la rue Mentana où vivaient les Meunier.

— Tu t'énerves pas trop, le mit en garde Jean. Laisse-moi lui parler le premier, on va d'abord l'avertir.

— C'est correct, accepta Claude, les poings serrés, mais je te préviens tout de suite que s'il a pas l'air de comprendre ce qu'on lui dit, c'est mon poing sur la gueule qu'il va avoir.

Jean lui fit signe de se calmer et sonna. Ils durent attendre un bon moment avant d'entendre des pas dans le couloir qui conduisait à la porte. Le rideau masquant l'imposte fut déplacé et ils virent la figure contrariée de leur beau-frère. Ce dernier avait semblé sursauter en les apercevant. Le plâtrier ouvrit la porte après avoir plaqué un sourire de bienvenue sur son visage. Sa chemise était mal boutonnée et ses bretelles battaient contre ses cuisses. Son haleine laissait deviner qu'il fêtait le jour de l'An à sa manière.

— Qu'est-ce que vous faites là ? demanda-t-il. Dites-moi pas que le beau-père manque déjà de boisson ?

— Non, il en a en masse, répondit Claude sans sourire.

— Ça me fait ben de quoi de pas être là, reprit le mari de Lorraine avec un air faux. Ma femme a dû vous dire que j'ai poigné la grippe. Je me traîne.

— Oui, on sait ça, fit Jean.

Tous les trois demeuraient dans l'entrée et Marcel Meunier ne faisait pas signe de vouloir les inviter à passer dans la cuisine ou au salon.

— On pensait te trouver à moitié mort. Lorraine nous a dit que t'étais malade, fit Jean d'une voix légèrement grinçante.

— Ben non, c'est juste une grippe, fit Marcel en passant ses bretelles.

— On restera pas longtemps, reprit Jean. On est juste passés te poser une question ou deux.

— Christ ! Ça doit être important pour que vous veniez en plein jour de l'An.

— Pas mal, s'empressa de dire Jean avant que Claude intervienne.

Il sentait bouillir son jeune frère à ses côtés et il craignait qu'il ne se déchaîne avant d'avoir pu parler.

— On vient de voir Lorraine et on s'est aperçus qu'elle avait des marques partout sur les bras et dans le visage. On aimerait bien que tu nous expliques comment ça lui est arrivé, tout ça.

— Comment voulez-vous que je le sache ? fit Marcel en commençant à s'énerver. Je la suis pas du matin au soir, votre sœur, moi.

Le ton sarcastique du plâtrier fut de trop pour Claude, qui repoussa doucement son frère et empoigna Marcel Meunier par le devant de sa chemise. Il le plaqua durement contre le mur du couloir et le tint épinglé là, au bout de son poing solide.

— Écoute-moi ben, mon Marcel, dit-il, les dents serrées. On n'est pas des nonos, nous autres. On est capables de reconnaître quand quelqu'un est tombé ou quand on l'a aidé, tu m'entends ?

La poigne de Claude était si ferme que l'autre ne pouvait même pas bouger. Son visage était devenu soudainement blanc et il ne trouva que la force de balbutier :

— Je sais pas pantoute de quoi tu parles, calvaire !

— Est-ce que t'aimerais mieux que je te fasse un dessin, maudit ivrogne ? demanda Claude en levant un poing menaçant qui risquait de lui faire autrement plus mal que le fait de se faire écraser contre le mur.

— Attends, Claude, lui ordonna son frère aîné. On va être ben clairs avec toi, le beau-frère, dit-il au mari de Lorraine. Là, aujourd'hui, c'est juste un avertissement qu'on te donne. Si jamais tu lèves encore une fois la main sur notre sœur, on va te faire regretter d'être venu au monde. Est-ce que tu comprends ce que je viens de te dire ?

— J'ai pas…

— As-tu compris ? répéta Claude, sur un ton plus fort et encore plus menaçant.

— Ben oui, ben oui, je suis pas sourd, calvaire !

— Parfait, fit Jean en faisant signe à son frère de lâcher le plâtrier. On te souhaite une bonne année et soigne ta grippe ben comme il faut.

— Parce que c'est pas drôle pantoute de commencer une année malade ou… blessé, poursuivit Claude en repoussant son beau-frère.

— En passant, conclut Jean en boutonnant son manteau, pas un mot de notre petite visite à qui que ce soit. Personne est au courant, même pas Lorraine. Ça va rester entre nous trois. C'est clair ?

Les deux frères Bélanger quittèrent l'appartement et la porte claqua dans leur dos. Jean, heureux que le tout se soit déroulé sans violence inutile, donna une bourrade à son frère.

— J'aime pas ben ça d'être obligé de faire ce qu'on vient de faire, dit-il. Ça va faire de drôles de réunions de famille quand on va se rencontrer.

— Moi non plus, ça fait pas mon affaire, admit son jeune frère. Mais on n'avait pas le choix. On n'était pas pour le laisser maganer notre sœur.

— On n'en parlera pas à personne. T'es d'accord ? fit Jean.

— C'est correct, accepta le cadet. Comme je connais Meunier, il va faire la baboune un petit bout de temps, mais il va fermer sa gueule, lui aussi. Il voudra jamais dire à Lorraine qu'on est venus lui parler dans la face. Et ça sert à rien d'en parler à p'pa et à m'man, ça ferait juste les énerver.

Bon, maintenant, est-ce que tu veux qu'on arrête chez vous pour voir si Reine est encore vivante ? ajouta-t-il avec un sourire de connivence.

— Ce sera pas nécessaire, répondit Jean. Elle, c'est une vraie grippe qu'elle a, tint-il à préciser sans y croire complètement.

Les deux frères rentrèrent chez leurs parents et reprirent place dans le salon double sans qu'on manifeste trop de curiosité à leur endroit. À leur arrivée, Émile Corbeil vantait les avantages de la Rambler 1955 qu'il avait achetée usagée à la fin de l'été précédent.

— C'est une vraie merveille, ce char-là, affirma le gros homme qui devenait presque lyrique quand il s'agissait de sa voiture.

— Sauf qu'elle a pas voulu partir aujourd'hui, lui fit remarquer son beau-frère en riant.

— Et que c'est le diable à quatre pour trouver un garage capable de la réparer, poursuivit Claude en venant prendre place près de son oncle.

— J'ai pas à m'en faire avec ça, dit le frère d'Amélie avec suffisance. C'est tellement ben bâti, ce char-là, que ça brise jamais.

— Je vous comprends, mon oncle. Votre char peut pas briser, il roule presque pas, se moqua Jean à son tour.

— Vous êtes tous des jaloux ! clama le retraité en allumant un cigare. Vous aimeriez ben trop ça que je vous le vende.

Un éclat de rire général salua sa boutade. Peu après, Amélie se leva et prit la direction de la cuisine en annonçant que le souper allait être servi quelques minutes plus tard. Toutes les femmes présentes la suivirent, laissant les hommes seuls au salon. Alors, on se mit à parler de politique et des changements apportés par le nouveau premier ministre.

— Moi, j'aimais ben Maurice Duplessis, déclara Félicien, mais il avait vieilli, le bonhomme. Il était temps qu'un gars comme Sauvé prenne sa place.

— Après son décès, on s'entend qu'il n'avait pas tellement le choix ! Mais ça veut pas dire qu'il va gagner ses élections cette année, par exemple, fit son beau-frère, un libéral impénitent. Lesage va faire un ben bon chef de l'opposition de ton Sauvé, tu vas voir. Tous les petits changements qu'il veut faire avant les élections lui sauveront pas la peau.

— C'est ce que tu dis, se moqua Félicien. Je te ferai remarquer que ça fait longtemps en maudit que tu prédis que les Rouges vont prendre le pouvoir à Québec. La dernière fois qu'on a eu un premier ministre libéral, ça remonte à tellement longtemps qu'il y a plus personne qui s'en rappelle.

— Faites pas semblant de pas vous en rappeler, mon oncle, dit en riant Réjean Corbeil. C'était Godbout.

— Sacrifice, je peux ben l'avoir oublié, c'est lui qui a donné le droit de vote aux femmes ! Ça remonte à Mathusalem, ce temps-là. Je suis prêt à te gager que ça fait ben longtemps que les os lui font plus mal à Godbout.

— Whow ! Félicien, il est mort il y a juste trois ans, intervint Émile en secouant son cigare malodorant pour en faire tomber la cendre dans le cendrier placé à ses côtés.

— C'est drôle, ça faisait tellement longtemps qu'il était plus au pouvoir que j'avais l'impression qu'il était mort depuis plus longtemps que ça, se moqua le facteur en adressant un clin d'œil à ses fils.

— Il y a pas à dire, vous êtes pas mal bons pour vous tirer la pipe, tous les deux, reconnut Jean en riant. Mais il faut tout de même pas oublier que Sauvé est en poste seulement depuis trois mois et qu'il a déjà fait pas mal d'affaires.

En plus, il annonce un paquet de changements avant le printemps. L'école gratuite, un conseil d'orientation économique, un ministère des Affaires fédérales-provinciales…

— Ben oui, se moqua son oncle. Ça, ce sont des projets. Il reste à savoir si ça va se réaliser. Il y a des grosses chances qu'on voie tout ça dans la semaine des quatre jeudis.

Amélie apparut soudain dans la pièce double.

— C'est prêt. Il y a rien de chaud, vous pouvez venir vous servir dans les sandwichs et les salades quand vous voulez.

Tous se levèrent en même temps et firent la file dans le couloir. Chacun se munit d'une serviette en papier, d'une assiette et d'ustensiles en plastique en arrivant à la table de cuisine où avaient été disposés tous les plats.

— Vous reviendrez tout à l'heure pour le dessert et le café, prévint Lorraine en plaçant un plat de sandwichs au jambon à côté d'une grande assiette où avaient été empilés des sandwichs aux œufs.

Après le repas, on remit de l'ordre dans la cuisine. Les conversations reprirent, mais il était flagrant que chacun songeait à rentrer à la maison. Finalement, vers neuf heures, Rita et Camille Bélanger annoncèrent qu'elles devaient partir. Quand Rita voulut téléphoner pour obtenir un taxi, Claude proposa d'aller conduire ses tantes chez elles.

Le départ des deux vieilles tantes signifia que la fête était terminée. Peu à peu, les invités prirent congé après avoir remercié Félicien et Amélie de leur avoir fait vivre, encore une fois, un beau jour de l'An. Ces derniers, debout près de la porte, invitaient chacun à revenir dès qu'ils le pourraient. Jean demeura chez ses parents avec ses enfants et Lucie pour remettre de l'ordre dans l'appartement. Claude revint à temps pour aider à replacer les meubles dans la chambre de ses parents.

— Je crois ben que les fêtes sont finies, conclut Félicien au moment où ses derniers invités s'apprêtaient à partir après avoir endossé leur manteau.

— Il nous reste encore une semaine de vacances, dit Catherine à son grand-père après l'avoir embrassé sur une joue.

— L'école devrait enlever cette semaine de vacances-là, la taquina son oncle Claude en mettant ses bottes.

— C'est vrai, ça, fit Amélie. Au fond, je suppose qu'on donne encore cette semaine de congé là parce qu'on avait la fête des Rois avant. À cette heure, il y a plus personne qui fête ça.

— Grand-mère, nous autres, on a besoin de ces vacances-là, protesta Gilles. On veut pas retourner trop vite à l'école.

— Demain, c'est samedi, fit Claude. Qu'est-ce que vous diriez si on allait jouer au hockey dans l'après-midi ? proposa-t-il à son frère et à ses deux neveux.

— Je sais pas trop… commença Jean.

— Aïe ! Es-tu rendu trop vieux, au point de plus être capable de mettre une paire de patins pour aller jouer avec tes gars dehors de temps en temps ? plaisanta Claude.

— C'est correct, accepta Jean. Demain, après le dîner, on se rejoint sur la patinoire du parc Laurier.

Quelques minutes plus tard, Jean et ses enfants rentrèrent chez eux. Ils trouvèrent Reine, en robe de chambre, installée devant le téléviseur, en train de regarder un vieux film de Fernandel. Elle ne leur demanda pas s'ils s'étaient bien amusés. Elle se contenta d'ordonner à ses enfants de bien ranger leurs vêtements du dimanche dans leur placard et de se mettre au lit.

— As-tu pensé à me rapporter mon assiette à gâteau ? demanda-t-elle à son mari.

— Catherine s'en est chargée. Est-ce que le film est bon ? fit-il en desserrant sa cravate.

Il n'avait pas pris la peine de lui demander des nouvelles de sa « grippe ». Il voyait bien qu'elle n'était pas souffrante.

— Elle est ennuyante à mort, cette vue-là, dit Reine en se pelotonnant sur son fauteuil. Lui, avec ses dents de cheval, j'ai de la misère à l'endurer. La semaine prochaine, je veux aller voir *Hiroshima mon amour* au Bijou. Il paraît que c'est pas mal bon. En tout cas, je suis sûre que ça va être meilleur que ce vieux film-là.

Jean nota au passage qu'elle n'avait pas dit « nous devrions aller voir ». Il en fut un peu ulcéré.

— Si on a une chance, on ira le voir, dit-il d'une voix neutre.

Elle ne releva pas la correction qu'il venait d'apporter à sa déclaration.

～

Le lendemain matin, ce fut le claquement de la porte d'entrée qui tira Jean du sommeil. Il tâta à côté de lui dans le lit. Reine n'était pas là. Il s'assit dans le lit en se grattant le cuir chevelu. Un coup d'œil au réveille-matin lui apprit qu'il était près de huit heures trente et que Reine venait de descendre à la biscuiterie. Il perçut au même moment les murmures des enfants dans la cuisine. Il se leva en traînant les pieds. Avant de quitter sa chambre à coucher, il écarta les rideaux et se rendit compte qu'il neigeait faiblement.

— S'il neige, c'est que ça doit pas être trop froid, dit-il à mi-voix en se rappelant sa promesse d'aller jouer au hockey avec ses fils et son frère après le dîner.

Il alla s'enfermer dans la salle de bain pour procéder à sa toilette et vint déjeuner au moment où Catherine commençait à laver la vaisselle, aidée par Gilles. Après le repas, le père de famille prit le temps de fumer une cigarette avant de se décider à bouger.

— Bon, les fêtes sont finies. Qu'est-ce que vous diriez si on se débarrassait de toutes les décorations de Noël et du sapin ? On va remettre la maison d'aplomb et ça va faire plaisir à votre mère quand elle va revenir de travailler.

Ses enfants acceptèrent de l'aider sans grand enthousiasme. Il était visible que le rangement des ornements et le dépouillement de l'arbre de Noël marquaient pour eux la fin d'une période heureuse de l'année.

À la fin de l'avant-midi, l'appartement avait repris son apparence habituelle lorsque le père de famille, aidé par Gilles, déposa le sapin dégarni sur la galerie. Se conformant aux instructions laissées par sa mère avant de partir travailler, Catherine servit le reste de la dinde pour le dîner.

Dès la dernière bouchée avalée, Jean donna le signal du départ vers la patinoire du quartier à Gilles et à Alain.

— Comment m'man va faire pour venir dîner s'il y a personne pour aller la remplacer ? demanda Catherine à son père.

— Calvince ! J'avais complètement oublié la maudite biscuiterie, avoua-t-il, contrarié. Bon, je vais aller la remplacer. Vous autres, les gars, allez rejoindre votre oncle à la patinoire et dites-lui que je vais arriver dans une demi-heure.

Il descendit en même temps que Gilles et Alain qui avaient suspendu leurs patins au bout de leur bâton de hockey. À l'extérieur, la neige avait cessé. Il ne semblait en être tombé que deux ou trois pouces. Jean suivit ses fils et les laissa poursuivre seuls leur chemin au moment où ils arrivaient devant la biscuiterie.

— Tu peux aller dîner, dit-il à sa femme en entrant dans le magasin. Mais fais ça vite. J'ai promis d'aller jouer au hockey avec Claude et les garçons.

— T'aurais pu laisser faire.

— Non, vas-y.

Sans le remercier, elle endossa son manteau et quitta les lieux. Elle revint moins d'une demi-heure plus tard.

— T'aurais pu prendre un peu plus de temps, lui fit-il remarquer alors qu'elle passait derrière le comptoir.

— Non, c'est correct. Je vais me faire une tasse de thé et manger un ou deux biscuits comme dessert.

Jean partit et alla rejoindre son frère et ses deux fils à la patinoire où une demi-douzaine de jeunes patinaient. Il alla chausser ses patins dans la cabane chauffée mise à la disposition des patineurs. Claude vint le rejoindre quelques instants plus tard.

— T'as rien perdu, lui dit-il. Il a fallu qu'on gratte la patinoire, sinon on n'aurait pas pu jouer. Les jeunes qui sont là sont d'accord pour qu'on forme deux équipes. On va avoir du fun. Il y a deux grands qui ont l'air d'avoir un maudit bon lancer.

Après avoir chaussé ses patins, Jean se rendit sur la patinoire. Son frère et lui se partagèrent les joueurs et une partie endiablée commença, ponctuée par des cris et des éclats de rire. La température était si douce que personne ne songeait à se retirer quelques minutes dans la cabane pour se réchauffer. À un certain moment, deux ou trois autres jeunes arrivèrent et s'intégrèrent aux équipes évoluant sur la surface glacée.

Claude et Jean, les seuls joueurs adultes, faisaient très attention à ne pas bousculer les jeunes et voyaient à ce que leurs tirs ne soient pas trop violents.

Un peu après trois heures, une rondelle frappée par un adolescent ricocha étrangement sur la bande, à la droite du gardien de but, et vint frapper Jean sous l'œil gauche. Immédiatement, le jeu s'arrêta et tous les joueurs voulurent voler à son secours. Claude fut le premier à se porter à l'aide de son frère qui avait laissé tomber son bâton pour se tenir la joue.

— Ôte ta main que je puisse voir ce que t'as, ordonna-t-il à son frère aîné.

Jean retira sa main et Claude sortit un mouchoir de l'une de ses poches pour éponger le sang qui coulait d'une petite coupure sous l'œil.

— T'es chanceux en maudit! s'exclama le couvreur. T'es coupé juste un peu. Je pense que ça méritera même pas de points de suture. Un *plaster* là-dessus devrait faire l'affaire.

— Bon, je pense que c'est assez pour moi aujourd'hui, fit Jean en ramassant son bâton sur la patinoire. Vous pouvez continuer encore jusqu'à quatre heures si vous voulez, dit-il à ses deux fils.

— Pour moi aussi, ça va être assez, déclara Claude.

— On s'en va avec vous autres, déclara Gilles en se dirigeant vers la sortie de la patinoire en compagnie d'Alain.

Tous les quatre allèrent retirer leurs patins. À leur sortie de la cabane, ils virent que la partie avait repris sans eux. Ils rentrèrent sans se presser vers la maison. De temps à autre, Jean épongeait sa joue où le sang perlait. Il avait le visage gelé et ne sentait quasiment rien.

— Venez boire quelque chose de chaud à la maison, offrit Claude. En même temps, Lucie va te mettre un *plaster* et comme ça, tu vas avoir l'air d'un grand blessé, plaisanta-t-il.

À leur arrivée rue De La Roche, Lucie s'empressa de soigner son beau-frère et confectionna des tasses de chocolat chaud qui furent très appréciées autant par les jeunes que par les adultes.

— Pour moi, Jean, t'es rendu trop vieux pour jouer au hockey, dit Lucie en riant. T'as plus les réflexes pour jouer à ce jeu-là.

— Exagère pas, protesta le journaliste. Je suis pas encore rendu à me traîner avec une canne.

— En tout cas, tu devrais porter un masque comme celui que Jacques Plante porte à cette heure, poursuivit Claude, narquois. T'aurais peut-être l'air pas trop brave, mais tu te ferais pas défigurer.

— Vous êtes ben drôles, tous les deux, répliqua le blessé. Vous faites une belle paire ! J'ai juste trente-trois ans, calvince ! Je suis pas un petit vieux.

— T'es plus non plus un jeune poulet du printemps, plaisanta son frère cadet. Tu vas en avoir trente-quatre au mois de juin. T'es ben plus vieux que moi, et ça paraît au hockey, ajouta Claude pour faire rire tout le monde.

Ce soir-là, Reine retira le diachylon pour examiner la coupure que son mari avait sous l'œil.

— Tout a l'air correct, ça saigne plus. Mais j'ai bien l'impression que tu vas avoir un œil au beurre noir, prit-elle la peine de préciser en lui posant un nouveau sparadrap.

Après le souper, il alla sagement s'installer devant le téléviseur pour regarder le match de hockey opposant le Canadien de Montréal aux Leafs de Toronto, en compagnie de ses deux fils.

Chapitre 11

Chacun à sa place

Le lendemain, Jean fit sa toilette de bonne heure et alla s'asseoir dans le salon pour écouter les informations à la radio, comme il le faisait tous les dimanches matin en attendant que les siens soient prêts à partir pour la messe.

Soudain, on interrompit le dernier succès de Félix Leclerc au milieu de la chanson qu'aimait tant le père de famille pour annoncer une émission spéciale d'information. Jean dressa l'oreille quand il entendit la voix bien connue de Raymond Charrette.

« Nous apprenons à l'instant que le premier ministre de la province de Québec, l'honorable Paul Sauvé, serait décédé subitement hier soir. Le député de Deux-Montagnes aurait succombé à une attaque en fin de soirée, entouré des siens, à son domicile de Saint-Eustache. Les sources gouvernementales sont demeurées vagues sur les causes de la mort du politicien de cinquante-deux ans qui avait succédé à Maurice Duplessis il y a cent douze jours. Nous vous reviendrons un peu plus tard avec de plus amples informations. »

Radio-Canada ne reprit pas l'émission interrompue, préférant faire jouer de la musique de circonstance.

Jean se précipita dans la cuisine pour apprendre la nouvelle à sa femme, qui sembla peu touchée. Il faut dire qu'elle n'avait jamais affiché un grand intérêt pour la chose publique.

— Je serais pas étonné que Hamel appelle pour me demander d'entrer aujourd'hui, conclut-il en se dirigeant déjà vers la patère à laquelle son manteau était suspendu.

— Où est-ce que tu t'en vas ? lui demanda-t-elle, surprise. Il reste encore une heure et quart avant la messe.

— J'ai envie de parler de ça avec mon père. Ça me surprendrait pas qu'il soit pas encore au courant de la mort de Sauvé. Je vais vous rejoindre à l'église tout à l'heure.

— Ça en fait tout un énervement pour rien, laissa-t-elle tomber en continuant à se coiffer devant le miroir.

Jean ne l'entendit pas. Il avait déjà quitté l'appartement et courait vers la rue Brébeuf.

Quelques minutes plus tard, lorsque Félicien vint ouvrir la porte à son fils, celui-ci lui demanda :

— Est-ce que vous avez appris la nouvelle, p'pa ?

— Oui, je viens d'entendre ça au radio. Entre, viens t'asseoir. On a en masse le temps de jaser avant de partir pour la messe. Ta mère est en train de se préparer.

Le journaliste suivit son père dans la cuisine.

— Tu parles d'une maudite malchance ! s'exclama Félicien en s'allumant une cigarette. Là, on avait un bon homme pour remplacer Duplessis.

— En tout cas, il avait l'air de vouloir faire quelque chose, renchérit Jean.

— Oui. Moi, j'ai l'impression que ça va jouer dur entre Barrette, Talbot et Johnson pour savoir qui va prendre la relève, dit le facteur d'un air pénétré.

— Ça prendra pas grand temps avant qu'on le sache, si vous voulez mon avis, confirma son fils.

— Tu viendras pas me faire croire, toi, que c'est normal, ces deux morts-là en moins de six mois, reprit le père de Jean en faisant allusion aux décès de Duplessis et de Sauvé. Il paraît que Sauvé était en parfaite santé la veille. C'est quand même un maudit hasard, tu trouves pas ?

— Il va certainement y avoir une autopsie, p'pa. On va finir par savoir de quoi il est mort exactement.

— Il me semble qu'avec l'ouvrage que tu fais, tu devrais savoir qu'on peut nous cacher ben des affaires, conclut Félicien, sceptique.

Ce jour-là, contrairement à ce qu'il avait cru, Jean ne reçut aucun appel de la rédaction du journal et il put jouir de sa dernière journée de congé en toute quiétude. Le fait qu'on n'ait pas jugé bon d'avoir recours à ses services en cette journée perturbée par une nouvelle aussi importante lui fit réaliser à quel point il était peu considéré au *Montréal-Matin*. Cette constatation lui enleva ses derniers regrets d'avoir à quitter cette entreprise où il travaillait tout de même depuis treize ans maintenant.

Le jour suivant, le père de famille fut le premier à se lever. Les enfants, encore en congé pour une semaine, dormaient toujours quand il endossa son manteau pour partir. Reine lui remit son dîner.

— À partir d'aujourd'hui, je m'organise autrement, lui annonça-t-elle. Je m'apporte un lunch à la biscuiterie et j'aurai plus à monter pour dîner. Comme ça, Catherine aura juste à faire réchauffer le repas de ses frères sans s'occuper de moi.

Ce matin-là, Jean eut tout le temps de regretter la perte de sa Pontiac quand il constata que le mercure était descendu brutalement bien au-dessous du 0 °F des derniers jours. Debout à l'arrêt d'autobus, il tapa du pied et enfouit ses mains pourtant gantées au fond des poches de son paletot pour tenter de se réchauffer en attendant que l'autobus passe enfin. Quand il arriva au journal, il était totalement frigorifié et ne souhaitait qu'une chose, que Hamel ne l'oblige pas à sortir ce jour-là.

Comme à l'accoutumée, à son arrivée, il retrouva les petits regroupements de reporters devant la porte du rédacteur en chef, situation habituelle en période d'intense activité. Chacun devait attendre son affectation. Après avoir déposé son manteau dans son petit cubicule, il ne put faire autrement que de se joindre à ses collègues.

Quelques instants plus tard, il se retrouva aux côtés d'Alexandre Perreault, un journaliste chevronné blanchi sous le harnais. L'homme approchait de sa retraite et regardait toute cette agitation autour de lui avec un air narquois. Il était visible que tout cela ne l'impressionnait guère. Jean fit en sorte de l'attirer un peu à l'écart.

— Est-ce que vous êtes rentré hier, monsieur Perreault ? lui demanda-t-il.

— Non, et toi ?

— Personne m'a téléphoné.

Le vieux journaliste lui lança un regard tel que Jean eut l'impression qu'il comprenait ce qu'il avait ressenti d'être tenu à l'écart.

— Je voulais vous demander, monsieur Perreault, si on était obligé de donner un préavis avant de lâcher le journal.

Perreault passa une main tavelée sur son crâne partiellement dénudé en réfléchissant à la question.

— J'espère que c'est pas juste pour ça que tu veux partir ?

— Non, disons que je me rends compte tous les jours que je serai jamais dans les petits papiers de Hamel et que je suis fatigué de me faire tasser chaque fois qu'un petit nouveau entre au journal, murmura Jean sur un ton exaspéré.

— Dans ce cas-là, je te comprends, fit Perreault. Pour répondre à ta question, il y a rien d'écrit là-dessus, mais il me semble que ceux que j'ai connus et qui sont partis ont toujours donné une semaine d'avis à peu près avant de plier bagage. Je pense que quand on fait ça, ça doit être plus facile de toucher la prime de départ et peut-être aussi le montant qu'on a mis dans notre fonds de pension. Qu'est-ce que t'as en vue?

— Rien de précis encore, mentit Jean. Je pense que je vais juste aller voir ailleurs, dit-il prudemment, ne sachant à quel point il pouvait se fier à son collègue.

— C'est une chose qu'on peut se permettre de faire à ton âge, l'encouragea Perreault. Tu vas peut-être trouver mieux ailleurs. On sait jamais.

À l'instant où il disait cela, la porte du bureau de Joseph Hamel s'ouvrit sur le rédacteur en chef qui laissa passer devant lui le directeur du journal et l'éditorialiste en chef qui s'esquivèrent vers leurs bureaux respectifs. Hamel confia des tâches à la plupart des journalistes rassemblés devant lui. Pour sa part, Jean hérita du même travail qu'au mois de septembre précédent, lors du décès de Maurice Duplessis. Il devait écrire un article sur les réactions de monsieur Tout-le-Monde devant la mort subite du premier ministre.

Encore une fois, il fut ulcéré de constater que des reporters beaucoup moins expérimentés que lui avaient reçu des tâches aussi intéressantes que d'aller interviewer des personnalités sur le même sujet. Avant de quitter le journal, il passa par le bureau du personnel pour prévenir qu'il quitterait son emploi le 15 janvier. On ne lui demanda pas les raisons de son départ. On se contenta d'en prendre bonne note et de lui mentionner qu'il n'aurait qu'à passer pour prendre possession du chèque représentant la somme accumulée dans son fonds de retraite.

Cette indifférence à l'annonce de son départ après tant d'années de loyaux services lui fit mal au cœur. Même s'il s'en doutait depuis longtemps, il se rendait compte qu'on le considérait comme un rouage aisément remplaçable. Ce jour-là, il fit son travail en se déplaçant en taxi au centre-ville et revint au journal au début de l'après-midi pour rédiger un article dans lequel il faisait état de la stupéfaction des Montréalais lorsqu'ils avaient appris la mort du premier ministre. Certains osaient même avancer que Paul Sauvé avait peut-être été assassiné.

Quelques jours plus tard, le rapport du coroner fit état que le décès du politicien de cinquante-deux ans était attribuable à un sévère infarctus. Par ailleurs, à la fin de la semaine, les médias annoncèrent que le conseil des ministres et les hautes instances de l'Union nationale avaient convenu de confier le poste de premier ministre de la province à Antonio Barrette, le député de Joliette et ministre du Travail.

☙

Avant que ne prenne fin la deuxième semaine de janvier, Montréal eut à faire face à deux importantes tempêtes de neige. La métropole québécoise n'avait pas connu d'aussi importantes précipitations en si peu de temps depuis plusieurs années. On ne se rappelait pas la dernière fois que les bancs de neige avaient atteint une telle hauteur. Les chasse-neige n'en finissaient plus de repousser toute cette manne blanche pour permettre la circulation dans les rues. Les trottoirs des rues secondaires étaient si enneigés que les gens préféraient marcher en bordure de la chaussée, à leurs risques et périls. Dans les écoles fréquentées par les enfants de Jean et Reine Bélanger, les enseignants avertissaient chaque jour les enfants d'être prudents quand ils marchaient dans la rue.

Ce vendredi après-midi-là, Reine était seule dans la petite pièce située au fond de la biscuiterie en train de vérifier une livraison de marchandises quand elle entendit un bruit inhabituel en provenance de la cour arrière. Elle allait se diriger vers la fenêtre grillagée qui donnait sur la cour quand elle fut distraite par la clochette de la porte d'entrée lui signalant l'arrivée d'un client. Elle rebroussa chemin, repoussa le rideau de perles séparant la réserve de la boutique pour se retrouver en face de Benjamin Taylor, debout devant l'un des deux comptoirs.

Immédiatement, le visage de la jeune femme s'éclaira d'un large sourire à la vue du charmant homme à l'air avantageux et au teint bronzé qui la regardait avec un plaisir non dissimulé. Pour la troisième fois en quelques semaines, celui qui se disait le président de Taylor Publishing s'arrêtait au magasin.

Lors de sa dernière visite, elle lui avait avoué avec réticence qu'elle n'était que la gérante de l'établissement appartenant à sa mère et qu'elle ne pouvait s'engager à faire affaire avec lui. Comment faire autrement puisque sa mère lui avait affirmé qu'il s'était déjà présenté à la biscuiterie en quelques occasions pour lui vendre de la publicité ? Il semblait avoir compris que la décision dépendait de sa mère et qu'il faudrait attendre son retour. Malgré cela, il n'en était pas moins demeuré de longues minutes dans le magasin à s'enquérir si elle avait passé des fêtes agréables. Après son départ, elle s'était alors attendue à ne plus le revoir.

Le jeudi de la semaine suivante, il s'était pourtant encore arrêté à la biscuiterie au début de l'après-midi, comme s'il avait su d'instinct que c'était la période du jour où la boutique était la moins achalandée. Quand elle lui avait fait la remarque qu'il perdait son temps parce que tout dépendait toujours de sa mère, Benjamin Taylor avait affirmé qu'il ne l'ignorait pas et qu'il ne s'était arrêté que pour prendre de ses nouvelles. Flattée, Reine n'avait pu que lui faire bonne figure. Durant de longues minutes, il avait semblé prendre plaisir à la faire parler de sa vie et de ses enfants, sans jamais mentionner qu'il désirait faire affaire. Être l'objet des attentions d'un si bel homme qui, à l'évidence, réussissait bien, avait plu énormément à la fille d'Yvonne Talbot.

Bref, la visite de Ben Taylor en ce vendredi après-midi ne pouvait mieux tomber. Elle avait besoin d'oublier, ne serait-ce que durant quelques minutes, les idées noires qu'elle avait depuis le matin. C'était le dernier jour où Jean travaillait au journal et elle s'inquiétait de l'avenir financier de sa famille.

— On va avoir l'air fin s'il fait pas l'affaire à Radio-Canada, avait-elle répété plusieurs fois à mi-voix depuis le début de la matinée. Alors, comment on va faire pour arriver ?

Comme d'habitude, Taylor portait beau et lui adressa un sourire éclatant en enlevant son chapeau aussitôt qu'il la vit.

— Dites-moi pas que vous avez encore des affaires à traiter dans le coin, monsieur Taylor ? fit-elle en s'approchant du comptoir.

— Non, madame Bélanger, j'ai fait un petit détour pour venir vous dire bonjour. J'étais tout de même pas pour passer dans le coin sans venir saluer la plus belle gérante du quartier.

Ce compliment fit rosir Reine de plaisir.

— Vous me chantez la pomme, vous, protesta-t-elle faiblement.

— Non, ma belle dame, c'est la pure vérité. Juste à l'idée de passer vous voir, ça me met de bonne humeur pour la journée, poursuivit-il sur un ton des plus convaincants.

Ensuite, il interrogea habilement Reine sur les affaires, sur la santé de sa mère et sur ses enfants, qui étaient retournés à l'école au début de la semaine. Il ne s'interrompit que lorsqu'une cliente vint acheter deux livres de biscuits à la noix de coco.

Après une trentaine de minutes, Taylor regarda sa montre et sembla sursauter.

— Ayoye ! J'oubliais complètement l'heure. Déjà quatre heures. Il faut que j'y aille. Me permettez-vous de vous appeler Reine ? ajouta-t-il, comme si cela allait de soi.

— Je sais pas trop, fit Reine, hésitante.

— Voyons, nous sommes presque de vieux amis, vous et moi, Reine. Appelez-moi Ben, comme tous mes amis. Ça va faire pas mal moins cérémonieux, non ?

— D'accord, accepta-t-elle, avec un sourire un peu contraint.

— Bon, je vous laisse, Reine. J'ai un train à prendre. Je passe toute la semaine prochaine à mon bureau de Toronto, mais vous pouvez être sûre que je vais arrêter vous voir dès que je serai de retour.

— La semaine prochaine, il va encore être trop tôt pour rencontrer ma mère, dit-elle en feignant de croire que son intérêt était toujours de faire signer un engagement à la propriétaire de la biscuiterie.

— Ce sera pas pour la voir que je vais m'arrêter, répliqua-t-il en la saluant de la main avant d'ouvrir la porte et de quitter les lieux.

Après son départ, Reine éprouva un agréable frisson, comme si elle venait de faire un geste défendu. Elle fut brusquement tirée de cette espèce d'état second en entendant de nouveau, en provenance de la cour arrière, le même bruit qui l'avait intriguée au moment de l'arrivée de Benjamin Taylor.

Elle quitta le comptoir derrière lequel elle se trouvait pour se diriger rapidement vers l'unique fenêtre grillagée donnant sur la cour arrière. Le soleil se couchait et elle aperçut une masse tombant sur l'imposant tas de neige accumulée au centre de la cour. Cette neige provenait en grande partie de la galerie de son appartement et de celle de sa mère que ses fils déneigeaient depuis le début de l'hiver. Soudain, elle identifia ce qu'elle venait de voir tomber devant elle.

Furieuse, elle déverrouilla rapidement la porte arrière et s'avança sur la galerie juste au moment où Alain se préparait à enjamber le garde-fou de la galerie de l'appartement de sa grand-mère, au premier étage, dans l'intention de sauter sur l'amoncellement de neige au centre de la cour, comme son frère venait apparemment de le faire. Au même moment, ce dernier poussa un cri victorieux en finissant de s'extraire de la neige.

— Débarque de là tout de suite ! cria-t-elle à Alain en croisant les bras contre sa poitrine pour se protéger du froid. Grouille ! ajouta-t-elle, furieuse de le voir hésiter à obéir.

— Mais, m'man…

— Je t'ai dit tout de suite, espèce d'insignifiant ! Monte en haut.

— C'est pas dangereux, m'man, plaida Gilles, se préparant à monter l'escalier pour aller rejoindre son jeune frère.

— Toi, mon espèce de nono ! s'emporta-t-elle. C'est des plans pour vous tuer, une affaire de même. Toi aussi, rentre en dedans. Vous allez avoir affaire à moi quand je vais monter. Tu diras à ton père de venir me voir au magasin lorsqu'il rentrera.

∾

Au même moment, Jean quittait son pupitre au journal pour aller serrer la main à quelques collègues et leur annoncer son départ. Il en avait fini avec le *Montréal-Matin*. Il désirait prendre congé de ses confrères avec élégance et même du rédacteur en chef, qu'il détestait pourtant non moins royalement. Ses collègues parurent surpris de sa décision, mais ne lui en souhaitèrent pas moins bonne chance tout en affirmant regretter son départ.

Lorsqu'il passa devant le bureau de Joseph Hamel, il hésita un instant avant de frapper à la porte. Devait-il se borner à lui apprendre son départ ou lui dire carrément ce qu'il avait sur le cœur ? Finalement, il décida de frapper à sa porte sans trop savoir ce qu'il allait lui dire. Le rédacteur en chef, sûrement mis au courant de son départ par le responsable du bureau du personnel, feignit de tout ignorer avec son air habituel de faux jeton.

— Je suis pas mal surpris que tu t'en ailles, lui dit-il. En tout cas, j'aurais bien aimé que tu me préviennes personnellement de ton intention de nous lâcher. Je dois t'avouer que je comprends pas que tu sentes le besoin d'aller ailleurs quand t'es si bien traité ici.

Tant d'hypocrisie poussa alors Jean à lui dire franchement ce qu'il pensait de lui et des traitements injustes dont il avait été victime depuis qu'il occupait son poste.

— Je ne suis pas si bien traité que ça, monsieur Hamel. Je n'ai obtenu aucune des affectations que j'ai demandées et vous avez pas arrêté d'affecter des journalistes qui ont moins d'expérience que moi là où je voulais être.

— T'as tout de même travaillé avec nous autres pendant treize ans, lui rappela son patron.

— Oui, et j'aurais continué si vous aviez pas tout fait pour que je me sente de trop dans l'équipe.

— Moi ? s'insurgea Hamel en adoptant un air à la fois supérieur et stupéfait.

— Oui, vous ! l'accusa Jean en le regardant bien droit dans les yeux, ne voyant pas l'intérêt de le ménager. Depuis que vous occupez la place d'Antoine Fiset, vous avez tout fait pour m'écœurer.

Là-dessus, il quitta le bureau du rédacteur en chef sans lui avoir serré la main. Il était soulagé d'avoir trouvé le courage de dire son fait à celui qu'il considérait comme son bourreau depuis qu'il était entré en fonction.

Au bureau du personnel, on lui remit un chèque représentant la somme qu'il avait placée dans son fonds de retraite, plus une petite indemnité de départ et son salaire. Le total représentait néanmoins un montant substantiel. À sa sortie de l'immeuble du journal, le bruit que fit la porte en se refermant derrière lui eut quelque chose de définitif à ses oreilles. Il leva la tête pour regarder une dernière fois l'édifice. Il avait conscience qu'une tranche importante de sa vie prenait fin aujourd'hui. Il ne savait pas trop s'il devait s'en réjouir ou s'en inquiéter.

Il fut de retour à la maison sur le coup de six heures. Quand il apprit par Gilles que Reine désirait le voir, il se contenta de lui téléphoner à la biscuiterie, au rez-de-chaussée.

— Qu'est-ce qu'il y a ? lui demanda-t-il. Je viens d'arriver.

— Avais-tu l'intention de venir me remplacer après le souper ? fit-elle sans préambule.

— Ben, c'est vendredi, et je dois aller faire les commissions si on veut manger cette semaine. T'as rien apporté pour souper ?

— Non, en plus j'ai affaire à te parler.

— C'est correct. Catherine vient de me servir mon assiette. Je mange et je descends dans une demi-heure, lui dit-il avant de raccrocher.

Il en avait soudainement plus qu'assez de la situation créée par l'emploi de sa femme à la biscuiterie. Les enfants devaient se débrouiller seuls, sans surveillance, et il devait accomplir une foule de tâches ménagères qu'il détestait.

Il mangea sans entrain le pâté au saumon traditionnel du vendredi avant de descendre au magasin.

— Qui vient avec moi chez Drouin quand votre mère aura fini de souper ? demanda-t-il à ses enfants.

— On va y aller tous les deux, répondirent les garçons avec un empressement un peu suspect.

Leur père endossa son manteau et chaussa ses couvre-chaussures avant de descendre, surtout en prévision d'aller faire les achats de nourriture quand Reine aurait repris sa place derrière le comptoir. Quand il poussa la porte du magasin, sa femme était occupée avec une cliente. Il attendit que cette dernière parte avant de s'adresser à Reine.

— Qu'est-ce qu'il y a de si urgent ? fit-il.

— Naturellement, les enfants t'ont rien dit.

— Qu'est-ce qu'ils auraient dû me dire ?

— Tu sais pas ce que tes deux garçons s'amusaient à faire quand ils sont revenus de l'école ? Ils sautaient du deuxième étage dans le tas de neige dans la cour. Il va falloir que tu leur parles et que tu les punisses avant qu'il leur arrive quelque chose de dangereux. C'est rendu qu'ils écoutent plus.

Jean se rappela brusquement avoir fait la même chose avec son frère Claude quand il était jeune, ce qui lui avait attiré les foudres de sa mère.

— Bon, ça tombe ben. C'est en plein de ça que je voulais te parler, moi aussi, lui dit-il sèchement.

— Comment ça ? fit-elle, surprise.

— Tout ça arrive parce que t'es pas à ta place, à la maison, lui reprocha-t-il. J'espère que ton ouvrage ici dedans achève. C'est rendu plus vivable en haut. Les enfants sont toujours tout seuls, et moi j'en ai assez de faire de l'ouvrage de femme en rentrant après ma journée.

— Aïe! Jean Bélanger, t'oublies que cette *job*-là nous rapporte de l'argent.

— Ah oui, première nouvelle! s'exclama-t-il. On n'a pas encore vu la couleur de cet argent-là. Combien ta mère te donne par semaine? Je le sais pas, tu t'es bien gardée de me dire un mot là-dessus.

— J'ai encore rien eu, prétendit-elle, mais quand elle va revenir s'occuper du magasin à la fin du mois, elle est supposée me donner quarante piastres par semaine.

— Qu'est-ce qu'on va faire avec tout cet argent-là?

— Comment ça, qu'est-ce qu'on va faire? C'est mon argent, répliqua-t-elle avec force. Je vais le mettre à la banque et je verrai plus tard ce que je veux faire avec.

— Tiens, ton argent! fit-il sur un ton sarcastique. Moi, quand j'arrive avec ma paye, c'est l'argent de la famille et ça t'a jamais gênée de le dépenser. Mais quand c'est ta paye, on peut pas y toucher…

— C'est normal, laissa-t-elle tomber. Toi, t'es le mari. C'est à toi de nous faire vivre tous.

— Si c'est comme ça, toi, t'es la femme. Tu t'organiseras pour faire ta *job* dans la maison, répliqua-t-il sur un ton sans appel. Je vois pas pourquoi je ferais l'ouvrage que t'es censée faire.

Reine, le visage dur et fermé, s'empara de son manteau et monta à l'appartement après avoir claqué la porte du magasin derrière elle. Durant tout le temps qu'elle mangea, elle s'enferma dans un silence que ses enfants n'osèrent pas déranger. À la fin du repas, elle sembla avoir pris une décision. Elle se composa un visage un peu plus aimable et s'empressa d'aller reprendre sa place à la biscuiterie en arborant un air contrit.

— Attends avant de partir, dit-elle à son mari au moment où il allait se retirer. Je pense que t'as raison. Il reste encore à peu près deux semaines avant que ma mère revienne. Je vais mettre une annonce dans la vitrine pour trouver une vendeuse. Comme ça, je vais pouvoir monter à l'appartement pour m'occuper des enfants quand ils vont être là.

Rassuré par cette promesse, Jean alla sonner à la porte voisine pour que ses fils viennent le rejoindre et l'aider à rapporter la nourriture de la semaine qu'il allait acheter à l'épicerie Drouin.

Il aurait dû comprendre que sa femme allait bien apposer un carton dans la vitrine pour demander une vendeuse, mais qu'elle allait aussi trouver une multitude de raisons pour refuser d'engager les candidates qui se présenteraient tant et aussi longtemps que sa situation à la biscuiterie ne serait pas clarifiée auprès de sa mère.

Reine avait des projets bien définis et elle n'entendait pas être retournée à ses casseroles au retour d'Yvonne Talbot sous le prétexte que cette dernière pouvait compter sur une vendeuse.

Chapitre 12

Du nouveau

Jean Bélanger était passablement tendu et anxieux lorsqu'il se présenta au début de la matinée du 18 janvier au vieil édifice occupé par Radio-Canada depuis 1951, boulevard Dorchester. Il savait qu'il allait jouer son avenir dans les jours suivants et qu'il aurait à prouver sa compétence à ses nouveaux patrons.

Cependant, dès le premier jour, il fut conquis par l'atmosphère détendue qui régnait au service des nouvelles de la société d'État. À son arrivée ce matin-là, Arthur Lapointe prit la peine de l'accompagner pour le présenter aux membres de son équipe. Ensuite, il le confia à un certain Henri-Claude Langelier qui devait être son mentor durant les deux semaines suivantes. L'homme l'entraîna à sa suite et lui indiqua un bureau voisin du sien.

— C'est là que tu t'installes, lui dit-il en allumant une cigarette. Dans quinze jours, tu pourras toujours prendre mon bureau, si ça te tente.

Dès les premières heures, Jean apprit à connaître celui dont il était censé reprendre le poste à la fin du mois. Le futur retraité était un petit homme d'une maigreur extraordinaire qui fumait des cigarettes Gitanes à la chaîne.

Il flottait un nuage bleu en permanence autour de son crâne partiellement dénudé.

Ce jour-là, le nouvel employé de Radio-Canada dut apprendre les différences existant entre l'article de journal et la nouvelle télévisée et radiophonique. Il n'était plus question de calculer le nombre de lignes qu'elle devait occuper. À Radio-Canada, elle se devait d'être concise, précise et surtout exprimée dans des mots que le télé-spectateur ou l'auditeur soit à même de comprendre du premier coup. Comme le lui expliqua son mentor expérimenté, il n'existerait pas de seconde audition de cette nouvelle.

À la fin de l'avant-midi, Jean, occupé à se verser une tasse de café, se retrouva près d'une jeune femme à l'air mutin qui renifla bruyamment, debout à ses côtés.

— Bon, on dirait que tu commences déjà à avoir le teint plombé à cause des Gitanes de notre Henri-Claude.

— Ça sent pas si fort que ça, fit-il, diplomate.

— Attends d'entendre ce que ta femme va te dire ce soir quand elle va sentir tes vêtements… À moins que tu sois pas marié, ajouta-t-elle, l'air moqueur.

— Je le suis. Elle aura pas le choix d'endurer l'odeur, conclut-il avec un sourire avant de regagner son bureau.

Malgré ses sautes d'humeur et l'odeur dégagée par ses cigarettes, Henri-Claude Langelier se révéla un excellent professeur qui communiqua fort généreusement à son successeur un bon nombre de trucs très utiles propres à rendre sa tâche beaucoup plus facile. En fait, il fallut moins d'une semaine à Jean pour que son nouvel emploi l'emballe. Cinq jours à peine après avoir commencé, toute pression disparut soudain quand son patron lui exprima clairement sa satisfaction. À son retour au travail le lundi suivant, il ne lui restait plus que l'excitation de la nouveauté. Et il pouvait encore compter sur l'aide effective du futur retraité durant une semaine entière, ce qui était loin de lui déplaire.

— T'as l'air d'aimer ça, travailler avec nous autres, lui dit Langelier, le jour même de son départ à la retraite.

— C'est bien agréable. Tout le monde est gentil avec moi.

— T'es surtout pas mal naïf, fit celui qui quittait Radio-Canada, un ton plus bas. Ici, il y a du grenouillage partout. Là, ils t'ont laissé tranquille depuis que t'es arrivé parce que j'étais là pour les rembarrer. Mais attends la semaine prochaine, quand je serai plus là. Tu vas comprendre ta douleur. Tu vas apprendre à connaître les petites cliques du département.

Jean n'avait rien trouvé à dire à son mentor, mais en son for intérieur, il était persuadé que l'homme exagérait. Après les derniers mois qu'il avait vécus au *Montréal-Matin*, la nouvelle ambiance qu'il découvrait à Radio-Canada était, à ses yeux, tout simplement parfaite.

Et pour en rajouter un peu, quelques jours plus tard, alors qu'il attendait l'autobus depuis une quinzaine de minutes au coin de la rue Peel pour rentrer chez lui après son travail, il vit une Buick bleue s'immobiliser devant la porte d'entrée de l'ancien hôtel Dorchester, le siège de Radio-Canada, qu'il venait de quitter. L'obscurité venait de tomber et il faisait terriblement froid. Pendant un court instant, il envia celui qui se déplaçait confortablement, au chaud, dans cette voiture luxueuse. Il posa la paume de ses mains contre ses oreilles pour les réchauffer lorsqu'il aperçut une femme élégante quitter la voiture et s'engouffrer à l'intérieur du bâtiment.

Malgré la quarantaine de pieds qui les séparait, il venait de reconnaître Blanche Comtois. Il eut soudain envie de rentrer dans l'immeuble pour se rappeler à son bon souvenir, mais il se retint. Sous quel prétexte allait-il l'aborder? Qu'allait-elle penser d'un homme marié qui se précipitait sur elle dès qu'il la voyait? Son amour-propre et l'arrivée tant souhaitée de l'autobus l'empêchèrent de bouger. Il monta à bord, tout de même insatisfait de son comportement. «J'aurais dû aller lui parler», se dit-il en cherchant des yeux un siège où s'asseoir. Il se consola à la pensée qu'il finirait bien par rencontrer la jeune femme un jour ou l'autre puisqu'ils travaillaient au même endroit. D'ailleurs, il devait admettre qu'il s'était étonné de ne pas l'avoir encore croisée une seule fois en plus de deux semaines. Il s'était secrètement attendu à la rencontrer de temps à autre, sans toutefois avoir d'autres intentions que d'avoir le plaisir de la regarder et de lui parler durant quelques instants.

Ce même jour, à la biscuiterie, Reine reçut la visite aussi inattendue que surprenante d'un couple inconnu. Le mari et la femme poussèrent la porte de la biscuiterie, les bras chargés de boîtes qui semblaient renfermer des pâtisseries. La petite femme bien en chair se présenta après avoir déposé par terre son fardeau.

— Bonjour, madame, je m'appelle Denise Richer. Je vous présente mon mari Bernard.

Reine se rendit compte immédiatement qu'elle n'avait pas affaire à des clients et son sourire se fit moins chaleureux.

— Qu'est-ce que je peux faire pour vous? demanda-t-elle à la femme.

— Voici, nous demeurons à Cartierville. Nous sommes pâtissiers depuis une dizaine d'années et nous n'avons pas les moyens d'avoir un magasin à nous en ville.

— Ah oui, fit la jeune femme d'une voix indifférente, ne sachant pas trop où voulait en venir l'inconnue.

— Depuis deux ou trois ans, nous livrons à domicile les beignes, les tartes et toutes les pâtisseries qu'on fait. On a une bonne clientèle, mais ça nous coûte bien trop cher en temps et en argent pour livrer.

— C'est sûr que ça doit pas être facile, convint Reine.

— Ça fait qu'on a changé notre fusil d'épaule depuis le commencement de l'année, reprit la femme. On a décidé de se trouver trois ou quatre points de vente, des magasins bien situés qui pourraient écouler nos produits en échange de quinze pour cent du prix de vente. On en a déjà trouvé deux, un sur la rue Sainte-Catherine et un autre sur la rue Ontario. En passant devant votre magasin, on a pensé que vous seriez peut-être intéressée à devenir notre troisième distributrice.

— Je sais pas trop, fit Reine d'une voix hésitante.

— Vous savez, nous ne vous laisserions rien qui exige un comptoir réfrigéré, intervint l'homme pour la première fois. En plus, vous vendez déjà des biscuits, c'est dans votre ligne.

— Je vais vous montrer nos produits et même vous les faire goûter, si ça vous tente, reprit Denise Richer en déposant sur le comptoir, devant elle, une boîte contenant des brioches à la cannelle, des mokas et quatre sortes de beignets glacés.

Pendant ce temps, son mari tira de l'une de ses boîtes quatre tartes dont l'aspect était fort appétissant.

— Il y a là une tarte aux fraises, au sucre, aux raisins et aux pommes. Elles ont été faites hier soir, expliqua-t-il avec un sourire. J'ai aussi des tartelettes individuelles, ajouta-t-il en pointant une autre boîte.

— Montre-lui nos gâteaux, lui ordonna alors sa femme.

Bernard Richer tira de la dernière boîte qu'il avait apportée trois gâteaux au glaçage soigné.

— Il y a un gâteau aux épices, un gâteau au chocolat et le troisième est à l'érable, dit la pâtissière. Vous voulez goûter ?

— Non merci, mais tout ça a l'air pas mal bon, reconnut Reine en examinant les pâtisseries.

— Et c'est bon, dit l'homme sur un ton convaincu. Si vous les prenez, vous aurez pas de misère à les vendre. Ça, on peut vous le garantir.

— J'ai pas grand place pour vos affaires, avança-t-elle.

Bernard Richer regarda durant quelques instants autour de lui avant de suggérer :

— Vous pourriez installer une petite table dans un coin du magasin pour y mettre les gâteaux, si vous le voulez. Pour le reste, je pense que vous auriez aucun mal à tasser un peu les biscuits dans vos deux comptoirs pour y déposer les tartes, les tartelettes, les beignes et les brioches. À la limite, vous pouvez même en laisser pas mal sur le comptoir parce qu'on les livre dans des boîtes avec une ouverture de cellophane sur le dessus pour que le client puisse les voir.

— En supposant que je les prenne, comment ça marche si je ne les vends pas et qu'ils sèchent ? demanda Reine, apparemment intéressée.

— Il y a pas de problème, on les reprend, promit l'homme.

— J'accepterais peut-être, si vous me donniez vingt pour cent au lieu de quinze, déclara-t-elle, l'œil allumé par la perspective des profits qu'elle pourrait tirer de ces nouveaux produits.

— Malheureusement, j'ai bien peur qu'on ne puisse pas faire affaire ensemble, dit Denise Richer en refermant les boîtes déposées sur le comptoir. Déjà, en laissant quinze pour cent, on est à la limite. On fait pratiquement pas de profit.

De son côté, son mari entreprit d'emballer les gâteaux.

Soudain, Reine se rendit compte qu'ils étaient sérieux et qu'ils se préparaient à partir sans vouloir négocier. Elle craignit alors que l'affaire lui passe sous le nez et aille enrichir un autre commerçant du quartier.

— Attendez, dit-elle. On peut au moins essayer. Si ça se vend pas, on n'aura rien à se reprocher et vous reviendrez chercher vos pâtisseries.

— D'accord, accepta Bernard Richer. On vous laisse tout ça et je repasserai dans deux jours pour voir ce qui s'est vendu et remplacer la marchandise.

Quelques minutes suffirent pour que l'entente soit conclue. Reine signa un récépissé comme quoi elle prenait livraison d'une douzaine de tartelettes, de quatre tartes, de deux douzaines de brioches et autant de beignets ainsi que des trois gâteaux. Elle nota le prix que le couple désirait obtenir pour sa marchandise et promit de placer le tout bien en évidence pour que les clients de la biscuiterie soient alléchés.

Le lendemain midi, il ne lui restait plus rien. Tout avait été vendu et deux clientes, plus que satisfaites de leurs emplettes de la veille, avaient dû rebrousser chemin les mains vides parce que les Richer n'avaient promis d'effectuer une nouvelle livraison que vingt-quatre heures plus tard. Reine, fière de son initiative, décida d'encaisser seule les profits de ces ventes en se disant que sa mère n'avait rien eu à y voir.

Quand Bernard Richer passa, elle lui remit l'argent qui lui revenait et exigea qu'il lui laisse plus de pâtisseries de manière à satisfaire sa clientèle. Ce dernier, content, ne se fit pas prier. Il lui laissa même un gâteau aux épices à titre de cadeau.

— Penses-tu que ta mère va être contente de voir que tu vends aussi des pâtisseries ? lui demanda Jean en finissant de manger le morceau de gâteau qu'elle avait servi au dessert.

— Je vois pas pourquoi elle le serait pas, rétorqua-t-elle. C'est plus payant que les biscuits et les bonbons.

Cependant, elle se garda bien de lui dire qu'elle ne le mentionnerait à sa mère que lorsqu'elle s'en rendrait compte par elle-même, à son retour. Un retour, d'ailleurs, qui ne devrait pas tarder.

⁓

Deux jours plus tard, Benjamin Taylor réapparut à la biscuiterie au milieu de la matinée. Reine n'avait eu à servir que quelques clients depuis l'ouverture du magasin et les affaires étaient presque au point mort.

— Tiens, un revenant ! Je te pensais mort, lui dit Reine en lui décochant son plus charmant sourire.

Il y avait plus de deux semaines qu'elle ne l'avait pas vu et elle s'était inquiétée secrètement de sa disparition. En le voyant, elle avait décidé de le tutoyer, comme il l'en avait priée lors de sa dernière visite.

— J'ai eu des problèmes à régler à Toronto et je suis revenu à Montréal seulement avant-hier. Aussitôt que j'ai pu sortir du bureau, je suis venu te voir, tint-il à préciser en adoptant l'air charmeur auquel elle était si sensible.

Reine n'était pas assez stupide pour ne pas se rendre compte à quel point leurs échanges étaient équivoques. Elle était une femme mariée et une mère de famille. Elle ne connaissait rien de ce beau parleur. Elle ne savait même pas s'il était marié. Tout ce qu'elle connaissait de lui, c'était ce qu'il avait bien voulu lui révéler, soit qu'il était président d'une compagnie spécialisée dans la publicité.

— Les affaires ont l'air pas mal calmes, reprit-il.

— On annonce encore de la neige aujourd'hui. Il y a bien des gens qui sortent pas dans ce temps-là, sentit-elle le besoin de lui expliquer. Mais là, t'arrives trop de bonne heure. Depuis le commencement de la semaine, je vends de la pâtisserie et ça marche pas mal fort. La preuve, regarde, il me reste plus rien. J'attends mon fournisseur.

— C'est de valeur, j'aime ça, me sucrer le bec, dit-il en souriant. Mais j'y pense, tu m'as jamais fait visiter ton magasin, lui fit-il remarquer en ne la quittant pas des yeux.

— T'as juste à regarder, l'invita-t-elle, surprise.

— Non, je parlais d'en arrière, précisa-t-il en pointant le rideau de perles qui séparait l'arrière-boutique de la boutique elle-même.

— En arrière, c'est juste une pièce où on met les boîtes de biscuits et de bonbons. Il y a pas grand-chose à voir là.

— Tu me la montres pas ?

— Tu peux bien venir voir si tu veux, lui offrit-elle.

Il contourna le comptoir et la suivit dans la pièce voisine. Dès qu'ils eurent franchi le rideau de perles séparant le magasin de l'arrière-salle, il posa une main sur la hanche de Reine et l'attira doucement à lui. Surprise, cette dernière résista.

— Voyons donc ! Qu'est-ce qui te prend ? lui demanda-t-elle en feignant d'être fâchée et en se débattant mollement.

— Je voulais juste te regarder de plus près et je m'aperçois que t'es encore plus belle comme ça, dit-il, enjôleur.

— Arrête donc de dire n'importe quoi, lui ordonna-t-elle d'une voix un peu plus basse en prenant bien soin de ne pas se débattre au point qu'il la lâche.

Ben Taylor s'en rendit compte et en profita. Il se pencha sur elle et l'embrassa doucement. Elle chercha d'abord à esquiver ses lèvres en tournant la tête, puis elle s'abandonna un court instant. Il la sentit consentante et prolongea son baiser jusqu'à ce qu'elle cherche à se dégager.

— Recommence plus jamais ça, fit-elle d'une voix rageuse, rouge de confusion.

— C'est promis. Je le ferai plus, dit-il d'une voix apparemment contrite. Ça a été plus fort que moi. Je rêve de toi toutes les nuits depuis la première fois que je t'ai vue. J'ai pas pu m'en empêcher.

Sans plus s'occuper de lui, Reine revint dans le magasin et attendit qu'il contourne à nouveau le comptoir et reprenne la place normale d'un client. Il regarda sa montre.

— Je dois partir, mais avant, j'ai un petit quelque chose pour toi, dit-il en tirant un petit écrin de l'une des poches de son paletot.

— Je peux pas prendre ça, fit-elle d'une voix tranchante.

— Ça me ferait de la peine que t'acceptes pas, reprit-il, l'air malheureux. Je l'ai acheté juste pour toi à Toronto. C'est pas grand-chose, mais je pensais que ça te ferait plaisir. T'oublies qu'on est des amis.

Les traits de la jeune femme s'adoucirent et elle perdit peu à peu son air hostile.

— Bon, c'est correct, accepta-t-elle, l'air boudeur.

Elle tendit la main et prit l'écrin qu'elle s'empressa d'ouvrir. Ce dernier contenait un petit cœur en argent et une chaînette du même métal. Reine, sensible à cette attention, ne put s'empêcher de sourire et le remercia.

— Bon, c'est comme ça que je t'aime, dit Taylor avant de la quitter. Si tu promets de pas me battre, je vais revenir, ajouta-t-il sur le mode plaisant.

— Si t'es sage, je le ferai pas, minauda-t-elle, conquise.

Il venait à peine de partir que Bernard Richer entra dans le magasin, les bras chargés de boîtes. Durant quelques minutes, Reine fut toute aux affaires. Elle vérifia la livraison du pâtissier et le régla. Après son départ, elle disposa la marchandise à la vue de la clientèle.

Pendant un long moment, elle ne parvint pas à chasser Benjamin Taylor de ses pensées, échafaudant toutes sortes de scénarios s'il tentait encore de l'embrasser. Sans se l'avouer, elle était transportée à la pensée qu'un si bel homme la trouve attirante.

Rêveuse et désœuvrée, elle finit par aller se planter derrière l'une des vitrines de la biscuiterie. Quelques flocons de neige flottaient paresseusement dans l'air avant de venir s'écraser sur le trottoir. À l'instant où elle se préparait à retourner derrière le comptoir, elle sursauta en apercevant l'Oldsmobile bleue de son beau-frère qui s'immobilisait devant le magasin.

Elle se demandait ce que le dentiste venait faire dans la rue Mont-Royal lorsqu'elle le vit ouvrir la portière arrière de son véhicule et aider Yvonne Talbot à s'en extraire.

— Tu parles d'une malchance, dit-elle à mi-voix en jetant un coup d'œil aux pâtisseries qu'elle venait d'étaler sur et dans les comptoirs. Elle aurait pas pu arriver deux heures avant, quand il m'en restait plus une ?

Elle ne se dirigea pas moins vers la porte dans l'intention de souhaiter la bienvenue à sa mère qu'elle n'avait pas vue depuis plus d'un mois. Yvonne, debout contre la voiture, s'appuya sur sa canne et tendit la clé de son appartement à son gendre qui venait de s'emparer de sa valise.

— Tu serais fin de la laisser sur mon lit, Charles, dit Yvonne au dentiste avant de s'avancer en claudiquant vers la porte de sa biscuiterie.

Reine lui tint la porte ouverte et la referma derrière elle, sans se donner la peine d'adresser le moindre signe de bienvenue à son beau-frère. Elle ne lui avait pas encore pardonné de les avoir ignorées, elle et sa famille, durant les festivités de fin d'année. Elle embrassa sa mère et la débarrassa de son lourd manteau de fourrure qu'elle alla porter dans l'arrière-boutique.

— Je pensais bien que vous viendriez me voir au moins une fois ou deux à Saint-Lambert, lui reprocha Yvonne en examinant le magasin. Ça fait presque deux mois que je vous ai pas vus.

— Vous oubliez que j'étais poignée toute la journée ici dedans, m'man, expliqua Reine avec un brin d'impatience. Pour finir le plat, Jean s'est fait voler son char. Comment vouliez-vous qu'on aille là-bas ?

— Je comprends, laissa tomber sa mère d'une voix peu convaincue.

— En plus, il aurait peut-être fallu qu'Estelle nous invite à aller vous voir chez elle, tint-elle à préciser avec une certaine rancœur.

— Elle y a probablement pas pensé, dit Yvonne.

— Venez vous asseoir en arrière, m'man, l'invita-t-elle. Restez pas debout sur votre jambe.

La veuve de Fernand Talbot se glissa maladroitement derrière le comptoir en s'appuyant lourdement sur sa canne et vint s'asseoir sur l'une des deux chaises placées devant la table en pin blanc. L'invitation de Reine n'était pas gratuite. Elle espérait que sa mère n'avait pas trop remarqué les pâtisseries étalées sur les deux comptoirs.

— Depuis quand vous avez plus votre plâtre ? demanda-t-elle à sa mère.

— Depuis avant-hier. Estelle et Charles ont pas voulu me ramener tout de suite après à la maison. Ils voulaient que je m'habitue à marcher avec ma canne et ils avaient peur que je tombe quand je serais toute seule, expliqua-t-elle.

— Avez-vous encore de la misère à marcher ?

— C'est pas facile, reconnut sa mère d'une voix légèrement geignarde. C'est surtout ma hanche qui me fait encore souffrir. Je suppose qu'avec le temps, ça va passer.

La clochette de la porte d'entrée sonna et Reine se leva pour aller servir. Ce n'était que Charles Caron, légèrement essoufflé par l'effort qu'il venait de faire. Le jeune homme de Saint-Lambert avait encore pris du poids depuis la dernière fois qu'elle l'avait vu, et monter les escaliers semblait un exercice de plus en plus pénible pour lui.

— Bonjour, petite belle-sœur, la salua-t-il en l'embrassant sur une joue.

— Bonjour, répondit-elle froidement.

Charles Caron fit comme s'il n'avait pas remarqué l'accueil peu chaleureux de Reine et il s'adressa à sa belle-mère.

— Bon, madame Talbot, il faut que j'y aille. Je pense qu'un des enfants de Reine va être capable d'aller vous acheter ce qu'il vous faut si vous avez besoin de quelque chose.

— Inquiète-toi pas pour moi, Charles, répondit Yvonne. Toi et Estelle, vous en avez fait bien assez pour moi.

— Si jamais vous avez besoin de quelque chose, hésitez pas à nous téléphoner, offrit le dentiste avant de quitter le magasin sur un dernier signe de la main.

«Et moi, je suppose que j'ai rien fait pour elle», se dit Reine, amère, en regardant par la vitrine l'Oldsmobile s'engager dans la circulation. Elle revint dans l'arrière-boutique et s'assit en face de sa mère.

— Puis, m'man, j'espère que vous vous êtes pas trop inquiétée pour la biscuiterie? demanda-t-elle à sa mère en retournant auprès d'elle.

— Non, j'ai pleine confiance en toi et je savais que t'étais capable de te débrouiller. Mais je m'aperçois que t'as pas encore engagé une vendeuse.

— Comme je vous l'ai dit au téléphone, j'ai bien essayé, mais j'ai trouvé personne qui ferait l'affaire.

— Qu'est-ce que tu offrais comme salaire ? s'enquit Yvonne, un rien soupçonneuse.

— Le même que vous offriez à Adrienne Lussier quand elle travaillait pour vous.

— Il va pourtant falloir trouver quelqu'un. Moi, je serai pas capable, arrangée comme je le suis, de passer des heures debout derrière le comptoir.

— On va bien finir par en trouver une, dit hypocritement sa fille.

— C'est quoi ces pâtisseries-là qui traînent sur les comptoirs, en avant ? l'interrogea sa mère sur un ton inquisiteur.

— Une idée que j'ai eue avant-hier, mentit encore une fois la jeune femme qui ne désirait pas partager les profits de cette nouvelle activité. Le fournisseur nous donne quinze pour cent du prix de vente.

— Et ça marche ?

— Il m'en a livré avant-hier et tout s'est vendu dans le temps de le dire. Il vient de passer.

— C'est parfait. T'as eu une bonne idée, on dirait, concéda sa mère en esquissant une grimace de douleur.

À la vue de sa mère souffrante, la jeune femme, qui perçut là une faiblesse chez son interlocutrice, sauta sur l'occasion et décida de régler tout de suite son avenir à la biscuiterie.

— Quand est-ce que vous prévoyez revenir vous occuper du magasin, m'man ?

— Ma pauvre petite fille, je vois pas le jour où je vais être capable de me tenir longtemps sur mes deux jambes, répondit Yvonne en se remettant péniblement debout.

— Là, on va avoir un problème, m'man, attaqua immédiatement Reine. Jean est pas mal tanné de faire mon ouvrage à la maison et les enfants ont besoin de moi. Depuis six semaines, je passe plus de temps en bas qu'en haut chez nous et ça peut plus durer.

— Si on avait une vendeuse… commença la propriétaire de la biscuiterie.

— Même avec une vendeuse, m'man, vous savez bien qu'il faut être là de temps en temps pour surveiller ce qu'elle fait et s'occuper des commandes.

— Je le sais, laissa tomber Yvonne, apparemment découragée par le problème.

— Je sais que vous avez été tentée de tout vendre, reprit Reine, sans avoir l'air d'y toucher.

— Ce serait peut-être la meilleure chose à faire, concéda sa mère.

— Moi, j'aurais autre chose à vous proposer et ce serait bien plus payant pour vous que de vendre le magasin et la bâtisse.

— À quoi tu penses ? lui demanda sa mère en arborant un air un peu méfiant.

— J'ai pensé que ce serait une bien bonne affaire si je m'occupais toute seule de la biscuiterie et…

— Mais tu viens de me dire que ton mari en pouvait plus d'endurer que tu passes toutes tes journées ici…

— Laissez-moi finir, m'man, exigea la jeune femme. Vous auriez plus à vous occuper pantoute du magasin. Je m'en chargerais et je suis certaine que je vais finir par me trouver une vendeuse fiable. Là, vous me paieriez pas de salaire. Tout ce qu'on ferait, on se partagerait les profits moitié-moitié à la fin de chaque semaine, après avoir payé le salaire de la vendeuse. On pourrait passer un papier entre nous deux et l'affaire serait réglée.

Yvonne Talbot garda le silence un long moment, comme si elle tergiversait sur la conduite à tenir.

— Mon idée est bonne, pas vrai ? conclut Reine, convaincue d'avoir persuadé sa mère. Vous auriez juste à vous reposer, tranquille, chez vous, à profiter de la vie.

— Ton idée est peut-être pas mauvaise, ma fille, reprit Yvonne, mais t'oublies que je vais continuer à payer toute seule la taxe d'affaires, les taxes municipales et tous les frais du magasin. L'électricité et le chauffage, par exemple, se paient pas avec des prières.

— J'avais pas pensé à ça, déclara Reine en feignant la surprise.

Sa mère la connaissait bien et ne fut pas dupe. Elle regarda sa fille durant un long moment, l'air indécis. Puis, soudain, elle sembla prendre une décision.

— Écoute, je viens tout juste d'arriver et je suis pas mal fatiguée, dit-elle. Donne-moi le temps de consulter mes factures de l'année passée. Je vais calculer le pourcentage du chiffre d'affaires qui va habituellement pour payer tout ça. J'ai l'impression que ça doit tourner autour de trente pour cent. Viens me voir demain soir. Si t'es toujours intéressée à faire ce que tu viens de me proposer, on s'arrangera. On pourra partager les bénéfices une fois les frais déduits.

Là-dessus, Yvonne remercia sa fille de s'être occupée du magasin durant sa convalescence et traversa l'arrière-boutique en claudiquant. Reine écarta le rideau de perles pour la laisser passer devant elle en portant sur le bras le manteau de sa mère.

— Si tu trouves que c'est pas assez payant de cette manière-là, t'auras juste à me le dire demain soir. Je mettrai le magasin en vente, lui dit la sexagénaire en endossant son manteau de vison que Reine venait de lui tendre. Ce sera pas la fin du monde.

— Avez-vous besoin d'aide pour monter chez vous, m'man ? lui demanda-t-elle en tentant de contrôler l'allégresse qui la submergeait.

— Non, je vais me débrouiller. La rampe est solide.

Après le départ de sa mère, la jeune femme eut du mal à s'empêcher d'effectuer un pas de danse dans le magasin tant elle était heureuse. Elle aurait enfin le contrôle de la biscuiterie et en tiendrait sa mère éloignée le plus possible. Ce qu'elle avait tenté sans succès après la mort de son père en 1947, elle allait le réussir dans les heures à venir.

Puis, peu à peu, sa joie se teinta d'une certaine déception. Elle allait faire beaucoup moins d'argent qu'escompté parce que sa mère avait détecté le piège qu'elle lui avait tendu en tentant de lui faire payer seule tous les frais. Elle s'empara fébrilement d'une feuille et d'un stylo et se mit à calculer, à la lumière des ventes effectuées durant les dernières semaines, combien tout cela pourrait lui rapporter, après une déduction de trente pour cent. Les résultats obtenus n'étaient peut-être pas mirobolants, mais ils étaient dignes d'intérêt.

Reine eut une pensée pour Jean et ses enfants, mais elle ne s'inquiéta pas de leur réaction. Elle avait déjà en poche deux noms laissés par des jeunes femmes désirant travailler à la biscuiterie au salaire proposé. Elle les avait volontairement fait patienter en attendant de convaincre sa mère de la prendre comme partenaire. Avec une vendeuse, elle allait avoir la possibilité de s'absenter aussi souvent que nécessaire pour voir au bien-être des siens, et cela, sans nuire aux profits qu'elle comptait tirer de la biscuiterie.

Ce soir-là, elle ne dit pas un mot du retour de sa mère à son mari. Elle le laissa s'installer seul devant le téléviseur dans le salon sous le prétexte d'avoir à vérifier les devoirs et les leçons des enfants. En fait, elle ne jeta qu'un coup d'œil distrait à leurs travaux scolaires, se concentrant surtout sur les documents qu'elle avait rapportés de la biscuiterie. Elle avait repris tous les calculs faits après le départ de sa mère et était arrivée aux mêmes résultats.

Durant quelques instants, les yeux rêveurs et le crayon entre les dents, elle réfléchit à une manière de soustraire la vente des pâtisseries du chiffre d'affaires du magasin. Elle eut un vague sourire. Les produits des Richer allaient gonfler ses bénéfices de façon appréciable.

— Pas mal, murmura-t-elle pour elle-même.

Catherine leva la tête, pensant que sa mère lui parlait.

❦

Le lendemain matin, Jean eut la surprise d'entendre des bruits en provenance de l'appartement situé sous le sien au moment où il achevait de s'habiller. Il sortit de la chambre à coucher en nouant sa cravate.

— Je pense qu'il y a quelqu'un qui est entré chez ta mère, dit-il à Reine en train de verser du café dans sa tasse. Je viens d'entendre du bruit, en bas.

— C'est normal, ma mère est revenue.

— Depuis quand ?

— Hier avant-midi, fit-elle sans avoir l'air d'y attacher d'importance.

— Il me semble que t'aurais pu me le dire, protesta-t-il en s'assoyant à table dans l'intention de déjeuner.

— Pourquoi ? T'aurais voulu aller la voir, je suppose, répliqua Reine, qui connaissait déjà la réponse de son mari.

Il leva les épaules.

— Je suppose que ça veut dire que t'achèves de travailler au magasin ? reprit-il.

— Oui et non, fit-elle prudemment.

— Comment ça, oui et non ? demanda-t-il en s'arrêtant de tartiner sa rôtie.

— Bien, t'as pas vu ma mère, toi, lui dit sa femme avec un air assez emprunté. Elle a pas mal de misère à marcher. Ils lui ont enlevé son plâtre, mais elle dit que sa hanche lui fait trop mal pour rester debout longtemps. Quand je lui ai parlé hier, elle est encore revenue sur son idée de tout vendre.

— Je t'ai déjà dit que c'était pas bête, son idée. À son âge, elle a le droit de profiter un peu de la vie.

— Mais tu comprends rien ! fit Reine en haussant la voix. Elle veut vendre la maison et le magasin. Elle gardera rien. J'ai même l'impression qu'Estelle lui pousse dans le dos pour qu'elle fasse ça.

— Puis après ?

— Après, nous autres, où est-ce que tu penses qu'on va aller rester ?

— Si ta mère vend, ça veut pas dire nécessairement que le nouveau propriétaire va nous sacrer dehors.

— Non, mais tu peux être certain que le loyer va augmenter, par exemple, lui fit-elle remarquer, agressive. Ma mère nous a augmentés de seulement dix piastres en treize ans. T'en chercheras des loyers comme le nôtre à quarante piastres par mois, toi.

— C'est correct, dit Jean en levant la main pour lui faire signe de baisser le ton.

— J'ai eu une bonne idée et j'en ai parlé à ma mère hier matin, poursuivit sa femme.

— Quelle idée ?

— Écoute-moi bien jusqu'à la fin, lui ordonna-t-elle en s'animant. Je lui ai proposé qu'on devienne partenaires dans la biscuiterie. On séparerait les profits moitié-moitié et...

— Non! fit Jean sur un ton catégorique. Il en est pas question. On continuera pas la vie de fou qu'on a depuis avant les fêtes! C'est pas vrai! Là, c'était ben beau, c'était pour rendre service à ta mère. Mais à cette heure qu'elle est revenue, ça s'arrête là.

— Laisse-moi donc finir! s'emporta sa femme. J'engagerais dès demain une vendeuse. Je l'ai déjà trouvée. Comme ça, j'aurais à descendre au magasin seulement quand mon ouvrage ici dedans serait fait. Je serais là pour les repas et il y a personne qui pâtirait que je m'occupe aussi de la biscuiterie.

— Il me semble que j'ai déjà entendu ce refrain-là, fit Jean, méfiant.

— Je te le dis. À partir de demain, je vais avoir une vendeuse et ça paraîtra même pas que je travaille à la biscuiterie. Personne ici dedans va en pâtir.

— T'es certaine de ça, toi?

— Je te le garantis. Si ça marche, on va juste avoir plus d'argent.

Jean se retint de lui faire remarquer que cet argent-là, il y avait tout de même peu de chance que les enfants et lui en voient la couleur. Cependant, il réalisait qu'il n'existait aucun moyen de lui faire renoncer à son projet. Il connaissait assez sa femme pour savoir que plus il s'opposerait à elle, plus elle s'entêterait. S'il lui disait non, elle allait déclencher une guerre en règle et les enfants finiraient par en payer le prix autant que lui. À la limite, elle allait sortir plus souvent avec Gina Lalonde, et cela, il ne le souhaitait sous aucun prétexte. S'il avait entretenu de meilleures relations avec sa belle-mère, il aurait pu aller la voir et la persuader de refuser…

— C'est correct, finit-il par accepter à contrecœur, mais si ça marche pas…

— Ça va marcher, le coupa-t-elle, enthousiaste.

— Es-tu en train de me dire que ta mère a déjà accepté ton marché ?

— Non, mais c'est aujourd'hui que ça va se décider.

⁓

Ce jour-là, Reine ne vit pas sa mère à la biscuiterie de la journée. Intriguée et surtout impatiente de régler l'affaire, elle finit par lui téléphoner à la fin de l'après-midi, une heure avant la fermeture du magasin. Yvonne Talbot lui apprit qu'elle avait connu une mauvaise nuit et qu'elle avait si mal à la hanche qu'elle n'avait pas eu le courage de descendre.

— Si t'as le temps, viens me voir après le souper, offrit-elle à sa fille.

Après le repas du soir, la jeune femme s'empressa de laver la vaisselle avec l'aide de Catherine. Cette dernière lui apprit qu'elle avait voulu aller saluer sa grand-mère après le dîner, avant de retourner à l'école, mais qu'elle n'avait pas répondu.

— Elle devait dormir, fit sa mère. Elle a mal à sa hanche et elle a de la misère à marcher.

— En tout cas, elle m'a envoyé lui acheter des affaires chez Drouin, après l'école, intervint Gilles.

Avant de quitter l'appartement, Reine s'arrêta un instant dans le salon où son mari était occupé à lire le journal.

— Je descends voir ma mère, lui annonça-t-elle.

— Est-ce que tu veux que j'y aille avec toi ? demanda-t-il sans grand entrain. Ce serait peut-être plus normal que j'aille m'informer de sa santé.

— J'aime autant pas, on va discuter de la biscuiterie.

Sur ce, elle quitta son foyer, descendit une volée de marches et alla frapper à la porte de l'appartement situé au premier étage. Sa mère vint répondre.

— Déjà en robe de chambre, fit Reine, étonnée, en voyant sa mère prête pour la nuit. J'espère que vous alliez pas déjà vous coucher, il est seulement sept heures.

C'était un changement radical auquel Yvonne Talbot ne l'avait pas habituée. Aussi loin qu'elle s'en rappelait, sa mère était toujours soigneusement habillée et coiffée dès les premières heures le matin et elle demeurait ainsi jusqu'au moment de se mettre au lit, à moins d'être victime de l'une de ses terribles migraines.

— Non, mais je me coucherai pas trop tard. Je me sens fatiguée, avoua sa mère. Viens boire une tasse de thé, proposa-t-elle. Je viens d'en préparer.

Reine la suivit dans la cuisine en réalisant soudainement à cet instant à quel point sa mère « avait pris un coup de vieux » depuis son accident.

Toutes les deux prirent place devant la table sur laquelle étaient déposés quelques dossiers cartonnés remplis de papiers. Yvonne les repoussa de la main vers sa fille après lui avoir versé une tasse de thé.

— Je viens de vérifier les cinq dernières années. Les frais du magasin représentent trente et un pour cent du chiffre d'affaires. Si ça te tente de vérifier, gêne-toi pas, dit-elle.

— Voyons, m'man, je vous crois, se rebiffa la jeune femme.

— Est-ce que t'es toujours aussi intéressée à t'occuper de la biscuiterie ? lui demanda sa mère.

— Oui, répondit Reine sans la moindre hésitation.

— J'en ai parlé au téléphone à Lorenzo et à Estelle, hier soir, reprit Yvonne.

— En quoi ça les regarde, cette affaire-là ? s'offusqua Reine.

— T'oublies que la biscuiterie, c'est une partie de leur héritage, comme pour toi. Ils ont leur mot à dire là-dedans, que ça te plaise ou pas.

— Puis?

— Lorenzo m'a dit que ça le dérangeait pas ce genre d'entente-là pourvu que Jean soit d'accord.

— Jean a rien à dire.

— C'est ton mari et le père de tes enfants, ma fille. Même si je l'aime pas particulièrement, tu dois lui demander son avis. J'ai pas envie de le voir descendre pour me dire un paquet de bêtises.

— Je lui en ai parlé. Il est d'accord, laissa tomber Reine. Qu'est-ce qu'Estelle avait à dire?

— Elle, elle aimerait mieux que je vende tout et que j'aille m'installer à Saint-Lambert.

— Chez elle?

— Non, mais pas trop loin.

— Elle devrait peut-être penser que nous aussi, on existe, fit Reine, amère. On dirait qu'elle s'imagine qu'elle est la seule de vos enfants.

— Ça sert à rien d'en parler. De toute façon, j'ai pris ma décision, reprit Yvonne en lui tendant une feuille qui était placée dans l'un des dossiers sur la table. Tiens, j'ai préparé ça. Si ça fait toujours ton affaire, tu peux le signer et tu t'occupes de la biscuiterie toute seule à partir de demain matin.

Reine lut le document, prit le stylo que lui tendait sa mère et signa sans hésitation. Dorénavant, elle était partenaire à parts égales de la biscuiterie, et cela, sans avoir eu à débourser un seul sou, ce qui n'était pas négligeable.

Un sourire de contentement sur les lèvres, elle finit de boire sa tasse de thé.

— Qu'est-ce qu'on fait, m'man, pour la moitié du mois de décembre et presque tout le mois de janvier?

— Pourquoi tu me demandes ça ? fit sa mère en levant les sourcils. Est-ce que t'as déposé les recettes dans mon compte de banque à la Caisse populaire, comme je te l'avais demandé ?

— Oui, tenez, je vais vous donner votre livret, fit sa fille en se penchant pour prendre son sac à main dans lequel était rangé le livret de banque de sa mère.

— À ce moment-là, tout est parfait, déclara Yvonne après avoir jeté un coup d'œil sur les dépôts effectués par sa fille durant sa convalescence.

Le visage de Reine s'était rembruni et elle attendit un bref moment que sa mère réalise qu'elle lui devait deux cents dollars en salaire. Quand elle se rendit compte qu'elle n'abordait pas le sujet, elle se décida à lui rafraîchir la mémoire.

— On n'a pas encore parlé de mon salaire, m'man, dit-elle d'une voix un peu hésitante.

— Quel salaire ? lui demanda sa mère. Tu viens de signer comme quoi tu te contenterais de la moitié des bénéfices chaque semaine après avoir déduit les frais.

— Je parle de mon salaire jusqu'à aujourd'hui, insista Reine. Vous m'aviez dit que vous me donneriez quarante piastres par semaine tout le temps que vous pourriez pas revenir au magasin.

La réaction d'Yvonne apprit à sa fille qu'elle n'avait nullement oublié, mais qu'elle avait espéré que cette dernière lui ferait cadeau de la somme, compte tenu de ce qu'elle venait de lui concéder. Devant le visage déterminé de Reine, elle comprit qu'il s'agissait d'un espoir vain. S'ensuivit un silence que ni l'une ni l'autre ne voulait briser. Qui ferait cadeau à qui ? Puis, Yvonne reprit son crayon et calcula le nombre de semaines avant de déclarer :

— Samedi, quand tu feras les comptes, je te réglerai ça.

— Merci, m'man.

— En passant, tu m'apporteras toujours le ruban de caisse le samedi, précisa la propriétaire de la biscuiterie sans avoir l'air d'y toucher.

— On dirait que vous avez pas confiance, protesta Reine, un peu insultée devant cette marque de méfiance maternelle.

— C'est pas une question de confiance, ma fille. Quand on est en affaires, il faut que tout soit bien clair. Avant de partir, laisse-moi donc le nom et le numéro de téléphone de celui qui nous fournit des pâtisseries.

— Pourquoi ?

— Je veux juste me rendre compte à quel point il est fiable.

Reine avait l'air préoccupée lorsqu'elle rentra chez elle quelques minutes plus tard. Si sa mère avait demandé le numéro de téléphone des Richer, cela prouvait qu'elle se méfiait d'elle et voulait vérifier depuis combien de temps ils fournissaient la biscuiterie.

— Il y a pas à dire, ça commence bien ! murmura-t-elle en ouvrant la porte de son appartement.

Quelques minutes plus tard, elle téléphona à une certaine Claire Landry pour l'informer qu'elle était prête à lui offrir le poste de vendeuse dès le lendemain matin, si l'emploi l'intéressait toujours.

La jeune fille de dix-neuf ans était passée à la biscuiterie la semaine précédente et elle lui avait fait une impression favorable. Si elle se fiait à ce qu'elle lui avait dit, elle provenait d'un petit village gaspésien et se cherchait du travail depuis près d'un mois. Elle demeurait chez une cousine, rue Gilford, et il s'agissait de son premier emploi à Montréal. Reine en déduisait qu'elle serait docile et travailleuse. La demoiselle accepta avec enthousiasme de se présenter au magasin à huit heures et demie, le jour suivant.

— Tout est arrangé, dit-elle sur un ton triomphant à son mari en venant le rejoindre dans le salon où il regardait *Pays et merveilles*, l'émission animée par André Laurendeau.

— Tu t'es entendue avec ta mère ? lui demanda-t-il sur un ton neutre.

— Oui, et j'ai aussi trouvé une vendeuse. À partir de demain, ça va se passer comme je te l'ai dit, promit-elle, contente d'elle.

— Tant mieux, fit-il sans toutefois manifester grand enthousiasme.

Chapitre 13

Retour à la normale

Durant les deux semaines suivantes, il ne tomba pas un flocon de neige sur Montréal. Tout se passait comme si la ville avait fait le plein de neige pour l'hiver. En contrepartie cependant, un froid sibérien s'installa sur la métropole. Le mercure oscilla entre -10 et -5 °F, rendant tout déplacement extérieur excessivement pénible.

Chez les Bélanger, la maison avait beau être dotée de fenêtres neuves quelques années auparavant, l'air froid parvenait tout de même à se frayer un chemin dans l'appartement.

— Je pense que ces maudites fenêtres en aluminium là sont pires que les anciennes fenêtres en bois qu'on avait, maugréa Jean, planté devant la fenêtre de sa chambre couverte à demi de givre. Calvince ! T'as juste à les regarder et ça te fait claquer des dents.

À l'extérieur, le petit jour gris et blafard de ce lundi matin rendait les gens maussades.

— Tu dis ça tous les hivers, laissa tomber Reine en finissant de replacer les couvertures sur le lit.

— Peut-être, mais cette année, il me semble que c'est pire.

Sa femme le laissa à ses sombres pensées et sortit de la pièce. Il finit par aller la rejoindre dans la cuisine où les enfants avaient déjà commencé à déjeuner.

— Est-ce que je vous sers de la crème de blé, p'pa ? proposa Catherine à son père.

— Envoye donc, ça va peut-être finir par me réchauffer.

Reine se contenta de deux rôties sur lesquelles elle étala soigneusement un peu de marmelade. Depuis quelque temps, elle semblait accorder une importance spéciale à ce qu'elle mangeait, comme si elle craignait d'engraisser.

— Mange donc plus, lui conseillait parfois son mari, inquiet de la voir chipoter dans son assiette. Avec les journées d'ouvrage que tu fais, t'as besoin de manger comme du monde.

— À soir, on se divise l'ouvrage, déclara sa femme, tout à trac.

— Est-ce que je peux savoir de quoi tu parles ? lui demanda-t-il, intrigué.

— Si t'écoutais quand je te parle, tu me poserais pas cette question-là, répliqua-t-elle. Je te parle des bulletins des enfants. C'est à soir. Moi, je ferai pas les deux écoles, c'est pas vrai, ajouta-t-elle sur un ton déterminé.

— Mais on n'est pas obligés d'aller les chercher, ces bulletins-là, protesta son mari, peu tenté d'aller passer une partie de la soirée à attendre à la porte d'une classe.

— C'est vrai, m'man, intervint Gilles. Le professeur nous donne notre bulletin le lendemain si vous allez pas le chercher et on a juste à vous l'apporter pour vous le faire signer.

— Tiens ! Là, tu m'en apprends une bonne, fit Reine.

— Mon professeur aussi fait ça, dit Alain, à son tour.

— Imaginez-vous donc, tous les deux, que je le sais, répliqua sèchement leur mère. Mais moi, je pense que ça vaut la peine d'aller à l'école pour savoir vraiment ce que votre professeur pense de vous autres. Surtout vous deux.

— Tu penses que… commença Jean.

— Je pense surtout qu'au mois de novembre j'ai pas eu bien des félicitations sur nos deux oiseaux. J'espère que vous vous souvenez ce que je vous ai promis quand la télévision est entrée dans la maison. Si j'apprends que vous faites pas l'affaire à l'école, plus de télévision pantoute durant la semaine. Finies aussi les parties du Canadien le samedi soir. Vous allez vous coucher assez de bonne heure pour être en forme le matin quand vous allez partir pour l'école.

— Parlant de télévision, intervint Jean. Je suis arrêté chez Dupuis, vendredi après-midi, pour finir de payer la nôtre.

— Mais t'étais pas obligé de la payer aussi vite, lui fit remarquer sa femme sur un ton désapprobateur. Tu m'as dit que t'avais deux ans pour le faire.

— Je le sais, mais comme le dit mon père : « Payer ses dettes c'est s'enrichir ! » Moi, les dettes, ça m'énerve et ça m'empêche de dormir tranquille.

Reine fit une moue qui en disait long sur ce qu'elle en pensait.

— Bon, avec tout ça, qu'est-ce qu'on fait à soir ? Moi, je vais aller à l'école de Catherine. Je pense que toi, t'es capable de t'occuper des bulletins des deux gars. Qu'est-ce que t'en penses ?

— Je pense que j'aimerais mieux rester au chaud devant la télévision, sacrifice ! Mais on dirait ben que j'ai pas le choix, fit-il d'une voix acide. Toi, avec Catherine, tu risques pas de recevoir des bêtises.

— C'est sûr, elle s'organise toujours pour être le chou-chou de la sœur, intervint Gilles en adressant une grimace à sa sœur aînée.

Catherine fit comme si elle n'avait rien entendu. De fait, l'adolescente était une élève studieuse qui se classait toujours parmi les premières de sa classe. Les religieuses n'avaient jamais de critique à formuler à son endroit. Elle avait un comportement irréprochable. Le plus amusant était que sa mère trouvait cela tout à fait normal alors qu'elle-même avait plutôt été une mauvaise élève que les religieuses ne se gênaient pas de qualifier de « tête croche ».

Ce soir-là, les deux parents bravèrent le froid sibérien et se rendirent dans les écoles fréquentées par leurs enfants. Reine eut la chance de revenir à la maison beaucoup plus tôt que son mari. Elle était enchantée des résultats obtenus par sa fille, première de sa classe pour un troisième mois d'affilée.

— Même si je suis fatiguée, dit-elle à ses enfants qui avaient attendu le retour de leurs parents avec une certaine anxiété, ça valait la peine d'y aller.

Jean rentra à la maison plus d'une heure plus tard, les oreilles rougies par le froid et les doigts gourds.

— Maudit calvince ! Je suis complètement gelé, se plaignit-il en laissant tomber sur la table de cuisine les bulletins de ses garçons.

— Ça t'a bien pris du temps, fit sa femme.

— Comme toutes les fois où je mets les pieds dans cette maudite école-là, dit-il en s'allumant une cigarette. Veux-tu ben m'expliquer pourquoi je tombe toujours sur des mères qui se sentent obligées de raconter leur vie aux professeurs ? À la porte de la classe d'Alain, par exemple, j'étais le deuxième à attendre. Tu me croiras si tu veux, mais la femme en avant de moi a mis vingt minutes avant de sortir de la classe.

Sa femme ne sembla pas l'écouter. Elle tira les relevés de notes des enveloppes dans lesquelles ils étaient insérés et prit le temps de consulter les résultats obtenus par ses fils dans chacune des matières.

— Bon, c'est pas les gros chars! laissa-t-elle tomber.

— Est-ce que je suis meilleur qu'avant? demanda Gilles, pas trop rassuré.

— Vingtième sur trente-trois avec soixante-quatre pour cent, j'appelle pas ça meilleur, fit sa mère.

— Ben le mois passé, m'man, j'étais vingt et unième, argumenta son fils.

— Et son comportement à l'école? demanda Reine à son mari, sans tenir compte de ce que Gilles venait de dire.

— Il est correct, dit Jean sans entrer dans les détails que lui avait fournis Paul-André Légaré, l'instituteur de son fils.

En fait, l'enseignant n'était pas particulièrement enchanté de la conduite du garçon. Il lui reprochait d'être brouillon et querelleur. Ces remarques lui avaient alors rappelé son frère Claude qui, tout au long de ses études, était toujours à la limite de la légalité. Gilles avait de plus en plus le caractère de son oncle.

— Peut-être, reprit Reine, mais il va avoir affaire à étudier plus chaque soir. Tu vas te grouiller pour avoir des meilleures notes, précisa-t-elle en s'adressant à son fils.

— Le professeur d'Alain a l'air assez content de lui, dit Jean. Il y a juste ses devoirs qu'il trouve un peu malpropres.

— Ça, on va y voir à partir de demain soir, décréta Reine, l'air résolu.

— Et Catherine? demanda Jean.

— La première de sa classe, lui dit sa femme en lui tendant le bulletin de son aînée. Mais elle peut encore faire mieux, prit-elle le soin d'ajouter. Bon, à cette heure, il est l'heure d'aller vous coucher, dit-elle à ses enfants. Ramassez vos affaires sur la table, mais laissez-moi vos devoirs que je regarde ça avant d'aller prendre un bain.

— Va prendre ton bain, je vais les vérifier, lui proposa Jean.

Le père de famille prit les cahiers de devoirs et alla se réfugier dans le salon.

Il se sentait rassuré. Reine avait tenu parole. Depuis deux semaines, elle avait repris sa place dans son foyer, même si elle s'occupait activement de la biscuiterie. Il ignorait comment elle s'y prenait, mais elle était habituellement à la maison quand il revenait du travail. Elle disait qu'elle arrivait à préparer les repas et à faire le lavage, le repassage et le ménage durant les heures creuses au magasin. Il ignorait comment elle parvenait à tout faire, mais elle le faisait. En contrepartie, un peu honteux de la voir s'échiner ainsi, il participait le plus possible aux travaux ménagers et voyait à ce que les enfants apportent leur contribution.

Bref, il s'était installé une certaine harmonie depuis que Reine avait engagé une vendeuse et passait plus de temps à la maison. Par conséquent, sa femme semblait de meilleure humeur, et cela, malgré tout le travail qu'elle devait abattre.

À Radio-Canada, Jean avait dû s'habituer rapidement à se passer de l'aide de Henri-Claude Langelier, définitivement parti à sa retraite à la fin du mois de janvier. Il en apprenait davantage sur son travail chaque jour, mais c'était devenu un peu plus difficile sans les encouragements dont le journaliste d'expérience n'était pas avare. Comme ce dernier le lui avait clairement fait comprendre, il lui fallut peu de temps pour détecter que le service était la scène d'une féroce lutte de pouvoir. Alors, l'euphorie du début avait cédé la place à une certaine prudence quand il s'était rendu compte que le département était divisé en deux factions rivales se livrant une lutte sans merci.

Il avait fini par découvrir que plusieurs employés, regroupés autour d'un certain Vincent Lalande, visaient apparemment à évincer Ernest Lapointe de son poste de directeur. Ils s'en disaient insatisfaits et se cachaient à peine pour critiquer chacune de ses décisions. Les membres de l'autre groupe, beaucoup plus nombreux, complotaient aussi dans le dos de Lapointe, moins dans le but de s'opposer à lui que pour forcer la société d'État à améliorer autant leur salaire que leurs conditions de travail. Tout cela créait un climat assez insécurisant dans lequel quelques neutres, comme Jean, ne cherchaient qu'à se tenir prudemment à l'écart de cette agitation. Pour sa part, le fils de Félicien Bélanger était bien décidé à ne pas se faire étiqueter comme appartenant à l'un ou l'autre groupe. Son seul désir était d'effectuer convenablement son travail sans avoir d'histoire.

À son avis, son confrère de travail le plus désagréable était, et de loin, Vincent Lalande. L'homme, à peine plus âgé que lui, était un snobinard qui se faisait un titre de gloire d'être sorti du chic collège Jean-de-Brébeuf. Paradant dans le département dans une tenue décontractée, il s'exprimait avec un accent français prononcé quand il daignait enlever de sa bouche sa pipe recourbée au fourneau pratiquement toujours éteint. Jean avait cru remarquer que, sous ses manières un peu efféminées, Lalande n'était qu'un poseur qui avait un don certain pour les phrases dévastatrices et les allusions méchantes. En conséquence, Jean prenait grand soin de s'en tenir loin et il évitait la table où ce collègue tenait sa cour à la cafétéria.

Par ailleurs, quelques jours auparavant, il avait eu l'occasion de mettre les choses au point avec un certain René Dufort, le porte-parole très actif de la seconde faction, quand celui-ci était venu le voir pour lui faire signer une pétition qui réclamait de meilleures conditions de travail.

— Écoute, lui avait-il dit, mal à l'aise. Je commence à peine à travailler ici. J'ai une famille à faire vivre. Je suis bien mal placé pour critiquer et demander mieux.

Dufort, un homme ventru dans la cinquantaine, sembla l'avoir compris et ne l'avait plus importuné. Jean ignorait ce qu'il avait rapporté à son groupe, mais il avait l'impression qu'on l'avait un peu ostracisé.

Deux jours après avoir été approché par René Dufort, il vit Lalande s'arrêter devant lui, à la cafétéria où il s'apprêtait à dîner.

— Et puis, aimes-tu travailler avec nous ? lui avait-il demandé, en arborant son petit air supérieur habituel. C'est autre chose que de travailler pour un petit journal comme le *Montréal-Matin*, non ? avait-il ajouté, méprisant. Tu dois trouver la marche pas mal haute.

— C'est pas tellement différent, mentit Jean, offensé par la remarque. La seule différence que j'ai remarquée, c'est qu'au journal, tout le monde était sympathique.

Lalande ne sembla pas avoir compris l'allusion.

— J'espère que tu as constaté qu'au service des nouvelles, on forme un groupe de professionnels de l'information qui visent rien de moins que la perfection, poursuivit-il avec hauteur.

— C'était aussi ce qu'on se disait au *Montréal-Matin*, affirma Jean, agacé par les airs hautains de son vis-à-vis.

Son collègue feignit d'ignorer son hostilité et continua, mais sur un ton plus bas.

— On est nombreux à penser que le service serait beaucoup plus efficace et effectuerait un travail de bien meilleure qualité si on remplaçait le directeur actuel et…

— Tu m'excuseras, mais je suis trop nouveau à Radio-Canada pour avoir eu le temps d'évaluer mon directeur, l'interrompit Jean. En plus, je viens d'un milieu où la loyauté est la qualité la plus appréciée.

Vincent Lalande eut un rictus avant de laisser tomber un « Je comprends » plein de morgue. Il alla rejoindre ses disciples à la table qu'ils occupaient habituellement. Jean eut l'impression ce jour-là de s'être fait un ennemi et d'avoir été jugé irrécupérable par cette faction.

☙

Ce soir-là, Reine s'était fait couler un bain et se prélassait dans la baignoire après une journée bien remplie. Les enfants étaient couchés et Jean, victime d'un mauvais rhume, s'était mis au lit quelques minutes auparavant, même s'il était à peine neuf heures trente. Ses pensées vagabondaient et elle éprouvait une intense satisfaction à l'idée de tout ce qu'elle parvenait à accomplir dans une journée. La gérante de la biscuiterie Talbot avait trouvé une véritable perle en la personne de Claire Landry. La jeune Gaspésienne était travailleuse, honnête et aimable avec la clientèle. Plus important encore, elle était discrète.

La semaine précédente, Reine avait aperçu une longue Cadillac noire s'immobiliser devant le magasin au moment où elle retouchait la décoration de l'une des vitrines. À son grand étonnement, elle en avait vu descendre Benjamin Taylor.

— Seigneur ! Qu'il est beau cet homme-là ! s'était exclamée Claire Landry qui l'avait vu en même temps qu'elle.

— C'est un de mes amis, lui avait dit sa patronne, avec une fierté certaine.

L'homme d'affaires avait bien vu qu'on le regardait et il avait pris son temps pour pénétrer dans le magasin. Il avait toujours le même air avantageux. À son passage devant la vitrine, il avait frappé doucement contre la vitre et lui avait envoyé un baiser de la main, ce qui avait fait rougir violemment la jeune femme. Le geste n'avait pas échappé à la jeune vendeuse.

À l'entrée de l'homme dans le magasin, Claire avait tout de suite compris que sa présence gênait et s'était esquivée dans l'arrière-boutique sous le prétexte de ranger ce qu'un fournisseur avait livré la veille.

— Fais plus jamais ça devant le monde, avait ordonné Reine à son visiteur dès que Claire eût disparu derrière le rideau de perles. Pour qui tu me fais passer ? T'oublies que je suis mariée, moi. À part ça, qu'est-ce que ma vendeuse va penser ?

— Excuse-moi, avait-il dit, l'air contrit. J'avais complètement oublié que t'avais une employée à cette heure. Quand je l'ai vue, il était trop tard.

— Parlons-en plus, avait-elle repris, tout de même heureuse de sa visite. Qu'est-ce que tu fais de bon ?

Il lui avait énuméré succinctement ce qu'il avait fait durant les dix derniers jours. Ensuite, il avait fait en sorte qu'elle lui raconte les quelques événements survenus dans sa vie depuis sa dernière visite. Elle s'était bien gardée de lui dire qu'elle était maintenant copropriétaire de la biscuiterie, de peur qu'il insiste pour se charger de la publicité de son magasin.

— J'avais pas remarqué que t'avais un beau char comme ça, avait-elle dit, un brin admiratrice devant ce signe de réussite.

— C'est le modèle de cette année. Avoir un beau char, c'est aussi important que d'être bien habillé pour les clients. Ça leur inspire confiance, avait-il ajouté en lui prenant doucement une main qu'elle chercha immédiatement à retirer.

Il avait été plus rapide qu'elle. Il l'avait levée jusqu'à ses lèvres et en avait embrassé la paume.

— Reste donc tranquille, avait-elle protesté en jetant un coup d'œil anxieux vers l'arrière-boutique pour s'assurer que Claire n'avait rien vu.

— C'est correct, avait-il accepté sans la moindre trace de remords. J'espère que tu te souviens que c'est la Saint-Valentin, la semaine prochaine.

— Je vois pas pourquoi tu me dis ça, avait-elle rétorqué, jouant les coquettes.

— Nous deux… avait-il commencé.

— Il y a pas de nous deux, avait-elle dit d'une voix tranchante. Si je fête la Saint-Valentin, ça va être avec mon mari.

— Tu me fais bien de la peine, avait-il murmuré sur un ton à demi plaisant. Bon, j'y vais. J'ai un rendez-vous important avec un client de la rue Saint-Denis, avait-il conclu. Je dois aussi retourner après-demain à Toronto.

Il avait quitté la biscuiterie aussitôt. Dès que la porte s'était refermée, la vendeuse était revenue prendre place derrière le comptoir comme si de rien n'était. Reine lui avait jeté un coup d'œil pour essayer de voir si la jeune femme avait deviné quelque chose, mais rien dans son comportement ne l'avait laissé croire.

Même si elle trouvait embarrassantes les manifestations publiques de son admirateur, Reine n'était pas prête à y renoncer. Évidemment, elle pourrait le remettre à sa place et lui défendre de revenir l'importuner, mais elle ne le désirait pas. Elle continuait à se sentir flattée de susciter de telles marques d'adoration chez un homme qui devait vraiment avoir le choix.

— Je pense qu'il m'aime pour vrai, murmura-t-elle rêveusement pour elle-même, toujours étendue dans sa baignoire pleine d'eau savonneuse.

En disant cela, elle se sentit envahie par une étrange exaltation. En cet instant, elle n'eut aucune pensée pour son mari et ses enfants. Elle ne songea qu'à ce qu'elle éprouverait si un jour elle avait à vivre aux côtés d'un tel homme. Elle se voyait descendant de la Cadillac à la porte d'un hôtel chic, élégamment vêtue d'un manteau de vison et les doigts chargés de bagues coûteuses. Elle eut un sourire de dérision en regardant la petite bague en argent offerte par son mari à l'occasion de leurs fiançailles. Elle s'imagina maîtresse d'une grande maison luxueusement meublée, si belle que la demeure de sa sœur, à Saint-Lambert, avait presque l'air d'un taudis à côté.

— La Floride, l'hiver, le chalet dans le Nord, l'été, murmura-t-elle, les yeux fermés. La belle vie !

Des coups frappés à la porte de la salle de bain la firent sursauter et ouvrir les yeux.

— Achèves-tu ? lui demanda Jean d'une voix enrhumée. J'aimerais ben pouvoir prendre la bouteille de sirop dans la pharmacie.

❧

Trois jours plus tard, Jean quitta l'appartement en même temps que sa femme après le souper.

— Je resterai pas longtemps chez mon père, lui dit-il quand ils parvinrent au pied des escaliers. Je devrais être revenu quand tu fermeras le magasin.

— T'es pas obligé de te presser, fit-elle, conciliante. Je ferme à neuf heures et Catherine est assez vieille pour s'occuper des garçons.

Elle se dirigea vers la porte de la biscuiterie pendant qu'il prenait la direction de la rue Brébeuf. Son frère lui avait téléphoné la veille pour lui fixer un rendez-vous chez leurs parents à sept heures.

— Je t'attendrai avec Lucie au pied de l'escalier, lui avait dit Claude.

— En as-tu parlé à Lorraine ? avait-il demandé.

— Oui, elle a promis de venir avec Marcel.

— Tiens, ça va faire drôle de revoir le beau-frère. Il me semble que ça fait un bon bout de temps qu'on l'a pas vu, avait-il fait remarquer à son frère.

— Depuis un certain avertissement, avait senti le besoin de préciser Claude en ricanant. Mais, farce à part, on va faire comme si de rien n'était. J'espère que Meunier va la fermer aussi. Ce serait pas le temps, demain soir, de commencer à se chamailler devant le père.

— Ça me surprendrait qu'il ait pas compris ça, l'avait rassuré Jean avant de raccrocher.

Il s'agissait d'aller réconforter leur père qui prenait officiellement sa retraite ce soir-là, la veille de son soixante-cinquième anniversaire de naissance.

En quelques occasions durant les dernières semaines, sa mère lui avait avoué craindre la nouvelle vie qui allait débuter le jour où Félicien allait prendre sa retraite. Son mari n'avait aucun passe-temps, à part regarder la télévision, et cela l'inquiétait.

— Je vais avoir ton père dans les jambes du matin au soir, lui avait-elle dit. Ce sera pas endurable. Comme je le connais, il arrêtera pas de tourner en rond dans la maison, et moi je vais devenir folle.

Quand Jean tourna au coin de la rue, il aperçut sa sœur Lorraine et son mari en conversation avec Claude et Lucie, debout au pied de l'escalier. Lucie portait quelque chose enveloppé dans un sac, possiblement un gâteau.

— Grouille-toi, le grand, lui ordonna son frère. Nous autres, on gèle tout rond.

— Tu m'avais dit sept heures, il est sept heures, rétorqua Jean. Bon, est-ce qu'on monte ?

À son arrivée, il avait remarqué que Marcel Meunier faisait grise mine, mais il se dit que cela lui passerait. Les cinq personnes se présentèrent à la porte de l'appartement des Bélanger. Lorraine sonna et leur mère vint leur ouvrir. Lorsqu'elle les vit, un large sourire illumina son visage.

— Dites-moi pas qu'on va avoir de la visite à soir, fit-elle en les faisant entrer.

Félicien, les lunettes sur le bout du nez, apparut à l'extrémité du couloir et s'avança vers les visiteurs.

— Bonyeu! Qu'est-ce qui se passe? demanda-t-il, surpris de voir tous ses enfants arriver ensemble. On n'est pourtant pas le dimanche.

— On a entendu dire qu'il y avait un chanceux qui a pris sa retraite aujourd'hui, dit Claude sur un ton plaisantin, en déboutonnant son manteau. On s'est dit qu'on n'était pas pour laisser passer ça sans venir voir de quoi ça a l'air quelqu'un qui sera plus jamais obligé de se lever le matin pour aller travailler.

— Enlevez vos manteaux et venez vous asseoir dans la cuisine, intervint Amélie.

— Tenez, madame Bélanger, c'est pour fêter un peu, dit Lucie en lui tendant le paquet qu'elle tenait. Attention, le glaçage vient d'être mis.

Tous les invités embrassèrent Amélie. Si les hommes serrèrent la main de Félicien, sa fille et sa bru déposèrent un baiser sur l'une de ses joues. Tout le monde prit la direction de la cuisine. Jean alla chercher dans le placard des chaises pliantes pendant que Claude s'arrêtait devant la chaise berçante de son père.

— Barnak! J'en reviens pas. Ça, c'est une chaise berçante qui va se faire aller à partir d'à soir.

— Que j'aime donc pas entendre ce mot-là! protesta sa mère. Ça ressemble un peu trop à un mot d'église.

— Peut-être, m'man, mais c'est pas ça, la corrigea son fils cadet. Aimeriez-vous mieux que je sacre? Je connais une couple de blasphèmes qui sont pas mal. Je suis certain que Marcel en connaît aussi. Pas vrai, le beau-frère ? ajouta Claude, qui souhaitait inclure celui-ci à la conversation, le sachant plutôt mal à l'aise étant donné la teneur de leur dernière rencontre.

Pris à témoin, Marcel Meunier dut bien se résoudre à desserrer les lèvres. Il finit par participer à la discussion générale qui suivit en se rendant compte que ses beaux-frères ne semblaient pas lui tenir rigueur de ce qui s'était passé entre lui et Lorraine au jour de l'An. Ceci dit, il ne se sentait pas moins surveillé autant par Claude que par Jean.

Ce dernier excusa l'absence de sa femme qui devait s'occuper de la biscuiterie et dut donner des nouvelles de la santé de sa belle-mère à qui tous les Bélanger s'intéressaient par pure politesse. Ensuite, Amélie fit en sorte que son mari raconte dans tous ses détails la petite fête que ses collègues lui avaient offerte la veille et exigea qu'il fasse voir aux invités la belle montre que son employeur lui avait donnée pour ses quarante ans de service.

— Vous allez recevoir votre chèque de pension au commencement de chaque mois sans avoir à aller geler pour le gagner, rappela Jean à son père. C'est fini de monter et de descendre des escaliers et de traîner un sac qui vous arrache les épaules tous les jours.

— Puis, en plus, p'pa, poursuivit Claude, oubliez pas que vous allez toucher votre chèque de pension de vieillesse. Sans le vouloir, vous allez être riche en barnak ! Vous aurez pas assez de vos journées pour dépenser tout ce que vous allez recevoir.

Claude ne saisit pas le regard réprobateur que lui adressa sa mère, qui savait que son mari n'appréciait pas qu'on lui rappelle son âge.

— Il faut tout de même pas exagérer, intervint Félicien, le front soucieux. Ce sera pas le Pérou. Ça va nous donner tout juste de quoi vivre.

— En tout cas, p'pa, vous avez pas volé le droit de vous reposer, déclara Lorraine en posant un regard affectueux sur son père.

— C'est ben mon impression, confirma ce dernier, sans grand enthousiasme cependant.

— Qu'est-ce que vous avez l'intention de faire, monsieur Bélanger ? intervint Marcel.

— J'aurai pas le temps de m'ennuyer. Ta belle-mère a déjà décidé que je devais commencer par faire un grand ménage dans l'appartement. Il paraît que ça fait longtemps que j'aurais dû donner une bonne couche de peinture partout. Après…

— Après, tu vas me faire aussi un bon ménage du hangar et me sortir de là toutes les vieilleries qui nous encombrent depuis des années, fit sa femme sur un ton qui ne souffrait pas la contestation.

— Toi, fais ben attention à ce que tu dis là, plaisanta-t-il. Si je me mets à sortir toutes les vieilleries d'ici dedans…

— Fais pas ton jars, Félicien Bélanger, le mit en garde sa femme en riant. Tout le monde sait que t'es un doux.

— J'espère qu'il y a personne parmi vous autres qui croit que je vais pouvoir me reposer tranquille. À partir de demain, comme j'arrête pas de le répéter, je fais juste changer de *boss*, et je serai même pas payé à la fin de la semaine.

Toutes les personnes présentes éclatèrent de rire, mais Jean sentait bien que le rire de son père sonnait faux. Il ne parvenait pas à cacher totalement son angoisse devant le tournant que prenait subitement sa vie. Non seulement il cesserait d'aller travailler chaque matin, mais il allait toucher ce qu'il appelait « la pension pour les vieux » dès le début du mois suivant. Il était difficile de savoir lequel de ces deux faits le démoralisait le plus.

Lucie se leva et demanda à sa belle-mère le droit d'utiliser sa vaisselle pour servir à chacun un morceau de gâteau au chocolat, le préféré de son beau-père.

— C'est pas un gâteau pour votre fête, prit-elle soin de préciser. C'est juste pour souligner votre retraite.

— T'es ben fine, Lucie, dit Félicien en prenant l'assiette qu'elle lui tendait.

— Si vous êtes pas trop écœuré de nous voir la face, fit Claude, on reviendrait vous voir demain soir pour vérifier si vous avez vraiment vieilli durant la nuit.

— Vous êtes les bienvenus, accepta Félicien, heureux qu'on vienne lui rendre visite le jour de son anniversaire. Mais je vous avertis, demain, le Canadien joue contre Detroit et vous allez regarder la partie avec moi. Je veux pas la manquer.

— Nous autres non plus, p'pa, s'empressa de le rassurer Jean.

— Ça a tout l'air qu'on va s'installer dans la cuisine et passer la veillée toutes seules, comme des belles dindes, fit remarquer Amélie en prenant sa fille et sa bru à témoin.

— Ça fait rien, madame Bélanger, dit Lucie en lui adressant un clin d'œil. Si on est toutes seules, on va pouvoir parler de sujets intelligents.

— Aïe ! protesta son mari.

— On va parler d'autres choses que de chars et de hockey, poursuivit la petite femme blonde, comme si son mari n'était pas là.

Ces dernières paroles semblèrent inciter Marcel Meunier à s'adresser à Jean.

— Parlant de char, il paraît que tu t'es fait voler le tien ?

— À la fin de décembre.

— Naturellement, ils l'ont pas retrouvé.

— Pas de nouvelles.

— Pour moi, la police le retrouvera pas. T'es mieux d'en faire ton deuil. Je sais pas comment tu fais pour t'en passer. Moi, je serais pas capable.

— Moi non plus, confirma Claude. Ça te tente pas de t'en acheter un autre ?

— Ça coûte cher et je viens d'acheter une télévision.

— Pas un neuf, un usagé, suggéra son frère cadet.

— C'est vrai, ça, poursuivit le plâtrier. Je suis allé travailler sur Papineau hier, et j'ai laissé mon char devant chez Latendresse. Je te dis qu'il en a au moins vingt-cinq à vendre. D'après ce que j'ai pu voir, il y en a qui sont pas mal.

En entendant ces paroles, Lorraine adressa un coup d'œil entendu à sa mère. Il était connu dans la famille que Marcel était fou des automobiles, et lorsqu'il commençait à en parler, c'était un signe qui ne trompait pas, il avait le goût d'en changer.

— Il y a jamais moyen de mettre une cenne de côté avec sa maladie des chars, se plaignait-elle parfois à sa mère.

— Aimerais-tu mieux qu'il se remette à boire comme avant ? rétorquait alors cette dernière.

— L'un empêche pas l'autre, avait dit dernièrement la jeune femme, sans donner plus de détails.

Il était toutefois exact que Marcel Meunier changeait de voiture tous les dix-huit mois environ, mais il ne se procurait que des automobiles usagées, faute d'argent. Bien souvent, il avait troqué un véhicule qui roulait bien pour un autre de plus belle apparence qui s'était révélé une source constante d'ennuis mécaniques.

— T'aurais dû être maquignon, comme mon vieux père, lui avait dit sa belle-mère la dernière fois que cela s'était produit.

— Pourquoi vous me dites ça, madame Bélanger ? lui avait-il demandé sur un ton soupçonneux.

— Parce qu'une fois sur deux, mon père, qui se vantait de bien connaître les chevaux, échangeait un bon cheval pour une picouille, avait-elle expliqué en riant.

Ce soir-là, Marcel, tout heureux de discuter d'un sujet qui l'intéressait particulièrement, se mit à comparer les mérites des différentes marques d'automobiles.

— Ça se pourrait que je m'achète un autre char, mais je vais attendre au printemps, déclara Jean aux membres de sa famille.

— Pourquoi attendre au printemps ? lui demanda son frère. C'est en hiver qu'un char est utile.

— Pourquoi veux-tu attendre au printemps ? répéta son beau-frère. Après l'hiver, les prix montent parce que tout le monde veut s'acheter un char. Si t'as l'intention de t'en payer un, c'est ben mieux l'hiver, expliqua-t-il en s'allumant une cigarette. En plus, tu me feras pas croire que t'aimes ça attendre l'autobus en claquant des dents, matin et soir.

— C'est vrai ce qu'il dit là, reconnut Claude. T'aurais un ben meilleur prix si tu l'achetais en plein hiver.

— Je vais y penser, promit Jean, l'air songeur.

— Si t'as besoin de quelqu'un pour y aller avec toi, donne-moi un coup de téléphone, offrit généreusement Marcel.

Cette suggestion fit plaisir à Jean qui comprenait ainsi que ce dernier lui avait pardonné son intervention un peu musclée du jour de l'An.

Finalement, un peu après neuf heures et demie, les invités prirent congé les uns après les autres et rentrèrent chez eux.

Jean retrouva sa femme attablée dans la cuisine en train de calculer dans un cahier, la bande de la caisse enregistreuse du magasin étalée devant elle. Apparemment, les enfants étaient déjà au lit et elle profitait d'un moment d'accalmie pour faire les comptes de la biscuiterie.

— Es-tu déjà en train de faire tes comptes pour la semaine ? lui demanda-t-il, surpris. Je croyais que c'était le samedi que tu devais faire ça.

— Non, j'en ai parlé finalement à ma mère et j'aime mieux le faire le vendredi soir. Comme ça, le samedi, quand je fermerai à cinq heures, j'aurai la paix jusqu'au lundi matin.

— Puis, la semaine a-t-elle été bonne ?

— Pas trop mal, admit-elle sans donner d'autres précisions.

Dans son esprit, la biscuiterie était son affaire et elle évitait de partager trop d'information avec son mari au sujet du magasin. Elle voulait lui montrer qu'elle était capable de s'en occuper seule.

Il n'insista pas. Il était clair désormais que Reine considérait l'argent des revenus générés par la biscuiterie comme lui appartenant à elle uniquement.

Le samedi précédent, il lui avait demandé combien lui avait rapporté sa semaine de travail à la biscuiterie au moment où elle terminait ses comptes sur le coin de la table, avant de descendre chez sa mère, et elle avait refusé de répondre.

— C'est ça, lui avait-il dit, amer. Moi, le nono, si je comprends ben, je vais tout payer dans la maison pendant que toi, tu vas empiler en cachette à la banque.

— Cet argent-là, c'est pas l'argent du ménage, s'était-elle défendue. C'est mon argent et j'ai le droit d'en faire ce que je veux. Mon ouvrage en bas t'enlève rien. Tout est fait comme avant dans la maison et les enfants manquent de rien, avait-elle poursuivi. À ce moment-là, l'argent que je gagne est à moi.

Quelques jours plus tard, il ne lui en avait pas moins suggéré de déposer ses gains dans un compte commun à la banque. Cette proposition avait engendré l'une de leurs plus belles scènes de ménage à laquelle, malheureusement, les enfants avaient dû assister. Sa femme était sortie immédiatement de ses gonds en clamant haut et fort qu'elle n'avait pas à faire vivre sa famille et que c'était là le rôle du père. S'il était incapable de pourvoir aux besoins des siens, il n'avait qu'à se trouver un deuxième emploi. À l'entendre, il ne cherchait qu'à profiter d'elle plutôt que de travailler à améliorer leur sort. Il s'était rapidement retiré dans le salon de crainte de succomber à la tentation de la gifler.

Quand le calme revint après la tempête, il réalisa soudain à quel point Reine semblait le mépriser pour son manque d'ambition. Le fossé les séparant s'en trouva élargi.

En ce vendredi soir, avant d'allumer le téléviseur, il se prépara une tasse de café. En attendant que l'eau soit chaude dans la bouilloire, il déclara à sa femme :

— J'ai dit à mon père qu'on irait faire un tour demain soir.

— T'en reviens, lui fit-elle remarquer en commençant à ramasser les factures déposées sur la table.

— Oui, mais c'est sa fête demain. On va aller lui porter un cadeau.

— J'avais prévu d'aller voir *Ben Hur* demain soir avec Gina, fit-elle, contrariée.

— Tu pourrais peut-être y aller un autre soir, suggéra-t-il. Déjà qu'à soir, t'étais la seule à pas être là. Lucie avait même fait un gâteau.

— Toi et ta maudite famille ! s'emporta-t-elle. On n'arrête pas d'être poignés à aller chez l'un et chez l'autre, ajouta-t-elle en haussant la voix. Il me semble qu'on passe notre temps à acheter des cadeaux pour toutes sortes d'occasions.

— Tu trouves peut-être plus normale une famille comme la tienne qu'on voit même pas une fois par année ? répliqua-t-il, sur un ton ironique.

— C'est correct, je vais téléphoner à Gina pour lui dire que je peux pas aller aux vues avec elle demain soir, fit-elle, les dents serrées. Je suppose que si j'y vais pas, ils vont tous parler dans mon dos.

— Tu devrais savoir que c'est pas leur genre, dit-il en versant l'eau chaude dans sa tasse.

— En tout cas, moi, j'ai pas le temps de m'occuper d'un cadeau pour ton père. Tu t'organiseras pour aller lui en acheter un.

— Inquiète-toi pas pour ça, répliqua-t-il. Je vais en acheter un et il te coûtera pas une cenne.

— Il manquerait plus que ça, fit-elle, bien décidée à avoir le dernier mot.

Elle quitta sa chaise après avoir ramassé tous les papiers épars sur la table.

— Bon, je descends cinq minutes chez ma mère. Je serai pas longtemps partie.

Chapitre 14

La voiture

Samedi matin, Jean fut réveillé par le soleil qui pénétrait dans sa chambre par la fenêtre dont les rideaux avaient été largement tirés. Un coup d'œil au réveille-matin lui apprit qu'il était près de neuf heures. Il se leva rapidement. Catherine était dans la cuisine en compagnie d'Alain. Tout était rangé dans la pièce. Il n'y avait sur la table que son couvert.

— Où est Gilles ? demanda-t-il à sa fille.

— Grand-maman l'a appelé pour qu'il aille lui chercher quelque chose chez Drouin. Il devrait être à la veille de revenir.

Le père de famille mangea rapidement deux rôties, but une tasse de café et alla s'enfermer dans la salle de bain pour faire sa toilette. Sa décision était prise. La veille, il avait longuement réfléchi à ce que son frère et son beau-frère lui avaient dit à propos des voitures usagées et il en était venu à la conclusion qu'il possédait suffisamment d'argent pour s'en offrir une. Son indemnité de départ du *Montréal-Matin*, l'argent de son fonds de pension et ses quelques économies à la banque le lui permettaient. Il s'agissait de ne pas dépasser six cents dollars. En tout cas, aller jeter un coup d'œil chez Latendresse ou chez Simard, pour ne nommer que ceux-là, ne coûterait rien.

Il faisait beau dehors et, si le froid n'était pas trop vif, la sortie serait même agréable. De plus, il avait l'intention d'en profiter pour acheter une paire de gants à son père pour son anniversaire. Il avait remarqué le dimanche précédent, en revenant de la messe, que ceux qu'il portait étaient décousus.

Durant un court moment, il se demanda s'il ne devrait pas téléphoner à Marcel Meunier pour lui proposer de l'accompagner dans sa recherche d'une bonne voiture usagée. Finalement, il y renonça en se disant que l'autre chercherait selon toute probabilité à lui imposer ses goûts sous le prétexte qu'il s'y connaissait beaucoup mieux que lui dans ce domaine.

— Quand ta mère montera dîner, dis-lui que je suis parti faire des commissions, prévint-il Catherine en endossant son manteau. Si je vois Gilles, je vais l'amener avec moi, ajouta-t-il.

— M'man sera pas contente, sentit le besoin de l'avertir l'adolescente. Avant le dîner, on est censés aller faire l'épicerie chez Drouin et elle comptait sur lui pour aider à porter les sacs.

— J'avais pas pensé à ça, reconnut Jean. Dans ce cas-là, je l'amènerai pas.

— Moi, je peux y aller avec vous, p'pa, proposa Alain. J'ai rien à faire.

Le père de famille hésita à peine un instant avant de l'inviter à mettre son manteau et à chausser ses bottes. Le jeune garçon se précipita, et une minute plus tard ils quittèrent l'appartement. Pour sa plus grande satisfaction, Jean découvrit qu'il faisait doux à l'extérieur. Il était même plaisant de marcher sur le trottoir enneigé en ce samedi du mois de février.

— On va aller jusqu'à Papineau, annonça-t-il à son fils. On va d'abord acheter un cadeau pour grand-père chez Messier et après, si on a le temps, on va prendre l'autobus et aller voir si on trouverait pas un char pas trop cher dans un garage.

Le gamin, tout excité par cette perspective, marchait d'un bon pas aux côtés de son père. Chez L.-N. Messier, Jean trouva immédiatement les gants recherchés. Après son achat, il entraîna Alain jusqu'à l'arrêt d'autobus. Ils n'eurent pas à attendre longtemps. Quelques minutes plus tard, ils montèrent à bord d'un autobus qui les déposa au coin de la rue Beaubien, tout près du garage Latendresse spécialisé dans la vente de voitures usagées.

Latendresse occupait un grand terrain, à l'intersection des rues Beaubien et Papineau. Le propriétaire ne s'était pas lancé dans de folles dépenses pour l'aménagement de son commerce. Il s'était contenté de stationner les voitures à vendre les unes à côté des autres de manière à former un vaste rectangle au centre duquel il avait fait installer une vieille roulotte à la peinture écaillée qui lui servait de bureau. Pour attirer l'attention des clients potentiels, il avait fait tendre en hauteur un fil électrique tout le tour de son terrain où les ampoules de couleur alternaient avec des fanions rouges en plastique. Le terrain était protégé par quelques piliers de ciment entre lesquels étaient tendues des chaînes.

Il fallait tout de même reconnaître que Jean-Guy Latendresse était assez avisé pour faire déneiger soigneusement toutes les voitures à vendre et pour avoir muni plusieurs d'entre elles d'une large affiche cartonnée sur laquelle le mot « SPÉCIAL » s'étalait en grosses lettres blanches au-dessus d'un prix largement souligné. Près de l'entrée, le propriétaire avait stationné une remorqueuse.

— Tu dis rien pendant que je discute avec le vendeur, dit Jean à son fils, en se glissant nonchalamment entre les automobiles. Fais juste comme moi, regarde.

Le jeune père de famille venait à peine de faire le tour de deux voitures que la porte de la roulotte s'ouvrit sur un petit homme à l'air chafouin âgé d'une quarantaine d'années qui vint à sa rencontre en boutonnant son manteau.

— Cette Mercury-là est pas mal, dit-il à Jean. Elle a presque pas de millage.

Jean le remercia du renseignement et poursuivit son chemin vers une De Soto noire qu'il examina sans trop s'attarder.

— Est-ce qu'il y a une sorte de char qui vous intéresse en particulier? demanda le vendeur qui ne semblait pas découragé par l'accueil un peu discourtois de ce client potentiel.

— Je fais juste regarder, laissa tomber Jean, agacé de le voir le suivre. Écoutez, fit-il en se tournant carrément vers lui, laissez-moi regarder et s'il y a quelque chose qui m'intéresse, je vais aller vous voir au bureau.

— C'est correct, accepta l'homme. Mais gênez-vous pas pour me demander des renseignements. Dites-vous qu'on a des chars de tous les prix.

Le vendeur abandonna Jean et son fils et rentra sans plus de façon dans la roulotte. Un instant plus tard, Jean leva les yeux et l'aperçut qui le surveillait par l'une des fenêtres.

Il fit deux fois le tour de la trentaine de voitures usagées. Sans trop s'y connaître, il pouvait tout de même dire que les automobiles mises en vente étaient des modèles allant de 1950 à 1958. Naturellement, il n'accorda que très peu d'attention aux voitures les plus récentes, persuadé que leur coût dépassait de beaucoup ce qu'il était prêt à dépenser.

— Il y en a qui sont belles, finit par dire Alain à son père. Surtout celle-là, ajouta-t-il en pointant une Chrysler grise 1958.

— C'est vrai, reconnut-il, mais elle est trop chère pour nous autres.

Après plusieurs minutes, Jean finit par s'arrêter devant une Ford 1952 rouge au toit blanc dotée d'une affiche indiquant le fameux mot « SPÉCIAL », sous lequel on avait écrit quatre cents dollars. Il se pencha pour regarder à l'intérieur. Impossible de voir l'odomètre. Il fit lentement le tour du véhicule. Le bas de la caisse disparaissait sous la neige, mais les pare-chocs portaient des traces évidentes de rouille. Par ailleurs, il était impossible de vérifier l'état des pneus.

Jean demeura assez longtemps devant la Ford pour que le vendeur réapparaisse comme par magie à ses côtés en tenant une clé à la main.

— Je vais vous ouvrir la porte, proposa-t-il avec enthousiasme. Vous allez voir que ce char-là est pas mal propre. C'est tout un spécial. C'était un curé qui l'avait et il a presque pas roulé.

— Je suppose qu'en ouvrant le coffre, vous allez me montrer sa soutane qu'il a oubliée là, se moqua Jean, qui avait souvent entendu cette histoire.

— Non, c'est pas une farce que je vous fais, protesta l'homme. Ayez pas peur. Il y a pas de soutane dans la valise. Nous autres, on nettoie les chars qu'on vend.

Le vendeur déverrouilla la portière du côté conducteur.

— Allez-y, gênez-vous pas, l'encouragea-t-il. Assoyez-vous dedans. Vous allez voir qu'il est confortable.

Jean se glissa sur le siège un peu affaissé de la Ford. L'intérieur était glacial, mais assez propre. Pendant ce temps, l'homme avait contourné l'auto et ouvert l'autre portière pour permettre à Alain de rejoindre son père.

— Je vous ferais bien entendre le moteur, mais pour ça, il faudrait que je mette la batterie sur la charge parce que ce char-là est sur le terrain depuis un mois et demi. Mais je peux vous garantir que son moteur tourne comme un moine, ajouta-t-il avec la bonne humeur du vendeur qui se sent sur le point de réaliser une vente. Regardez le compteur : trente-deux mille milles. C'est presque un moteur neuf.

Jean hocha la tête et quitta la voiture sans manifester plus d'intérêt. L'employé de Latendresse s'empressa de soulever le capot pour lui montrer le compartiment moteur. Il ouvrit même le coffre pour lui prouver à quel point il était vaste.

— Ce char-là, mon ami, il est capable de durer encore dix ans, affirma-t-il, imperturbable.

— Peut-être, finit par dire Jean, mais c'est pas neuf neuf. On parle d'un char qui a huit ans. Je donnerais jamais quatre cents piastres pour une minoune comme celle-là.

— Une minoune ! s'exclama le vendeur, aussi horrifié que si on avait traité sa mère de femme de mauvaise vie. Vous trouverez jamais un meilleur char ! Aussi vrai que je suis là, c'est l'occasion de votre vie, cette Ford-là. Je vous le garantis.

— Trop cher, laissa tomber Jean en faisant un pas vers la sortie du terrain. Je reviendrai quand vous en aurez d'autres.

— Attendez ! Attendez ! fit l'homme en voyant s'envoler sa première, et peut-être unique, vente de la journée. Combien vous seriez prêt à mettre dessus ?

— Pas plus que trois cent cinquante.

— Vous êtes pas sérieux ? C'est moins que ce qu'on l'a payé. Si je le laissais aller à ce prix-là, j'y perdrais.

— C'est correct, reprit Jean en poussant légèrement Alain devant lui. Si je trouve pas mieux ailleurs, je reviendrai vous voir. De toute façon, je suis pas pressé.

— Écoutez, entrez une minute dans le bureau, partez pas comme ça, reprit l'homme sur un ton légèrement suppliant.

Je vais aller demander à mon *boss* s'il est capable de vous faire un prix.

Jean consulta ostensiblement sa montre avant de lui répondre sur un ton faussement impatient :

— Je veux bien, mais pas plus que cinq minutes. C'est presque l'heure de dîner et mon gars a faim, ajouta-t-il en adressant un clin d'œil discret à Alain.

Ils pénétrèrent tous les trois dans la roulotte surchauffée. Le vendeur leur indiqua une chaise devant une simple petite table couverte de formica avant d'aller frapper à une porte. Une voix bourrue l'invita à entrer. Il le fit et referma la porte derrière lui. Jean entendit des bribes d'une brève conversation ponctuée par un « T'es pas malade, toi ! ».

Quelques instants plus tard, le vendeur revint en compagnie d'un gros homme dont le nez était chaussé de lunettes à monture de corne. Son veston gris avachi et déboutonné laissait voir un ventre qui débordait largement au-dessus de la ceinture qui retenait son pantalon.

— Jean-Guy Latendresse, se présenta-t-il après avoir retiré sa cigarette de sa bouche. Écoutez, mon vendeur dit que vous trouvez la Ford 52 trop chère à quatre cents piastres. Je suis ben prêt à faire un bout de chemin, mais pas à perdre de l'argent. Si je l'écoutais, lui, je donnerais mon stock et je me ramasserais dans la rue le temps de le dire.

Jean ne dit rien et attendit la suite.

— Je suis prêt à vous laisser ce char-là pour trois cent quatre-vingt-cinq piastres. Qu'est-ce que vous en dites ?

— Je peux pas mettre plus que trois cent soixante, affirma Jean, prêt à arracher toutes les concessions possibles au propriétaire du garage.

— Bon, on n'est pas pour y passer des heures. Mon dernier prix : trois cent soixante-quinze, conclut le gros homme avec l'air de souffrir le martyre.

— C'est correct, accepta le jeune père de famille, persuadé d'avoir fait une excellente affaire et d'avoir roulé Latendresse en quelque sorte.

— Je laisse monsieur Dubreuil régler les derniers détails avec vous, fit le commerçant en regagnant son bureau sans plus de façon.

Le vendeur indiqua une chaise à Jean et alla s'asseoir derrière la table. Il ouvrit le tiroir d'un vieux classeur et en sortit un contrat qu'il remplit avec une célérité qui en disait long sur son expérience du métier. Après que Jean eut signé le document, il lui apprit qu'il allait charger la batterie et que la voiture allait être prête une heure plus tard.

— Ça va prendre autant de temps que ça? s'étonna Jean.

— On est en hiver, monsieur… Bélanger, lui fit remarquer Dubreuil en jetant un coup d'œil au document pour s'assurer qu'il utilisait le bon patronyme. Votre char a pas roulé depuis presque deux mois. C'est normal que la batterie soit déchargée. En plus, il va falloir qu'on le sorte de l'endroit où il est.

— Bon, dans ce cas, je vais revenir après le dîner, accepta-t-il.

— Ayez pas peur, le rassura le vendeur. Votre Ford va être prête quand vous allez revenir.

Euphorique, Jean entraîna son fils à l'extérieur de la roulotte et se mit en quête d'un restaurant. Il en trouva un au coin de la rue suivante. Ils mangèrent des frites et un hamburger. Le père incita son fils à prendre tout son temps et lui-même fit durer sa tasse de café de manière à ne pas être obligé d'attendre à l'extérieur que sa voiture soit prête.

Quand il se présenta au garage Latendresse sur le coup de une heure, la Ford avait été entièrement déneigée et déplacée. Elle était stationnée devant la roulotte et son moteur tournait. Jean en fit lentement le tour, persuadé d'avoir fait le meilleur achat de sa vie.

— Ce char-là a le même âge que la Pontiac qu'on avait, expliqua-t-il à son fils de huit ans, mais il est ben moins usé. Le trouves-tu beau ?

— Ben oui, p'pa, fit le jeune garçon, aussi enthousiaste que son père.

Ce dernier lui ouvrit la portière côté passager et l'invita à s'installer pendant qu'il allait prévenir le vendeur qu'il était prêt à prendre possession de son véhicule.

— Tout est en ordre. Les clés sont en dedans, lui dit Dubreuil à son entrée dans la roulotte. Vous pouvez partir avec.

Jean le remercia et s'empressa de se mettre au volant de la Ford. La voiture quitta le terrain en cahotant et le conducteur aperçut Dubreuil qui s'empressait de raccrocher la chaîne qui avait été détachée à une extrémité pour le laisser sortir. Il régnait déjà une agréable chaleur dans l'habitacle du véhicule. Jean poussa un soupir de satisfaction.

— On est ben, pas vrai ? dit-il à son fils, la mine réjouie. Comme ça, on n'aura plus à geler en attendant l'autobus.

Au premier feu rouge, le conducteur eut plus le temps d'examiner l'intérieur de sa voiture. Il dut convenir qu'elle ne payait pas de mine. La cuirette rouge et beige des sièges était fendue à certains endroits. Le tapis laissait voir sa trame et avait été passablement abîmé par le calcium. «Il faut pas oublier que ce char-là a huit ans», se dit-il, tout de même un peu dépité par l'air délabré de l'intérieur de la Ford. Il tendit la main pour allumer la radio. Rien. Il eut beau manipuler les deux boutons, elle ne s'alluma pas. Un rapide coup d'œil du côté passager lui apprit que l'antenne avait été arrachée.

Il n'eut pas le temps de s'en faire plus longtemps. Le feu venait de passer au vert et il poursuivit sa route jusqu'à la rue Mont-Royal avec l'espoir de trouver un espace de stationnement devant la biscuiterie de manière à pouvoir faire admirer immédiatement son acquisition à Reine.

La chance fut de son côté. Il put immobiliser la Ford devant l'une des deux vitrines du magasin. Tout heureux, il dit à Alain de descendre et tous les deux s'engouffrèrent dans la biscuiterie. Claire Landry, la vendeuse, les salua après avoir servi une cliente, mais ils durent attendre que Reine en ait fini avec un fournisseur venu livrer deux caisses de *Petit beurre*. Dès que le livreur eut quitté les lieux, Reine leur demanda :

— Où est-ce que vous avez dîné ? Il est presque deux heures.

— P'pa a acheté un nouveau char, m'man, s'empressa de lui annoncer Alain.

— Est-ce que c'est vrai ?

— Il est devant la porte, répondit son mari en lui montrant la Ford qu'elle pouvait voir depuis le comptoir derrière lequel elle se trouvait.

Reine quitta son poste et s'approcha de l'une des vitrines pour mieux regarder la Ford rouge au toit blanc sans trop manifester d'enthousiasme.

— Mais il a l'air bien vieux, ce char-là ! ne put-elle s'empêcher de s'exclamer. Il est pas neuf, certain !

— C'est sûr qu'il est pas neuf, mais il roule, lui dit Jean, fâché de voir qu'elle n'appréciait pas son achat. Avec ça, on n'aura plus à aller faire des commissions à pied. Mets ton manteau et viens le voir de plus près, l'invita-t-il. Tu vas voir qu'il est pas si pire que ça.

Un peu à contrecœur, Reine alla chercher son manteau suspendu dans l'arrière-boutique et sortit à sa suite. Claire

Landry s'était approchée à son tour de la vitrine pour regarder le couple et l'enfant s'asseoir dans la Ford. Reine y demeura moins d'une minute et rentra seule dans la biscuiterie, le visage fermé.

Jean laissa Alain dans la voiture et alla sonner à la porte voisine du magasin. Quand Catherine et Gilles vinrent ouvrir, il les invita à venir étrenner la nouvelle voiture familiale. Moins de cinq minutes plus tard, ils sortaient de la maison. Il leur fit signe de monter. L'un et l'autre ne cachèrent pas leur joie de se balader en automobile en ce samedi après-midi de février. Après avoir roulé une petite demi-heure, le père de famille vint stationner son véhicule rue Brébeuf et suivit ses enfants, en prenant soin de verrouiller d'abord sa nouvelle auto.

Le dédain manifesté par sa femme envers la vieille Ford lui avait finalement enlevé toute envie d'aller la montrer à son frère Claude et à ses parents. Il rentra avec ses enfants en se disant qu'ils ne tarderaient pas à avoir l'occasion de la voir.

Au moment de monter à l'appartement, il se rappela soudain que le lendemain était la Saint-Valentin et que sa femme lui pardonnerait difficilement de l'avoir oublié. Si Reine avait été absente de la biscuiterie, il aurait acheté là la boîte de chocolats qu'il souhaitait lui offrir pour l'occasion. Mais c'était impossible. Il laissa ses enfants rentrer seuls et il prit la direction de la pharmacie Payette, située deux coins de rue plus loin, pour s'y procurer du chocolat.

Ce soir-là, toute la famille se transporta chez les grands-parents Bélanger pour célébrer l'anniversaire de Félicien. Après la remise des cadeaux, tous eurent droit à une portion du gâteau d'anniversaire préparé par Amélie et à des carrés aux dattes apportés par Lorraine. Reine, l'air un peu renfrogné, se borna à écouter les conversations, semblant trouver plus d'intérêt à surveiller le comportement de ses trois enfants qu'à participer activement à la fête.

— On a une nouvelle auto, annonça Catherine à sa tante Lucie.

— Est-ce que c'est vrai, Jean ? s'informa son frère.

— Oui, mais elle est loin d'être neuve.

— T'aurais pu nous le dire, lui reprocha son père.

— C'est pas la septième merveille du monde, p'pa, fit Jean, gêné. C'est une Ford 52.

— Les Ford sont résistantes, déclara Marcel Meunier avec le ton du connaisseur.

— Est-ce qu'il a pas mal de millage ? intervint Claude.

— Trente-deux mille milles.

— Viens nous le montrer, lui demanda son frère en se levant.

Rassuré par l'intérêt que les siens manifestaient, Jean endossa son manteau et pilota son père, Claude et Marcel jusqu'à sa voiture stationnée presque au coin de Brébeuf et Mont-Royal. L'air concentré, les hommes firent le tour du véhicule et l'examinèrent à la lueur des réverbères.

— Ce char-là a l'air pas mal pantoute, fit Meunier, en soulevant le capot. Fais-le donc partir qu'on écoute le moteur.

Jean s'installa derrière le volant et démarra.

— Je sais pas le prix que tu l'as payé, fit Claude, mais j'ai ben l'impression que t'as fait une bonne affaire.

— Trois cent soixante-quinze piastres.

— Ça les vaut largement, conclut son beau-frère en refermant le capot.

À aucun moment Félicien n'émit une opinion. Il n'avait jamais possédé d'automobile et avouait ouvertement n'y rien connaître.

— Il est temps qu'on remonte si on veut pas manquer le commencement de la partie de hockey, dit-il à ses fils et à son gendre. Jean Béliveau contre Gordie Howe, pas question de rater une minute.

— T'as raison, ajouta Claude. Surtout que le Canadien joue mieux depuis deux semaines. Moi, je vous dis qu'il y a aucune équipe qui pourra nous empêcher de gagner une sixième coupe Stanley d'affilée, surtout pas les Red Wings.

— Oui, mais ça c'est pas fait encore, répliqua Marcel qui n'avait pas la même confiance en l'équipe de Montréal que son beau-frère.

De retour dans l'appartement, les hommes, déjà précédés par Gilles et Alain, se précipitèrent devant le téléviseur pour regarder le match pendant que les femmes allaient rejoindre Catherine et Murielle dans la cuisine. À la fin de la troisième période de hockey, alors que le Canadien avait une avance de deux buts, Jean et les siens prirent congé et rentrèrent chez eux.

— Calvince, tu pourrais pas au moins faire une belle façon quand on va quelque part! s'exclama Jean, dès que les enfants eurent disparu dans leurs chambres.

— Pourquoi tu me dis ça? lui demanda Reine avec sa mauvaise foi habituelle.

— Parce que t'as l'air bête chaque fois qu'on met les pieds chez nous, répondit-il en baissant la voix. Si t'étais plus agréable, j'aurais ben aimé rester jusqu'à la fin de la partie, mais je voulais pas imposer ton air de bougon plus longtemps à ma famille. En plus qu'on arrive là les mains vides et qu'on se laisse nourrir, encore une fois, par ma mère, Lucie et Lorraine.

— Puis après?

— Tu trouves pas ça gênant, toi?

— Pantoute. Moi, je travaille toute la journée. Ta mère, ta sœur et sainte Lucie savent que j'ai pas le temps de cuisiner.

— T'aurais pu apporter un des gâteaux que tu vends, lui fit remarquer Jean en commençant à se déshabiller pour se préparer pour la nuit.

— Je sais pas si tu le sais, Jean Bélanger, je les vends, ces gâteaux-là, je les donne pas, répliqua Reine d'une voix dure. Si t'es rendu assez riche pour en acheter un, gêne-toi pas, conclut-elle en le laissant sur place pour aller s'enfermer dans les toilettes.

Quand elle revint quelques minutes plus tard, elle arborait l'air boudeur que son mari connaissait si bien. Il avait allumé le téléviseur dans le salon juste au moment où le match prenait fin. Il s'installa tout de même pour regarder le bulletin de nouvelles.

❧

Le lendemain matin, il fallut bien admettre que les deux dernières journées de grâce que l'hiver avait accordées à la métropole avaient pris fin. Le froid était revenu en force et le vent du nord qui soufflait donnait l'impression que la peau brûlait au contact de l'air.

Un peu avant l'heure d'aller à la messe, Jean prévint les siens de se préparer. Il allait faire tourner le moteur de la Ford. Il descendit les deux volées de marches et se dirigea vers sa voiture qu'il déverrouilla. Il tourna la clé après avoir actionné à plusieurs reprises l'accélérateur. Rien. Il recommença trois ou quatre fois sans obtenir le moindre résultat. La Ford refusait obstinément de démarrer.

— Voyons, maudit calvince, tu vas finir par partir ! s'écria son propriétaire, excédé, en recommençant la manœuvre.

Toujours rien. Humilié et de mauvaise humeur, il dut retourner à l'appartement et annoncer aux siens qu'ils devraient se rendre à l'église à pied parce que l'auto ne démarrait pas à cause du froid.

— C'est ce qui arrive quand on achète des vieilleries, laissa tomber Reine sur un ton méprisant.

— C'est sûr que si tu partageais ton argent avec toute la famille, on aurait pu s'acheter un meilleur char, rétorqua-t-il d'une voix rageuse.

Ils partirent aussitôt. Pendant que les enfants marchaient en avant, les parents, derrière eux, ne disaient pas un mot, trop occupés à se protéger du froid et à remâcher leur rancœur. Au retour, Jean offrit une petite boîte de chocolats Pot of Gold à sa femme pour la Saint-Valentin. Le cadeau lui arracha enfin un sourire, même si elle était bien placée pour se rendre compte que ce présent lui avait coûté peu cher.

Après le dîner, Jean téléphona à son frère pour lui demander s'il ne viendrait pas survolter la batterie de sa Ford avec sa voiture. Moins de dix minutes plus tard, le couvreur, bien emmitouflé, branchait des câbles reliant la batterie de sa Chevrolet à celle de la Ford. Malgré plusieurs tentatives, cette dernière ne démarra pas.

— J'en suis pas certain, affirma le cadet des Bélanger, mais j'ai l'impression que le *gas* est gelé. T'es mieux d'attendre qu'il fasse plus doux, demain, pour essayer encore. Là, on perd notre temps.

Jean dut se faire une raison. Il remercia son frère et rentra chez lui.

Le lendemain, comme il faisait aussi froid que la veille, il ne se donna pas la peine d'essayer de faire démarrer la guimbarde. Maussade, il alla attendre l'autobus au coin de la rue en se disant qu'il ferait un essai en fin de journée. Il n'était pas question qu'il arrive en retard au travail. Lapointe avait prévu une importante réunion avec ses employés au début de la matinée et il avait un texte de reportage à finaliser.

Ce soir-là, la chance sembla être avec lui parce que le froid était beaucoup moins mordant qu'au début de la matinée. Après le souper, il décida de tenter de faire démarrer la Ford sans l'aide de son frère. Une fois la clé sur le contact, il ne se produisit toujours rien.

— Calvince ! Veux-tu ben me dire ce qu'il a, ce char-là ! s'emporta-t-il en claquant violemment la portière.

Il dut se résoudre à aller sonner à l'appartement de Claude. Ce dernier ne se fit pas prier pour prendre le volant de sa voiture et venir l'immobiliser près de celle de son frère pour tenter, encore une fois, de la faire démarrer à l'aide de ses câbles. Dès la première tentative, le moteur de la Ford se mit à tourner, d'abord lentement, puis de plus en plus vite.

— Ça marche ! s'écria Jean, tout heureux.

— Laisse quand même ton moteur tourner au moins cinq minutes pour qu'il se réchauffe, lui conseilla Claude en débranchant les câbles devenus inutiles.

— Merci, je pense que ça va être correct.

Claude le salua et se remit au volant de sa Chevrolet pour retourner chez lui. Jean attendit encore un peu et quand il jugea le moteur assez chaud, il embraya, bien décidé à recharger la batterie en roulant durant quelques minutes. Il parcourut une centaine de pieds avant d'être obligé de s'immobiliser au coin de Mont-Royal. Là, le moteur cala et malgré de nombreuses sollicitations, refusa encore une fois de démarrer.

— Je suis pas pour rester comme ça au milieu de la rue ! s'écria-t-il d'une voix rageuse.

Il dut courir jusqu'à la rue voisine pour aller sonner chez son frère à qui il expliqua ce qui venait de se produire.

— Pour moi, c'est ton alternateur qui est fini, diagnostiqua le couvreur. On va essayer d'amener ton char au garage. Ils vont te le changer.

Jean grimaça un peu devant cette dépense imprévue, mais il n'y avait pas d'autre solution. Une demi-heure plus tard, Claude le laissa devant chez lui. Le garagiste lui avait dit qu'il allait se charger de lui réparer sa voiture pour le lendemain après-midi.

Toutefois, rien ne se passa comme l'avait prédit le mécanicien. Il avait promis au propriétaire de la Ford de lui installer un alternateur réusiné, mais il avait eu du mal à se procurer la pièce et, finalement, Jean ne put prendre possession de sa nouvelle voiture que le vendredi soir suivant.

Au milieu de l'après-midi, ce vendredi-là, le directeur de l'information, de très bonne humeur, rassembla tous les employés autour de lui pour leur apprendre une excellente nouvelle. Malgré tous les racontars de Lalande et de sa clique de mécontents, le service des nouvelles, sous sa direction, avait reçu des éloges de la part des grands patrons de la société d'État. En haut lieu, on semblait avoir autant apprécié la couverture de l'assermentation d'Antonio Barrette comme premier ministre de la province que le reportage sur la découverte de vestiges vikings à l'Anse aux Meadows, à Terre-Neuve. Pour marquer le coup, Arthur Lapointe avait généreusement offert le champagne aux membres de son équipe.

À sa sortie de Radio-Canada, Jean était dans un état euphorique auquel la quantité de champagne absorbée n'était pas tout à fait étrangère. Il décida de s'arrêter au garage pour prendre possession de sa Ford avant de rentrer à la maison. Après avoir réglé la facture du garagiste, il s'installa derrière le volant et revint chez lui, satisfait de la réparation effectuée. Quelques minutes plus tard, rassuré, il immobilisa sa voiture le long du trottoir, à une centaine de pieds de l'appartement occupé par ses parents.

Lorsqu'il entra dans la cuisine, sa fille lui apprit que Reine venait de descendre au magasin après avoir fait souper ses enfants. Il mangea seul, au bout de la table, pendant que ses trois enfants s'acquittaient de leurs travaux scolaires de fin de semaine. Après son repas, totalement dégrisé, il entreprit de faire le ménage de l'appartement avec l'aide des siens pour épargner ce travail à sa femme.

Quand Reine monta à l'appartement un peu après neuf heures, Catherine, sur le point d'aller se coucher, s'empressa d'apprendre à sa mère qu'ils avaient fait le ménage.

— Vous êtes bien fins, se contenta de dire Reine en tendant la joue pour que sa fille l'embrasse avant d'aller se mettre au lit.

— Gilles et Alain sont couchés depuis une demi-heure, lui annonça Jean en rangeant les cigarettes qu'il venait de confectionner dans une boîte de tabac métallique.

— C'est correct, laissa-t-elle tomber.

— La Ford est réparée et le garagiste a pas exagéré avec sa facture, lui dit-il au moment où elle retirait ses souliers à talons hauts avec un soupir de soulagement.

— Tant mieux, fit-elle d'une voix indifférente. J'espère juste que ce bazou-là va rouler quand on va en avoir besoin.

Depuis quelques jours, elle arborait un air désagréable que son mari mettait sur le compte de la fatigue. Pourtant, ce n'était pas la cause de sa mauvaise humeur. Elle s'inquiétait plutôt de n'avoir pas revu Benjamin depuis plus d'une semaine. Dans son esprit, il aurait dû au moins passer la voir pour la Saint-Valentin s'il était aussi amoureux qu'il se plaisait à le lui laisser croire.

— C'est juste un chanteur de pomme, s'était-elle répété à plusieurs reprises durant la semaine. Si ça se trouve, il va voir trois ou quatre femmes mariées, comme moi, et il leur raconte n'importe quoi pour se rendre intéressant. Les maudits hommes ! On peut jamais se fier à eux autres !

Bref, elle se sentait abandonnée, presque rejetée par son admirateur, celui qui avait osé l'embrasser… Il lui semblait se rappeler encore le goût de ses lèvres et elle en était toute remuée.

Elle déposa les comptes de la biscuiterie sur la table et entreprit de calculer les profits générés cette semaine-là par le magasin après s'être préparé une tasse de café.

— Les enfants ont déjà fait leurs devoirs pour lundi, avant de m'aider à faire le ménage, lui dit Jean.

— C'est correct, répéta-t-elle sur un ton distrait.

— T'as l'air épuisée, reprit-il en s'assoyant au bout de la table.

Il y eut un long silence dans la pièce, silence durant lequel elle acheva ses calculs qu'elle avait commencés au magasin, au début de la soirée.

— Ça a pas d'allure ! finit-elle par dire quelques minutes plus tard en rassemblant tous les papiers éparpillés devant elle. Le salaire de la vendeuse mange presque tous les profits.

— Peut-être, mais tu peux pas tout faire toute seule, lui fit remarquer son mari. T'es fatiguée et tu commences à avoir de la misère à faire tes journées, ajouta-t-il.

Elle ne répondit rien. Elle se leva et annonça qu'elle descendait chez sa mère quelques minutes pour faire leurs comptes. Jean alla allumer le téléviseur pour écouter les participants à une table ronde qui devaient discuter de l'avenir et du rôle de CFTM-TV dont l'arrivée sur les ondes approchait. Alexandre De Sève, le fondateur et maître d'œuvre de ce premier poste de télévision privé au Québec, s'était fait accompagner par Robert L'Herbier. Durant une heure, les deux hommes répondirent aux questions de trois journalistes et cherchèrent à convaincre l'auditoire de leur intention d'offrir aux Québécois des programmes télévisés de qualité dès les premiers mois de leur arrivée sur les ondes.

Jean désirait surtout les entendre parler du service des nouvelles qu'ils entendaient offrir à la population. Après avoir écouté les deux grands manitous de CFTM-TV, il se promit d'aller poser sa candidature chez ce nouvel employeur dès que possible. Il était toujours satisfait de son nouvel emploi, mais on ne savait jamais. Peut-être obtiendrait-il un meilleur poste ou un meilleur salaire ailleurs.

Quand vint l'heure du bulletin de nouvelles, il reconnut avec un certain émoi quelques textes qu'il avait écrits durant la journée. Il aurait aimé partager sa fierté avec Reine, mais elle n'était pas là.

Le samedi matin, il voulut accompagner sa femme chez Drouin pour rapporter en voiture la nourriture achetée, mais une mauvaise surprise l'attendait. La Ford refusa encore une fois de démarrer, même si la température était clémente. Pendant quelques minutes, il s'acharna sans arriver à rien.

— Bon, je suis pas pour passer l'avant-midi à attendre que ce bazou-là parte, déclara sa femme en claquant la portière. Je peux pas laisser la vendeuse toute seule toute l'avant-midi en plein samedi. Dis à Gilles et à Alain de venir me rejoindre chez Drouin pour rapporter la commande.

Sur ces mots, elle le planta là. Jean alla prévenir ses fils avant de se rendre à pied chez le garagiste qui avait réparé la Ford. Quand ce dernier le vit entrer dans le garage, il était occupé à essuyer ses mains couvertes de cambouis avec un chiffon.

— On dirait que vous avez rien réparé pantoute, lui dit Jean, agressif. Je viens d'essayer de faire partir mon char. Le moteur tourne pas.

— On va aller voir ça tout de suite, dit l'homme en lui faisant signe de le suivre.

Il l'invita à monter dans sa remorqueuse. Moins de cinq minutes plus tard, le mécanicien souleva le capot de la Ford et se pencha sur le moteur après avoir dit à son propriétaire de tenter de le faire démarrer. Il ne chercha pas très longtemps. Il sortit rapidement la tête de sous le capot pour faire signe à Jean de venir le rejoindre.

— L'alternateur que je vous ai posé est correct. C'est autre chose. À votre place, monsieur, j'arrêterais de dépenser sur ce tacot-là. Il est pourri. Vous avez pas remarqué, mais là, c'est le radiateur qui est percé. Regardez à vos pieds, il a perdu tout son antigel.

— Mais ça se répare, non ?

— Pour se réparer, c'est certain que ça se répare, mais demain, ça va être autre chose. Si j'étais pas honnête, je vous dirais de changer le radiateur, mais je vous le dirai pas. Ce qui est sûr, c'est que ce char-là va finir par vous coûter la peau des fesses… Mais vous êtes libre de faire ce que vous voulez, ajouta-t-il, compatissant.

— OK, je vais y penser, dit Jean, catastrophé.

Le mécanicien le quitta et il demeura un bon moment debout près de la Ford inutile. Elle lui avait coûté très cher et il ne s'en était pas encore servi… Au moment où il s'apprêtait à verrouiller les portières, il aperçut du coin de l'œil un homme avec un bras en écharpe qui se préparait à descendre l'escalier tournant extérieur de sa maison en portant d'une seule main une poubelle apparemment assez lourde.

— Mais il va se casser la gueule dans l'escalier, dit-il à mi-voix au moment où l'homme posait le pied sur la première marche.

Ce fut plus fort que lui, il lui cria en s'avançant précipitamment vers l'escalier :

— Non, attendez, monsieur, je vais vous la descendre.

L'homme, surpris, s'immobilisa et l'attendit pendant qu'il montait l'escalier.

— Vous êtes bien aimable de m'aider, dit-il à Jean avec un sourire de reconnaissance. D'habitude, je sors mes poubelles par la cour arrière, mais là, arrangé comme je suis, j'ai pas pu pelleter l'escalier et la galerie depuis un mois et je peux pas passer.

— Il y a pas de problème, fit Jean. Je vais même aller vous la porter dans votre cour. Vous pouvez remonter et, un coup parti, lancez-moi votre pelle. Je vais vous pelleter cet escalier-là en cinq minutes, ajouta-t-il, heureux d'oublier pendant quelques instants ses problèmes de voiture.

Une fois arrivé sur le trottoir, Jean attendit que l'homme lui apporte la pelle demandée.

— Gelez pas pour rien dehors, lui dit-il. Faites juste vous montrer dans votre fenêtre de cuisine pour que je sache quel escalier pelleter.

Pendant que l'inconnu rebroussait chemin, il transporta le contenant à déchets dans la ruelle voisine en cherchant à identifier du regard la maison où habitait l'homme. Soudain, il vit une porte s'entrouvrir difficilement parce qu'on devait repousser la neige qui l'obstruait. Jean déposa la poubelle près de celles des voisins dans la ruelle et entreprit de dégager les marches conduisant à l'étage. Finalement, pour faire bonne mesure, il décida de déneiger toute la galerie pour que le locataire puisse accéder librement à son hangar.

— Je suis gêné de vous avoir donné autant de travail, dit le locataire de l'appartement dont le bras gauche était en bandoulière. Entrez au moins boire un café.

— Écoutez, je voudrais pas… commença Jean.

— Non, entrez, insista l'autre. Ne serait-ce que pour vous réchauffer un peu.

Jean pénétra dans une cuisine bien rangée et dut retirer ses bottes.

— Armand Lanteigne, se présenta son hôte en lui tendant son unique main valide. Vous pouvez pas savoir à quel point je regrette d'avoir emménagé au deuxième étage au mois de mai passé. Ma femme m'avait prévenu que c'était pas une bonne idée, mais comme j'avais fermé mon bureau en bas, on n'avait vraiment plus besoin d'un six et demie.

— Jean Bélanger, de la famille Bélanger qui reste un peu plus loin sur votre rue, précisa Jean.

Il venait de se rappeler soudainement que la porte de l'appartement du rez-de-chaussée de cette maison de la rue Brébeuf avait longtemps porté une plaque sur laquelle était écrit «Armand Lanteigne», avocat. Il était passé devant des milliers de fois et n'y avait jamais accordé d'attention.

— Vous n'exercez plus ? demanda Jean pour être poli à l'homme d'un certain âge au visage émacié, occupé à verser une généreuse dose de cognac dans deux tasses de café.

— J'exerce encore, mais j'ai maintenant mon bureau au centre-ville. C'est plus pratique.

— Ça doit pas être facile d'aller là-bas tous les jours avec un bras en moins.

— Le moins qu'on puisse dire, c'est que c'est pas mal ennuyeux, reconnut l'avocat avec un petit rire. Ça m'apprendra à être plus prudent en ski la prochaine fois. Par contre, ça enrichit les chauffeurs de taxi parce que je peux pas conduire arrangé comme ça. Mais enlevez votre manteau cinq minutes et assoyez-vous, ajouta-t-il en réalisant que Jean était encore debout et toujours couvert.

Jean obtempéra et prit place à la table en face de son hôte.

— Dites-moi si je me trompe, reprit Armand Lanteigne. Il me semble que ça fait plusieurs fois que je vous vois ces derniers jours en train d'essayer de faire démarrer votre voiture. Qu'est-ce qu'elle a ?

Jean ne put faire autrement que de lui raconter que la Ford achetée le samedi précédent chez Latendresse refusait de rouler.

— Est-ce que j'ai bien entendu ? M'avez-vous dit Latendresse ? lui demanda son hôte en levant les sourcils. Parlez-vous de Jean-Guy Latendresse ?

— En plein ça, reconnut Jean.

— Mon pauvre ami, j'ai bien peur que vous vous soyez fait avoir. Il a dû encore une fois reculer l'odomètre et maquiller une voiture juste bonne pour la ferraille. Si ça peut vous consoler, vous n'êtes pas le premier à qui il fait le coup. J'ai déjà eu affaire à lui en deux occasions et, chaque fois, il a été condamné à payer. En plus, si je me souviens bien, j'ai un confrère qui est chargé de le poursuivre pour une affaire de vente d'une auto volée.

— C'est ben ma chance, fit Jean, l'air sombre. J'ai mis là-dedans toutes mes économies en pensant faire un bon coup. Trois cent soixante-quinze piastres, plus soixante de réparations. Et là, je suis pas plus avancé. Je suis pris avec une bagnole qui roule pas.

L'avocat se tut durant un court moment avant de déclarer :

— Écoutez, vous venez de me rendre service. Je pense que je peux vous en rendre un à mon tour. Si vous avez quelques minutes, on va prendre ma voiture et aller voir ce commerçant pas trop scrupuleux. Ma femme est partie magasiner toute la journée avec sa sœur et j'ai rien de spécial à faire. Attendez un instant. Je vais descendre avec vous par-derrière, mon auto est stationnée au coin de la ruelle, précisa-t-il en disparaissant brièvement dans le couloir.

L'avocat revint vêtu de son paletot et tenant ses bottes à la main. Il se chaussa et quitta son appartement derrière Jean. Parvenu au pied de l'escalier, monsieur Lanteigne s'arrêta devant la large porte en bois d'un garage qui occupait la moitié de la cour arrière. Jean revint sur ses pas pour le rejoindre.

— C'est mon garage, lui dit l'avocat. Je l'ai pas laissé au locataire du rez-de-chaussée quand j'ai déménagé. Depuis quelques années, on est plusieurs propriétaires à payer pour faire déneiger une bonne partie de la ruelle. D'habitude, je stationne mon auto dans mon garage, mais cet hiver j'ai été obligé de changer mes habitudes. J'en ai une autre qui prend toute la place depuis le début de novembre.

— Vous avez deux voitures ? s'étonna Jean.

— Oui, mais c'est involontaire, tint à préciser l'homme de loi. J'avais un client qui me devait près de six cents dollars depuis trois ans. Chaque fois que je le relançais, il ne pouvait pas me payer. Quand je l'ai menacé de le traîner en cour, il a décidé de me laisser son auto pour me payer. J'aurais aimé mieux qu'il trouve le temps de la vendre lui-même, mais je l'ai acceptée parce que, s'il était parvenu à la vendre, il aurait peut-être trouvé le moyen de disparaître avec l'argent et je me serais retrouvé le bec dans l'eau, Gros-Jean comme devant.

— Disons que c'est un paiement plutôt encombrant, plaisanta Jean.

— À qui le dites-vous ! La Plymouth prend la place de ma voiture dans mon garage, et pendant ce temps-là je suis obligé de déneiger la mienne et de me chercher un endroit où la stationner sur la rue quand les charrues passent. Voulez-vous la voir ? lui demanda soudain Lanteigne.

— Bien sûr, si ça vous dérange pas, répondit Jean, intéressé.

Armand Lanteigne sortit son trousseau de clés de l'une de ses poches de paletot et déverrouilla la porte du garage. Jean vit alors une magnifique Plymouth Belvedere 1957 qui lui parut verte sous une bonne couche de poussière.

— Est-ce que je peux la regarder de plus près ? demanda-t-il à son propriétaire.

— Allez-y, les portes ne sont pas barrées.

Jean fit lentement le tour du véhicule. La carrosserie semblait impeccable. Il entrouvrit la portière côté conducteur. Même si le véhicule avait un peu plus de deux ans d'usure, il était comme neuf.

— C'est une voiture comme celle-là que j'aurais dû acheter, fit Jean en refermant la portière. Mais elle aurait été trop chère pour moi.

— Pas nécessairement, dit l'avocat avec un sourire. Mon client me l'a laissée pour une dette de cinq cent soixante-quinze dollars. Je suppose que sa Plymouth a perdu un peu de valeur depuis que je l'ai.

— Si je pouvais me faire rembourser la Ford, je pense que je vous ferais une offre, finit par dire Jean, soudain rempli d'espoir.

— Bon, le meilleur moyen de le savoir, c'est d'aller voir notre Jean-Guy Latendresse, dit Lanteigne en l'invitant de la main à sortir du garage.

Le propriétaire en verrouilla la porte et les deux hommes revinrent dans la rue Brébeuf en passant par la ruelle. Armand Lanteigne s'immobilisa près d'une luxueuse Ford Thunderbird 1960 blanche et il tendit ses clés à son compagnon qui s'empressa d'en déverrouiller les portières. En démarrant, Jean comprit pourquoi l'homme de loi n'était guère tenté par la Plymouth. Sa propre voiture était confortable, puissante et rapide. Il la conduisit avec une prudence exagérée et fut très soulagé quand il s'arrêta devant le terrain où Jean-Guy Latendresse vendait ses automobiles usagées.

— Venez, monsieur Bélanger. On va voir si on peut faire entendre raison au bonhomme, dit l'avocat en descendant de voiture. Laissez-moi parler.

Monsieur Dubreuil, occupé à enlever une fine pellicule de neige sur les pare-brises des voitures à vendre, reconnut Jean quand il s'engagea sur le terrain. L'homme se précipita à l'intérieur de la roulotte, probablement pour prévenir son patron qu'un ancien client venait leur rendre visite. Armand Lanteigne et son compagnon se dirigèrent directement vers la roulotte, frappèrent à la porte et n'attendirent pas une invitation à entrer pour pénétrer à l'intérieur.

Le vendeur, tout sourire, s'avança vers eux.

— Toujours content de votre Ford ? osa-t-il demander à Jean, qui lui adressa un regard furieux.

— C'est un bazou pourri, déclara-t-il sans ambages, reprenant pour une fois le qualificatif donné par Reine à son automobile.

— J'aimerais dire deux mots à votre patron, intervint l'avocat en regardant le petit homme avec hauteur.

— Je sais pas s'il est ici dedans, dit le vendeur d'un air à la fois inquiet et désemparé.

— S'il est pas dans son bureau, vous feriez peut-être mieux d'aller voir parce qu'on dirait qu'il y a un gros rat qui fait du bruit dans la pièce à côté, lui fit remarquer Lanteigne d'une voix coupante.

Dubreuil alla frapper à la porte au fond de la roulotte et, un instant plus tard, la grosse figure de Jean-Guy Latendresse apparut derrière son vendeur.

— Qu'est-ce qu'il y a ? demanda-t-il sur un ton rogue en sortant de son bureau.

— On aurait une petite réclamation à faire, dit l'homme de loi.

— Quelle réclamation ?

— Comme rembourser les trois cent soixante-quinze dollars demandés à monsieur Bélanger pour un tas de ferraille que vous lui avez vendu la semaine passée.

— Whow ! se défendit le propriétaire du garage. Ce char-là a été vendu tel que vu. Au prix où je l'ai laissé aller, il y avait pas de garantie.

— Tiens ! Tiens ! fit Lanteigne, avec un petit sourire moqueur.

— D'abord, vous êtes qui, vous ?

— Moi, je suis juste son avocat. On dirait que vous vieillissez, monsieur Latendresse. Dites-moi pas que vous m'avez déjà oublié ? poursuivit l'homme de loi, sarcastique. Je vous ai traîné en cour deux fois dans les cinq dernières années. Vous ne vous en souvenez pas ? Et c'est drôle, j'ai l'impression que je vais recommencer.

— Ça sert à rien de s'énerver, reprit Latendresse, d'une voix beaucoup plus raisonnable.

— On pourrait peut-être aller en discuter un moment dans votre bureau, proposa l'avocat. Qu'est-ce que vous en dites ?

Armand Lanteigne fit signe à Jean de l'attendre et il suivit Latendresse dans son bureau minuscule dont il referma la porte derrière lui. L'attente fut de courte durée. Moins de dix minutes plus tard, les deux hommes sortirent de la pièce.

— On s'en va, dit l'avocat à Jean en ouvrant la porte de la roulotte.

— Je vous suis, se contenta de dire Latendresse, le visage sombre.

Jean se dirigea vers la Thunderbird, attendant des explications de son compagnon. Comme elles ne venaient pas, il se décida à l'interroger, avant d'entrer dans l'auto.

— Puis ?

— On dirait que la peur d'une nouvelle poursuite fait réfléchir, fit l'homme de loi avec un petit rire. Notre terreur est devenue douce comme un agneau quand je lui ai expliqué que vous étiez bien décidé à le traîner en cour et que vous étiez prêt à y mettre le prix pour lui faire rendre gorge. Avec une telle publicité, il n'aurait plus qu'à fermer boutique et à aller se faire pendre ailleurs.

— Qu'est-ce qu'il va faire ? demanda Jean, intrigué.

— C'est bien simple. Si vous regardez dans le rétroviseur, vous allez le voir au volant de la remorqueuse qui nous suit. Il s'en vient chercher son tas de ferraille. Il vous a remboursé vos trois cent soixante-quinze dollars, plus les soixante dollars de réparations et plus les trente dollars de frais d'avocat.

— Des frais d'avocat ? s'étonna Jean en quittant des yeux la circulation durant un bref instant pour regarder son compagnon.

— Il n'y a pas de frais d'avocat, bien sûr, dit en riant le quinquagénaire. Disons que c'était pour lui faire payer tous les désagréments qu'il vous a occasionnés. Tout ça représente quatre cent soixante-cinq dollars, le montant que ce bon monsieur Latendresse a inscrit sur ce chèque libellé à votre nom, conclut-il en le déposant sur le siège de la Thunderbird, entre eux.

— C'est pas vrai ! s'exclama Jean, qui avait peine à croire en sa chance. Je sais vraiment pas comment vous remercier.

— À chacun son tour de rendre service à l'autre.

Quelques minutes plus tard, la remorqueuse de Latendresse disparaissait au coin de Mont-Royal en remorquant la Ford, et Jean stationna la Thunderbird à la place laissée vacante. Au moment où il tendit les clés de la voiture à son propriétaire, il ne put s'empêcher de lui demander :

— Combien demandez-vous pour la Plymouth qui encombre votre garage, monsieur Lanteigne ?

L'avocat réfléchit un court instant avant de répondre.

— Je vous ai dit qu'on me l'avait laissée en paiement d'une dette d'un peu plus de cinq cents dollars. Je vous la vendrais pour le montant qui est inscrit sur votre chèque. À mon avis, ce serait bien suffisant.

— Je vous la prends tout de suite, s'empressa de dire Jean, tellement enthousiaste qu'il ne voyait même pas l'utilité d'aller l'observer davantage.

Après l'épisode qu'il venait de vivre, il avait pleine confiance en monsieur Lanteigne, même s'il le connaissait depuis à peine deux heures.

— Vous n'avez qu'à endosser le chèque. Lundi, on réglera toute la paperasserie. En attendant, on va aller charger la batterie de la Plymouth en se servant de ma voiture. Quand vous en aurez terminé, vous pourrez partir avec votre nouvelle voiture et vous seriez aimable de stationner la mienne dans le garage.

Une quinzaine de minutes suffirent pour que Jean puisse quitter la ruelle au volant de sa Plymouth et venir la ranger le long du trottoir de la rue Brébeuf. Il revint à pied vers la Thunderbird et la remisa dans le garage. Il tendit ses clés à l'avocat et le remercia avec effusion avant de retourner chez lui.

À la maison, il ne dit rien à Catherine, seule dans l'appartement. Il se contenta d'y prendre des guenilles et un seau qu'il remplit d'un peu d'eau chaude à laquelle il ajouta un peu d'alcool. Quand l'adolescente lui demanda ce qu'il comptait en faire, il se borna à lui dire qu'il s'agissait d'une surprise.

De retour près de sa voiture, il utilisa l'eau pour laver l'intérieur et les vitres de sa Plymouth Belvedere. Des badauds, intrigués par ce spectacle peu courant en hiver, secouaient la tête en passant près de lui.

Quand la voiture fut propre, Jean se mit au volant, fit le tour du pâté d'immeubles et vint s'immobiliser devant la biscuiterie. Cette fois-ci, Reine le vit descendre du véhicule et n'attendit pas qu'il pénètre dans le magasin pour aller jusqu'à la porte pour s'informer.

— D'où est-ce qu'il sort, ce char-là ? lui demanda-t-elle.

— Rentre avant d'être malade, lui ordonna-t-il en la repoussant à l'intérieur.

Claire s'était approchée elle aussi de l'une des vitrines pour regarder l'automobile. Elle écouta avec intérêt le récit du mari de sa patronne.

— On peut dire que t'es chanceux, conclut Reine avec bonne humeur. Enfin, on va avoir un char qui a de l'allure. Il est pas neuf, mais il est au moins regardable.

Sur ces mots, elle alla chercher son manteau à l'arrière du magasin et suivit son mari qui la fit monter à bord du véhicule. Elle s'étonna du confort de l'habitacle de la Plymouth.

— On pourrait presque s'asseoir quatre sur le siège d'en avant, dit-elle. En plus, le radio marche, ajouta-t-elle en tournant le bouton de l'appareil.

Jean, tout fier, refit le tour du bloc une deuxième fois avant de revenir s'arrêter devant la biscuiterie Talbot.

— Bon, maintenant je vais aller chercher les enfants pour leur faire faire une petite promenade, lui dit-il quand elle descendit de voiture.

— C'est correct, moi je vais préparer le dîner pendant ce temps.

Chapitre 15

Le retour

Reine broya du noir jusqu'au dernier mercredi de février. Benjamin Taylor semblait s'être volatilisé. Elle ne l'avait pas vu depuis plus de deux semaines. Elle se demandait même s'il ne s'était pas découragé parce qu'elle l'avait rembarré un peu trop durement lorsqu'il lui avait parlé de célébrer la Saint-Valentin en sa compagnie lors de sa dernière visite. Elle s'en voulait. Tantôt, elle se promettait d'être plus douce avec son prétendant s'il revenait la voir ; tantôt, elle se jurait de le punir pour son silence inexplicable. Un sentiment qui lui rappelait celui qu'elle avait eu envers Jean quelque treize ans plus tôt, avant leur mariage, alors qu'il avait pris un certain recul pour réfléchir à leur vie amoureuse, si on peut dire ainsi.

« Si jamais je lui revois la face, lui, il va me payer ça », se répétait-elle cent fois par jour, les dents serrées.

Son désir de le revoir n'avait rien à voir avec un besoin de publicité pour la biscuiterie. De ce côté-là, tout allait merveilleusement bien. Les pâtisseries cuisinées par les Richer attiraient de plus en plus de clients et l'achalandage accru n'avait fait qu'augmenter les ventes des autres produits également. Les gens du quartier semblaient s'être passé le mot et envahissaient la boutique après chacune des livraisons, qui avaient lieu, maintenant, quatre fois par semaine.

— Ça va tellement bien qu'on a dû engager deux employés de plus, lui avait révélé Bernard Richer en déposant sur le comptoir dix douzaines de beignets, quelques tartes au sucre et cinq gâteaux. À partir de demain, je ferai plus la livraison. Il y a trop d'ouvrage à faire à la boulangerie. On a été obligés d'engager un homme qui va faire de la livraison toute la journée.

— Je suis bien contente pour vous, avait répliqué Reine. Vos pâtisseries sont loin de nuire à notre magasin.

En fait, la biscuiterie Talbot était maintenant devenue une affaire vraiment rentable et Reine voyait avec grand plaisir son compte en banque gonfler un peu plus chaque semaine. Elle prévoyait même qu'il atteindrait quatre mille cinq cents dollars dans quelques jours.

Le lundi avant-midi suivant, elle ne put contenir son enthousiasme en quittant la Caisse populaire où elle venait de faire son dépôt hebdomadaire.

— Quatre mille cinq cents piastres ! s'exclama-t-elle en se frottant les mains de contentement après avoir déposé son livret de banque dans son sac à main.

D'excellente humeur, elle se dirigea vers la rue Mont-Royal dans l'intention d'aller passer encore une heure à la biscuiterie avant de monter préparer le dîner de ses enfants. Il faisait froid et humide et elle marchait d'un bon pas en planifiant le type de décoration qu'elle demanderait à sa vendeuse d'installer dans les vitrines pour Pâques.

Elle venait à peine de retirer son manteau qu'elle était occupée à suspendre dans l'arrière-boutique lorsque la clochette de la porte d'entrée attira son attention. Claire Landry écarta soudain le rideau de perles pour lui apprendre qu'un homme la demandait. Reine se retourna et aperçut

Benjamin Taylor nonchalamment appuyé contre l'un des deux comptoirs sur lequel il venait de déposer son Stetson noir et un paquet.

— Je m'occupe de monsieur, dit-elle à la jeune vendeuse en s'avançant. Tu serais fine de faire un peu de ménage en arrière pendant ce temps-là, ajouta-t-elle.

Claire comprit le message : sa patronne désirait être seule en compagnie de celui qu'elle lui avait présenté comme un ami quelques semaines auparavant.

— On n'a plus d'eau de Javel pour laver le plancher, fit-elle remarquer à Reine. Est-ce que vous aimeriez que j'aille en acheter chez Drouin ?

— Fais donc ça, accepta Reine, heureuse de se débarrasser de sa présence encombrante.

Sur ce, elle franchit le rideau de perles et alla à la rencontre de son visiteur, qui la vit approcher, tout sourire.

— Tiens ! Je te pensais mort, lui dit-elle sèchement en ne lui rendant pas son sourire.

— Comme tu peux voir, je le suis pas, fit Ben en relevant du bout des doigts une mèche de cheveux qui s'était déplacée.

Claire, vêtue de son petit manteau de drap gris, sortit de l'arrière-boutique, adressa un sourire un peu embarrassé à sa patronne et à son visiteur et quitta les lieux.

— Et est-ce que je peux savoir ce qui me vaut l'honneur de ta visite ? demanda Reine d'une voix acide.

— Le plaisir de te revoir, fit Ben. Va pas t'imaginer que je t'avais oubliée, s'empressa-t-il d'ajouter alors qu'elle s'apprêtait à lui servir une réplique bien sentie. La dernière fois que je t'ai vue, je t'ai dit que je devais retourner à Toronto.

— Oui, reconnut-elle à contrecœur.

— J'y suis allé et j'ai décidé d'ouvrir un autre bureau à Kingston, en Ontario.

— Il y a pas à dire, tes affaires vont bien, fit-elle d'une voix maussade. Qu'est-ce que ta femme dit de tout ça ? Elle doit pas te voir trop souvent si tu passes ton temps à voyager.

— Mais pour qui tu me prends ? demanda-t-il sur un ton outré. Je suis pas marié.

Cette nouvelle soulagea Reine et il sembla s'en rendre compte avec un certain plaisir.

— Je suppose que tu as cru que je t'avais oubliée, poursuivit-il en lui saisissant une main.

Elle ne se débattit pas.

— Si tu penses que j'ai juste à penser à toi, tu te trompes, Ben Taylor, mentit-elle d'une voix peu convaincante.

— Pour te prouver que je pense à toi, je t'ai apporté un cadeau de la Saint-Valentin, dit-il en poussant vers elle le paquet déposé sur le comptoir. Je sais que je suis en retard, mais j'avais pas le choix. J'aurais aimé t'amener dîner ou souper avec moi dans un restaurant chic avant la Saint-Valentin, mais t'as pas voulu, sentit-il le besoin de lui rappeler.

— T'as pas à me donner de cadeau, lui fit remarquer Reine en commençant tout de même à déballer le paquet.

Elle découvrit une grosse boîte de chocolats en forme de cœur de couleur rouge et une carte.

— C'est pas très original, mais c'est de bon cœur, dit l'homme d'affaires sur un ton léger.

Reine tira la carte de l'enveloppe, l'ouvrit et lut ce qu'il avait écrit à son intention : « Je t'aime comme un fou. » Son front rougit.

— C'est pas des affaires à écrire à une femme mariée, lui reprocha-t-elle sans y mettre beaucoup de conviction.

— On fait rien de mal, répliqua-t-il, charmeur. Il me semble que j'ai le droit de te dire que je t'aime.

Elle était tout émue par cette déclaration d'amour et elle allait le remercier quand quelqu'un poussa la porte de la biscuiterie.

La jeune femme sursauta violemment en reconnaissant sa belle-mère. Elle retira sa main que Ben venait de reprendre entre les siennes en espérant qu'Amélie n'avait rien remarqué.

— Bonjour, madame Bélanger, dit-elle en s'empressant de faire disparaître sous le comptoir la boîte de chocolats qu'on venait de lui offrir avant de s'éloigner de Benjamin Taylor.

Ce dernier avait à peine tourné la tête vers la petite femme boulotte qui venait de s'approcher du comptoir.

— Bonjour, Reine, la salua sa belle-mère. Donne-moi donc deux livres de biscuits à l'érable. Même si le carême commence aujourd'hui, ça a tout l'air que ton beau-père veut pas se priver de sucré.

Reine reprit son aplomb, sourit à Amélie et se mit en devoir de déposer dans un sac les biscuits demandés. Pendant qu'elle la servait, elle espéra que Ben aurait le bon sens de la saluer et de partir, comme l'aurait fait tout client ordinaire… Mais il n'en fit rien, ce qui la rendit encore plus nerveuse.

— T'es toute seule ? lui demanda la mère de Jean en regardant de tous les côtés.

— Ma vendeuse est partie chez Drouin acheter de l'eau de Javel, expliqua Reine d'une voix embarrassée.

— Ah bon !

— Ça vous tenterait pas d'acheter à votre mari une demi-douzaine de beignes ou même une tarte au sucre ? offrit-elle à la mère de son mari.

— Es-tu folle, toi ? s'exclama Amélie en riant. Des plans pour qu'il en redemande toutes les semaines.

— J'aurais pu vous les laisser au prix coûtant, reprit Reine.

— Merci, mais les biscuits vont suffire. Quand je vais revenir à la maison, je traîne ton beau-père à l'église pour recevoir les cendres, ajouta-t-elle sur un ton décidé.

Amélie paya son achat et quitta la biscuiterie. Dès que la porte se referma, Reine explosa.

— Te rends-tu compte de ce que tu viens de faire ? dit-elle à son prétendant d'une voix chargée de reproche. C'est ma belle-mère qui vient de sortir. Si elle s'est aperçue de quelque chose, ça va être le drame à la maison.

— Mais on faisait rien de mal, protesta Ben en se rapprochant d'elle après avoir jeté un coup d'œil vers les vitrines pour vérifier si quelqu'un regardait à l'intérieur du magasin.

— Peut-être, mais c'est pas normal qu'un homme offre un cadeau à une femme mariée, répliqua-t-elle.

— On fait rien de mal, répéta-t-il, enjôleur. T'es tellement belle que je peux pas m'empêcher de te gâter.

— Arrête donc de dire n'importe quoi, dit-elle en rosissant tout de même de plaisir sous le compliment.

— Écoute, je trouve ça pas mal fatigant d'être obligé de guetter à gauche et à droite quand je te parle, fit-il en regardant si quelqu'un approchait de la porte. Il faut absolument que tu viennes dîner avec moi un midi, la semaine prochaine.

— Je peux pas. J'ai la biscuiterie et je dois faire manger les enfants.

— C'est possible si tu veux, reprit-il en mettant toute la force de persuasion dont il était capable dans sa voix. T'as une vendeuse à la biscuiterie et tu peux venir manger avec moi après avoir fait dîner tes enfants.

— Et mon mari dans tout ça ? lui rappela-t-elle sans grande conviction.

— C'était pas dans mon idée de l'inviter à dîner, lui aussi, plaisanta-t-il.

— Arrête de faire des farces plates, lui ordonna-t-elle. C'est pas drôle pantoute.

— Je t'enlève pas, reprit-il, plus sérieux. Je veux juste t'amener manger avec moi.

— Là… fit-elle hésitante.

— Il y a rien de mal là-dedans, insista-t-il. C'est entendu. Je passe te prendre, disons lundi prochain, à une heure.

— Et qu'est-ce que ma vendeuse va penser quand elle va me voir partir avec toi ? fit-elle, toujours hésitante.

— Voyons, Reine, je vais t'attendre au coin de De La Roche. Personne va te voir monter dans mon char, si c'est ça qui te fatigue.

À l'instant où elle allait répliquer, Claire poussa la porte du magasin. Benjamin Taylor s'empara de son chapeau et salua les deux femmes.

— À lundi, une heure, chuchota-t-il à Reine avant de s'esquiver pendant que Claire disparaissait dans l'arrière-boutique.

                           ∽

Pour sa part, Amélie Bélanger rentra chez elle très songeuse. Il se passait quelque chose d'anormal avec sa bru. Elle n'en était pas certaine, mais il lui avait bien semblé apercevoir une boîte de chocolats déposée sur le comptoir entre l'homme et Reine, comme s'il venait de la lui offrir. De plus, elle avait l'impression que l'homme lui tenait la main quand elle était entrée… Qu'est-ce que tout ça voulait dire ? Et cet air gêné de la femme de Jean… Y avait-il quelque chose entre ces deux-là ?

Amélie avait beau ne pas aimer particulièrement sa bru, elle n'en avait pas moins du mal à concevoir qu'une femme mariée, mère de trois enfants, accepte un cadeau d'un parfait inconnu. Elle était persuadée de s'être trompée jusqu'au moment où Reine lui avait offert de lui laisser des beignets au prix coûtant. De la part de quelqu'un bien connu dans la famille pour grappiller le moindre sou, cette offre avait tout pour la surprendre.

— Il fallait qu'elle ait quelque chose à se reprocher pour me proposer ça, dit Amélie à mi-voix en montant l'escalier extérieur conduisant chez elle. Cela dit, l'homme pouvait tout autant être un fournisseur et Reine voulait peut-être cacher sa nature pingre devant lui. Enfin…

À son retour dans l'appartement, elle se garda bien de communiquer ses soupçons à son mari en train de finir de lire *La Presse* de la veille étalée sur la table de la cuisine. Si elle l'avait fait, Félicien aurait été capable d'en parler à leur fils et de mettre ainsi le feu aux poudres. Non, elle allait garder ça pour elle, mais se promettait d'ouvrir l'œil et d'aller plus souvent à la biscuiterie. En même temps, elle allait prier pour que Dieu préserve le ménage de Jean. Elle promit même d'offrir la messe à laquelle elle allait assister chaque matin durant le carême à cette intention.

❧

Des parents plus attentifs que Reine et Jean auraient remarqué que l'humeur de leur fils Gilles avait changé depuis une semaine et ils s'en seraient inquiétés. Le garçon de dix ans était de plus en plus nerveux et ses résultats scolaires commençaient à en pâtir.

L'élève de quatrième année était victime de mauvais traitements depuis une dizaine de jours de la part de deux grands adolescents, élèves de l'école Saint-Pierre-Claver. À trois reprises déjà, les deux jeunes gens âgés d'une quinzaine d'années s'en étaient pris à lui alors qu'il revenait de l'école, à la fin de l'après-midi. Chaque fois, le scénario avait été identique. Sans raison aucune, ils le bousculaient, lui assenaient quelques taloches et coups de pied pour attirer l'attention et faire rire quelques filles de l'école des Saints-Anges en route vers la maison. C'était parvenu à un tel point que les copains du jeune garçon évitaient de faire route avec lui à la fin des classes de crainte d'être pris à partie eux aussi.

Avec un certain bon sens, son ami Serge lui avait conseillé de se plaindre au directeur de l'école Saint-Stanislas, mais le fils aîné des Bélanger avait refusé en arguant qu'il ignorait le nom de ses tortionnaires et qu'ils se vengeraient d'avoir été dénoncés en l'attendant juste un peu plus loin de l'école. Aussi, Gilles ne voulait pas que son petit frère soit au courant. Pour lui qui se portait régulièrement en défenseur d'Alain, se plaindre ainsi aurait été faire preuve de faiblesse et il aurait alors perdu toute sa crédibilité de grand frère.

Bref, Gilles ne voyait pas d'issue à la situation. Il avait beau changer d'itinéraire ou même demeurer un peu plus longtemps à l'école pour laver les tableaux de sa classe, on aurait dit que la malchance s'acharnait sur lui. Les deux grands finissaient toujours par lui tomber dessus.

Le lendemain du mercredi des Cendres, un peu avant quatre heures, il sortit de l'école Saint-Stanislas dans la rue Gilford en se mêlant le plus possible aux autres élèves. Il avait décidé de changer son itinéraire habituel encore une fois et de descendre la rue De La Roche jusqu'à la rue Mont-Royal dans l'espoir d'éviter ceux qui le maltraitaient. Il traversa Gilford et allait se diriger vers De La Roche quand il entendit dans son dos l'une des voix qu'il connaissait maintenant trop bien.

— Si c'est pas le petit morpion qui est toujours dans nos jambes ! s'exclama un grand adolescent nu-tête, la cigarette au bec.

— Mais c'est ben lui, répondit en écho son copain à la tignasse rousse en donnant une poussée à Gilles, qui tomba dans le banc de neige qui bordait le trottoir.

Les jeunes qui marchaient près du gamin s'écartèrent prudemment alors que des filles gloussaient au passage. Encouragés par cette réaction, les deux élèves de huitième année relevèrent Gilles sans ménagement en le secouant.

— T'es pas fin, dit le roux à son complice. Tu lui as mis de la neige dans la face, expliqua-t-il d'une voix réprobatrice en giflant Gilles sous le prétexte d'enlever la neige qu'il avait sur la figure.

Gilles, fou de rage, tenta vainement de le repousser.

— Pauvre petit gars à sa moman, reprit l'autre en attrapant Gilles par les cheveux. Fais attention. Il en a pas juste dans la face, il en a partout.

— J'ai pas fait exprès, dit l'autre en feignant le regret. Mais as-tu vu son sac d'école, toi ? ajouta-t-il en s'emparant du sac d'école de Gilles et en l'ouvrant. Mais tout est à l'envers là-dedans, affirma-t-il en en répandant le contenu sur le trottoir.

Sur ce, celui qui tenait Gilles lui décocha deux ou trois taloches qui l'étourdirent. Maintenant, il y avait une douzaine de jeunes qui s'étaient arrêtés pour assister à la scène, mais personne n'intervenait pour prendre la défense du fils de Jean Bélanger. Le garçon chercha bien à atteindre d'un coup de pied l'un de ceux qui venaient de le frapper, mais le grand l'évita et lui envoya en retour un solide coup de pied sur une jambe qui le fit tomber encore une fois.

La scène aurait pu continuer encore quelques minutes si l'approche de deux adultes n'avait pas fait fuir les deux jeunes et dispersé le petit attroupement. Gilles se remit sur ses pieds tant bien que mal et se mit en devoir de ramasser ses effets scolaires répandus dans la neige. Il sentait ses lèvres enfler et l'une de ses joues lui faisait mal. Il réprima son envie de pleurer, mais ne prit pas la peine d'enlever la neige qui couvrait son manteau. Il referma son sac d'école et reprit sa tuque demeurée sur le banc de neige. Comme par miracle, le trottoir était maintenant vide. Les deux hommes qui avaient provoqué inconsciemment la fuite des adolescents passèrent près de lui sans même lui accorder un regard.

Gilles se remit en marche vers la maison en regardant nerveusement autour de lui au cas où ses tortionnaires l'auraient attendu un peu plus loin pour continuer à le battre. Il ne vit pas sa tante Lucie traverser la rue De La Roche en diagonale pour venir le rejoindre. Quand elle lui tapa sur l'épaule, il sursauta si violemment qu'il faillit tomber.

— Eh bien! Qu'est-ce qui se passe? Tu reconnais plus ta vieille tante? lui demanda-t-elle avec un large sourire.

— Je vous ai pas vue, ma tante, répondit-il, soulagé.

— Je reviens de la Caisse populaire, lui dit-elle.

Soudain, la jeune femme sembla remarquer à quel point son neveu était couvert de neige.

— Veux-tu bien me dire comment ça se fait que ton manteau soit plein de neige comme ça? On dirait que tu t'es roulé dans un banc de neige, ajouta-t-elle en riant.

— Je suis juste tombé, mentit-il.

Son ton alerta l'épouse de Claude Bélanger qui, tout en avançant aux côtés de son neveu, regarda son visage. Elle vit tout de suite que quelque chose n'allait pas.

— Qu'est-ce que tu dirais de venir boire une tasse de chocolat chaud à la maison? lui demanda-t-elle.

— Je pense que je suis mieux de m'en aller chez nous, ma tante, lui dit-il. Ma mère…

— Ta mère va être encore à la biscuiterie, fit Lucie, et elle s'apercevra même pas que tu t'es arrêté chez nous. Allez, viens.

Un peu à contrecœur, Gilles suivit la petite femme blonde dans l'escalier extérieur qui conduisait chez elle. Elle ouvrit la porte et le fit passer devant elle.

— Claude, je t'amène de la visite, annonça-t-elle en refermant la porte. Ôte tes bottes et va t'asseoir dans la cuisine, ordonna-t-elle à son neveu. Je te rejoins dans une minute. Je vais aller réveiller ton oncle, le grand paresseux. Comme je le connais, il va vouloir boire une tasse de chocolat avec nous autres.

Sur ce, elle disparut un instant dans sa chambre à coucher pendant que Gilles allait s'asseoir à table dans la cuisine. Il vit Caramel entrer dans la pièce et venir se frotter contre l'une de ses jambes. Il ne se pencha même pas pour caresser l'animal qui lui avait appartenu une seule journée. Ce n'était plus son chat.

— J'ai ramené Gilles avec moi, chuchota Lucie à son mari qui venait de quitter le lit. Il y a quelque chose de pas normal. Tu lui regarderas le visage. Il a l'air enflé.

— C'est correct. Vas-y, je vous rejoins, fit ce dernier en passant une main dans ses cheveux en broussaille.

Claude entra dans la cuisine un instant plus tard et s'assit en face de son neveu.

— Sais-tu qu'une chance que tu viens de temps en temps, sinon ta tante me ferait jamais du chocolat chaud, plaisanta-t-il.

— Je revenais de l'école, dit Gilles au moment où sa tante déposait devant lui une tasse de chocolat chaud.

— Est-ce que ça va bien à l'école ? lui demanda cette dernière.

— Oui, ma tante.

— Qu'est-ce que tu t'es fait au visage ? Es-tu tombé ?

— Oui, répondit Gilles après une courte hésitation qui mit la puce à l'oreille de son oncle.

— Tu te serais pas plutôt battu ? fit son oncle en le dévisageant.

— Ben…

— Ça m'est arrivé ben des fois, à moi aussi, quand j'allais à l'école, poursuivit Claude.

— Claude ! fit sa femme, la voix chargée de reproches.

— Je me suis pas battu, mon oncle.

— Qu'est-ce qui t'est arrivé d'abord ? insista le frère de son père.

— C'est deux grands qui viennent même pas à mon école…

La voix du gamin changea brusquement et ses yeux se remplirent de larmes.

— Dis-nous ce qui t'est arrivé, l'encouragea sa tante en posant une main sur son épaule.

Alors, ce fut comme si un barrage venait soudainement de céder sous la pression. Gilles raconta à sa tante et à son oncle tous les mauvais traitements subis depuis plusieurs jours de la part des deux adolescents et comment il avait vainement cherché à leur échapper.

— Pourquoi t'en as pas parlé à ton école ? s'étonna sa tante.

— Parce que ça aurait rien changé.

— T'aurais pu le dire à ton père, insista-t-elle.

— Il travaille, il peut pas m'attendre après l'école.

Lucie regarda son mari, qui sembla réfléchir un court moment avant de reprendre la parole.

— Bon, ton père peut pas s'occuper de cette affaire-là, mais moi, je le peux. Je travaille pas avant le milieu de la semaine prochaine. À partir de demain après-midi, je vais être proche de ton école. Si tu me vois, fais comme si tu me connaissais pas. Si ces deux petits baveux-là viennent t'achaler, ils vont avoir affaire à moi.

Gilles adressa à son oncle un tel regard de reconnaissance que ce dernier en fut remué.

— Est-ce que vous allez en parler chez nous ? s'inquiéta-t-il.

— Qu'est-ce que t'en penses ? répondit Claude.

— J'aimerais mieux pas, mon oncle.

— C'est correct. On va régler ça entre nous, comme des hommes, déclara le couvreur.

Ce soir-là, Reine se rendit compte que le visage de son fils aîné était enflé et elle lui en demanda la raison. Il prétendit être tombé en revenant de l'école et elle ne chercha pas plus loin.

♋

Le lendemain après-midi, Claude Bélanger quitta son appartement peu après quatre heures moins le quart et alla se poster près de l'école, de l'autre côté de la rue, de manière à bien voir les élèves qui quitteraient l'institution à la fin des classes. Quand la cloche sonna, il dut attendre quelques minutes avant que la porte ne livre passage à un flot important de jeunes excités par la perspective de la chute de neige annoncée depuis le début de la matinée.

Soudain, le couvreur repéra son neveu. Il décida de le suivre en se déplaçant sur le trottoir de l'autre côté de la rue. Moins de cinq minutes plus tard, il aperçut deux adolescents, marchant au milieu des enfants de l'école primaire et il se douta immédiatement qu'il s'agissait des deux brutes qui s'en prenaient régulièrement à son neveu. Il accéléra le pas et traversa la rue Brébeuf juste derrière les deux grands, sans que ces derniers l'aient vu approcher.

Au moment où l'un d'eux s'apprêtait à décocher une taloche à Gilles, une main solide le saisit au collet et le fit pivoter brusquement face à son copain qui était maintenu aussi solidement que lui. Immédiatement, les jeunes s'attroupèrent et firent cercle autour de l'homme et des deux adolescents qui avaient perdu toute leur superbe.

— Tiens! Si c'est pas les deux braves qui s'en prennent aux petits jeunes pour se faire du fun! dit Claude en les secouant.

— On n'a rien fait, nous autres, dirent-ils, le visage blafard.

— Ben non! Ben non! se moqua Claude. Je suppose que les claques sur la gueule que le petit a eues, il se les est données tout seul.

Avant même qu'ils aient eu le temps de réagir, Claude avait lâché l'un des deux adolescents pour flanquer une telle gifle à son camarade que ce dernier en sembla tout étourdi. L'autre esquissa le geste de vouloir prendre la fuite. Mal lui en prit. L'oncle de Gilles l'attrapa par une oreille et le ramena à lui avant de lui réserver le même traitement qu'à son copain.

— Vous avez pas le droit de… commença à dire le rouquin.

— Est-ce que tu veux une autre claque sur la gueule? lui demanda Claude, l'air mauvais.

Les deux jeunes, se tenant la joue, firent signe que non.

— Là, écoutez-moi ben, tous les deux. Si jamais j'entends dire que vous traînez encore dans le coin pour vous en prendre à des petits, je vais aller vous attendre à la porte de votre école et vous allez en manger une maudite bonne. À cette heure, du vent. Je vous ai assez vus.

— Vous allez nous payer ça, osa dire le plus grand des deux adolescents en s'éloignant prudemment.

— Quoi ? fit Claude, menaçant, en faisant semblant de se lancer à sa poursuite.

Les deux braves décampèrent sans demander leur reste.

— Viens-t'en, ordonna Claude à son neveu qui avait assisté à toute la scène en même temps qu'une vingtaine de jeunes.

L'attroupement s'ouvrit pour les laisser passer. Gilles, tout fier, marcha aux côtés de son oncle jusqu'à la rue Mont-Royal.

— Si jamais ils viennent encore t'achaler, le prévint Claude au moment de le quitter, t'auras juste à venir me le dire.

— Merci, mon oncle.

— Pas un mot de tout ça chez vous, hein !

— Non.

Chapitre 16

La première sortie

Reine s'était rapidement persuadée que l'invitation à dîner de Ben ne porterait pas à conséquence et qu'elle aurait été bien folle de la refuser. Il allait probablement l'emmener manger dans un grand restaurant et, durant une heure ou deux, elle se ferait gâter comme jamais elle ne l'avait été par son mari. En d'autres mots, elle n'éprouva aucun remords durant la fin de semaine à planifier cette sortie de manière à ce qu'aucun des siens ne s'en aperçoive.

Le dimanche après-midi, à la grande surprise de Jean, elle proposa elle-même de rendre visite à ses parents.

— Qu'est-ce qui se passe ? lui demanda-t-il, étonné. D'habitude, il faut presque que je te traîne de force pour y aller.

— J'ai tout simplement pas le goût de passer toute la journée enfermée dans la maison, répondit-elle. En plus, à soir, je vais aux vues avec Gina.

— Encore !

— Elle a eu des billets gratuits pour aller voir *Les sept mercenaires* à l'Alouette. On n'est pas pour laisser passer une chance pareille.

En fait, si Reine avait décidé d'accompagner son mari chez ses parents en ce dimanche après-midi, c'était uniquement pour s'assurer que sa belle-mère ne soupçonnait rien après l'avoir surprise en compagnie de Ben Taylor à la biscuiterie le mercredi précédent.

À leur arrivée chez Félicien, l'appartement était plein de visiteurs. Lorraine était là en compagnie de son mari et de sa fille Murielle. Lucie et Claude étaient aussi présents. Les adultes laissèrent les enfants devant le téléviseur et se réunirent dans la cuisine pour parler autour d'une tasse de café.

Il y eut quelques blagues sur l'air supposément épuisé du nouveau retraité. Puis on s'informa de la nouvelle Plymouth de Jean.

— Elle est pas mal pratique pour aller travailler, reconnut son propriétaire, mais je dois souvent aller la stationner assez loin. C'est rendu que plus ça va, plus il y a des chars dans le centre-ville. Le trafic est en train de devenir un maudit problème à Montréal.

— Est-ce qu'on peut savoir quelle promesse de carême vous avez faite, m'man? demanda Claude sur un ton narquois.

— Te prends-tu pour le nouveau curé de la paroisse? intervint son père.

— Laisse faire, lui ordonna Amélie. J'ai pas honte de le dire.

— Laissez-moi deviner, m'man, intervint Jean en entrant dans le jeu. Comme il y a pas de sucre à la crème sur la table, j'en déduis que vous avez promis de pas manger de sucré pendant tout le carême. Est-ce que c'est ça?

— C'est vrai, reconnut Amélie, mais j'ai aussi promis d'endurer votre père sans me plaindre jusqu'à Pâques et d'aller à la messe tous les matins.

— Barnak, m'man, vous allez mourir comme une vraie sainte, si vous continuez comme ça, fit Claude en feignant une admiration extraordinaire.

— Il en faut du monde comme moi, mon garçon, pour racheter ceux qui font rien durant le carême.

— C'est vrai, fit Félicien, narquois. Votre mère fait tellement de promesses à cette heure qu'elle est obligée de se faire des listes pour pas en oublier.

— T'es bien drôle, Félicien Bélanger, rétorqua sa femme d'une voix acide. Je fais juste écrire ce que je veux pas oublier.

— Moi, ça me fait rien tant et aussi longtemps que t'écris pas sur tes listes des *jobs* que tu veux que je fasse, rétorqua son mari.

— Inquiète-toi pas, je t'oublie pas. Tu vas t'en apercevoir, mon tornom, dès la semaine prochaine avec le ménage des garde-robes.

— Maudit que j'aurais dû continuer à passer la malle! s'exclama le nouveau retraité avec conviction.

Il y eut un éclat de rire général dans la cuisine, au point que les jeunes s'empressèrent de les rejoindre.

Reine n'avait pas cessé d'épier sa belle-mère depuis son arrivée chez les Bélanger. Elle avait guetté le moindre signe de méfiance à son endroit. Elle avait fini par être rassurée puisqu'elle n'en avait détecté aucun. De toute évidence, Amélie n'avait vu dans Benjamin Taylor qu'un client comme les autres. Elle en était soulagée. Il n'aurait plus manqué qu'elle communique ses soupçons à son fils et qu'elle doive supporter une crise de jalousie de ce dernier quand il n'y avait vraiment pas matière à fouetter un chat.

— Et vous autres, les enfants, qu'est-ce que vous avez promis? demanda la grand-mère en se tournant vers ses petits-enfants demeurés dans l'entrée de la cuisine.

— J'ai promis d'aider ma mère à faire le ménage, déclara Murielle, la fille de Lorraine.

— Et vous autres? fit Amélie en parlant aux enfants de Jean.

Il y eut un silence gêné avant que Gilles réponde:

— On promet rien, nous autres, grand-mère.

— Comment ça, rien ? demanda Amélie en se tournant vers son fils. Est-ce que ça veut dire que tu leur demandes pas de faire des sacrifices durant le carême ? poursuivit-elle sur un ton plein de reproche.

— Écoutez, m'man, se défendit le père de famille. On les laisse choisir ce qu'ils veulent faire pendant le carême. De toute façon, on n'est pas là pour voir s'ils respecteraient leurs promesses.

Cette explication embarrassée ne convainquit personne, surtout pas sa mère, dont la désapprobation était visible. D'ailleurs, elle faisait un grand effort pour ne pas adresser de remontrances ni à son fils ni à sa bru.

— J'espère que vous dites au moins votre chapelet tous les soirs avec le cardinal, reprit Amélie en s'adressant à ses petits-enfants.

— Oui, madame Bélanger, intervint Marcel Meunier en adoptant l'air d'un martyr. Vous pouvez compter sur votre fille pour allumer le radio chaque soir à sept heures pour le chapelet. Juste y penser, j'en ai mal aux genoux. Il me semble que mon chapelet serait aussi bon si je pouvais me mettre à genoux sur un coussin. Mais votre fille dit que ça se fait pas. Même si j'ai les genoux au sang, ça la dérange pas.

— Viens pas te plaindre, dit Lorraine. Un soir sur deux, t'es pas là.

— À part ça, Marcel, t'en mourras pas, lui dit sa belle-mère. Offre ça pour tes péchés.

— Quels péchés ? s'écria le plâtrier. Je travaille tout le temps. J'ai pas le temps, moi, d'en commettre des péchés.

— En tout cas, t'es ben chanceux de te sauver du chapelet de temps en temps, fit son beau-père. Moi, j'ai jamais eu cette chance-là.

— Tu devrais avoir honte de parler comme ça devant tes petits-enfants, le réprimanda sa femme, l'air sévère.

Amélie avait bien vu qu'aucun des enfants de Jean n'avait dit qu'il participait à la récitation quotidienne du chapelet et sa réprobation à l'égard de leurs parents se fit plus évidente encore.

— Si on parlait d'autre chose que de sacrifices, proposa Claude pour tirer son frère et sa belle-sœur de la situation embarrassante où ils se trouvaient. Il paraît que Radio-Canada va téléviser les Jeux olympiques de Rome au mois de juin. Moi, j'ai ben hâte de voir ça.

La conversation reprit un cours normal dans la cuisine et les enfants retournèrent dans le salon regarder la télévision. À la fin de l'après-midi, Jean et Reine donnèrent le signal du départ après avoir refusé l'offre d'Amélie de demeurer à souper.

— Vous êtes bien fine, madame Bélanger, mais les enfants ont pas fini leurs devoirs, mentit Reine en boutonnant son manteau.

Dès qu'ils eurent posé le pied sur le trottoir enneigé, Jean remarqua l'air renfrogné de sa femme.

— Bon, qu'est-ce que t'as encore à faire la baboune ? lui demanda-t-il sur un ton excédé.

— C'est ta sainte mère qui me tombe sur les nerfs, si tu veux le savoir, lui répondit-elle. Elle et sa maudite manie de faire des sermons à propos de tout et de rien. Veux-tu bien me dire en quoi ça la regarde que nos enfants fassent ou non des promesses pour le carême ?

— Tu t'énerves pour rien, dit Jean sur un ton apaisant. Qu'est-ce que tu veux ? Elle est portée sur la religion et elle nous a élevés comme ça.

— Pas de saint danger qu'elle demande à ton frère ou à sainte Lucie quels sacrifices ils étaient pour faire, eux autres.

— Elle ne nous l'a pas demandé à nous autres non plus, lui fit remarquer Jean.

— J'aurais bien voulu voir ça, conclut-elle, l'air mauvais.

À son réveil, le lendemain matin, Jean découvrit que sa femme avait déjà quitté le lit, même si son réveille-matin n'indiquait que six heures quinze. Un coup d'œil vers la fenêtre dont les rideaux étaient tirés lui apprit qu'il faisait encore noir à l'extérieur. Il se leva, glissa ses pieds dans ses pantoufles et sortit de la chambre à coucher. En pénétrant dans la cuisine, il fut stupéfait de voir Reine déjà occupée à trier les vêtements à laver.

— Calvince! Qu'est-ce qui se passe? lui demanda-t-il en contournant un tas de linge sale.

— J'ai une grosse journée aujourd'hui, se contenta-t-elle de lui répondre. Je veux faire mon lavage de bonne heure.

Pendant qu'il procédait à sa toilette, elle eut le temps de terminer son tri et de préparer du gruau pour le déjeuner. Après le repas, elle vit à ce que chacun des enfants range sa chambre et elle demanda à son mari d'installer les trois cordes à linge dans le couloir avant de partir au travail. Dès que la porte d'entrée se fut refermée sur lui, elle entreprit le lavage hebdomadaire des vêtements.

Les trois enfants quittèrent un à un l'appartement pour aller à l'école un peu après huit heures et, quelques minutes plus tard, elle descendit ouvrir la porte de la biscuiterie à Claire Landry.

— Je te laisse t'occuper du magasin toute seule, j'ai mon lavage à finir, lui dit-elle. Je vais redescendre dans une heure.

En fait, elle avait déjà pratiquement terminé son lavage et avait même eu le temps d'étendre ses premières cordées de vêtements mouillés dans le couloir. Elle désirait seulement s'accorder un peu de temps pour se coiffer et se maquiller avec soin après avoir préparé le dîner qu'elle servirait aux enfants quand ils rentreraient à la fin de la matinée. Après leur départ, elle n'aurait qu'à revêtir sa plus belle robe pour être prête.

Sa toilette lui prit un peu plus de temps que prévu et elle ne descendit à la biscuiterie que vers dix heures et demie. À son entrée dans le magasin, la jeune vendeuse ne put faire autrement que lui dire :

— Mon Dieu ! madame Bélanger, vous en allez-vous à des noces ? Vous vous êtes bien faite belle, aujourd'hui.

Reine fut incapable de réprimer un petit sourire de vanité en endossant son tablier.

— Non, mais je dois aller visiter la boulangerie des Richer cet après-midi, mentit-elle. Tu vas être obligée de t'occuper du magasin toute seule une partie de l'après-midi.

— Il y a pas de problème, madame, dit la jeune fille avec son obligeance habituelle.

Reine avait préparé ce mensonge pour justifier son absence.

La jeune femme entreprit de garnir les comptoirs avec l'aide de Claire. Quelques minutes plus tard, elle était occupée à réceptionner la marchandise d'un fournisseur quand sa sœur Estelle, vêtue d'un somptueux manteau de vison, poussa la porte du magasin. Reine prit le temps de payer le livreur avant de s'avancer vers sa sœur pour l'embrasser sur une joue sans manifester trop de chaleur.

— D'où est-ce que tu sors ? lui demanda-t-elle. Ça fait une éternité que je t'ai vue.

— J'arrive de la maison. Je serais bien venue te voir avant, mais j'ai eu toutes sortes d'empêchements, prétexta sa sœur aînée, qui la dépassait d'une demi-tête. D'abord, j'ai eu à m'occuper de m'man pendant presque deux mois. Ensuite, Thomas a attrapé la grippe. Je l'ai eu sur les bras durant une dizaine de jours, et depuis ce temps-là il parvient pas à rattraper le temps perdu au collège. Il est en train de couler son année. Et toi, comment ça va ?

— Je travaille, comme tu peux le voir. Avec la biscuiterie et les enfants, j'ai pas une minute à moi.

— C'est bien ce que j'ai pensé quand m'man m'a parlé de ton idée de vouloir t'occuper du magasin. Mais elle m'a dit que tu y tenais.

— C'est vrai.

— C'est pour ça que j'ai pas reparlé à m'man de la petite maison à vendre tout près de chez nous. Je voulais pas te nuire en lui donnant l'idée de vendre.

— T'as bien fait, l'approuva Reine avec reconnaissance.

— Puis, qu'est-ce que tu penses de mon nouveau manteau de vison ?

— Il est pas mal beau, reconnut Reine, envieuse.

— Charles me l'a offert pour ma fête. Là, je vais aller faire un tour chez m'man pour voir comment elle va. Après, je vais aller chez Grossman, sur l'avenue du Parc. Je veux me faire faire une toque pour aller avec mon manteau.

— On peut dire que t'es chanceuse de te payer des belles affaires de même, ne put s'empêcher de dire sa sœur cadette.

— Veux-tu venir avec moi ? lui offrit Estelle.

— J'aimerais ça, mais j'ai vraiment pas le temps avec le magasin.

— On pourrait prendre un taxi, insista la femme du dentiste.

— Non, cet après-midi, j'ai promis d'aller chez un fournisseur et il m'attend, mentit-elle avec aplomb.

— Bon, on va se reprendre une autre fois, dit Estelle en se penchant au-dessus de sa sœur pour l'embrasser sur une joue. Là, il faut que j'y aille. M'man doit m'attendre.

— Moi aussi, il faut que j'y aille. Les enfants sont à la veille d'arriver de l'école.

Après le départ de sa sœur, Reine jeta un coup d'œil à sa montre et décida d'aller servir le dîner à ses enfants qui allaient revenir de l'école d'un moment à l'autre.

À leur retour à la maison, Catherine, Gilles et Alain, affamés, s'installèrent autour de la table. Leur mère leur servit des spaghettis.

— Vous mangez pas, m'man? s'étonna Catherine en voyant que sa mère avait entrepris de retirer les vêtements secs des cordes tendues dans le couloir plutôt que de s'asseoir à table.

— J'ai mangé en préparant le dîner. J'ai pas faim.

Après le repas, l'adolescente aida sa mère à ranger la cuisine et quitta la maison peu après ses frères. Aussitôt, Reine s'empressa d'aller s'enfermer dans la salle de bain pour vérifier l'état de sa coiffure, se parfumer et procéder à quelques retouches de maquillage. Ensuite, elle passa dans sa chambre pour mettre sa petite robe en velours noir, celle qu'elle trouvait du dernier chic. Un coup d'œil à sa montre lui apprit qu'il était midi et cinquante-cinq et qu'elle devait se presser pour ne pas faire attendre inutilement Benjamin Taylor. Elle endossa son manteau qu'elle boutonna soigneusement pour que sa vendeuse ne voie pas sa toilette et elle descendit au magasin en espérant ne pas croiser sa sœur.

La chance lui sourit. Elle ne rencontra personne dans l'escalier et Claire était seule dans la boutique quand elle poussa la porte.

— Bon, j'y vais, lui annonça-t-elle. Si quelqu'un me demande, je suis allée chez un fournisseur et je devrais être revenue vers trois heures.

Elle quitta le magasin et marcha vers le coin de la rue De La Roche, en priant intérieurement pour ne rencontrer aucune connaissance en route. Il n'aurait plus manqué qu'elle tombe sur ses beaux-parents ou sur sa belle-sœur Lucie.

Elle eut un coup au cœur en ne voyant pas la Cadillac noire de Benjamin Taylor au coin de la rue. Pendant un bref moment, elle tourna la tête dans toutes les directions, ne sachant quoi faire. Puis, elle aperçut son prétendant qui venait vers elle à grandes enjambées.

— J'ai bien essayé d'arrêter au coin, lui dit-il, mais il y avait pas une place libre. Je suis stationné juste un peu plus loin, ajouta-t-il en lui tendant le bras.

Rassurée, Reine le suivit jusqu'à la voiture dont il lui ouvrit galamment la portière. Elle s'assit sur la banquette de cuir bleu marine. L'intérieur du véhicule sentait la lotion après-rasage de Ben. Tout dans l'habitacle respirait le luxe, de l'épaisse moquette noire aux garnitures en bois du tableau de bord. Elle s'installa confortablement et déboutonna son manteau en poussant un soupir de contentement. Elle se croyait née pour profiter de tout ce confort.

Taylor contourna la voiture, prit place derrière le volant et mit le moteur en marche. L'habitacle était si bien insonorisé qu'aucun bruit de l'extérieur ne parvenait aux oreilles des occupants du véhicule.

— Est-ce que je peux savoir où tu m'amènes dîner ? lui demanda-t-elle en se tournant vers lui.

— As-tu déjà mangé à La crêpe bretonne ?

— Non.

— Je t'amène là, dit-il avec le sourire. Tu vas voir, c'est spécial et c'est agréable.

— Il faut pas que ce soit trop loin. Je dois retourner au magasin pas trop tard.

— C'est au coin de Saint-Hubert et de Sainte-Catherine, lui expliqua-t-il en se glissant dans la circulation clairsemée de ce début d'après-midi.

En cours de route, Reine remarqua qu'il lorgnait ses jambes et s'en trouva flattée. La Cadillac prit la direction du sud jusqu'à la rue Sainte-Catherine et son conducteur trouva sans peine à la stationner près de la rue Saint-Hubert. Après avoir immobilisé son véhicule, Ben vint ouvrir la portière à son invitée et l'entraîna vers le restaurant.

— Mais c'est dans une cave ! protesta Reine, déçue de constater qu'ils devaient descendre quelques marches.

— Oui, mais attends de voir le décor, fit Taylor en lui ouvrant une porte massive en bois clouté.

Ils se retrouvèrent dans une salle chichement éclairée aux murs de pierre. Plus de la moitié des tables étaient inoccupées en ce début d'après-midi. Une hôtesse vint les accueillir et les conduisit à une table un peu plus isolée dans le fond du restaurant qui bruissait au son des conversations des quelques dîneurs attardés. La jeune femme, vêtue d'une robe et d'une coiffe bretonnes, leur laissa un menu et promit de revenir s'occuper d'eux sous peu.

Ben aida sa compagne à retirer son manteau et ne se cacha pas pour lui dire à quel point il la trouvait belle dans sa robe de velours. Au lieu de s'asseoir en face d'elle, il choisit de prendre place à ses côtés sur le banc de bois.

Il commanda un pichet de cidre à la serveuse quand elle s'arrêta à leur table.

— C'est meilleur que du vin avec des crêpes, expliqua-t-il à Reine.

Quand l'employée revint avec le cidre, il en versa dans les deux bols et en tendit un à Reine. Ensuite, il la conseilla dans le choix de son menu en lui proposant tout de même de commander d'abord une soupe à l'oignon comme entrée, avant de choisir une crêpe au froment comme plat principal.

Dès que la serveuse se fut esquivée, il entreprit de parler de ses affaires florissantes et des espoirs qu'il entretenait pour son nouveau bureau de Kingston. Tout en parlant, il versa un nouveau bol de cidre à son invitée, cidre qu'elle but un peu trop rapidement.

La tête de Reine tournait un peu, mais elle se sentait bien. Après sa première déception de se retrouver dans un restaurant situé dans un sous-sol, elle trouvait maintenant à ce dernier un charme certain. L'endroit était discret et elle ne risquait pas d'y rencontrer une connaissance. Quand Benjamin Taylor cessa de lui parler de ses affaires, elle décida de lui dire la vérité à propos de la biscuiterie.

— Tu sais, je te l'ai pas dit, mais je suis maintenant à moitié propriétaire de la biscuiterie, affirma-t-elle en distordant quelque peu la vérité.

— T'es une petite cachottière, toi, fit-il sur un ton amusé en déposant un rapide baiser sur sa joue.

Elle ne protesta pas et le laissa même s'emparer de l'une de ses mains.

— Je travaille pas mal, poursuivit-elle après avoir bu une première gorgée de son troisième bol de cidre, mais ça vaut la peine. C'est même payant.

— Payant... Payant, il faut pas... commença-t-il à dire.

— Je te le dis, l'interrompit-elle. J'aurai bientôt cinq mille piastres à la banque.

— C'est vrai que c'est pas mal d'argent, reconnut-il, mais il faudrait pas que tu te fasses mourir à l'ouvrage. T'es comme tout le monde, t'as juste une vie à vivre.

— Aie pas peur, eut-elle le temps de dire avant que la serveuse, de retour devant leur table, dépose devant eux leur bol de soupe.

— Touche pas au bol, se dépêcha de lui dire Benjamin alors qu'elle s'apprêtait à le rapprocher d'elle. Ça sort du four et c'est brûlant.

Elle savoura avec plaisir la soupe recouverte d'un croûton et de fromage fondu.

— J'ai jamais rien mangé d'aussi bon, déclara-t-elle en déposant sa cuillère.

— Attends de goûter à la crêpe que t'as commandée, lui dit son hôte en lui versant encore un peu de cidre.

— Arrête, la tête me tourne, lui dit-elle.

— Il faut que j'en profite, fit-il sur un ton plaisant. J'ai une question à te poser. T'es pas obligée de me répondre tout de suite.

— Quoi ? fit-elle, curieuse.

— Est-ce que t'as jamais pensé que tu pourrais avoir une vie plus facile et plus agréable que celle que t'as ?

— Qu'est-ce qu'elle a, ma vie ? demanda-t-elle, interloquée par la question.

— Elle a rien, mais, d'après moi, c'est pas le genre de vie que tu mérites, précisa-t-il, charmeur. Tu pourrais vivre dans une grande maison de Westmount ou d'Outremont avec une bonne pour te servir, voyager, passer des vacances l'hiver en Floride, te la couler douce, quoi. Tu pourrais n'avoir à t'occuper que de toi.

— T'oublies que je suis mariée et que j'ai trois enfants, dit-elle une fois que la serveuse se fut éloignée après avoir laissé devant chacun d'eux une grande crêpe.

— C'est meilleur quand tu mets du sirop d'érable dessus, lui dit-il en lui donnant l'exemple.

Elle l'imita. Ils prirent le temps de manger quelques bouchées de leur crêpe avant de reprendre la conversation là où elle s'était arrêtée.

— T'es mariée, mais es-tu bien certaine que tu veux finir ta vie avec ton mari ? Réponds-moi pas, lui ordonna-t-il précipitamment. Fais juste te poser la question.

— Et mes enfants ?

— Tes enfants sont plus des bébés. Est-ce qu'ils ont tant besoin que ça de leur mère ? Dans quelques années, ils vont faire leur vie sans s'occuper de toi. Toi, à ce moment-là, tes plus belles années vont être passées et t'auras jamais eu ce que tu méritais.

— T'es le diable en personne pour me dire des affaires comme ça, lui fit-elle remarquer dans un éclair de lucidité. Tu devrais avoir honte !

— Non, j'ai pas honte, reprit-il. T'es la femme que j'aime et je voudrais pas te voir gâcher ta vie.

— Et qui serait capable de m'offrir tout ce que tu viens de raconter ?

— Moi. Et j'hésiterais même pas une minute à le faire, lui dit-il sur un ton convaincu. J'ai assez d'argent pour te donner tout ça, et même plus, si ça te tente.

L'homme d'affaires commanda du café. Tous les deux, rassasiés, burent leur café en n'échangeant que quelques mots. Soudain, Reine se rendit compte que le restaurant était quasiment vide. Elle consulta sa montre et sursauta : trois heures.

— Il faut que tu me ramènes au magasin au plus vite, dit-elle à son compagnon en se levant brusquement. Il est trois heures. Les enfants sont à la veille de revenir de l'école et j'ai rien de préparé pour le souper.

Il se leva, l'aida à endosser son manteau, puis mit le sien et alla payer l'addition avant de revenir vers elle.

— C'est ce que je te disais, fit-il. T'es comme une esclave. Une belle femme comme toi mérite cent fois mieux.

Il n'attendit pas sa réponse. Il l'entraîna hors du restaurant et l'installa dans la Cadillac.

— J'ai jamais aussi bien mangé, lui déclara-t-elle quand il s'assit derrière le volant.

946

— Tant mieux, parce que j'ai l'intention de t'inviter encore, lui dit-il avec un large sourire. La prochaine fois, je veux que tu viennes souper avec moi. Je veux t'amener souper à l'hôtel Queen Elizabeth. Cet hôtel-là est pas ouvert depuis deux ans, mais il est connu pour son chic et on mange bien dans son restaurant.

— On verra, fit-elle sans s'engager. En attendant, je pense que t'es mieux de me laisser au coin de Chambord. J'ai moins de chance de rencontrer là du monde que je connais.

Quelques minutes plus tard, il vint immobiliser sa voiture derrière une camionnette à une cinquantaine de pieds au sud de la rue Mont-Royal, dans la rue Chambord.

— Le temps a passé trop vite, dit-il en se glissant près de Reine sur la banquette de cuir.

— C'est vrai que ça a passé pas mal vite.

— Je vais te revoir seulement dans deux semaines. Je pars pour Kingston demain matin. Je devrais rester là une dizaine de jours.

— Encore! ne put-elle s'empêcher de dire.

— Qu'est-ce que tu veux? C'est le prix à payer si on veut brasser des grosses affaires. Je suis même pas parti et je m'ennuie déjà de toi, ajouta-t-il, d'une voix câline.

Il glissa sa main dans le dos de la jeune femme et l'attira doucement vers lui. Elle ne résista pas. Il l'embrassa lentement tout en glissant son autre main à l'intérieur sous son manteau pour lui caresser une cuisse. Reine s'abandonna un court moment avant de le repousser des deux mains.

— On va nous voir, lui dit-elle en feignant la colère. Merci pour le repas, ajouta-t-elle en actionnant la poignée de la portière.

— On va se revoir bientôt, lui promit-il en lui envoyant un baiser du bout des doigts.

Elle traversa la rue précipitamment et se rendit jusqu'à la biscuiterie. Claire Landry était seule dans le magasin.

— Je vais mettre mon souper au feu et je reviens, dit-elle à la jeune vendeuse avant de s'esquiver.

Elle se dépêcha de monter à son appartement. Par chance, les enfants n'étaient pas encore revenus de l'école. Elle pénétra dans sa chambre, enleva sa robe de velours et endossa une des robes qu'elle portait normalement la semaine. Elle passa à la salle de bain pour se démaquiller. Ensuite, elle s'empressa de retirer tous les vêtements secs de ses cordes à linge dans le couloir et y suspendit les derniers linges mouillés demeurés au fond du panier déposé sur la table. De retour dans la cuisine, elle sortit les pommes de terre qu'elle entreprit d'éplucher. Elle venait de les déposer sur la cuisinière électrique quand Catherine poussa la porte d'entrée.

— On mange du jambon et des patates pour souper, lui annonça-t-elle. À cinq heures et demie, tu mettras la table. Quand tes frères vont arriver, dis-leur de commencer leurs devoirs. Tu surveilleras les patates, je viens de les mettre sur le poêle. Si tu t'aperçois que le linge est sec dans le couloir, enlève-le avant que ton père arrive de travailler.

Sur ces mots, elle retourna à la biscuiterie. Elle laissa Claire s'occuper des clients et se retira dans l'arrière-boutique sous le prétexte de vérifier certaines commandes. En fait, elle voulait revivre l'après-midi de rêve que Benjamin Taylor lui avait fait connaître. Les questions qu'il lui avait demandé de se poser ne cessaient de la hanter. Il lui avait vraiment donné l'impression que la vie n'était pas juste envers elle et qu'elle méritait un meilleur sort.

Son insatisfaction face à sa vie était maintenant à fleur de peau. Elle quitta brusquement la chaise sur laquelle elle était assise pour aller se planter devant le petit miroir suspendu au mur des toilettes et elle s'y regarda longuement. «Une belle femme comme toi mérite cent fois mieux.» Cette phrase de Ben lui revenait continuellement à l'esprit. Elle s'abîma ensuite dans l'analyse des sensations qu'avait provoquées chez elle le second baiser de Benjamin Taylor. Elle se sentait toute remuée et au bord de faire des folies.

— C'est un homme comme lui que j'aurais dû marier, dit-elle à mi-voix en claquant la porte des toilettes avant d'aller rejoindre sa vendeuse derrière le comptoir.

Ce soir-là, Reine se montra particulièrement impatiente avec les enfants et elle prétexta une affreuse migraine pour aller se coucher tôt. Blottie dans son lit, elle se plut à imaginer la vie qu'elle pourrait connaître aux côtés d'un homme tel que Ben.

Chapitre 17

Des surprises

La seconde semaine de mars commença bien mal pour les Montréalais. Alors qu'on aspirait à la fin prochaine d'un hiver particulièrement rigoureux, on se réveilla le mardi matin sous une véritable temps de janvier.

— Si ça a de l'allure! s'exclama Reine en regardant par la fenêtre de cuisine, une tasse de café à la main. Encore une maudite tempête de neige! Moi, j'en peux plus!

— Ça sert à rien de se lamenter, fit Jean en finissant de déjeuner à table en compagnie des enfants. On va endurer cette tempête-là comme on a enduré toutes les autres. Dis-toi que t'es chanceuse parce que t'as pas à aller loin pour aller travailler. De toute façon, on est juste le 8 mars. Il reste encore un gros cinq semaines avant Pâques. Quand avril va commencer, cette neige-là va finir par fondre comme tous les ans.

— Toute une consolation, fit sa femme, l'air morose.

— Les gars, vous allez trouver le moyen de déneiger notre balcon et celui de votre grand-mère avant de partir pour l'école, ordonna Jean à ses deux fils.

— Gilles, tu viendras aussi nettoyer la galerie en arrière du magasin, ajouta sa mère en déposant sa tasse de café dans l'évier.

Gilles et Alain ne dirent rien. C'était là leur tâche habituelle durant l'hiver. Jean jeta un coup d'œil à sa femme. Il ne savait pas ce qu'elle avait exactement, mais depuis plus d'une semaine, elle était à prendre avec des pincettes. Elle explosait à propos de tout et de rien. Quand il avait mentionné la chose à sa mère, quelques jours plus tôt, Amélie s'était bornée à dire :

— Elle est peut-être épuisée. Tu devrais lui conseiller d'aller chez le docteur pour se faire prescrire un tonique. S'occuper du magasin, de la maison et des enfants, ça lui en fait pas mal sur les bras.

Quand il en avait parlé à Reine, sans mentionner que la suggestion venait de sa mère, elle s'était contentée de dire qu'elle n'avait pas d'argent à gaspiller pour ça. Le contraire aurait d'ailleurs surpris Jean, qui décida de cesser de s'entêter et passa à un autre sujet.

— C'est ben beau tout ça, mais il faut que j'aille déneiger la Plymouth, annonça-t-il en se levant. Si ça se trouve, la charrue m'a fait une bordure jusqu'au milieu des portes.

Il mit son manteau et chaussa ses bottes avant de venir poser un baiser sur la joue de sa femme qui ne broncha pas, toujours plantée devant la fenêtre. Il quitta l'appartement. Dès qu'il posa le pied sur le trottoir, il se demanda s'il ne serait pas plus sage d'attendre l'autobus plutôt que de prendre sa voiture.

La nature s'était déchaînée durant la nuit et rien ne laissait prévoir que l'abondante chute de neige commencée aux premières heures de la nuit allait prendre fin bientôt. Même s'il était plus de sept heures, les lampadaires étaient demeurés allumés et la neige tombait en un rideau serré, poussé par un fort vent du nord. Les rares passants se déplaçaient comme des ombres sur les trottoirs et Jean pouvait à peine apercevoir les feux de signalisation au coin de la rue.

La circulation se faisait au ralenti et déjà une dizaine de personnes attendaient à l'arrêt d'autobus.

— Calvince ! On dirait la fin du monde, dit-il à mi-voix en prenant la direction de la rue Chambord où il avait stationné sa voiture la veille.

Il retrouva bien la Plymouth à l'endroit où il l'avait laissée la veille, mais recouverte de près d'un pied d'une neige lourde et mouillée. Comme prévu, les chasse-neige avaient emprisonné le véhicule derrière un banc de neige qui avait pratiquement la densité du ciment.

— Avec tout ça, je vais finir par arriver en retard, dit-il avec mauvaise humeur en ouvrant le coffre de la Plymouth pour y prendre une pelle.

Tout en pelletant, il ne put s'empêcher de songer à la tuile qui lui était tombée dessus hier, au travail. Lapointe l'avait invité à passer dans son bureau à la fin de la matinée pour lui apprendre qu'il allait faire équipe avec Vincent Lalande pour la rédaction du texte d'un reportage consacré à Charles de Gaulle. Radio-Canada se proposait de présenter ce reportage à la télévision quelques jours avant la venue du président de la France, le 20 avril. S'il avait cru un seul moment qu'il allait travailler d'égal à égal avec le snob à la pipe courbée, il s'était lourdement trompé.

— Tu peux faire confiance à Vincent, avait conclu le directeur du département, il a l'expérience de ce genre de travail.

Durant tout l'après-midi, Lalande s'était conduit avec lui comme s'il n'était qu'un stagiaire à qui il daignait enseigner les ficelles du métier. Il s'était même permis de corriger sa langue parlée en quelques occasions.

— L'introduction est ben trop longue et on insiste trop sur le fait qu'il était juste un soldat de métier à ses débuts, lui avait fait remarquer Jean en relisant le texte qu'ils venaient de terminer.

— Tu veux probablement dire «bien trop longue» et «alors qu'il n'était que soldat de carrière», l'avait repris son collègue.

— En plein ça, avait-il laissé tomber sèchement.

Habituellement, il soignait son langage au travail, mais là, il était si exaspéré qu'il s'était oublié.

À la fin de la journée, il était à la veille d'exploser quand des copains du grand homme vinrent le chercher pour «aller boire un pot», comme ils disaient. Il ne faisait aucun doute dans son esprit que le chef de la petite bande n'avait pas dû se gêner pour déblatérer sur son compte durant cette rencontre à laquelle il n'avait pas été convié.

— Si elle continue à me taper sur les nerfs, la moumoune, je vais lui faire avaler sa pipe, se promit Jean en serrant le volant après être parvenu à sortir son véhicule du banc de neige.

Tout au long du trajet rendu difficile par la tempête qui s'abattait sur la métropole, il se demanda quelle serait la durée du travail qu'il aurait à effectuer avec Lalande et s'il aurait la patience de le supporter encore longtemps.

La circulation était ce matin-là d'une lenteur désespérante. La neige continuait à tomber abondamment, limitant à quelques dizaines de pieds la visibilité des automobilistes. À deux ou trois reprises, il faillit même emboutir une voiture parce que la Plymouth, prisonnière d'une ornière, ne s'était pas immobilisée assez rapidement à un feu de signalisation. Finalement, il lui fallut plus d'une heure pour arriver à l'immeuble du boulevard Dorchester.

Au moment où il arrivait à l'intersection, un taxi libéra un espace près du trottoir, créneau dans lequel il s'empressa d'immobiliser son véhicule en poussant un soupir de satisfaction à la pensée qu'il n'aurait pas à chercher plus loin un endroit où stationner.

En descendant de voiture, il crut reconnaître la silhouette élégante de la femme qui venait de descendre du taxi. Il pressa le pas pour se porter à sa hauteur. Il ne s'était pas trompé, c'était bien Blanche Comtois.

— Eh bien, mademoiselle, j'aurais jamais pensé que vous vous leviez aussi de bonne heure que les pauvres gens pour venir faire des bonshommes de neige devant Radio-Canada, plaisanta-t-il, en retenant d'une main son chapeau qui risquait de s'envoler.

La jeune femme sursauta légèrement en l'entendant et le reconnut en relevant la tête qu'elle tenait penchée pour éviter de recevoir de la neige dans la figure.

— Bonjour, Jean, le salua-t-elle avec le sourire. On dirait que j'ai bien choisi ma journée pour venir rencontrer mon monde.

— As-tu l'intention de passer la journée avec nous? lui demanda-t-il en lui ouvrant la porte de l'édifice.

— Je sais pas encore. Ça va dépendre de la disponibilité des gens que je dois voir.

— Si tu es encore ici à midi, on pourrait peut-être manger ensemble à la cafétéria, proposa-t-il.

— Je vais essayer, lui promit-elle.

Ils prirent l'ascenseur et il la quitta à l'étage du service des nouvelles. Cette rencontre venait d'ensoleiller sa journée. Quand il rejoignit son bureau, il prit les documents dont il aurait besoin et alla rejoindre Vincent Lalande en train de pérorer devant deux jeunes recherchistes de la section des reportages. Jean jeta un coup d'œil à sa montre, il était à l'heure.

— Est-ce qu'on commence? demanda-t-il à son collègue sans se donner la peine de le saluer.

— Quel zèle, mon cher! s'exclama l'autre en adressant une mimique à son auditoire.

Jean ne se donna pas la peine de relever la remarque. Il s'assit à la table et étala ses documents devant lui. Lalande s'assit, déposa sa pipe éteinte dans le cendrier et se mit au travail à son tour.

La matinée passa rapidement. Les deux hommes allèrent visionner à deux reprises une autre courte tranche du reportage que leur texte devait commenter et le travail avança à un bon rythme. Pressé par le temps, Lalande cessa même d'asticoter son confrère pour se concentrer sur sa tâche. À midi pile, Jean se leva, imité par son collègue. Ils descendirent tous les deux à la cafétéria. Pendant que son compagnon allait rejoindre sa petite clique de contestataires, Jean examina les lieux, à la recherche de Blanche.

Il la découvrit assise près d'une fenêtre, devant une tasse de café et une salade. Il s'empressa d'aller la rejoindre.

— Va te chercher quelque chose à manger, lui dit-elle. Je t'attends.

Heureux qu'elle ait pu se libérer pour manger en sa compagnie, il se rendit au comptoir et en revint avec deux sandwichs et un café déposés sur un plateau. Il s'assit en face de la jeune femme sans la quitter des yeux.

Les années ne semblaient pas avoir eu prise sur elle. Il avait fait la même constatation troublante deux mois auparavant lorsqu'il l'avait rencontrée au restaurant, à sa sortie de chez Dupuis Frères. Ce visage aux traits fins surmonté d'un front haut et encadré par des cheveux bouclés respirait l'intelligence. Elle semblait être demeurée la fille toute simple et aimable qu'il avait brièvement connue avant son mariage.

— Puis, aimes-tu travailler à Radio-Canada ? lui demanda-t-elle en le fixant de ses yeux bruns pétillant de vie.

— J'adore ça, répondit-il en exagérant à peine. C'est plein de défis et c'est jamais pareil.

— Tant mieux.

— Et toi, comment vas-tu ? Tu m'as l'air en pleine forme et bronzée, à part ça.

— J'ai accompagné ma mère une semaine à la Martinique au début du mois. Un peu de soleil m'a fait du bien.

Ensuite, la conversation dériva sur les enfants de Jean et sur la vie que chacun connaissait. Blanche sembla se rendre compte qu'il n'était pas particulièrement heureux en ménage, mais elle se garda bien d'aborder le sujet. Quand ils se quittèrent vers une heure trente, ils se promirent de se revoir de temps à autre pour dîner ensemble.

Jean retourna au travail d'excellente humeur et heureux du tête-à-tête qu'il venait de vivre.

Au même moment, sa femme vivait des moments passablement moins heureux. Elle venait à peine de reprendre sa place derrière le comptoir après être allée dîner avec ses enfants qu'elle vit sa mère entrer dans le magasin. Claire Landry salua madame Talbot et lui offrit de se charger de son manteau.

— Vous êtes pas sérieuse, m'man, de sortir quand il fait aussi mauvais, l'interpella Reine en se tournant vers l'une des vitrines pour lui montrer la neige qui tombait encore.

— Voyons donc ! protesta Yvonne Talbot. J'ai même pas deux pas à faire dehors pour venir.

— Oui, mais les escaliers…

— Les escaliers sont en dedans, fit sa mère. Il faut bien que je me décide à les monter et à les descendre de temps en temps. Je suis en train d'ankyloser à rester tout le temps enfermée dans la maison.

— Est-ce que votre hanche va mieux ?

— Non, je pense même que c'est pire, répondit Yvonne. On dirait que l'arthrite est en train de se mettre dedans. Elle me fait plus mal qu'avant. Mais il faut tout de même que je vienne voir de temps en temps comment ça marche au magasin, ajouta-t-elle en regardant partout autour d'elle.

Reine interpréta cette visite comme un manque de confiance maternelle et en fut légèrement ulcérée.

— On peut pas dire que vous choisissez la meilleure journée pour venir voir, fit-elle remarquer à sa mère. Avec ce qui tombe dehors, il y a pas beaucoup de clients.

— C'est pas grave, la rassura sa mère. Je voulais voir comment tu plaçais toutes les pâtisseries que tu reçois. Je m'aperçois que c'est rendu que t'en vends plus que des biscuits.

— Peut-être pas, m'man, mais presque autant.

— C'est à se demander si on serait pas mieux de commander un comptoir réfrigéré, avança Yvonne d'une voix hésitante.

— Vous êtes pas sérieuse, m'man, protesta immédiatement sa fille. Ça coûte un prix de fou, une affaire comme ça.

— Peut-être, mais dis-toi bien que si un autre commerce de la rue le fait avant nous ou si on commence à vendre des beignes ou des tartes pas fraîches, ça va faire le tour du quartier et on va perdre toute notre clientèle dans le temps de le dire.

Reine se tut un long moment avant de répondre :

— Vous avez peut-être raison, m'man. Je vais en parler aux Richer. Ils seront peut-être intéressés à payer une partie de ce comptoir-là, étant donné qu'il va servir juste pour leurs produits.

— Tu peux toujours essayer, mais je doute qu'ils acceptent de participer financièrement.

Yvonne ne limita pas sa visite au magasin. Elle prit la direction de l'arrière-boutique et examina le rangement qui y avait été effectué. Elle critiqua la propreté des toilettes et l'encombrement de la galerie arrière où des boîtes de carton vides étaient empilées sous la neige.

— Demande donc à tes gars de nettoyer cette galerie-là, dit-elle à Reine en endossant son manteau. Il manquerait plus que les assurances nous fassent des misères parce que tout est pas correct en arrière.

— J'ai justement demandé à Gilles de venir la pelleter, dit sa fille, incapable de cacher son agacement.

— Pas juste la pelleter, rétorqua Yvonne en feignant de ne pas remarquer le ton de sa fille. Il faut aussi se débarrasser de toutes les boîtes qui sont là. Ça fait malpropre.

Là-dessus, Yvonne Talbot reprit son manteau et remonta à son appartement, non sans avoir remarqué l'air contrarié de Reine, qui semblait peu contente de sa visite au magasin.

Trois jours plus tard, Félicien, fidèle à quarante ans d'habitude, se leva à cinq heures et demie et entreprit de préparer son déjeuner. Si son heure de lever n'avait pas changé depuis le début de sa retraite, il avait tout de même la délicatesse de laisser dormir sa femme et de préparer seul son repas du matin.

Il étala la nappe à carreaux sur la table, y déposa la tasse de café qu'il venait de se préparer ainsi que le grille-pain et deux couverts. Il ouvrit le vieux réfrigérateur Roy pour y prendre le beurre, le lait et la marmelade. Il trouva facilement le beurre et la pinte de lait, mais pas la marmelade.

— Torrieu! Où est-ce que c'est passé, ça? marmonnat-il en déplaçant différents produits dans le réfrigérateur. Il en reste. Le pot était encore aux trois quarts plein hier matin.

Il fouilla durant quelques instants, de plus en plus impatient, avant de refermer la porte du réfrigérateur.

— Elle a dû se tromper et mettre le pot dans l'armoire, marmonna-t-il en ouvrant la porte du garde-manger.

Durant plusieurs minutes, il chercha la marmelade sans parvenir à la trouver. Mis de mauvaise humeur par l'obligation de se rabattre sur des confitures de fraises, il mangea ses rôties sans appétit.

— En plus, mon café est froid, dit-il à voix basse.

— Est-ce que c'est rendu que tu te parles tout seul ? lui demanda Amélie en apparaissant dans la cuisine, vêtue de son épaisse robe de chambre rouge vin et la tête couverte de bigoudis.

— Pourquoi tu te lèves aussi de bonne heure ? lui demanda son mari sans se donner la peine de répondre à sa question. Il est même pas six heures.

— Bondance ! parce que tu fais tellement de bruit qu'il y a pas moyen de dormir, lui reprocha-t-elle. Veux-tu bien me dire ce que t'as à brasser partout à matin ?

— J'ai cherché partout la marmelade et je l'ai pas trouvée.

— Mets tes lunettes quand tu cherches quelque chose, rétorqua-t-elle. Tu cherches comme un homme. Tu sais bien qu'elle est dans le frigidaire, comme d'habitude.

— Trouve-la donc, si t'es si fine.

Amélie ouvrit la porte du réfrigérateur et chercha le pot qu'elle ne trouva pas.

— Ça se peut que je l'aie mise dans l'armoire par distraction, admit-elle en se dirigeant vers le garde-manger.

Durant de longues minutes, elle chercha le pot de marmelade sur les diverses tablettes du garde-manger sans plus de succès.

— Ah bien là, j'y comprends rien, dit-elle en refermant la porte. Pourtant, je suis sûre que j'ai pas jeté ce pot-là.

— Laisse faire, j'ai déjà déjeuné, fit Félicien en allumant la radio pour écouter les informations.

Amélie retourna dans sa chambre pour s'habiller et se coiffer. Elle se préparait pour assister à la messe de sept heures et, ayant l'intention de communier comme elle le faisait chaque matin, il n'était pas question qu'elle mange avant.

Un peu après six heures trente, elle endossa son manteau et chaussa ses bottes.

— T'es sûr que ça te tente pas de venir à la messe avec moi ? demanda-t-elle à son mari, assis dans sa chaise berçante, au fond de la cuisine.

— Certain, laissa-t-il tomber. J'ai ben assez d'y aller le dimanche.

C'était la même scène qui se jouait tous les matins depuis le début du carême. Amélie cherchait à l'entraîner à l'église pour assister à la cérémonie.

Dès qu'elle eut quitté l'appartement, Félicien se secoua un peu. Il alla faire sa toilette et s'habilla. À son retour dans la chambre à coucher, il décida exceptionnellement de faire le lit et de ranger la pièce.

— Elle pourra pas dire que je fais jamais rien dans la maison, dit-il à mi-voix avec un sourire en coin.

Il entreprit d'étendre avec soin les couvertures et le couvre-lit sur le lit. Il suspendit la robe de chambre de sa femme, puis il voulut aligner ses pantoufles sous le lit, mais quelque chose lui opposa une résistance. Il s'agenouilla et avança la main pour voir ce qui l'empêchait de placer les pantoufles. Ses doigts rencontrèrent un pot. Le facteur à la retraite le tira à lui et découvrit avec stupéfaction qu'il s'agissait du pot de marmelade qu'il avait tant cherché.

— Qu'est-ce que ça fait là, ça ? Il faut être dans la lune en pas pour rire pour mettre ça là, ajouta-t-il.

Le mari d'Amélie allait se relever quand une intuition le poussa à se pencher pour regarder sous le lit. C'était trop sombre pour pouvoir bien voir, mais il lui sembla deviner autre chose plus loin. Il se releva et alla chercher le balai dans la cuisine. De retour dans la chambre, il passa le balai à l'aveuglette sous le lit. Il tira alors vers lui deux bananes noircies ainsi que deux boîtes de conserve de fèves au lard.

— Mais voyons donc, torrieu ! s'exclama-t-il. Qu'est-ce qui se passe avec elle ? Depuis quand…

Soudain, il se sentit envahi par une vague inquiétude. Son Amélie était-elle en train de perdre la tête ? Qu'est-ce qui lui prenait de cacher de la nourriture sous le lit ? Il se secoua, s'empara de la nourriture et revint dans la cuisine. Il jeta les bananes, rangea la marmelade au réfrigérateur et déposa les boîtes de conserve dans le garde-manger. Il s'alluma une cigarette et se planta debout devant l'unique fenêtre de la cuisine, bouleversé par de sombres pressentiments.

Il fuma toute sa cigarette avant de prendre la décision d'examiner le contenu des garde-robes et des tiroirs avant le retour de sa femme. L'idée était bonne. Il retrouva quelques oranges séchées et moisies au fond d'un placard, et des tablettes de chocolat et un sac de biscuits dans le tiroir d'une commode dans l'une des chambres.

— Il se passe quelque chose de pas normal avec elle, dit-il, angoissé, à voix haute. Il manquait plus que ça !

Durant de longues minutes, il se demanda quel comportement adopter. Fallait-il lui montrer la nourriture qu'elle avait cachée un peu partout dans l'appartement ou bien se contenter de se taire et de la surveiller ?

— Pour moi, elle était juste distraite, se dit-il à un certain moment pour chercher à se rassurer lui-même.

Mais, dans son for intérieure, il sentait bien qu'il se trompait, que c'était plus que ça. Quand il entendit la clé jouer dans la serrure de la porte d'entrée, Félicien prit la décision de ne pas alarmer inutilement sa femme. Il allait attendre et la surveiller pendant quelque temps. Peut-être ne traversait-elle qu'une mauvaise passe. S'il se produisait quelque chose de plus grave, il pourrait toujours en parler à ses deux sœurs infirmières.

Amélie enleva son manteau en se plaignant des trottoirs mal déneigés et vint rejoindre son mari dans la cuisine dans l'intention de se préparer à déjeuner. Son mari la scruta pendant qu'elle lui tournait le dos pour prendre ce dont elle avait besoin dans le réfrigérateur. À son avis, elle n'était pas différente de ce qu'elle était habituellement.

— Mais elle est là, la marmelade! s'écria-t-elle brusquement en brandissant le pot.

— Je le sais, c'est moi qui viens de la mettre dans le frigidaire. Je l'ai trouvée dans l'armoire, mentit-il. Elle était au fond de la deuxième tablette.

Amélie déposa le pot dans le réfrigérateur et s'occupa de son déjeuner.

∼

Une dizaine de jours plus tard, l'arrivée du printemps fut marquée par un redoux de la température. La neige ne fondait pas encore, mais il y avait des signes encourageants que l'hiver tirait à sa fin.

— Il reste juste deux semaines avant Pâques, dit Amélie aux siens, réunis dans la cuisine en ce dimanche après-midi-là. On est à la veille de sortir nos manteaux de printemps et de respirer autre chose que le renfermé de la maison.

— Ce genre de remarque-là, on sait ce que ça veut dire, laissa tomber Félicien. Je vais commencer à entendre parler de ménage de printemps dans pas grand temps.

— Ça, tu peux y compter, reprit sa femme. Et je te garantis que cette année, tu t'en tireras pas juste avec un lavage des murs. On va peinturer.

— C'est ça qui arrive quand on arrête de travailler, dit-il à ses enfants et à leur conjoint. On devient des vrais esclaves dans la maison.

— On va venir vous donner un coup de main, p'pa, promit Claude.

— Certain, affirma Jean à son tour en jetant un coup d'œil à sa femme assise près de lui et qui semblait s'ennuyer prodigieusement.

— En tout cas, madame Bélanger, vous avez le tour de main pour vous faire comprendre, dit Lucie en riant. Je voudrais bien être comme vous pour décider mon grand flanc-mou à me donner au moins un coup de main à laver les plafonds et les murs.

— Cette année tu toucheras pas à ça, je te le garantis, lui dit Claude sur un ton si décidé que tous tournèrent la tête vers lui.

Il y eut un bref silence dans la pièce avant que Claude reprenne la parole.

— Il y a une raison pour ça. Je pense que ma femme a quelque chose à vous annoncer, dit-il en posant une main sur le bras de Lucie.

Cette dernière regarda autour d'elle pour s'assurer qu'aucun des enfants n'était présent dans la pièce avant de déclarer :

— J'attends du nouveau, dit-elle, rayonnante de fierté.

— C'est pas vrai ! s'exclama Lorraine.

— Pour une bonne nouvelle, ça en est toute une ! s'écria Amélie en se levant pour venir embrasser sa bru sur une joue.

Félicien, Marcel et Jean s'empressèrent de féliciter les futurs parents, sachant fort bien qu'ils attendaient cet heureux événement depuis plus de deux ans.

— Et tu attends ça pour quand ? demanda Reine à sa jeune belle-sœur après l'avoir félicitée du bout des lèvres.

— Le docteur pense que ça va être pour la fin septembre.

— Fini ton beau temps, ne put s'empêcher de déclarer la fille d'Yvonne Talbot.

— Voyons donc, Reine ! protesta sa belle-mère. C'est son plus beau temps qui commence.

— C'est une question de point de vue, madame Bélanger, rétorqua sa bru, insensible à la désapprobation générale.

Une heure plus tard, Jean, sa femme et ses enfants prirent congé et rentrèrent à la maison.

— Tu trouves pas que t'aurais pu laisser faire ta remarque ? lui demanda son mari en retirant ses bottes dans le couloir.

— Quelle remarque ?

— Ce que t'as dit à Lucie, à propos de la fin de son plus beau temps. Tu le sais aussi bien que moi que Claude et elle attendent cet enfant-là depuis qu'ils sont mariés.

— Puis après ? T'es tout de même pas pour commencer à me dicter ce que je dois dire, fit-elle, l'air mauvais, avant de se diriger vers la cuisine dans l'intention de désosser le poulet qu'elle voulait servir en sandwichs chauds pour le souper.

— De la façon que tu l'as dit, poursuivit-il en la suivant dans la cuisine, on aurait juré que tu regrettais d'avoir des enfants.

Elle ne répondit rien et s'empara de son tablier suspendu derrière la porte du garde-manger.

— En tout cas, c'est ce que tout le monde a dû penser en t'entendant dire ça, insista-t-il.

— Ils ont le droit de penser ce qu'ils veulent. Je m'en fiche.

— Monte pas sur tes grands chevaux comme ça. Nos enfants, tu le sais, c'est ce qu'on a de plus beau.

— C'est facile à dire pour toi, t'es pas à la maison tout le temps pour t'en occuper.

Cette dernière remarque secoua Jean, qui avait encore en tête tout le travail qu'il avait fait avec les enfants pendant la convalescence de sa belle-mère, uniquement pour permettre à Reine de s'enrichir avec la biscuiterie. Il se borna à secouer la tête et alla se réfugier dans le salon. Depuis quelques jours, il se rendait compte que Reine était encore plus irritable que d'habitude. Il mit cela sur le compte du fameux comptoir réfrigéré que sa mère l'avait obligée à acheter au début de la semaine.

∽

Il n'était pas dans les habitudes d'Yvonne Talbot d'attendre très longtemps quand elle avait pris une décision. Dès le lendemain de sa visite éclair à la biscuiterie, elle était revenue à la charge avec son idée de comptoir réfrigéré. Elle avait exigé que Reine appelle les Richer le jour même pour savoir s'ils étaient prêts à participer à l'achat. Bernard Richer s'était déplacé et était venu rencontrer les deux femmes. Évidemment, il avait refusé de payer une partie du comptoir, mais par contre il avait proposé de fournir à la biscuiterie Talbot un bel éventail des diverses pâtisseries à la crème Chantilly et à la crème pâtissière qui exigeaient d'être réfrigérées.

— Mais nous autres, on est une biscuiterie, avait protesté Reine, qui sentait sa mère tentée.

— On peut aussi devenir une pâtisserie, était intervenue Yvonne, pour se faire entendre. D'après ce que je peux voir, on vend plus de tartes, de gâteaux et de beignes que de biscuits.

— Mais m'man, ça coûte cher, cette affaire-là, avait protesté inutilement sa fille.

— C'est entendu, monsieur Richer, on vous fait confiance pour nous fournir. On va en acheter un et on vous téléphone aussitôt qu'on l'aura fait installer, avait conclu la mère de Reine sans tenir compte de la protestation de sa fille.

Bernard Richer avait quitté le magasin, apparemment satisfait.

— Est-ce que tu te charges d'en trouver un ou bien je m'en occupe ? avait demandé Yvonne à sa fille sur un ton décidé.

— Avez-vous pensé à tout l'argent que ça va nous coûter ? avait répliqué Reine, horrifiée à l'idée de dépenser tant d'argent pour ce qu'elle considérait comme un caprice maternel.

— Écoute, si tu trouves ça trop cher, je vais le payer moi-même et on déduira ta moitié sur ce que te rapporte la biscuiterie. Il faut que tu comprennes une chose une fois pour toutes, avait poursuivi Yvonne, sévère, pour faire de l'argent, il faut en dépenser de temps en temps. Là, c'est pas un gaspillage. On va acheter ce comptoir-là pour faire plus d'argent, rien d'autre.

— C'est correct, avait reconnu Reine, la mort dans l'âme. Je vais m'en occuper.

— Je te le dis tout de suite, Reine, l'avait prévenue sa mère. Je veux ce comptoir-là installé dans le magasin pas plus tard que vendredi. Tu m'entends ?

Elle connaissait assez bien sa fille pour savoir qu'elle pourrait fort bien laisser traîner les choses dans l'espoir qu'elle oublie.

Reine avait abandonné le magasin aux soins de Claire Landry durant presque toute une journée. Elle était demeurée à la maison à parcourir les petites annonces classées de *La Presse* et à téléphoner un peu partout. Elle s'était mis en tête de trouver un comptoir réfrigéré usagé qui lui coûterait beaucoup moins cher qu'un neuf. Finalement, au milieu de l'après-midi, elle en avait déniché un chez un boucher de Saint-Henri en train de liquider son commerce. Elle avait négocié serré avec l'homme et elle était parvenue à l'obtenir pour la moitié du prix d'un comptoir neuf, avec, en prime, une livraison gratuite de l'appareil dès le lendemain matin.

À sa grande surprise, sa mère n'avait pas été particulièrement heureuse de l'achat quand elle était descendue au magasin regarder ce réfrigérateur éclairé par des néons que Claire venait de finir de laver à fond. Elle avait prétendu qu'il aurait été plus avantageux de s'en procurer un neuf.

— En attendant, avec cette patente-là, on n'a presque plus de place pour grouiller dans le magasin, s'était plainte Reine.

Le vendredi, les Richer, prévenus par téléphone la veille, avaient fait livrer plusieurs douzaines de pâtisseries diverses propres à approvisionner abondamment la nouvelle acquisition.

Jean se trompait tout de même en mettant l'irritabilité de sa femme sur le simple compte de l'achat du comptoir. En réalité, elle s'ennuyait de Benjamin Taylor et regrettait cent fois par jour de ne pas avoir songé à lui suggérer de lui téléphoner de temps à autre pour lui donner des nouvelles. Puis, son bon sens reprenant le dessus, elle devait convenir que cette idée n'était pas très intelligente. S'il avait téléphoné au magasin, Claire aurait assisté à la communication et elle n'aurait rien pu lui dire. La situation aurait été encore plus catastrophique s'il avait téléphoné à l'appartement. Jean ou un enfant aurait pu lui répondre et les questions que l'un ou l'autre lui aurait posées auraient été pour le moins gênantes.

Elle se sentait malheureuse et abandonnée. Pire, la jalousie la tenaillait. Qu'est-ce qu'il faisait exactement quand il était loin d'elle? Quelles femmes voyait-il? S'il lui faisait les yeux doux, qu'est-ce qui l'empêchait d'en faire autant à d'autres femmes? Il lui avait dit ne pas être marié, mais quelle preuve avait-elle de ça? Elle ignorait même où il demeurait…

Chapitre 18

Les tracas

Le 6 avril, Jean quitta Radio-Canada à l'heure habituelle. Il avait l'impression d'avoir dignement célébré son trente-quatrième anniversaire de naissance en mettant le point final au travail élaboré avec Vincent Lalande. Arthur Lapointe s'était déclaré satisfait de leur texte et les en avait félicités. Il s'agissait de quatre semaines de travail dont il se souviendrait longtemps.

À sa sortie de l'édifice, il faisait encore jour, mais il fut accueilli par une petite pluie froide qui le poussa à se hâter de rejoindre sa Plymouth stationnée dans une petite rue voisine. Cette température maussade depuis le début du mois avait au moins le mérite de faire fondre rapidement les derniers amoncellements de neige grisâtre laissés par l'hiver. De larges sections de trottoirs étaient dorénavant débarrassées de toute glace et les caniveaux peinaient à absorber toute l'eau de fonte.

Le jeune père de famille s'engouffra dans sa voiture avec plaisir et il rentra à la maison en essayant de deviner quelle nouvelle tâche l'attendrait le lendemain matin à son retour au travail.

À son entrée dans l'appartement, sa femme et ses enfants vinrent lui souhaiter un bon anniversaire avant même qu'il ait retiré son manteau.

— Ta sœur Lorraine a téléphoné pour te souhaiter bonne fête, lui apprit Reine. Elle a dit qu'elle allait te rappeler dans la soirée.

— On a des cadeaux pour vous, p'pa, lui annonça Alain en devançant son père dans la cuisine.

— Sacrifice ! Vous vous êtes donné du mal pour ma fête, s'écria Jean en apercevant la table déjà mise et deux petits paquets emballés avec soin près de son assiette.

— Et tu vas même avoir droit à ton dessert préféré, lui précisa sa femme en lui montrant le gâteau au glaçage au chocolat qui trônait au centre de la table. T'as le temps de développer tes cadeaux. Je ferai cuire le steak après.

Jean attendit que tous soient assis à table pour développer son premier cadeau : un briquet Colibri.

— Ça, c'est le cadeau de m'man, lui précisa Gilles.

Jean se leva et embrassa sa femme en la remerciant. Puis il ouvrit le second paquet : une cravate bleue.

— On s'est mis ensemble pour vous l'acheter, p'pa, dit Catherine.

Le père de famille remercia sa femme et ses enfants d'avoir pensé à son anniversaire et le souper servi par Reine fut joyeux. En soirée, toute la famille Bélanger, y compris les deux tantes infirmières, lui téléphona pour lui souhaiter un joyeux anniversaire.

Cela faisait longtemps que Jean ne s'était pas senti aussi bien. Au travail comme dans la famille, l'harmonie régnait en cette belle journée d'avril. Voilà la vie de famille et la carrière dont rêvait Jean lorsqu'il avait uni sa vie à celle de Reine, il y avait plus de treize ans. Mais une journée ne fait pas une vie…

Benjamin Taylor ne réapparut à la biscuiterie que la veille du jeudi saint. Vêtu d'un léger manteau de printemps, l'homme d'affaires poussa la porte du magasin au milieu de la matinée, le visage éclairé par son habituel sourire de conquérant à qui rien ne résiste.

L'air renfrogné, Reine fit celle qui ne se sentait pas concernée par son arrivée.

— Claire, sers donc monsieur, dit-elle à sa vendeuse en faisant mine de s'abîmer dans des calculs, installée derrière sa caisse enregistreuse.

Claire Landry avait bien reconnu celui que sa patronne lui avait présenté brièvement comme son ami, et elle hésita à s'avancer vers l'homme. Ce dernier leva une main pour lui signifier de demeurer à sa place et il se dirigea vers la caisse que Reine s'apprêtait à quitter.

— Merci, mademoiselle. J'ai juste deux mots à dire à votre patronne, dit-il.

Claire regarda Reine qui lui adressa un bref signe de tête, qu'elle interpréta comme une permission de s'esquiver vers l'arrière-boutique.

Reine s'était bien promis de ne pas faire de crise de jalousie si son prétendant revenait la voir. Sa résolution fondit comme neige au soleil quand elle le vit debout devant elle, sans afficher le moindre signe de contrition.

— Dis donc, l'interpella-t-elle à mi-voix. On dirait bien qu'on peut pas se fier pantoute à ta parole. Tu m'avais dit que tu partais pour deux semaines et ça fait trois semaines que je t'ai pas vu.

— Tu t'es ennuyée? lui demanda-t-il d'un air suffisant sur le même ton.

— Non, mentit-elle, les dents serrées, mais j'aime pas attendre comme une dinde.

— J'aurais aimé mieux que tu me dises que tu t'étais ennuyée, reprit Ben sur un ton léger. Parce que moi, je me suis ennuyé. J'ai été retardé à cause d'un gros contrat que j'ai décroché à Toronto, et j'ai dû engager du monde avant de pouvoir revenir.

— T'aurais pu donner de tes nouvelles, lui reprocha-t-elle.

— Oui, mais comment ? J'ai pensé à te téléphoner.

— Fais jamais ça, lui ordonna-t-elle sur un ton sévère.

— Mais inquiète-toi pas, c'est fini. Je pense que j'aurai plus à aller aussi souvent à Toronto et à Kingston. Je me suis trouvé deux secrétaires qui m'ont l'air pas mal compétentes.

— Des belles filles, je suppose, dit-elle, tiraillée immédiatement par la jalousie.

— Elles l'ont peut-être été, reconnut Ben. Mais elles ont toutes les deux la cinquantaine et un commencement de moustache. Il y en a même une, celle de Toronto, qui a plus de moustache que moi.

Cette dernière remarque eut le don de dérider Reine.

— T'as encore apporté du nouveau dans ton commerce, à ce que je vois, fit-il en désignant le comptoir réfrigéré.

— Il faut dépenser de l'argent si on veut en faire, dit-elle en empruntant sans scrupule les paroles de sa mère.

— C'est ce que je me suis toujours dit moi aussi, affirma-t-il.

Reine se lança dans des explications où elle se donnait le beau rôle. À l'entendre, elle était parvenue à convaincre sa mère d'acheter le comptoir réfrigéré pour améliorer le chiffre d'affaires de la biscuiterie et ça fonctionnait à plein. Elle lui révéla même quelle économie elle avait réalisée en achetant l'appareil usagé.

— Je suis arrivé assez tard hier soir, mais j'ai eu le temps de préparer ton cadeau de Pâques, lui annonça ensuite Benjamin après avoir regardé en direction du rideau de perles pour s'assurer que la vendeuse ne l'écoutait pas.

— T'as pas à me donner de cadeau à Pâques, chuchota-t-elle sans grande conviction.

— J'ai réservé une table au restaurant du Queen Elizabeth, pour souper, mardi prochain, à sept heures. Qu'est-ce que t'en dis ?

— Tu sais bien que je peux pas. Je ferme la biscuiterie à six heures. Il y a mon mari et mes enfants…

— Voyons, Reine. Tu m'as dit toi-même que ça t'arrivait d'aller au cinéma de temps en temps avec ton amie, comment elle s'appelle déjà ?

— Gina.

— C'est ça, avec ton amie Gina. T'as juste à dire chez vous que tu t'en vas aux vues. Je vais t'attendre à la même place que la dernière fois et ça va nous donner le temps de souper tranquillement dans le plus beau restaurant de Montréal.

— Je sais pas…

— Tu peux pas refuser, insista-t-il, sur un ton légèrement suppliant. J'ai déjà réservé la table et c'est ton cadeau de Pâques.

Reine laissa passer quelques secondes avant d'accepter finalement l'invitation.

— C'est correct. Tu m'attendras au coin de Chambord et Mont-Royal, là où tu m'as laissée la dernière fois. Mais je pourrai pas venir te rejoindre avant six heures et quart. Il faut que je ferme le magasin avant.

— J'ai envie de t'embrasser, lui chuchota-t-il.

— T'es mieux de te retenir, lui dit-elle, rassurée sur les sentiments qu'il lui portait. Ma vendeuse est là et il y a du monde qui passe devant les vitrines.

Il quitta le magasin en lui envoyant un baiser du bout des doigts, comme la dernière fois. En le voyant disparaître, Reine regretta presque qu'il se soit montré si sage, malgré la présence de la vendeuse dans la pièce voisine.

Quelques instants plus tard, Claire vint reprendre sa place derrière le comptoir en manifestant sa discrétion habituelle. Durant un bref moment, la patronne se demanda si elle avait deviné qu'il y avait quelque chose entre elle et Ben, puis elle se dit que ça n'avait aucune importance. Il ne s'était rien passé entre eux qui prêtait à scandale.

∽

Peu avant quatre heures, le lendemain après-midi, Catherine quitta l'école des Saints-Anges avec deux camarades de classe, bien déterminée à profiter des courtes vacances de Pâques qui venaient de commencer. Les trois adolescentes traversèrent le boulevard Saint-Joseph, face à l'église Saint-Stanislas-de-Kostka, et prirent la direction de l'ouest. À l'intersection suivante, les deux copines de Catherine la laissèrent poursuivre seule sa route parce qu'elles demeuraient dans la rue Chambord.

L'adolescente les salua et continua à marcher sur le boulevard Saint-Joseph dans l'intention de tourner au coin de Brébeuf quand elle aperçut une dame immobilisée devant des maisons dont elle scrutait les façades, comme si elle cherchait une adresse. À son approche, la dame tourna la tête dans sa direction et Catherine reconnut avec plaisir sa grand-mère Bélanger. Elle s'empressa de se porter à sa rencontre.

— Bonjour, grand-mère, lui dit l'adolescente qui dépassait la petite femme d'une demi-tête. Cherchez-vous quelque chose ?

Amélie Bélanger, vêtue d'un manteau de drap beige, la regarda comme si elle ne la reconnaissait pas. Pendant un court instant, Catherine se demanda si elle ne s'était pas trompée.

— C'est drôle, fit la grand-mère, mais on dirait que j'ai oublié où je reste. Je suis pas sûre de mon adresse pantoute, ajouta-t-elle en fixant de nouveau la façade de la maison devant laquelle elle était arrêtée.

Catherine n'eut plus aucun doute en entendant la voix de sa grand-mère, mais se rendit compte qu'elle n'était pas dans son état normal. Après une légère hésitation, elle décida que l'unique chose à faire était de la raccompagner à la maison.

— Moi, je m'en rappelle, grand-mère, déclara-t-elle à Amélie. Venez, on va y aller ensemble.

— T'es bien fine, ma belle fille.

— Vous êtes allée à l'église ? lui demanda l'adolescente.

— Je le sais plus, avoua la femme âgée, visiblement perplexe.

Tout au long du trajet qui les ramena à l'appartement de la rue Brébeuf, Amélie ne cessa de raconter des souvenirs de l'époque de sa jeunesse où elle fréquentait une école de rang. À aucun moment elle ne donna l'impression à la jeune fille qu'elle l'avait reconnue.

— Ah ! là, je reconnais la maison, dit-elle au moment où Catherine lui ouvrait la porte d'entrée de l'appartement. Entre, viens manger quelque chose, offrit-elle à sa petite-fille.

Catherine allait refuser, car elle devait rentrer aider sa mère à préparer le souper, quand son grand-père sortit du salon.

— Je dois aller aux toilettes, lui dit Amélie en retirant précipitamment son manteau. Occupe-toi de notre invitée.

Catherine demeura debout sur le paillasson sans bouger.

— Qu'est-ce que t'attends pour enlever tes bottes ? s'étonna Félicien.

— Je peux pas rester, grand-père. Mais il faut que je vous dise quelque chose, poursuivit-elle un ton plus bas. J'ai trouvé grand-mère complètement perdue sur le boulevard Saint-Joseph, proche de mon école. Elle disait qu'elle savait plus où elle restait.

— Es-tu certaine de ça ? lui demanda Félicien qui avait soudainement pâli.

— C'est ce qu'elle m'a dit. Elle était arrêtée devant des maisons et cherchait son adresse. À part ça, grand-père, je suis pas sûre qu'elle m'a reconnue.

— Ta grand-mère est pas jeune, reprit Félicien sur le même ton. Ça peut arriver qu'elle perde un peu la mémoire, mais ça dure pas. Inquiète-toi pas avec ça et raconte ça à personne chez vous. Ça ferait de la peine à ta grand-mère et ton père s'en ferait pour rien.

Catherine promit et quitta l'appartement de ses grands-parents avant qu'Amélie soit sortie des toilettes. Quand cette dernière revint dans le salon, elle demanda à son mari où était passée la jeune fille qui l'avait raccompagnée.

— Elle pouvait pas rester, se contenta-t-il de lui dire.

Une heure plus tard, sa femme lui rappela qu'il y avait une cérémonie à l'église ce soir-là. Le fait qu'elle s'en souvenait le rassura un peu. Cependant, pour la première fois depuis bien longtemps, il offrit sans se plaindre de l'accompagner.

Pendant que sa femme préparait le repas du soir, il n'en prit pas moins la résolution d'aller rendre visite à ses sœurs, rue Saint-Urbain, dès le lendemain avant-midi. Il sentait que l'état de santé de sa femme s'aggravait et il avait moins besoin de conseils que d'être rassuré.

— Il doit sûrement y avoir un remède pour soigner ça, se dit-il en éteignant sa cigarette avant de venir s'attabler devant l'assiette de galettes de sarrasin cuisinées par Amélie.

— Je pensais que c'était juste le vendredi que c'était maigre, ne put-il s'empêcher de faire remarquer à sa femme en réprimant difficilement une grimace devant ce qu'elle lui servait.

— Sauter un repas de viande te fera pas de mal, fit-elle. T'es en train de devenir gras comme un voleur.

Le lendemain matin, un beau soleil accueillit Félicien dès qu'il eut mis le pied dehors. Il avait hésité un bon moment avant de se décider à sortir de la maison, il n'était plus tranquille quand il laissait Amélie seule.

Mis à part le fait qu'elle avait oublié d'éteindre la cuisinière électrique à deux ou trois reprises, il ne s'était rien produit de vraiment anormal depuis l'aventure du pot de marmelade. Il y avait bien eu quelques petits oublis comme il en arrive à tout le monde avec l'âge, mais rien d'important. La veille, il avait cependant senti son inquiétude augmenter d'un cran quand Catherine avait dû venir la conduire à la maison. Il n'avait jamais imaginé qu'Amélie puisse se perdre en allant à l'église qu'elle fréquentait depuis près de quarante ans. Durant la nuit, il n'avait dormi que sur une oreille, taraudé par la crainte qu'elle se lève et sorte de l'appartement sans qu'il s'en rende compte.

La mésaventure de la veille avait vraiment été un signal d'alarme. Il ne pouvait plus feindre de croire que tout rentrerait dans l'ordre. Il était maintenant persuadé qu'il fallait faire quelque chose et qu'attendre n'arrangerait rien.

— Il fait beau, hein! fit Omer, planté sur la dernière marche de l'escalier extérieur.

— Ben oui, Omer, dit Félicien à son gros voisin qui cherchait à atteindre un dernier morceau de glace qui, dissimulé à l'ombre derrière l'escalier, avait résisté à la fonte générale. Tu devrais te promener pour en profiter.

— Ma sœur va m'amener au parc.

— Chanceux, se contenta de dire son voisin en se dirigeant rapidement vers la rue Mont-Royal.

Tout en marchant, l'ancien facteur remarqua que les employés de la ville avaient entrepris de nettoyer les rues en passant le balai-brosse et qu'il y avait de moins en moins de papiers et de mégots sur le trottoir. D'ailleurs, les premiers bourgeons ornaient déjà les branches des érables de la rue Brébeuf.

Sa sœur Rita vint lui ouvrir quand il sonna à sa porte un peu avant dix heures et quart. La célibataire âgée d'une cinquantaine d'années fut surprise de le trouver sur le seuil de son appartement en ce vendredi matin.

— T'arrives au moment où je commence le ménage, lui apprit-elle après l'avoir invité à entrer. Camille travaille aujourd'hui et c'est mon tour de tout nettoyer.

— Je te retarderai pas longtemps, lui dit Félicien pour la rassurer.

— Il y a pas le feu. Viens boire un café, il m'en reste la moitié d'une cafetière, l'invita l'infirmière.

Elle l'entraîna dans la cuisine et il s'assit à table pendant qu'elle lui versait une tasse de café.

— Je viens pas juste te faire une visite de politesse, lui annonça Félicien après avoir bu une gorgée de café.

— Qu'est-ce qui se passe ? Est-ce qu'il est arrivé quelque chose aux enfants ?

— Non, c'est Amélie qui m'inquiète.

— Comment ça ? lui demanda sa sœur en s'assoyant en face de lui.

Le retraité entreprit de lui raconter tout ce qui concernait sa femme depuis quelques semaines. Il lui parla de ses listes de choses à faire, de ses oublis, de la nourriture dissimulée un peu partout et, finalement, du fait qu'elle avait oublié où elle demeurait la veille.

Rita garda le silence un long moment, comme si elle cherchait les mots propres à tranquilliser son frère aîné.

— Est-ce qu'il lui arrive aussi de chercher ses mots? demanda l'infirmière.

— Oui, de temps en temps, reconnut son frère. Il doit ben se vendre un remède pour guérir ça?

— Je veux pas t'inquiéter, mon petit frère, fit Rita, mais il va d'abord falloir que t'amènes ton Amélie chez le docteur. Je suis presque certaine qu'il va l'envoyer voir un spécialiste.

— Pourquoi ça?

— J'ai l'impression que ta femme pourrait commencer à souffrir de ce qu'on appelle la maladie d'Alzheimer.

— Voyons donc! protesta Félicien. Ça peut pas être si grave que ça.

Il avait déjà entendu parler de cette maladie qui avait frappé une cousine de sa femme. La pauvre femme était décédée quelques années auparavant, complètement démente.

— Amélie vient juste d'avoir soixante ans, torrieu! protesta-t-il.

— J'ai pas dit que c'était ça. Ça peut être autre chose aussi, déclara Rita Bélanger sans trop y croire elle-même. Mais s'il y a un médicament pour la soigner, je suis certaine que c'est un spécialiste qui va le prescrire.

— Là, je me demande ben comment je vais faire pour la traîner chez le docteur, avoua son frère, les sourcils froncés. Tu la connais, elle a jamais été malade de sa vie.

— À ta place, je ferais semblant d'avoir besoin d'aller chez le docteur, lui suggéra Rita. Demande-lui de t'accompagner.

— Elle va trouver ça pas mal louche que je veuille aller en voir un. Elle sait que je les haïs.

— Essaie, t'as pas le choix.

— Là, je sais pas si je dois en parler aux enfants, dit-il en se levant, déjà prêt à partir.

— Pourquoi t'attends pas? lui suggéra sa sœur. Il sera toujours temps de leur apprendre la nouvelle quand le spécialiste l'aura examinée.

Félicien rentra chez lui sans se presser, perdu dans de sombres pensées. Il prit tout de même la résolution d'attendre encore une semaine pour tenter de persuader Amélie de l'accompagner chez le médecin. Il voulait surtout lui permettre de profiter de la fête de Pâques avec ses enfants sans l'inquiéter.

❧

Jean fut surpris de constater à quel point la température avait changé à la fin de l'après-midi, quand il quitta Radio-Canada. Le ciel s'était ennuagé et il commençait même à tomber une petite pluie froide plutôt désagréable. Il remarqua que, comme tous les vendredis saints, beaucoup de magasins avaient fermé leurs portes et que les piétons étaient rares dans le centre-ville.

Il stationna la Plymouth rue Brébeuf et revint à pied vers Mont-Royal pour rentrer chez lui. La biscuiterie était fermée. Il monta les escaliers. À son entrée dans l'appartement, il ne vit que Catherine occupée à dresser le couvert dans la cuisine.

— Où est ta mère? lui demanda-t-il.

— Chez grand-maman, en bas.

— Tes frères?

— Dans leur chambre, p'pa.

Sans rien ajouter, il s'empressa de traverser la cuisine. Il sortit sur la galerie et se dirigea vers le hangar dont il ouvrit la porte. Curieuse, l'adolescente regarda par la fenêtre, se demandant ce que son père allait chercher là. Elle n'eut pas à attendre longtemps pour l'apprendre. Moins d'une minute plus tard, elle le vit sortir du hangar en tenant deux grands sacs. Il rentra dans la maison.

— Qu'est-ce que c'est, p'pa ? l'interrogea-t-elle.

— Si tu veux le savoir, viens dans le salon, lui répondit-il, énigmatique.

Elle s'empressa de le suivre. Au moment où elle passait dans le couloir, derrière son père, la porte de la chambre des garçons s'ouvrit pour leur livrer passage. Il y eut quelques «Oh !» ravis de surprise quand Jean tira des sacs déposés sur le divan trois gros lapins en chocolat et une boîte de chocolats.

— La boîte est pour votre mère, les prévint-il. Les lapins, c'est pour vous autres, mais vous allez devoir attendre dimanche pour les manger. En attendant, je les mets sur la télévision et vous avez pas le droit d'y toucher.

Tous les trois remercièrent leur père en se plaignant que l'attente serait difficile à supporter.

— Vous remercierez aussi votre mère, prit-il soin de leur préciser. Qu'est-ce qu'on mange pour souper ? demanda-t-il à Catherine en se tournant vers sa fille.

— M'man a préparé un pâté au saumon. Il est presque prêt.

Peu après, Jean, assis dans le salon, entendit sa femme monter l'escalier. Uniquement à la manière dont elle referma la porte d'entrée à la volée, il comprit qu'elle n'était pas de bonne humeur. Au moment où il allait se lever pour aller la rejoindre dans la cuisine, elle pénétra dans le salon en brandissant une feuille de papier.

— T'as l'air en maudit, lui fit-il remarquer. Qu'est-ce qui se passe ? Est-ce qu'il y a un problème avec la biscuiterie ?

— Non, mais avec le loyer oui, laissa-t-elle tomber, l'air mauvais. Ça, c'est notre nouveau bail. Ma mère a décidé de nous augmenter d'un autre cinq piastres par mois cette année, précisa-t-elle sur un ton outré.

— Pour la deuxième année d'affilée ? s'étonna-t-il.

— Oui, et là, je trouve qu'elle commence à exagérer, bâtard ! Elle a rien fait de nouveau dans la maison. Je vois pas pourquoi elle nous augmente encore. Aïe ! On va être rendus à quarante-cinq piastres par mois, c'est du vrai vol pour un logement au troisième étage.

— Je suppose que tu l'as fait savoir à ta mère ?

— Oui, mais elle dit que les taxes ont augmenté cette année et qu'il va falloir qu'elle engage quelqu'un pour refaire la couverture.

— Bon, on n'a pas le choix donc. On va signer le bail, fit Jean, défaitiste. Tu le lui rapporteras demain.

— Non, je vais faire ça à soir. On est vendredi, je lui ai dit que je descendrais après le souper pour faire les comptes de la semaine.

— Comme tu voudras.

Au moment où elle allait sortir du salon pour aller voir au souper dans la cuisine, la jeune femme aperçut les lapins en chocolat alignés sur le téléviseur.

— Dis-moi pas que t'as dépensé de l'argent pour ça ! s'exclama-t-elle.

— C'est Pâques après-demain. C'est pour faire plaisir aux enfants. Et la boîte de chocolats au centre est pour toi.

— C'est garrocher notre argent par les fenêtres, lui reprocha-t-elle.

Quand il s'agissait de l'argent de son mari, c'était « notre argent », mais quand il était question de ses propres revenus, elle parlait de « son argent ».

— Tu pourrais peut-être arrêter de calculer pendant une minute, fit-il, agacé. La boîte de chocolats est un cadeau. T'as pas à la payer.

— Tu penses pas que t'aurais pu venir acheter tout ça à la biscuiterie ? Imagine-toi donc que j'en vends, moi aussi, des lapins en chocolat et des boîtes de chocolats.

— Je le sais, mais tu les vends plus cher que chez Greenberg. Comme tu le dis toi-même, j'ai pas les moyens de garrocher mon argent par les fenêtres, répliqua-t-il d'une voix acide.

Reine haussa les épaules et prit la direction de la cuisine, oubliant de le remercier pour son cadeau.

∽

Pâques ne fut pas une belle journée comme beaucoup de gens l'avaient espéré. Le temps fut maussade sans être totalement mauvais.

Chez les Bélanger, ce jour de fête aurait pu donner lieu à plus de réjouissances si Reine s'était montrée de meilleure humeur. La veille, en début de soirée, Lorenzo avait téléphoné pour les inviter à souper le lendemain soir. Reine avait refusé en prétextant qu'ils étaient déjà invités chez le frère de Jean.

— Pourquoi tu lui as dit ça ? lui demanda Jean, fâché de la voir mentir ouvertement devant les enfants.

— Parce que si on était allés là, il aurait fallu que je les reçoive à mon tour, et ça me tente pas.

— Après ça, tu viendras te plaindre que personne dans ta famille nous reçoit jamais, lui fit-il remarquer. As-tu déjà pensé qu'en treize ans on est allés juste une fois chez ton frère sur la rue De Lorimier ?

— Puis après ? C'est juste un petit trois et demie. On étouffe là-dedans, répondit-elle, méprisante.

Durant l'après-midi, toute la petite famille rendit la visite traditionnelle chez les grands-parents, rue Brébeuf. Jean aurait accepté de s'arrêter quelques minutes chez sa belle-mère pour permettre à ses enfants d'embrasser leur grand-mère Talbot, mais Reine l'avait prévenu que Charles Caron devait venir la chercher après la messe pour l'emmener passer la journée à Saint-Lambert.

À l'arrivée de Jean et de sa famille chez ses parents, Claude et Lucie, ainsi que Lorraine, Marcel et leur fille Murielle, étaient déjà sur place. Durant une heure, on discuta de tout et de rien et Amélie permit à ses petits-enfants de s'empiffrer de sucre à la crème et de fondant. Quand elle offrit à tous ses invités de les garder à souper, car elle avait acheté un trop gros jambon pour elle et son mari, Jean s'empressa de refuser avant que sa femme n'accepte.

— Vous êtes ben fine de nous inviter, m'man, mais j'ai rapporté un peu d'ouvrage que je dois finir pour demain matin, mentit-il en faisant signe à ses enfants de se lever pour prendre congé.

Sur le chemin du retour, Reine ne put se retenir de lui demander :

— Pourquoi t'as pas voulu qu'on soupe chez ta mère ?

— Parce que je suis fatigué de toujours nous faire recevoir sans jamais inviter personne pour un repas.

— Ça lui aurait fait plaisir qu'on reste.

— Peut-être, mais ça aurait été ambitionner sur le monde. Je commence à trouver ça pas mal gênant. Tout le monde va finir par nous regarder comme des quêteux.

Ils firent quelques pas en silence, précédés par les trois enfants qui se chamaillaient un peu.

— T'as pas trouvé que ta mère avait l'air un peu drôle aujourd'hui ? lui fit remarquer sa femme, qui avait continué à épier sa belle-mère pour s'assurer qu'elle n'entretenait aucun doute à son sujet après la scène à laquelle elle avait assisté à la biscuiterie.

— Pourquoi tu dis ça ? fit Jean, surpris.

— Je sais pas. Il me semble qu'elle parlait presque pas. C'est pas dans ses habitudes.

— Moi, j'ai pas trouvé qu'elle était différente.

Reine n'avait pas été la seule à surveiller Amélie le jour de Pâques. Félicien aussi l'avait guettée du coin de l'œil durant toute la journée. Tout ce qu'il était parvenu à discerner, c'était qu'elle avait l'air de chercher un peu plus souvent ses mots au fur et à mesure que la journée progressait. Quand il s'était mis au lit ce soir-là, il avait retrouvé une certaine quiétude. Il s'était peut-être inquiété trop rapidement pour rien. Finalement, ce n'était pas aussi terrible qu'il l'avait cru. Catherine avait peut-être exagéré la scène lorsqu'elle avait trouvé Amélie perdue dans la rue.

Le lendemain, il prit la décision d'attendre encore quelques jours avant de téléphoner au docteur Bergeron pour prendre un rendez-vous pour sa femme.

— Je pense qu'elle a juste traversé une mauvaise passe, se dit-il à mi-voix en descendant les poubelles à la fin de la soirée.

Au matin, Amélie se leva avant lui et lui prépara son déjeuner habituel avant de déposer un seau et quelques chiffons bien en évidence sur le parquet de la cuisine.

— C'est à matin qu'on commence le grand ménage, lui déclara-t-elle sur un ton qui ne souffrait pas la contradiction.

— Il y a pas de presse, dit-il en cherchant à temporiser.

— Félicien Bélanger, on a dépassé la mi-avril et il y a encore rien de fait. Tu te reposes depuis bien assez longtemps. C'est à matin qu'on commence à se décrotter. Finis ton déjeuner. On va laver d'abord le salon.

Le jeune retraité se retint pour ne pas laisser éclater sa mauvaise humeur. L'attitude de sa femme face au ménage printanier confirmait à ses yeux qu'elle était en pleine forme. Elle n'avait pas perdu ses repères finalement. Mais il avait peut-être gagné sur un point : sa femme semblait avoir oublié son idée de l'obliger à repeindre tout l'appartement.

Chapitre 19

La séduction

Ce matin-là, Reine se leva avant tout le monde, même si elle n'avait trouvé le sommeil que bien après minuit. Une journée exceptionnelle l'attendait et elle avait pris soin de mettre toutes les chances de son côté dès la veille.

Ainsi, elle s'était montrée une amoureuse pleine de bonne volonté lorsque Jean était venu la rejoindre en fin de soirée, de manière à ce qu'il soit d'excellente humeur à son réveil. Les vêtements des enfants étaient prêts. Le congé pascal était terminé et ils allaient retourner à l'école dans quelques heures. Il ne restait plus qu'à prévenir Jean, pensait-elle en dressant la table du déjeuner. Ensuite, elle alla s'habiller avant de réveiller son mari.

Dès que Jean vint s'attabler après avoir fait sa toilette, sa femme lui dit en lui versant une tasse de café :

— À soir, je serai pas là quand tu vas arriver pour souper. Je vais faire manger les enfants un peu plus de bonne heure et je remonterai pas après avoir fermé la biscuiterie.

— Qu'est-ce qui se passe ? s'étonna-t-il.

— C'est la fête de Gina, mentit-elle. Comme elle a personne pour la fêter, je lui ai proposé d'aller souper avec elle au restaurant avant d'aller voir *Les chemins de la haute ville* au Saint-Denis. Simone Signoret a eu un Oscar pour son rôle dans ce film-là et on veut le voir.

— Tu trouves pas que ça aurait été plus normal que tu l'invites à souper ici dedans pour sa fête plutôt qu'au restaurant? lui demanda son mari, même s'il n'aimait pas l'amie de sa femme.

— Penses-tu que j'ai le temps de préparer un repas de fête avec l'ouvrage que j'ai à faire en bas? De toute façon, ça te dérangera pas, reprit-elle. Catherine va te faire réchauffer ton souper quand tu vas arriver.

— Si tu veux, je peux aller te conduire au restaurant, lui proposa son mari.

— T'es fin, mais ce sera pas nécessaire. Gina va passer me prendre.

Jean esquissa une grimace; il avait oublié que l'amie de sa femme conduisait une voiture. Une femme derrière un volant! Il avait beaucoup de peine à admettre ça. Pour lui, comme pour la plupart des hommes qu'il connaissait, c'était, à n'en pas douter, le signe d'une femme qui cherchait à faire l'homme, à montrer qu'elle était aussi capable. Les manières affranchies de Gina Lalonde ne lui avaient jamais plu et il aurait été très heureux que sa femme cesse de la fréquenter. Mais comment convaincre Reine? Il lui aurait suffi d'exprimer cette idée pour qu'elle décide de la voir plus souvent.

— T'as pas peur de monter dans son char? finit-il par demander à sa femme.

— Pantoute, pourquoi j'aurais peur? Elle conduit bien. Je pense que ça fait trois ans qu'elle a un char et elle a jamais eu d'accident.

— Ouais, fit-il, peu convaincu. Mais combien elle en a causé? ajouta-t-il comme pour se persuader du bien fondé de son préjugé envers les femmes au volant.

Ne trouvant aucune raison valable de s'opposer à cette sortie, Jean accepta.

Après le départ de son mari, puis de ses enfants, Reine descendit déverrouiller la porte de la biscuiterie et attribuer quelques tâches à Claire Landry avant de remonter à l'appartement pour ranger et repasser les vêtements lavés la veille. À la fin de l'avant-midi, elle cuisina et se coiffa soigneusement avant de retourner quelques instants en bas pour s'assurer que tout était en ordre et surtout voir si les Richer lui avaient bien fait livrer ce qu'elle leur avait commandé le samedi précédent.

Après le dîner et le départ des enfants pour l'école, elle prit un long bain avant de manucurer ses ongles. Elle descendit de nouveau au magasin pour y travailler jusqu'à quatre heures et demie. Quand elle jugea qu'il était assez tard pour que ses enfants soient tous revenus de l'école, elle s'empressa d'aller leur servir à manger.

— Vous trouvez pas qu'il est pas mal de bonne heure pour souper, m'man ? lui demanda Catherine.

— Je sors à soir et j'aurai pas le temps de vous faire souper après avoir fermé en bas.

— Je pourrais servir le souper quand p'pa sera arrivé, proposa l'adolescente.

— Laisse faire, rétorqua sa mère, impatiente. Tu te contenteras de lui faire réchauffer ses patates. Le jambon est déjà tranché.

— Vous, vous mangez pas, m'man ? s'enquit Alain en voyant que sa mère se contentait d'une tasse de thé.

— Non, je mange au restaurant, se contenta-t-elle de lui répondre.

Elle laissa ses enfants finir de manger et alla se réfugier dans sa chambre à coucher pour se maquiller soigneusement et revêtir à nouveau sa petite robe de velours noir, qu'elle considérait toujours comme sa plus belle toilette. Elle passa son tablier par-dessus avant de revenir dans la cuisine et put constater que les enfants avaient fini de manger et que les garçons aidaient déjà leur sœur à laver la vaisselle.

— Bon, je descends, leur dit-elle, son léger manteau de printemps sur le bras. Faites vos devoirs et apprenez vos leçons avant d'aller vous asseoir devant la télévision. De toute façon, votre père devrait y voir quand il va être revenu.

Reine descendit au magasin un peu après cinq heures trente. À son entrée dans le local, Claire finissait de servir une cliente fidèle. Elle se glissa derrière la caisse enregistreuse, déposa son manteau et son sac à main et encaissa l'argent de l'achat de la dame.

— Je t'ai laissée pas mal toute seule aujourd'hui, dit-elle à sa vendeuse dès que la dame fut sortie de la biscuiterie. Tu peux t'en aller, je fermerai moi-même à six heures.

Claire ne se fit pas répéter l'invitation. C'était la première fois depuis qu'elle travaillait à la biscuiterie Talbot que la patronne lui permettait de quitter le magasin avant l'heure de fermeture. Pendant qu'elle allait chercher son manteau dans l'arrière-boutique, Reine s'était installée derrière l'une des vitrines et surveillait les allées et venues dans la rue. Elle guettait le passage de son mari qui rentrait habituellement à la maison une dizaine de minutes avant six heures. Le plus souvent, il stationnait sa voiture dans la rue Brébeuf et signalait son arrivée en frappant une ou deux fois contre la vitrine pour attirer son attention avant de monter à l'appartement.

Claire la salua et quitta les lieux. Reine continua sa faction, de plus en plus exaspérée en ne voyant pas son mari apparaître.

— Qu'est-ce qu'il a à niaiser à soir ? répéta-t-elle plusieurs fois en piaffant d'impatience.

Elle craignait qu'il n'arrive au moment où elle allait rejoindre Ben. Il n'aurait plus manqué qu'ils se croisent, ou encore, qu'il la voie monter à bord de la Cadillac de son amoureux.

À six heures pile, elle éteignit les lumières du magasin, ne laissant allumé que l'éclairage des vitrines. Elle endossa son manteau et s'empara de son sac à main. Elle sortit et verrouilla la porte en tournant la tête dans toutes les directions, s'attendant à voir surgir Jean au coin de la rue.

Elle ne le vit pas. Toujours aussi tendue, elle traversa vers le côté sud de la rue Mont-Royal et se dirigea vers la rue Chambord tout en scrutant les voitures qui passaient. Pas de Plymouth verte en vue.

— Pour moi, il est déjà passé et je l'ai pas vu, se dit-elle au moment où elle aperçut la longue Cadillac noire de Benjamin Taylor stationnée à une trentaine de pieds du coin de la rue.

Le conducteur donna un léger coup d'avertisseur pour la prévenir de sa présence. Elle sourit et s'avança dans sa direction en accélérant le pas. Ben ne se donna pas la peine de descendre de voiture cette fois-ci. Il se pencha sur la banquette avant et actionna la poignée de la portière pour la lui ouvrir. Elle se glissa sur la banquette de cuir et referma.

Sans perdre un instant, il l'attira vers lui et l'embrassa doucement sur les lèvres.

— Toujours aussi belle, la complimenta-t-il en se redressant.

— Fais attention, lui dit-elle, la voix chargée de reproches. Quelqu'un qui me connaît pourrait nous voir.

— À soir, c'est notre soirée, lui annonça-t-il en mettant le moteur en marche.

La luxueuse voiture glissa doucement jusqu'au coin de la rue et son conducteur tourna vers l'ouest sur Mont-Royal.

Au moment où le couple passait devant la biscuiterie, Reine aperçut son mari marchant sur le trottoir en direction de leur appartement. Le cœur battant, elle détourna brusquement la tête et se pencha pour éviter d'être vue.

— Qu'est-ce qu'il y a ? lui demanda Benjamin en la voyant faire ce geste brusque.

— C'est mon mari, là, sur le trottoir, dit-elle d'une voix changée qui marquait son insécurité.

— Il t'a pas vue, fit-il pour la rassurer. Je viens de regarder par le rétroviseur, il a même pas tourné la tête vers nous autres.

Elle se redressa et eut besoin d'un peu de temps avant de retrouver son aplomb.

— Ouvre le coffre à gants, lui ordonna le conducteur. Il y a quelque chose pour toi dedans.

Elle obéit et y trouva une belle rose rouge qu'elle prit plaisir à humer. Elle était touchée par une telle attention que Jean n'avait jamais eue à son endroit.

Quelques minutes plus tard, la grande voiture noire s'introduisit dans un garage souterrain, puis Benjamin Taylor l'immobilisa devant un voiturier qui s'empressa d'ouvrir la portière à Reine. Benjamin descendit, contourna sa voiture et lui remit ses clés. Ensuite, l'homme d'affaires tendit son bras à Reine et l'entraîna à l'intérieur de l'hôtel avec l'assurance d'un grand habitué des palaces.

Ils traversèrent un long corridor au parquet recouvert d'une épaisse moquette rouge avant de monter dans un ascenseur richement lambrissé d'acajou. Reine, debout aux côtés de son amoureux, se taisait, apparemment émerveillée par tant de luxe. Sans la moindre hésitation, Benjamin Taylor la pilota jusqu'à l'entrée du restaurant. Il donna son nom au maître d'hôtel debout derrière un lutrin et attendit que ce dernier ait vérifié l'heure de sa réservation.

— T'as l'air de bien connaître l'endroit, lui murmura une Reine incapable de cacher son admiration.

— Je viens manger ici de temps à autre avec des gros clients, admit-il en replaçant sa cravate du bout des doigts.

Un serveur se matérialisa soudain devant eux et les invita à le suivre. Ben se pencha vers l'homme en lui tendant discrètement un billet de banque. Immédiatement, ce dernier bifurqua et les guida vers l'une des tables situées près des baies vitrées. Il tira un fauteuil pour permettre à la jeune femme de s'asseoir avant de s'éclipser.

— Pourquoi tu lui as donné de l'argent ? lui demanda Reine dès que l'homme les eut quittés.

— Pour avoir une table devant la baie vitrée. Tu vas pouvoir admirer le coucher de soleil. C'est plus intéressant que d'être au centre de la salle, tu trouves pas ?

Elle n'eut pas le temps de répondre. Un sommelier venait de s'arrêter à leur table en tendant à Ben la liste des vins. Ce dernier la consulta à peine. Il commanda une bouteille de champagne sans demander l'avis de son invitée.

— Du champagne ! s'exclama Reine qui n'en avait encore jamais bu.

— Oui, il faut ça pour célébrer.

Reine se retint de justesse de dire à son hôte que ça devait être hors de prix. Il était si grand seigneur qu'elle sentit d'instinct que ce genre de remarque serait déplacé. Le sommelier revint avec une grande bouteille de champagne qu'il déboucha et fit goûter à Ben. Quand ce dernier se déclara satisfait, l'homme emplit les deux coupes placées devant eux et déposa la bouteille dans un seau rempli de glaçons.

Ben tendit le bras et posa sa main sur celle de sa compagne. Il leva sa coupe de l'autre main en l'invitant à faire de même.

— On boit à nous deux, dit-il, solennel.

Reine but une gorgée du liquide pétillant dont elle apprécia le goût. Lorsque sa coupe fut vide, son amoureux s'empressa de la lui remplir à nouveau. Le serveur revint à leur table et laissa à chacun un imposant menu relié en cuir. La jeune femme ouvrit de grands yeux devant tant de mets proposés. Elle était d'autant plus embêtée qu'elle ne comprenait pas très bien la plupart des termes utilisés pour les désigner. Elle jeta un coup d'œil à Ben qui avait disparu derrière le sien.

— Qu'est-ce que tu as le goût de manger ? lui demanda-t-il.

— Je sais pas trop, répondit-elle d'une voix embarrassée. Toi, qu'est-ce que tu prends ?

— Je vais me laisser tenter par un carré d'agneau. Mais avant, je vais prendre une entrée de crevettes et une crème aux champignons.

Un seul regard à son invitée lui apprit qu'elle n'avait jamais mangé d'agneau et qu'elle hésitait.

— Tu peux prendre du bœuf ou des fruits de mer, si t'aimes mieux ça, lui proposa-t-il. Mais essaie leur entrée de crevettes et leur crème aux champignons, tu le regretteras pas.

Finalement, Reine décida de choisir le même menu que son hôte. Au moment où le serveur se retirait avec leur commande, un pianiste et un violoniste prirent place sur la petite scène installée à l'extrémité de la salle, près d'une minuscule piste de danse. Dès qu'ils se mirent à jouer des airs à la mode, quelques couples quittèrent leur table et allèrent danser.

— Viens, dit Ben en se levant. On a le temps de danser avant d'être servis.

Un peu réticente, Reine se leva et se rendit compte que le champagne commençait à lui faire de l'effet. Elle sentait ses jambes un peu molles.

— Je me sens un peu étourdie, fit-elle.

Benjamin Taylor, plutôt fier de lui, se contenta de lui prendre la main et de la conduire jusqu'à la piste de danse où il l'enlaça étroitement. Reine se laissa aller dans ses bras. Elle ferma les yeux, profondément troublée par ce contact intime avec le corps de son partenaire.

Le couple dansa durant quelques minutes avant de revenir à sa table où Ben s'empressa de verser une autre coupe de champagne à la jeune femme. Reine regardait par la baie vitrée la ville maintenant illuminée et se laissait bercer par la musique.

— J'en reviens pas comme c'est beau, dit-elle à l'instant où le serveur déposait devant elle une assiette couverte de laitue sur laquelle une demi-douzaine de grosses crevettes attendaient d'être dégustées.

Quand la bouteille de champagne fut vide, Ben commanda du vin qu'ils burent tout en mangeant leur repas. Avant de savourer un gâteau forêt-noire comme dessert, le couple retourna une dernière fois sur la piste de danse.

— Il est juste neuf heures et quart, déclara l'homme d'affaires à son invitée.

— C'est effrayant comme le temps a passé vite, rétorqua Reine en lui adressant son plus charmant sourire.

Après le café, Ben, grand seigneur, demanda du cognac à titre de digestif et il exigea qu'elle en boive en affirmant que cette liqueur l'aiderait à digérer. Quand le serveur déposa l'addition sur le coin de la table, il ne se donna pas la peine d'en vérifier l'exactitude. Il sortit quelques billets de vingt dollars qu'il glissa avec une suprême indifférence sous l'addition avant de se lever.

Reine, étourdie par tout l'alcool ingurgité, se leva à son tour et s'empressa de saisir son bras pour quitter le restaurant. Ils s'arrêtèrent un instant au vestiaire pour prendre leurs manteaux.

— Il est pas mal de bonne heure pour rentrer chez vous, lui dit-il en s'immobilisant devant la porte d'un ascenseur. Ton mari croira jamais que t'es allée voir un film avec ton amie si tu rentres aussi de bonne heure.

— On pourrait marcher un peu dehors. Il me semble qu'un peu d'air frais me ferait du bien, rétorqua sa compagne.

— J'ai mieux que ça à te proposer, fit-il en entrant dans l'ascenseur en sa compagnie. Je vais te montrer ce que ça a l'air une chambre au grand Queen Elizabeth.

— Comment ça?

— Ça m'arrive de louer une chambre ici quand j'ai pas le goût de retourner à mon appartement, à Longueuil, à la fin de la soirée.

C'était la première fois qu'il lui disait demeurer en appartement à Longueuil.

— T'as pas une maison? s'étonna-t-elle.

— Ça s'en vient. Je suis en train de m'en faire construire une.

L'ascenseur s'arrêta au dixième étage. Tout était silencieux dans le long couloir à l'épaisse moquette beige. Sans dire un mot, Ben lui prit la main et la conduisit jusque devant une porte qu'il ouvrit avec une clé qu'il venait de sortir de l'une de ses poches. Il poussa la porte et enlaça la taille de sa compagne pour la faire pénétrer dans une grande chambre éclairée par trois lampes. Les rideaux étaient entrouverts et laissaient voir la ville illuminée aussi bien qu'elle avait pu la voir par les baies vitrées du restaurant.

— Je devrais pas être ici dedans, dit Reine en s'arrêtant près de la porte.

— Voyons donc! fit Ben d'une voix charmeuse en lui prenant son manteau qu'elle portait sur un bras. Je te mangerai pas. Viens voir de quoi a l'air la chambre. L'hôtel est ouvert depuis un peu moins de deux ans et tout est moderne.

Jouant au maître des lieux, il poussa la porte de la salle de bain et alluma le plafonnier pour la lui faire admirer. Ensuite, il la prit par le bras et la conduisit devant la grande fenêtre pour qu'elle puisse voir le panorama.

— Regarde, on voit presque toute la ville.

Elle lui tourna le dos pour contempler le paysage. Debout derrière elle, il se plaqua contre elle en entourant sa taille de l'un de ses bras. Il en profita pour l'embrasser doucement dans le cou. Elle se laissa aller contre lui, incapable de lui résister. Il se mit alors à la caresser doucement par-dessus ses vêtements.

Après un court instant, Reine pivota face à lui. Il l'embrassa passionnément tout en faisant glisser lentement la fermeture éclair de sa robe. Quand elle sentit ses mains sur la peau nue de son dos, elle donna l'impression de vouloir résister durant un bref instant, mais son amoureux était si ardent qu'elle finit par oublier toute retenue. Soudain, il la souleva dans ses bras et la déposa sur le lit. Elle ferma alors les yeux et s'abandonna. Elle sentit qu'il lui retirait un à un tous ses vêtements. Ses mains expertes étaient partout sur son corps. À un certain moment, incapable de demeurer passive plus longtemps, elle se déchaîna à son tour.

Quand tout fut consommé, ils se retrouvèrent tous les deux, à bout de souffle, étendus sur un lit dont ils n'avaient même pas retiré le couvre-lit.

— Quelle heure il est? demanda-t-elle soudain en embrassant doucement son amant étendu à ses côtés.

Ben leva le bras et consulta sa montre.

— Onze heures dix, répondit-il d'une voix légèrement ensommeillée.

— Onze heures dix! s'écria-t-elle en se levant précipitamment. Mais ça a pas d'allure! Il faut absolument que je rentre à la maison. Qu'est-ce que je vais raconter à mon mari?

— Inquiète-toi pas, fit-il d'une voix rassurante. Tu vas être rentrée chez vous avant minuit, tu finiras pas comme Cendrillon.

Reine ramassa ses vêtements épars et courut à la salle de bain pour s'habiller et remettre de l'ordre dans sa coiffure. Quand elle revint dans la chambre, son amant avait eu le temps de se rhabiller et l'attendait avec son manteau. Il le lui tendit et ouvrit la porte de la chambre sans dire un mot.

Le couple descendit dans le hall et prit la direction du garage intérieur. L'homme d'affaires paya le voiturier et s'installa derrière le volant après avoir ouvert la portière à sa compagne. Durant le court trajet entre l'hôtel et la rue Mont-Royal, il ne chercha pas à briser le silence dans lequel son amoureuse s'était enfermée depuis leur départ du Queen Elizabeth.

Parvenu au coin des rues Chambord et Mont-Royal, le conducteur immobilisa sa voiture près du trottoir et éteignit le moteur avant de se tourner vers sa compagne.

— Qu'est-ce que tu dois penser de moi? lui demanda Reine, tenaillée par une inquiétude un peu tardive. Une femme mariée qui couche avec n'importe qui.

— Merci pour le n'importe qui, répliqua Ben. Je suis pas n'importe qui. Je suis l'homme qui t'aime.

— Peut-être, mais après ce qu'on vient de faire…

— On vient de faire ce que font les gens qui s'aiment, répliqua-t-il, voulant lui faire oublier ses remords.

— Merci pour le repas, dit-elle, après avoir gardé le silence un court moment. C'est le meilleur que j'ai jamais pris.

— Et pour la soirée? demanda-t-il pour la taquiner.

— C'était pas mal aussi, reconnut-elle, en rougissant un peu dans l'obscurité.

— Quand est-ce qu'on se revoit ?

— Je le sais pas. Ça va dépendre de bien des choses.

— Écoute, fit-il après un court silence. Je t'ai dit que j'étais en train de me faire construire une maison. Cette maison-là, je la fais construire pour nous deux.

— Mais t'oublies que je suis mariée, protesta-t-elle faiblement.

— Puis après ? Ça empêche rien. Tu serais bien plus heureuse avec moi qu'avec ton mari. Souviens-toi de ce que je t'ai dit l'autre fois. On a juste une vie à vivre et tu mérites ce qu'il y a de mieux. La prochaine fois qu'on va pouvoir sortir ensemble, je vais t'amener voir la belle maison que je suis en train de nous faire construire sur le boulevard Gouin, au bord de la rivière des Prairies. Un vrai petit château dans lequel il manque seulement ma reine.

— Il faut que j'y aille, dit-elle, troublée, en posant la main sur la poignée de la portière.

Ben glissa sur la banquette de cuir et l'enlaça avant qu'elle puisse quitter l'habitacle. Il l'embrassa en laissant sa main s'égarer sur sa poitrine. C'était là un geste de propriétaire qui ne trompa pas sa compagne. Elle lui rendit son baiser, mais repoussa doucement sa main. Elle descendit de voiture et attendit que la Cadillac se soit glissée dans la circulation fluide de la rue Mont-Royal, à cette heure tardive, avant de se mettre en route vers l'appartement familial.

Parvenue en haut de la double volée de marches, elle introduisit sans bruit la clé dans la serrure en priant pour que son mari dorme déjà. Il était près de minuit et elle n'avait aucune envie de lui raconter la soirée fictive vécue avec Gina.

À peine venait-elle de pousser la porte de l'appartement que Reine aperçut son mari debout dans l'entrée du salon.

— T'es pas encore couché ? lui demanda-t-elle, agacée de le trouver debout.

— Non, je t'attendais, répondit-il d'une voix neutre qui semblait cacher quelque chose.

— C'était pas nécessaire, répliqua-t-elle. Je suis pas une petite fille. Je suis capable de rentrer sans que tu m'attendes.

— Gina a téléphoné, reprit Jean.

À ces mots, le cœur de la jeune femme eut un raté. Elle se tourna vers la patère pour y suspendre son manteau et aussi pour cacher son trouble. Elle avait totalement oublié de prévenir son amie qu'elle lui servirait d'alibi pour sa sortie.

— À… à quelle heure ? se borna-t-elle à demander, sur la défensive.

— Juste à l'heure que je suis arrivé. C'est Catherine qui lui a répondu.

Cette explication fournit à la coupable la brèche dans laquelle elle s'empressa de s'engouffrer.

— C'est bien ce qu'elle m'a dit, mentit Reine avec aplomb en s'empressant d'imaginer ce qu'elle pourrait bien raconter à son mari.

— Comment ça se fait qu'elle t'a téléphoné ? insista ce dernier, soupçonneux. Tu m'as pas dit à matin qu'elle devait passer te prendre ?

— C'est ce qu'elle était censée faire, dit Reine en retirant ses souliers à talons hauts. Mais elle a eu du trouble avec son char. Elle a dit qu'elle a d'abord téléphoné au magasin, et quand elle a vu que personne répondait, elle a appelé ici dedans. C'était pour me prévenir qu'elle serait en retard, inventa Reine avec une fausse assurance.

— Et t'étais où pendant ce temps-là ?

— J'étais déjà partie. Si t'étais arrivé à la même heure que d'habitude, t'aurais pu m'amener au restaurant et ça m'aurait évité de prendre l'autobus. Moi, quand j'ai vu qu'elle arrivait pas, j'ai pensé qu'elle avait oublié qu'elle devait venir me prendre en passant et j'ai pris l'autobus, ajouta la femme de Jean, qui retrouvait ainsi le sang-froid auquel elle avait habitué ceux qui la côtoyaient.

— Comment ça se fait qu'elle est même pas venue sonner à la porte ? lui demanda Jean, qui, apparemment, ne la croyait pas trop.

— Gina, c'est Gina, fit Reine en adoptant un ton désabusé. Tout ce que je sais, c'est qu'elle est arrivée avec une bonne demi-heure de retard au restaurant en me disant qu'elle avait appelé ici. On a même failli manquer le commencement du film. Bon, si t'as fini ton enquête, je pourrais peut-être finir de me préparer en paix pour la nuit.

Sur ces mots, elle tourna les talons et alla se réfugier dans la salle de bain pour se laver et mettre sa robe de nuit et échapper en même temps à cette discussion. Quand elle entra dans la chambre quelques minutes plus tard, son mari était déjà au lit, mais il avait encore les yeux ouverts.

— Est-ce que les enfants ont fait tous leurs devoirs ? lui demanda-t-elle pour éviter qu'il se remette à lui poser des questions sur sa soirée.

— Oui.

— C'est correct. Demain matin, je les vérifierai.

— Ce sera pas nécessaire, je l'ai déjà fait.

Elle s'étendit sur le côté, dos à son mari, et attendit avec impatience qu'il arrête de bouger et se mette à respirer régulièrement. Alors, elle revécut la soirée qu'elle venait de connaître avec Ben sans éprouver le moindre remords. Ça, c'était la vraie vie : beaucoup de luxe et surtout un homme passionné prêt à décrocher la lune pour vous faire plaisir. Elle s'endormit, le sourire aux lèvres, en songeant à leur prochaine rencontre.

Chapitre 20

Les décisions

Chez Félicien Bélanger, cette troisième semaine d'avril parut passablement longue. Le retraité dut s'astreindre à laver le plafond et les murs de chacune des pièces de l'appartement pendant que sa femme se chargeait des fenêtres et des garde-robes.

— Voyons donc, bonyeu! jurait-il chaque jour. Comme si tout le monde était pour venir fourrer son nez dans nos garde-robes! T'es pas obligée pantoute de tout placer comme ça.

— J'aime ça quand c'est propre, répétait une Amélie têtue.

Dans un sens, cet entêtement de sa femme rassurait encore un peu plus l'ancien facteur sur son état de santé. Il l'avait toujours connue entichée de propreté et portée sur le ménage. Par contre, il lui avait fallu admettre que son caractère était en train de changer. À deux ou trois reprises cette semaine-là, Amélie, habituellement si calme, s'était mise en colère parce qu'elle ne se rappelait pas à quel endroit elle avait rangé un objet.

— Torrieu, c'est pas la fin du monde! s'était-il écrié, exaspéré. L'appartement est grand comme ma main, on va ben finir par le retrouver.

Puis, le vendredi après-midi, au moment où il croyait en avoir fini avec le ménage, il eut la surprise d'entendre sa femme lui déclarer :

— À cette heure que les plafonds et les murs sont propres, tu vas pouvoir peinturer.

— Comment ça, peinturer ? répliqua celui qui croyait bien que sa femme avait oublié cette tâche. Il en est pas question, Amélie Corbeil ! se révolta-t-il. Là, ça va faire. Le ménage est fait pour cette année et je touche plus à rien.

Il y eut une scène assez pénible entre les deux époux et, finalement, Félicien céda pour la cuisine dont la peinture avait bien besoin d'être rafraîchie.

Quelques minutes plus tard, le vieux couple quitta l'appartement. Félicien laissa sa femme à l'épicerie Drouin.

— Fais livrer la commande à la maison, lui ordonna-t-il. Je vais aller chercher la peinture chez Mayer. Dans dix minutes, je vais être revenu.

— Ce sera pas un drame si t'es pas revenu quand j'aurai fini, lui dit-elle, agacée. Je suis encore capable de revenir toute seule à la maison.

Félicien ne dit rien, mais il ne s'empressa pas moins de se rendre coin Gilford et Garnier à la quincaillerie Mayer pour y acheter l'émail dont il avait besoin pour peindre la cuisine. Depuis qu'Amélie avait été ramenée à la maison par sa petite-fille Catherine, il ne l'avait jamais plus laissée sortir seule de crainte qu'elle ne retrouve pas l'appartement.

Cet après-midi-là, il n'eut aucun mal à revenir à la petite épicerie de quartier avant que sa femme en ait terminé avec l'achat de la nourriture pour la semaine.

— Je pense que je vais essayer le nouveau magasin Dominion, sur Mont-Royal, la semaine prochaine, dit-elle à son mari une fois dehors.

— T'as toujours fait ta commande chez Drouin, lui rappela son mari, surpris.

— Je le sais, fit Amélie. Mais Lucie m'a dit la semaine passée que tout était pas mal moins cher et qu'on avait plus le choix chez Dominion.

— Ils livrent peut-être pas les commandes à cette place-là, lui fit-il remarquer.

— Lucie m'a dit qu'ils livraient.

Le soir même, Claude s'arrêta quelques minutes chez ses parents à la fin de sa journée de travail. Quand son père lui apprit qu'il allait peindre sa cuisine le lendemain, son fils cadet ne dit rien, mais à son retour à la maison, il téléphona à son frère Jean pour lui apprendre la nouvelle.

— Si t'as rien de prévu, demain avant-midi, qu'est-ce que tu dirais si on allait l'aider ? demanda-t-il à son aîné.

— Demain matin, huit heures, offrit Jean sans la moindre hésitation. Tu connais p'pa, il va vouloir se mettre à peinturer de bonne heure.

Le lendemain matin, les deux frères se présentèrent chez leurs parents à l'heure dite, pour le plus grand plaisir de Félicien.

— À trois, ça va aller pas mal vite, vous allez voir, déclara Claude.

— Et moi, je vais… commença Amélie.

— Et vous, m'man, vous allez vous reposer, l'interrompit Jean. Je sais que vous avez l'habitude d'essuyer les taches de peinture avec de la térébenthine, mais on est trois et on n'a pas besoin de vous. On va être capables de s'arranger entre nous.

Pendant que les trois hommes se chargeaient de la peinture, Amélie se réfugia dans le salon où elle entreprit de poursuivre le tricot qu'elle avait commencé et qu'elle destinait au premier enfant de Lucie.

À midi, la cuisine était repeinte, mais l'odeur d'émail était à la limite du supportable. Après avoir nettoyé les pinceaux et rangé les escabeaux, Claude invita ses parents et son frère à le suivre chez lui.

— Vous venez manger chez nous, déclara-t-il sur un ton péremptoire.

— Mais non, protesta Amélie.

— Discutez pas, m'man, Lucie nous attend. Elle a préparé le dîner pour tout le monde. Elle sait que vous pouvez pas manger dans une odeur pareille. Il faut donner le temps à la peinture de sécher.

Félicien et sa femme ne résistèrent pas davantage, mais Jean trouva un prétexte pour rentrer chez lui.

— Tu m'excuseras auprès de ta femme, dit-il à son frère, mais j'ai promis aux enfants de les emmener au parc La Fontaine cet après-midi.

Lorsqu'il passa devant les vitrines de la biscuiterie, il aperçut sa femme en train de discuter avec une cliente pendant que la jeune vendeuse était occupée à ranger dans le comptoir réfrigéré des pâtisseries que les Richer venaient probablement de livrer.

À la vue de Reine soigneusement coiffée et légèrement maquillée, les doutes qui l'avaient assailli le mardi soir précédent revinrent sournoisement le hanter. Mais il se secoua en se disant que c'était impossible. Sa femme travaillait toute la journée et rentrait épuisée à la maison le soir. De plus, il ne parvenait pas à l'imaginer dans les bras d'un autre homme. Elle n'était pas assez portée sur la chose pour chercher à vivre ce genre d'aventure. Non, il était persuadé que seul l'argent l'intéressait vraiment. Pourtant, cette sortie étrange du mardi soir précédent le chicotait assez pour qu'il soit décidé à ouvrir l'œil. Il avait la vague intuition que Gina Lalonde exerçait une influence de plus en plus mauvaise sur sa femme. Et s'il en avait été besoin, la mauvaise humeur qui n'avait pas quitté Reine depuis qu'elle était sortie avec elle aurait suffi à le convaincre qu'il avait raison.

~❦~

La semaine suivante, Jean ne manqua pas de travail à la salle des nouvelles. Le mandat du gouvernement tirait à sa fin et les rumeurs selon lesquelles Antonio Barrette s'apprêtait à déclencher des élections générales se faisaient de plus en plus persistantes. Il avait à rédiger sans relâche de courts textes à partir d'informations livrées par le fil de presse. Il adorait cette atmosphère fébrile et attendait avec impatience des développements.

En fait, la nouvelle tomba dès le 27 avril. À la fin de la matinée, le premier ministre en exercice annonça la tenue d'élections générales pour le 22 juin suivant. Aussitôt, les pronostics se mirent à aller bon train dans la salle des nouvelles. Si certains affirmaient que le parti de l'Union nationale était appelé à connaître une défaite cuisante, privé d'un chef aussi charismatique que Maurice Duplessis, d'autres se disaient certains de sa victoire parce qu'Antonio Barrette avait tenu les promesses faites par son prédécesseur, Paul Sauvé. D'une manière ou d'une autre, le débat politique s'annonçait intéressant.

Ce soir-là, Jean était occupé à appliquer une cire protectrice sur sa Plymouth stationnée dans la rue Brébeuf quand son père s'arrêta près de lui.

— Vous avez entendu la nouvelle ? lui demanda Jean sans préciser de quoi il parlait.

— C'est sûr, ils parlent juste de ça depuis la fin de l'avant-midi à la radio.

— Vous avez remarqué que Barrette annonce des élections un mercredi, comme le faisait Duplessis. Mais il a pas dit qu'il avait choisi cette journée-là en l'honneur de saint Joseph, comme le faisait Maurice.

— J'avais pas remarqué, reconnut Félicien. Toi, t'as pas assez de ta journée d'ouvrage, on dirait.

— C'est la première fois que j'ai un char qui a de l'allure, rétorqua Jean. J'ai décidé que ça valait la peine de le cirer. Claude m'a dit qu'il valait mieux faire ça quand il y a pas trop de soleil et qu'il fait pas trop chaud non plus.

— Bon, je te laisse continuer ta *job*. Moi, je profite de ce que ta mère a décidé de se coucher une heure pour aller faire une marche dans le parc.

— C'est nouveau, ça, que m'man fasse une sieste après le souper, s'étonna Jean.

— Qu'est-ce que tu veux ? Ta mère vieillit comme tout le monde, lui fit remarquer son père. En plus, le ménage l'a pas mal fatiguée.

Il était évident que pour un homme qui avait passé sa vie à marcher du matin au soir pour livrer le courrier, la marche lui manquait. Il aurait bien aimé entraîner Amélie dans de longues promenades dans les rues du quartier, au parc Laurier ou au parc La Fontaine, mais sa femme n'aimait pas beaucoup l'exercice.

Pour sa part, Jean astiqua son automobile jusqu'au coucher du soleil. Quand il monta à l'appartement, ses fils s'apprêtaient à se mettre au lit et Catherine était dans sa chambre, probablement en train de lire.

— J'ai fini d'astiquer la voiture, annonça-t-il à sa femme en se dirigeant vers l'évier pour se laver les mains.

— «Astiquer la voiture», répéta Reine sur un ton sarcastique. T'es pas obligé d'essayer de m'en montrer en parlant avec des beaux termes. On le sait que t'as fait ton cours classique, ajouta-t-elle sur un ton acide.

— OK, répliqua-t-il sèchement. J'ai fini de frotter le char. T'es contente, là ?

Il ne s'était jamais vraiment habitué à utiliser un double langage. Au travail, par la force des choses, il soignait la langue qu'il parlait. À la maison et lors des rencontres familiales, il se devait d'adopter un vocabulaire que chacun comprenait, sous peine de se faire regarder de travers.

ॐ

Trois jours plus tard, Félicien, occupé à ranger le hangar depuis près d'une heure, fut hélé par sa femme. Il faisait beau et chaud en cette dernière journée du mois d'avril, alors il avait décidé de se débarrasser de cette corvée avant l'arrivée des grandes chaleurs.

— C'est Lucie qui est au téléphone, lui apprit Amélie, debout derrière la porte moustiquaire. Elle a un problème avec le robinet de la cuisine et Claude est pas là.

Félicien sortit du hangar et rentra dans l'appartement. Il prit le téléphone, écouta un instant les explications de sa bru et lui promit d'aller tout de suite chez elle.

— J'en ai pas pour longtemps, promit-il à sa femme en prenant son coffre à outils. Je vais passer par la ruelle, ça va aller plus vite.

Il descendit l'escalier et se dirigea vers la rue De La Roche où demeurait le jeune couple. Lucie vint lui ouvrir dès qu'il eut sonné.

— Viens me montrer ça, lui dit-il dès son arrivée sur le palier. Il manquerait plus que t'inondes ton propriétaire.

La petite femme blonde semblait mal à l'aise et le précéda dans la cuisine.

— Il y a pas de dégât d'eau, monsieur Bélanger, lui avoua-t-elle. Je vous ai téléphoné parce que j'avais besoin de vous parler sans que votre femme m'entende.

— Il y a pas de tuyau qui coule ? s'étonna son beau-père, qui ne comprenait pas très bien ce qui arrivait.

— Non, je voulais juste vous parler de votre femme.

— Qu'est-ce qu'elle a, ma femme ? lui demanda-t-il, intrigué.

— Assoyez-vous, monsieur Bélanger. Je vous ai préparé une tasse de café, lui dit-elle en plaçant une tasse sur la table de la cuisine.

Félicien déposa son coffre à outils par terre et s'assit.

— Qu'est-ce qu'il y a ? demanda-t-il à sa bru.

— Ça devrait être moi qui vous pose cette question-là, beau-père, répondit-elle. Votre femme m'a appelée trois fois en une heure avant-hier. Les trois fois, elle avait l'air perdue et semblait ne pas se rappeler qu'elle venait juste de me téléphoner. Qu'est-ce qu'elle a ?

— Je le sais pas trop, admit Félicien, la gorge serrée.

— Votre femme m'a téléphoné encore deux fois hier après-midi pour me répéter les mêmes affaires. Elle m'inquiète.

— En as-tu parlé à Claude ? lui demanda son beau-père.

— Non, pas encore. J'aimais mieux vous en parler d'abord.

Alors, Félicien ne put faire autrement que de lui raconter tout ce qu'il avait vécu depuis les trois dernières semaines, depuis le jour de la disparition de la marmelade.

— Mon Dieu ! s'exclama Lucie, vraiment peinée. Ça ressemble à ce qu'un voisin de mon père a eu. Qu'est-ce que vous allez faire ?

— Je pense que j'aurai pas le choix. Il va falloir que je la traîne de force chez le docteur, avoua-t-il. Je me demande depuis deux semaines comment je vais y arriver.

Le silence tomba dans la cuisine. Au bout d'un moment, Lucie reprit la parole.

— Écoutez, monsieur Bélanger. J'ai un rendez-vous avec mon docteur lundi prochain. Je pourrais peut-être demander à votre femme de m'accompagner. Une fois rendue là, le docteur pourrait l'examiner. Qu'est-ce que vous en pensez?

— Tu me soulagerais ben gros si t'arrivais à faire ça, reconnut le retraité.

— On va faire mieux que ça, monsieur Bélanger. Je vais m'entendre avec Claude pour qu'il nous amène et je vais demander ça à votre femme comme un service parce que la visite chez le docteur me fait peur.

— C'est une bonne idée.

Quelques minutes plus tard, Félicien rentra chez lui et apprit à sa femme que tout était rentré dans l'ordre. Pendant qu'elle préparait le dîner, il alla terminer le ménage du hangar.

Ce soir-là, Lucie et Claude allèrent sonner chez Jean sans s'être annoncés un peu avant neuf heures pour éviter d'être entendus par les enfants. Jean leur ouvrit et s'étonna de cette visite tardive. Pour sa part, Reine, assise devant le téléviseur, ne put s'empêcher d'esquisser un geste de mauvaise humeur en reconnaissant la voix des visiteurs dans l'entrée. Elle ne s'en leva pas moins pour aller les accueillir.

— Vous faites vos visites tard, tous les deux, leur dit-elle, le visage fermé.

— On sera pas longtemps, rétorqua Claude pour la rassurer. On arrive de chez Lorraine et on est venus vous apprendre une nouvelle qui est pas trop bonne.

— Vous allez commencer par passer dans la cuisine et vous asseoir, intervint Jean, plus hospitalier que sa femme. Venez boire un café.

Il fit passer son frère et sa belle-sœur devant lui et adressa un regard lourd de reproches à sa femme. Cette dernière servit une tasse de café aux visiteurs sans manifester grand entrain pendant que Lucie expliquait les manifestations de la maladie dont semblait souffrir Amélie.

— Ça, c'est ce que p'pa lui a raconté à matin, conclut Claude.

— Là, il faut trouver un moyen de l'amener chez le docteur, poursuivit Lucie.

— Elle doit bien se rendre compte qu'elle est pas correcte, intervint Reine pour la première fois.

— C'est pas certain, répondit sa belle-sœur.

— En tout cas, Lorraine est tout à l'envers. Elle comprend pas ce qui arrive à m'man, fit Claude.

— Nous autres non plus, prit soin d'ajouter Lucie.

— On va attendre ce que le docteur va diagnostiquer, dit Jean, tout aussi bouleversé que son frère et sa belle-sœur. J'ai l'impression que si c'est grave, mon père va avoir besoin de l'aide de tout le monde. Est-ce que je peux faire quelque chose pour aider tout de suite ? demanda-t-il à Claude et Lucie.

— Je vois pas, répondit sa belle-sœur. On va le savoir lundi si j'arrive à la décider à m'accompagner chez le docteur. En attendant, il reste juste à prier pour que ce soit pas trop grave.

Après le départ de Claude et de Lucie, Reine se contenta de laisser tomber d'une voix acide :

— En tout cas, on peut au moins dire que notre fille est une belle hypocrite.

— Pourquoi tu dis ça ?

— Il y a pas de danger qu'elle nous aurait dit qu'elle avait reconduit ta mère chez vous parce qu'elle était perdue.

— Elle avait promis à mon père de rien dire pour pas inquiéter personne, d'après Lucie.

— Ça fait rien. On est ses parents. Elle aurait dû nous le dire.

⌒

En fin de matinée, le lendemain, Benjamin Taylor s'arrêta à la biscuiterie durant quelques minutes. Reine eut toutes les peines du monde à dissimuler son envie de se précipiter dans ses bras lorsqu'elle le vit descendre de sa voiture devant le magasin. Il portait un costume bleu marine et une chemise d'un blanc éblouissant.

Avec l'arrivée du mois de mai, il y avait dans l'air quelque chose qui donnait le goût de chanter et de vivre. Les quelques arbres que la jeune femme pouvait voir de derrière son comptoir portaient maintenant toutes leurs feuilles.

Dès qu'elle aperçut le visiteur, Claire trouva une excuse pour s'éclipser dans l'arrière-boutique. Cette réaction spontanée de la jeune fille inquiéta tout de même un peu sa patronne qui se rendait compte que la jeune fille soupçonnait l'existence de quelque chose entre elle et Ben.

— J'arrête juste une minute, la prévint Benjamin. J'ai un train à prendre pour Toronto.

— Dis-moi pas que tu pars encore pour deux ou trois semaines, ne put-elle s'empêcher de lui dire.

— Non, juste trois ou quatre jours. Je reviens au milieu de la semaine prochaine. Tu me manques, ajouta-t-il, un ton plus bas.

— À moi aussi, reconnut-elle pour la première fois.

— Penses-tu que tu pourrais te libérer jeudi après-midi prochain ? Je tiens absolument à te montrer la maison.

— Ce sera pas facile, dit-elle d'une voix hésitante.

— C'est tout de même important que tu la voies, insista-t-il simplement en s'emparant subrepticement de l'une de ses mains.

— C'est correct, accepta-t-elle, émue par ce simple contact sur sa peau.

— Je passe te prendre vers une heure à la même place que d'habitude?

— C'est d'accord.

Après lui avoir caressé légèrement la main, il s'éclipsa. Quelques instants plus tard, Claire réapparut dans le magasin.

∽

Le dimanche après-midi, Jean et les siens quittèrent l'appartement dès que la vaisselle du dîner fut lavée et rangée.

— Rappelle-toi qu'on n'est pas censés rester plus qu'une heure chez ton père, dit Reine à son mari.

Elle tenait à se conformer à ce qui avait été entendu par téléphone la veille avec Lorraine et Claude. On avait décidé de ne demeurer qu'une heure ou deux chez les grands-parents pour ne pas fatiguer Amélie.

— Je sais que ça doit te faire bien mal au cœur de pas pouvoir rester plus longtemps, rétorqua Jean, qui sentait à quel point sa femme était indifférente à l'état de santé de sa mère.

Alors que le couple sortait de l'édifice, une Oldsmobile bleue vint se ranger le long du trottoir, presque devant leur porte.

— V'là Estelle et Charles qui arrivent, dit Reine à son mari. J'espère qu'ils s'en venaient pas chez nous.

— Ça me surprendrait, fit Jean, sans préciser que les talents d'hôtesse de sa femme étaient bien connus par sa sœur. Mais on se sauvera pas en sauvages. On va au moins leur dire bonjour, ajouta-t-il en la retenant alors qu'elle s'apprêtait à poursuivre son chemin.

Reine eut une réaction d'agacement, mais ne s'en arrêta pas moins en collant un sourire de bienvenue sur son visage. Le premier à descendre de voiture fut Thomas, le fils unique du couple.

L'adolescent de treize ans avait le front couvert de boutons d'acné et arborait un air morose assez déplaisant. Il aperçut ses cousins, mais ne fit pas un geste pour se porter à leur rencontre.

Sa mère, vêtue d'un chic tailleur gris perle et coiffée d'un large chapeau à la dernière mode, descendit à son tour et vit sa sœur et son beau-frère plantés sur le trottoir, devant l'une des vitrines de la biscuiterie. Elle comprit qu'ils les attendaient. Son mari vint la rejoindre et le couple s'approcha d'eux.

Catherine et ses deux frères revinrent sur leurs pas pour saluer leur tante et leur oncle.

— On dirait que les gens de la Rive-Sud se dévergondent aujourd'hui, plaisanta Jean en serrant la main du dentiste.

— Estelle tenait à venir voir comment allait sa mère, expliqua Charles Caron.

— C'est dommage qu'on soit obligés de partir pour aller chez les parents de Jean qui nous attendent, mentit Reine en prenant un air désolé. Vous auriez pu venir passer l'après-midi avec nous autres.

— On se reprendra une autre fois, fit sa sœur. J'ai pas l'intention de rester bien longtemps. On est attendus chez des amis. Charles et Thomas vont monter juste pour lui dire bonjour. Ils veulent aller se promener dans le parc pendant que je serai chez maman.

— Je vais vous débarrer la porte, offrit Jean en s'avançant pour déverrouiller la porte d'entrée.

Les deux couples se séparèrent en promettant de se revoir bientôt sans faute.

— Maudit qu'il a l'air bête, cet enfant-là ! s'exclama Reine à mi-voix en parlant de son jeune neveu dès que les Caron eurent disparu à l'intérieur. C'est vrai que quand on est laid comme un pou, ça aide pas à avoir un bel air, poursuivit-elle avec méchanceté.

— Il est dans l'âge ingrat, il va changer, lui fit remarquer Jean.

— Je suis pas sûre de ça pantoute, répliqua-t-elle. Pour moi, c'en est un autre à qui le cours classique fait pas, ajouta-t-elle en visant délibérément son mari.

— Pas plus qu'une septième année obtenue par la peau des fesses réussit à certains, répliqua Jean du tac au tac.

Reine piqua un fard et ne trouva rien à répondre.

Cet après-midi-là, les Bélanger permirent à leurs enfants d'aller jouer au parc après être venus saluer leurs grands-parents. À leur arrivée à l'appartement de la rue Brébeuf, ils retrouvèrent Claude, Lucie, Lorraine, Marcel et leur fille entassés dans le salon en compagnie d'Amélie et de Félicien.

— Vous reviendrez directement à la maison, prit la peine de préciser Reine à ses enfants au moment où ils partaient pour le parc avec leur cousine Murielle. On sera pas longtemps chez votre grand-père.

Quelques minutes après le départ des jeunes, Félicien suggéra à ses invités de s'asseoir sur la galerie pour profiter du beau temps. Peu après que tous furent installés, Amélie déclara à la cantonade :

— Je pense que je suis en train de faire du monde avec mon vieux. Vous devinerez jamais. À cette heure, il vient à la récitation du chapelet chaque soir, à l'église. Je pense que c'est la première fois qu'il fait ça au mois… au mois de mai.

— C'est ça ou le réciter avec le cardinal au radio, laissa tomber Félicien. Je trouve que le prie-Dieu à l'église fait moins mal aux genoux que le plancher de cuisine.

— Je pense qu'il vient surtout pour le plaisir de la marche, conclut sa femme avec un fin sourire.

Durant quelques minutes, la conversation dériva sur le travail de chacun, puis Lucie sauta sur l'occasion recherchée quand sa belle-mère lui demanda si sa grossesse se passait bien. On fut alors à même de constater à quel point la future maman pouvait se montrer persuasive.

— Je dois aller chez le docteur Legendre demain après-midi et, je sais pas pourquoi, mais ça me fait toujours peur d'aller le voir.

— Tu devrais peut-être demander à ta mère d'y aller avec toi, suggéra Amélie.

— J'aime autant pas, madame Bélanger. Ma mère est fine, mais des fois elle m'énerve.

— Pourquoi Claude y va pas ?

— Lui ? Il est pire que ma mère. Quand il est venu avec moi chez le docteur la dernière fois, c'était comme si on allait lui arracher une dent.

— Claude, tu devrais avoir honte ! s'écria sa mère, l'air sévère.

— Elle exagère, m'man, se défendit maladroitement son fils cadet. Le problème, c'est que j'aime pas pantoute perdre une demi-journée d'ouvrage pour y aller avec elle.

— Est-ce que ça vous dérangerait bien gros de venir avec moi, madame Bélanger ? Ça devrait pas être bien long et ça me rassurerait de vous savoir avec moi.

— Écoute, je voudrais pas que ta mère pense que je me mêle de ce qui me regarde pas, répondit Amélie, un peu mal à l'aise.

— Elle le saura même pas, madame Bélanger, insista sa bru. Puis, même si elle le savait, ça lui ferait rien. Elle a jamais aimé aller chez le docteur, elle non plus.

— Si c'est comme ça, ça va me faire plaisir d'y aller avec toi, accepta Amélie.

— Merci, madame Bélanger. Vous me soulagez pas mal, mentit Lucie.

Quelques minutes plus tard, Reine signifia discrètement à son mari qu'il était temps de rentrer. Ils prirent congé de leurs hôtes et revinrent à la maison sans se presser.

— Si j'étais à la place de ton frère, je me poserais des questions sur ma femme, déclara Reine.

— Des questions sur quoi?

— Je sais pas, moi, mais ça a l'air facile pour elle de raconter des menteries, ajouta-t-elle, fielleuse.

— Elle est peut-être pas toute seule à être capable de mentir, répliqua-t-il.

— Qu'est-ce que tu veux dire par là? s'inquiéta-t-elle, soudain alarmée par cette allusion.

— Rien.

Ils marchèrent l'un à côté de l'autre sans rien dire durant un bref moment.

— On revient pas mal vite à la maison, lui fit observer Jean au moment où ils arrivaient au coin de Brébeuf. T'aurais l'air fine si tu tombais sur ta sœur. Tu serais bien obligée de l'inviter à venir boire un café, ajouta-t-il, sarcastique.

— Elle a dit que des amis les attendaient.

Au moment où ils tournaient le coin, deux adolescents montés sur des bicyclettes passèrent en trombe devant eux, lancés dans une course folle sur le trottoir. Jean allait faire remarquer à sa femme que l'Oldsmobile des Caron était encore stationnée devant l'immeuble quand ils virent

Estelle, debout au milieu du trottoir, faire un saut de carpe pour éviter d'être frappée par les cyclistes qui arrivaient en trombe sur elle.

La grande femme élégante atterrit mal sur ses talons hauts et ne vit pas l'obstacle à sa gauche. Elle heurta de plein fouet le poteau et se retrouva les quatre fers en l'air, assise à plat sur le trottoir, l'air passablement étourdi.

Jean se dirigeait vers sa belle-sœur en même temps que cette dernière jetait des regards éperdus autour d'elle pour s'assurer qu'elle n'avait pas été vue. Un vieil homme fut plus rapide que Jean et vint aider Estelle Caron à se relever.

— Vous êtes-vous fait mal, ma petite dame ? lui demanda l'homme, apparemment un peu inquiet.

— Non, ça va aller, monsieur. Merci beaucoup, répondit-elle alors que son orgueil en avait pris un coup.

L'inconnu se remit en marche et Reine vint rejoindre Jean, près de sa sœur.

— Les maudits innocents ! jura Estelle, ayant perdu dans sa chute son petit accent pointu un peu snob.

— T'es-tu fait mal ? lui demanda sa jeune sœur, qui n'avait pas l'air trop inquiète.

— Non, non, ça va, répondit la femme du dentiste en s'époussetant et en tentant d'évaluer les dommages qu'avait subis sa toilette. Ma jupe est toute sale et j'ai fait des mailles dans mes bas de nylon ! Tu parles de deux beaux imbéciles, ajouta-t-elle, furieuse. Là, je vais être obligée de revenir à Saint-Lambert pour me changer avant d'aller chez nos amis.

Au même moment, Charles Caron traversa la rue Mont-Royal en compagnie de son fils. Estelle s'empressa de lui raconter sa mésaventure.

— Si t'avais été là quand je suis sortie, ce serait pas arrivé cette affaire-là, le blâma-t-elle.

Le dentiste ne dit rien. Il se contenta de déverrouiller les portières de sa voiture et de saluer Reine et Jean avant de s'installer derrière le volant.

— C'est ce qui arrive quand on marche le nez en l'air, se borna à dire Reine en cachant mal sa joie mauvaise dès que l'Oldsmobile eut décollé du trottoir.

∽

Un peu après midi et demi le lendemain, Claude sonna à la porte de l'appartement de ses parents. Son père vint lui ouvrir.

— Barnak! ça tombe comme des clous, leur annonça le couvreur.

En fait, la petite pluie printanière qui tombait depuis les premières heures de la matinée s'était transformée en une violente averse depuis quelques minutes. La pluie tambourinait sur les toits des véhicules stationnés le long du trottoir. En ce début de lundi après-midi, les piétons semblaient avoir déserté les trottoirs.

— Tu penses pas que t'aurais l'air plus intelligent si tu mettais un imperméable? le gronda Amélie en saisissant son parapluie, déjà prête à partir.

— Je fondrai pas comme du chocolat, m'man, se défendit le couvreur.

— À part ça, qu'est-ce que tu fais ici? T'es pas supposé travailler, toi? reprit-elle.

— Pas avec une pluie comme ça, m'man. Je vais aller vous conduire chez le docteur avec Lucie.

— Si t'es là, ta femme a pas besoin de moi, répliqua sa mère avec une logique certaine.

— Je peux pas entrer dans le bureau du docteur. Je dois retourner sur le chantier au cas où mon *foreman* aurait décidé de nous faire travailler quand même, mentit maladroitement son fils cadet. Venez, m'man, Lucie nous attend dans le char et j'ai pas grand temps pour aller vous conduire.

Claude descendit l'escalier extérieur en compagnie de sa mère et ils s'engouffrèrent tous les deux dans la Chevrolet. Quelques minutes plus tard, il déposa les deux femmes devant le bureau du docteur Edmond Legendre, rue Sherbrooke, près de la rue Papineau.

— Si j'ai une chance, je vais revenir vous chercher, promit-il. Si je suis pas là quand vous en aurez fini, vous aurez juste à prendre un taxi pour rentrer.

Les deux femmes descendirent de voiture, ouvrirent précipitamment leurs parapluies et se dirigèrent rapidement vers la porte de l'immeuble. La secrétaire du médecin les accueillit et apprit à Lucie qu'elle serait la première cliente à être vue par le médecin dès qu'il serait revenu de son dîner.

En ce début d'après-midi, la salle d'attente était vide. Amélie et sa bru venaient à peine de retirer leur imperméable qu'un homme dans la cinquantaine au visage couperosé entra dans le bureau, salua la secrétaire et disparut dans la pièce voisine.

— On est chanceuses, on n'aura pas à attendre. Le docteur vient d'arriver, dit Lucie.

Moins de cinq minutes plus tard, la secrétaire du médecin signifia à la jeune femme que le docteur l'attendait.

— Ça devrait pas être long, madame Bélanger, fit la future maman avant de disparaître dans le bureau du médecin.

Edmond Legendre était un médecin compétent qui savait se montrer humain avec ses patients. Il connaissait bien Lucie puisqu'il avait mis au monde tous les enfants de la famille Paquette. Il examina rapidement la jeune femme de vingt-cinq ans et la rassura en lui disant que tout allait bien. Alors, Lucie lui apprit pourquoi elle s'était fait accompagner par sa belle-mère et à quel point toute la famille de son mari était désemparée parce qu'elle ignorait comment s'y prendre pour la faire examiner par un médecin.

Le docteur garda le silence un bref moment avant de se lever et d'aller ouvrir la porte de son bureau.

— Madame, voulez-vous passer dans mon bureau ? demanda-t-il à Amélie, surprise qu'il s'adresse à elle.

La belle-mère de Lucie se leva et entra dans la pièce. Edmond Legendre referma derrière elle.

— Bonjour madame… ?

— Bélanger, fit Amélie en jetant un coup d'œil interrogateur à sa bru assise devant le bureau.

— Venez vous asseoir un instant, madame Bélanger, l'invita le médecin en lui présentant le siège voisin de celui occupé par Lucie. Votre bru vient de me dire que vous étiez une femme bien serviable, ajouta-t-il en s'assoyant à son tour. Je me demandais si vous accepteriez de me rendre un petit service…

— Si je peux, dit Amélie un peu étonnée, ça me fera plaisir.

— Je mène présentement une étude sur les personnes de soixante ans et plus. Lucie m'a dit que vous veniez d'avoir soixante ans. Est-ce que ça vous dérangerait de répondre à quelques-unes de mes questions ?

— Non.

— Vous êtes vraiment très gentille, dit le médecin avec un large sourire dans le but de la mettre en confiance.

Il tira à lui un bloc-notes et prit un crayon.

— Prenez-vous des médicaments ?

— Aucun.

— C'est merveilleux. Combien avez-vous d'enfants ?

— Trois.

— Voulez-vous me donner leur nom et leur âge ?

— Ma plus vieille, Lorraine, a trente-cinq ans, Jean a trente-quatre ans…

Le médecin attendit un instant, mais la suite ne vint pas.

— Avez-vous des petits-enfants ?

— Oui, quatre.

— Comment s'appellent-ils ?

— Il y a Catherine, Murielle… Là, c'est bête, j'ai un blanc de mémoire, s'excusa Amélie, un peu confuse.

— C'est pas grave, la rassura le docteur Legendre. Quel souvenir avez-vous gardé du matin de vos noces ?

— Est-ce que c'est important ? demanda Amélie, intriguée.

— Pour mon étude, oui, madame.

Amélie se lança dans le récit de la journée de ses noces et fit preuve d'une très grande précision dans les détails de cette journée.

— Enfin, une dernière question, madame Bélanger, fit le praticien toujours souriant. Qu'avez-vous fait exactement depuis que vous êtes debout ce matin ?

La belle-mère de Lucie le regarda un long moment, comme si elle ne comprenait pas le sens de sa question. Puis elle chercha ouvertement dans sa mémoire durant un long moment.

— Savez-vous, ça me gêne pas mal de vous le dire, mais je m'en souviens pas, admit-elle.

— En passant, madame Bélanger, et là, j'aimerais que vous soyez bien franche avec moi, faites-vous des listes de ce que vous devez faire parce que vous avez peur d'oublier quelque chose ?

— Mais…

— Oui ou non, madame ?

— Oui, ça m'arrive, reconnut Amélie, gênée de l'admettre.

— Est-ce que ça vous arrive d'avoir l'impression de plus savoir trop trop où vous êtes ?

— Non, déclara sèchement Amélie.

— Bon, j'irai pas par quatre chemins, madame Bélanger, on se cachera rien. Je pense que vous vous rendez compte que votre mémoire vous joue des tours de plus en plus souvent, pas vrai ?

— Ça arrive, dit-elle d'une toute petite voix.

— Ces pertes de mémoire, il y a peut-être un moyen de les contrôler un peu, mais ça, il y a juste un neurologue qui va vous le dire après vous avoir examinée.

Elle se contenta de hocher la tête.

— Le docteur Brisson est un excellent neurologue et un ami, poursuivit Edmond Legendre. Son bureau est sur le boulevard Saint-Joseph, près de Saint-Denis. Je vous encourage fortement à aller le consulter le plus tôt possible.

— Un neurologue ?

— Oui, un spécialiste du cerveau.

— Merci, docteur, fit Amélie en se levant, le visage soudainement fermé.

— Toi, Lucie, je veux te revoir à la fin du mois d'août, reprit le médecin en feignant d'ignorer la réaction hostile de sa belle-mère. Prends un rendez-vous avec ma secrétaire en sortant. S'il y a la moindre chose anormale qui se passe, tu reviens me voir.

Les deux femmes le remercièrent et quittèrent la pièce. Pendant qu'Amélie allait décrocher les imperméables suspendus à la patère de l'entrée, Lucie prit son prochain rendez-vous. Elles sortirent de l'édifice, le parapluie à la main, prêtes à l'ouvrir en cas de besoin. Ce ne fut pas nécessaire. La pluie s'était transformée en une petite bruine.

— Veux-tu bien me dire quelle sorte de docteur t'as choisi là ? demanda Amélie, furieuse.

— C'est le docteur de notre famille, madame Bélanger, répondit l'épouse de Claude, qui avait perçu la colère de sa belle-mère dès que le médecin avait parlé d'un neurologue.

— Pour moi, il est pas normal, ce docteur-là, déclara abruptement Amélie. Il me prend pour une folle, je crois bien.

— Pourquoi vous dites ça?

— Il veut m'envoyer voir un docteur qui joue dans la tête du monde… Je te le dis, il me prend pour une folle juste bonne à enfermer.

— Mais non, belle-mère, tenta de l'apaiser sa bru. Il veut pas que vous alliez voir un psychiatre. Il vous conseille de consulter un neurologue pour votre mémoire. Pas plus.

— Il en est pas question! J'irai pas dépenser le peu d'argent qu'on a pour me faire dire que j'ai moins de mémoire qu'avant. C'est normal d'avoir moins de mémoire en vieillissant.

Là-dessus, la Chevrolet de Claude s'arrêta le long du trottoir et les deux femmes montèrent à bord.

— À ce que je vois, tu travailles pas cet après-midi, se contenta de dire sa mère quand il se fut glissé à nouveau dans la circulation.

— D'après mon *boss*, c'est trop dangereux de monter sur le toit avec la pluie qui est tombée, expliqua Claude en jetant un coup d'œil à sa jeune femme pour tenter de deviner ce qui s'était produit chez le médecin.

Il laissa passer un bon moment avant de se décider à interroger Lucie, sans préciser s'il parlait de son état ou de celui de sa mère:

— Puis? Qu'est-ce que le docteur a dit?

— Tout est correct. Il veut me revoir à la fin du mois d'août, se contenta-t-elle de lui répondre.

Il aurait bien voulu qu'elle lui en dise plus, mais il en fut pour ses frais. Lucie garda un visage impénétrable, et il n'osa pas interroger sa mère de crainte qu'elle ne soupçonne un complot pour l'entraîner chez le docteur Legendre.

Quand la voiture s'arrêta rue Brébeuf devant la maison où habitaient les Bélanger, Lucie remercia chaleureusement sa belle-mère de l'avoir accompagnée chez le médecin.

— Tu montes pas boire quelque chose? demanda Amélie à sa bru.

— Vous êtes bien gentille, madame Bélanger, mais je me sens un peu fatiguée. Je pense que je vais aller m'étendre une heure.

Claude descendit de voiture pour raccompagner sa mère jusqu'à sa porte, au premier étage.

Dès qu'elle eut refermé la porte d'entrée derrière elle, Amélie, les lèvres pincées, retira son imperméable et rangea son parapluie avant de se diriger vers la cuisine où son mari somnolait dans sa chaise berçante.

— Je suis revenue, dit-elle assez fort pour le réveiller.

Le retraité sursauta et chaussa ses lunettes qu'il avait déposées sur l'appui-fenêtre.

— Dis donc, Félicien Bélanger, est-ce que vous me prenez pour une folle, tous autant que vous êtes? lui demanda-t-elle en se campant devant lui.

— Pourquoi tu me dis ça?

— Penses-tu que j'ai perdu la tête au point de pas me rendre compte que vous vous êtes organisés pour me faire voir un docteur sans que je m'en doute?

— Voyons donc! protesta-t-il faiblement, pris au dépourvu par la colère de sa femme.

— Je vois clair dans ton jeu, Félicien Bélanger. Tu t'es arrangé avec Lucie derrière mon dos, comme si j'étais retombée en enfance. C'est ça, hein?

— Bon, là, tu vas te calmer les nerfs, t'asseoir et m'écouter, fit son mari d'une voix tranchante en quittant sa chaise berçante.

Momentanément vaincue et au bord des larmes, Amélie se laissa tomber sur une chaise, au bout de la table. Félicien alla faire bouillir de l'eau.

— Je vais te faire une tasse de thé, lui annonça-t-il. Écoute-moi et essaye de comprendre, ajouta-t-il après un court silence. Depuis un mois, tu m'inquiètes, comprends-tu ça ? C'est ben beau tes listes, mais là, quand je t'ai vue te perdre en revenant de l'église…

— C'est jamais arrivé, cette affaire-là ! protesta-t-elle avec force.

— Oui, ça t'est arrivé et c'est Catherine qui a dû te ramener à la maison parce que tu trouvais plus ton chemin, la corrigea-t-il sans chercher à la ménager. Tu lui demanderas pour voir. Pourquoi tu penses que je vais tous les soirs réciter le chapelet à l'église avec toi ?

— Viens pas me dire que c'est pour ça !

— Ben oui. J'en ai pas parlé aux enfants, tu comprends. Mais quand Lucie s'est mise à s'inquiéter parce que tu lui téléphonais jusqu'à trois fois dans la même journée pour lui répéter la même chose, il a bien fallu se décider à faire quelque chose.

— T'aurais pu m'en parler !

— Qu'est-ce que ça aurait donné ? T'aurais jamais voulu aller chez le docteur. C'est pour ça que Lucie a dû faire semblant d'avoir besoin de toi.

Amélie se mit à pleurer doucement et son mari, désarmé devant son chagrin, demeura debout à ses côtés, incapable de trouver les paroles propres à la rassurer.

— Mais qu'est-ce qui va m'arriver ? finit par lui demander sa femme.

— Qu'est-ce que le docteur de Lucie t'a dit?

— Il veut que j'aille voir un spécialiste.

— On va y aller ensemble, déclara Félicien sur un ton décidé. S'il y a quelque chose à faire, tu serais bien bête de rester les bras croisés à attendre.

Il lui servit une tasse de thé et le silence retomba dans la cuisine. Quelques minutes plus tard, il invita sa femme à aller faire une sieste et s'empressa de téléphoner à sa bru dès que la porte de la chambre à coucher se fut refermée. Quand cette dernière lui eut raconté comment s'était déroulée la consultation et expliqué la recommandation du médecin, Félicien la remercia pour son dévouement.

Dès qu'il eut raccroché, il s'empara de l'annuaire téléphonique et trouva le numéro de téléphone du bureau du docteur Émile Brisson. Il obtint un rendez-vous le 17 mai, à dix heures. Il nota l'adresse et remercia la dame qui lui avait répondu.

Quand Amélie se leva un peu avant l'heure du souper, Félicien constata avec stupeur qu'elle avait totalement oublié sa visite chez le médecin.

❧

Le lendemain après-midi, Reine vit avec surprise son amie Gina Lalonde entrer dans la biscuiterie.

— Sacrifice, il y a quelqu'un qui t'a jetée en bas de ton lit, dit-elle à la jeune femme vêtue d'une petite robe jaune au décolleté plutôt provocant.

À la voir, on comprenait facilement pourquoi Jean n'appréciait pas tellement la barmaid du Mocambo. La blonde pulpeuse au visage trop maquillé se déhanchait outrageusement en avançant sur ses talons hauts. De plus, elle tenait une cigarette allumée entre ses doigts, ce qu'une femme convenable ne faisait pas en public.

— Ben non, protesta Gina en déposant son sac à main sur le comptoir. Je travaillais pas hier soir. Quand je me couche pas à trois heures du matin, je suis capable de me lever avant midi, comme tu peux le voir.

— On va monter chez nous et boire un Coke, proposa Reine. Claire, je vais redescendre tout à l'heure, prévint-elle sa vendeuse avant d'entraîner son amie vers la porte.

Les deux femmes montèrent au deuxième étage.

— Il fait beau. On va s'asseoir sur la galerie, en arrière, annonça Reine après avoir versé deux grands verres de cola.

Elle en tendit un à son invitée et lui ouvrit la porte moustiquaire.

— Toi, tu peux te vanter de m'avoir mise dans le trouble, déclara-t-elle en se penchant légèrement au-dessus du garde-fou pour s'assurer que sa mère n'était pas à l'écoute, assise sur sa galerie, à l'étage inférieur.

— Pourquoi tu me dis ça? s'étonna sa visiteuse.

— Quand t'as téléphoné la semaine passée, j'étais censée être sortie avec toi. Tu t'imagines un peu que mon mari m'attendait avec une brique et un fanal quand je suis rentrée un peu avant minuit.

— Whow! Est-ce que je comprends bien? s'exclama Gina, la mine gourmande. Es-tu en train de me dire que t'as donné un grand coup de couteau dans ton contrat de mariage?

À mi-voix, Reine se mit à raconter à son unique amie l'aventure qu'elle vivait depuis quelques mois avec Benjamin Taylor.

— Jusqu'à la semaine dernière, il s'était rien passé, prit-elle tout de même soin de préciser.

— C'est vrai, ça? demanda Gina, incrédule.

— Juré, fit Reine.

— Et là, qu'est-ce qui va arriver?

— Je le sais pas trop, admit Reine. C'est un gars qui a pas mal d'argent et il fait des affaires un peu partout. Il voudrait que j'aille rester avec lui. En tout cas, ça fait une ou deux fois qu'il en parle. Il est même en train de se faire construire une belle maison au nord de la ville.

— Puis?

— Puis quoi?

— Vas-tu laisser passer une affaire comme ça sous ton nez sans sauter dessus?

— T'oublies que j'ai un mari et des enfants, lui rappela Reine, sur un ton beaucoup plus sérieux.

— Ça en fait une affaire, ça! affirma la blonde en écartant cette objection d'un geste vague de la main. Ton mari a jamais été capable de te gâter et si je me fie à ce que tu me dis, c'est pas demain la veille que ça va arriver.

— Je sais bien, reconnut Reine. Mais les enfants!

— Si tu pars, tes enfants seront pas en danger de mort. Ils sont même assez vieux pour se débrouiller sans leur mère, non?

— Je sais pas trop ce que je vais faire, admit Reine.

— Si tu décides de le laisser tomber, j'espère que tu vas me le présenter, ton oiseau rare. Tu vas voir que moi, je vais être capable de profiter de tout ce qu'il va vouloir me donner, ajouta la barmaid avec un rire gras.

Quelques minutes plus tard, au moment où son invitée s'apprêtait à prendre congé, Reine lui demanda tout de même d'être son alibi quand le besoin s'en ferait sentir.

— Aie pas peur, ma chouette. Je suis une vraie amie. Je te laisserai pas tomber, lui promit Gina.

Le surlendemain, Reine quitta la biscuiterie peu avant le retour de l'école de ses enfants pour avoir le temps de se coiffer, de se maquiller et de changer de robe. Après avoir revêtu son tablier, elle confectionna des sandwichs au jambon qu'elle disposa dans une grande assiette au centre de la table, à côté d'un plat rempli de biscuits brisés en provenance du magasin. Elle prépara un pot de Kool-Aid à l'orange et en versa un verre à chacun de ses trois enfants.

Par la fenêtre de la cuisine, elle pouvait voir le ciel gris en ce jeudi midi. Il faisait malgré tout chaud et il n'y avait pas la moindre brise pour rafraîchir l'atmosphère. Elle entendit soudain le martèlement des pieds de ses enfants dans les escaliers.

Lorsqu'ils pénétrèrent dans l'appartement, elle les invita à passer à table immédiatement. Elle s'assit en leur compagnie et mangea un sandwich en regrettant que Ben ne l'ait pas invitée à dîner au restaurant cette fois-ci. Dès la dernière bouchée avalée, la cuisine fut rangée.

— Je descends au magasin, dit-elle aux enfants. Traînez pas. Arrangez-vous pas pour arriver en retard à l'école.

Elle quitta l'appartement et vint reprendre sa place derrière le comptoir.

— Est-ce que ça te dérange de t'occuper des clients pendant ton heure de dîner ? demanda-t-elle à Claire. J'ai des commissions à faire tout à l'heure.

— Non, madame Bélanger. De toute façon, j'avais l'intention de manger en arrière, dit la jeune vendeuse.

— Tu peux y aller tout de suite si tu veux. Je t'avertirai quand je partirai.

Claire disparut dans l'arrière-boutique pendant que sa patronne surveillait par l'une des vitrines la sortie de ses enfants. Évidemment, il n'était pas question qu'ils la voient monter à bord de la voiture de Benjamin Taylor. Gilles et

Alain la saluèrent de la main en passant devant la biscuiterie moins de dix minutes plus tard. Puis, à une heure moins quart, Catherine passa à son tour en compagnie de l'une de ses camarades de classe et adressa un sourire à sa mère.

Reine attendit encore une dizaine de minutes avant de retirer son tablier. Elle avait passé une jolie robe décolletée vert pomme à l'encolure brodée. Sa crinoline la mettait en valeur. À cinq minutes du début de la reprise des classes, elle ne risquait plus guère de rencontrer des enfants du quartier.

— J'y vais, annonça-t-elle à sa vendeuse en suspendant son vêtement de travail dans l'arrière-boutique sans préciser où elle comptait aller. Je devrais être revenue vers trois heures et demie, ajouta-t-elle en se penchant pour vérifier l'état de sa coiffure.

— Avec cette robe-là, madame Bélanger, vous avez l'air encore plus jeune que moi, la complimenta la jeune fille.

— J'ai juste l'air, lui dit sa patronne, tout de même flattée par le compliment. Si ma mère téléphone ou descend au magasin, t'as qu'à lui dire que je suis partie faire des commissions.

— Entendu.

Reine sortit, jeta un coup d'œil vers sa gauche pour vérifier si la voiture de son amant était visible au coin de la rue Chambord. Elle ne la vit pas. Elle se mit en marche. La chaleur semblait monter du trottoir. Les enfants d'âge scolaire avaient disparu. Elle dépassa deux jeunes mères poussant des landaus et traversa la rue Mont-Royal. Lorsqu'elle approcha du coin de la rue Chambord, elle aperçut la Cadillac noire de son amant stationnée un peu plus loin et elle se dirigea vers la voiture, consciente que son conducteur la regardait venir.

Benjamin Taylor, toujours aussi galant, sortit du véhicule et vint lui ouvrir la portière côté passager. De retour dans l'habitacle, avant de remettre le moteur en marche, il se pencha vers elle et l'embrassa.

— Le monde va nous voir, lui dit-elle en le repoussant.

— Les vitres sont teintées, répliqua-t-il en engageant la voiture dans la circulation.

Durant un bon moment, le silence régna dans la luxueuse voiture. Puis, il fit en sorte qu'elle lui raconte ce qui s'était produit dans sa vie depuis leur dernière rencontre. Pendant qu'elle parlait, il avait tourné vers le nord et la Cadillac filait à bonne allure. Reine avait abaissé la glace de la portière et profitait de la brise.

— Où est-ce que tu m'amènes exactement? demanda-t-elle à son compagnon, en cessant de parler de la maladie de sa belle-mère.

— Je t'amène voir notre future maison, comme je te l'ai promis.

— Je trouve que tu vas pas mal vite en affaires, se rebella-t-elle, sans grande conviction cependant. J'ai jamais dit que j'allais vivre avec toi.

— Attends de voir avant de parler, rétorqua-t-il sur un ton enjôleur. Tu vas peut-être changer d'idée.

Parvenu au boulevard Gouin, le conducteur fila vers l'ouest, dépassa le parc Belmont et arrêta la voiture peu après, près de la rue De Salaberry. Reine regarda dans toutes les directions. Ils étaient stationnés devant une magnifique résidence en pierre dotée de deux tourelles et d'un garage double. La pelouse vert émeraude mettait en valeur une très belle rocaille bien entretenue. Beaucoup de bruit provenait du terrain voisin où des ouvriers étaient occupés à construire une maison. À première vue, le solage avait été coulé récemment et quelques charpentiers étaient en train de monter les murs. Une imposante pile de planches voisinait avec des madriers et des colombages sur le sol non encore nivelé.

Taylor descendit de voiture et vint ouvrir la portière de sa passagère.

— Viens voir, l'invita-t-il en lui tendant la main.

Elle sortit de l'automobile et fit quelques pas en sa compagnie avant de s'immobiliser à ses côtés devant la maison aux deux tourelles.

— Qu'est-ce que t'en dis ? lui demanda-t-il.

— Es-tu en train de me dire que c'est ta maison ?

— Non, dit-il en riant, ça va être celle d'à côté, celle qui est en construction. Mais elle va être pareille, même un peu plus belle. Est-ce que tu penses que t'aimerais ça vivre là-dedans ?

Reine ne parvenait pas à se rassasier de la vue d'une si magnifique demeure.

— Je demanderais bien à nos futurs voisins de te laisser visiter leur maison, mais ce serait pas mal gênant, tu penses pas ?

— C'est sûr. Fais pas ça.

— Là, ce que tu vois pas, c'est qu'en arrière je peux faire creuser une piscine et faire installer un grand patio qui va donner sur la rivière des Prairies.

— Es-tu sérieux ?

— Certain. Tu vas voir dans deux ou trois mois, quand le paysagement va être fait, ça va être à couper le souffle. J'aurais aimé ça te montrer la maison plus avancée, mais l'entrepreneur a été retardé par un autre chantier. Il a commencé à s'occuper de ma maison juste depuis quelques semaines.

— Ça fait rien, l'excusa Reine, sous le charme de ce qu'elle voyait de la maison voisine.

— Je t'amènerais bien sur le terrain, mais c'est plein de trous et ça pourrait être dangereux. Mieux vaut rester sur le trottoir.

Il l'incita à faire quelques pas pour mieux admirer sous tous ses angles la maison voisine.

— Ce que tu peux pas voir, c'est qu'il y a trois grandes baies vitrées qui donnent sur la rivière, précisa-t-il.

— T'aurais jamais dû me montrer une affaire comme ça, dit Reine dans un souffle.

— Il fallait bien, si je veux que tu commences à penser comment on va la meubler.

— La meubler ?

— On va la meubler au complet. Je me débarrasse des vieilleries de mon appartement dès que la maison va être prête et on va acheter des meubles neufs.

— Mais ça doit coûter une fortune, une maison comme ça ! ne put-elle s'empêcher de murmurer.

— C'est sûr que c'est pas donné, mais c'est pas important quand on a les moyens de se la payer, laissa-t-il tomber, grand seigneur.

— Et t'as ces moyens-là, toi ?

— Pas de problème, déclara-t-il négligemment. À quoi ça me servirait de travailler comme un fou six jours par semaine si c'était pas pour me payer un peu de luxe et en faire profiter à celle qui va venir vivre avec moi ?

Après quelques minutes, il ramena Reine à la voiture et l'aida à s'installer confortablement.

— Tu vas m'excuser, lui dit-il. J'ai deux mots à dire à mon entrepreneur. J'en ai pas pour longtemps.

Il la laissa seule quelques minutes et revint prendre place derrière le volant peu après, l'air satisfait. Il remit la Cadillac en marche et poursuivit sur le boulevard Gouin jusqu'à une petite rue qui aboutissait à un cul-de-sac assez retiré, face à la rivière. Il arrêta alors la voiture.

— Qu'est-ce qu'on fait ici ? s'étonna Reine en regardant autour.

— Il est seulement deux heures et quart. On s'arrête pour parler un peu, répondit-il en l'attirant doucement à lui.

La jeune femme se laissa faire. Il l'embrassa avec fougue et entreprit de la caresser doucement par-dessus ses vêtements. Incapable de lui résister très longtemps, elle lui rendit ses caresses, tout en s'assurant de temps à autre de n'être pas épiée par un passant.

Après un long moment, tous les deux remirent de l'ordre dans leurs vêtements.

— J'ai hâte qu'on n'ait plus besoin de se cacher, lui dit Ben en regardant dans le rétroviseur si sa cravate était bien placée.

Reine ne dit rien, occupée à remettre du rouge à lèvres en se regardant dans le miroir fixé derrière le pare-soleil.

— Est-ce que tu vas venir vivre avec moi quand la maison va être prête? reprit Benjamin au moment où elle refermait son sac à main.

— Laisse-moi y penser, répondit-elle, encore secouée par ce qui venait de se passer dans la voiture.

— Tu hésites encore?

— T'oublies que j'ai un mari et des enfants, lui répéta-t-elle.

— Il y a moi aussi, dit-il en l'embrassant encore une fois.

— Et la biscuiterie? Je voudrais pas m'être donné autant de mal pour rien...

— Tu m'as dit que t'étais seulement à moitié propriétaire avec ta mère du magasin. Tout ça, c'est des *peanuts* à côté de la belle vie qu'on va avoir. Tu vas voyager partout avec moi. Les avions, les hôtels, les grands restaurants... Tu me diras pas que c'est pas plus intéressant que de travailler du matin au soir derrière un comptoir à attendre les clients.

— Donne-moi au moins un mois ou deux pour me décider, demanda Reine, nettement dépassée par les événements. Ça va trop vite. Je sais pas trop où j'en suis rendue. Quand les enfants vont tomber en vacances, je te promets de te donner ma réponse.

— Tu me déçois pas mal, reconnut-il en démarrant. Je m'attendais à ce que tu me dises oui aujourd'hui, ajouta-t-il, apparemment peiné.

— Si ça peut te rassurer, c'est presque oui, lui dit-elle en imaginant la vie rêvée qu'elle aurait dans cette maison et en posant sa tête sur l'épaule de son amant qui s'était glissé jusqu'au centre de la banquette pour se rapprocher d'elle.

Ils parlèrent peu durant le trajet de retour, plongés tous les deux dans leurs pensées respectives.

— Laisse-moi donc au coin de Garnier, demanda-t-elle à son conducteur. Comme ça, je risquerai moins de tomber sur un de mes enfants.

Ben poursuivit sa route une rue plus à l'est et descendit la rue Garnier sur quelques centaines de pieds avant d'arrêter son véhicule sous un érable centenaire.

— Je sais que je t'ai déjà dit que tu pouvais pas me téléphoner à la maison ou au magasin, dit Reine avant de descendre. Mais moi, je pourrais toujours te téléphoner de la maison quand je suis toute seule, précisa-t-elle.

— Je comprends, fit Ben, mais j'aime autant que tu téléphones pas au bureau pour pas faire jaser mes deux secrétaires.

— Je comprends. Donne-moi juste ton numéro de téléphone à la maison.

— J'ai pas fait installer le téléphone dans mon appartement parce que j'aime pas me faire déranger par des clients.

— À ce moment-là, comment on va faire si on a besoin de se parler ? lui demanda Reine, déçue.

— Inquiète-toi pas. Je trouverai bien le moyen de te parler quand ça va être nécessaire, dit-il d'une voix rassurante.

— En tout cas, fais bien attention que mon mari s'aperçoive de rien. Si c'est lui qui répond si t'as affaire à me téléphoner, raccroche tout de suite, lui ordonna-t-elle sur un ton sévère.

— Si ça peut te rassurer, je te promets de pas te téléphoner, à moins que ce soit vraiment très grave, lui déclara-t-il.

En cet instant, il se rendit compte qu'elle attendait qu'il l'embrasse avant de descendre de voiture. Il s'exécuta sans manifester un grand entrain et lui affirma qu'il allait revenir la voir aussitôt qu'il le pourrait.

Debout sur le trottoir, Reine le vit lui adresser un signe de la main avant de disparaître à bord de la Cadillac.

Elle rentra chez elle, changea de vêtements et sortit du réfrigérateur le bœuf haché qu'elle servirait au souper. Au moment où elle allait descendre au magasin, Catherine rentra de l'école.

— Avant de commencer à faire tes devoirs, épluche-moi donc des patates pour souper et mets-les sur le feu vers cinq heures moins quart.

Ce soir-là, la jeune mère de famille supervisa les travaux scolaires de ses enfants avant d'aller rejoindre son mari installé devant le téléviseur. Depuis une heure, la pluie s'était mise à tomber et le vent s'était levé, apportant un peu de fraîcheur bienvenue après cette journée lourde.

Assise dans son fauteuil, Reine ne prêtait aucune attention à l'émission de chansons folkloriques animée par Hélène Baillargeon. Elle était perdue dans ses pensées. Elle revoyait la magnifique maison au bord de la rivière des Prairies et imaginait la vie extraordinaire que lui offrait son amant. Elle se voyait descendre d'avion à son bras ou sortir d'un hôtel luxueux pour aller s'étendre sur une plage au sable doré… C'était trop beau pour être vrai. Elle avait presque envie de se pincer pour se réveiller. Ben était le prince charmant dont toutes les femmes rêvaient de faire la rencontre un jour. Et c'était à elle que cela arrivait.

— Est-ce que tu dors ? lui demanda Jean, assis dans l'autre fauteuil.

— Hein ! fit-elle en sursautant légèrement.

— Ça fait deux fois que je te demande si t'aimes ce programme-là.

— J'étais dans la lune, admit-elle. Je pense que je vais aller me coucher. Je suis trop fatiguée.

En fait, une seule chose l'intéressait. Revivre son après-midi, rêver et réfléchir à toutes ses implications.

Elle embrassa distraitement son mari sur une joue et alla faire sa toilette. À son entrée dans la chambre à coucher, le vent faisait voleter les rideaux et avait chassé toute l'humidité. Elle se mit au lit.

Une fois étendue, ses pensées prirent une tout autre direction. L'espèce d'euphorie dans laquelle elle baignait depuis son retour fit place à une sourde inquiétude. Son instinct lui disait que son amoureux avait subtilement changé depuis qu'ils avaient fait l'amour à l'hôtel. Intuitivement, elle le sentait moins attentif, moins délicat. Se pourrait-il qu'il la croie déjà conquise au point de cesser de faire tout effort pour la charmer ? Il aurait pu prévoir l'emmener au restaurant avant de lui faire voir la maison… ou lui donner une autre rose rouge. Et le cul-de-sac où il avait stationné l'auto ? Il y était allé sans la moindre hésitation, comme s'il avait pris la peine de le repérer avant leur rencontre ou, pire, comme s'il y était déjà allé, peut-être avec une autre femme.

Reine finit par s'endormir, mais non sans s'être promis de tenir dorénavant la dragée haute à son amoureux.

— S'il s'imagine que je suis une Marie-couche-toi-là, j'ai des nouvelles pour lui, murmura-t-elle dans le noir. À cette heure, tant que je me serai pas décidée à aller vivre avec lui, il va se tenir tranquille. Il fera pas ce qu'il veut de moi.

Chapitre 21

Des occasions manquées

Le mardi suivant, Félicien occupa sa matinée à peindre la galerie arrière parce que le propriétaire lui avait offert gratuitement deux gallons de peinture grise. Peu avant midi, son travail était terminé et il pénétra dans la cuisine en houspillant légèrement Amélie.

— Est-ce que le dîner est prêt? lui demanda-t-il.

— Il y a rien qui presse. Il est même pas midi, lui répondit sa femme en train de faire son repassage.

— Ben oui, ça presse, reprit-il. On a un rendez-vous chez le docteur Brisson à une heure et demie. Il faut se donner le temps de se rendre.

— C'est qui, ce docteur-là? s'étonna-t-elle.

— Un neurologue, un spécialiste du cerveau.

— Qu'est-ce que t'as? Tu m'as pas dit que t'étais malade, reprit-elle, soudain inquiète.

— Voyons, Amélie! C'est pas pour moi, c'est pour toi qu'on a pris un rendez-vous avec lui la semaine passée.

— Mais je suis pas malade pantoute, moi. J'ai pas d'affaire à aller le voir, s'emporta sa femme. Qu'est-ce que c'est que cette histoire de fou là ? J'ai jamais pris de rendez-vous avec ce docteur-là, moi.

— C'est pas toi, c'est moi qui l'ai pris, lui expliqua-t-il, dépassé par la colère de sa femme.

— Ben, Félicien Bélanger, tu me feras le plaisir de te mêler de tes affaires à l'avenir, rétorqua-t-elle en élevant la voix. Un neurologue ! Est-ce que t'essaierais de me faire passer pour une folle, par hasard ?

— Ben non, se défendit-il. C'est pour tes pertes de mémoire.

— Je perds pas la mémoire, tu sauras. Je sais encore qui je suis et ce que je fais. Ça fait que viens plus m'achaler avec ça. Un neurologue ! J'aurai tout entendu. Dis-le si tu veux absolument te débarrasser de moi !

Découragé, Félicien renonça. Il ne pouvait tout de même pas la traîner de force chez le docteur Brisson. Après le repas, il prévint sa femme que la peinture de la galerie arrière ne serait pas sèche avant le milieu de l'après-midi et il sortit faire une promenade, autant pour profiter du beau temps que pour demander à Lucie d'annuler le rendez-vous au bureau du neurologue.

— Qu'est-ce que vous allez faire, monsieur Bélanger ? lui demanda sa bru, aussi dépassée que lui par la résistance imprévue d'Amélie.

— Je le sais plus, avoua-t-il en se mettant les mains devant les yeux pour cacher son désarroi.

— On va tous y penser, lui promit-elle. On finira bien par trouver un moyen de la faire voir par un spécialiste.

Vaguement encouragé par ces paroles, l'ancien facteur alla se promener dans quelques rues du quartier avant de revenir se reposer chez lui. Il avait besoin de respirer le grand air pour réfléchir à cette situation délicate. Il savait que sa femme devait aller voir le neurologue, mais se sentait incapable de l'y obliger sans blesser sa fierté.

À son entrée dans l'appartement, Amélie l'attendait de fort mauvaise humeur.

— Je sais pas où t'as marché, lui dit-elle sèchement, mais t'as mis de la peinture grise partout sur mon plancher.

— Où ça? fit-il, surpris.

Elle lui montra plusieurs empreintes de pas laissées sur le linoléum du couloir et de la cuisine.

Félicien se rendit immédiatement à la porte moustiquaire pour jeter un coup d'œil à la galerie peinturée durant l'avant-midi. Quelqu'un avait marché dessus sans se soucier le moins du monde de la peinture fraîche. Il ne put alors contrôler un accès de mauvaise humeur.

— Viens voir, ordonna-t-il à sa femme debout devant l'évier.

— Qu'est-ce qu'il y a? lui demanda-t-elle, surprise par le ton de sa voix.

— Regarde le balcon que j'ai peinturé à matin. C'est toi qui as marché dessus avant que la peinture soit sèche. Torrieu! Regarde tes traces de pas.

Amélie fixa durant un bref moment les empreintes et finit par enlever l'une de ses pantoufles. La vue de la semelle portant encore des traces évidentes de peinture lui fit réaliser qu'elle était la fautive.

— Ça t'apprendra la prochaine fois à m'avertir quand tu peintures quelque part, dit-elle avant de retourner à l'évier. À cette heure, prends de la térébenthine et nettoie le plancher. Tout ça, c'est ta faute.

Son mari ne dit rien. Il savait qu'il ne servirait à rien de lui rappeler qu'il l'avait prévenue avant de sortir pour sa promenade. Il ne lui restait plus qu'à recommencer le travail le lendemain.

Ce soir-là, il y eut des échanges d'appels téléphoniques entre les trois enfants du couple. Chacun promit de chercher un moyen pour convaincre leur mère d'aller consulter.

∽

Quelques jours plus tard, Félicien commença à se demander s'il n'avait pas paniqué inutilement. Sa femme semblait avoir retrouvé ses moyens. Elle était peut-être un peu plus silencieuse que dans le passé, mais elle avait perdu cette espèce de fébrilité qui l'avait tant inquiété.

En ce dimanche du début du mois de juin, Jean avait décidé d'aller rendre visite seul à ses parents parce que sa femme avait accepté la demande de sa mère de l'accompagner au parc La Fontaine. Yvonne Talbot n'avait guère retrouvé sa mobilité d'avant son accident et souffrait de plus en plus d'être emprisonnée dans son appartement.

— Le docteur m'a dit que je faisais pas assez d'exercice, avait-elle raconté à sa fille. On dirait qu'il comprend pas que je me sens pas solide sur mes jambes et que mes hanches me font souffrir le martyre.

— Qu'elle aille pas s'imaginer que je vais passer mes journées à jouer à la garde-malade, avait laissé tomber la jeune femme avant de quitter l'appartement, quelques minutes avant son mari. J'ai autre chose à faire le dimanche, moi.

— Comme vous allez être dans le parc, jette donc un coup d'œil aux enfants en passant. Ils sont censés être dans le coin du zoo, lui avait suggéré Jean.

À son arrivée au pied de l'escalier extérieur conduisant à l'appartement de ses parents, il aperçut ces derniers confortablement assis sur la galerie en train de parler à Adrienne Lussier, leur voisine. Jean la salua et, quelques minutes plus tard, la sœur d'Omer monta chez elle.

— Dites-moi pas que vous passez votre dimanche tout seuls ? demanda Jean à ses parents, étonné de constater qu'il était l'unique visiteur.

— C'est vrai que c'est rare, lui dit sa mère.

— Lorraine et Marcel sont partis à Terrebonne passer la journée chez le frère de Marcel, lui expliqua son père. On a vu Claude et Lucie après la messe. Ils avaient dans l'idée d'aller voir un gars qui travaille avec Claude. Il paraît qu'il reste à Saint-Léonard-de-Port-Maurice.

— Lucie nous a dit qu'ils arrêteraient peut-être en revenant s'il était pas trop tard, ajouta Amélie.

— Attends de voir ton frère, tu vas être surpris, dit Félicien avec un sourire narquois.

— Quoi ? Qu'est-ce qu'il a ?

— Laisse faire. Je te laisse la surprise, répondit Félicien en s'allumant une cigarette.

Jean n'insista pas. Il préféra parler de la campagne électorale qui battait son plein et qui l'intéressait autant que son père.

— C'est pas du temps de Duplessis qu'on aurait vu une campagne comme celle-là, dit-il.

— C'est sûr, reconnut le retraité. À cette heure, ça se passe ben plus à la télévision qu'à la radio. Tout le monde sait ben que Duplessis a toujours haï la télévision. Le bonhomme aurait été ben malheureux de faire les élections cette année.

— Vous savez pourquoi il aimait pas la télévision, p'pa ?

— Non, je suppose que c'était parce qu'il voyait pas le monde à qui il parlait.

— Non, c'est pas ça. Il paraît qu'il trouvait qu'à la télévision il avait un trop gros nez.

— Arrête donc ça, toi.

— Je vous le dis.

— En tout cas, je peux te dire qu'il aurait fait une ben meilleure campagne que Barrette avec sa boîte à lunch et sa maudite phrase : « Vers de nouveaux sommets. » Veux-tu ben m'expliquer ce que ça veut dire, ça ? À moi, ça me dit rien.

— Je commence à croire que Lesage a ses chances, affirma Jean. Son slogan, « C'est le temps que ça change ! », a l'air de plaire au monde.

— Il passera jamais, décréta le facteur retraité d'une voix assurée.

— C'est pas l'opinion des journalistes qui travaillent à Radio-Canada, p'pa, le contredit son fils. Eux autres, ils ont l'air de croire que ce qu'on appelle « l'équipe du tonnerre » des libéraux a des bonnes chances d'être élue le 22 juin. Vendredi, j'ai encore entendu Wilfrid Lemoyne dire que Lesage avait été pas mal brillant d'aller chercher des hommes comme René Lévesque, Éric Kierans, Gérard Cournoyer et Paul Gérin-Lajoie, pour ne nommer que ceux-là.

— Tous ces gars-là sont des grandes gueules qui ont pas d'expérience pantoute. Ils arrivent pas à la cheville d'un Bona Arsenault ou d'un Johnny Bourque, par exemple, répliqua son père. Attends le soir des élections, c'est là que tu vas t'apercevoir que la machine de l'Union nationale, c'est quelque chose de fort pour faire sortir le vote. Tous les petits Jos Connaissant avec leurs prédictions vont pouvoir aller se cacher.

— Je le sais pas trop, p'pa. Quand Lesage parle de Révolution « tranquille », les gens ont l'air de l'approuver et de trouver que c'est une bonne idée. J'ai l'impression que le monde est fatigué du parti de Duplessis, qu'ils veulent du changement.

— Ils font mieux de faire attention s'ils élisent les Rouges, répliqua Félicien, toujours aussi conservateur. Il y a peut-être des communistes dans cette gang-là.

À ce moment-là, Félicien tourna la tête vers sa femme et se rendit compte qu'elle somnolait dans sa chaise berçante.

— Pourquoi tu vas pas t'étendre une heure dans la chambre ? lui suggéra-t-il. Tu serais ben mieux. S'il y a du monde qui arrive, j'irai te réveiller.

Amélie ne résista pas et rentra dans l'appartement. Après son départ, Jean baissa la voix et en profita pour demander à son père si son état empirait.

— Non, on dirait qu'elle est presque correcte, affirma Félicien en ne cachant pas son soulagement. Il y a juste le soir, quand elle est ben fatiguée. On dirait à ce moment-là que ta mère cherche plus ses mots.

Peu après, la Chevrolet rouge et blanc de Claude vint s'immobiliser le long du trottoir, devant la maison.

— Tiens, v'là ton frère et sa femme, annonça Félicien qui avait repéré le véhicule de son fils cadet.

Jean regarda en bas et vit Claude et Lucie qui se dirigeaient vers l'escalier qu'ils montèrent sans se presser. Il sursauta en apercevant le visage de son frère. Le couvreur arborait une grosse ecchymose sous l'œil gauche et, pire, sa bouche était ramassée comme s'il n'avait pas de dents.

— Ayoye ! s'exclama-t-il. Es-tu entré dans un mur pour être arrangé comme ça ?

— C'est pas drôle pantoute, déclara Claude d'une voix méconnaissable.

Lucie eut un petit rire et s'assit dans la chaise berçante dans laquelle sa belle-mère se reposait quelques minutes plus tôt.

— Prends la chaise pliante qui est derrière la porte, dit Félicien à son fils cadet.

— Qu'est-ce qui t'est arrivé ? demanda Jean, stupéfait par l'apparence du visage de son frère.

— C'est une malchance.

— Quelle malchance ?

— Il y a deux gars qui ont commencé à se chamailler sur le chantier vendredi après-midi. Tous les deux étaient allés dîner à la taverne et ils étaient revenus un peu chaudasses. Un moment donné, la bataille a poigné pour de bon entre les deux.

— Et ?

— Et il a fallu qu'il aille se mettre le nez là où il avait pas affaire, poursuivit Lucie.

— Ben oui, j'ai voulu séparer les deux gars. Ils étaient en train de s'entretuer et personne faisait rien pour les arrêter. C'est comme ça que j'ai reçu un coup de poing en pleine poire, conclut-il en chuintant.

— Et ça va lui coûter un beau dentier neuf, poursuivit Lucie.

— Mais dis donc, toi, reprit Jean, ça me rappelle la fois où tu t'étais interposé entre deux filles qui se battaient sur la rue quand t'allais à l'école.

— Oui.

— Je pensais que t'avais appris à pas te mettre dans le trouble entre deux personnes qui se battent.

— Il faut croire que j'avais oublié, dit Claude en piquant un fard.

— En tout cas, d'après ce que je peux voir, tu t'es aperçu qu'un homme, ça cogne pas mal plus fort qu'une fille, fit Jean, sarcastique.

— T'es ben comique, mon frère.

— Sais-tu, Claude, dit Lucie, pince-sans-rire, plus je te regarde, plus je trouve que tu ressembles à ta grand-mère Bélanger. Qu'est-ce que vous en pensez, beau-père ? fit la petite femme blonde en lui adressant un clin d'œil de connivence.

— C'est pourtant vrai, jériboire ! Arrangé comme ça, on dirait que tu veux te mordre le nez.

— Je te dis qu'on peut toujours compter sur sa femme pour se faire remonter le moral, déclara Claude en feignant d'être fâché.

— Tu dois trouver ça ennuyant de manger juste du mou, compatit Jean.

— Mercredi prochain, ça va être réglé, dit le couvreur, philosophe. Mon nouveau dentier va être prêt et je vais pouvoir manger comme du monde.

Il tourna la tête vers la porte d'entrée de l'appartement qui venait de s'ouvrir sur sa mère.

— Il me semblait bien aussi avoir reconnu ta voix, dit-elle à Lucie qui venait de se lever précipitamment pour lui laisser sa chaise berçante.

— Non, garde-la, lui dit-elle. Il y a une autre chaise pliante derrière la porte.

Lucie refusa et alla chercher la chaise qu'elle installa près de celle occupée par son mari.

— À cette heure qu'on a fini de rire de moi, dit ce dernier, je pourrai peut-être vous annoncer la nouvelle.

— Quelle nouvelle ? lui demanda son père.

— On arrive de Saint-Léonard, poursuivit le jeune couvreur. C'est pas mal moins la campagne que je le pensais.

— Ah bon, fit Félicien, peu intéressé.

À son avis, tout ce qui se trouvait au nord du boulevard Rosemont était la campagne, ou presque.

— On a monté Pie IX jusqu'à Jarry et on a tourné vers l'est. C'est sûr qu'il y a encore une couple de fermes sur cette rue-là, mais proche de l'église, ils ont construit des bungalows qui ont ben du bon sens, déclara Claude, très sérieux. Après avoir cherché un peu, on a fini par trouver la rue où mon chum Champagne reste. C'est pas mal mêlant. Il y a toutes sortes de petites rues qu'ils viennent d'ouvrir dans ce coin-là. Champagne nous a dit que la Coopérative d'habitation de Montréal construit juste des bungalows dans les nouvelles rues.

— C'est pas mal spécial un coin avec toutes des petites maisons neuves et un beau terrain où les enfants peuvent jouer, fit Lucie, enthousiaste.

— Puis? demanda Jean, un peu impatient.

— Puis, mon chum et sa femme nous ont fait visiter leur maison, qu'on a ben aimée. Quand ils nous ont dit que leur voisin était mort il y a un mois et que sa veuve cherchait à vendre, on a décidé d'aller jeter un coup d'œil.

— C'est une maison semblable à celle de son ami, tint à préciser Lucie.

— On a trouvé que ça avait pas mal de bon sens, poursuivit son mari. C'est un bungalow qui est presque neuf. Il a été bâti il y a seulement deux ans et ils l'ont ben entretenu.

— Claude a fait une offre à la voisine, dit la petite femme blonde, le visage rayonnant de joie. Elle l'a acceptée.

— J'ai signé une promesse d'achat, conclut fièrement le fils cadet des Bélanger. On va aller régler ça chez le notaire cette semaine.

— On va être chez nous dans un mois, dit Lucie. On déménage à Saint-Léonard à la fin de juillet.

— Vous déménagez là? demanda Amélie, apparemment bouleversée par la nouvelle. Vous partez? Mais vous allez être au bout du monde, ajouta-t-elle.

— Bien non, m'man, Saint-Léonard, c'est pas loin pantoute. D'après mon ami, ils parlent de prolonger le boulevard Métropolitain. La Ville de Montréal a même promis que ses autobus allaient transporter les gens qui restent là.

— J'en reviens pas, laissa tomber Félicien. Il me semble que tu t'es décidé pas mal vite, mon garçon. Quand on achète une maison, c'est du sérieux. As-tu pensé à ce qui va arriver si t'aimes pas ce coin-là?

— Je vendrais la maison, p'pa.

— C'est toute une dette que tu te mets sur le dos, ajouta Jean, un peu envieux de voir son cadet posséder une maison alors qu'il n'était lui-même que locataire.

— La maison va me coûter un peu plus que dix mille piastres, expliqua Claude. Avec le prix des loyers qui arrêtent pas d'augmenter, ça revient pratiquement au même montant chaque mois et on va être chez nous et dans ben plus grand. Penses-y ben et tu vas voir que j'ai raison.

— En attendant, est-ce que tu viens pas de signer ton bail, toi ? lui demanda Jean.

— Ça me surprendrait que ça me cause des problèmes, répondit son frère cadet, désinvolte. La fille du propriétaire est censée se marier l'automne prochain et son père a hésité avant de nous louer l'appartement parce qu'elle était intéressée à s'installer chez nous. Si j'ai ben compris, il a pas osé nous mettre dehors parce qu'on a toujours été des bons locataires et parce que sa fille était pas encore tout à fait décidée. Au fond, je pense qu'il va être content de nous voir partir.

— Tant mieux pour toi, fit l'employé de Radio-Canada.

— Je te le dis, Jean, si j'ai les moyens d'acheter une maison comme ça, toi aussi, t'en as les moyens. Et tu te sentirais peut-être plus tranquille en pensant que tes enfants vivent dans un quartier neuf.

— Whow, Claude Bélanger ! intervint son père. Arrange-toi pas pour que tout le monde te suive à la campagne et que nous autres, on se retrouve tout seuls.

Cette remarque de son père n'empêcha nullement son fils cadet de parler longuement de sa future maison et des modifications qu'il entendait lui apporter dès qu'il s'y serait installé avec sa femme.

— Si jamais tu veux aller voir de quoi ça a l'air, finit par dire Claude à son frère aîné, c'est l'avant-dernière maison de la rue Girardin. Tu vas voir. Elle est en brique rouge et en pierre et elle est en forme de L.

Jean rentra chez lui à la fin de l'après-midi, l'air songeur. À son retour, Reine était déjà en train de préparer le souper avec l'aide de Catherine, et ses fils s'amusaient à se lancer une balle dans la ruelle avec des amis.

— Est-ce que ça fait longtemps que t'es revenue du parc? demanda-t-il à sa femme en s'allumant une cigarette.

— Au moins une heure. On a eu de la misère à trouver un banc libre et il y avait tellement de monde que ça fatiguait ma mère.

— C'est dommage que tu sois pas venue me rejoindre chez mon père, poursuivit-il. T'aurais appris une grande nouvelle.

— Quelle nouvelle? fit-elle en levant le nez du poulet qu'elle était occupée à désosser.

— Claude et Lucie ont décidé de s'acheter une maison.

— T'es pas sérieux! s'écria-t-elle en cessant son travail.

— C'est pas une farce. Ils ont l'air de s'être entendus avec une veuve pour lui acheter son bungalow presque neuf.

— Où ça?

— Dans le nord de la ville, à Saint-Léonard-de-Port-Maurice.

— Il t'a dit combien il était pour le payer, son bungalow?

— Un peu plus que dix mille.

— Ton frère a jamais assez d'argent pour se payer une maison, reprit-elle d'une voix cassante. Il veut jouer au riche avec sainte Lucie et tout ce qui va lui arriver, c'est qu'il va perdre sa chemise.

— J'en ai pas l'impression, la contredit son mari. Si j'ai ben compris ce qu'il m'a expliqué, ça va lui coûter chaque mois presque le même prix que son loyer.

— C'est ce qu'il dit, laissa-t-elle tomber, méprisante.

— J'ai pensé qu'on pourrait aller voir la maison qu'il a achetée après le souper en faisant un tour avec les enfants pour prendre l'air. Qu'est-ce que t'en dis ?

Reine hésita un bref moment avant d'accepter et elle le fit à condition de revenir assez tôt pour que les enfants se couchent à la même heure que d'habitude.

Vers six heures trente, les Bélanger s'entassèrent dans la Plymouth familiale et la voiture prit la direction du nord de la ville. Lorsque Jean tourna dans la rue Jarry ombragée par des arbres centenaires, il eut l'impression de se retrouver sur une route de campagne. Même s'il suivit fidèlement les indications de son frère, il lui fallut plusieurs minutes pour trouver la petite rue Girardin, parallèle au boulevard Lacordaire.

— Veux-tu bien me dire dans quel trou ton frère s'est acheté une maison ? demanda Reine, impatientée par tous les détours que son mari avait dû effectuer pour trouver l'endroit.

Jean ne répondit pas, se bornant à chercher à identifier la maison que son frère se proposait d'acheter. Quand il l'eut trouvée, il arrêta la voiture à courte distance pour mieux la détailler.

— C'est celle-là, dit-il en montrant un bungalow du doigt.

— On descend pas, p'pa ? demanda Alain.

— Non, on n'est pas pour se faire remarquer, s'empressa de répondre sa mère. Déjà que le monde a l'air de nous regarder de travers.

Jean se donna tout de même le temps de bien examiner la maison avant de remettre la Plymouth en marche.

— C'est pas mal comme maison, fit-il remarquer à sa femme.

— Il y a bien mieux, répliqua-t-elle, en songeant à la grande demeure que Ben était en train de faire bâtir sur le boulevard Gouin.

— Mais pour élever une famille, c'est pas mal mieux qu'un appartement, reprit-il.

Il y eut un bref silence dans l'habitacle. Jean dut freiner derrière un autobus jaune qui venait de s'immobiliser au coin de la rue pour laisser descendre une demi-douzaine de passagers.

— Sais-tu ce que je suis en train de me dire ? poursuivit le conducteur en jetant un rapide coup d'œil vers sa femme qui fixait le pare-brise d'un air impassible.

— Non.

— Je me dis qu'on n'est pas plus bêtes que mon frère et qu'on est aussi capables que lui de se payer une maison comme ça. Qu'est-ce que tu dirais si on venait jeter un coup d'œil dans le coin pour voir si on en trouverait pas une qu'on pourrait acheter ?

— Ah oui, ce serait le fun ! s'écria Gilles, assis sur la banquette arrière en compagnie de son frère et de sa sœur. Il y a des champs partout. On pourrait aller jouer là quand on voudrait.

— Toi, mêle-toi pas de la conversation des grandes personnes, le rembarra sèchement sa mère.

Reine garda le silence durant quelques secondes avant de dire à son mari sur un ton définitif :

— Il en est pas question, Jean Bélanger ! Tu m'amèneras jamais vivre dans un coin perdu comme ça. En plus, j'ai pas envie de me priver toute ma vie pour arriver à payer une maison. Non, monsieur ! Si c'est dans les goûts de ton frère, grand bien lui fasse, mais moi, je veux rien savoir de ça et…

— Au lieu de monter tout de suite sur tes grands chevaux, qu'est-ce que tu dirais de te servir un peu de ta tête ? l'interrompit Jean en élevant la voix. Je te comprends pas, calvince ! Toi qui passes ton temps à calculer la moindre cenne, tu vois pas que le loyer qu'on paye chaque mois à ta mère, c'est de l'argent perdu. On pourrait mettre cet argent-là sur une maison à nous autres, et ça nous resterait.

— Non ! Un jour, on va hériter d'une partie de la maison de ma mère et on va rentrer dans notre argent. En plus, t'oublies la biscuiterie.

— Et les enfants…

— Quoi, les enfants ? Ils feront comme nous autres, le coupa-t-elle. On a été élevés dans le coin où on reste et on n'en est pas morts. Ils feront la même chose.

Déçu, Jean se tut. À la réflexion, il pouvait difficilement donner tort à sa femme. Ils payaient un loyer très raisonnable et elle travaillait au rez-de-chaussée. Un déménagement dans le nord de la ville leur aurait singulièrement compliqué la vie. De plus, il y avait ses parents. Ce n'était peut-être pas le bon temps pour songer à s'en éloigner alors que sa mère n'allait pas très bien.

À leur retour à l'appartement, le jeune père de famille s'était déjà fait une raison. S'il devenait propriétaire un jour, ce serait probablement de l'immeuble qu'il habitait depuis son mariage. Ce ne serait pas plus mal puisqu'il continuerait à vivre dans un quartier qu'il connaissait parfaitement et qu'il aimait.

Pour sa part, Reine était soulagée d'avoir convaincu son mari de renoncer à son idée. Qui sait où elle serait dans quelques semaines… En tout cas, une chose était certaine, elle ne serait pas en train de préparer un emménagement dans une petite maison quelconque de Saint-Léonard-de-Port-Maurice.

Chapitre 22

Le début de l'été

Le mois de juin tenait ses promesses. À quelques jours de la Saint-Jean-Baptiste, il n'y avait eu que deux petites journées de pluie. La température était vraiment agréable et l'air charriait peu d'humidité. Maintenant, le soleil se couchait après neuf heures et les ruelles du quartier se remplissaient de cris d'enfants excités dès la fin de l'après-midi.

— Ça sent le lilas à plein nez, se plaignit Reine en fronçant le nez au moment où elle venait s'asseoir sur la galerie arrière.

— C'est comme ça chaque année, lui fit remarquer son mari. Ce sont les lilas de madame Gauthier. Elle en a plein sa cour.

— Et les enfants qui crient.

— On n'a pas fini de les entendre crier, rétorqua-t-il. Ils commencent leurs vacances et ils sont énervés comme des poux.

Comme les élections provinciales allaient se tenir le lendemain, les autorités avaient décidé de mettre fin à l'année scolaire le 21 juin plutôt que le 23. Les écoliers, excités par la nouvelle, étaient rentrés à la maison à l'heure du dîner, porteurs de leur dernier bulletin et des prix qu'ils avaient reçus.

— À ce que je peux voir, vous risquez pas de vous arracher les bras en transportant vos prix, avait dit Reine d'une voix acide en les accueillant à leur retour de l'école, ce midi-là.

— J'en ai eu trois, m'man, lui avait fait remarquer sa fille, toute fière d'avoir remporté le premier prix en français, en mathématiques et en catéchisme.

— Et naturellement, t'as encore pris juste des livres, lui avait reproché sa mère.

— On n'avait pas le choix, m'man. Il y avait juste ça.

— Et moi, j'ai eu un prix pour ne pas avoir manqué une journée de l'année, avait ajouté Gilles en montrant un *Tintin* à sa mère.

— Moi, j'ai rien eu, annonça Alain en arborant un air piteux.

— Si t'avais travaillé plus à l'école, t'aurais reçu quelque chose, répliqua sèchement sa mère.

Reine s'était rapidement désintéressée des prix décrochés par ses enfants pour se pencher sur leurs résultats scolaires. Après avoir consulté le relevé de notes de chacun, elle s'était déclarée satisfaite. Catherine montait en septième année avec d'excellentes notes, et ses frères, malgré des résultats un peu faibles, étaient promus respectivement en troisième et en cinquième année.

— L'été va être long, laissa-t-elle échapper ce soir-là en s'adressant à son mari. Avec les enfants sur les bras du matin au soir, je vais courir comme une folle.

Jean ne trouva rien à dire.

— J'ai pensé à quelque chose, reprit-elle, un instant plus tard. Qu'est-ce que tu dirais si on envoyait les garçons dans un camp de vacances ?

— Tout l'été ?

— Bien non, ça reviendrait bien trop cher ! protesta-t-elle. Un mois. Il me semble que ça leur ferait du bien de

respirer un peu l'air de la campagne. En plus, on saurait
où ils se trouvent durant la journée. Moi, les voir traîner à
cœur de jour dans les ruelles avec leurs chums, ça finit par
m'inquiéter.

— Et combien ça coûte une affaire comme ça ?

— La semaine passée, une cliente m'a parlé d'un camp
pour les jeunes à Val-Morin, expliqua-t-elle. Elle m'a même
donné le numéro de téléphone. Elle envoie là son garçon
tous les étés depuis trois ans. C'est pas donné, mais c'est pas
mal moins cher que je le pensais. Il paraît qu'il reste encore
de la place. En plus, on n'a même pas à aller les conduire et
à aller les chercher. Il y a un autobus qui vient les prendre
au centre Immaculée-Conception.

— Pas mal moins cher, ça veut dire combien ? lui
demanda son mari, méfiant.

— Quinze piastres par semaine par enfant. Soixante
piastres pour le camp d'un mois.

— Whow ! C'est de l'argent en calvince, s'insurgea-t-il.
Si tu multiplies ça par deux, c'est trop cher.

— Attends ! Laisse-moi finir, reprit-elle. J'en ai parlé à ma
mère. Elle en paierait la moitié, si on se décidait à les envoyer
au camp. Elle m'a dit que ce serait leur cadeau de fête.

Jean fut un peu surpris. Il s'agissait d'une première
puisque sa belle-mère n'avait jamais offert de cadeaux aux
enfants, sauf à Catherine, sa filleule.

— Et Catherine ? reprit-il.

— Elle, elle m'inquiète pas. Elle a des amies tranquilles.
En plus, elle m'aide dans la maison.

— C'est correct, accepta-t-il après un instant de
réflexion. Inscris-les demain et on préparera leurs affaires.
Comme tu dis, ça va leur faire du bien.

— Je vais me renseigner demain. Je crois que le camp
ne commence pas avant le 1er juillet, lui précisa-t-elle en

dissimulant sa satisfaction d'être arrivée à ses fins sans avoir dû déployer plus d'effort pour le convaincre.

Jean perçut tout de même le soulagement de sa femme. Tant mieux. Depuis quelque temps, elle lui paraissait particulièrement nerveuse et agressive. Il savait que le début des vacances des enfants n'allait rien arranger, bien au contraire. Par ailleurs, il reconnaissait que cela allait faire du bien à Gilles et à Alain d'échapper au contrôle tatillon de leur mère durant quelques semaines.

Le silence était tombé entre les deux époux. Il n'y avait que Catherine dans l'appartement. L'adolescente était assise devant le téléviseur dans le salon. Jean avait entrepris la lecture d'un article de *La Presse* dans lequel le journaliste analysait les chances de chacun des partis politiques de remporter le scrutin du lendemain.

À ses côtés, Reine se contentait de regarder apparemment sans les voir les voisins installés sur leur galerie, de l'autre côté de la ruelle. La jeune femme était inquiète, très inquiète. Presque un mois s'était écoulé depuis que Ben l'avait emmenée voir le site où il faisait construire «leur future maison», comme il le disait, mais depuis, elle l'avait à peine vu. Leurs rencontres s'étaient bornées à deux courts arrêts de l'homme d'affaires au magasin. À l'entendre, il était toujours pressé par le temps et devait rencontrer un client ou aller à Toronto ou à Kingston.

— S'il est toujours comme une queue de veau, se disait-elle, la vie avec lui va être pas mal plus ennuyante que je le pensais. C'est bien beau la maison et les voyages, mais j'ai pas le goût pantoute de passer ma vie à l'attendre comme une belle niaiseuse.

Son intuition lui disait qu'il se passait quelque chose de grave. Était-il possible que son amoureux soit en train de se détacher d'elle? Qu'il ne veuille plus vivre avec elle dans sa belle maison ? Si elle pouvait le voir et lui parler en dehors de la présence de Claire, elle pourrait au moins savoir sur quel pied danser… Mais il était comme un courant d'air. Jamais à la même place plus que quelques minutes. Un fait était certain, il ne semblait plus chercher absolument à la caresser, à l'embrasser ou même à l'attirer dans une chambre d'hôtel… Il se conduisait tout à coup comme un mari qui est certain d'obtenir ce qu'il désire quand il le veut. La promesse de se laisser désirer qu'elle s'était faite après leur dernier tête-à-tête ne lui avait coûté aucun effort puisque Ben avait été d'une sagesse un peu trop exemplaire.

Quand elle y pensait, cela lui mettait les nerfs à fleur de peau et la rendait agressive. Elle attendait sa prochaine visite avec une telle impatience qu'elle en aurait hurlé. Elle ne se l'avouait pas ouvertement, mais sa décision n'était pas véritablement prise. Certains jours, elle se levait en se disant qu'elle allait tout quitter pour le suivre, mais avant elle voulait l'entendre lui répéter qu'il l'aimait et qu'il désirait par-dessus tout qu'elle vienne vivre avec lui. D'autres jours, elle se jurait de l'envoyer promener avec pertes et fracas dès qu'il aurait le culot de se présenter au magasin.

Le soleil commençait à baisser et elle tourna la tête pour voir l'heure affichée à l'horloge de la cuisine. Huit heures dix. Elle allait dire à son mari que leurs fils commençaient bien mal leur été en rentrant en retard lorsque la porte de la clôture s'ouvrit brutalement et qu'une galopade se fit entendre dans l'escalier. Elle les entendit souhaiter bonsoir à leur grand-mère assise sur la galerie de l'étage au-dessous avant d'apercevoir Gilles et Alain, essoufflés, poser le pied sur la dernière marche.

— Allez vous laver le visage, leur ordonna-t-elle, et revenez nous voir. Votre père et moi, on a à vous parler.

— Mais on n'est pas en retard, m'man, plaida Gilles. Il est pas encore huit heures et quart.

— Personne a dit ça aussi. Faites ce que je viens de vous dire.

Les deux garçons disparurent à l'intérieur et, moins de deux minutes plus tard, revinrent sur la galerie.

— Votre père a une bonne nouvelle pour vous autres, leur annonça Reine en faisant signe à son mari de cesser la lecture de son journal.

— Qu'est-ce que c'est, p'pa ? lui demanda Alain, les yeux pleins d'une joyeuse attente.

— Qu'est-ce que vous diriez si votre mère et moi, on vous payait un beau camp d'été dans le Nord ? leur demanda Jean.

Les deux gamins se regardèrent, interloqués. En réalité, cette éventualité les prenait de court et ne semblait pas du tout les emballer.

— Mais p'pa, ça va être ennuyant, cette place-là, dit Gilles. Tous nos chums restent ici. On vient même de faire des équipes pour jouer au baseball tous les jours.

— C'est vrai, p'pa, intervint Alain. On connaîtra pas personne là-bas.

— Voyons donc, fit leur père en s'efforçant de mettre une joyeuse animation dans sa voix. D'abord, vous partez pas pour tout l'été. C'est juste pour le mois de juillet. Ensuite, vous allez avoir la chance de vous faire de nouveaux amis, de vous baigner tous les jours, de faire du canot, des excursions dans le bois. Moi, à votre âge, je rêvais de pouvoir aller dans un camp comme ça, mais votre grand-père avait pas assez d'argent pour me payer ça.

— Tout un mois ! s'exclama Gilles, l'air catastrophé.

Catherine apparut derrière la porte moustiquaire, mais l'adolescente ne dit rien.

— Et Catherine, elle ? Est-ce qu'elle va aussi dans un camp ? demanda Alain.

— Elle est trop vieille pour ça, mentit son père. Pendant que vous allez vous amuser, votre sœur va être obligée d'aider votre mère.

— J'aimerais mieux travailler et rester, dit Gilles, l'air buté.

— Moi, je vous trouve pas mal ingrats, intervint leur mère pour la première fois. La moitié de l'argent que ça va nous coûter, c'est un beau cadeau que votre grand-mère Talbot vous fait.

— On lui a rien demandé à elle, osa dire Gilles à mi-voix.

— Toi, fais bien attention à ce que tu dis, le mit en garde sa mère, sévère. Votre père vient de vous expliquer que vous allez dans un camp de vacances au mois de juillet, un point c'est tout ! Vous allez pouvoir jouer avec vos amis encore une semaine avant de partir et il vous restera tout le mois d'août pour faire encore la même chose. À cette heure, vous allez descendre en bas remercier votre grand-mère avant d'aller vous coucher.

— Si ça peut vous faire plaisir, dites-vous que vous allez avoir la permission de vous coucher pas mal plus tard au camp, fit leur père dans une dernière tentative de les séduire. Si je me trompe pas, on fait souvent des feux de camp le soir et on fait griller des guimauves.

Jean vit ses deux fils descendre l'escalier en affichant des airs de condamnés et son cœur se serra. Il comprenait un peu leur déception et se promit de leur dorer la pilule le plus possible avant leur départ.

Ce soir-là, au moment de se mettre au lit, Reine lui dit qu'elle allait se charger de régler tous les détails du camp de vacances dès le lendemain avant-midi.

— Il paraît qu'ils remettent une liste de tout ce que les enfants doivent apporter. Je vais m'en occuper.

Le lendemain, pour la première fois depuis bien long-temps, les parents purent prendre leur déjeuner sans les enfants. L'école était terminée et ils allaient maintenant se lever un peu plus tard que durant l'année scolaire.

Au moment de partir, Jean rappela à sa femme qu'il n'allait rentrer qu'en fin de soirée.

— C'est pas pour travailler, lui expliqua-t-il, mais il paraît que c'est une tradition au service des nouvelles. Les soirs d'élections, tous les gars restent jusqu'à ce qu'on sache qui a gagné.

— Ça change quoi ? fit-elle, indifférente.

— Rien, mais j'ai pas l'intention de me faire remarquer en partant avant les autres.

Ce jour-là, Reine téléphona et inscrivit ses deux fils à la colonie de vacances, qui débutait finalement le 30 juin. Catherine alla chercher les listes au centre Immaculée-Conception.

Pendant ce temps, Jean vivait une journée d'intense activité au travail. Dès l'ouverture des bureaux de vote dans la province, le département commença à recevoir des centaines de nouvelles concernant des incidents causés souvent par des fiers-à-bras probablement engagés par des candidats. À plusieurs endroits, on faisait état d'irrégularités flagrantes.

À midi, Jean descendit manger à la cafétéria de Radio-Canada. Il eut l'agréable surprise d'y rencontrer Blanche Comtois qu'il n'avait pas revue depuis plus de deux mois. Durant un court moment, il l'examina tout à loisir. Il la trouvait plus belle encore que dans son souvenir. Après avoir déposé une salade et un café sur son plateau, il se dirigea vers la jeune femme occupée à lire un document devant une tasse de thé. Tout indiquait qu'elle ne l'avait pas vu.

— Est-ce que tu attends quelqu'un ? lui demanda-t-il avec un sourire, planté debout devant elle.

— Oui, toi, répondit-elle en lui montrant la chaise libre placée en face d'elle.

— T'es certaine que je te dérange pas ? insista-t-il.

— Pas du tout, le rassura-t-elle en déposant son document dans son sac à main.

— Ça fait une éternité que je t'ai pas vue, ne put-il s'empêcher de lui dire sur un ton de reproche.

— J'ai passé huit semaines à Vancouver, lui expliqua-t-elle. J'ai été prêtée à la CBC. Ça fait à peine quatre jours que je suis revenue.

— Tu as dû t'ennuyer de tes parents.

— Pas juste d'eux, rétorqua-t-elle en lui adressant un sourire des plus charmants. Mais tu aurais dû voir mon pauvre père. Il était dans tous ses états quand je suis partie. Son bébé s'en allait vivre chez les méchants Anglais à l'autre bout du pays. Juste ses recommandations auraient suffi à remplir un livre.

— Les parents sont souvent comme ça. Ils voient pas vieillir leurs enfants.

— Les tiens sont comme ça aussi ? s'étonna-t-elle.

— Non, les miens m'ont jamais considéré comme un trésor qu'il fallait absolument protéger, dit-il en éclatant de rire.

— Merci pour le trésor, fit-elle avec humour. Je prends peut-être de la valeur en vieillissant.

— C'est vrai que t'es rendue pas mal vieille, plaisanta-t-il. Mais est-ce que la vieille femme d'au moins trente et un ans pense être capable de marcher un peu dehors quand j'aurai fini de dîner ?

— Pourquoi pas ? fit-elle avec entrain.

— La journée va être longue. Avec les élections, ça me surprendrait que je puisse partir avant dix heures, ce soir.

À leur sortie de l'ancien hôtel Ford, ils marchèrent lentement sur le boulevard Dorchester en échangeant des nouvelles. Jean insista pour que sa compagne lui raconte son expérience dans l'Ouest du pays, ce qu'elle fit avec humour et une bonne humeur communicative. Jean profitait pleinement de ce moment, qu'il était heureux de partager avec Blanche. La discussion était si facile avec elle. Elle avait une opinion sur tous les sujets, contrairement à Reine qui ne participait que rarement à des discussions politiques avec lui. De toute façon, elle, elle n'aimait parler que d'argent, et encore, pas quand il était question de le dépenser. Soudain, Blanche jeta un coup d'œil à sa montre.

— Mon Dieu! s'écria-t-elle, je vais finir par être en retard à mon rendez-vous. Il est presque une heure et demie.

Tous les deux hâtèrent le pas pour retourner dans l'édifice. Jean regrettait que leur tête-à-tête soit déjà terminé. Ils se quittèrent devant l'ascenseur avec la promesse de se revoir bientôt. Tout en retournant à son poste, il ne pouvait s'empêcher de penser à quel point ce serait agréable de vivre aux côtés d'une femme comme Blanche. Il enviait celui qui aurait la chance de l'épouser, regrettant du même coup de ne pas être celui-là.

À la fin de leur journée de travail, les employés du service des nouvelles s'empressèrent de manger quelque chose sur le pouce avant de se rassembler dans le studio où Henri Bergeron et son équipe allaient animer la soirée des élections.

Avant l'entrée en ondes du célèbre animateur, Jean entendit ce dernier aborder certaines thèses avec ceux qui allaient jouer le rôle de spécialistes devant les caméras durant la soirée. Il était moins question de l'autonomie de la province, que les deux partis avaient prônée durant la campagne, que de l'assainissement des mœurs électorales, un des thèmes favoris du Parti libéral. Bergeron parla aussi avec André Laurendeau du tout nouveau rôle joué par la télévision dans la campagne électorale qui venait de prendre fin.

Lorsque les caméras s'allumèrent à huit heures pour dévoiler progressivement les résultats de l'élection, la fébrilité était à son comble et beaucoup pariaient sur les chances d'Antonio Barrette d'être réélu.

— C'est pas Maurice Duplessis, dit Lalande en plastronnant, mais il faut pas oublier qu'il avait toute une machine électorale derrière lui. Les cultivateurs auront pas oublié tout le bien que l'Union nationale leur a fait.

À la plus grande satisfaction de Jean, les comptes rendus en début de soirée firent mentir celui qu'il ne parvenait pas à souffrir. Peu à peu, les résultats entraient au fur et à mesure du dépouillement des urnes. Les premiers coups de tonnerre de la soirée furent les défaites cuisantes des Johnny Bourque, Antoine Rivard et Bona Arsenault, reconnus comme des piliers de l'Union nationale. On aurait juré qu'une digue venait de rompre. En moins d'une heure, les candidats libéraux se mirent à prendre les devants dans des comtés réputés être des chasses gardées du gouvernement de l'Union nationale.

— Allons-nous assister à une victoire convaincante du Parti libéral de Jean Lesage ? finit par demander Henri Bergeron à l'un de ses invités.

— On le dirait bien, répondit un journaliste, un vieux routier de la politique provinciale. De plus, il est important de remarquer que les Québécois ne semblent pas avoir opté pour la demi-mesure puisqu'on a élu des Éric Kierans, des Paul Gérin-Lajoie et des René Lévesque que Jean Lesage est allé chercher pour leurs idées assez révolutionnaires.

Reste à savoir comment il va parvenir à contenter tout ce monde si jamais il prend le pouvoir ce soir.

À la fin de la soirée, il ne faisait pourtant plus aucun doute que le prochain gouvernement de la province serait libéral puisque les libéraux avaient fait élire cinquante et un candidats contre quarante-trois pour leurs adversaires. Un peu après onze heures, Antonio Barrette vint concéder la victoire devant les caméras de Radio-Canada.

Pour sa part, Jean Lesage prit la parole quelques minutes plus tard devant une salle de la ville de Québec remplie de partisans fous de joie. Triomphant, le nouveau premier ministre de la province annonça de sa voix légèrement traînante que ce qu'il appelait la Révolution tranquille était dorénavant en marche et que le Québec venait de choisir la voie du changement, la voie de la modernité.

Jean rentra chez lui un peu après minuit en se demandant comment son père avait accueilli la défaite de son parti favori. Il était certain qu'il la mettrait sur le dos de Barrette qu'il n'avait jamais beaucoup apprécié.

❧

Les jours suivants, le service des nouvelles de Radio-Canada connut une période d'intense activité. Chaque jour apportait son lot de rumeurs sur l'identité des futurs membres du conseil des ministres de Jean Lesage. Par ailleurs, des bruits de plus en plus persistants faisaient état de la grogne à l'encontre d'Antonio Barrette dans les hautes sphères de l'Union nationale. Par conséquent, Jean ne vit pas le temps passer durant la dernière semaine de juin.

Un jeudi soir, à son retour du travail, il découvrit avec surprise le couloir de l'appartement encombré par deux valises.

— Pourquoi est-ce que ces valises-là sont dans nos jambes ? demanda-t-il à sa femme, occupée à retirer un pâté au poulet du fourneau de la cuisinière électrique.

— Au cas où tu l'aurais oublié, c'est demain matin que les enfants partent, répondit-elle sèchement.

Il ne dit rien et vint regarder dans la ruelle par la porte moustiquaire.

— Est-ce qu'ils ont tout ce qui leur faut ?

— J'ai mis dans leurs valises tout ce qui était indiqué sur la liste.

Le père de famille dut reconnaître, encore une fois, que Reine avait fait preuve de son efficacité habituelle. Quand il y avait une tâche à accomplir, elle n'était pas du genre à se plaindre inutilement ou à traîner les pieds. Elle l'effectuait sans tarder. À aucun moment depuis qu'ils avaient décidé d'envoyer leurs fils à la colonie de vacances, elle n'avait fait appel à ses services.

— Je reconnais une valise. C'est la nôtre, dit-il. Mais d'où vient l'autre ?

— Ma mère me l'a prêtée, se contenta de dire sa femme.

— Je me souviens plus à quelle heure ils partent demain matin, ajouta-t-il.

— À huit heures.

— C'est parfait, je vais aller les conduire au centre Immaculée-Conception avant d'aller travailler. Ce sera pas grave si j'arrive un peu en retard à l'ouvrage.

Après le souper, Jean incita Alain et Gilles à aller saluer leurs grands-parents Bélanger pendant que leur mère était occupée au magasin.

— Vous pouvez même aller dire bonsoir à votre oncle Claude si ça vous tente, ajouta-t-il. Quand vous allez revenir du camp, lui et votre tante Lucie resteront plus sur la rue De La Roche.

Tous les deux s'empressèrent d'aller rendre visite à leurs grands-parents ainsi qu'à leur oncle et leur tante, et ne revinrent qu'un peu avant neuf heures. Pour sa part, Jean était satisfait. Ses fils s'étaient rapidement faits à l'idée d'aller passer un mois loin de leurs parents. Dès le lendemain du jour où ils avaient appris la nouvelle, ils n'avaient plus formulé aucune autre récrimination.

— Vous allez prendre un bain avant de vous coucher, leur ordonna leur mère lorsqu'ils rentrèrent. Il est pas question que vous arriviez là-bas sales comme des cochons, sans parler que je ne sais pas quand vous en prendrez un autre là-bas si je ne suis pas à côté pour vous le rappeler.

Gilles et Alain obéirent en protestant mollement qu'ils n'étaient pas si sales que ça.

Le lendemain matin, un petit jour gris accueillit la famille Bélanger quand elle prit place autour de la table pour déjeuner. Exceptionnellement, Reine avait fait cuire des œufs et du bacon.

Durant tout le repas, les parents firent de nombreuses recommandations à leurs fils et leur prêchèrent la prudence et l'obéissance. Quand vint le moment du départ, Reine et Catherine accompagnèrent les garçons jusqu'à la Plymouth. Jean déposa les valises dans le coffre du véhicule. Il y eut des embrassades rapides avant que les deux jeunes prennent place tous les deux sur la banquette avant, aux côtés de leur père qui mit la voiture en marche. Quand ils tournèrent la tête, ils virent leur mère et leur sœur les saluer de la main.

Quelques minutes plus tard, Jean immobilisa la Plymouth derrière un autobus stationné devant le centre Immaculée-Conception. Le chauffeur était occupé à placer des paquets et des valises dans la soute à bagages. Un peu plus loin sur le trottoir, deux responsables étaient cernés par un groupe de parents accompagnés de leurs enfants. Jean laissa les deux valises près du chauffeur et se joignit aux parents. Il lui fallut attendre un bon moment avant que l'un des responsables coche le nom de ses deux fils sur une liste et les invite à monter à bord. Leur père les accompagna jusqu'à la porte de l'autobus d'où émanaient des cris excités.

— Passez des belles vacances et soyez polis avec les moniteurs, leur recommanda-t-il. Si vous avez le temps, essayez de vous laver un peu et de nous écrire un mot de temps en temps. Ça va faire plaisir à votre mère.

Il demeura debout aux côtés de plusieurs parents jusqu'au départ de l'autobus, quelques minutes après huit heures. On entendit des cris assourdissants et des rires en provenance de l'autobus jusqu'à ce qu'il tourne au coin de la rue.

— Il y a un chauffeur d'autobus qui va se coucher à soir avec tout un mal de tête, dit une mère de famille à sa voisine.

Jean ne put s'empêcher de sourire en entendant cette remarque.

Chapitre 23

Des rebondissements

Si Jean avait cru que le départ de ses deux fils pour le camp de vacances allait soulager Reine et la rendre plus agréable, il déchanta rapidement. À la fin de la première semaine de juillet, son humeur n'avait en rien changé. Elle explosait pour un oui ou pour un non et la moindre contrariété la faisait sortir de ses gonds ou plonger dans de longues bouderies. La situation devint telle qu'il perdit lui-même patience le vendredi soir.

Ce soir-là, elle rentra à la maison un peu après neuf heures. Comme tous les vendredis soirs, elle était fatiguée parce qu'elle était au magasin depuis le début de la semaine, plus encore cette semaine, car elle était seule. Elle avait donné sa semaine de vacances annuelles à Claire. Elle déposa sur la table les factures et les rouleaux de la caisse enregistreuse avant de s'armer de son cahier de comptes et d'un crayon, bien décidée à faire le bilan hebdomadaire habituel qu'elle irait ensuite transmettre à sa mère avant d'aller se coucher.

Maintenant, cela faisait deux semaines qu'elle n'avait pas de nouvelles de Ben et elle ne pouvait s'empêcher d'imaginer les pires scénarios. Elle passait ses journées à épier les gens qui passaient devant les vitrines de la biscuiterie dans l'espoir de l'apercevoir. Elle avait les nerfs à vif et avait de plus en plus de mal à se concentrer.

Assis sur la galerie arrière, Jean prenait le frais après une journée particulièrement chaude.

— Viens prendre l'air un peu, l'invita-t-il en tournant la tête vers la porte moustiquaire par laquelle il pouvait la voir penchée sur ses papiers.

— J'ai pas le temps, répondit-elle d'une voix impatiente.

Un peu après neuf heures et demie, Reine sursauta légèrement en entendant la porte d'entrée s'ouvrir. Elle s'étonna de voir Catherine s'avancer dans le couloir alors qu'elle la croyait dans sa chambre à coucher.

— D'où est-ce que tu sors, toi? lui demanda-t-elle, l'air mauvais.

— De chez Martine Lemay, m'man.

— Depuis quand t'as la permission de rentrer aussi tard?

— J'ai demandé à p'pa, répondit l'adolescente, immédiatement sur la défensive.

— Moi, je veux pas te voir courailler dehors à cette heure-là, tu m'entends? s'écria-t-elle.

Catherine ne dit rien et s'empressa de prendre la direction de sa chambre alors que son père rentrait.

— Qu'est-ce que t'as à crier comme une perdue? Tout le monde autour t'entend.

— Depuis quand tu donnes la permission à ta fille de rentrer aussi tard?

— Elle était avec la petite Lemay, sur son balcon. Je les voyais d'en arrière.

— C'est pas une raison. Moi, je veux la voir dans la maison pas plus tard que neuf heures.

— Laisse-la donc respirer un peu, lui suggéra-t-il. Elle passe son temps à travailler dans la maison.

— Est-ce que je respire, moi ? demanda Reine d'une voix hystérique. Est-ce qu'il y a quelqu'un qui se demande si j'en ai pas assez, moi ? Non. Moi, je suis une folle juste bonne à travailler du matin au soir…

— Aïe ! Reine Talbot, là, tu vas te calmer les nerfs ! lui ordonna sèchement son mari. Ça va faire ! T'es plus endurable. Si t'as besoin de pilules pour te calmer, on ira t'en acheter. Si c'est le magasin qui t'épuise, ben, t'as juste à le lâcher. Moi, je peux plus t'endurer comme ça ! Calvince ! T'as raison, on dirait que t'es en train de devenir folle !

Reine lui jeta un regard mauvais et allait lui servir une réplique cinglante quand elle réalisa subitement qu'elle n'avait jamais vu son mari aussi exaspéré.

— Laisse-moi tranquille. J'ai pas encore fini, se borna-t-elle à lui répliquer sur un ton beaucoup plus normal en se penchant à nouveau sur ses papiers.

Jean lui tourna alors le dos, n'ajouta aucun commentaire, mais n'en pensait pas moins. Il avait beau être dévoué à sa famille, il n'était pas question d'imposer le caractère déplaisant de sa femme à sa fille. Il y avait bien une limite à tout et comme père de famille il comptait bien rétablir la situation.

Le lendemain matin, Jean se leva très tôt et déjeuna seul au bout de la table de la cuisine. Quand il rentra dans la chambre pour s'habiller, Reine se souleva sur un coude pour lui demander d'une voix endormie :

— Quelle heure il est ?

— Six heures et demie.

— Qu'est-ce que tu fais debout à cette heure-là un samedi matin ?

— Tu t'en rappelles pas ? Je m'en vais passer la journée à peinturer chez Claude, à Saint-Léonard. Je sais pas à quelle heure je vais revenir.

Reine se laissa retomber dans le lit, apparemment bien décidée à dormir encore quelques minutes avant de se préparer à descendre ouvrir le magasin. Un chiffre tournait dans sa tête depuis la veille. Lundi avant-midi, elle irait déposer ses gains de la semaine dans son compte d'épargne qui allait atteindre six mille dollars! SIX MILLE! À cette seule pensée, elle en avait le frisson. Elle en aurait même possédé pas mal plus si elle n'avait pas eu à payer sa part du comptoir réfrigéré.

Jean quitta l'appartement après avoir revêtu les vieux vêtements qu'il portait habituellement pour les gros travaux. Il prit un pinceau et un vieil escabeau dans le hangar avant d'aller rejoindre son frère et sa belle-sœur à leur appartement de la rue De La Roche. Quelques jours auparavant, il avait été entendu qu'il allait voyager avec eux. À son arrivée près de la Chevrolet stationnée devant la maison où habitait le couple, il eut la surprise de voir Marcel Meunier appuyé négligemment contre la portière de sa Ford.

— On dirait que Claude manquera pas d'aide aujourd'hui, dit-il à son beau-frère en s'avançant vers lui.

— On sera pas trop, je pense, fit le plâtrier. Lorraine est en dedans avec Murielle. Ils s'en viennent avec Lucie.

À peine venait-il de parler que la porte de l'appartement de Claude livra passage à Lucie, suivie de Lorraine et de sa jeune nièce.

— Calvince! t'es ben blanche, fit Jean en apercevant sa belle-sœur.

— On dirait que t'as déjà oublié comment était ta femme le matin quand elle attendait un petit, répliqua Lucie avec un pauvre sourire.

— T'es certaine que tu veux venir peinturer? lui demanda-t-il.

— Tu penses tout de même pas que je vais laisser tout le monde travailler chez nous pendant que je vais me reposer tranquillement à la maison les pieds sur le pouf.

La jeune femme, enceinte de sept mois, monta dans la voiture pendant que Claude déposait une boîte de carton remplie de victuailles et l'escabeau de son frère dans le coffre dont il attacha le couvercle avec une corde.

— Où est la peinture ? lui demanda Jean.

— Elle est déjà rendue, lui répondit son frère. J'ai fini de travailler à midi, hier. J'en ai profité pour acheter tout ce qu'il fallait. En plus, je me suis aperçu que la veuve qui nous a vendu la maison était une femme pas mal propre. On n'aura même pas à laver les plafonds et les murs avant de les peinturer. Il y a juste les armoires qu'on va devoir laver. On y va, dit-il, plein d'énergie, en prenant place à bord de sa voiture.

— Va pas trop vite, on va te suivre, lui dit Marcel Meunier en montant à son tour dans son automobile en compagnie de sa femme et de sa fille.

Depuis l'épisode du jour de l'An, Marcel s'était montré beaucoup plus serviable avec ses beaux-frères et semblait plus attentionné envers sa femme. Cela faisait un plaisir certain à Claude et à Jean, heureux de constater que leur intervention à la fois musclée et discrète avait porté fruit. Plus encore, le plâtrier semblait moins porté sur la bouteille, ce qui ne nuisait pas à son couple non plus.

Même s'il était encore très tôt dans la matinée, il faisait déjà chaud quand les deux voitures prirent la direction de Saint-Léonard-de-Port-Maurice. Deux jours auparavant, Annette Ruest, l'ancienne propriétaire du bungalow de la rue Girardin, avait prévenu Claude et sa femme que son déménagement était terminé et qu'ils pouvaient emménager quand ils le voudraient dans leur nouvelle résidence. Le soir même, ils avaient emmené Félicien et Amélie admirer leur maison et pris la décision de faire un grand ménage des lieux avant de s'y installer, à la fin du mois.

En ce samedi matin, on ne perdit pas beaucoup de temps à visiter le bungalow. On ouvrit les fenêtres et on se répartit le travail. On fit en sorte que Lucie se limite à laver les fenêtres et les armoires avec l'aide de sa jeune nièce pendant que tous les autres, armés d'un rouleau ou d'un pinceau, entreprenaient de peindre le salon et les chambres à coucher.

À midi, Lucie ordonna à tous de faire une pause et, avec l'aide de Lorraine, servit les sandwichs préparés le matin même.

— On va arrêter, je crois bien, annonça Claude en finissant de boire sa tasse de café. Il fait pas mal chaud et on a donné un bon avant-midi d'ouvrage.

— Il en est pas question, se récria Jean. Il nous reste seulement la moitié d'une chambre, la salle de bain et la cuisine à peinturer. On va finir la *job*, tant qu'à y être. Qu'est-ce que vous en pensez?

Lorraine et Marcel approuvèrent bruyamment et les nouveaux propriétaires durent accepter cette offre généreuse. Tout le monde se remit donc au travail. Un peu avant cinq heures, tout était terminé.

Fatigués et couverts de sueur, ils s'arrêtèrent pour boire quelques bières ou des verres de boisson gazeuse avant d'entreprendre de laver les pinceaux et les rouleaux. À la surprise de Claude et de Jean, Marcel avait opté pour un soda, alors qu'eux s'étaient rafraîchis avec de la bière.

— On peut se vanter d'avoir fait une barnak de bonne journée d'ouvrage, déclara Claude, satisfait, en regardant sa maison. Il va me rester juste à vernir les planchers un soir, la semaine prochaine.

— On s'en retourne en ville, fit Lucie, dont le visage trahissait la fatigue. Vous venez tous manger à la maison.

Ils refusèrent en chœur son invitation sous divers prétextes. Claude veilla à laisser des fenêtres entrouvertes pour aérer la maison avant d'aller rejoindre son frère et sa femme déjà assis dans sa voiture.

❧

Ce matin-là, Reine alla ouvrir le magasin vers huit heures trente, persuadée que le livreur des Richer l'attendait déjà devant la porte avec les pâtisseries commandées la veille. Avant de descendre, elle demanda à Catherine de remettre un peu d'ordre dans la maison et d'épousseter.

La jeune femme ne s'était pas trompée de beaucoup. La camionnette du livreur s'arrêta devant la biscuiterie au moment même où elle en déverrouillait la porte. L'employé des Richer la suivit à l'intérieur, les bras chargés de deux grandes boîtes. Il lui laissa six gâteaux, six tartes et huit douzaines de pâtisseries tant à la crème pâtissière qu'à la crème Chantilly. Elle le régla et entreprit de répartir cette commande dans et sur le comptoir réfrigéré. Ensuite, elle se rendit compte que le soleil avait fait augmenter passablement la chaleur dans le magasin et elle mit les deux grands ventilateurs en marche pour remuer un peu l'air chaud.

Vers dix heures et demie, elle était occupée à servir sa vingtième cliente quand Benjamin Taylor pénétra dans la biscuiterie. Reine emballa l'achat de la dame, déposa dans la caisse enregistreuse le montant de son achat et lui remit sa monnaie avec son plus charmant sourire. Aussitôt que la dame eut tourné les talons, c'est un visage aux traits figés qu'elle présenta à son visiteur qui s'était tenu à l'écart tout le temps qu'elle avait été occupée.

Elle était contente de le revoir enfin, mais elle ne voulait surtout pas qu'il s'en aperçoive.

— Est-ce que je peux savoir d'où tu sors ? l'interpella-t-elle avec hargne. Ça fait quinze jours que j'ai pas eu de tes nouvelles.

Elle avait l'impression de répéter la même phrase chaque fois qu'il faisait sa réapparition dans son magasin.

Ben lança un coup d'œil vers l'arrière-boutique, comme pour la prévenir de ne pas parler aussi fort en présence de sa vendeuse.

— Inquiète-toi pas, on est tout seuls. Claire est en vacances.

— Je sors de l'hôpital, répondit-il. Et tu serais fine de m'inviter à m'asseoir quelque part. J'ai encore de la misère à me tenir debout sur mes jambes.

Le visage de Reine prit immédiatement un air alarmé.

— T'as été malade ?

— Oui, pas mal à part ça.

Elle n'hésita qu'un bref instant avant de lui faire signe de la suivre dans l'arrière-boutique. Ben contourna l'un des comptoirs et repoussa le rideau en plastique vert qui avait remplacé le rideau de perles défraîchi le mois précédent. Aussitôt, il attira la jeune femme à lui et l'embrassa avec fougue. Elle se débattit un peu. Il la lâcha et s'assit sur l'une des chaises placées près de la petite table.

— À ce que je vois, t'es pas mourant, dit Reine, sur un ton sarcastique.

— Non et je me suis pas mal ennuyé de toi, répondit Ben en lui adressant son sourire le plus enjôleur.

— Est-ce que je peux savoir ce que t'as eu ? lui demanda-t-elle en cachant mal son inquiétude.

— Les docteurs ont pas l'air à trop bien le savoir, fit-il. J'ai perdu connaissance au bureau. Ma secrétaire a fait venir une ambulance. Ils m'ont transporté à l'hôpital Saint-Luc. Là, il paraît qu'ils ont d'abord cru que je faisais une crise cardiaque. Puis il paraît que c'était juste une grosse baisse de pression. Ça leur a pris pas mal de temps avant de s'apercevoir que c'était de l'arythmie cardiaque et ils ont cherché pourquoi ma pression jouait au yo-yo.

— Et là, es-tu correct? lui demanda Reine, soulagée d'apprendre qu'il allait mieux et que son absence n'avait rien à voir avec une faute qu'elle aurait pu commettre.

— Je suis comme avant, déclara-t-il avec un large sourire. Tout à l'heure, je suis passé à la maison pour voir si ça avançait.

— Puis?

— Mon entrepreneur est en retard pour faire poser la brique. Elle a pas encore été livrée. Il paraît que là la compagnie est en retard de deux semaines dans ses commandes. J'ai hâte que tu voies cette brique-là. Elle est beige avec des reflets rosés. Il y aura pas une maison aussi belle que la nôtre dans le coin, je te le garantis. En attendant, les menuisiers ne perdent pas de temps, le dedans de la maison avance vite et les fenêtres sont déjà posées.

— Quand penses-tu qu'elle va être prête? fit-elle.

— D'après mon entrepreneur, ça va aller pas mal vite. Déjà, les joints vont être tirés la semaine prochaine. Le paysagement du terrain devrait même être fini pour…

La clochette de la porte d'entrée du magasin sonna et Reine lui fit signe de se taire.

— M'man! fit la voix de Catherine.

Le visage de Reine changea et, durant un court moment, elle fut en proie à l'affolement.

— Attends, j'arrive, cria-t-elle à son tour à l'adolescente. Cache-toi dans les toilettes. Fais ça vite! murmura-t-elle à Ben à voix basse.

Sans perdre un instant, ce dernier s'empressa de se glisser silencieusement dans la petite pièce en laissant la porte entrouverte. Reine repoussa le rideau et entra dans le magasin.

— Qu'est-ce qu'il y a? demanda-t-elle d'une voix impatiente.

— J'ai fini de faire le ménage en haut et j'ai même eu le temps de laver et de cirer le plancher de cuisine.

— T'étais pas obligée de t'occuper du plancher, lui fit-elle remarquer.

— Je suis descendue pour venir vous aider, reprit Catherine.

— Comme tu peux voir, c'est pas mal tranquille, fit sa mère en s'efforçant de lui sourire. J'ai pas besoin de toi.

Elle garda le silence un court moment avant de trouver le moyen de se débarrasser de la présence encombrante de sa fille.

— Si tu veux vraiment être utile, tu pourrais aller me préparer deux sandwichs au jambon et me les descendre. Comme ça, j'aurais pas besoin de monter dîner.

— Vous êtes sûre que vous voulez pas que je vous aide au magasin?

— Certaine.

— OK, accepta l'adolescente. Ça me prendra pas grand temps.

— Prépare-moi donc aussi un thermos de thé, lui demanda sa mère pour s'assurer que sa fille mette plus de temps à revenir.

Catherine quitta la biscuiterie et sa mère prit la peine de s'avancer jusqu'à la vitrine pour s'assurer qu'elle était bien remontée à l'appartement avant de revenir précipitamment vers l'arrière-boutique où Ben l'attendait. Après une telle frousse, elle n'avait plus qu'une envie, que son amant lui pose la question qu'elle attendait avec impatience depuis des semaines.

— Bon, il faut que j'y aille. Avec toutes ces journées passées à l'hôpital, tout est à l'envers au bureau et je sais plus trop où j'en suis.

Reine se fit aguichante et vint se coller contre lui. Il l'embrassa à nouveau en laissant ses mains courir sur son corps.

— Est-ce que tu t'es enfin décidée ? finit-il par lui demander dans un souffle.

Elle retint sa réponse quelques secondes, uniquement pour le plaisir de le faire languir un peu.

— Puis ? insista-t-il.

— C'est correct. Aussitôt que la maison sera prête, tu viendras me chercher.

— L'entrepreneur m'a dit que tout devrait être fini à la mi-août. D'après lui, il devrait être capable de me remettre les clés vendredi, le 19, à moins d'un imprévu.

— Ça veut dire encore un mois, fit Reine, déçue.

— Ça va passer vite, dit-il pour lui remonter le moral. Qu'est-ce que tu dirais si je venais te chercher avec tes bagages, par exemple, le lundi matin suivant ?

— On verra. De toute façon ce ne sera pas bien compliqué, je vais apporter deux valises et une ou deux boîtes.

— Parfait. Tu peux déjà commencer à les préparer, lui dit-il en lui donnant un rapide baiser sur le bout du nez.

Il quitta l'arrière-boutique et elle le suivit jusqu'à la porte de la biscuiterie. Debout derrière la vitrine, elle le vit se diriger vers sa Cadillac stationnée un peu plus loin sur Mont-Royal et elle sentit monter en elle une bouffée de joie et de désir. Dans un mois, elle laisserait tout derrière elle et commencerait une vie nouvelle.

Elle n'aurait peut-être pas beaucoup de bagages, mais il lui fallait tout de même prendre certaines mesures. Elle allait faire en sorte que les vêtements des enfants soient prêts pour le début des classes et, surtout, elle allait prévenir sa mère qu'elle entendait laisser tomber la biscuiterie.

⁓

La jeune femme réfléchit durant plusieurs jours à la meilleure façon de présenter à sa mère sa décision de cesser de travailler à la biscuiterie. Sa voisine de l'étage du dessous serait sûrement stupéfaite de la voir renoncer à cette source de revenus alors qu'elle n'avait pas cessé de la harceler à ce sujet depuis la mort de son père.

Reine avait bien réfléchi à cette situation et avait fini par considérer que la meilleure chose à faire était de faire croire à sa mère qu'elle était épuisée et que son mari exigeait qu'elle cesse de travailler au magasin pour ne s'occuper que de son foyer. Que sa mère la croie ou pas, somme toute, avait bien peu d'importance puisqu'elle envisageait de tout lâcher deux jours avant de disparaître en compagnie de son amant.

Elle aurait aimé aller apprendre la nouvelle à Yvonne Talbot dès que sa décision avait été prise. Mais elle n'eut la force de caractère d'aborder le sujet avec elle que le vendredi soir, après avoir fait les comptes de la biscuiterie pour la semaine écoulée.

Comme chaque vendredi, elle descendit chez sa mère avec les rouleaux de papier de la caisse enregistreuse et les factures des fournisseurs pour établir le partage des revenus. Les affaires de la semaine avaient été moyennes et ses calculs ne suscitèrent aucune contestation.

Au moment où elle s'apprêtait à apprendre la nouvelle à sa mère, cette dernière aborda un sujet vraiment inattendu.

— On va changer l'enseigne lumineuse, annonça-t-elle à la jeune femme.

— Pourquoi, m'man ? Celle qu'on a est belle, protesta Reine.

— Pour remplacer le mot « biscuiterie » par « pâtisserie », lui expliqua sa mère. À cette heure, on vend plus de pâtisseries qu'autre chose. C'est normal qu'on l'annonce.

— Mais ça va coûter une petite fortune cette affaire-là ! s'exclama sa fille qui devrait, évidemment, prendre sur ses revenus pour payer une partie de cette nouvelle lubie maternelle.

— Penses-y, lui ordonna Yvonne. D'une façon ou d'une autre, il va falloir la changer, notre enseigne.

Reine se dit que si sa mère se montrait aussi entêtée pour l'achat d'une nouvelle enseigne que pour celui du comptoir réfrigéré, elle exigerait de passer rapidement à l'action. Puis elle se calma. Il lui suffirait d'atermoyer encore un mois et l'affaire se ferait sans elle.

Durant un bref moment, elle se demanda si l'instant était bien choisi pour lui apprendre sa décision de quitter la biscuiterie. Puis, elle se persuada rapidement qu'il n'y aurait pas de bon moment et que le mieux était de se débarrasser de cette corvée tout de suite.

— Ah ! m'man, je voulais vous dire que vous allez bientôt être obligée soit de recommencer à descendre à la biscuiterie, soit d'engager une nouvelle gérante.

Yvonne Talbot sursauta légèrement en entendant ces mots.

— Bon, qu'est-ce qui se passe encore ? Est-ce que c'est parce que je veux changer l'enseigne ?

— Pantoute, m'man. Ça a rien à voir avec ça.

— Pour quelle raison veux-tu arrêter ?

— J'arrive plus à faire mon ouvrage à la maison et à m'occuper des enfants en même temps que du magasin.

Jean veut que je lâche la biscuiterie, mentit-elle avec aplomb.

— C'est nouveau, ça. C'est bien la première fois que je te vois faire ce que te dit ton mari sans ruer dans les brancards, lui fit remarquer sa mère sur un ton soupçonneux.

— Oui, mais là, Jean a pas tort. Mais dites-lui pas que je vous en ai déjà parlé. Je voudrais pas qu'il pense que j'ai décidé de faire tout ce qu'il demande.

— T'as l'intention d'arrêter quand ?

— Disons dans presque quatre semaines, répondit Reine après avoir fait semblant de réfléchir. On pourrait dire samedi, le 20 août.

— Est-ce qu'il y a une raison spéciale pour que tu choisisses cette date-là ? fit sa mère, méfiante.

— Oui et non, c'est quinze jours avant que les enfants retournent à l'école. Comme ça, ça va me donner le temps de préparer leurs affaires. En plus, il y a des chances que Jean ait quelques jours de vacances dans ce temps-là et…

— C'est correct, la coupa Yvonne. Je pensais qu'en t'aidant à envoyer tes gars dans un camp d'été, ça te permettrait de souffler un peu et te donnerait le goût de continuer un bon bout de temps à t'occuper du magasin, ajouta sa mère, à la fois surprise et dépitée de la décision de sa fille.

— Allez-vous engager quelqu'un pour me remplacer ? lui demanda Reine, sans se donner la peine de relever la dernière remarque de sa mère.

— Je le sais pas encore, avoua Yvonne Talbot. Il faut que je réfléchisse à tout ça.

À son retour chez elle, la jeune femme eut envie d'apprendre à son mari qu'elle allait abandonner la gérance de la biscuiterie, ce qu'il considérerait sûrement comme une excellente nouvelle. Puis elle y renonça. Elle n'avait pas le goût de se lancer dans des explications qui seraient nécessairement aussi fausses que mensongères. Elle le lui dirait plus tard, quand elle jugerait que le temps serait opportun.

❧

Le mardi suivant, Reine venait à peine de revenir dans la biscuiterie après être allée dîner à l'appartement quand Catherine poussa la porte du magasin en brandissant une enveloppe.

— M'man, j'ai oublié de vous donner la lettre que le facteur a laissée à matin, dit-elle à sa mère après avoir adressé un sourire à Claire Landry, revenue de vacances la veille.

La jeune mère de famille prit l'enveloppe et l'examina brièvement avant de dire :

— Une lettre de tes frères.

Elle l'ouvrit et la lut, nonchalamment adossée au comptoir.

— Qu'est-ce qu'ils racontent, m'man ? demanda l'adolescente, curieuse.

— Ils disent qu'ils ont pas mal de fun, mais qu'ils ont hâte de revenir. Tiens, tu peux la reprendre et la laisser sur la table pour ton père, quand il reviendra de…

Le bruit d'une voiture freinant d'urgence accompagné par un coup de klaxon assourdissant coupa la parole à Reine, qui se tourna vers la vitrine pour voir ce qui se passait.

— Il y a un accident, madame Bélanger, fit Claire, qui s'était précipitée vers la porte de la biscuiterie pour mieux voir. Je pense qu'il y a quelqu'un qui vient de se faire frapper par un char.

— Je vais aller voir, m'man, déclara Catherine en sortant précipitamment avant que sa mère s'oppose à son geste.

La circulation semblait s'être soudain figée au coin de Brébeuf et Mont-Royal. Des portières de voiture claquaient partout. Un attroupement s'était aussitôt formé au centre de la rue. Un autobus venant de la direction ouest était immobilisé au coin de la rue et ses passagers avaient été les premiers à se précipiter sur la scène de l'accident.

— Il y a un homme qui vient d'apporter une couverte, madame Bélanger, dit Claire qui avait ouvert la porte pour tenter de mieux voir ce qui se passait au coin de la rue.

— Surveille le magasin, lui ordonna Reine. Je vais aller voir.

Reine sortit de la biscuiterie, chercha sa fille des yeux et la repéra quelques dizaines de pieds plus loin. La jeune femme joua des coudes pour s'approcher de l'adolescente et, au moment où elle parvenait à la rejoindre, une auto-patrouille suivie d'une ambulance arrivait déjà sur les lieux et les secouristes se frayaient un chemin jusqu'à la forme étendue devant une voiture verte.

— C'est une femme, m'man, lui annonça Catherine. Il paraît qu'elle venait juste de descendre de l'autobus. Elle a traversé. Il y en a qui disent qu'elle a pas vu venir le char vert qui est là. C'est lui qui l'a frappée.

— C'est le chauffeur qui est appuyé contre l'autobus, intervint une parfaite inconnue. Il arrête pas de pleureur depuis qu'il est sorti de son char. D'après moi, c'est pas de sa faute. La femme a pas regardé en traversant.

Reine se souleva sur le bout des pieds au moment où les ambulanciers déposaient la dame sur une civière.

— Mais on dirait…

— Quoi, m'man ?

— On dirait la voisine de ta grand-mère Bélanger, poursuivit sa mère. Je pense que c'est Adrienne Lussier, la femme qui travaillait à la biscuiterie avant. J'espère qu'elle…

Reine allait dire qu'elle espérait que c'était pas trop grave quand elle vit l'un des ambulanciers couvrir rapidement la figure de l'accidentée avec la couverture rouge rayée de bandes noires.

— On dirait que la pauvre femme s'en sortira pas, dit l'inconnue debout derrière Reine et sa fille.

Pendant qu'un policier recueillait les déclarations du chauffeur d'autobus et de l'automobiliste impliqué dans l'accident, l'autre repoussait les spectateurs vers les trottoirs pour rétablir la circulation.

— Reste pas là, ordonna Reine à sa fille. Tu voulais pas aller à la bibliothèque municipale ? Vas-y.

Sur ce, elle rentra dans le magasin.

Au retour de Jean à la maison après sa journée de travail, Catherine s'empressa de lui raconter l'accident auquel elle avait assisté.

— M'man pense que c'était la femme qui travaillait à la biscuiterie avant, conclut-elle.

— Madame Lussier ?

— Oui.

— Est-ce que ta mère t'a envoyée prévenir ta grand-mère ?

— Non.

— Calvince ! Il me semble qu'elle aurait pu y penser, ne put-il s'empêcher de grommeler en quittant précipitamment l'appartement.

Jean poussa la porte du magasin, quinze minutes avant la fermeture.

— Catherine vient de me dire qu'Adrienne Lussier s'est fait frapper. Est-ce que t'es ben sûre que c'est elle ?

— Je pense que c'est elle, répondit Reine d'une voix indifférente.

— Ça t'a pas tentée de faire avertir mes parents ?

— Pourquoi ? C'est pas de la parenté, que je sache, fit-elle, soudain agressive.

— Non, mais as-tu pensé à Omer ? Il doit l'attendre, lui, et il doit pas comprendre pourquoi sa sœur arrive pas.

Reine haussa les épaules et son mari quitta la biscuiterie. Il se dirigea à grands pas vers la maison de ses parents, monta l'escalier extérieur et sonna à leur porte. Quand son père vint lui ouvrir, il s'empressa de lui demander :

— Est-ce que vous êtes au courant pour Adrienne Lussier ?

— Oui, la police est passée chercher Omer au milieu de l'après-midi. Je te dis qu'il a fait toute une crise. On l'entendait crier partout dans la rue. Ta mère voulait monter pour aider à le calmer, mais je l'ai empêchée. Ils ont dû faire venir un docteur et une ambulance. Pauvre lui ! Ils l'ont sorti sur une civière. Tout ce que j'ai pu faire, c'est de demander où ils l'amenaient.

— Où est-ce qu'ils l'ont transporté ?

— À Notre-Dame.

— Après le souper, je vais aller voir ce qu'on peut faire pour lui, déclara Jean. Où est m'man ?

— Elle vient d'aller s'étendre. Ça a pas été une bonne journée pour elle, se contenta de dire l'ancien facteur sans donner plus de précisions.

Ce soir-là, Jean s'empressa de souper et annonça qu'il allait à l'hôpital Notre-Dame prendre des nouvelles d'Omer Lussier.

— Tu pourrais te contenter de téléphoner, lui fit remarquer sa femme en entreprenant de remettre de l'ordre dans la cuisine avec l'aide de sa fille.

— Ils me diront rien au téléphone.

Jean rentra à la maison une heure et demie plus tard. Il trouva Reine en train de recoudre un bouton à l'un de ses chemisiers, assise sur la galerie arrière.

— Je te dis qu'il fait pitié, lui dit-il sans préciser qu'il s'agissait d'Omer. Le pauvre bonhomme a l'air d'avoir complètement perdu le peu qu'il avait en apprenant ce qui était arrivé à sa sœur.

— Il était tout seul ?

— Non, il y avait une cousine qui est venue le voir. Elle m'a dit qu'on était pour faire une autopsie d'Adrienne Lussier et qu'elle allait se charger des funérailles parce qu'elle était sa seule famille, à part Omer.

— Bon.

— En plus, s'ils enferment pas Omer à Saint-Jean-de-Dieu, elle va le prendre chez elle. Il reviendra pas rester tout seul dans l'appartement au-dessus de chez mes parents. Je suis arrêté dire ça à mon père et à ma mère. Ma mère est pas mal à l'envers à cause de toute cette histoire-là.

Reine ne sentit pas le besoin de commenter. Elle se borna à lui rappeler la lettre écrite par leurs fils qu'il n'avait pas eu le temps de lire. Jean rentra dans l'appartement et alla la chercher.

Chapitre 24

Nouvelles maisons

Le samedi matin suivant, un temps maussade accueillit les Bélanger à leur lever. Depuis quelques heures, la pluie tombait, et il faisait déjà chaud et humide, même s'il était à peine sept heures.

— Un vrai temps pour des funérailles, dit Jean en prenant place à table pour déjeuner.

— Je vois pas pourquoi Catherine va là, déclara Reine en refermant sa robe de chambre. C'était une pure étrangère.

— C'est vrai, reconnut son mari, mais la pauvre femme avait pas de famille. Il y aura presque personne à l'église. C'est pour ça que j'ai offert à ta mère de l'amener à l'enterrement. Après tout, Adrienne Lussier a travaillé pour elle pendant plus d'une dizaine d'années.

— Ça me surprend que ma mère ait accepté d'y aller. Avec l'humidité qu'il y a à matin, ses hanches doivent lui faire mal et elle doit regretter de t'avoir dit oui.

Jean ne dit rien, mais il avait été lui-même surpris qu'Yvonne Talbot accepte de monter avec lui quand il lui avait offert de la conduire, la veille. C'était la première fois qu'elle lui parlait depuis près d'un mois et demi. Habituellement, quand elle avait quelque chose à lui dire, elle se servait de sa fille comme intermédiaire.

— Je suppose que tous les Bélanger vont être là, reprit Reine en tartinant une rôtie.

— Non, Lucie a proposé de rester avec ma mère. Depuis le commencement de la semaine, elle est pas dans son assiette, d'après mon père. Lui, il va monter avec Claude.

— Et Lorraine ?

— Lorraine est à Joliette pour la semaine avec Marcel et sa fille. Ils sont au chalet de son beau-frère Henri.

— Ça fait tout de même drôle de vous voir tous aller à cet enterrement-là.

— Les Lussier sont des voisins de mes parents depuis plus que trente ans. Nous autres, on les a toujours connus. T'aurais dû voir ça, hier, au salon funéraire. Je pense qu'il est même pas venu une douzaine de personnes. Si on n'avait pas été là, la cousine aurait été presque toute seule avec Omer.

Quand Reine descendit ouvrir la porte de la biscuiterie, Jean envoya sa fille prévenir sa grand-mère Talbot qu'il les attendait toutes les deux dans la voiture. Il avait décidé d'accompagner la disparue au cimetière de l'Est après le service funèbre.

À l'arrivée du corbillard devant l'église Saint-Stanislas-de-Kostka un peu avant neuf heures trente, il pleuvait toujours. Il n'y avait qu'une poignée de voisins et de curieux venus assister aux funérailles de la dame, âgée seulement d'une soixantaine d'années. Comme il s'y attendait, Jean se rendit compte que la cousine n'avait pas jugé bon d'emmener Omer à la cérémonie. Elle avait vaguement évoqué cette possibilité la veille, au salon funéraire, en arguant que la cérémonie risquait de trop le perturber.

Jean avait laissé sa fille s'installer aux côtés de sa grand-mère pour s'asseoir seul dans le banc situé derrière elles. Yvonne Talbot avait à peine desserré les lèvres durant le court trajet qui les avait conduits devant l'église.

À la fin de la cérémonie religieuse, il ramena sa belle-mère et sa fille rue Mont-Royal. Il eut alors droit à un merci de la part de la mère de Reine avant qu'elle referme la portière de la Plymouth.

— C'est pas nécessaire que tu viennes avec moi au cimetière, dit-il à sa fille. Je pense que t'es mieux d'aller demander à ta mère ce qu'elle voudrait manger pour dîner.

À son retour du cimetière, le temps ne s'était guère amélioré et il fut obligé de modifier ses plans pour l'après-midi. Le nettoyage de la Plymouth attendrait la réapparition du soleil.

— Ma sœur a téléphoné cet avant-midi, lui dit Reine en mangeant les spaghettis réchauffés au menu ce midi-là.

— C'est plutôt rare, laissa tomber Jean.

— Elle avait essayé de téléphoner à ma mère, et comme elle répondait pas, elle était inquiète. J'en ai tout de même appris une bonne, ajouta-t-elle, le visage animé par une joie mauvaise.

— Quoi?

— Son grand tata boutonneux a coulé son année au collège.

— C'est pas la fin du monde, fit Jean. Il est pas le premier jeune à couler ses éléments latins. Il va recommencer.

— Si j'ai bien compris, Charles et elle le souhaitent aussi, mais leur Thomas a pas l'air trop intéressé. En tout cas, pour le punir, ils l'amèneront pas avec eux à Atlantic City la semaine prochaine.

— Ils vont partir seulement tous les deux? Ils risquent de trouver leurs vacances pas mal ennuyantes, fit-il remarquer à sa femme.

— Ils seront pas tout seuls. Il paraît qu'ils ont offert à Lorenzo et à sa Rachel d'y aller avec eux autres.

— Pourquoi pas.

— Il me semble qu'ils auraient pu penser nous l'offrir d'abord à nous autres, répliqua-t-elle sèchement.

— Je vois pas pourquoi, lui dit son mari. On se tient pas spécialement ensemble. En plus, ta sœur et son mari savent ben que je viens de commencer à travailler à Radio-Canada et que j'aurai pas de vacances. Et toi, tu dois t'occuper de la biscuiterie.

Reine repensa alors à la discussion qu'elle avait eue avec sa mère, à propos de son souhait de quitter prochainement la biscuiterie. Mais il n'était pas question d'aborder le sujet à cet instant avec son mari. Elle se contenta de répliquer à Jean :

— Ça fait rien, ils auraient pu nous l'offrir.

— Nous vois-tu aller là avec les enfants ?

— On aurait pu s'arranger.

— Ta mère, dans tout ça ? lui demanda Jean.

— Inquiète-toi pas. Elle y va, elle aussi, lui apprit-elle.

— Même si Rachel est du voyage ? Là, tu m'étonnes ! Il me semblait qu'elle pouvait pas endurer de voir ton frère avec une séparée, ajouta-t-il en pensant que sa belle-mère aurait bien pu lui apprendre elle-même la nouvelle le matin même, pendant qu'il la conduisait à l'église.

— Il faut croire qu'elle a fini par s'habituer à l'idée, fit-elle, désinvolte.

Elle songea que cette soudaine tolérance de sa mère allait lui être bien utile bientôt quand il s'agirait de lui faire accepter la présence de Ben. Elle ne pourrait pas faire deux poids deux mesures. Elle allait devoir accueillir son amant aussi bien que l'amie de son frère. Elle eut une pensée fugitive pour son père décédé. Le pauvre homme en aurait bien fait une jaunisse s'il avait appris ce qu'elle se préparait à faire.

— Tu sais pas la meilleure, par exemple, poursuivit Reine en se versant une tasse de thé quelques instants plus tard.

— Quoi?

— Ma chère sœur a eu le front de me demander si je garderais pas son Thomas la semaine prochaine, pendant qu'elle va aller s'étendre sur la plage d'Atlantic City.

— Naturellement, tu as refusé.

— Une folle! Je lui ai dit que les garçons étaient encore au camp de vacances jusqu'à la fin de la semaine prochaine et que j'avais pas le temps de surveiller son gars. Elle a eu l'air de comprendre. Je pense même que je lui ai donné une idée en parlant de camp. Elle va essayer de l'envoyer là l'été prochain. En attendant, elle va s'en débarrasser en l'envoyant passer la semaine chez son grand-père Caron.

∽

Le lundi avant-midi, Benjamin Taylor réapparut à la biscuiterie. L'homme était bronzé et toujours aussi soigneusement vêtu. Il avait perdu l'air un peu abattu qu'il arborait lors de sa dernière visite. Reine l'accueillit avec un sourire discret alors que sa vendeuse était occupée à servir une cliente à l'autre extrémité du comptoir.

— Essaye de te débarrasser d'elle cinq minutes, lui souffla-t-il. J'ai besoin de te parler.

Elle acquiesça, intriguée. Dès le départ de la cliente, Reine demanda à Claire Landry d'aller acheter six boissons gazeuses à l'épicerie du coin. Même si la demande n'avait rien d'exceptionnel, la jeune fille comprit que sa patronne cherchait à l'éloigner. Dès qu'elle eut franchi la porte, Ben esquissa le geste de vouloir se rendre dans l'arrière-boutique, mais Reine l'arrêta.

— Non, on est mieux de rester dans le magasin. J'ai eu trop peur la dernière fois. Qu'est-ce qui se passe pour que tu me demandes de me débarrasser de Claire?

— Il faut qu'on se voie un après-midi cette semaine. On a des affaires importantes à discuter. Ça peut pas attendre.

— C'est pas facile, fit-elle, hésitante.

— Tu m'as pas dit que tes gars ne revenaient à la maison qu'en fin de semaine ?

— Oui, mais il y a ma fille.

— Elle est pas obligée de savoir où tu t'en vas. T'as juste à dire que tu vas voir des fournisseurs. Tu dis la même chose à ta vendeuse et c'est réglé.

— C'est correct. Quand est-ce que tu veux venir me chercher ?

— Demain, à une heure. Qu'est-ce que t'en dis ?

— Bon, tu m'attendras sur Chambord, comme d'habitude.

Ben jeta un coup d'œil vers les vitrines pour s'assurer que personne ne le voyait et embrassa rapidement la jeune femme avant de partir.

Ce soir-là, Reine se montra particulièrement de bonne humeur et accepta sans rouspéter d'accompagner son mari chez ses beaux-parents. À leur arrivée, ces derniers étaient déjà assis avec Claude et Lucie sur la galerie avant et ils parlaient du déménagement qui devait avoir lieu le samedi suivant.

— Parlant de déménagement, fit Félicien, demain, les déménageurs sont censés venir vider l'appartement des Lussier. La cousine est venue passer la journée à trier les affaires en haut.

— Monsieur Dubé va devoir se chercher des nouveaux locataires, dit Claude à son père. Ce sera peut-être pas facile d'en trouver en plein cœur de l'été.

— Il va peut-être être obligé de faire un grand ménage avant, supposa Jean. Il faut pas oublier qu'Adrienne était toute seule pour entretenir un grand cinq et demi. Omer devait pas lui être d'une grande utilité.

— Je pleurerai pas sur le sort des Dubé, reprit Claude. Il a toujours été un propriétaire malcommode. Avec lui, il aurait fallu marcher sur la tête. Il passait son temps à se plaindre qu'on faisait du bruit.

Personne ne contredit le cadet des Bélanger. Joseph Dubé et sa femme occupaient le rez-de-chaussée et ils avaient toujours été des propriétaires assez désagréables.

— C'est peut-être nous autres qui allons pleurer, intervint son père. J'ai parlé à Dubé hier après-midi. L'appartement est déjà loué.

— Sacrifice, ça a pas pris de temps ! s'écria Claude.

— Non, mais la mauvaise nouvelle, c'est que c'est toute une tribu qui va venir nous marcher sur la tête à partir de la semaine prochaine, poursuivit Félicien, l'air soucieux.

— Comment ça, une tribu ? monsieur Bélanger, lui demanda Lucie.

— Si j'ai parlé au propriétaire hier, c'est que je l'ai vu arriver avec un homme, une femme, deux vieux et quatre enfants la veille. Il les a amenés visiter l'appartement des Lussier. Quand ils sont passés devant moi, sur le balcon, je les ai entendus parler. Ils cassaient le français.

— Puis ? demanda Claude.

— Ben, je voulais savoir si c'était à eux autres qu'il avait loué l'appartement du troisième. C'est ben ça. Ce sont des Italiens qui s'en viennent rester en haut. Ils vont être huit. Ça va être le fun encore !

— Si ça fait pas votre affaire, p'pa, vous pourrez toujours déménager au mois de mai, l'année prochaine, lui suggéra son fils aîné.

— Parle-moi pas de ça. Déménager, c'est tout un aria ! J'espère qu'on sera pas obligés de faire ça. Ça fait quarante ans qu'on reste ici dedans.

Pendant tout cet échange, Jean regarda sa mère à de nombreuses reprises, et à aucun moment elle ne lui donna l'impression de se sentir concernée par ce qui risquait de troubler sa vie.

Jean et sa femme revinrent à la maison au moment où le soleil se couchait.

— Grand-maman a presque pas parlé, fit remarquer Catherine à ses parents.

— Elle avait peut-être pas grand-chose à dire, laissa tomber sa mère.

— Elle est malade, se contenta de dire Jean, troublé. Elle m'inquiète de plus en plus.

Reine se retint de lui dire que s'il avait su ce qui l'attendait bientôt, il aurait des raisons bien plus sérieuses de s'inquiéter.

Le lendemain avant-midi, la jeune femme profita de ce que sa fille était allée rendre visite à une camarade avant le dîner pour monter faire une toilette soignée. Elle se coiffa, se maquilla modérément et mit une robe légère qu'elle réservait habituellement à ses sorties. Au moment où elle passait son tablier, Catherine revint.

— On va dîner de bonne heure, annonça-t-elle à l'adolescente. Je dois aller voir un fournisseur cet après-midi.

— Voulez-vous que j'y aille avec vous ? lui demanda Catherine.

— Non, j'aimerais mieux que tu me donnes un coup de main en repassant les chemises de ton père.

Après un repas léger, elle laissa le rangement à sa fille et s'empressa de descendre prévenir Claire qu'elle serait absente une partie de l'après-midi, sans plus de précisions. De toute manière, elle ne voyait pas quel problème pouvait se présenter ce jour-là puisque les fournisseurs étaient tous passés durant la matinée et que sa mère était partie avec Estelle et Charles avant même l'ouverture de la biscuiterie.

Elle quitta le magasin, traversa la rue Mont-Royal et disparut dans la rue Chambord avant qu'une connaissance ou sa fille l'aperçoive. Elle vit tout de suite la voiture de Ben et lui fit signe de ne pas en sortir. Elle marcha rapidement vers la Cadillac, en ouvrit la portière du côté passager et s'assit sur la banquette en cuir que le soleil avait rendue brûlante.

Ben se pencha sur elle et l'embrassa.

— Bon, on commence d'abord par aller jeter un coup d'œil à la maison. Je suis passé devant tout à l'heure. On peut pas encore entrer dedans parce qu'il y a des ouvriers qui travaillent, mais tu vas pouvoir voir de quoi elle a l'air de l'extérieur.

La voiture se mit en marche et Reine se glissa au centre de la banquette pour être plus près de son amant. Dès que le véhicule prit un peu de vitesse, le courant d'air la rafraîchit et la décoiffa un peu.

Quelques minutes plus tard, la Cadillac vint s'arrêter devant leur future maison. Le terrain avait maintenant été nivelé et il y avait des rouleaux de tourbe déjà sur place. Des paysagistes s'affairaient à construire une rocaille identique à celle installée devant la maison voisine. Une large allée asphaltée avait même été coulée.

— Descends, tu vas mieux voir, l'invita Ben en sortant lui-même de la voiture.

Reine obtempéra.

— T'as raison, dit-elle. Notre brique est bien plus belle que celle de la maison d'à côté.

— Et c'est rien, ça, fit-il. T'as pas vu le dedans de la maison. Là, on peut pas entrer parce qu'ils sont en train de poser la céramique sur les planchers, mais attends de voir ça. Ça va te couper le souffle.

— J'en reviens pas comme ça avance vite, admit-elle, incapable de dissimuler son admiration.

— Avec de l'argent, ma belle, on finit par tout faire. Tu vas voir que notre maison va être encore plus belle que celles qui sont autour.

Ils firent quelques pas sur le trottoir.

— T'es sûr qu'on peut pas s'approcher pour au moins voir par une des fenêtres ? demanda-t-elle, curieuse.

— Non, les paysagistes vont nous crucifier si on marche sur le terrain qu'ils viennent d'égaliser et l'asphalte est pas encore sec. La prochaine fois, tu vas pouvoir te promener partout en dedans et dehors.

Il l'entraîna ensuite vers la voiture et attendit un long moment avant de démarrer.

— Puis, qu'est-ce que t'en dis ?

— C'est un vrai château, reconnut-elle. Combien cette maison-là va nous coûter ? demanda-t-elle.

Si Taylor remarqua le « nous », il n'en laissa rien paraître.

— Un peu plus que soixante mille, laissa-t-il tomber négligemment.

— Tant que ça ! ne put-elle s'empêcher de s'exclamer. J'ai six mille cinq cents piastres à la banque et je me pensais riche, lui dit-elle, estomaquée par l'ampleur de la somme qu'il venait d'avancer.

— C'est sûr que c'est pas mal cher, fit-il, l'air suffisant, mais on va en avoir pour notre argent. J'espère que t'as commencé à penser comment on va meubler cette grande maison-là. Tu te souviens que j'apporte pas un meuble là-dedans. On va être comme un couple de jeunes mariés, précisa-t-il en remettant la Cadillac en marche.

Reine garda le silence durant de longues minutes pendant que la voiture, après avoir fait demi-tour, s'était mise à rouler vers l'est. Puis le conducteur prit la direction du sud et descendit jusqu'à la rue Sherbrooke.

— Tu me ramènes pas au magasin ? lui demanda Reine en s'apercevant soudain qu'ils roulaient sur la rue Sherbrooke vers l'est.

— Ça fait même pas une heure qu'on est ensemble, lui fit remarquer son compagnon, d'une voix doucereuse. On va tout de même prendre le temps de jaser un peu. Il y a rien qui te presse, non ? Ta vendeuse s'occupe du magasin et ton mari rentre pas avant cinq heures et demie ou six heures chez vous.

Ben aperçut un espace de stationnement dans la rue Cadillac, à quelques dizaines de pieds de la rue Sherbrooke, et il stationna sa voiture.

— Où est-ce qu'on va ? lui demanda Reine en regardant autour d'elle.

— Là, fit Ben avec autorité en lui montrant le bureau d'accueil du motel Cadillac. On n'est tout de même pas pour jaser en plein soleil dans l'auto.

— Si quelqu'un me voyait… commença à dire la jeune femme.

— Qu'est-ce que ça ferait ? Dans moins d'un mois, on va vivre ensemble, la raisonna Ben en la prenant par la taille pour l'entraîner dans le bureau du motel.

Quelques minutes plus tard, ils pénétrèrent tous les deux dans une chambre plutôt miteuse, rafraîchie par un appareil d'air climatisé assez bruyant. Quelques instants suffirent pour que tous les deux se retrouvent, nus, étendus sur un lit au matelas bosselé. Ils n'en avaient cure. Ils firent l'amour avec une telle fougue qu'ils se retrouvèrent rapidement pantelants et à bout de souffle.

Un peu plus tard, après avoir pris une douche et remis leurs vêtements, ils quittèrent l'endroit sans se presser. Durant le trajet de retour, Reine parla de décoration et des meubles qu'il leur faudrait acheter de toute urgence, avant leur installation.

— On n'est pas pour camper dans une aussi belle maison, dit-elle avec un entrain qui ne lui était pas coutumier.

— Je vais te laisser ça entre les mains, lui promit son amant, attentif à la circulation assez dense de cette fin d'après-midi.

Il déposa la jeune femme à l'endroit où il l'avait fait monter, rue Chambord, avant de disparaître. Reine rentra à la biscuiterie et reprit sa place derrière le comptoir sans éprouver le moindre remords. En pensée, elle était déjà dans sa nouvelle maison et elle se promit de consulter des revues pour repérer les meubles à la mode.

❧

Trois jours plus tard, Jean quitta tôt son travail à Radio-Canada pour aller attendre ses deux fils devant le centre Immaculée-Conception. L'autobus devait ramener les jeunes à quatre heures. Déjà, à son arrivée, de nombreux parents encombraient le trottoir, impatients de revoir leur progéniture.

L'autobus s'arrêta devant le centre un peu après quatre heures trente ; on ne pouvait ignorer les cris excités et les interpellations de ses passagers entassés devant les fenêtres ouvertes du véhicule. Dès que le chauffeur ouvrit la porte, les jeunes s'élancèrent à l'extérieur en poussant des cris de joie.

Jean accueillit ses deux fils avec un large sourire. Alain et Gilles lui revenaient grandis et bronzés de leur mois de vacances au grand air.

— Vous êtes tout seul, p'pa ? lui demanda Gilles en regardant autour.

— Oui, votre mère est au magasin et Catherine est en train de préparer le souper. Je suppose que vous avez faim ?

— Oui, répondit Alain avec enthousiasme.

— Bon, allez chercher vos bagages et on va s'en retourner à la maison.

Ses fils se joignirent au groupe de jeunes surexcités entourant le chauffeur d'autobus qui venait d'entreprendre de vider la soute à bagages de son véhicule. Pendant ce temps, Jean se dirigea vers l'un des moniteurs pour s'informer si Alain et Gilles s'étaient bien conduits. Ce dernier le rassura en lui disant qu'il n'avait rien eu à leur reprocher durant toute la durée du camp.

Pendant le court trajet de retour, Jean dit à ses fils :

— J'espère que vous avez pas oublié que c'est la fête de votre sœur dimanche.

— Non, p'pa, répondit Gilles. Et comme on avait une activité avec du cuir cette semaine au camp, je lui ai fait un beau portefeuille.

— Et moi, je lui ai tressé un beau bracelet, ajouta Alain.

— C'est parfait. Elle va être contente.

À leur arrivée rue Brébeuf, les deux jeunes garçons tinrent à s'arrêter au magasin pour embrasser leur mère.

— Elle vous attend en haut, leur dit Claire Landry, seule dans la boutique.

Ils montèrent devant leur père et s'empressèrent d'aller embrasser leur mère, occupée à préparer une sauce aux œufs. Reine s'extasia sur leur bonne mine et les invita à aller défaire leurs bagages pendant qu'elle finissait de préparer le souper avec Catherine.

— Ça va être pas mal moins calme dans la maison, dit-elle au moment où les garçons entraient dans leur chambre en chahutant.

— C'est normal, ils sont en santé.

— À partir de demain, il va falloir établir des règles claires. J'ai pas l'intention de passer tout le mois d'août à courir après eux autres.

— Ça sera pas pire qu'avant qu'ils partent au camp, lui fit remarquer son mari.

ᕫ

Jean se leva tôt le lendemain matin et déjeuna seul en faisant le moins de bruit possible. Il fit sa toilette rapidement et s'apprêtait à partir quand Reine fit son entrée dans la cuisine.

— À quelle heure tu penses être revenu ? lui demanda-t-elle en bâillant.

— Si rien nous retarde, on devrait en avoir fini au commencement de l'après-midi. Pendant que j'y pense, envoie-nous donc Catherine dans une quinzaine de minutes à peu près. Elle sait ce qu'elle a à faire. Je lui ai demandé de s'occuper de ma mère pendant que mon père va venir nous aider à déménager Claude.

— Pourquoi ta sœur ou Lucie s'occupent pas de ta mère ? Ce serait bien plus à elles de faire ça.

— On a besoin de Lucie pour savoir où placer les meubles dans la maison et Lorraine veut lui ranger sa vaisselle dans ses armoires. À plus de sept mois, elle veut pas qu'elle prenne la chance de forcer. C'est dangereux.

— Sainte Lucie en fait bien des chichis pour rien.

Jean sortit de chez lui et monta dans sa Plymouth pour aller la stationner le plus près possible de l'appartement de son frère de manière à pouvoir transporter quelques boîtes et des objets qui pourraient se briser dans le camion.

À son arrivée, Marcel Meunier et son père étaient déjà sur place et attendaient Claude qui était parti chercher le camion.

— Est-ce que ta Catherine va venir s'occuper de sa grand-mère ? lui demanda Félicien.

— Elle s'en vient, p'pa, dit Jean pour le rassurer. Est-ce que m'man est réveillée ?

— Non, elle dort encore.

Dès que Claude arriva au volant du camion loué, les quatre hommes entreprirent de descendre les gros meubles et de les protéger avec des couvertures, une fois placés dans le camion. Ensuite, ils firent la chaîne pour entasser dans la benne toutes les boîtes de carton empilées autant dans une chambre que dans le salon.

— Calvince ! T'es ben ramasseux, ne put s'empêcher de s'exclamer Jean à la vue du tas de boîtes qui s'accumulaient dans le camion. Si ça continue, il va falloir en mettre dans nos chars.

— Dis ça à ta belle-sœur, répliqua Claude, amusé par la remarque. Avec elle, tout est toujours bon et il faut jamais rien jeter. Dans ces conditions-là, un déménagement ressemble à l'enfer, comme tu peux voir.

Malgré tout, l'appartement de la rue De La Roche fut vidé un peu avant dix heures. Lorraine et Lucie balayèrent chaque pièce et tinrent même à laver le linoléum de la cuisine.

— On n'est pas pour passer pour des malpropres, se défendit la petite femme blonde quand son mari lui reprocha de les retarder.

Quand on se fut assuré de n'avoir rien oublié, Claude descendit remettre les clés de l'appartement au propriétaire avant de se mettre au volant du camion. Jean et Marcel montèrent en voiture et le suivirent jusqu'à Saint-Léonard-de-Port-Maurice où on entreprit alors de vider le camion surchargé.

À deux heures, le travail était terminé. Tous les meubles avaient été placés à l'endroit désiré par les nouveaux propriétaires et le contenu de la plupart des boîtes avait été rangé. On mangea les sandwichs préparés par Lucie et Lorraine, accompagnés de quelques bières. Puis chacun rentra chez soi.

Quand Jean laissa son père devant sa porte, ce dernier déclara :

— Ça va faire drôle en maudit de plus voir ton frère et sa femme dans le coin. J'ai l'impression que Lucie va manquer à ta mère. Elle l'aime pas mal, sa bru.

Jean n'osa pas lui demander si sa mère aimait autant Reine. Il se doutait de la réponse. Ils descendirent de voiture. Jean monta à l'étage autant pour embrasser sa mère que pour prévenir sa fille de rentrer à la maison avec lui. Félicien et son fils trouvèrent l'appartement très paisible. Catherine était seule dans la cuisine, occupée à dessiner.

— Grand-maman est partie se reposer, dit-elle aux deux hommes. Elle était fatiguée.

Après avoir embrassé son grand-père Bélanger, Catherine quitta la maison en compagnie de son père. Sur le chemin du retour, l'adolescente sentit le besoin de préciser à son père qu'elle n'avait pas trouvé sa mère en forme durant la journée.

— Je sais pas ce que grand-maman avait aujourd'hui, mais elle voulait absolument aller dehors. Elle disait qu'elle voulait que je l'amène chez votre grand-mère, p'pa. Elle sait pourtant qu'elle est morte.

— Elle l'a oublié, se contenta de lui dire Jean, qui se rendait compte encore une fois que la maladie prenait de plus en plus d'emprise sur sa mère.

❦

Le dimanche matin, Jean, Reine et leurs enfants rencontrèrent les grands-parents Bélanger à la sortie de l'église, après la messe dominicale. Ils se parlèrent quelques instants sur le trottoir. Félicien et sa femme refusèrent de monter dans la Plymouth quand Jean leur offrit de les laisser chez eux en passant.

— Ça va nous faire du bien de marcher un peu, leur dit le retraité.

Toute la petite famille monta dans la voiture.

— Ta mère a pas l'air si pire que ça, fit remarquer Reine à son mari.

— Je n'en suis pas si sûr, répondit Jean en repensant à la discussion qu'il avait eue avec Catherine la veille. Et puis c'est bien la première fois qu'elle oublie la fête de Catherine. C'est pas un bon signe.

À l'arrière, l'adolescente ne dit rien, mais il était visible que cet oubli lui avait fait de la peine.

Ce midi-là, on fit une petite fête à la jeune fille qui célébrait son treizième anniversaire. La semaine précédente, Jean lui avait acheté des fusains et des tablettes de papier à dessiner après avoir consulté sa femme. Gilles et Alain avaient pris la peine d'envelopper leurs cadeaux qu'ils avaient déposés cérémonieusement sur la table.

— C'est dommage que ta mère soit pas là, dit Jean à sa femme. Après tout, c'est sa filleule.

— Ma mère l'a pas oubliée, rétorqua Reine avant de disparaître un court moment dans leur chambre à coucher.

Elle revint avec une petite boîte qu'elle déposa devant sa fille.

— Ça vient de ta grand-mère, dit-elle à Catherine.

La jeune fille développa la boîte et découvrit un joli collier et des boucles d'oreilles.

— Ça, c'est pas pour mettre quand tu vas à l'école, prit la peine de lui préciser sa mère. C'est juste pour les grandes occasions.

Catherine était ravie du présent et Jean content que sa belle-mère se soit souvenue, elle, de la fête de son aînée.

Au moment du dessert, Reine déposa sur la table un gâteau qu'elle avait pris à la biscuiterie et invita sa fille à en offrir un morceau à chacun, tout en se réservant la plus grosse part.

Chapitre 25

L'emprunt

Le beau temps revint dès le début de la première semaine du mois d'août. Le mercure se maintint autour de 80 °F et le soleil brilla de tous ses feux. Cette belle température combla Reine parce que ses fils pouvaient passer pratiquement toute leur journée à l'extérieur à jouer avec leurs amis retrouvés. Dès les premières heures de la matinée, ils disparaissaient, ne revenant à la maison qu'à l'heure des repas. Si le temps avait été maussade, ils auraient traîné à la maison et elle aurait dû quitter le magasin plusieurs fois par jour pour s'assurer qu'ils ne faisaient pas de bêtises.

Le lundi suivant leur retour de la colonie de vacances, ils avaient tenté de persuader leur mère de leur acheter une bicyclette, même usagée, pour pouvoir sillonner les rues et ruelles du quartier avec des amis.

— Il en est pas question, l'été achève, avait-elle tranché quand elle avait vu son mari hésiter. On a assez dépensé d'argent pour vous autres cet été. En plus, c'est trop dangereux.

À titre de compensation, ils étaient parvenus à lui arracher la permission d'aller se baigner au bain Lévesque lorsqu'ils le désiraient.

Par ailleurs, la jeune mère de famille avait exigé de ses fils qu'ils soient disponibles en tout temps pour rendre service à leur grand-mère Talbot, revenue d'Atlantic City.

— C'est bien le moins que vous pouvez faire pour elle, leur avait-elle dit. Oubliez pas qu'elle a payé la moitié de votre camp d'été.

Le mercredi, un Ben Taylor très agité poussa la porte de la biscuiterie quelques minutes à peine après que Claire Landry fut sortie pour aller s'acheter quelque chose à manger pour son dîner.

— Qu'est-ce qui se passe ? lui demanda Reine, surprise. Un peu plus, tu tombais sur ma vendeuse.

— Je le sais, mais il faut absolument que je te parle, lui dit-il.

— Fais ça vite, lui conseilla-t-elle. Un de mes enfants peut entrer ici dedans n'importe quand.

— Non, je peux pas faire ça vite, répliqua-t-il. Il faut que je t'explique des affaires. Tu peux pas lâcher le magasin une quinzaine de minutes ?

— Non, pas tout de suite, en tout cas. Va m'attendre dans ton char à la même place que d'habitude. Je vais essayer de te rejoindre aussitôt que Claire va être revenue.

— OK, je t'attends, fit-il avant de quitter rapidement les lieux.

Ben n'eut pas à patienter très longtemps. À peine venait-il de s'allumer une cigarette qu'il vit Reine traverser la rue Chambord et se diriger vers sa Cadillac. Cette dernière semblait nerveuse et ne cessait de jeter de rapides coups d'œil à droite et à gauche en s'avançant vers la voiture.

Elle ouvrit la portière et se glissa sur la banquette, légèrement essoufflée.

— J'espère que c'est important, dit-elle, de mauvaise humeur. Ça, c'est des affaires pour être vue par quelqu'un qui me connaît. En tout cas, on est mieux de changer de place, lui suggéra-t-elle, un peu énervée.

Son amant ne discuta pas. Il mit la voiture en marche et il prit la direction de la rue Sherbrooke. Un peu avant d'arriver au coin de Rachel, il immobilisa l'auto près du trottoir. Il éteignit le moteur et se tourna vers Reine.

— J'ai un maudit problème sur les bras, avoua-t-il.

— Qu'est-ce qu'il y a?

— Il y a que mon contracteur veut saisir notre maison.

— Comment ça? demanda-t-elle, soudain très inquiète.

— Il dit que je lui dois seize mille piastres et que je suis en retard de deux mois dans mon paiement.

— Seize mille piastres! s'exclama la jeune femme. Comment ça?

— D'après notre contrat, j'ai des montants à lui payer selon l'avancement des travaux. C'est vrai que j'aurais dû lui payer ses seize mille piastres, mais c'est mal tombé. J'avais pas assez d'argent en caisse et j'étais occupé à organiser mon bureau de Kingston. Je l'ai fait patienter, mais là, il dit qu'il a besoin de cet argent-là tout de suite.

— Tu peux pas le payer? s'étonna Reine.

— Il tombe mal en maudit! avoua Ben. J'ai ramassé dix mille piastres à gauche et à droite que j'ai voulu lui donner en lui demandant de patienter deux semaines de plus pour toucher le reste. Dans deux semaines, tout va être correct. J'ai un contrat qui va me rapporter trente mille piastres dans quinze jours. À ce moment-là, je vais avoir tout l'argent qu'il faut, mais il veut rien savoir, l'écœurant!

— Il peut pas nous arracher notre maison comme ça, protesta Reine, furieuse. Il a pas le droit. Notre maison vaut plus que quatre fois ce que tu lui dois, si je me fie à ce que tu m'as dit.

— Il a le droit de le faire, la contredit sèchement Ben. Il m'a averti à matin qu'il me donnait quarante-huit heures pour le payer, sinon il va la faire saisir, et nous autres on va se ramasser avec le bec à l'eau.

— C'est pas juste pantoute, cette affaire-là, dit Reine, effondrée.

— Remarque que c'est pas la fin du monde. Dans un an ou deux, je pourrai toujours en faire construire une autre pareille, mais elle sera pas aussi bien située…

— Dans un an ou deux! Mais j'ai pas le goût pantoute d'attendre un an ou deux, moi, protesta-t-elle avec emportement. J'ai déjà prévenu ma mère que je lâchais la biscuiterie le 20 et j'ai même commencé à préparer mes affaires pour m'en aller.

— C'est enrageant quand on pense qu'il me manque juste six mille piastres, poursuivit l'homme d'affaires, comme s'il ne l'avait pas entendue.

— Six mille piastres… Six mille piastres, c'est pas mal d'argent, dit Reine à mi-voix.

— Mais à côté de ce que vaut la maison, c'est pas grand-chose. Notre maison vaut au bas mot soixante et même soixante-dix mille dollars.

— C'est sûr, reconnut-elle en se tordant les mains. Tu peux pas trouver cet argent-là quelque part?

— Qu'est-ce que tu penses que je fais depuis qu'il m'a averti? répliqua-t-il. J'ai cogné à toutes les portes…

— Ton char?

— Mon char vaut pas six mille. En plus, j'en ai besoin.

— Il y a certainement un moyen, fit-elle.

— Si je pouvais trouver quelqu'un prêt à me prêter cette somme pour deux semaines, reprit-il, je lui paierais le double des intérêts qu'une banque exige, dit-il en frappant le volant du poing.

Ben attendit en silence que Reine réagisse à ses dernières paroles. Mais elle ne dit pas un mot. Il se sentit alors obligé de briser le silence :

— Tu me les prêterais pas, toi ? finit-il par lui demander.

— Es-tu sérieux ? fit-elle, décontenancée qu'il ose lui poser cette question.

— Ce serait juste pour deux semaines. Je te signerais un papier et je te paierais des intérêts.

Reine hésita un long moment, déchirée entre son amour de l'argent et la crainte de perdre la maison dont elle rêvait depuis des mois.

— Laisse faire les intérêts, finit-elle par dire. Je vais te prêter l'argent qu'il faut, ajouta-t-elle en ouvrant son sac à main pour en tirer son carnet de chèques.

Un large sourire illumina instantanément le visage de son amant. La jeune femme remplit le chèque et eut une hésitation très évidente avant d'inscrire « six mille dollars. » Elle le signa, la mort dans l'âme, avant de le tendre à son amant.

— Tu me promets que tu vas me rembourser dans deux semaines, hein ? s'inquiéta-t-elle en le regardant empocher cavalièrement la presque totalité de ses économies sans daigner jeter un regard sur le chèque.

— Promis, juré, fit-il sur un ton convaincant.

Elle allait lui demander de lui signer une reconnaissance de dette quand il la devança.

— Pas demain, mais après-demain, je vais arrêter au magasin pour te laisser un papier comme quoi je te dois cet argent-là, à moins que t'aimes mieux que je te laisse les papiers de la maison en garantie.

— Bien non, protesta-t-elle. Juste le papier va faire l'affaire.

Elle aurait préféré avoir cette reconnaissance de dette tout de suite entre les mains, mais comment l'exiger sans lui donner la preuve qu'elle se méfiait de lui ? Elle se rendait compte que ça aurait été passablement offensant. Il l'aimait. Il s'apprêtait à lui offrir un véritable château et une vie de rêve. Pour un homme d'affaires de son envergure, six mille dollars ne représentaient rien. Ce n'était qu'une question de malchance si cette somme lui manquait au moment où l'entrepreneur l'exigeait. D'ailleurs, n'avait-il pas déjà en main dix mille dollars ?

— Je te ramène, lui dit son compagnon en mettant le moteur de la voiture en marche.

Quelques minutes plus tard, il la déposa à l'endroit exact où il l'avait fait monter. Avant qu'elle referme la portière, il la remercia et lui promit qu'elle ne regretterait pas son geste. La Cadillac se glissa ensuite dans la circulation et disparut.

La jeune femme retourna derrière le comptoir de la biscuiterie sans attirer l'attention. Jusqu'à la fermeture du magasin, elle servit des clients. Elle ne monta à l'appartement qu'en une seule occasion pour vérifier si elle avait assez de saucisses et de boudin pour le souper des siens.

Au début de la soirée, Reine était si silencieuse et renfrognée que son mari s'en inquiéta.

— Qu'est-ce que t'as ? On dirait que t'es pas dans ton assiette.

— J'ai mal à la tête, mentit-elle.

— Encore ! Je suis en train de me demander si t'as pas hérité ça de ta mère.

— Exagère pas, j'ai pas mal à la tête si souvent que ça, protesta-t-elle.

— Qu'est-ce que tu dirais de venir prendre l'air ? Il me semble que ça te ferait du bien. On pourrait aller faire un tour chez Claude. T'as même pas encore vu l'intérieur de leur maison.

— Je l'ai vue du dehors, ça me suffit, déclara-t-elle. Non, je vais plutôt aller m'étendre une heure.

En fait, Reine était torturée depuis qu'elle avait vu partir la Cadillac dans la rue Chambord. Elle réalisait peu à peu que si Ben encaissait le chèque, il ne lui resterait plus que quelques centaines de dollars. Six mille cinq cent quinze dollars, c'était toute la somme qu'elle était parvenue à amasser depuis ses quatorze ans. Le montant représentait un nombre incalculable de sacrifices, et tous les petits plaisirs qu'elle avait refusés à elle et aux siens.

Peu à peu, elle en vint à se demander si elle n'avait pas eu tort de prêter cet argent. Elle aurait probablement mieux fait de laisser Ben se débrouiller. Elle était persuadée qu'un homme d'affaires aussi important que lui pouvait aisément trouver à emprunter… Il était allé au plus facile en lui demandant son aide.

— Là, je viens de lui donner un mauvais pli ! murmura-t-elle dans la solitude de sa chambre à coucher. Chaque fois qu'il va être mal pris, c'est moi qu'il va venir voir.

Finalement, elle sombra dans un sommeil rempli de cauchemars. Quand elle se réveilla en sursaut, elle découvrit que son mari était étendu à ses côtés. Se soulevant sur un coude, elle vit que son réveille-matin indiquait une heure et demie. Elle n'avait plus envie de dormir et décida de se lever.

La nuit était chaude et elle alla se réfugier dans l'un des fauteuils du salon sans allumer une lampe. Elle était bien dans le noir. Elle revit en pensée le cauchemar qui l'avait réveillée. Elle avait rêvé qu'elle arrivait à la magnifique maison du boulevard Gouin en compagnie de Ben, mais à la place de la maison à tourelles, il n'y avait qu'un champ labouré. L'entrepreneur hilare s'avançait vers eux en déclarant qu'il avait saisi la maison et l'avait fait transporter dans un lieu qu'ils ne pourraient jamais trouver.

Durant plus d'une heure, elle songea à Ben et surtout à la maison qu'ils allaient bientôt habiter ensemble.

— Il a des bureaux à Montréal, à Toronto et à Kingston. Il a une Cadillac, à part ça, murmura-t-elle dans le noir pour elle-même. Il y a personne qui va arriver à me faire croire qu'il est pas capable de trouver six mille piastres quelque part.

Un peu avant de se laisser de nouveau emporter par le sommeil, elle prit la résolution de se présenter dès la première heure à la Caisse populaire pour faire bloquer le chèque qu'elle lui avait remis. Elle n'aurait qu'à lui dire qu'elle avait oublié avoir payé des fournisseurs et qu'elle n'avait plus suffisamment d'argent dans son compte. Il serait bien obligé de la croire. Rassurée, elle finit par s'endormir dans le fauteuil et c'est là que Jean la découvrit au matin.

Dans la matinée, un peu avant dix heures elle quitta rapidement la biscuiterie, bien décidée à empêcher l'encaissement du chèque. Quand elle se présenta au comptoir de la Caisse populaire, elle tendit d'abord son livret au caissier pour le faire mettre à jour et avant même d'avoir pris connaissance du solde, elle lui déclara vouloir faire obstacle à un chèque de six mille dollars.

— Il y a des frais, madame, lui fit poliment remarquer le jeune homme en jetant un regard sur le solde inscrit dans son livret.

— Je sais, dit-elle.

— Vous m'avez bien dit un chèque de six mille dollars, madame ?

— Oui.

— Je regarde ça tout de suite et je reviens.

Alors que le caissier s'affairait à la tâche un peu plus loin, Reine se félicitait en son for intérieur de sa décision. Une telle somme d'argent représentait des années de dur travail et elle s'en voulait d'avoir si rapidement décidé de prêter cet argent.

Une minute plus tard, le caissier revint au comptoir :

— Je pense qu'il est trop tard. Il a été passé au *clearing* ce matin. Il a dû être encaissé hier dans la journée.

— C'est pas vrai ! s'exclama Reine.

— Oui, madame. Regardez, ajouta l'employé en montrant du doigt une page du livret de la gérante de la biscuiterie.

— Qu'est-ce qu'on peut faire ?

— Rien, madame. Le chèque a bien été encaissé.

Folle de rage autant contre la caisse que contre elle-même, Reine rentra à la biscuiterie. Elle passa le reste de la journée à broyer du noir et à compter les heures qui la séparaient du lendemain, du moment où Benjamin Taylor lui apporterait la reconnaissance de dette.

Malheureusement, son amant ne se manifesta ni le lendemain ni les jours suivants. Plus les heures passaient, plus la jeune femme se faisait un sang d'encre à imaginer toutes sortes de raisons qui empêchaient son amoureux de tenir parole.

— Lui, il va savoir ma façon de penser quand je vais lui voir la face ! se dit-elle mille fois, les dents serrées.

Le pire était qu'elle devait continuer à sourire aux clients et à faire comme si de rien n'était, même si elle était morte d'inquiétude. Si encore elle avait pu se réfugier seule dans une pièce après sa journée de travail… Mais elle devait continuer à s'occuper de son mari et de ses enfants alors qu'elle mourait d'envie de savoir ce qu'il advenait de Ben et de la maison.

— Belle niaiseuse ! Je sais même pas où il reste, se dit-elle pour ajouter à son désarroi.

Quatre jours passèrent sans que Ben Taylor ne se manifeste. Reine était sur des charbons ardents et ne parvenait
plus à cacher l'espèce de fébrilité qui l'habitait. Pour tout
arranger, cette période coïncida avec la pire canicule que
Montréal connut cet été-là. Le mercure se mit résolument
à avoisiner les 85 °F et l'humidité était telle qu'on se retrouvait en nage dès qu'on bougeait. Il n'y avait que les enfants
qu'une telle chaleur inconfortable ne semblait pas déranger.

Cet après-midi-là, les ventilateurs de la biscuiterie ne
parvenaient pas à apporter un peu de fraîcheur dans le local
et Reine décida de monter un moment à l'appartement pour
se rafraîchir.

— Si jamais quelqu'un me demande, envoie-le sonner à
côté, prit-elle la précaution de dire à Claire avant de quitter
l'endroit.

Depuis quatre jours, elle évitait de quitter le magasin de
crainte de rater la visite de Ben.

Arrivée dans l'appartement, elle découvrit que Catherine
lui avait laissé un message sur la table pour l'informer qu'elle
était chez une amie et qu'elle serait de retour à trois heures
trente pour l'aider à préparer le souper. Quant à ses fils, il n'y
avait pas de surprise, ils étaient sûrement au bain Lévesque.

Reine mouilla une serviette avec de l'eau froide et la
passa sur son visage.

Puis elle eut une idée qui raviva son optimisme et la fit
sourire pour une première fois depuis des jours.

— Mais je suis bien sans-dessein! s'exclama-t-elle soudain. J'ai juste à lui téléphoner, même s'il m'a dit qu'il
voulait pas que je le fasse. Lui, il va m'entendre! ajouta-
t-elle, l'air mauvais. Ça lui apprendra à pas tenir parole!

Elle lâcha sa serviette et se précipita dans l'armoire pour en sortir l'annuaire téléphonique. Elle le feuilleta rapidement jusqu'à la lettre T. Elle trouva une longue colonne de Taylor, mais pas de Benjamin Taylor...

— Voyons donc! J'ai dû mal lire, dit-elle à haute voix en reprenant sa consultation.

Une seconde lecture ne vint que confirmer ce que lui avait appris la première. Il n'y avait pas de Benjamin Taylor répertorié dans le bottin. Puis, elle se rappela soudain qu'il lui avait dit qu'il n'avait pas le téléphone à son appartement pour ne pas se faire déranger par des clients à la maison.

Elle referma rageusement l'annuaire et alla le ranger dans l'armoire. Alors, la vue de l'annuaire des pages jaunes lui arracha un sourire.

— Il a pas le téléphone chez eux, mais il est bien obligé d'en avoir un au bureau.

Elle s'empara des pages jaunes et les consulta sur la table de cuisine. Le problème était de savoir où chercher.

— Taylor Publishing! s'écria-t-elle. C'est ça le nom de son affaire.

Fébrile, elle se mit à tourner les pages et finit par tomber sur le numéro de téléphone recherché. Elle le composa et attendit longuement que quelqu'un vienne répondre. Rien.

— Voyons donc, maudit! Il est même pas deux heures. Personne va me faire croire qu'il y a pas un chat dans ce bureau-là, s'emporta-t-elle en raccrochant violemment l'appareil.

Elle nota le numéro sur un bout de papier avant de ranger l'annuaire et de descendre au magasin, se promettant de rappeler plus tard. Cet après-midi-là, elle fit au moins une douzaine de tentatives sur le téléphone du magasin sans jamais obtenir de réponse.

— Pour moi, la ligne est en dérangement. La compagnie va bien finir par la réparer et lui, il perd rien pour attendre.

Chapitre 26

Les imprévus

On arrivait à la fin de la deuxième semaine du mois d'août et il y avait maintenant dix jours que Reine était sans nouvelles de Benjamin Taylor.

— C'est pas possible, se répétait-elle sans cesse pour se rassurer, il a dû encore arriver quelque chose à son bureau de Toronto ou de Kingston et il est parti arranger ça en oubliant de me prévenir. Ça répond pas à son bureau tout simplement parce que sa secrétaire doit être absente aussi. Attends que je m'en occupe. Ses affaires vont être drôlement mieux organisées que ça, je t'en passe un papier, comme aurait dit mon père.

Pendant la nuit, de violents orages s'étaient produits et l'avaient tenue éveillée durant de longs moments. Des éclairs avaient zébré le ciel de la métropole et le tonnerre avait ébranlé les vitres des fenêtres.

La jeune femme s'était levée en enviant son mari qui dormait paisiblement à ses côtés. Elle était allée se poster devant la fenêtre du salon pour regarder durant plusieurs minutes le déluge qui inondait la rue Mont-Royal, déserte à cette heure de la nuit. Dans un peu plus d'une semaine, elle allait partir… Mais avant de songer à partir, il lui fallait tout de même mettre la main sur Ben Taylor.

— S'il lui est arrivé quelque chose, comme quand il a été hospitalisé au mois de juillet, comment je le saurais ? se demanda-t-elle, angoissée, avant de finalement sombrer dans un sommeil profond.

Au matin, le réveil fut particulièrement agréable après tant de jours de chaleur. L'orage avait nettoyé le ciel et les rideaux de la cuisine, poussés par la brise, voletaient.

— On dirait qu'on va enfin respirer à l'aise aujourd'hui, déclara Jean en finissant de boire sa tasse de café.

Sa femme, assise à l'autre extrémité de la table, ne dit rien, plongée dans ses pensées et encore fatiguée de sa nuit mouvementée. Il se leva, l'embrassa sur une joue et lui souhaita une bonne journée avant de quitter l'appartement. Reine ne descendit au magasin qu'une heure et demie plus tard.

Au milieu de la matinée, la jeune femme eut la surprise de voir sa mère entrer dans la biscuiterie en compagnie d'un gros homme à demi chauve. Yvonne se déplaçait encore à l'aide de sa canne et, de temps à autre, une grimace de souffrance déformait son visage.

— Je vous présente ma fille, Reine, dit Yvonne Talbot à l'homme. Elle est gérante de la biscuiterie.

Reine se limita à un bref salut de la tête.

— Mademoiselle Landry est notre vendeuse, ajouta Yvonne Talbot en lui indiquant Claire, qui adressa un sourire de bienvenue au visiteur.

Reine se taisait, se demandant ce que sa mère faisait en compagnie de l'inconnu. Elle songea soudain à l'enseigne lumineuse qu'elle avait l'intention de changer et se dit qu'il s'agissait probablement du représentant de l'entreprise qui allait se charger de l'installation. Deux clientes entrèrent à ce moment-là et elle se désintéressa complètement de ce que sa mère racontait à l'homme. Du coin de l'œil, elle les vit passer dans l'arrière-boutique et n'en sortir qu'après un moment.

Dix minutes plus tard, Yvonne et son visiteur quittèrent la biscuiterie sans avoir eu l'occasion de lui adresser la parole parce qu'il était entré d'autres clients au moment où ils partaient.

À l'heure du dîner, Reine monta à l'appartement s'occuper du repas des siens. Après avoir mangé, elle décida de s'arrêter un moment chez sa mère avant de retourner au magasin. Elle voulait s'informer, poussée par la curiosité, de ce qu'elle avait décidé à propos de la nouvelle enseigne lumineuse.

— Entre, viens boire une tasse de thé, l'invita sa mère. Je viens d'en faire.

Même si elle aurait préféré une boisson gazeuse fraîche, Reine accepta l'invitation et suivit sa mère dans la cuisine.

— Ça fait du bien aujourd'hui. On respire un peu mieux, déclara Yvonne en lui versant une tasse de thé.

— Oui, c'est moins épuisant, reconnut Reine. Puis, m'man, est-ce que votre gars pour l'enseigne vous fait un bon prix ?

— Quel gars pour l'enseigne ? lui demanda Yvonne, apparemment surprise par la question.

— Je parle de l'homme qui est venu au magasin avec vous à matin, répondit sa fille avec une certaine impatience.

— Ah ! C'est pas un installateur d'enseignes, la corrigea sa mère sur un ton désinvolte, c'est un acheteur potentiel pour la biscuiterie.

— Un acheteur ! Comment ça ? Vous vendez la biscuiterie ? lui demanda-t-elle, sidérée.

— En plein ça, ma fille, admit Yvonne. À cause de ma hanche et de ma jambe faible, je suis pas capable de passer mes journées en arrière d'un comptoir et j'ai pas envie d'engager quelqu'un comme gérant. Ça fait que j'ai décidé de vendre.

— Mais ça a pas d'allure, m'man, protesta la jeune femme.

— Au contraire, c'est la seule chose à faire. Je t'en ai parlé l'hiver passé, mais tu tenais absolument à continuer et, pour te faire plaisir, je t'ai laissée faire. Mais là, j'arrête.

— J'en reviens pas, avoua sa fille, estomaquée.

— Il y a encore rien de décidé, déclara sa mère. Monsieur Laniel est intéressé par le commerce, mais moi, je veux lui vendre la bâtisse au complet.

— Vendre la maison, répéta Reine, abasourdie.

— Oui, si c'est pas lui qui l'achète, ce sera quelqu'un d'autre. Je suis bien décidée à tout vendre et à aller m'installer à Saint-Lambert. Estelle m'a déjà trouvé une petite maison qui ferait bien mon affaire si j'arrive à vendre ici.

— Et nous autres? demanda Reine en oubliant durant un instant qu'elle n'allait plus être concernée puisqu'elle allait partir dans huit jours.

— Si j'arrive à vendre, le nouveau propriétaire va sûrement vous garder comme locataires. Il peut pas avoir besoin des deux logements.

— J'en reviens pas.

— Tu vois, tu t'énervais avec le changement d'enseigne, lui fit remarquer sa mère, non sans humour. On n'aura pas à en payer une autre. Je vais vendre.

Durant un long moment, le silence régna dans la cuisine. Il était évident que Reine réfléchissait.

— Et qu'est-ce qui m'arrive, à moi? demanda-t-elle à sa mère.

— Qu'est-ce que tu veux dire par là? fit Yvonne, surprise par la question.

— Ben, m'man, on est partenaires dans la biscuiterie. Si vous vendez, quelle partie de la vente va me revenir ? demanda-t-elle, l'œil allumé par la perspective d'empocher une somme qui pourrait être assez substantielle.

Yvonne eut alors un petit rire sans joie avant de déclarer sur un ton assez sec :

— Tu manques pas d'air, Reine Talbot. Pourquoi il te reviendrait quelque chose ? T'es pas propriétaire de la biscuiterie, t'es juste partenaire de l'affaire, le temps que tu travailles. Mais là, samedi de la semaine prochaine, tu t'arrêtes… C'est sûr que la biscuiterie te rapportera plus rien. C'est normal.

— Je trouve pas ça bien juste, m'man, avec tout l'ouvrage que j'ai fait, protesta la jeune femme, outrée.

— C'est certain que ce serait une autre paire de manches si tu avais acheté la biscuiterie de moitié avec moi. Là, j'aurais été obligée de te donner la moitié de l'argent en la vendant. Mais c'est pas ça qui est arrivé. T'as eu la moitié des bénéfices le temps que tu t'es occupée de la biscuiterie, ce qui est tout de même pas mal, non ?

— Si on veut, reconnut la jeune femme à contrecœur en se levant. Bon, il faut que je retourne au magasin. Claire doit avoir hâte d'aller dîner.

Reine quitta l'appartement de sa mère, un peu sonnée par la nouvelle. Si elle n'avait pas projeté de tout laisser derrière elle dans quelques jours, elle aurait été dans une rage folle. Mais là, au fond, que sa mère vende ou non n'avait guère d'importance pour elle puisqu'elle serait partie bien avant. Bien sûr, elle aurait aimé avoir droit à un certain pourcentage de la vente, si jamais elle se réalisait, mais elle savait bien qu'aucun document ne lui donnait droit à quoi que ce soit.

« La biscuiterie a jamais autant vendu. Il me semble qu'elle pourrait être un peu plus reconnaissante et me donner quelque chose pour tout ce que j'ai fait», pensa-t-elle, amère. Mais elle aurait l'occasion de revenir sur le sujet et d'essayer de donner, à la limite, mauvaise conscience à sa mère.

⁓

Le lundi suivant, à Radio-Canada, Arthur Lapointe réunit les membres de son service et ceux du service des reportages dans l'intention de tracer les grandes lignes du travail qui attendait le département en cette fin d'été et durant l'automne.

À un certain moment, Vincent Lalande, trop heureux de saisir une chance de pérorer, aborda les élections municipales en se donnant l'air d'un fin connaisseur de la politique municipale montréalaise.

— Fournier va probablement être réélu parce qu'il peut encore compter cette fois-ci sur la machine de l'Union nationale, affirma-t-il avec aplomb.

Aucune des personnes présentes autour de la grande table n'osa le contredire. Le directeur de l'information regarda ses employés par-dessus ses lunettes en demi-lune, s'attendant à ce que quelqu'un prenne la parole. Jean, habituellement assez discret dans ce genre de réunion de travail, ne put s'empêcher d'intervenir. Il avait tout de même suivi la politique municipale pendant plus de treize ans et il jugea que cela lui permettait d'émettre son opinion.

— Je ne suis pas d'accord, laissa-t-il tomber.

Les gens tournèrent la tête vers lui.

— Et pourquoi donc, mon cher ? lui demanda Lalande, sur ce ton hautain qui avait le don de l'agacer prodigieusement.

— Tout simplement parce que rien ne prouve que l'Union nationale va appuyer cette fois Sarto Fournier. Duplessis n'est plus là pour chercher à se venger de Drapeau.

En plus, Drapeau est allé chercher plusieurs candidats prestigieux comme Saulnier, Sigouin et Hannigan. Il propose des idées qui plaisent à la population comme la lutte contre la pègre et l'embellissement de Montréal.

Durant quelques minutes, il parla des enjeux de cette élection. Ensuite, la discussion devint générale. Lapointe finit par taper sur la table pour ramener un peu d'ordre dans sa réunion.

— La campagne électorale de Montréal n'est que l'un des chats que nous aurons à fouetter, déclara-t-il.

— Il ne faut pas oublier Gary Powers à Moscou, intervint Lalande. Sa condamnation pour espionnage devrait tomber d'un jour à l'autre.

— C'est déjà de l'histoire ancienne, dit le directeur de l'information en réprimant difficilement un geste agacé. Je veux parler de tout le grenouillage qui se passe à l'Union nationale. Il paraît qu'il y a une guerre ouverte entre Barrette, Bégin et Martineau. Il y a aussi la nouvelle session parlementaire qui devrait nous offrir pas mal de surprises.

Ensuite, Arthur Lapointe saisit un document placé devant lui et se mit à répartir les tâches pour la semaine à chacun de ses subordonnés.

Au moment de quitter la réunion, il s'arrêta près de Jean.

— Si tu as une minute, passe me voir dans mon bureau. J'ai quelque chose à te dire.

Vincent Lalande saisit l'aparté et murmura quelques mots à deux de ses partisans en ne quittant pas Jean des yeux.

Moins de dix minutes plus tard, ce dernier alla frapper à la porte de son patron.

— Viens t'asseoir, l'invita Lapointe dès qu'il fut entré.

Jean, intrigué, ferma la porte derrière lui et prit place dans le siège en face de son patron en se demandant ce qu'il avait bien pu faire d'incorrect.

— Je t'ai écouté parler de la campagne électorale de Montréal, dit Arthur Lapointe. Tu as l'air à t'y connaître.

— Je me suis peut-être un peu laissé emporter, s'excusa Jean, confus. Disons que ça vient de ce que j'ai couvert la politique municipale au *Montréal-Matin* pendant treize ans.

— J'aurais dû m'en rappeler, reconnut le directeur. Tu me l'as dit quand je t'ai rencontré la première fois en entrevue. Tout à l'heure, pendant que tu parlais, une idée m'est venue comme ça. J'aurais peut-être une proposition à te faire qui pourrait t'intéresser, poursuivit le quadragénaire.

Jean l'écoutait, soudain très attentif.

— Tu es probablement pas au courant, mais on s'apprête à inviter deux reporters de nos postes affiliés à se joindre à notre service des nouvelles parce qu'on manque de personnel pour couvrir toute l'actualité.

— Je le savais pas, admit Jean, ignorant encore où son patron voulait en venir.

— Bon, qu'est-ce que tu dirais de devenir reporter, au moins jusqu'au début de novembre, pour couvrir la campagne électorale à Montréal ? Avec ton expérience, tu dois avoir des contacts intéressants. Je vois pas pourquoi on mettrait un reporter de Québec ou de Sherbrooke là-dessus quand on en a un ici qui est capable de faire le travail.

— Qu'est-ce qui m'arrivera après les élections, monsieur Lapointe ?

— Dans le pire des cas, tu réintégreras ton poste dans le service.

— J'ai jamais fait de télévision, avança Jean, ouvertement hésitant.

— Puis après ! Il y a rien de sorcier là-dedans, lui dit Lapointe pour le rassurer. Écoute, prends la journée pour y penser et laisse-moi ta réponse avant de partir à cinq heures.

— Merci, monsieur. Je vais y penser, promit Jean avant de quitter les lieux.

Il regagna son bureau, flatté que le directeur ait songé à lui pour ce poste, mais il commençait à peine à être à l'aise dans ses nouvelles fonctions et ne se sentait guère le goût de relever déjà un nouveau défi.

Ce midi-là, il alla dîner à la cafétéria de Radio-Canada en compagnie de Blanche Comtois, comme il avait été entendu la semaine précédente, lors de leur dernière rencontre. C'était la troisième fois qu'ils mangeaient ensemble depuis le début du mois. Ils avaient maintenant retrouvé l'espèce de complicité qu'ils avaient brièvement partagée avant son mariage. Jean était heureux de vivre ces moments

Au dessert, il ne put s'empêcher de parler à Blanche de la proposition qu'Arthur Lapointe lui avait faite à la fin de la matinée. S'il avait cru que Reine aurait montré un peu d'intérêt pour ce qu'il faisait, il n'aurait pas hésité un instant à lui téléphoner pour s'entretenir avec elle de son dilemme. Mais il le savait, elle se serait probablement bornée à lui demander si cette nouvelle tâche s'accompagnait d'une augmentation de salaire.

— Mais c'est merveilleux! s'exclama Blanche en posant sa main sur la sienne. J'espère que tu as accepté.

— Je le sais pas trop, dit-il.

— Voyons, Jean, c'est une nouvelle carrière qui s'ouvre à toi. Tu devrais saisir ta chance.

— Peut-être, fit-il d'une voix hésitante.

— Tu es bel homme et tu vas bien percer l'écran. En plus, tes reportages vont te faire connaître. Qui sait ce qui va arriver après les élections?

Les dernières hésitations de Jean tombèrent devant tant d'enthousiasme et il promit à son amie d'accepter le poste proposé.

À la fin de la journée, le jeune père de famille rentra chez lui et ne souffla pas un mot aux siens de la nouvelle orientation de sa carrière. Il désirait leur réserver la surprise. Il avait rendez-vous le lendemain matin avec le cameraman qu'on lui avait attitré pour aller faire un premier reportage avec l'organisateur en chef du Parti civique de Montréal.

Le mercredi soir, la bonne humeur de Jean contrastait étrangement avec la morosité de sa femme.

Reine avait téléphoné une dizaine de fois au bureau de Benjamin Taylor sans obtenir de réponse. Elle allait arrêter de travailler dans trois jours et, le lundi suivant, elle devait tout quitter pour le suivre.

« C'est sûr qu'il lui est arrivé quelque chose de grave ! se répétait-elle, morte d'inquiétude. Où est-ce qu'il est ? Je suis pas pour m'en aller rester toute seule dans la maison pour l'attendre... À part ça, il devrait m'avoir déjà remis mes six mille piastres ! Lui, la tête folle, il va me payer tous les cheveux blancs qu'il me fait faire à l'attendre ! »

Debout devant la cuisinière électrique, elle faisait cuire le bœuf haché qu'elle entendait servir avec des pommes de terre rissolées. Une dispute s'éleva soudain entre Gilles et son frère, déjà assis à table.

— Fermez-vous ! leur hurla-t-elle, au bord de la crise de nerfs. Je suis plus capable de vous endurer.

Alerté par l'éclat, Jean quitta le salon et vint dans la cuisine. Il jeta un coup d'œil inquiet à sa femme.

— Toi, t'es au bout du rouleau pour crier pour rien comme ça, lui dit-il.

— Oui, et j'ai une nouvelle pour toi, répliqua-t-elle sèchement. Je lâche la biscuiterie samedi. C'est fini, je travaille plus. Tu devrais être content, non ? Tu vas avoir ta servante pour toi tout seul.

— Ça va te faire du bien d'arrêter, se contenta-t-il de dire avant de prendre place à table.

Au début de la soirée, il invita ses enfants dans le salon en leur disant qu'il avait une surprise pour eux. Tous les trois se précipitèrent vers la pièce pendant que leur père allait sur la galerie arrière rejoindre sa femme.

— Reine, viens dans le salon. Je veux te montrer quelque chose.

— J'espère que tu me déranges pas pour rien, fit-elle avec humeur. La tête me fend et j'ai pas le goût de niaiser.

À la télévision, le bulletin d'informations lu par Wilfrid Lemoyne commençait.

— J'espère que t'es pas venu me chercher pour écouter les nouvelles, protesta Reine en apercevant le lecteur de nouvelles à l'écran.

— Non, attends, lui ordonna-t-il en faisant signe à ses enfants de se taire.

Quelques minutes plus tard, les Bélanger eurent la surprise de voir leur père, armé d'un micro, interviewer l'organisateur en chef du Parti civique.

— Aïe, c'est p'pa ! s'exclama Alain, excité.

— Comment ça se fait, p'pa, que tu sois à la télévision ? reprit Catherine.

— Qu'est-ce que tu fais là ? lui demanda sa femme, stupéfaite.

— Ma *job*, se contenta-t-il de répondre, pas peu fier de sa performance.

— Ta *job* ?

— Depuis hier, je suis reporter pour Radio-Canada.

— Et tu m'en as même pas parlé ? fit-elle.

— Est-ce que ça t'aurait intéressée ? répliqua-t-il.

Sa femme ne se donna pas la peine de lui répondre. Elle se leva et retourna s'asseoir sur la galerie.

Chapitre 27

La catastrophe

Jean se retourna dans son lit face au mur et remonta sur son épaule la couverture qui avait légèrement glissé. Dans son rêve, une sonnerie n'arrêtait pas de se faire entendre. Soudain, il sentit qu'on le secouait sans ménagement.

— Jean ! Jean ! Réveille-toi ! C'est le téléphone qui sonne, lui dit sa femme, appuyée sur un coude à ses côtés.

— Mais quelle heure il est ? demanda-t-il, les yeux encore fermés.

— Cinq heures cinq, répondit Reine en sortant du lit. Dépêche-toi, lui ordonna-t-elle. Veux-tu bien me dire quel maudit innocent téléphone à cette heure-là chez le monde ?

Jean se leva à son tour en grommelant et la suivit dans la cuisine. Le mari et la femme arrivèrent trop tard. La sonnerie avait aussi réveillé leur fille Catherine qui avait été plus prompte à réagir.

— P'pa, c'est grand-papa, dit-elle à son père en lui tendant le combiné.

— Est-ce qu'il est devenu fou d'appeler à cette heure-là ? fit Reine à mi-voix.

Son mari lui fit signe de se taire.

— Oui, p'pa. Qu'est-ce qui se passe ?

Jean écouta son père durant quelques secondes avant de dire :

— OK, j'arrive.

Il raccrocha.

— Est-ce que je vais finir par savoir pourquoi je me suis fait réveiller en plein milieu de la nuit ? demanda Reine, hargneuse.

— Ma mère a disparu, répondit Jean en se dirigeant déjà vers la chambre dans l'intention de s'habiller.

— Comment ça ?

— Elle s'est levée pendant la nuit et elle a pris la porte. Mon père vient de s'en apercevoir. Elle peut pas être allée bien loin. On va la chercher.

— Pourquoi il appelle pas la police ? fit Reine qui l'avait suivi.

— Parce qu'il veut pas lui faire peur.

— J'y vais moi aussi, p'pa, dit Catherine sur un ton décidé. Je vais réveiller Gilles et Alain. Ils vont venir nous aider à trouver grand-maman.

Jean n'osa pas refuser. Reine ne pouvait décemment demeurer à la maison les bras croisés.

— C'est correct, moi aussi, je vais y aller. Je te dis qu'on va avoir l'air fin toute la bande à faire le tour des ruelles du coin, ne put-elle s'empêcher de dire.

Toute la famille s'habilla rapidement et sortit de la maison. Il faisait encore noir et la fraîcheur du petit matin les fit frissonner. Ils se dirigèrent tous les cinq vers l'appartement des parents de Jean.

À leur arrivée au pied de l'escalier, ils virent Félicien sortir de la maison et descendre l'escalier extérieur. Au même instant, la voiture de Marcel Meunier s'arrêta en double file dans la rue Brébeuf. Le conducteur, Lorraine et leur fille en sortirent précipitamment.

— Qu'est-ce qu'on fait, beau-père ? demanda le plâtrier à Félicien. Est-ce que vous voulez que je fasse le tour des rues en char pour essayer de la trouver ou on est mieux de tous y aller à pied ?

— Je sais pas trop, admit le postier à la retraite, qui donnait l'impression d'être totalement dépassé par la situation.

— Pour moi, Marcel, je pense que t'es mieux de faire le tour avec ton char, lui conseilla Jean. On sait pas à quelle heure elle est sortie. Elle peut être rendue pas mal loin. Nous autres, on va se répartir les rues et les ruelles autour. Ça devrait pas prendre beaucoup de temps pour la trouver si personne l'a ramassée.

— On ferait peut-être aussi ben de laisser quelqu'un à la maison au cas où elle reviendrait, fit Félicien, hésitant.

— Je vais rester, moi, se proposa Reine en posant déjà un pied sur la première marche de l'escalier, prête à monter à l'appartement de ses beaux-parents.

— C'est correct, accepta son beau-père.

— Les garçons, vous allez monter Brébeuf jusqu'à Saint-Joseph, intervint Jean. Moi, je vais m'occuper des ruelles. P'pa, vous pourriez monter De La Roche, Lorraine s'occupera de Mont-Royal jusqu'à Papineau, alors que Murielle et Catherine, vous monterez Chambord.

— Bon, moi, je vais faire toutes les rues du coin entre Mont-Royal et Rachel, décida Marcel en ouvrant déjà la portière de sa voiture.

— Ah ! pendant que j'y pense. On est à la veille de voir du monde sur les trottoirs, fit Félicien, comme s'il venait d'avoir l'idée. Si vous en rencontrez, demandez-leur s'ils ont pas vu une femme en robe de chambre.

— Elle s'est pas habillée ? s'étonna Lorraine.

— Non, se contenta de lui répondre son père. Et oubliez pas de regarder derrière les escaliers. On sait jamais, ajouta le facteur retraité.

Tous les chercheurs s'éparpillèrent rapidement et entreprirent de sillonner les rues du quartier. Le ciel commençait déjà à s'éclaircir à l'est. Pendant plus d'une heure, ils cherchèrent soigneusement sans parvenir à découvrir Amélie. Un peu avant sept heures, Jean croisa son père en sortant de la dernière ruelle qu'il venait d'explorer.

— Je pense que ça sert à rien de continuer à chercher comme ça, p'pa, lui dit-il. Si ça se trouve, m'man a pris le bord du parc La Fontaine et on peut la chercher longtemps sans la trouver si elle est là. Si vous êtes d'accord, on va revenir à la maison et appeler la police.

Félicien ne répondit rien. Il se borna à hocher la tête en se mettant en marche à côté de son fils.

— Qu'est-ce qui lui a pris de partir comme ça ? lui demanda Jean. Elle avait pourtant l'air pas si mal depuis un bout de temps.

— Ça dépendait des jours, avoua Félicien. Ta mère oublie de plus en plus des affaires et elle se fâche quand elle arrive pas à se souvenir. Il faut que je la surveille pas mal tout le temps. La preuve…

Soudain, la voiture de Marcel Meunier ralentit à leur hauteur.

— J'ai rien vu, leur annonça-t-il. J'ai demandé à deux trois passants s'ils l'avaient vue. Rien.

— On va aller appeler la police, lui déclara Félicien. Je pense qu'on est aussi ben d'arrêter de chercher pour rien.

— Dans ce cas-là, je vais aller ramasser Lorraine et les enfants et les ramener.

— C'est parfait, l'approuva Jean en se remettant en marche.

À leur arrivée à la maison, Reine leur prépara une tasse de café. Félicien appela la police. On lui promit d'envoyer une auto-patrouille incessamment. Les policiers ne sonnèrent à l'appartement qu'une dizaine de minutes après le retour des enfants et de Lorraine.

Félicien leur expliqua brièvement que sa femme avait disparu au cours de la nuit sans qu'il s'en aperçoive et qu'il l'avait cherchée partout dans le quartier avec ses enfants et petits-enfants.

— Vous auriez dû nous appeler tout de suite, monsieur, lui dit poliment l'aîné des policiers. C'est nous-mêmes qui avons retrouvé votre femme vers quatre heures du matin sur la rue Mont-Royal. Quand vous avez appelé au poste, vous êtes probablement tombé sur le responsable du quart de jour et il était pas au courant. Comme votre femme était pas capable de nous dire son nom et où elle restait, on l'a conduite à l'hôpital Notre-Dame.

— Est-ce qu'elle est blessée ? lui demanda Lorraine, alarmée.

— Non, madame, mais comme elle avait pas l'air dans son état normal, l'hôpital a préféré la garder.

Félicien remercia les policiers, qui se retirèrent.

— Je vais aller vous conduire à l'hôpital avec Lorraine, beau-père, proposa Marcel Meunier. Je travaille pas aujourd'hui. On va juste laisser Murielle à la maison en passant.

— Moi, j'irai la voir en revenant de l'ouvrage, promit Jean. Si j'ai une chance d'y aller à midi, je vais y aller. Est-ce que vous avez averti Claude et Lucie ?

— Non, ça servait à rien de les énerver avec ça, lui répondit son père. Ils étaient trop loin pour venir nous aider. Je vais attendre d'en savoir plus avant de leur téléphoner.

Jean se retira avec sa femme et ses enfants. De retour à la maison, Reine obligea ses enfants à retourner se mettre au lit.

— Vous vous êtes levés trop de bonne heure à matin, leur dit-elle. Vous serez pas endurables aujourd'hui si vous allez pas vous recoucher une heure ou deux.

— Laisse-les déjeuner avant d'aller se coucher, lui suggéra son mari. Comme ça, ce sera pas la faim qui va les tenir réveillés.

Reine accepta qu'ils mangent quelques rôties avant de retourner se mettre au lit.

— J'ai bien l'impression que ton père va être obligé de faire quelque chose avec ta mère, dit Reine en finissant de boire sa tasse de café au moment où Jean, fraîchement rasé, venait l'embrasser sur une joue avant de partir au travail.

— Qu'est-ce que tu veux qu'il fasse ?

— Il aura pas le choix, reprit-elle d'une voix indifférente. Il va être obligé de la placer.

— Voyons donc, répliqua-t-il, la gorge nouée par l'émotion. Il doit y avoir autre chose à faire. Penses-tu vraiment qu'elle est rendue là ? ajouta Jean qui ne voulait pas y croire.

Mais, force était de constater que Reine, aussi préoccupée fût-elle dans cette période, n'avait sans doute pas complètement tort.

∽

Après le départ de son mari, Reine décida de descendre immédiatement au magasin, même si elle n'ouvrait qu'une heure plus tard. Elle avait besoin de téléphoner loin des oreilles indiscrètes de ses enfants.

Pendant tout le temps où elle avait attendu le retour des chercheurs chez son beau-père, elle avait mûri une décision. À la veille de cesser son travail à la biscuiterie, c'était aujourd'hui qu'elle allait tirer au clair la disparition de Benjamin Taylor. Il n'était plus question d'attendre. Elle allait le trouver et savoir exactement ce qui se passait.

Après une longue hésitation, elle avait décidé d'avoir recours à l'aide de son unique confidente, Gina Lalonde. Elle avait besoin d'elle et surtout de sa voiture pour la conduire au bureau de Taylor Publishing, rue Sainte-Catherine. Elle avait bien songé durant un instant à utiliser l'autobus, mais elle s'était dit que s'il lui fallait aller jusqu'à la maison, boulevard Gouin, elle perdrait énormément de temps dans les transports en commun.

Elle verrouilla la porte du magasin derrière elle et se rendit au téléphone mural dans l'arrière-boutique.

— J'espère qu'elle a pas travaillé au club jusqu'à trois heures du matin, dit-elle à mi-voix en songeant à son amie. Si elle s'est couchée tard, elle va être d'une humeur de chien et voudra pas m'aider.

Elle composa le numéro de Gina Lalonde et laissa sonner longtemps.

— Dis-moi pas qu'elle est pas à la maison, fit-elle en pianotant nerveusement sur le mur, près de l'appareil.

Quelqu'un finit par décrocher et une voix ensommeillée demanda qui parlait.

— C'est Reine, Gina. Je dois te réveiller, pas vrai ? Je m'excuse, mais je pouvais pas faire autrement, ajouta-t-elle, d'une voix apparemment contrite.

— Ça fait pas trois heures que je suis couchée, lui signala la barmaid d'une voix rendue rauque par la fumée de cigarette.

— J'aurais bien besoin que tu m'aides, fit Reine.

— Écoute, là, j'ai pas les idées claires pantoute. Je vais aller me faire un café pour me les remettre en place. Rappelle-moi dans quinze minutes.

Reine, dépitée, raccrocha et se mit à surveiller l'horloge murale suspendue au-dessus de la table en pin. Pendant cette courte attente, elle décida de ne pas mentionner l'emprunt de Ben pour ne pas ternir l'image de prince charmant qu'elle en avait donnée à Gina. Quinze minutes plus tard, elle téléphona à nouveau et Gina Lalonde décrocha immédiatement.

— Qu'est-ce qu'il y a ? lui demanda son amie d'une voix un peu plus ferme.

— Il y a que je suis supposée partir de la maison lundi, dans trois jours, et j'aurais besoin que tu m'aides.

— Quoi ? Tu t'es enfin décidée ? s'étonna Gina. Tu pars avec ton chum riche ?

— Oui, j'attendais juste que notre maison neuve soit prête.

— Où est le problème ?

— Ça fait plus que deux semaines que je l'ai pas vu et je me demande s'il lui est arrivé quelque chose, expliqua Reine, incapable de cacher son inquiétude.

— T'as pas appelé chez lui ?

— Il a pas le téléphone à son appartement parce qu'il veut pas se faire déranger par des clients. J'ai essayé à son bureau, mais ça répond pas.

— Bon, tu veux que j'aille voir où il est, c'est ça ?

— Non, j'aimerais mieux que tu viennes me chercher pour m'amener à son bureau. C'est sur Sainte-Catherine.

Gina poussa un soupir que son interlocutrice interpréta comme un soupir d'exaspération.

— À quelle heure tu veux aller là ?

— Qu'est-ce que tu dirais vers neuf heures et quart ?

— Si vite que ça ?

— Je me dis que je suis aussi bien de m'organiser pour le voir au commencement de la journée, avant qu'il parte voir des clients.

— C'est correct, accepta la barmaid sans le moindre enthousiasme. Dans une demi-heure, je suis devant chez vous.

Reine monta à son appartement pour se maquiller et se coiffer rapidement. Elle passa l'une de ses plus belles robes et rédigea un court billet à l'intention de Catherine pour la prévenir qu'elle devait aller faire des achats avec son amie Gina durant l'avant-midi et qu'elle n'était pas certaine d'être revenue pour le dîner. Elle descendit ensuite à temps pour ouvrir la porte de la biscuiterie à Claire Landry, un peu avant neuf heures.

— Je te laisse toute seule une heure ou deux, lui annonça-t-elle tandis que la jeune fille enfilait son tablier de travail. Je dois aller faire une commission avec une amie. Quand le livreur de chez Viau passera, vérifie bien qu'il te laisse tout ce que j'ai marqué sur ce papier, ajouta-t-elle en lui tendant une feuille.

Elle vérifia ensuite le contenu de la caisse enregistreuse et au moment où elle allait se retirer dans l'arrière-boutique, elle vit la vieille Dodge Regent grise de Gina Lalonde s'arrêter devant la biscuiterie.

— Bon, j'y vais. Je devrais pas être longtemps partie, dit-elle à son employée en posant la main sur la poignée de la porte.

Claire Landry vit sa patronne se glisser sur la banquette avant de la voiture, qui disparut rapidement vers l'ouest.

— Bon, où est le bureau de ton beau Brummell ? demanda Gina en immobilisant son véhicule derrière un autobus au premier feu rouge.

— Sur Sainte-Catherine. Au 2336, Sainte-Catherine.

— Dans l'est ou dans l'ouest ?

— J'ai complètement oublié de regarder ça, admit Reine, énervée.

— C'est pas grave, la rassura Gina. On va s'arrêter à la première boîte téléphonique qu'on va voir et tu vérifieras.

Les deux femmes en repérèrent une près d'un restaurant, au coin de Rachel et Saint-Hubert. Reine descendit précipitamment du véhicule et alla consulter l'annuaire suspendu au bout d'une chaînette dans la cabine.

— Est, dit-elle à son amie en reprenant place à ses côtés.

— Le 2336, Sainte-Catherine Est, c'est dans le coin du Mocambo, pas bien loin de Frontenac, lui fit remarquer la barmaid. Je veux pas trop rien dire, mais ton chum doit pas avoir un bureau trop chic parce que, dans ce coin-là, c'est plutôt miteux.

Reine ne dit rien, se contentant de regarder la circulation par le pare-brise sans la voir. Elle songeait à ce qu'elle allait dire à son amant quand elle le verrait dans quelques instants.

La Dodge s'arrêta bientôt le long du trottoir et la conductrice éteignit le moteur.

— On est rendues, annonça-t-elle à sa passagère.

Reine sursauta légèrement en entendant sa voix et tourna la tête dans toutes les directions, comme si elle cherchait à se repérer.

— L'adresse que tu m'as donnée est de l'autre côté de la rue, lui précisa la barmaid en lui indiquant un vieil immeuble décrépit dont le rez-de-chaussée était occupé par ce qui semblait être une petite épicerie.

— T'es sûre de ça ? lui demanda la jeune femme, surprise.

— C'est là, le 2336, Sainte-Catherine Est. Pour moi, t'es mieux d'aller voir, lui conseilla-t-elle. Ça ressemble pas bien gros à un bureau, cette place-là.

Reine quitta la voiture, traversa la rue et poussa la porte de ce qui était bien une épicerie. Une grosse dame aux cheveux frisottés trônait derrière le comptoir.

— Excusez-moi, madame, je cherche Taylor Publishing, fit Reine en prenant sa voix la plus aimable. L'adresse qu'on m'a donnée est ici.

— Ça me dit rien pantoute, lui dit la caissière, après avoir cherché durant un court moment dans sa mémoire.

— Moi, je me souviens, fit une voix masculine, dans le dos de Reine, en provenance du fond de l'épicerie. Ça fait au moins un an que c'est parti, cette affaire-là. C'était au deuxième étage.

Un homme dans la cinquantaine, moustachu, s'avança vers Reine. Il portait une caisse de tomates qu'il prit soin de déposer sur le comptoir devant celle qui semblait être sa femme.

— Un an ? s'étonna Reine.

— Ouais, le gars qui s'occupait de ça avait pas l'air à trouver la place assez belle pour lui. Si je me souviens ben, il a gardé son bureau ouvert deux ou trois mois avant de sacrer son camp.

— Vous sauriez pas où il est allé ?

— Ça, ma petite dame, je pourrais pas vous le dire, admit l'épicier. Tout ce que je sais, c'est que le propriétaire voudrait ben lui mettre la main dessus pour lui faire payer son loyer. D'après ce qu'il m'a dit, le gars est parti en oubliant de le payer.

— Je vous remercie beaucoup, monsieur, dit Reine en se retirant.

Le cœur étreint par un étrange pressentiment, elle retourna s'asseoir dans la Dodge où l'attendait patiemment Gina.

— Puis ? demanda cette dernière.

— Il paraît que son bureau a été là seulement deux ou trois mois. Après, il a dû aller s'installer dans une place plus chic, dans l'ouest, ajouta-t-elle pour ne pas ternir la réputation de celui avec qui elle se préparait à aller vivre.

— Et il t'a pas donné le numéro de téléphone de son nouveau bureau ? s'étonna Gina, ouvertement intriguée.

— Il voulait pas que je l'appelle là pour que ses secrétaires se mêlent pas de sa vie privée.

— C'est tout de même pas mal étrange que tu puisses pas le rejoindre, lui fit remarquer la jeune femme avec un bon sens certain. Est-ce qu'il est marié, ton gars ?

— Non, en tout cas, pas à ce que je sache.

— À ce moment-là, veux-tu bien me dire en quoi les commérages de ses secrétaires pouvaient tant le déranger ?

Reine s'en voulut de ne pas avoir pensé elle-même à ça avant son amie.

— J'ai pas à m'en faire. C'est certain que je peux toujours le rejoindre chez nous, à notre nouvelle maison, affirma-t-elle en tentant de s'en persuader elle-même.

— Tu m'as bien dit que c'était sur le boulevard Gouin ?

— Oui.

— Bon, on dirait qu'on n'a pas le choix. Comme tu veux absolument parler à ce monsieur courant d'air, il va falloir aller là, dit la barmaid en embrayant.

— Écoute, je voudrais pas t'obliger à traverser toute la ville pour m'aider à le trouver.

— C'est pas grave, fit cette dernière d'une voix rassurante. Une fois réveillée, je peux pas me rendormir. Dans ce cas-là, aussi bien aller jusqu'au bout. En échange, tu me feras visiter ton fameux château.

— C'est promis, dit Reine en retrouvant sa bonne humeur. Mais je t'avertis, on l'a pas encore meublé.

La vieille voiture mit près de quarante minutes pour traverser la ville et se rendre boulevard Gouin en cette fin de matinée du mois d'août. Il faisait un peu plus frais que les jours précédents. Le ciel s'était couvert de nuages et le temps devenait maussade.

— Tu me préviendras quand on sera rendues, dit Gina Lalonde à son amie en roulant assez lentement sur le boulevard qui longeait la rivière des Prairies.

Reine regardait attentivement du côté de la rivière pendant que la voiture avançait.

— C'est ici, dit-elle soudain à la conductrice.

Gina immobilisa sa voiture devant une magnifique maison à deux tourelles dont les briques beiges formaient un heureux contraste avec la toiture brun foncé. À l'avant, la pelouse soigneusement tondue servait d'écrin à une rocaille en forme de demi-lune.

Pendant un long moment, les deux femmes demeurèrent silencieuses dans la voiture, occupées à admirer ce qu'elles voyaient. La conductrice fut la première à retrouver la parole.

— Eh bien! s'exclama-t-elle. Tu t'en viens pas rester dans une cabane du bas de la ville, à ce que je vois! Sacrifice! Tu m'as pas conté d'histoire. Ton bonhomme est riche pour se payer une maison comme ça. J'espère qu'il va avoir aussi les moyens de te payer une ou deux servantes pour l'entretenir, sinon tu vas passer ta vie à frotter.

— Inquiète-toi pas, dit Reine, fière de faire admirer son prochain chez-soi. Je m'en viens pas jouer les servantes dans cette maison-là.

— En tout cas, je pense que t'es pas venue pour rien, fit son amie qui avait continué à scruter la façade de l'imposante résidence. Je viens de voir quelqu'un passer devant une fenêtre.

— Bon, c'est parfait, déclara Reine en ouvrant la portière de la voiture. Laisse-moi quelques minutes pour tirer les affaires au clair et je viens te chercher pour te faire visiter.

Sur ces mots, elle sortit de la voiture, referma la portière et se dirigea vers la maison en empruntant l'élégant trottoir qui conduisait à la porte principale. Elle sonna et un beau carillon se fit entendre dans la maison.

— C'est la première et la dernière fois que je suis obligée de sonner pour entrer dans ma maison, se dit-elle à mi-voix.

Elle entendit des pas et la lourde porte en chêne s'ouvrit devant elle.

— Oui, madame ? lui demanda une femme plus âgée qu'elle à la mise soignée qui l'examinait à travers ses lunettes à fine monture dorée.

— Bonjour, fit Reine, surprise de découvrir cette femme dans sa maison. Est-ce que je pourrais parler à monsieur Taylor, s'il vous plaît ?

— Monsieur Taylor ? demanda la dame, apparemment intriguée. Il n'y a pas de monsieur Taylor ici.

— Voyons donc, madame, s'entêta Reine. Je suis bien chez Benjamin Taylor. C'est sa maison. Je suis venue la voir avec lui pas plus tard que le mois passé…

Elle dut paraître si perturbée que la dame l'invita à entrer et referma la porte derrière elle.

— Vous me dites que vous êtes venue ici le mois passé ? demanda-t-elle à Reine.

— Oui.

— Vous êtes entrée ici ? insista-t-elle.

— Non, on est restés sur le trottoir parce qu'elle était en construction. On doit venir rester dedans la semaine prochaine.

— Ce serait pas mal étonnant, madame, répliqua la quinquagénaire sur un ton un peu plus sec. Mon mari et moi avons emménagé ici il y a dix jours et…

— Dites-moi pas que monsieur Taylor vous l'a vendue ? s'écria Reine, qui n'y comprenait plus rien.

— Je ne vois vraiment pas ce que votre monsieur Taylor vient faire là-dedans, s'impatienta la dame. Mon mari possédait ce terrain depuis vingt ans. Nous avons décidé de faire construire cette maison, à côté de celle de mon frère, l'hiver dernier. La construction a commencé ce printemps et, comme je viens de vous le dire, nous venons juste d'emménager.

Le visage de Reine était devenu soudainement blafard et ses jambes avaient du mal à la supporter. Son interlocutrice dut s'en rendre compte parce qu'elle lui offrit un verre d'eau froide pour se remettre. Reine l'accepta avec reconnaissance et dut faire un effort extraordinaire pour ne pas se mettre à pleurer bêtement devant cette étrangère.

— J'ignore qui est votre monsieur Taylor, madame, reprit la propriétaire en lui ouvrant la porte, mais j'ai la nette impression qu'il vous a fait une plaisanterie de bien mauvais goût en vous laissant croire que cette maison était à lui.

— Merci, madame, fit Reine d'une toute petite voix avant de se diriger d'un pas incertain vers la voiture de Gina.

Il lui fallait inventer quelque chose de toute urgence pour expliquer à son amie pourquoi elle ne pouvait l'inviter à visiter sa future maison. Mais le temps et le courage lui manquèrent. Elle ouvrit la portière et se laissa tomber sur la banquette avant, le visage décomposé.

— Veux-tu bien me dire ce qui t'arrive ? s'inquiéta la barmaid. T'as l'air d'une vraie morte. Qu'est-ce qui se passe ?

— Je le sais pas... Je le sais plus, avoua-t-elle en se mettant subitement à pleurer à chaudes larmes.

— Qu'est-ce qu'il t'a fait ?

— Rien.

— C'était qui la femme qui est venue t'ouvrir la porte ?

Il y eut un long silence avant que Reine se décide à répondre d'une voix tremblante :

— C'est la propriétaire.

— Comment ça, la propriétaire ? C'est pas la maison de ton chum ? Je comprends plus rien dans ton affaire...

— Moi non plus, avoua Reine en hoquetant.

Puis, sans plus réfléchir, elle raconta tout à Gina Lalonde qui l'écouta, bouche bée, comme si elle était incapable de comprendre que son amie avait pu se laisser manipuler aussi facilement par un homme.

— J'en reviens pas ! s'exclama-t-elle sans manifester une grande compassion pour Reine. Il a eu le front de t'amener ici deux fois pour te faire croire que ce serait votre maison. Il t'a fait croire que vous alliez vivre ensemble à partir de la semaine prochaine. Il t'a même emprunté presque tout ton argent avant de disparaître. Mais ce gars-là, c'est un vrai chien !

— Je le sais pas… Je le sais plus, fit Reine en s'essuyant les yeux. Il a pas arrêté de me dire qu'il m'aimait. Je suis sûre qu'il m'aime. Il a dû lui arriver quelque chose. Quand on va se revoir, tout va s'expliquer.

— Reine Talbot, bonyeu ! Ouvre-toi les yeux ! s'emporta Gina, renversée par tant de naïveté. Ton Ben t'a monté un bateau et il a sacré son camp avec ton argent. Si ça se trouve, il est déjà en train d'emberlificoter une autre fille. Je serais pas surprise pantoute qu'il vive seulement avec l'argent qu'il arrive à prendre aux femmes qui le croient.

— J'ai de la misère à croire ça, fit Reine.

— Aïe ! Reine, réveille-toi ! lui ordonna sèchement son amie. C'est fini, ton rêve. Il t'a eue, un point, c'est tout. Oublie-le. Fais une croix sur l'argent que tu lui as prêté. Pour lui, t'étais juste une vache à lait. Tu peux plus rien lui rapporter. Tu peux être certaine qu'il t'a déjà oubliée et que tu le reverras plus.

Gina Lalonde remit sa Dodge en route. Durant tout le trajet, la conductrice garda le silence, laissant sa passagère se tamponner les yeux. Peu à peu, les traits du visage de Reine se crispèrent et sa bouche se durcit. Son chagrin fit progressivement place à une rage froide qui la faisait presque trembler. Quand la Dodge s'arrêta près de la biscuiterie, la femme de Jean Bélanger semblait avoir retrouvé presque tous ses moyens.

— Merci, Gina, dit-elle à la barmaid. Je te revaudrai ça.

— Suis mon conseil, oublie-le tout de suite, répéta Gina avant de se remettre en route.

Reine demeura un bon moment au coin de la rue, comme si elle hésitait à traverser. Elle se promit qu'elle n'oublierait jamais Benjamin Taylor. Si jamais elle le revoyait, elle lui ferait payer au centuple ce qu'il lui avait fait.

— Un maudit voleur! Un maudit menteur! murmura-t-elle assez fort pour qu'un passant tourne la tête vers elle en l'entendant.

Il était près de midi et elle décida de monter à l'appartement voir comment les enfants se débrouillaient avec le repas. Elle n'avait pas faim. Une migraine terrible la taraudait. Elle entra chez elle et découvrit ses trois enfants en train de manger.

— J'ai ouvert une grosse boîte de binnes pour dîner, m'man, lui dit sa fille. Il en reste si vous en voulez.

— Non, j'ai mal à la tête. Je mangerai pas. Après le dîner, Gilles, tu iras avertir Claire que je suis revenue et que je vais descendre vers deux heures.

Sur ces mots, elle s'engouffra dans sa chambre à coucher et referma la porte. Elle fouilla frénétiquement dans l'un des tiroirs de son bureau et parvint à trouver le petit cœur en argent et la chaînette du même métal qu'il lui avait offerts. Elle les avait dissimulés sous sa lingerie. Elle empoigna la chaînette à pleines mains et la brisa en plusieurs morceaux avant de l'enfouir avec le cœur dans l'une des poches de sa robe. Elle allait jeter le tout dans la poubelle du magasin lorsqu'elle descendrait. Ensuite, elle se laissa tomber sur son lit sans prendre la peine de retirer sa robe.

Durant de longues minutes, elle repassa dans sa tête le calvaire qu'elle venait d'endurer. C'en était fini de ses rêves d'évasion et du roman d'amour qu'elle s'apprêtait à vivre avec son amant. Il avait disparu avec presque toutes ses économies, sans un mot, rien. Il ne lui restait plus que ses yeux pour pleurer. Elle allait être condamnée à passer sa vie derrière un comptoir à vendre des biscuits et des pâtisseries et à être la servante de trois enfants et d'un homme sans ambition.

Puis, son orgueil eut un sursaut. Qu'est-ce que Gina allait penser d'elle ?

— Elle doit me prendre pour une belle dinde, murmura-t-elle. Je suis la niaiseuse qui a tout donné à un gars et qui a cru tout ce qu'il me disait…

Elle se promit d'espacer ses contacts avec la barmaid. Il n'était pas dit que tout le monde allait rire d'elle.

Épuisée autant par toutes ces émotions que par la nuit assez courte qu'elle avait connue, elle finit par s'assoupir. Elle se réveilla dix minutes après deux heures. Elle eut une grimace en apercevant sa robe chiffonnée qu'elle retira pour la remplacer par une « robe de semaine », comme elle disait. Elle descendit ensuite au magasin reprendre sa place derrière le comptoir. Elle n'eut pas un mot d'explication ou d'excuse pour sa vendeuse.

Lorsqu'elle monta vers six heures pour s'occuper du souper des siens, Jean venait de rentrer. Elle dut faire un effort considérable pour oublier durant quelques instants le drame qu'elle vivait afin de demander des nouvelles de sa belle-mère.

— As-tu eu le temps d'aller voir ta mère à midi ? lui demanda-t-elle en préparant le mélange à crêpes.

— Oui, mais elle dormait et mon père venait juste de partir, répondit Jean en s'assoyant à table. J'ai parlé à une garde-malade. Il paraît qu'un spécialiste devait venir la voir cet après-midi et mon père devait passer à l'hôpital pour le rencontrer.

— Bon, se contenta-t-elle de dire en déposant une poêle à frire sur le feu. Catherine, mets la table, dit-elle à l'adolescente, et avertis tes frères qu'on soupe dans deux minutes.

— Après le souper, je vais aller voir mon père pour savoir ce qui en est, poursuivit Jean avant d'aller se laver les mains dans la salle de bain.

Reine cuisina des crêpes, et le souper se prit dans un silence relatif. Quelques minutes plus tard, la pluie commença à tomber, ce qui mit Gilles et Alain de mauvaise humeur. Ils avaient prévu d'aller jouer à la balle dans la ruelle avec des copains.

À la fin du repas, la mère de famille laissa à Catherine et aux garçons le soin de ranger la cuisine avant de descendre à la biscuiterie. Même si la pluie parfois forte avait chassé un bon nombre de badauds en cette soirée de vendredi, plusieurs clients n'en vinrent pas moins faire leurs achats ce soir-là. Claire Landry était particulièrement silencieuse depuis le retour de sa patronne au milieu de l'après-midi. Elle avait senti intuitivement sa mauvaise humeur et avait fait en sorte de ne mériter aucun reproche.

Chapitre 28

L'inévitable

Ce soir-là, Jean quitta la maison quelques minutes après sa femme en prévenant ses enfants qu'il ne serait pas longtemps chez leur grand-père.

À son arrivée, il rencontra Claude et Lucie qui s'apprêtaient à monter l'escalier.

— Je suis passé à Notre-Dame ce midi, leur dit-il en s'assoyant sur les marches, mais j'ai pas pu avoir des nouvelles de m'man. Le spécialiste l'avait pas encore examinée.

— Moi, j'ai téléphoné, mais la garde a rien voulu me dire, intervint Lucie à son tour.

Les trois gravirent alors les marches qui les séparaient de l'appartement familial. À leur entrée, ils trouvèrent Lorraine et Marcel installés dans la cuisine en compagnie de Félicien.

— J'ai des bonnes nouvelles, dit Félicien à son fils aîné. Lorraine et Marcel sont venus avec moi à l'hôpital cet après-midi. Votre mère va pas trop mal. On lui a parlé.

— C'est vrai, approuva Lorraine. Elle nous a reconnus et nous a même demandé ce qu'elle faisait là.

— Puis ?

— Puis on a parlé au docteur Comeau. C'est le spécialiste qui l'a examinée. Elle souffre d'Alzheimer, d'après lui.

— On s'en doutait tout de même un peu, pas vrai, monsieur Bélanger, lui dit doucement sa bru.

— Oui, reconnut le sexagénaire, mais c'est pas comme se le faire dire en pleine face par un spécialiste.

— Est-ce qu'ils peuvent faire quelque chose pour elle ? demanda Claude.

— D'après le docteur, c'est déjà pas mal avancé. Il m'a décrit ce qu'il appelle tous les stades de cette maudite maladie-là. Votre mère en a déjà passé quelques-uns, d'après lui.

— Qu'est-ce qu'on peut faire, p'pa ? lui demanda Jean, la gorge étreinte par l'émotion.

— Pas grand-chose. Il va lui prescrire des pilules, mais il dit que ça fera pas des miracles. D'après lui, je serais mieux de commencer tout de suite à chercher une place où ils pourraient prendre soin de ta mère.

En entendant cette remarque, Jean se rappela la conversation qu'il avait eue avec Reine. Finalement, c'était peut-être elle qui avait vu juste avec son caractère pourtant si détaché.

— Et… voulut commencer à dire Claude.

— Et il en est pas question ! s'insurgea le retraité. Elle a juste soixante ans et je veux pas pantoute la placer. Elle est pas folle. Elle sait encore ce qu'elle fait. Elle nous reconnaît. C'est pas parce qu'elle perd un peu la mémoire qu'elle est folle à enfermer.

Ses enfants se regardèrent brièvement et aucun n'osa le contredire.

— Qu'est-ce que vous avez l'intention de faire, p'pa ? lui demanda Claude.

— Cette affaire ! Demain matin, je vais aller la sortir de là et la ramener ici dedans. Sa place est dans sa maison.

— Mais vous vous rendez bien compte, monsieur Bélanger, que vous allez être obligé de surveiller votre femme vingt-quatre heures sur vingt-quatre, lui dit Lucie d'une voix douce.

— Ça tombe ben, j'ai rien d'autre à faire, répondit-il d'une voix décidée.

— Si vous faites ça, p'pa, intervint Lorraine, qui avait été particulièrement silencieuse depuis le début de la rencontre, je vais venir vous soulager de temps en temps pour la surveiller pendant que vous irez faire vos commissions ou prendre une marche.

— On peut tous faire quelque chose, reprit Jean.

— On va être là pour vous donner un coup de main, p'pa, confirma Claude.

❦

De retour à la maison un peu plus tard, Jean retrouva sa femme en train de terminer les comptes de la biscuiterie, comme tous les vendredis soirs. Ses sourcils froncés et sa bouche dure lui apprirent immédiatement que quelque chose ne faisait pas son affaire. Au moment où il allait lui demander ce qui n'allait pas, il se rappela soudain qu'elle s'apprêtait à abandonner ce travail le lendemain soir et que cela la perturbait probablement. La maladie de sa mère l'avait tant préoccupé ce jour-là qu'il n'avait plus pensé à ça. Alors, il fit comme s'il n'avait rien remarqué.

— Je me fais une tasse de café, en veux-tu une ? lui offrit-il en s'approchant de l'armoire pour en sortir une tasse.

— Non, j'ai pas le temps. Je dois descendre chez ma mère, répondit-elle avec une certaine brusquerie.

— J'ai eu des nouvelles de ma mère.

— Ah oui, fit-elle sur un ton indifférent.

— Le spécialiste a dit qu'elle souffre d'Alzheimer et que mon père devrait penser à la placer.

— Il y a pas autre chose à faire, confirma-t-elle en roulant le ruban de la caisse enregistreuse après avoir rassemblé les factures devant elle.

— Mon père veut pas. Il va la garder à la maison. Nous autres, on a promis de l'aider, ajouta-t-il, espérant susciter un commentaire de sa femme.

— …

— Ç'a l'air de t'intéresser sans bon sens ce que je te raconte là ! ne put-il s'empêcher de lui dire.

— C'est ta mère, pas la mienne, laissa-t-elle tomber sans émotion apparente. Bon, je descends. Je devrais pas en avoir pour plus que dix minutes.

Il lui tourna le dos et se préoccupa de préparer sa tasse de café. Quand il se retourna, la porte d'entrée venait de se refermer sur sa femme.

Reine frappa à la porte de sa mère. Cette dernière vint lui ouvrir et la fit passer dans la cuisine, comme chaque vendredi soir, quand l'heure de faire les comptes arrivait. Quelques minutes suffirent pour que tout soit réglé.

— On dirait que tu es épuisée, ne put s'empêcher de dire Yvonne en regardant sa fille. Je pense qu'il est vraiment temps que tu lâches la biscuiterie.

— Je traverse juste une mauvaise passe, répliqua la jeune femme en s'efforçant de mettre un peu d'animation dans sa voix. Je dors mal la nuit, sentit-elle le besoin d'ajouter pour susciter un peu de compassion chez sa mère.

— L'important, c'est que tu tombes pas malade, dit cette dernière.

— Il y a pas de danger. À propos, m'man, je voulais vous dire qu'il y a pas de presse pour vendre la biscuiterie. Je pense que je la lâcherai pas demain, comme je vous l'avais annoncé. J'ai bien pensé à mon affaire et je me suis dit que je finirais par m'ennuyer, toute seule, à rien faire, en haut, quand les enfants vont être retournés à l'école dans quinze jours.

— Et qu'est-ce que ton mari va dire de ça ?

— Il dira ce qu'il voudra, répondit sèchement la jeune femme.

— Claire Landry t'a rien dit ? lui demanda sa mère, légèrement étonnée.

— Qu'est-ce qu'elle aurait dû me dire ? fit Reine.

— Antoine Laniel est revenu me voir cet avant-midi. Cette fois il était accompagné de sa femme. Ils ont voulu examiner encore le magasin. Je les ai envoyés en bas te voir pour que tu leur montres tout ce qu'il y avait à voir. C'est Claire qui a dû s'en charger parce qu'il paraît que t'étais partie faire des commissions avec ton amie Gina. J'ai cru que ta vendeuse t'avait mise au courant.

— Elle m'a rien dit.

— Remarque que c'est pas bien important que tu aies été là ou pas. Les Laniel sont remontés me voir après et ils m'ont fait une offre qui a pas mal de bon sens.

— Dites-moi pas que vous avez vendu ! s'exclama sa fille.

— Non, mais c'est tout comme. Ils doivent revenir demain signer les papiers. Ils aimeraient me laisser jusqu'à la fin du mois de septembre pour déménager parce qu'ils veulent avoir mon appartement. Par contre, et ça, ça fait mon affaire, ils sont prêts à prendre la biscuiterie en main dès lundi matin.

Reine était assommée par cette nouvelle. Tout allait trop rapidement pour elle. Elle prit une grande inspiration avant de demander à sa mère :

— Et nous autres dans tout ça, m'man ?

— Quoi, vous autres ?

— Vous avez pas pensé, m'man, que je pourrais être intéressée, moi, à vous acheter la biscuiterie ?

Yvonne Talbot, stupéfaite, regarda sa fille cadette.

— Pas une seconde, ma fille. Tu m'as dit pas plus tard qu'il y a un mois que t'en pouvais plus et que Jean voulait que tu t'occupes de ton ménage et de tes enfants. J'ai jamais pensé que ça t'intéressait.

— Bien oui, m'man, ça m'intéresse, s'entêta Reine.

— T'as une idée du prix que valent la maison et le commerce ? lui demanda sa mère.

— Combien ?

— Laniel a accepté de payer trente mille dollars pour la maison et vingt-cinq mille pour la biscuiterie. Si tu sais compter, ça…

— Je sais, m'man, la coupa sa fille. Ça fait cinquante-cinq mille.

— Je pense pas que t'aies autant d'argent que ça, non ?

— Mais vous auriez pu m'avancer…

— Écoute, Reine, fit sa mère sur un ton patient, même si tu es ma fille, je peux pas faire de miracle. Tout d'abord, j'ai besoin d'argent pour acheter la petite maison que Charles et Estelle m'ont trouvée à Saint-Lambert. J'ai un peu d'argent à la banque, mais pas suffisamment. Il faut aussi que j'en aie assez pour vivre. Je dis pas que je me laisserais pas tenter si tu me disais que tu as six ou sept mille piastres à me donner en acompte. Dans ces conditions-là, on aurait peut-être pu s'entendre. Mais là, je parle pour rien. Je pense pas que tu aies autant d'argent que ça.

— Voyons, m'man, il y a sûrement un moyen d'arranger ça, protesta Reine en voyant sa dernière chance d'entrer en possession de la biscuiterie familiale disparaître définitivement. Vous oubliez que la biscuiterie a toujours appartenu aux Talbot. Vous pouvez pas la laisser aller comme ça.

— Tu sais, c'est pas le temps de se laisser attendrir par le passé, fit sa mère, pas du tout impressionnée par l'argument.

— Vous pourriez vendre juste la maison aux Laniel, s'ils y tiennent tant que ça, et me laisser le commerce. Je leur paierais un loyer et tout le monde serait content.

— T'as pas compris, fit sa mère avec une certaine impatience. C'est la biscuiterie qui les intéresse, pas la maison. S'ils achètent la maison, c'est parce que j'ai refusé de leur vendre seulement le commerce.

Reine garda le silence un long moment, abattue par la nouvelle que sa mère venait de lui apprendre. Si Ben Taylor ne lui avait pas volé son argent, elle aurait pu acheter le commerce et la maison de sa mère… En plus de tout le reste, il l'avait privée d'une occasion unique…

— Si je comprends bien, c'est avec eux autres que je dois faire affaire pour continuer à travailler au magasin, dit-elle à sa mère en se levant, dépitée au-delà de toute expression.

— Non, je pense pas que ce soit possible, répliqua Yvonne en la suivant dans le couloir. Ça me surprendrait pas mal qu'ils aient besoin de toi. Leur fille reste avec eux et elle va travailler à la biscuiterie. Si j'ai bien compris madame Laniel, ils ont l'intention de garder Claire une journée ou deux avant de s'en débarrasser.

— Est-ce qu'elle est au courant ?

— Non, tu serais fine de le lui dire.

— Je vais laisser cet ouvrage-là aux Laniel, rétorqua-t-elle avant de déposer machinalement un baiser sur une joue de sa mère et de quitter l'appartement.

Elle rentra chez elle en claquant violemment la porte. Jean sursauta et vint à sa rencontre.

— Cherches-tu absolument à réveiller les enfants ? lui demanda-t-il.

— J'ai jamais vécu une maudite journée comme ça ! explosa-t-elle en se laissant tomber dans l'un des vieux fauteuils du salon.

— Qu'est-ce qu'il y a encore ? demanda-t-il avec impatience.

— Il y a que ma mère a vendu la maison et la biscuiterie sans même nous en parler, dit-elle, incapable de réfréner sa rage plus longtemps.

— Ça aurait changé quoi qu'elle nous en parle ? fit-il, étonné.

— On aurait pu lui faire une offre ! répondit-elle, en oubliant un instant le piteux état de ses finances.

— Avec quel argent ? Ça prend tout pour arriver à payer les comptes, lui rappela-t-il. À moins que t'aies pas mal d'argent caché dans ton compte de banque, je vois pas ce qu'on aurait pu lui offrir.

— J'en ai pas d'argent ! s'écria-t-elle.

— T'en as tout de même pas mal plus que moi, la contredit-il sèchement. Tu travailles depuis des mois au magasin et je t'ai pas vue dépenser une cenne.

— Ah ! Laisse faire, répliqua-t-elle, exaspérée. L'important, c'est que les nouveaux propriétaires viennent rester en dessous de chez nous. Ma mère s'achète une maison à Saint-Lambert, pas loin de chez ma sœur. Nous autres, on va être poignés pour rester dans notre vieil appartement du troisième étage.

— Je t'ai offert au commencement de l'été d'acheter une maison proche de celle de Claude et de Lucie, lui rappela-t-il. Tu m'as répondu que tu voulais pas aller rester à la campagne. On peut toujours essayer d'en trouver une pas trop cher, si t'as changé d'idée.

— On n'a pas plus les moyens là qu'on les avait au mois de juin, déclara-t-elle, tranchante. Bon, je m'en vais prendre un bain.

Elle se leva, passa par sa chambre à coucher pour y prendre ses vêtements de nuit et alla s'enfermer dans la salle de bain. Puis elle se déshabilla et se glissa dans la baignoire quand elle fut à demi remplie d'eau tiède. Elle espérait que les minutes qu'elle se proposait de passer là allaient atténuer toutes les frustrations accumulées durant la journée.

À n'en pas douter, c'était la pire journée de sa vie. Son orgueil et son compte en banque en avaient pris un coup. Elle s'était cru aimée par Ben alors qu'elle ne représentait apparemment à ses yeux qu'une imbécile dont il s'était joué à volonté durant des mois. Elle en grinçait des dents quand elle se rappelait qu'il avait tout obtenu d'elle avec uniquement des belles paroles et des sourires enjôleurs. Il avait dû bien rire quand elle lui avait cédé en échange d'un repas à l'hôtel. Mais le plus drôle avait dû être l'histoire de la maison. Il s'était contenté de s'arrêter devant un chantier pour lui faire croire qu'on construisait là le château sur lequel elle régnerait.

— Maudite niaiseuse! Que je m'haïs donc! chuchota-t-elle pour elle-même. Et tout ça pour partir avec mes six mille piastres, l'écœurant!

Depuis qu'elle pensait à ses économies envolées, elle avait tout de même fini par se donner l'absolution de n'avoir pas exigé une reconnaissance de dette, pour la simple raison que le papier aurait été absolument sans valeur.

Non, il avait bouleversé sa vie et l'avait abandonnée comme si elle n'était qu'un vieux torchon inutile. Le pire était qu'elle ne retrouverait pas sa vie d'antan partagée entre le magasin et les siens. À compter du lendemain soir, elle allait se retrouver prisonnière de son appartement et condamnée à grappiller quelques sous ici et là dans l'argent du ménage pour tenter de refaire son bas de laine.

Elle pleura amèrement sur ses illusions perdues.

— Il y a pas de justice! murmura-t-elle. Il a fallu que je tombe sur ce salaud-là.

À aucun moment elle ne regretta d'avoir été infidèle à son mari. Non, ce qu'elle ne se pardonnerait jamais c'était qu'on avait abusé d'elle. Son égoïsme l'empêchait de voir la situation sous un autre angle.

Elle finit par quitter la baignoire et entreprit de se sécher avec une serviette épaisse. Elle se promit de ne plus jamais se laisser exploiter par quelqu'un. Si une autre occasion se présentait un jour de refaire sa vie ailleurs, elle allait prendre ses précautions cette fois-là.

Chapitre 29

Le prix à payer

Jean sortit de l'église Saint-Stanislas-de-Kostka en compagnie de ses trois enfants. On avait beau n'être que le second dimanche d'octobre, la température frisait le point de congélation. Montréal connaissait un automne précoce. Déjà, les érables bordant la rue Brébeuf avaient perdu pratiquement toutes leurs feuilles, qui jonchaient maintenant les trottoirs et s'accumulaient contre le moindre obstacle.

— Alain, attache ton manteau, ordonna le père de famille à son fils cadet.

Ce dernier s'exécuta sans protester, non sans toutefois jeter un coup d'œil à son frère Gilles pour vérifier si le manteau de ce dernier était bien boutonné.

À la fin de l'été, Jean avait décidé que la famille irait dorénavant à la messe à pied quand le temps le permettrait plutôt que d'utiliser la Plymouth. Depuis que sa femme avait renoncé à fréquenter l'église, c'était plus facile à réaliser. En effet, Reine, qui vivait une période difficile depuis la fin août, s'était isolée plus encore qu'à son habitude. Elle avait ainsi brusquement cessé de pratiquer à la fin du mois d'août sans lui donner plus d'explication.

— Pourquoi tu fais ça? lui avait-il demandé. As-tu pensé à l'exemple que tu donnes aux enfants?

— Ça te regarde pas, s'était-elle contentée de rétorquer, l'air mauvais. Ça me tente plus et je mets plus les pieds là. Un point, c'est tout.

On avait beau parler de Révolution tranquille depuis la dernière élection, Reine avait chassé l'Église de sa vie un peu plus rapidement que le reste de la population québécoise, qui allait mettre quelques décennies à faire de même.

Jean avait fini par se dire que ce n'était qu'une passade et qu'elle finirait bien par revenir à de meilleurs sentiments. Elle ne faisait probablement que profiter du départ de sa mère du quartier et de la maladie de sa belle-mère pour se laisser aller. Si Amélie Bélanger avait encore eu toute sa tête, elle lui aurait passé tout un savon et sa bru aurait su ce qu'elle pensait d'une mère de famille incapable de donner l'exemple à ses enfants.

En passant devant la maison où habitaient ses parents, Jean eut une pensée pour eux. Cet après-midi, tous les Bélanger allaient se retrouver chez Claude pour célébrer le baptême de la petite Sylvie, née au début du mois. Jean s'était proposé pour les emmener à Saint-Léonard-de-Port-Maurice, mais Lorraine avait été plus rapide et ils avaient déjà accepté son offre.

La petite famille tourna au coin de Brébeuf. Pendant que Catherine précédait ses deux frères dans les escaliers intérieurs conduisant à leur appartement, leur père poursuivit sa route jusqu'au coin de De La Roche pour prendre un document dans la Plymouth qu'il y avait stationnée. En passant devant la biscuiterie, il jeta un regard indifférent aux vitrines dont la présentation n'avait guère changé depuis que les Laniel exploitaient le commerce. Au demeurant, Jean ne pouvait se plaindre des nouveaux propriétaires, à peine plus bruyants que sa belle-mère ne l'était.

Yvonne Talbot avait déménagé quatre semaines auparavant. Fidèle à son image, elle avait déclaré à son gendre venu lui offrir, un peu à contrecœur, ses services pour transporter des boîtes :

— Merci, mon garçon, mais ce sera pas nécessaire. J'ai engagé des déménageurs qui vont tout empaqueter et transporter à Saint-Lambert.

Forte de cette information, Reine s'était bien gardée d'aller offrir son aide à sa mère. Rancunière, elle ne lui avait pas pardonné d'avoir vendu la biscuiterie à des étrangers sans lui avoir donné la chance d'en devenir l'unique propriétaire un jour.

— Elle aurait pu emprunter à Charles ou à Lorenzo l'argent qui lui manquait pour acheter sa maudite maison de Saint-Lambert, avait-elle répété plusieurs fois à son mari depuis son départ, avec amertume. Mais non, elle voulait pas me donner la chance d'acheter le magasin. Pourquoi la malchance me tombe toujours dessus ? Veux-tu bien me le dire, toi ? Quand il y a des bonnes affaires, c'est toujours pour Estelle ou pour Lorenzo, jamais pour moi !

Jean en était venu à ne plus écouter ses récriminations. Par ailleurs, quand Yvonne Talbot avait téléphoné pour les inviter à sa pendaison de crémaillère, deux semaines auparavant, sa fille s'était empressée de lui répondre qu'elle souffrait de la grippe et qu'elle ne pourrait assister à la petite fête.

— As-tu dit non parce que ça te tentait pas ou bien parce qu'il aurait fallu acheter un cadeau ? lui avait demandé Jean, narquois.

— Pour les deux.

— Après ça, viens pas te plaindre que ta famille nous invite jamais, lui avait-il fait remarquer encore une fois.

— Ça me fait pas un pli, avait-elle laissé tomber.

— À voir ton air, moi je pense que ça te fait quelque chose, avait répliqué Jean pour clore la discussion.

À son retour à la maison, Jean s'installa dans le salon pendant que sa femme préparait le dîner. Fait un peu inusité, il devait aller interviewer l'entraîneur du club de hockey Canadien le lendemain avant-midi, à propos de la décision de Maurice Richard de prendre sa retraite. Le capitaine du Canadien avait été blessé plus souvent qu'à son tour les deux dernières années, ce qui l'avait considérablement ralenti. La présence de son frère Henri l'avait sans doute amené à continuer une saison de plus, mais à la fin du camp d'entraînement, le 15 septembre, il avait annoncé son retrait de la compétition.

Après le repas, Jean houspilla ses enfants pour qu'ils se préparent rapidement.

— Grouillez-vous, leur ordonna-t-il. Le baptême est à deux heures et demie.

— Ça me tente pas d'aller là, lui dit sa femme en déposant le linge qui lui avait servi à essuyer la nappe plastifiée sur laquelle ils avaient mangé.

— Tu peux pas faire cette insulte-là à mon frère et à sa femme. Eux autres, ils sont venus au baptême de Gilles et d'Alain. En plus, t'as acheté un ensemble pour le bébé.

— Moi, les affaires de famille, dit-elle d'une voix éteinte.

— Envoye ! Secoue-toi un peu, s'impatienta-t-il. Ça fait deux mois que je te vois te traîner comme si t'étais malade. Ça peut pas durer, cette histoire-là. Allez viens, ça va te redonner un peu d'énergie.

Reine sembla réaliser soudainement que son mari était à bout de patience et qu'il était à la veille d'éclater. Elle avait bien assez de problèmes sans en ajouter un autre. Elle se fit violence et disparut dans la chambre pour mettre une robe plus convenable. Elle s'arrêta quelques instants dans la salle de bain pour se maquiller et se peigner. Finalement, elle fut prête en même temps que toute sa famille.

— J'espère qu'on passera pas toute la journée là, dit-elle de mauvaise humeur en boutonnant son manteau.

— C'est juste un baptême, lui dit Jean pour la rassurer. Claude m'a dit que sa femme s'est donné du mal pour préparer une petite réception, ajouta-t-il en lui ouvrant la porte. Inquiète-toi pas, on va être revenus à l'heure du souper.

— Qu'est-ce qu'on fait ? lui demanda-t-elle. Est-ce qu'on s'en va chez eux ou bien on va les attendre à l'église ?

— À l'heure qu'il est, on est aussi bien d'aller directement à l'église. À part ça, c'est bien beau Saint-Léonard, mais chaque fois que je vais là, je me perds dans toutes ces petites rues. Là, après le baptême, on aura juste à suivre Claude et Marcel.

Le trajet ne prit que quelques minutes en ce froid dimanche d'octobre. Le ciel était totalement dégagé, mais le soleil ne réchauffait guère. Les Bélanger stationnèrent leur voiture dans la rue Jarry, à proximité de la vieille église en pierre de Saint-Léonard-de-Port-Maurice. Ils s'apprêtaient à pénétrer dans le temple quand ils virent quatre voitures arriver et s'immobiliser près de la leur.

— Tiens, v'là la mère modèle qui arrive, laissa tomber Reine à mi-voix.

— Pourquoi tu dis ça ? lui demanda Jean en faisant signe à ses enfants d'entrer dans l'église.

— T'as juste à l'écouter parler, rétorqua sa femme. À l'entendre, elle est la première femme à avoir eu un enfant. Et cet enfant-là, ça va être une merveille. Je suppose qu'il salira pas ses couches comme tous les enfants.

— Arrête donc de chialer, lui ordonna Jean, agacé. On dirait que t'as déjà oublié comment tu étais, toi, quand t'as accouché de Catherine.

— J'étais pas comme sainte Lucie, certain, fit-elle en retenant la porte pour pénétrer dans les lieux à la suite de ses enfants.

Jean la suivit et attendit l'arrivée des autres invités au baptême, debout à l'arrière. Les premiers à entrer furent son père et sa mère. Il leur sourit. Il eut un pincement au cœur en s'apercevant que sa mère le regardait avec un air perdu, comme si elle se demandait ce qu'elle faisait là. Les parents de Lucie, parrain et marraine de la petite Sylvie, entrèrent à leur tour, suivis de près par Claude et sa femme portant le bébé. Le frère aîné de Lucie et sa femme précédaient de peu Lorraine, Marcel et leur fille.

Il y eut des échanges de sourires et des salutations chuchotées. Tous demeurèrent debout à l'arrière, attendant la venue du prêtre qui allait officier. Les manteaux furent enlevés et déposés sur un banc et la future baptisée, vêtue de ses plus beaux atours, fut confiée à Catherine.

Il avait été convenu que l'adolescente serait la porteuse lors de la cérémonie. Pour ne pas créer de jalousie entre les cousines, Lucie avait promis à Murielle qu'elle serait porteuse du prochain bébé qu'elle aurait.

Enfin, le curé Delorme apparut dans le chœur, vêtu d'une aube et d'une étole. Il traversa l'église et s'arrêta près des fonts baptismaux. Il prit la peine de saluer les personnes présentes avant d'inviter la porteuse, le parrain et la marraine à s'avancer. La cérémonie ne dura que quelques minutes.

Après la signature des registres paroissiaux, chacun endossa son manteau et Lucie reprit son bébé qui venait de s'endormir paisiblement dans les bras de Catherine.

— On vous attend tous à la maison, dit Claude aux personnes présentes.

Quelques minutes plus tard, toutes les voitures vinrent s'immobiliser dans la rue Girardin, devant la maison des heureux parents. Les hôtes avaient tout préparé avant leur départ pour l'église. La table était déjà dressée et ils avaient pris la peine de disposer des chaises autant dans le salon que dans la cuisine.

Dès leur entrée dans la maison, les invités furent délestés de leur manteau et dirigés vers le salon. Le bébé, toujours endormi, fut déposé dans son lit. Les invités choisirent ce moment pour remettre des boîtes soigneusement enrubannées renfermant un cadeau destiné à la fille des heureux parents. Lucie s'empressa d'ouvrir chaque cadeau en s'émerveillant de son contenu. Il y eut alors, comme il se devait, des échanges de « Voyons donc, c'était pas nécessaire ! » et des « Ça nous fait plaisir ! »

Les adultes préférèrent demeurer dans le salon pendant que l'hôtesse entraînait ses neveux et nièces dans la cuisine pour leur servir des verres de boisson gazeuse et des chips. Son mari disparut quelques instants avant de revenir au salon avec de la bière et du vin pour chacun des invités.

— Ça, c'est pour vous ouvrir un peu l'appétit, prévint-il en passant de l'un à l'autre. Je vous avertis tout de suite. Lucie a préparé une tonne de sandwichs et de petits gâteaux et vous êtes mieux d'en manger parce que j'ai pas l'intention d'avoir ça dans mes lunchs pendant des semaines.

— Inquiète-toi pas avec ça, lui dit le frère de sa femme, un gros homme bien en chair. Nous autres, les Paquette, on est du monde ben de service. On te laissera pas avec tout ça sur les bras. Pas vrai, p'pa ?

— On va faire notre gros possible, confirma le père de Lucie, un petit homme souriant, complètement chauve et bien en chair.

Les femmes s'étaient regroupées à une extrémité de la pièce. À voir de quelle façon madame Paquette s'adressait à sa mère, Jean comprit que sa belle-sœur avait prévenu sa famille de sa maladie.

Durant un bon moment, il accorda toute son attention à sa mère. À son comportement, il constatait qu'elle n'était pas dans l'un de ses bons jours. Elle répondait par monosyllabes quand on s'adressait à elle et semblait chercher continuellement son mari des yeux.

Il n'en revenait pas de constater à quel point la maladie progressait rapidement. Même si son père ne se plaignait jamais d'être sur le qui-vive jour et nuit pour la surveiller, il se rendait bien compte de la lourdeur de la tâche qu'il s'était mise sur les épaules, même si chacun de ses enfants tentait, selon ses disponibilités, de lui accorder quelques moments de répit chaque semaine. De plus, la nouvelle agressivité soudaine de sa mère, qu'il avait toujours connue si douce, le déstabilisait. Bien sûr, elle reconnaissait encore tous les siens, même si elle hésitait parfois à le faire, mais elle cherchait de plus en plus ses mots et paraissait s'enfoncer progressivement dans un monde auquel personne n'avait accès.

Aucun des enfants de Félicien n'osait le dire ouvertement, mais le temps n'était peut-être pas bien loin où il faudrait envisager de trouver à la malade un endroit où des gens plus qualifiés pourraient prendre soin d'elle.

— Je t'ai vu à la télévision, il y a pas longtemps, dit Jérôme Paquette au journaliste.

Jean mit une seconde ou deux à réaliser que c'était à lui que s'adressait le père de Lucie.

— T'interviewais quelqu'un à propos de l'élection d'Yves Prévost comme chef de l'Union nationale, si je me souviens bien.

— Oh, seulement comme chef intérimaire, monsieur Paquette, tint-il à préciser.

— J'espère juste qu'il restera pas chef du parti, intervint Félicien, toujours prêt à donner son opinion à titre de partisan de l'Union nationale. J'ai jamais aimé Barrette, mais j'aime encore moins Prévost.

— Vous êtes pas le seul, p'pa, dit Jean. Je pense qu'on a nommé Prévost parce qu'on savait que le gouvernement se préparait à demander au juge Salvas d'enquêter sur l'administration de l'Union nationale. Il y en a qui ont pensé que c'était le meilleur homme pour faire face à la musique avant que le parti se choisisse un vrai chef.

— Regarde ben ce qui va arriver, prédit Félicien en affichant un air dégoûté. Avec cette maudite enquête-là, ils vont en profiter pour salir Maurice Duplessis. Ça va être facile, le bonhomme est plus là pour se défendre.

Durant plusieurs minutes, on parla abondamment de politique provinciale et, évidemment, la conversation dériva vers les élections municipales qui devaient se tenir la semaine suivante à Montréal.

— J'ai ben l'impression que pour Sarto Fournier, son chien est mort, avança Claude en servant une seconde tournée à ses invités.

— Je pense la même chose que toi, fit son frère. On n'est plus en 1957 où il est entré comme une balle à la mairie grâce aux organisateurs de l'Union nationale.

Soudain, les hommes se rendirent compte que les femmes les avaient laissés seuls dans le salon pour aller aider l'hôtesse dans les derniers préparatifs du goûter. Peu après, la fille de Lorraine vint d'ailleurs les inviter à venir se servir.

Jean eut la surprise de voir sa mère en train de rire d'une plaisanterie de son fils Gilles. Il avait l'impression de ne pas l'avoir entendue rire depuis des mois. Un peu à l'écart, il vit Reine écouter Lorraine en train de raconter à la mère de Lucie l'une de ses mésaventures survenues chez Dominion la semaine précédente. Comme d'habitude dans ces situations, sa femme avait l'air de s'ennuyer prodigieusement.

— Attendez pas, ordonna Lucie à ses invités. Servez-vous.

L'épouse du frère de Lucie s'employa à voir à ce que les enfants prennent place, comme les adultes, dans la file.

— Mes petits snoreaux, vous autres, vous vous bourrerez pas juste avec des chips, leur dit-elle en riant. Il y a plein de bonnes affaires sur la table, allez vous servir.

Les invités, armés d'une assiette en carton et d'ustensiles en plastique, firent la queue et se servirent abondamment de marinades, de salades de chou et de pâtes ainsi que de sandwichs aux œufs, au jambon et au poulet.

— Qu'est-ce qu'on fait quand on n'a plus de place dans notre assiette ? demanda le frère de Lucie pour plaisanter.

— On va manger ce qu'il y a dedans, mon gros, répondit sa mère, et on essaye d'en laisser aux autres.

— Non, il faut que tu reviennes te servir, intervint Claude en riant. À part ça, oubliez pas tout le monde qu'il y a du dessert et du café chaud qui vous attendent.

— Mais c'est un vrai repas que vous avez préparé, dit Marcel à son beau-frère Claude.

— C'est normal, on fait pas baptiser tous les ans. Pendant que j'y pense, quand est-ce qu'on va aller au baptême de ton prochain ? plaisanta le cadet des Bélanger.

— Tu risques pas d'engraisser demain si t'attends un repas de baptême chez nous, répondit le plâtrier. On a décidé de s'arrêter à un. On est rendus trop vieux.

— Et toi, Jean ? Ton dernier va avoir neuf ans.

— Nous autres aussi, c'est fini, s'empressa d'intervenir Reine qui venait d'apparaître aux côtés de son mari. On en a trois, il me semble qu'on a fait notre part.

— Et toi, Pierre, qu'est-ce que t'attends ? demanda Claude au frère de sa femme.

— Aïe! Mets pas d'idée dans la tête de ma femme, toi, se récria en plaisantant le gros homme. On en a cinq. C'est rendu qu'on n'a même plus assez de place dans le char pour les amener quelque part. Il faut demander à notre plus vieille de garder chaque fois qu'on a à sortir.

— En tout cas, tu vas leur apporter des sandwichs et du gâteau, déclara Lucie sur un ton sans appel. Moi, j'aurais bien aimé que tu les amènes cet après-midi.

Quand tout le monde fut rassasié, les hommes se retirèrent dans le salon pendant que les femmes rangeaient la nourriture dans la cuisine.

— Je peux vous gager n'importe quoi qu'ils parlent de politique ou de hockey, dit Lorraine aux autres femmes en riant. À part ces deux sujets-là, ils savent pas de quoi parler.

— Je vais aller espionner, m'man, offrit Murielle, qui se dirigea vers le salon sans attendre la permission maternelle.

L'adolescente revint un instant plus tard.

— Puis? lui demanda sa mère.

— Vous vous êtes pas trompée, m'man, confirma Murielle. Ils parlent du Canadien, de Toe Blake, de Jean Béliveau et de Boum Boum Geoffrion.

— Mon mari a jamais aimé le hockey, révéla la mère de Lucie.

— Vous connaissez pas votre chance, vous, lui fit remarquer Lorraine. Pas vrai, m'man?

Amélie, armée d'un linge à vaisselle, était occupée à essuyer des coupes. Elle se borna à hocher la tête.

Vers cinq heures, Reine fit comprendre discrètement à son mari qu'elle désirait partir. Jean se leva, alla chercher ses enfants réfugiés dans la cuisine avec leur cousine et les invita à venir remercier et saluer leur oncle et leur tante.

Les préparatifs de départ de la petite famille Bélanger incitèrent les autres invités à réaliser qu'il commençait à se faire tard et que le moment de partir était venu. Il y eut des échanges de salutations et des promesses de se revoir bientôt.

Toute la famille monta dans la Plymouth au moment où le soleil déclinait déjà à l'ouest. La voiture prit la direction du boulevard Lacordaire et tourna dans la rue Jarry.

— Je pense qu'avec tout ce qu'on a mangé, t'auras pas besoin de nous faire à souper, déclara Jean à sa femme.

Reine ne dit rien, se contentant de regarder par le pare-brise le paysage qui défilait devant elle.

— Je me demande comment ils font pour vivre dans un coin pareil, finit-elle par dire après un long silence.

— C'est pas si pire que ça, fit Jean.

— Il y a rien autour. Moi, je mourrais d'ennui si j'étais poignée pour vivre dans une place comme celle-là.

Ce fut au tour de Jean de ne rien trouver à dire. Le reste du trajet se fit dans un silence qui ne fut troublé que lorsque Alain se plaignit, encore une fois, d'être obligé de voyager assis au centre de la banquette plutôt que près d'une fenêtre.

Dès leur arrivée à la maison, Reine alluma la radio, qui diffusait *Hound Dog* d'Elvis Presley. Elle s'empara du roman-photos dont elle avait commencé la lecture deux jours auparavant et s'assit au bout de la table. Depuis la mi-septembre, elle s'était découvert une passion pour les grandes sagas romantiques, au plus grand étonnement de Jean qui ne l'avait jamais vue lire auparavant. Il lui avait alors fait remarquer que la bibliothèque offrait de bien meilleurs romans que ce qu'elle lisait.

— On n'a pas tous fait le cours classique, tu sauras, avait-elle répliqué d'une voix acerbe. J'haïs ça, des livres qui ont pas d'images.

Jean avait retiré son veston et sa cravate avant d'aller s'installer confortablement dans le salon et de replonger dans le livre qu'il avait emprunté à la bibliothèque la veille : *Les Insolences du Frère Untel*, un ouvrage qui connaissait un vif succès et qui ne demandait pas plus un cours classique pour l'apprécier. Pendant ce temps, les enfants s'étaient assis devant le téléviseur et écoutaient les émissions de Radio-Canada.

À huit heures, Reine ordonna à ses deux fils de se mettre au lit après leur avoir permis de manger quelques biscuits à titre de collation, alors que Jean prenait place devant le téléviseur, bien décidé à regarder *Un simple soldat*, une pièce de Marcel Dubé que Radio-Canada avait déjà présentée quelque temps auparavant.

Une heure plus tard, Catherine vint embrasser son père et sa mère avant d'aller se coucher. Reine venait de rejoindre son mari dans le salon en croyant qu'il regardait un film. Après quelques minutes occupées à chercher à comprendre l'intrigue de la pièce commencée depuis une heure, elle renonça.

— Je vais aller prendre un bain et me coucher, annonça-t-elle en quittant son fauteuil.

Jean hocha la tête pour lui signifier qu'il l'avait entendue et resta concentré sur la pièce de théâtre.

Il éteignit le téléviseur un peu après onze heures. Tout était maintenant silencieux dans la maison. Pendant qu'il enfilait son pyjama dans l'obscurité de la chambre à coucher, il eut une pensée pour les Laniel. Il ne les avait pas entendus de la soirée, c'était vraiment des gens tranquilles. Quand il se glissa dans le lit, Reine bougea et lui tourna le dos en marmonnant quelque chose. Une fois étendu à ses côtés, il se demanda pendant un court moment à quoi elle pouvait bien rêver. Il finit par s'endormir en s'imaginant en train de passer une journée avec Blanche Comtois...

Reine ouvrit les yeux. Il faisait noir et froid dans la chambre. Elle jeta un coup d'œil vers le réveille-matin : cinq heures trente-cinq… Qu'est-ce qui l'avait réveillée ? Elle n'en savait rien. Tout était silencieux. À une heure aussi matinale, il n'y avait pratiquement pas de circulation dans la rue Mont-Royal sur laquelle donnait la fenêtre de la pièce. Elle allait se tourner sur le côté gauche quand un haut-le-cœur soudain l'obligea à s'asseoir brusquement dans le lit. Elle mit la main devant sa bouche et repoussa précipitamment les couvertures. Jean grogna et tira ces dernières sur son épaule découverte.

Elle se leva, glissa rapidement ses pieds dans ses pantoufles et sortit de la chambre sans faire de bruit. Elle se précipita vers la salle de bain dont elle referma la porte derrière elle. Pliée en deux au-dessus de la cuvette, elle rendit le contenu de son estomac. Quand les spasmes se calmèrent, elle rinça sa bouche amère et se regarda dans le miroir fixé au-dessus du lavabo. Elle vit une jeune femme aux traits tirés et aux cheveux noirs emmêlés qui la regardait de ses grands yeux gris un peu cernés.

— Veux-tu bien me dire ce que j'ai pu manger hier que j'ai pas digéré ? murmura-t-elle pour elle-même.

Elle s'efforça de réfléchir à ce qu'elle avait avalé chez Claude et Lucie.

— Mais j'ai presque rien mangé. À peine un petit sandwich aux œufs et un morceau de gâteau, poursuivit-elle d'une voix hésitante. Et si c'était à cause de ça, j'aurais été malade bien avant ce matin…

Les mains crispées sur le bord du lavabo, elle chercha dans sa mémoire ce qu'elle avait pu absorber d'indigeste en soirée et elle ne trouva rien… Rien !

— Ah non ! Pas ça ! s'exclama-t-elle d'une voix étouffée. C'est pas vrai !

Elle réalisa soudain que les légers malaises qu'elle avait ressentis ces derniers jours ajoutés à cette nausée matinale ne pouvaient avoir qu'une signification : elle était enceinte ! Elle qui affirmait pas plus tard qu'hier encore à son beau-frère qu'il n'était plus question d'agrandir la famille…

Puis, elle s'interrogea. Elle savait que son mari et elle prenaient tous les moyens depuis huit ans pour éviter qu'elle ne retombe en famille, sans parler que les rapprochements avaient été bien peu nombreux depuis quelques mois.

À cette pensée, elle fut prise de panique. Une bouffée de chaleur aussi soudaine que brusque la fit transpirer instantanément.

Elle était donc enceinte de Benjamin Taylor…

Il n'y avait aucune autre explication.

Elle se revit au motel en train de faire l'amour avec son amant…

Elle en aurait pleuré si elle n'avait pas été si en colère.

— Mais qu'est-ce que je vais faire de cet enfant-là ? murmura-t-elle. Je vais pas recommencer l'enfer que j'ai déjà vécu.

Elle n'était plus la jeune fille de vingt ans acculée au mur par une grossesse non désirée. Non, elle était une femme mariée, une femme mûre, qui n'avait plus à se soucier de la colère de ses parents et des qu'en-dira-t-on. Elle devait aujourd'hui se sortir seule de cette impasse, qui n'était pas sans lui rappeler la situation qui avait imposé un mariage rapide avec Jean Bélanger treize ans auparavant.

Elle prit une serviette, la mouilla et la passa sur son visage. Elle s'assit ensuite sur la cuvette et se prit la tête entre les mains pour mieux réfléchir.

Si elle avait eu les moyens financiers et les contacts nécessaires, elle n'aurait pas hésité une seconde à se faire avorter, malgré tous les risques que cette solution comportait. Mais elle ne possédait ni les uns ni les autres. Alors, il ne s'offrait aucun choix à elle. Elle allait devoir garder cet enfant-là, à moins qu'un accident ne survienne, comme lors de sa première grossesse.

Une minute plus tard, Reine se ressaisit. Sa décision était prise. Elle garderait cet enfant si sa grossesse se rendait à terme, elle ne ferait rien pour provoquer un accident. Elle avait déjà créé assez de tort, elle ne voulait pas en rajouter. Pour une fois, elle se rendait compte de la chance qu'elle avait d'avoir un mari au grand cœur. Jean était compréhensif et prenait ses responsabilités de père et de mari. Jamais, lui, il ne lui aurait fait subir ce que Ben venait de lui faire.

Mais comment allait-elle expliquer tout ça à Jean? Et comment réagiraient les enfants? Et les familles Talbot et Bélanger?

Jean était tellement naïf qu'il serait facile de lui faire croire qu'il en était le père. Il serait même peut-être heureux de la nouvelle. De toute façon, il ne faisait nul doute dans son esprit qu'elle aurait besoin de tout son soutien encore une fois pour passer à travers cette épreuve qui se dessinait.

À ce moment, Jean, qui avait été réveillé par le bruit des pas de sa femme quittant la chambre, cogna à la porte de la salle de bain:

— Est-ce que ça va, Reine? T'es debout ben de bonne heure à matin, lui dit-il au travers de la porte.

— Oui, oui, ça va, ne t'inquiète pas. J'ai fait un cauchemar et j'étais plus capable de me rendormir, lui dit-elle avec une voix pleine de tendresse, en même temps qu'elle séchait ses larmes.

— Bon, ben moi, si ça te fait rien, je vais retourner me coucher un peu, j'ai une grosse journée qui m'attend aujourd'hui.

— Vas-y. Moi je m'arrange les cheveux et je vais préparer le déjeuner pour toute la famille.

FIN DE LA SAGA

février 2009
Sainte-Brigitte-des-Saults

Postface

Chers lecteurs,

Cette œuvre est la dernière des sagas historiques de Michel David. Mon mari adorait écrire. Il aimait raconter le Québec d'autrefois, autant à travers l'univers pittoresque d'un petit village de campagne que dans le cadre d'intrigues qu'il situait à Montréal.

Tous les matins, dès six heures et demie, il s'installait à son bureau et commençait à écrire. Il ne connaissait pas le syndrome de la page blanche. Il a écrit de nombreux livres dont certains n'ont jamais été publiés. Il lui arrivait même de se lever en pleine nuit pour prendre en note des détails qu'il incorporerait le matin venu à son roman en cours d'écriture !

Mon mari aimait créer des personnages hauts en couleur... Qui ne se souvient pas de Maurice Dionne, dans *La Poussière du temps*, ou de Laurent Boisvert, le mari détestable d'*Un bonheur si fragile* ? Sans parler des curés qui, dans ses sagas, en mènent toujours large et ne sont jamais faciles à vivre !

Ensemble, nous faisions souvent des promenades dans le village où nous avons déménagé à sa retraite de l'enseignement. Nous en profitions pour discuter des personnages et des intrigues de ses romans.

Michel était un homme réservé qui n'aimait pas telle-ment les rencontres sociales. Mais quand il a commencé à donner des conférences sur ses romans aux quatre coins du Québec, tout a changé. Il adorait rencontrer ses lecteurs et échanger avec eux, dans les bibliothèques, les librairies ou encore à l'occasion des salons du livre. Ces contacts avec son public lui insufflaient de l'énergie et gardaient bien vivant son désir d'écrire.

Partout où je vais, je rencontre encore beaucoup de lecteurs qui me parlent des livres de Michel, qui me disent tout le plaisir que leur a procuré et leur procure encore la lecture de ses romans historiques. Michel est disparu, mais grâce à vous, lecteurs, ses livres resteront à jamais dans notre mémoire. Merci à vous tous de votre fidélité.

Louise David
février 2014

Table des matières

TOME 1
Un mariage de raison

TOME 2

La biscuiterie